STEVE JOBS

www.editions-jclattes.fr

Walter Isaacson

STEVE JOBS

Traduit de l'anglais par
Dominique Defert et Carole Delporte

JC Lattès

Titre de l'édition originale
STEVE JOBS : A BIOGRAPHY
publiée par Simon & Schuster, Inc.

Crédits photographiques :

Maquette de couverture : Bleu T
Photo de couverture : Albert Watson

ISBN : 978-2-7096-3832-6

« Seuls ceux qui sont assez fous pour penser qu'ils peuvent changer le monde y parviennent. »

Publicité Apple « *Think Different* », 1997

Sommaire

LES PERSONNAGES

Al ALCORN : ingénieur en chef chez Atari, celui qui a conçu Pong et embauché Jobs.

Gil AMELIO : P-DG d'Apple en 1996, qui a racheté NeXT et fait revenir Jobs.

Bill ATKINSON : l'un des premiers employés d'Apple qui a développé l'interface graphique pour le Macintosh.

Chrisann BRENNAN : la petite amie de Jobs au lycée Homestead High, mère de sa fille Lisa.

Lisa BRENNAN-JOBS : fille de Jobs et de Chrisann Brennan, née en 1978, abandonnée par Jobs durant les premières années de sa vie.

Nolan BUSHNELL : fondateur d'Atari, un patron modèle pour Jobs.

Bill CAMPBELL : le directeur du marketing d'Apple durant le premier séjour de Job dans la société, membre du conseil d'administration et confident de Jobs après son retour en 1997.

Edwin CATMULL : cofondateur de Pixar, puis l'un des membres du comité directeur de Disney.

Kobun CHINO : un maître de bouddhisme zen Sôtô en Californie, qui devint le guide spirituel de Jobs.

Lee CLOW : le publicitaire de génie qui a créé la campagne « 1984 » d'Apple et travaillé avec Jobs pendant trente ans.

Deborah COLEMAN (« Debi ») : l'une des premières gestionnaires de l'équipe Mac qui a eu la charge ensuite du département fabrication.

Tim COOK : directeur général engagé par Jobs en 1998 ; un collaborateur calme et solide.

Eddy CUE : directeur des services Internet chez Apple, le bras droit de Jobs pour négocier avec les fournisseurs de contenus multimédias.

Andrea CUNNINGHAM (« Andy ») : conseillère en communication chez Regis McKenna qui s'est occupée de Jobs durant les premières années Macintosh.

Michael EISNER : P-DG impitoyable de Disney qui a permis le rachat de Pixar puis s'est fâché avec Jobs.

Larry ELLISON : P-DG de Oracle (société spécialisée dans les systèmes de gestion de base de données) et ami de Jobs.

Tony FADELL : ingénieur embauché par Apple en 2001 pour développer l'iPod.

Scott FORSTALL : directeur développement des systèmes d'exploitation iOS d'Apple.

Robert FRIEDLAND : étudiant au College Reed, propriétaire d'une plantation de pommes communautaire ; personnage versant dans la spiritualité orientale qui a influencé Jobs et qui a fini par diriger une compagnie minière.

Jean-Louis GASSÉE : directeur général d'Apple France ; il a dirigé le département Macintosh quand Jobs a été mis à la porte en 1985. Il quitte Apple en 1990 pour lancer sa société Be.

Bill GATES : l'autre génie de l'informatique, né en 1955.

Andy HERTZFELD : programmeur sympathique et jovial, ami de Jobs, membre de la première équipe de concepteurs du Mac.

Joanna HOFFMAN : membre de la première équipe Mac – l'une des rares personnes à tenir tête à Jobs.

Elizabeth HOLMES : la fiancée de Daniel Kottke au College Reed et l'une des premières employées d'Apple.

Rod HOLT : ingénieur électronicien. Marxiste et grand fumeur, embauché par Jobs en 1976 pour concevoir l'alimentation secteur de l'Apple II.

Robert IGER : P-DG de Disney, successeur de Eisner.

Jonathan IVE (« Jony ») : directeur du design chez Apple, partenaire et confident de Jobs.

Abdulfattah JANDALI (« John ») : ancien étudiant d'origine syrienne, diplômé de l'université du Wisconsin. Père biologique de Jobs et Mona Simpson ; deviendra le directeur du département bar et restauration du casino de Boomtown, dans les environs de Reno.

Clara HAGOPIAN JOBS : fille d'immigrants arméniens, mariée à Paul Jobs en 1946 ; le couple adopta Steve Jobs peu après sa naissance en 1955.

Erin JOBS : fille cadette de Steve Jobs et Laurene Powell, d'un caractère calme et sérieux.

Eve JOBS : benjamine de Steve Jobs et Laurene Powell ; enfant énergique et espiègle.

Patty JOBS : enfant adoptée par Paul et Clara Jobs deux ans après l'adoption de Steve.

Paul Reinhold JOBS : garde-côte originaire du Wisconsin qui, avec sa femme Clara, a adopté Steve en 1955.

Reed JOBS : fils aîné de Steve Jobs et de Laurene Powell, ayant hérité du charisme de son père et de la gentillesse de sa mère.

Ron JOHNSON : embauché par Jobs en 2000 pour développer les Apple Store.

Jeffrey KATZENBERG : directeur des studios Disney, s'est fâché avec Eisner et a démissionné en 1994 pour participer à la création de DreamWorks SKG.

Daniel KOTTKE : le meilleur ami de Jobs au College Reed ; il accompagna Jobs dans son pèlerinage en Inde, et fut un employé d'Apple de la première heure.

John LASSETER : cofondateur de Pixar et réalisateur de génie.

Dan'l LEWIN : directeur marketing avec Jobs à Apple, puis à NeXT.

Mike MARKKULA : le premier grand investisseur d'Apple et président du conseil d'administration. Figure paternelle pour Jobs.

Regis MCKENNA : génie de la communication qui a été le guide de Jobs au début d'Apple et qui est resté l'un de ses mentors.

Mike MURRAY : premier directeur marketing de l'équipe Macintosh.

Paul OTELLINI : P-DG d'Intel qui a permis le passage des Macintosh aux microprocesseurs Intel, mais qui n'a pas eu le contrat pour les iPhone.

Laurene POWELL : étudiante brillante et pétillante, diplômée de l'université de Pennsylvanie. Travaille chez Goldman Sachs, puis suit les cours de la Stanford Business School. Mariée à Jobs en 1997.

Arthur ROCK : investisseur légendaire du secteur technologie, l'un des premiers membres du conseil d'administration d'Apple, autre figure paternelle pour Jobs.

Jonathan RUBINSTEIN (« Ruby ») : travaille avec Jobs chez NeXT, devient, chez Apple, directeur du département matériel en 1997.

Mike SCOTT : appelé par Markkula pour prendre la direction d'Apple en 1977. A tenté de « gérer » Jobs.

John SCULLEY : directeur chez Pepsi, recruté par Jobs en 1983 pour être le P-DG d'Apple. Il s'est fâché avec Jobs et l'a limogé en 1985.

Joanne SCHIEBLE JANDALI SIMPSON : mère biologique de Steve Jobs, née dans le Wisconsin, et qui a confié le bébé à l'adoption. Elle a élevé son autre enfant Mona Simpson.

Mona SIMPSON : sœur biologique de Jobs ; ils ont découvert leur lien de parenté en 1986 et sont devenus très proches. Elle a écrit des romans, ayant pour inspiration sa mère Joanne (*N'importe où sauf ici*), Jobs et sa fille Lisa (*A Regular Guy*), et son père Abdulfattah Jandali (*L'Ombre du père*).

Alvy RAY SMITH : cofondateur de Pixar qui s'est brouillé avec Jobs.

Burrell SMITH : programmateur génial et torturé de la première équipe Mac, devenu schizophrène dans les années 1990.

Avadis TEVANIAN (« Avie ») : travaille avec Jobs et Rubinstein chez NeXT ; devient, chez Apple, responsable du département logiciel en 1997.

James VINCENT : un Britannique fou de musique, jeune associé de Lee Clow et Duncan Milner à l'agence TBWA\Chiat\Day.

Ron WAYNE : rencontre Jobs chez Atari, devient le premier associé, avec Jobs et Wozniak, de la toute jeune société Apple. Commet l'erreur de vendre ses parts.

Stephen WOZNIAK : le magicien de l'électronique au lycée Homestead High ; c'est Jobs qui imagine comment habiller et vendre ses circuits électroniques révolutionnaires.

LA GENÈSE DE CE LIVRE

Tout a commencé au début de l'été 2004, par un appel téléphonique de Steve Jobs. Il m'avait toujours, de loin en loin, témoigné une certaine amitié, avec des rapprochements soudains quand il lançait un nouveau produit et qu'il voulait la couverture médiatique du *Time* ou de CNN – puisqu'à l'époque je travaillais pour ces deux sociétés. Mais en 2004 ce n'était plus le cas et cela faisait bien longtemps que je n'avais pas eu de nouvelles de Steve Jobs. On a évoqué un peu l'Institut Aspen que j'avais rejoint dernièrement, et je lui ai proposé de venir donner une conférence lors de notre université d'été dans le Colorado. Il m'a répondu qu'il serait ravi de venir, mais qu'il ne monterait pas sur scène. Il voulait, en réalité, se promener avec moi et me parler.

Cela m'a paru quelque peu curieux. J'ignorais à l'époque que c'était son *modus operandi* quand il avait une affaire délicate à régler. J'appris donc, au cours de cette marche, qu'il souhaitait que j'écrive une biographie sur lui. J'avais récemment publié celle de Benjamin Franklin et travaillais sur celle d'Albert Einstein ; je me suis demandé, avec amusement, si Steve Jobs avait la fatuité de se placer dans la suite logique des deux précédents. Jugeant qu'il était au milieu de sa carrière et que la vie lui réservait encore bien des rebondissements, j'ai décliné l'offre. Dans dix ou vingt ans peut-être, lui ai-je répliqué, quand vous aurez pris votre retraite…

J'avais rencontré Steve Jobs la première fois en 1984, lorsqu'il était venu au siège de *Time-Life* à Manhattan pour déjeuner avec l'équipe de rédaction et faire l'article pour son nouveau Macintosh. Il était déjà vif à l'époque, et avait fustigé un correspondant du *Time* qui avait eu le malheur d'écrire sur lui un article un peu trop « indiscret ». Mais en conversant avec lui après la réunion, j'ai été, comme tant d'autres personnes avant moi, fasciné par le personnage, par sa passion et son intensité. On est restés en contact, même après son éviction d'Apple. Quand il avait quelque chose à présenter, par exemple l'ordinateur de NeXT ou un film Pixar, son œil irrésistible se braquait sur moi ; il m'emmenait alors manger des sushis dans un restaurant de Manhattan pour me dire qu'il venait de réaliser le chef-d'œuvre de sa vie. J'aimais bien l'homme.

Quand il eut retrouvé son trône à Apple, on lui a consacré la une du *Time*. Peu après, sachant que nous préparions une série sur les grandes figures du siècle, il m'avait suggéré quelques idées. Il avait lancé sa campagne « Think Different » où il présentait sa propre collection d'icônes et, dans certains cas, nos choix se recoupaient. Il était fasciné par ces gens qui avaient laissé leur marque dans l'histoire de l'humanité…

Après que j'ai refusé sa proposition d'écrire sa biographie, il m'a appelé de temps en temps. Un jour, je lui ai envoyé un e-mail pour lui demander si c'était vrai, comme le prétendait ma fille, que le logo d'Apple était un hommage au mathématicien Alan Turing qui, après avoir percé les codes de la machine Enigma et été le pionnier de l'informatique moderne, s'était suicidé en croquant une pomme trempée dans du cyanure. Jobs m'a rétorqué qu'il aurait bien aimé avoir eu cette idée, mais que ce n'était pas là l'origine du logo. Ce fut alors le point de départ d'une discussion sur les débuts d'Apple ; et malgré moi, j'ai commencé à me documenter sur le sujet au cas où, un jour, je déciderais d'écrire cette biographie. Quand mon travail sur Einstein est sorti, Jobs est venu me trouver à une séance de dédicace que je donnais à Palto Alto et m'a entraîné à l'écart pour me convaincre encore une fois d'écrire ce livre.

Son insistance me surprenait. Il protégeait d'ordinaire farouchement sa vie privée et n'avait sans doute jamais lu l'un de mes ouvrages. Un jour peut-être, ai-je répondu. Mais en 2009, sa femme Laurene m'a appelé : « Si vous voulez faire ce livre, c'est maintenant. » Jobs venait à nouveau de s'absenter d'Apple pour raison médicale. Lorsqu'il m'avait proposé pour la première fois de faire sa biographie, j'ignorais qu'il était malade. Quasiment personne ne le savait. Son mari m'avait appelé juste avant de se faire opérer d'un cancer, m'a-t-elle expliqué, et cela demeurait, aujourd'hui encore, un secret.

J'ai décidé alors d'écrire cet ouvrage. À ma grande surprise, Steve Jobs était d'accord pour n'exercer aucun contrôle sur le texte. Il n'exigea même pas d'avoir les épreuves avant sa sortie. « C'est votre livre. Je ne le lirai pas. » Mais plus tard, à l'automne, n'ayant plus aucune nouvelle de lui, j'ai cru qu'il avait abandonné ce projet. J'ignorais alors qu'il avait fait une rechute. Voyant qu'il ne répondait plus à mes appels, j'avais mis le livre de côté.

Puis, il m'a téléphoné en fin d'après-midi, le 31 décembre 2009. Il était chez lui, à Palo Alto, avec sa sœur, l'écrivaine Mona Simpson. Sa femme et ses trois enfants étaient partis en vacances à la montagne, mais Jobs était trop faible pour les rejoindre. Il était d'humeur nostalgique, et m'a parlé pendant une heure. Il m'a raconté comment, à l'âge de douze ans, il avait construit un fréquencemètre, et comment, tout jeune, il avait trouvé Bill Hewlett dans l'annuaire et l'avait appelé pour le convaincre de lui donner des composants électroniques. Cette dernière décennie après son retour chez Apple avait été la période la plus créative de sa vie, en termes de nouveaux produits. Mais le plus important, insistait-il, c'était d'avoir suivi l'exemple de Bill Hewlett et de son ami David Packard : créer une société si innovante, si dynamique, qu'elle survivrait à ses créateurs.

« J'ai toujours cru que je ferais des études dans les sciences humaines, mais j'étais vraiment fan d'électronique. Puis j'ai lu ce que disait Edwin Land de Polaroid, l'un de mes héros, à propos du carrefour entre l'homme et la technologie et j'ai compris que c'était précisément à cette conjonction que je voulais travailler. » Soudain, Steve Jobs me soufflait le thème de sa biographie. Mes livres sur Franklin et Einstein exploraient cette même voie − comment la convergence de l'humain et de la science pouvait être source de créativité, du moins pour les hommes d'exception. Cette synergie serait également la clé de voûte de la nouvelle économie du XXIe siècle.

Mais pourquoi Jobs m'avait-il choisi pour écrire sa biographie ? « Je crois que vous savez faire parler les gens. » C'était une réponse inattendue. J'allais devoir interviewer nombre de personnes qu'il avait mises à la porte, trompées ou abandonnées, et cela risquait de lui déplaire. Au début, cela a été le cas. Mais deux mois après, il a encouragé tout le monde à se confier − des ennemis jurés aux anciennes compagnes. Il n'a mis son veto sur aucun sujet. « J'ai fait des choses dans ma vie dont je ne suis pas fier, comme d'avoir mis enceinte ma petite amie à vingt-trois ans et la façon lamentable dont j'ai géré tout ça... mais je n'ai pas de cadavres cachés dans mes placards. »

J'ai effectué une quarantaine d'entretiens avec lui − certains en bonne et due forme dans son salon de Palo Alto, d'autres, moins conventionnels, durant de longues promenades, d'autres encore au téléphone. Au fil de mes visites, qui se sont étalées sur un an et demi, le patron d'Apple s'est confié de plus en plus, même s'il a usé de ce que ses anciens collègues appelaient son « champ de distorsion de la réalité ». Parfois, c'était simplement sa mémoire qui lui jouait des tours, parfois il déformait volontairement la réalité, mentant à moi, comme à lui-même. Pour rétablir les faits, j'ai recoupé ses dires avec plus de cent personnes – amis, famille, concurrents, adversaires et collègues.

Sa femme Laurene, qui m'a été d'un grand soutien dans cette entreprise, n'a posé aucune limite à mes recherches et n'a pas demandé non plus à avoir une copie du livre avant sa publication. Au contraire, elle m'encourageait à me montrer honnête dans la description des failles comme des qualités de son mari. L'épouse de Steve Jobs est l'une des personnes les plus intelligentes et pleines de bon sens qu'il m'ait été donné de rencontrer. « Il y a des parties de sa vie et des facettes de sa personnalité qui sont critiquables, mais c'est ainsi, m'a-t-elle dit au tout début de mon enquête. N'édulcorez rien. Steve est un grand manipulateur, mais il a un parcours hors du commun. Je veux que tout soit décrit de façon impartiale, le bon comme le mauvais. »

Le lecteur jugera si j'ai réussi cette mission. Je suis sûr qu'il y a des protagonistes dans cette histoire qui ne seront pas d'accord avec certains faits, qui diront que je me suis fait prendre dans son champ de distorsion. Nombre de gens ont des opinions si tranchées sur Jobs, en bien ou en mal, qu'on peut subodorer l'existence d'un « effet Rashomon » ; j'avais rencontré ce même phénomène quand j'avais entrepris d'écrire la biographie de Henry Kissinger (un travail qui, d'une certaine manière, a été un bon entraînement pour la rédaction de cet ouvrage). Mais j'ai fait mon possible pour rétablir une forme d'impartialité et, à cet égard, j'ai veillé à citer toutes mes sources.

Ce livre retrace le parcours chaotique et intense d'une personnalité hors norme, d'un entrepreneur de génie dont le goût de la perfection et la volonté de fer ont révolutionné six pans entiers de l'économie moderne : les micro-ordinateurs, le film d'animation, la musique, les téléphones, les tablettes graphiques, et la publication numérique. On pourrait même en ajouter un septième, celui de la vente au détail ; avec ses Apple Store, Jobs n'a pas bouleversé le concept des magasins, mais l'a totalement réinventé. De plus, il a ouvert la voie des applications multimédias pour diffuser des contenus numériques sans passer par des sites Internet. Non seulement, il a mis sur le marché des produits novateurs, mais il a aussi créé, à son second essai, une société pérenne qui lui survivra, une entreprise à son image, attirant dans son giron des designers audacieux et des magiciens de l'électronique qui poursuivront son œuvre.

C'est également un livre sur le génie inventif humain. À une époque où les États-Unis cherchent leur second souffle, où les sociétés à travers le monde tentent d'établir une nouvelle ère numérique, Steve Jobs se dresse comme l'icône de l'invention, de l'imagination et de l'audace. Il avait compris que le défi économique pour le XXIe siècle serait de lier créativité et technologie, alors il a édifié une mutinationale où l'imagination va de pair avec les progrès technologiques. Avec ses collaborateurs à Apple, ils ont pensé différemment. Ils ne se sont pas contentés de développer des produits dotés des dernières innovations techniques, ils ont inventé de A à Z des machines et des fonctionnalités pour des consommateurs qui, à l'époque, ignoraient encore qu'elles allaient leur devenir indispensables.

Steve Jobs n'a pas été un patron modèle, ni un être humain irréprochable ; il était trop rugueux pour être l'exemple à suivre. Hanté par ses démons, il pouvait semer colère et désespoir autour de lui. Mais sa personnalité, sa passion et ses produits sont intimement liés à l'image des ordinateurs Apple qui demeurent indissociables de leurs logiciels. L'ensemble forme un tout cohérent. Son histoire est, à la fois, instructive et une mise en garde ; on y apprend de grandes leçons sur l'innovation, la relation à autrui, le pouvoir et les valeurs humaines.

Henry V de Shakespeare – l'histoire d'un prince immature qui devint un monarque à la fois passionné et sensible, arrogant et sentimental, inspiré et faillible – commence par cette déclaration : « Oh ! si j'avais une muse de feu qui pût s'élever jusqu'au ciel le plus brillant de l'invention[1]. » Pour le jeune roi, le problème était simple ; il avait à gérer le legs d'un seul père. Pour Steve Jobs, l'histoire de cette ascension dans le « ciel de l'invention » débute avec deux paires de parents, et par une enfance passée dans une vallée qui venait tout juste d'apprendre à transformer le silicium en or[2].

---

1. Traduction F. Guizot. *(N.d.T.)*

2. D'où le nom « Silicon Valley », littéralement « la vallée du silicium ». *(N.d.T.)*

1. *Paul Jobs avec Steve, en 1956.*

2. *La maison de Sunnyvale avec le garage où est né Apple.*

3. *Au lycée Homestead High, en 1972.*

4. *À côté de la bannière satirique signée « SWABJOB ».*

CHAPITRE UN

L'ENFANCE

Abandonné puis choisi

L'adoption

Paul Jobs avait servi dans les gardes-côtes pendant la Seconde Guerre mondiale ; lorsqu'il accosta à San Francisco pour être démobilisé, il fit un pari avec ses coéquipiers : il trouverait une femme dans les quinze jours ! Il était mécanicien, grand, tatoué, et ressemblait un peu à James Dean. Mais ce n'est pas son physique de « beau gosse » qui lui permit d'avoir rendez-vous avec Clara Hagopian, une douce et jolie fille d'immigrants arméniens ; Paul Jobs et ses amis avaient réussi à avoir une voiture, à l'inverse du groupe avec lequel elle avait prévu originellement de sortir ce soir-là. Dix jours plus tard, en mars 1946, Paul déclara sa flamme et remporta son pari. Ce serait un mariage heureux, de ceux qui durent jusqu'à la mort, pendant près d'un demi-siècle.

Paul Reinhold Jobs grandit dans une ferme de Germantown, dans le Wisconsin. Malgré un père alcoolique, qui parfois frappait un peu trop fort, Paul demeura un être doux et tranquille, derrière sa carapace. Après avoir abandonné le lycée, il avait travaillé de-ci de-là dans le Middle West comme mécanicien. À l'âge de dix-neuf ans, il fut enrôlé dans les gardes-côtes, bien qu'il ne sache pas nager. Affecté à l'USS M.C. Meigs, il transporta durant la majeure partie de la guerre des troupes en Italie pour le général Patton. Ses talents de mécanicien et de machiniste lui valurent plusieurs distinctions ;

malheureusement, il se retrouva de temps en temps mêlé à des incidents mineurs durant son service et ne dépassa jamais le grade de matelot.

Clara naquit dans le New Jersey, où ses parents avaient atterri après avoir fui la répression des Turcs en Arménie. Toute la famille était ensuite partie à San Francisco, dans le Mission District, quand elle était enfant. Clara avait un secret qu'elle avait confié à très peu de personnes : elle était déjà mariée, mais son mari avait été tué pendant la guerre. Alors, lorsqu'elle avait rencontré Paul Jobs, elle y avait vu l'espoir d'un nouveau départ.

Comme nombre de gens qui ont connu le tumulte de la guerre, les Jobs, une fois la paix signée, n'avaient d'autres souhaits que de s'installer quelque part, fonder une famille et mener une vie tranquille. Le jeune couple n'avait pas beaucoup d'argent. Ils partirent dans le Wisconsin, vivre quelques années chez les parents de Paul, puis emménagèrent dans l'Indiana, où Paul Jobs décrocha un emploi de mécanicien pour l'International Harvester. Il avait la passion des vieilles voitures et arrondissait les fins de mois en restaurant, sur son temps libre, des autos qu'il revendait. Finalement, il quitta son emploi de jour pour devenir vendeur de voitures à plein temps.

Clara, toutefois, aimait San Francisco et, en 1952, elle convainquit son mari de retourner vivre là-bas. Ils prirent un appartement dans le Sunset District, face à l'océan Pacifique, juste à côté du Golden Gate Park ; il trouva un emploi dans une société de crédit, en tant que « récupérateur » ; il forçait les serrures des voitures des personnes qui n'avaient pas payé leurs traites et confisquait les véhicules. Il achetait, réparait et revendait lui-même certaines de ces autos, gagnant ainsi de coquets extra.

Néanmoins, le couple n'était pas entièrement comblé ; ils voulaient un enfant, mais Clara avait eu une grossesse extra-utérine – l'un des ovules fécondés s'était niché dans la trompe de Fallope et non dans l'utérus. Elle ne pouvait plus avoir de bébé. Alors, en 1955, après neuf ans de mariage, ils se tournèrent vers l'adoption.

Comme Paul Jobs, Joanne Schieble venait d'une famille rurale du Wisconsin, d'origine allemande. Son père, Arthur Schieble, avait immigré dans les faubourgs de Green Bay ; avec sa femme, ils eurent un élevage de visons et menèrent avec succès d'autres activités, allant de l'immobilier à la photogravure. Arthur Schieble était très strict, en particulier au sujet des fréquentations de sa fille ; il s'était fortement opposé à son premier amour, un artiste qui n'était pas catholique. Il était donc prévisible qu'il menace de couper les vivres à Joanne lorsqu'il apprit, alors qu'elle était étudiante à l'université du Wisconsin, qu'elle était amoureuse d'un certain Abdulfattah « John » Jandali, un maître assistant musulman originaire de Syrie.

Jandali était le benjamin d'une riche famille syrienne de neuf enfants. Le père possédait des raffineries d'huile d'olive et une armada d'entreprises, ayant de grandes propriétés à Damas et à Homs qui décidaient quasiment du cours du blé dans la région. Comme les Schieble, les Jandali accordaient une importance cruciale à l'éducation ; depuis des générations, les Jandali envoyaient leur progéniture étudier à Istanbul ou à la Sorbonne. Abdulfattah partit dans un internat jésuite, bien qu'il soit musulman, et décrocha un diplôme à l'université américaine de Beyrouth, avant de venir à la faculté de sciences politiques du Wisconsin en tant que doctorant.

En 1954, Joanne se rendit en Syrie avec Abdulfattah. Ils passèrent deux mois à Homs, où elle apprit, avec les femmes de la famille, à préparer des plats syriens. Lorsqu'ils revinrent aux États-Unis, Joanne sut qu'elle était enceinte. Ils avaient tous les deux vingt-trois ans, mais ils décidèrent de ne pas se marier. Le père de Joanne se mourait à l'époque, et il avait menacé de déshériter sa fille si elle épousait Abdulfattah. L'avortement était une solution compliquée dans une petite communauté catholique. Alors, au début de l'année 1955, Joanne fit le voyage jusqu'à San Francisco, pour consulter un médecin magnanime qui s'occupait des filles-mères, mettait leur enfant au monde et trouvait discrètement des familles adoptives pour leurs bébés.

Joanne ne posa qu'une seule condition : son enfant devait être adopté par des gens ayant fait des études supérieures. Le médecin dénicha donc, pour famille d'accueil, un avocat et son épouse. Mais à la naissance du bébé – le 24 février 1955 – le couple décida qu'il voulait une fille et se désista. C'est ainsi que le garçon devint le fils non d'un avocat, mais d'un mécanicien et d'une comptable. Paul et Clara appelèrent leur bébé Steven Paul Jobs.

Il demeurait, néanmoins, la condition de Joanne. Quand elle découvrit que son enfant avait été placé chez des gens qui n'avaient même pas terminé leurs études secondaires, elle refusa de signer les papiers d'adoption. La situation resta bloquée pendant des semaines, longtemps après que le petit Steve fut installé chez les Jobs. Finalement, Joanne revit à la baisse ses exigences et demanda simplement que le couple promette – et signe cet engagement noir sur blanc – de créer un fonds de financement pour pouvoir envoyer le garçon à l'université.

Une autre raison expliquait les réticences de Joanne à signer les papiers de l'adoption. Son père allait mourir, et elle comptait épouser Jandali aussitôt après le décès. Elle avait le secret espoir – comme elle le confiera plus tard à son fils en éclatant en sanglots – qu'une fois mariée, elle pourrait récupérer son enfant.

Arthur Schieble mourut en août 1955, quelques semaines après l'adoption officielle de l'enfant. Juste après Noël, la même année, Joanne et Abdulfattah Jandali se marièrent à l'église catholique apostolique de St. Philip, à Green Bay. Abdulfattah eut son doctorat en sciences politiques l'année suivante ; et il vint un autre enfant, une fille nommée Mona. Après leur divorce en 1962, Joanne s'égara dans une vie nomade que sa fille – qui devint la grande écrivaine Mona Simpson – narra dans son poignant roman, *N'importe où sauf ici*. Mais comme le placement de Steve avait été consenti sous X, il faudra vingt ans pour que mère et fils se retrouvent.

Steve Jobs sut, depuis son plus jeune âge, qu'il avait été adopté. « Mes parents ont été très francs avec ça. » Il se revoyait, à six ou sept ans, assis dans l'herbe devant la maison, raconter ça à une fille qui habitait de l'autre côté de la rue. « Tes vrais parents ne voulaient donc pas de toi ? » répliqua alors la fille. « Ça a été comme un coup de tonnerre dans ma tête, me confia Jobs. Je me souviens avoir couru dans la maison, en pleurs. Et mes parents m'ont dit : "Non, tu n'as pas compris." Ils avaient un air solennel et ils me regardaient droit dans les yeux : "Nous t'avons choisi, toi." L'un après l'autre, ils m'ont répété ça, lentement, en insistant sur chaque mot. »

Abandonné. Choisi. Ces deux notions devinrent intimement liées à la personnalité de Jobs et à la façon dont il considérait sa place dans le monde. Ses amis les plus proches pensent qu'avoir appris, si jeune, qu'il avait été abandonné à la naissance avait laissé des cicatrices indélébiles. « Son besoin d'avoir la maîtrise totale dans tout ce qu'il entreprend vient de cette blessure, analyse Del Yocam, un ancien collègue d'Apple. Il veut désormais contrôler son environnement ; pour Steve, le produit est une extension de lui-même. » Greg Calhoun, qui deviendra ami avec Jobs juste après sa sortie du College Reed, y voit un autre effet : « Steve m'a souvent parlé de cette souffrance de l'abandon. C'est ça qui le rendait si indépendant. Il suivait un autre rythme que nous, parce qu'il venait d'un monde différent du nôtre. »

Plus tard dans la vie, quand il eut précisément l'âge auquel son père biologique l'avait abandonné (vingt-trois ans), Steve Jobs fit de même avec son propre enfant – même si, après quelques années, il en assumera la paternité. Pour Chrisann Brennan, la mère de l'enfant en question, ce traumatisme personnel avait laissé chez Jobs « plein d'éclats de verre », et expliquait une grande part de son comportement. « Il a reproduit le schéma paternel », disait-elle. Andy Hertzfeld, qui travailla étroitement avec Jobs dans les années 1980, fut l'un des rares à être resté proche à la fois de Chrisann Brennan et de Steve Jobs. « Le plus étonnant chez Steve, c'est qu'il ne peut s'empêcher d'être cruel envers certaines personnes – une sorte de réflexe pavlovien. La clé du mystère, c'est le fait d'avoir été abandonné à la naissance. Cette déchirure a laissé une marque indélébile, c'est là tout le problème. »

Jobs réfute cette hypothèse : « Certains disent que c'est pour ça que j'ai travaillé très dur… pour que mes parents biologiques regrettent de m'avoir laissé en chemin, ou je ne sais quelle autre explication fumeuse. C'est ridicule. Savoir que j'ai été adopté m'a peut-être rendu plus indépendant, mais je ne me suis jamais senti abandonné – juste différent. Ce sont mes parents qui m'ont donné cette force. Ce sont eux qui m'ont convaincu que j'étais quelqu'un de spécial. » Plus tard, il se hérissera chaque fois que quelqu'un fera référence à Clara et Paul comme à ses parents « adoptifs », ou laissera entendre que ce n'étaient pas ses « vrais » parents. « C'étaient mes parents à 1 000 pour cent », dit-il. Et quand il évoquait ses géniteurs, il pouvait être cinglant : « Ils ont été ma banque de sperme et d'ovules – cela n'a rien de méchant ; c'est juste la vérité : des donateurs de gamètes, c'est tout ce qu'ils sont – rien de plus. »

La Silicon Valley

La vie que Paul et Clara offrirent à leur fils fut, à bien des égards, un stéréotype de la fin des années 1950. Quand Steve eut deux ans, ils adoptèrent une petite fille nommée Patty, et trois ans plus tard, ils emménagèrent dans un lotissement en banlieue. La société de crédit pour laquelle Paul travaillait comme récupérateur, la CIT, l'avait muté dans ses bureaux de Palo Alto, mais il n'avait pas les moyens de vivre là-bas ; alors les Jobs s'installèrent à Mountain View, une bourgade bien moins chère plus au sud.

Paul Jobs tenta de transmettre à son fils sa passion pour les voitures et la mécanique. « Steve, c'est ton établi à présent », avait-il dit après avoir marqué une portion de la table dans leur garage. Le garçon était impressionné par les dons de bricolage de son père. « Il avait un sens de la conception hors pair. Et de l'or dans les mains. Si on avait besoin d'une armoire, il la construisait. Quand il a monté notre barrière, il m'a donné un marteau pour que je puisse l'aider. »

Cinquante ans plus tard, la barrière est toujours là, autour de la maison à Mountain View. Lorsqu'il me montra cette palissade, il caressa les planches et se remémora une leçon de son père qui était restée gravée en lui à jamais : il était crucial d'apporter un grand soin aux panneaux arrière, qu'il s'agisse d'une barrière ou d'une armoire, même si personne ne le voyait. « Il aimait les choses bien faites. Il était minutieux même pour ce qui était invisible. »

Paul Jobs continua à réparer et à revendre des voitures ; il décorait son garage de posters de ses autos favorites. Il détaillait pour son fils chaque particularité du modèle, les courbes de la carrosserie, les prises d'air, les chromes, la sellerie des sièges. Chaque jour, après son travail, le père enfilait son bleu et partait dans son antre, souvent avec son garçon sur les talons. « J'espérais qu'avec le temps, le petit s'y mettrait, mais Steve n'aimait pas se salir les mains ! Il n'a jamais été intéressé par la mécanique. »

Mettre les mains dans un moteur n'avait, effectivement, jamais attiré Jobs. « Réparer des voitures, ce n'était pas mon truc. Mais j'aimais bien être avec mon père. » Même après qu'il sut qu'il avait été adopté, il se rapprocha encore de son père. Un jour, alors qu'il avait huit ans, le garçon découvrit une photo de Paul Jobs du temps où il était garde-côte : « Il est dans la salle des machines, il a retiré sa chemise et il ressemble à James Dean. C'est toujours un grand choc pour un enfant : Ouah ! mes parents ont été autrefois jeunes, et en plus, ils étaient beaux ! »

Par l'intermédiaire des voitures, son père lui donna ses premiers cours d'électronique. « Il n'avait pas une compréhension exhaustive de cette technologie, mais pas mal de circuits lui étaient passés dans les mains, avec ses autos, et il savait les réparer. Il m'a appris les rudiments, et ça m'intéressait beaucoup. » Mais le plus mémorable, c'étaient leurs excursions pour trouver des pièces. « Tous les week-ends, on allait dans une casse. On cherchait un alternateur, un carburateur, et toutes sortes de choses. » Le fils regardait le père négocier le prix au comptoir. « Il se débrouillait pas mal en marchandage, parce qu'il savait mieux que les vendeurs la valeur réelle des pièces. » Tout ça aida ses parents à tenir leur engagement. « Mon fonds d'études grandissait parce que mon père achetait cinquante dollars une Ford Falcon ou une autre épave, travaillait dessus plusieurs semaines, et la revendait deux cent cinquante – net d'impôts ! »

La maison des Jobs, au 286 Diablo, comme ses homologues du lotissement, avait été construite par le promoteur Joseph Eichler, dont la société essaima onze mille habitations dans toute la Californie entre 1950 et 1974. S'inspirant des maisons simples et fonctionnelles pour « monsieur tout le monde » imaginées par Frank Lloyd Wright, Eichler vendait des constructions bon marché ayant de grands espaces ouverts, des poutres et des piliers apparents, des sols de ciment, et une débauche de baies vitrées et de portes coulissantes. « Ce que faisait Eichler était remarquable, m'expliqua Jobs au cours d'une de nos promenades dans le lotissement. Ses maisons étaient bien conçues, pas chères et de bonne qualité. Il a donné aux gens à bas revenus le goût de l'épure et de la simplicité. Il y avait une multitude d'équipements incroyables, comme le chauffage par le sol. Il suffisait de mettre de la moquette dessus. C'était vraiment agréable quand on est gosse. »

Jobs disait que c'est grâce à Eichler que lui était venue cette envie de faire des produits de pointe pour le plus grand nombre. « J'aime quand on peut proposer quelque chose de beau et d'utile pour un coût modique, disait-il en désignant les maisons d'Eichler aux lignes épurées. Cela a été ma vision originale pour Apple. C'est cela qu'on a tenté de faire avec le premier Mac. Et c'est ce qu'on a fait pour l'iPod. »

En face de la maison des Jobs habitait un agent immobilier prospère. « Il n'était pas particulièrement brillant, se souvenait Jobs, mais il semblait gagner des fortunes. Alors mon père s'est dit : si lui peut le faire, pourquoi pas moi ? Il a travaillé dur. Il a suivi des cours du soir, a passé son diplôme d'agent immobilier et s'est lancé vaillamment dans le secteur. Mais le marché, juste à ce moment-là, s'est effondré. » La famille se retrouva prise à la gorge pendant plus d'un an, à l'époque où Steve était à l'école élémentaire. Sa mère entra comme comptable chez Varian Associates, une société qui fabriquait des appareils scientifiques, et les Jobs contractèrent un nouveau prêt. Un jour, son instituteur de CM1 lui demanda : « Qu'est-ce que tu ne comprends pas dans l'univers ? » Steve Jobs répondit : « Je ne comprends pas pourquoi mon père, tout à coup, n'a plus d'argent. » En même temps, il était très fier de voir que son père n'avait jamais eut une attitude servile ou mielleuse qui aurait fait de lui un meilleur vendeur. « Il faut lécher les bottes des gens pour réussir dans l'immobilier, et ça il ne savait pas faire. Ce n'était pas dans sa nature. Et j'admirais ça chez lui. » Paul Jobs revint donc à la mécanique.

Son père était d'un tempérament doux et gentil, des qualités que son fils appréciait même si elles lui faisaient défaut. Mais, derrière ses manières placides, il avait une détermination d'airain, comme l'illustre cette anecdote que me raconta Jobs :

> On avait un voisin ingénieur, qui travaillait chez Westinghouse – un célibataire, un peu hippie sur les bords. Il avait une petite amie. Elle me gardait quelquefois. Comme mes parents travaillaient, j'allais chez eux après l'école pendant deux heures. Il buvait. Deux fois, je l'ai vu la frapper. Elle est venue une nuit, terrifiée, se réfugier chez nous. L'autre est arrivé, salement éméché, et mon père a fait barrage, en disant, oui elle est là, mais tu ne rentres pas. Et papa n'a pas bougé. On aime se dire que tout était merveilleux dans les années 1950, mais cet ingénieur avait foutu sa vie en l'air. Et ils étaient nombreux dans son cas.

Dans la Silicon Valley même les brebis galeuses étaient ingénieurs ! « Quand on est arrivés ici, il y avait des abricotiers et des pruniers à tous les coins de rues. Mais cela s'est développé très vite avec les recherches militaires. » Le jeune Steve Jobs grandit avec la vallée et eut rapidement envie d'y jouer un rôle. Plus tard, Edwin Land, le fondateur de Polaroid, lui racontera qu'à la demande d'Eisenhower, il avait mis au point des appareils photo pour des avions espions U-2 afin de voir ce que préparaient les Soviétiques. Les pellicules étaient livrées dans des caisses de métal et, après développement, retournaient, sous bonne garde, à la base Ames de la NASA qui se trouvait à Sunnyvale, pas très loin de là où habitait Jobs. « C'est au cours d'une visite à cette base que j'ai vu mon premier ordinateur. Cela a été un grand choc. »

Une multitude de sociétés travaillant pour la défense se développèrent durant les années 1950. La Lockheed Missile & Space Company, qui construisait des missiles balistiques pour sous-marin, fut créée en 1956, juste à côté du centre de recherche de la NASA ; quatre ans plus tard, à l'arrivée des Jobs, la société employait déjà vingt mille personnes. Quelques centaines de mètres plus loin, Westinghouse construisait des tubes de lancement et des pièces pour les systèmes de guidage. « Il y avait des sociétés sous contrat avec l'armée à tous les coins de rue, se rappelait Jobs. Il planait dans l'air un parfum de mystère et de haute technologie. C'était très excitant. »

Dans le sillage des entreprises œuvrant pour les militaires, le secteur des industries de pointe se développa à vitesse grand V. Tout commença en 1938, quand Dave Packard et sa femme emménagèrent dans un appartement, au rez-de-chaussée d'une villa à Palo Alto ; il y avait, à l'arrière de la maison, une remise qu'occupa bientôt Bill Hewlett, l'ami de Packard. Dans un garage – une construction qui se révéla à la fois utile et emblématique de la vallée – les deux hommes allaient bricoler leur premier appareil, un oscillateur audio. À la fin des années 1950, Hewlett-Packard était devenue une grande société qui fabriquait des instruments de mesure électroniques.

Heureusement, un lieu fut mis à la disposition des entrepreneurs qui trouvaient leurs garages trop exigus : Frederick Terman, le directeur de la faculté d'ingénierie de l'université de Stanford, créa une zone industrielle de trois cents hectares sur le campus de l'université pour que des sociétés privées puissent développer et commercialiser les idées des étudiants. La première entreprise à profiter de l'aubaine fut Varian Associates, là où Clara Jobs travaillait. « Avec cette idée de génie, Terman fit de la vallée le berceau de la haute technologie », m'expliqua Jobs. Lorsqu'il eut dix ans, HP comptait neuf mille employés et était l'entreprise high-tech où tout ingénieur, souhaitant une stabilité financière, rêvait de travailler.

Le grand pôle de développement de la Silicon Valley fut, comme tout le monde le sait, l'industrie du semi-conducteur. William Shockley, l'inventeur du transistor chez Bell Labs dans le New Jersey, s'installa à Mountain View et créa, en 1956, une fabrique de transistors au silicium, et non plus au germanium, très coûteux, qui était jusqu'alors employé. Mais Shockley devint de plus en plus versatile et abandonna le projet de transistor au silicium. Huit de ses ingénieurs – dont Robert Noyce et Gordon Moore – quittèrent la société pour fonder Fairchild Semiconductor. Cette entreprise compta jusqu'à douze mille employés, mais éclata en 1968 lorsque Noyce, après une lutte de pouvoir acharnée, n'obtint pas la présidence de la société. Il débaucha Gordon Moore et créa une autre entreprise, l'Integrated Electronics Corporation, qui devint mondialement connue sous son abréviation Intel. Leur troisième employé fut Andrew Grove, qui développa la société dans les années 1980, en axant la fabrication non plus sur les mémoires mais sur les microprocesseurs. En quelques années, plus de cinquante entreprises s'installeront dans la vallée pour fabriquer des semi-conducteurs.

L'essor exponentiel de ce secteur suivait la célèbre loi découverte par Moore, qui, dès 1965, avait tracé la courbe de vitesse de calcul des circuits intégrés, suivant le nombre de transistors que l'on pouvait placer sur une puce ; il avait démontré que ce chiffre doublait tous les deux ans, et qu'il n'y avait aucune raison que cette progression diminue. Ce principe fut vérifié en 1971, quand Intel parvint à graver une unité de traitement complète sur une seule puce – l'Intel 4004. Le microprocesseur était né. La loi de Moore est restée vraie jusqu'à nos jours, et c'est grâce à la fiabilité de ses prévisions en termes de prix de revient que deux générations de jeunes entrepreneurs, dont Steve Jobs et Bill Gates, ont pu estimer les coûts de production de leurs futures inventions.

L'industrie de la puce électronique donna à la région son nom quand Don Hoefler, un journaliste d'un hebdomadaire économique, l'*Electronic News*, écrivit une série d'articles intitulés *Silicon Valley, USA*. Les soixante kilomètres de la vallée Santa Clara, qui s'étendent du sud de San Francisco jusqu'à San José, en passant par Palo Alto, avaient déjà leur artère économique : El Camino Real, la « Voie Royale », qui autrefois reliait les vingt et une missions de la Californie et qui, aujourd'hui, est une avenue grouillante où se pressent sociétés high-tech et start-up concentrant, chaque année, le tiers des investissements à risque des États-Unis.

« En grandissant, j'ai été imprégné par l'histoire du lieu, me raconta Steve Jobs. J'avais, moi aussi, l'envie d'y laisser ma marque. La plupart des pères dans mon quartier travaillaient dans des secteurs de pointe, tels que les cellules photovoltaïques, les batteries, les radars. J'ai grandi dans l'émerveillement pour ces choses et j'étais très curieux. Je posais à mes voisins des tas de questions. » Le plus important d'entre eux fut Larry Lang, qui habitait sept maisons plus loin. « C'était, à mes yeux, l'ingénieur typique de chez HP : un grand radio amateur et une pointure en électronique. Il m'apportait des tas de trucs pour que je puisse m'amuser avec. » En passant devant l'ancienne maison de Lang, il me désigna l'allée. « Il a pris un microphone à charbon, une batterie et un haut-parleur, et a installé tout ça dans cette allée. Il m'a dit de parler dans le micro et le son est sorti tout seul par le haut-parleur. » Le père de Steve Jobs lui avait appris que le signal d'un microphone devait être amplifié pour être audible. « Alors j'ai couru à la maison pour dire à mon père qu'il avait tort. »

— Si, il y a besoin d'un amplificateur, répéta son père.

Et quand Steve lui expliqua le fonctionnement de ce type de micro, son père ne voulut pas le croire :

— C'est impossible. Il y a une supercherie !

« Comme je ne voulais pas en démordre, il a fini par venir avec moi. Et il a bien fallu qu'il se rende à l'évidence. Le pauvre n'en revenait pas. Il était dépassé. »

Steve Jobs se souvenait très bien de cet événement parce que, pour la première fois, il comprit que son père ne savait pas tout. Mais une prise de conscience, plus troublante encore, se fit jour en lui : il avait toujours admiré les compétences techniques et la sagacité de son père. « Il n'avait pas fait d'études, mais il était très futé. Il ne lisait pas beaucoup, mais travaillait de ses mains. N'importe quel

système mécanique, il pouvait en comprendre le fonctionnement. »
Mais devant l'incrédulité de son père ce jour-là, le jeune Steve sut
qu'il était plus vif d'esprit que ses parents. « Ce fut un moment clé
pour moi. Quand j'ai réalisé ça, j'ai été empli de honte. Je n'oublierai
jamais cet épisode. » Cette découverte, racontera-t-il plus tard à ses
amis, associée au fait de savoir qu'il avait été adopté, lui donna le
sentiment d'être un enfant à part, différent – étranger à la fois au
regard de sa famille, comme à celui du monde extérieur.

Une autre révélation survint quelque temps plus tard ; non seulement, il avait découvert qu'il avait un QI plus élevé que ses parents,
mais que ces derniers le savaient. Paul et Clara Jobs étaient des
parents aimants, et ils voulurent s'adapter au fait d'avoir un enfant
plus éveillé que la moyenne, et animé d'une volonté de fer. Ils se
pliaient en quatre pour lui, le traitaient comme un être à part. Et
bientôt, le jeune Steve s'en aperçut. « Ils se sont sentis investis d'une
nouvelle responsabilité. Ils n'arrêtaient pas de me "nourrir" intellectuellement, et n'avaient de cesse que de me trouver les meilleures
écoles possibles. Ils voulaient devancer tous mes besoins. »

Steve Jobs a ainsi grandi non seulement avec le sentiment d'avoir
été abandonné, mais aussi avec la certitude d'être quelqu'un d'atypique. C'est ce qui a forgé toute sa personnalité.

L'école

Avant même d'entrer à l'école primaire, sa mère lui avait appris
à lire. Mais cette précocité ne fut pas sans poser quelques problèmes.
« Je me suis beaucoup ennuyé les premières années, alors pour
m'occuper, je chahutais. » Il devint évident que le petit Steve, à la
fois par nature et par culture, n'était pas prêt à entrer dans le moule.
« Je n'aimais pas cette nouvelle autorité, aveugle et scolaire. Et ils
ont été à deux doigts de réussir à me briser. Pour un peu, ils auraient
tué toute curiosité en moi. »

Son école primaire, la Mona Lisa Elementary, était une succession
de petits bâtiments construits dans les années 1950, à cinq cents
mètres de leur maison. L'élève Jobs combattit l'ennui en faisant des
blagues. « J'avais un bon copain, Rick Ferrentino ; tous les deux, on
a fait les quatre cents coups. Comme le jour où on avait posé des

affichettes disant : "Apportez demain votre animal de compagnie à l'école." C'était à mourir de rire… tous ces chiens coursant les chats à travers la cour, et les profs qui ne savaient plus où donner de la tête ! » Une autre fois, ils avaient convaincu leurs camarades de leur donner le code de leur antivol de vélo. « On est allés changer toutes les combinaisons et personne n'a pu récupérer sa bicyclette. Cela leur a pris jusque tard dans la nuit pour régler le problème ! » Quand il était en CE2, les canulars devinrent plus dangereux. « Un jour, on a fait sauter un pétard sous la chaise de notre instit, Mrs Thurman. Depuis, elle a gardé un tic nerveux. »

Rien d'étonnant donc à ce qu'il fût exclu de l'école deux ou trois fois dans l'année. Son père, toutefois, qui s'était rendu compte de la précocité de son fils, avait rétorqué, avec son calme et sa fermeté coutumiers, qu'il attendait la même prise de conscience de la part de l'établissement. « Ce n'est pas de sa faute, expliquait-il aux enseignants. C'est à vous de trouver le moyen de l'intéresser. » Steve Jobs n'avait pas le souvenir que ses parents l'aient puni pour ses bêtises à l'école. « Le père de mon père était alcoolique et le frappait à coups de ceinturon ; moi, autant que je me rappelle, je n'ai pas reçu une seule gifle de toute ma vie ! Mon père, comme ma mère, reprochaient à l'école de vouloir m'inculquer des imbécillités plutôt que de stimuler mon intellect. » Steve Jobs montrait tout jeune déjà un mélange de sensibilité et de dureté, de rébellion et de détachement.

Pour la rentrée en CM1, l'école jugea préférable de mettre Steve Jobs et Rick Ferrentino dans deux classes différentes. L'institutrice pour la classe des bons était une matrone volontaire nommée Imogene Hill, surnommée Teddy, et cette femme devint pour Jobs l'une de ses « bonnes fées ». Après deux semaines d'observation, elle jugea que le meilleur moyen d'amadouer Steve était de l'acheter. « Un jour, après l'école, elle m'a donné un carnet rempli d'exercices de maths. Elle voulait que je l'emporte à la maison et que je résolve les problèmes. Et j'ai pensé très fort : "Tu peux courir !" Ensuite, elle a sorti l'une de ces sucettes géantes, tellement grande qu'on n'en voit pas le bout. Et elle a dit : quand tu auras terminé, et si tu as une majorité de bonnes réponses, je te donnerai cette sucette plus cinq dollars. Deux jours plus tard, je lui ai rendu son carnet. » Après quelques mois, elle n'eut plus besoin de soudoyer son élève. « J'étais heureux d'apprendre et heureux de lui faire plaisir. »

Elle lui rendit cette affection en lui offrant des kits de bricolage où il s'agissait par exemple de fabriquer soi-même une lentille et de construire un appareil photo. « J'en ai plus appris avec Teddy qu'avec n'importe quel autre professeur. Si elle n'avait pas été là, j'aurais fini en prison. » Cet épisode, une fois encore, renforça chez le garçon l'idée qu'il était différent des autres. « Dans la classe, j'étais son chouchou. Elle voyait quelque chose de particulier en moi. »

Ce n'était pas seulement son intelligence qu'elle avait remarquée. Des années plus tard, elle aimait montrer une photo de cette année-là prise lors d'une fête ; le thème était Hawaii. Steve Jobs était venu sans la chemise bariolée réglementaire, mais sur le cliché, il posait au milieu, au premier rang, en arborant une magnifique chemise. Il était parvenu à convaincre l'un de ses camarades de lui donner la sienne !

Vers la fin du CM1, Mrs Hill avait fait passer à Steve des tests. « Mes notes étaient du niveau d'une classe de 5ᵉ. » Il était désormais patent, non seulement pour ses parents et lui-même, mais également pour le corps enseignant, qu'il était intellectuellement précoce ; l'école proposa donc qu'il saute deux classes. Cela le stimulerait et ce serait plus facile de l'intéresser. Ses parents jugèrent plus sage de ne le faire passer qu'en 6ᵉ.

La transition fut néanmoins douloureuse. Socialement, il était un enfant solitaire, et il se retrouvait avec des garçons ayant un an de plus que lui. Pis encore, il avait changé d'école ; il était désormais à la Crittenden Middle School. Le collège ne se trouvait qu'à un kilomètre de l'école élémentaire Mona Lisa, mais à bien des égards, c'était là-bas une tout autre planète, un quartier miné par les guerres ethniques entre gangs. « Il y avait tous les jours des bagarres, et du racket dans les toilettes, écrivait le journaliste Michael S. Malone originaire de la Silicon Valley. Les enfants apportaient des couteaux en classe pour impressionner leurs camarades. » À l'arrivée de Steve Jobs, un groupe de collégiens étaient en prison pour viol en réunion, et le car de ramassage scolaire d'un collège voisin avait été détruit parce que l'équipe de lutte de Crittenden avait perdu contre celle de l'établissement en question.

Le jeune Steve était souvent molesté, et au milieu de l'année il posa un ultimatum à ses parents. « Je voulais qu'ils me changent d'école. » Financièrement, c'était difficile. Ses parents avaient déjà du mal à joindre les deux bouts. Mais l'adolescent savait leur mettre la pression : « Voyant qu'ils hésitaient, je leur ai dit que j'arrêtais l'école s'ils me laissaient à Crittenden. » Alors ils cherchèrent où se trouvaient les meilleurs établissements ; ils ont vidé tous leurs comptes, jusqu'au dernier dollar, pour acheter une maison à vingt et un mille dollars dans un secteur moins mal famé.

Ils déménagèrent à cinq kilomètres seulement au sud, dans une ancienne plantation d'abricotiers à South Los Altos transformée en lotissement. Leur maison, au 2066 Crist Drive, était une bâtisse de plain-pied, avec trois chambres et un garage – élément indispensable – équipé d'une porte roulante donnant sur la rue. Paul Jobs pourrait y réparer ses voitures et son fils bricoler ses circuits électroniques. Entre autres atouts, la maison se trouvait juste à la lisière de la circonscription de la Cupertino-Sunnyval School, l'une des écoles les plus sûres de la vallée. « Quand on a emménagé là, il y avait encore des arbres fruitiers, me précisa Jobs alors que nous nous approchions de son ancienne maison. Le gars qui vivait juste à côté m'a expliqué comment être un bon jardinier respectueux de la nature et faire du compost. Avec lui, tout poussait. Je n'ai jamais mangé plus sain de toute ma vie. C'est à cette époque que j'ai commencé à m'intéresser à l'agriculture biologique. »

Même s'ils n'étaient pas de grands croyants, Paul et Clara Jobs voulaient que leur fils ait une éducation religieuse ; ils l'emmenaient donc à l'église luthérienne presque tous les dimanches. Ce rituel prit fin quand il eut treize ans. La famille était abonnée à *Life,* et en juillet 1968, le magazine publia en couverture la photo d'enfants du Biafra mourant de faim. Jobs emporta le magazine à l'église le dimanche et apostropha le pasteur :

— Si je lève mon doigt, Dieu sait avant moi quel doigt je vais lever ?

— Oui. Dieu sait tout.

Le jeune Steve lui montra la couverture de *Life* :

— Dieu est donc au courant pour ça et pour ce qui arrive à ces enfants ?

— Steve, je sais que c'est difficile à comprendre, mais oui, il sait.

Le garçon déclara alors qu'il ne voulait plus rien savoir d'un tel Dieu, et il ne remit jamais les pieds dans une église. Il passa toutefois plusieurs années à étudier et à pratiquer le bouddhisme zen.

Pour lui, le christianisme était à son apogée quand il prônait la quête spirituelle plutôt que d'enseigner le dogme. « Cette religion s'est perdue ; elle s'est trop souciée de la foi et non plus d'apprendre aux fidèles à vivre comme Jésus et à voir le monde avec ses yeux. Je crois que les religions sont autant de portes d'entrée de la même maison. Parfois, je pense que cette maison existe réellement, parfois j'en doute. Cela demeure un grand mystère. »

Paul Jobs travaillait alors à Spectra-Physics, une société à côté de Santa Clara qui fabriquait des lasers pour la recherche et le domaine médical. En tant que mécanicien, il construisait les prototypes, en suivant scrupuleusement les plans des ingénieurs. Steve Jobs était fasciné par ce besoin absolu de perfection. « Les lasers nécessitent un alignement parfait des pièces, me raconta Steve Jobs. Pour des applications en médecine ou dans l'aéronautique, le montage devait être d'une précision micrométrique. Ils disaient à mon père des trucs comme "voilà ce que nous voulons, et nous le voulons dans un seul bloc de métal pour que les coefficients de dilatation soient partout les mêmes". Et papa devait trouver le moyen de le faire. » Il fallait fabriquer quasiment toutes les pièces, ce qui signifiait que Paul Jobs devait inventer les outils et les matrices spécifiques pour les usiner. Son fils était fasciné, mais il passait rarement à l'atelier. « Ç'aurait été sympa qu'il m'apprenne à manipuler un tour et une fraiseuse. Malheureusement, je n'ai jamais pris le temps de le faire, parce que j'étais davantage intéressé par l'électronique. »

Un été, Paul Jobs emmena Steve dans le Wisconsin rendre visite à sa famille à la ferme. La vie rurale ne l'attirait pas, mais une image le frappa. Il assista à la naissance d'un veau et il fut étonné de voir le petit animal se mettre debout au bout de quelques minutes et commencer à marcher. « Personne ne le lui avait appris, c'était déjà câblé en lui. Un bébé humain ne peut faire ça. J'ai trouvé ça stupéfiant, même si, pour tous les autres, ça paraissait normal. » Il avait décrit cette scène avec des termes d'électronique. « C'est comme si le corps de cette bête et son cerveau étaient programmés pour fonctionner ensemble dès la mise sous tension. Sans apprentissage. »

Pour la classe de 3e, Steve Jobs alla au lycée Homestead High, un grand campus avec des bâtiments de ciment de deux étages, à l'époque peints en rose, qui abritaient deux mille élèves. « L'établissement avait été conçu par un célèbre architecte de prison. Il voulait ses constructions indestructibles. » Steve aimait la marche et il faisait chaque jour, aller et retour, les deux kilomètres à pied qui séparaient sa maison de l'école.

Il avait quelques amis de son âge, mais il fréquentait surtout des élèves de terminale qui baignaient dans le mouvement contestataire de la fin des années 1960. C'était le temps où l'on commençait à parler de *geeks* et de hippies. « C'étaient vraiment des gars brillants. Moi, je m'intéressais aux maths et à l'électronique. Eux aussi, mais également au LSD et aux paradis artificiels en vogue dans la contre-culture de l'époque. »

Ses plaisanteries, désormais, avaient pour dénominateur commun l'informatique. Une fois, il installa un réseau de haut-parleurs dans toute la maison. Mais puisque les haut-parleurs pouvaient faire office de microphones, il avait construit une station d'écoute dans un placard, grâce à laquelle il pouvait savoir ce qui se déroulait dans toutes les pièces. Une nuit, alors qu'il espionnait, avec des écouteurs sur la tête, la chambre de ses parents, son père le prit sur le fait et exigea qu'il démonte son installation. Le garçon passait de nombreuses soirées dans le garage de Larry Lang, l'ingénieur qui habitait à cent mètres de leur ancienne maison. Lang offrit finalement à Steve le microphone à charbon qui l'avait tant fasciné, et lui fit découvrir les produits Heathkit, des appareils électroniques à assembler soi-même, tels que des postes de radio amateur. « Les kits étaient livrés avec le châssis, le boîtier, les plaques et toutes les pièces avec un codage de couleur ; mais le manuel de montage donnait également la théorie et expliquait comment fonctionnait l'appareil. On avait alors l'impression de pouvoir comprendre et construire tout ce qu'on voulait. Une fois qu'on a monté une ou deux radios, quand on voit une télévision dans un catalogue, on est persuadé qu'on peut en construire une pareille – même si ce n'est pas le cas. J'ai eu beaucoup de chance, parce que quand j'étais gosse, mon père et les Heathkit m'ont fait croire que je pouvais tout faire de mes mains. »

Lang le fit entrer également au Club des Explorateurs de Hewlett-Packard. Une quinzaine d'élèves se réunissaient tous les mardis soir dans la cafétéria de l'entreprise. « Ils faisaient venir un ingénieur de la société pour nous parler de ses travaux. Mon père m'emmenait là-bas toutes les semaines. J'étais aux anges. HP était un pionnier des LED. On parlait donc des diverses utilisations possibles de ces diodes électroluminescentes. » Comme Paul Jobs travaillait pour une société qui fabriquait des lasers, ce sujet l'intéressa particulièrement. Un soir, après une conférence, il convainquit un ingénieur HP travaillant sur les lasers de lui faire visiter le laboratoire d'holographie. « Mais l'apothéose pour moi, ce fut quand j'ai vu le premier ordinateur de bureau que HP développait. Son petit nom était le 9100 A ; ce n'était jamais qu'une calculatrice, mais en même temps, c'était le premier véritable micro-ordinateur. Un monstre de vingt kilos ! Mais, à mes yeux, il était la beauté incarnée. »

On incitait les gosses du Club des Explorateurs à mener des projets personnels et Steve Jobs décida de construire un fréquencemètre, capable de compter le nombre de pulsations par seconde d'un signal. Pour ce faire, il avait besoin de certains composants que HP fabriquait ; il décrocha donc son téléphone et appela le P-DG ! « À l'époque, il n'existait pas de liste rouge. Alors j'ai cherché, dans le bottin, Bill Hewlett à Palo Alto, et je l'ai appelé chez lui. C'est lui qui a décroché et nous avons bavardé pendant vingt minutes. Il m'a donné les pièces, mais également un emploi à l'usine où il fabriquait des fréquencemètres. » Steve Jobs y travailla pendant tout l'été après sa première année à Homestead High. « Mon père m'y déposait le matin et venait me rechercher le soir. »

Son travail consistait principalement à « visser des écrous et des boulons », sur une chaîne d'assemblage. Les ouvriers de la chaîne ne voyaient pas d'un très bon œil qu'un gamin ait décroché ce job en appelant le P-DG. « Je me souviens avoir dit à l'un des contremaîtres : "J'adore ce boulot !" Et quand je lui ai demandé ce qu'il aimait le plus, il m'a répondu : "Moi, c'est baiser !" » Steve Jobs s'était mis dans la poche les ingénieurs à l'étage au-dessus. « Il y avait des beignets et du café tous les matins là-haut. Alors je montais à l'étage et je traînais avec eux. »

Steve Jobs aimait travailler. Il distribuait également les journaux (son père le conduisait en voiture quand il pleuvait). Et durant sa première année au lycée, il travaillait les week-ends et pendant les vacances comme manutentionnaire dans un grand magasin d'électronique : Haltek. Cet endroit était à l'électronique ce qu'une casse auto était aux voitures. Un paradis pour les chineurs ! Sur près d'un hectare, des composants neufs ou usagés, parfois classés sur des rayonnages, parfois jetés en vrac dans des bacs, ou laissés en tas à l'extérieur… « Au bout du complexe, du côté de la baie, se souvint Jobs, il y avait une partie grillagée, abritant des restes de sous-marins du projet Polaris qui avaient été démontés et vendus pour être recyclés. Tous les boutons et manettes de contrôle étaient encore là. Les couleurs étaient le gris et le vert militaire, mais il y avait ces commutateurs et ces voyants rouges et ambre. Et ces gros leviers, énormes ! Pour un peu, on se disait que, si on en abaissait un, on risquait de faire sauter tout Chicago ! »

Au comptoir du magasin, croulant sous les catalogues aux couvertures déchiquetées, les clients se pressaient pour marchander des contacteurs, des résistances, des condensateurs, et parfois une puce mémoire dernier cri. Dans le domaine des pièces automobiles, son père négociait d'une main de maître, car il connaissait, mieux que les vendeurs, la valeur de chaque article. Steve Jobs fit de même. Grâce à sa connaissance des composants et son goût pour le marchandage, il parvint à gagner de l'argent. Il se rendait dans les marchés aux puces spécialisés dans l'électronique, tels que celui de San Jose, achetait à bas prix un circuit usagé qui contenait quelques composants de valeur, et les revendait à son chef à Haltek.

L'adolescent put avoir, à quinze ans, et avec l'aide de son père, sa première voiture. C'était une Nash Metropolitan que Paul Jobs avait restaurée et équipée d'un moteur MG. Steve Jobs ne l'aimait pas, mais il n'avait pas osé le dire à son père. L'idée d'avoir sa propre voiture était trop tentante. « Aujourd'hui, la Nash Metropolitan peut paraître une superbe voiture, mais à l'époque, c'était la voiture la plus ringarde qui soit ! Mais bon, c'était une voiture, donc j'étais très content. » Au bout d'un an, le garçon avait mis suffisamment d'argent de côté, avec ses divers petits boulots, pour s'acheter une Fiat 850 rouge avec un moteur Abarth. « Mon père est venu avec moi pour l'inspecter. Le fait de gagner de l'argent et de pouvoir m'offrir quelque chose, c'était vraiment très excitant. »

Ce même été, entre la seconde et la première, Steve Jobs commença à fumer de la marijuana. « J'y ai goûté pour la première fois cet été-là, à quinze ans, et je me suis mis à fumer régulièrement. » Un jour son père trouva de l'herbe dans la Fiat :

— C'est quoi ça ?

— De la marijuana, répondit tranquillement le garçon.

« C'est l'une des rares fois où j'ai vu mon père en colère contre moi. » Mais encore une fois, Paul Jobs se plia à la volonté de son fils. « Il voulait que je lui promette de ne plus jamais fumer de l'herbe, mais j'ai refusé. » En terminale, Steve Jobs touchera aussi au LSD, au haschisch et explorera les effets hallucinogènes liés à la privation de sommeil. « J'étais quasiment tout le temps entre deux joints. On prenait parfois de l'acide, le plus souvent dans les champs ou dans les voitures. »

L'adolescent s'était également épanoui intellectuellement au cours de ces deux dernières années au lycée. Il se trouvait à la croisée des chemins, d'un côté, il y avait les passionnés d'électronique, de l'autre, les passionnés de littérature et de création artistique. « J'écoutais alors beaucoup de musique, je lisais – et autre chose que des revues scientifiques – Shakespeare, Platon. J'adorais *Le Roi Lear*. » Ses autres livres de chevet étaient *Moby Dick* et les poèmes de Dylan Thomas. (Je lui ai alors demandé pourquoi il se sentait un lien particulier avec le Roi Lear et le Capitaine Achab, deux personnages parmi les plus déterminés de toute la littérature, mais il a éludé ma question, alors je n'ai pas insisté.) « Quand j'étais en dernière année au lycée, continua-t-il en changeant de sujet, j'avais un professeur incroyable en littérature ; il ressemblait à Hemingway ; et il nous a emmenés faire un raid en raquettes dans le Yosemite. »

Steve Jobs suivait un cours qui devint légendaire dans la Silicon Valley : le cours d'électronique de John McCollum, un ancien pilote de l'US Navy qui n'avait pas son pareil pour intéresser ses élèves, en n'hésitant pas, par exemple, à monter une bobine de Tesla pour créer de redoutables arcs électriques. Sa petite réserve, dont il prêtait la clé à ses meilleurs élèves, croulait sous les transistors et autres composants électroniques. Il avait l'aisance d'un Mr Chips pour expliquer la théorie et en déduire aussitôt des applications pratiques, telles que le montage en série ou en parallèle de résistances et de condensateurs, pour construire des amplificateurs ou des postes récepteurs de radio.

La classe de McCollum se trouvait dans un bâtiment annexe aux allures de remise, au fin fond du campus, à côté du parking. Steve Jobs voulut me le montrer. « C'est là que ça se passait, m'expliqua-t-il en regardant l'atelier par la fenêtre du bâtiment, et à l'autre porte, là-bas, c'était la salle de mécanique automobile. » Cette jux-taposition était à l'image des passions respectives du père et du fils.

McCollum croyait en la discipline militaire, et au respect de l'autorité. Pas Steve Jobs. Le garçon ne tentait plus de cacher son aversion à l'égard de toute forme d'autorité et son attitude était un mélange déroutant d'assiduité et de rébellion. Son ancien professeur dira plus tard : « Il était souvent dans un coin à faire son truc, et il évitait tout contact avec moi comme avec le reste de sa classe. » McCollum se méfia toujours de Steve Jobs ; jamais il ne lui donna une clé de sa caverne d'Ali Baba. Un jour, le garçon eut besoin d'une pièce que le lycée n'avait pas. Il appela donc le fabricant en PCV, la société Burroughs à Detroit, et leur raconta qu'il concevait un nouvel appareil et qu'il voulait tester leur composant. La société le lui envoya par avion quelques jours plus tard. Quand McCollum lui demanda comment il s'était procuré cette pièce, Jobs lui dévoila, avec un mélange de défi et de fierté, les dessous de l'affaire – l'appel en PCV et l'histoire qu'il avait inventée. « J'étais furieux, expliqua McCollum. Ce n'était pas le comportement que j'attendais de mes élèves. » La réponse de Steve Jobs fut sans équivoque : « Je n'avais pas d'argent pour l'appel. Et, eux, ils ont plein de fric. »

Steve Jobs suivit le cours de McCollum une seule année, au lieu des trois proposées. Pour l'un de ses projets, il construisit un circuit pourvu d'une cellule photoélectrique qui faisait office d'interrupteur quand celle-ci recevait de la lumière, un montage du niveau de n'importe quel lycéen. Il préférait de loin jouer avec des lasers, grâce à ce que lui avait appris son père. Avec quelques amis, il créa des jeux de lumières pour des fêtes avec des faisceaux laser animés par des miroirs placés sur les membranes des haut-parleurs.

CHAPITRE DEUX

UN COUPLE IMPROBABLE

Les deux Steve

Jobs et Wozniak dans le garage, en 1976.

Woz

Pendant qu'il suivait les cours de McCollum, Steve Jobs se lia d'amitié avec un ancien de l'école qui était le chouchou de l'ex-militaire, toutes promotions confondues, et une légende vivante à Homestead High pour ses prouesses en électronique. Stephen Wozniak, dont le frère cadet faisait partie de l'équipe de natation de Steve Jobs, était de cinq ans son aîné, et en savait beaucoup plus long que lui en électronique. Mais socialement – et psychologiquement – il était encore un lycéen attardé.

Comme Steve Jobs, Stephen Wozniak avait beaucoup appris de son père. Mais leur enseignement avait été différent. Paul Jobs avait abandonné ses études au lycée, il réparait des voitures et faisait de coquets profits en achetant au meilleur prix ses pièces. Francis Wozniak, surnommé Jerry, était un ancien étudiant émérite de Cal Tech et ancien quarterback de l'équipe ; l'école avait en haute estime les inventeurs et les concepteurs qu'elle formait, et méprisait les commerciaux et ceux en général qui faisaient des affaires. Francis Wozniak devint un spécialiste des fusées chez Lockheed où il concevait des systèmes de guidage pour missile. « Mon père disait qu'il n'y avait rien de plus noble sur terre que l'ingénierie, me confia Steve Wozniak. Selon lui, ce sont les ingénieurs qui tirent la société vers le haut. »

Wozniak se revoyait, tout petit, dans le bureau de son père, avec toute sorte de composants électroniques devant lui. C'était l'un de ses premiers souvenirs. « Papa les avait étalés sur une table pour que je puisse jouer avec. » Il regardait, fasciné, son père sur un écran vidéo transformer une sinusoïde en une ligne droite parfaite pour lui montrer qu'un de ses circuits fonctionnait convenablement. « Je ne comprenais pas trop, à l'époque, ce qu'il faisait, mais à mes yeux c'était forcément quelque chose d'important et de très utile. » Woz, comme on l'appelait, posait une foule de questions sur les éléments de circuits qui traînaient partout dans la maison et son père sortait un tableau pour lui donner un petit cours d'électronique. « Il m'expliquait le fonctionnement d'un transistor en remontant jusqu'à la théorie des atomes et des électrons. Au CE1, je connaissais l'effet d'une résistance non pas par des équations mais grâce aux schémas qu'il m'avait dessinés. »

Francis Wozniak donna un autre enseignement à son fils, un précepte qui demeura ancré dans l'esprit de Woz jusqu'à l'âge adulte et qui modela sans doute sa personnalité atypique et juvénile : ne mens jamais. « Mon père croyait en l'honnêteté. En l'honnêteté absolue. C'est la chose la plus importante qu'il m'ait apprise. Je ne sais pas mentir. Et c'est le cas, aujourd'hui encore. » (La seule exception qu'il fait à ce principe, c'est quand il s'agit de faire une plaisanterie.) Il inculqua également à son fils une aversion pour toute ambition excessive – c'est là tout ce qui sépare Woz de Jobs. Quarante ans après leur rencontre, alors que Woz assistait à l'inauguration d'un nouveau produit Apple en 2010, il me parla de leurs différences : « Mon père me disait : "Tu dois être au milieu." Et c'est vrai que je ne voulais pas être au sommet de l'échelle comme Steve. Papa était ingénieur, et c'est ce que je voulais être. J'étais bien trop timide pour être un homme d'affaires. »

En CM1, Wozniak était déjà, pour reprendre son expression, un « electronic kid ». Il était plus facile de faire les yeux doux à un transistor qu'à une fille ; il a toujours eu cet aspect voûté et hirsute du garçon toujours penché sur ses circuits. À l'âge où Steve Jobs découvrait le fonctionnement atypique d'un microphone à charbon, Woz se servait de transistors pour construire un système d'interphones avec amplificateurs, relais, voyants lumineux et sonneries, reliant les chambres de ses camarades dans six maisons différentes. À l'âge où Steve Jobs montait des Heathkit, Woz assemblait un émetteur-récepteur Hallicrafters, la radio la plus perfectionnée du moment, et obtenait sa licence de radio amateur.

Woz passait le plus clair de son temps chez lui, à lire les revues d'électronique de son père ; il se passionna pour les articles sur les nouveaux ordinateurs, tels que le puissant ENIAC. L'algèbre de Boole lui venant naturellement, il s'émerveillait de sa simplicité d'emploi. En classe de 4e, il construisit un calculateur utilisant les nombres binaires, regroupant cent transistors, deux cents diodes, et autant de résistances sur dix plaques de circuits. Il gagna le concours régional de l'US Air Force, bien qu'il y eût des élèves de terminale parmi les compétiteurs.

Woz devint plus solitaire encore quand ses camarades commencèrent à sortir avec des filles, à aller à des fêtes, autant de défis qui lui paraissaient bien plus complexes que celui de concevoir des cartes électroniques. « Alors qu'autrefois j'étais apprécié, j'avais des amis, je faisais du vélo avec eux et tout le reste, je me suis retrouvé seul comme une pierre. Pendant un temps, qui m'a paru durer une éternité, personne ne m'a plus adressé la parole. » Il trouva une échappatoire en faisant des blagues. En terminale, il construisit un métronome électronique – comme ceux qu'on emploie en cours de musique – et il eut l'impression d'entendre le tic-tac d'une bombe à retardement. Alors il retira les étiquettes de grosses piles, les scotcha ensemble, les brancha à son circuit et plaça le tout dans l'un des casiers de l'école. Il régla son appareil pour que le tic-tac s'accélère quand on ouvrait la serrure. Plus tard, ce même jour, Woz fut convoqué dans le bureau du proviseur. Il pensait que c'était pour lui annoncer qu'il avait gagné, une fois encore, le concours de mathématiques. Mais au lieu de ça, il tomba nez à nez avec la police. Le proviseur, Mr Brydl, avait été prévenu quand on avait découvert l'engin ; il l'avait attrapé et, courageusement, l'avait emporté jusqu'à l'extrémité du terrain de football pour arracher les fils. Woz ne put s'empêcher d'éclater de rire. Il fut envoyé en maison de redressement, où il passa la nuit. Ce fut pour lui une expérience mémorable. Il apprit aux autres détenus comment retirer les fils des ventilateurs pour les brancher aux barreaux afin que les geôliers reçoivent une décharge électrique quand ils les toucheraient.

Prendre un coup de jus était un insigne honneur pour Woz qui se voyait déjà ingénieur en électronique… c'était le métier qui rentrait ! Il avait un jour fabriqué une roulette de casino d'un genre un peu particulier. La partie se jouait avec quatre personnes ayant chacune un pouce dans une fente ; suivant la case où s'arrêtait la boule, l'un des quatre joueurs recevait une décharge. « Nous autres, les gars de l'électronique, on jouait tous à ce jeu, mais ces poules mouillées de programmeurs avaient trop les jetons ! »

En terminale, il travailla à mi-temps chez Sylvania et eut l'opportunité de manipuler pour la première fois un ordinateur. Il apprit le FORTRAN, et éplucha les manuels de la quasi-totalité des mini-ordinateurs de l'époque, en commençant par le PDP-8 de Digital Equipment. Puis il étudia les caractéristiques techniques des dernières puces électroniques et tenta d'imaginer ce que pourrait être un ordinateur qui utiliserait ces dernières innovations technologiques. Il se lança un défi : concevoir un circuit aussi efficace mais qui se servirait du moins de puces possible. « Je l'ai fait tout seul, enfermé dans ma chambre », se souvient-il. Tous les soirs, il tentait d'affiner ses schémas de la veille. À la fin de sa terminale, il était devenu un expert en la matière. « Je concevais des ordinateurs deux fois moins chers à réaliser que ceux des sociétés existantes – mais ce n'était que sur le papier. » Il ne parla jamais de ses recherches à ses amis. De toute façon, la plupart des jeunes de dix-sept ans avaient d'autres chats à fouetter.

Lors du week-end de Thanksgiving, Wozniak se rendit à l'université du Colorado. Elle était fermée pour les vacances, mais il trouva un étudiant en informatique pour lui faire visiter les laboratoires. Le jeune homme supplia son père de le laisser aller étudier là-bas, même si les coûts de scolarité dépassaient de loin les moyens de la famille. Francis Wozniak conclut un accord avec son fils : il pourrait y aller pendant un an, puis il reviendrait poursuivre ses études au College De Anza, l'établissement de la région. Les événements finalement le contraignirent à respecter la seconde partie du contrat. Car après son arrivée dans le Colorado à l'automne 1969, il se consacra tellement à faire des blagues (comme par exemple de faire imprimer des milliers de flyers disant « Fuck Nixon ») qu'il rata deux UV et passa en conseil de discipline. En outre, il créa un programme pour calculer les nombres de la suite de Fibonacci qui coûta si cher en temps d'utilisation d'ordinateur que l'université menaça de lui faire payer la facture. Plutôt que d'avouer ses fautes à ses parents, il demanda son transfert à De Anza.

Woz, pendant ses loisirs, entreprit de gagner un peu d'argent. Il trouva un emploi dans une société qui fabriquait des ordinateurs pour le ministère des Transports routiers. Un collègue lui fit alors une offre miraculeuse : il lui proposa de lui donner quelques puces qu'il avait en trop pour qu'il puisse construire l'ordinateur dont il avait fait les plans. Wozniak décida d'utiliser le moins de composants possible, à la fois par défi personnel et parce qu'il ne voulait pas abuser de la gentillesse de son collègue.

Le gros du travail fut réalisé dans le garage d'un ami, Bill Fernandez, qui habitait au coin de sa rue, et qui était encore au lycée de Homestead Hill. Pour se donner du cœur à l'ouvrage, les deux garçons engloutissaient des quantités astronomiques de Cream Soda Cragmont. Ils allaient au supermarché de Sunnyvale à vélo rapporter leurs bouteilles consignées pour pouvoir en racheter d'autres. « C'est ainsi que l'on a baptisé notre ordinateur le Cream Soda Computer », explique Wozniak. Sur le principe, c'était un calculateur capable de multiplier des nombres qu'on entrait grâce à un ensemble de commutateurs et le résultat était donné en binaire sur un ensemble de LED.

Quand l'appareil fut terminé, Fernandez décida de présenter à Wozniak un camarade de Homestead High. « Il s'appelle Steve. Il fait des farces comme toi et il construit aussi des trucs électroniques. » Ce fut peut-être la réunion la plus importante dans un garage de la Silicon Valley depuis celle de Hewlett et Packard trente-deux ans plus tôt. « Steve et moi, nous nous sommes assis sur le trottoir, en face de la maison de Bill et nous avons parlé à n'en plus finir. On s'est raconté des anecdotes, les canulars que nous avions faits, les appareils que nous avions construits. Nous avions tant de points communs. D'ordinaire, les gens avaient du mal à comprendre ce sur quoi je travaillais, mais Steve saisissait tout de suite. Et il m'était sympathique. Il était sec comme un clou, et plein d'énergie. » Steve Jobs aussi était impressionné : « Woz était la première personne que je rencontrais qui en savait plus que moi en électronique, disait-il en exagérant son expertise en la matière. Tout de suite, je l'ai bien aimé. J'étais un peu plus mûr que mon âge, et lui un peu moins que le sien, alors ça s'égalisait. Woz était très brillant, mais émotionnellement, c'était un vrai gamin. »

En plus de leur intérêt commun pour les ordinateurs, ils avaient tous les deux une autre passion : la musique. « C'était une période formidablement riche de ce point de vue, comme si on vivait à l'époque de Beethoven et de Mozart. Vraiment. C'est ce que retiendra l'histoire. Woz et moi, on était en plein dedans. On a cherché un gars à Santa Cruz, un dénommé Stephen Pickering, qui publiait une chronique sur Bob Dylan. Dylan enregistrait tous ses concerts, et certaines personnes de son entourage en ont profité ; rapidement des bandes se sont vendues sous le manteau. Et ce gars les avait toutes ! »

Dénicher ces enregistrements devint leur quête. « On arpentait tous les deux San Jose et Berkeley pour trouver ces enregistrements pirates », confie Wozniak. Jobs me parla longuement de cette période : « On achetait les livrets des chansons et on passait la nuit à les chanter. Les paroles de Dylan nourrissaient l'imagination, développaient notre sens créatif. À la fin, j'avais plus de cent heures de chansons, y compris l'intégralité de ses concerts de la tournée 65 et 66. » (Le moment charnière où Dylan choisit à la guitare électrique.) Les deux garçons s'achetèrent chacun un magnétophone à bandes TEAC. Wozniak utilisait le sien à basse vitesse pour pouvoir enregistrer un maximum de morceaux sur une seule bande ; Jobs était tout aussi passionné : « Au lieu de grosses enceintes, je me suis offert un casque dernier cri et j'écoutais Dylan pendant des heures, allongé sur mon lit. »

Jobs avait fondé un club à Homestead High qui créait des jeux de lumière psychédéliques pour des soirées et faisait des farces à ses temps perdus (ils avaient un jour placé un siège de toilette peint en doré au milieu du campus). Leur organisation s'appelait le Buck Fry Club en l'honneur du nom du proviseur de l'époque. Bien qu'ils eussent quitté le lycée, Wozniak et son ami Allen Baum venaient prêter main-forte au groupe qui, à la fin de l'année, voulait préparer une banderole d'adieu pour leurs camarades de terminale qui quittaient le lycée. Alors que je traversais avec Jobs le campus quarante ans plus tard, il s'arrêta et tendit le doigt : « Tu vois ce balcon ? C'est là que nous avions installé la bannière ; ce fut un haut fait d'armes qui scella à jamais notre amitié entre Woz et moi. » Ils prirent chez Allen Baum un grand drap ; ils l'avaient teint aux couleurs de l'école, et avaient peint une grande main, faisant un doigt d'honneur. La mère d'Allen Baum les avait même aidés à la dessiner et leur avait montré comment mettre un ombrage pour lui donner plus de réalisme. « J'ai été jeune, moi aussi », avait-elle dit en pouffant. Ils mirent au point un système de cordes et de poulies pour que l'étendard puisse être déployé au moment précis où le groupe de diplômés passeraient devant le balcon ; et ils avaient signé leur œuvre SWABJOB[1], les initiales de Wozniak et Baum, combinées avec quelques lettres du nom de Jobs. C'est ainsi que le jeune Steve se fit renvoyer une fois encore du lycée.

Pour une autre plaisanterie, Wozniak avait construit un petit appareil qui brouillait la réception des téléviseurs. Il arrivait dans une pièce où des gens regardaient la télévision, appuyait discrètement sur le bouton et l'écran se couvrait de neige dans l'instant. Quand quelqu'un se levait pour taper sur le poste, Wozniak lâchait le bouton et l'image revenait. Une fois qu'il se fut lassé de faire bondir ses victimes de leur siège à volonté, il poussa l'expérience un peu plus loin ; il parasita l'image jusqu'à ce que quelqu'un touche l'antenne. Et, par de savantes manipulations, il parvint à convaincre l'infortuné qu'il lui fallait tenir le râteau d'une main tout en levant un pied pour rétablir l'image. Des années plus tard, lorsque Jobs, au cours d'une présentation, eut des difficultés à lancer une vidéo, il posa ses papiers et raconta à son auditoire l'histoire du boîtier brouilleur. « Woz l'avait dans sa poche et on arrivait dans le foyer des étudiants où toute une bande regardait un feuilleton, genre *Star Trek*, et il brouillait l'image. Quelqu'un se levait pour intervenir et, au moment où il levait un pied, il faisait revenir l'image ; dès que le malheureux le reposait au sol, il brouillait de nouveau l'écran. Et

---

1. Allusion argotique pour fellation. (*N.d.T.*)

en cinq minutes, ajouta Jobs en prenant une posture grotesque, le gars se retrouvait comme ça ! » Et la salle rit aux éclats.

La Blue Box

Leur dernier canular high-tech – qui allait être l'élément déclencheur de la genèse d'Apple – fut conçu un dimanche après-midi lorsque Wozniak lut un article dans le magazine *Esquire* que sa mère avait laissé pour lui sur la table de la cuisine. On était en septembre 1971, et il devait partir le lendemain à Berkeley, sa troisième université en trois ans. L'article de Ron Rosenbaum, intitulé « Les secrets de la petite Blue Box », décrivait comment des pirates du téléphone avaient trouvé le moyen de passer des appels longue distance gratuitement en reproduisant les tonalités qui routaient les signaux du réseau AT&T. « Arrivé à la moitié de l'article, raconte Wozniak, je n'ai pu m'empêcher d'appeler mon meilleur ami, Steve Jobs, pour lui lire des passages. » Il savait que Jobs, qui entamait sa dernière année au lycée, serait l'une des rares personnes à partager son excitation.

Le héros de l'histoire était John Draper, un pirate surnommé « Captain Crunch », parce qu'il avait découvert que le sifflement émis par ses céréales éponymes du matin était du 2 600 hertz, la fréquence utilisée par les routeurs du réseau téléphonique. Il pouvait ainsi tromper les systèmes et téléphoner à l'international pour le prix d'un appel local. L'article révélait que les autres tonalités à fréquence unique pilotant les routeurs étaient listées dans un numéro du *Bell System Technical Journal*, et que AT & T en avait demandé le retrait immédat des rayons.

Dès que Steve Jobs reçut l'appel de Wozniak, il sut qu'ils devaient à tout prix se procurer un exemplaire de cette revue technique. « Woz est passé me prendre cinq minutes plus tard, et on a foncé à la bibliothèque du SLAC (le Stanford Linear Accelerator Center). » C'était un dimanche et la bibliothèque était fermée, mais ils savaient qu'une porte demeurait souvent ouverte. « Je nous revois en train de fouiller fébrilement les piles de magazines ; c'est Woz qui dénicha le numéro avec toute la liste des fréquences. C'était comme si on avait trouvé le Graal ! On l'a ouvert et… miracle ! On n'en revenait pas. Tout était là, les tonalités, les fréquences. Tout ! »

Wozniak se rendit à la boutique Sunnyvale Electronics juste avant la fermeture ce soir-là et acheta de quoi assembler un générateur de fréquence. Job avait déjà construit un fréquencemètre quand il était au Club des Explorateurs ; ils l'employèrent donc pour calibrer les tonalités. À l'aide d'un cadran, ils pouvaient générer les sons spécifiés dans l'article et les enregistrer. À minuit, ils étaient prêts à tester leur appareil. Malheureusement, les oscillateurs qu'ils utilisaient manquaient de stabilité pour reproduire à l'identique le trille *ad hoc* pour tromper la compagnie du téléphone. « Ça se voyait bien avec le fréquencemètre de Steve, expliqua Wozniak. Ça ne pouvait pas fonctionner. Comme je partais à Berkeley le lendemain matin, on a décidé que je plancherais sur une version numérique lorsque je serais là-bas. »

Personne n'avait jamais construit une Blue Box numérique, mais Woz était prêt à relever le défi. Avec des diodes et des transistors achetés au Radio Shack, et avec l'aide d'un camarade musicien ayant l'oreille absolue, il réussit à la finaliser juste avant Thanksgiving. « Jamais, je n'avais été aussi fier de ma vie, confie Wozniak. Aujourd'hui encore, je n'en reviens pas d'être parvenu à concevoir un tel circuit. »

Une nuit, le jeune homme quitta Berkeley et se rendit chez Steve Jobs pour essayer son invention. Ils tentèrent d'appeler l'oncle de Wozniak à Los Angeles, mais ils firent un faux numéro. Cela n'avait aucune importance. Leur appareil fonctionnait. « Bonjour, nous vous appelons gratuitement ! On vous téléphone gratis ! » s'écriait Wozniak. La personne à l'autre bout du fil était aussi perplexe qu'agacée. Et Steve Jobs d'ajouter : « On vous appelle de Californie ! De Californie ! Avec une Blue Box ! Vous vous rendez compte ? » L'homme ne pouvait comprendre ce qu'il y avait d'extraordinaire, puisqu'il habitait lui aussi cet État.

Au début, ils se servirent de leur appareil pour faire des canulars téléphoniques. Celui qui resta dans les annales ce fut lorsque Wozniak appela le Vatican en se faisant passer pour Henry Kissinger et demanda à parler au pape, avec un fort accent allemand. « Nous être à le sommet de Moscou et nous foulons parler à le pape ! » imite encore Wozniak. On lui répondit qu'il était 5 h 30 du matin et que le pape dormait. Quand Wozniak rappela, il eut en ligne un évêque, censé faire office d'interprète. Mais ils n'eurent jamais le pape au téléphone. « Ils avaient compris que Woz n'était pas Kissinger, raconte Jobs. Nous téléphonions d'une cabine publique. »

C'est alors qu'ils franchirent un cap qui scellerait à jamais le mode de fonctionnement du duo Woz/Jobs : Jobs décréta que la Blue Box pourrait être autre chose qu'un amusant passe-temps. Ils pourraient en construire plusieurs et les vendre. « Je me suis procuré le reste des pièces, le boîtier, l'alimentation, le clavier, et j'ai évalué le prix auquel on pouvait la vendre », m'expliqua Jobs – ce qui préfigurait leurs rôles respectifs quand ils fonderaient Apple. Le produit fini avait l'épaisseur de deux jeux de cartes. Le prix de revient était de quarante dollars. Jobs décida de fixer le prix à cent cinquante dollars.

Suivant l'exemple d'autres pirates tels que Captain Crunch, ils se donnèrent des pseudos. Wozniak fut « Berkeley Blue », Jobs « Oaf Torbark ». Ils faisaient la tournée des dortoirs et jouaient les VRP pour tenter de placer leur petite boîte magique. Devant leurs clients potentiels, ils appelaient le Ritz à Londres, ou une boîte vocale en Australie donnant « la blague du jour ». Jobs me précisa avec fierté : « On a construit une centaine de Blue Box et on les a quasiment toutes vendues ! »

La bonne rigolade s'arrêta dans une pizzeria de Sunnyvale. Les deux compères s'apprêtaient à descendre à Berkeley dans l'espoir de fourguer une Blue Box qu'ils venaient d'assembler ; Jobs avait besoin d'argent et était pressé de vendre, alors il fit son boniment au groupe de la table d'à côté. Comme ils paraissaient intéressés, il leur fit une démonstration dans une cabine téléphonique et appela Chicago. Les types leur demandèrent alors de les accompagner jusqu'à leur voiture où se trouvait leur argent. « On les a donc suivis, Woz et moi ; j'avais la Blue Box dans la main, et le gars s'est penché dans l'habitacle, a fouillé sous le siège et a sorti un flingue. Je n'avais jamais vu un pistolet de si près et j'étais terrorisé. Il a plaqué l'arme contre mon estomac et m'a dit : "Donne-moi ton machin, brother." J'étais en proie à la panique. Il y avait la portière de la voiture juste devant moi ; peut-être que si je la claquais sur ses tibias, on pourrait s'enfuir… mais il y avait aussi de fortes chances qu'il me tire dans le ventre. Alors je lui ai donné le boîtier, bien gentiment. » Ce fut un vol étrange. Le type qui emporta la Blue Box laissa à Steve Jobs son numéro de téléphone, en lui disant qu'il le paierait plus tard si l'appareil marchait. Jobs, donc, rappela et eut le gars en ligne ; il ne savait pas utiliser l'appareil. Alors Steve Jobs, ne manquant jamais d'à-propos, lui fixa rendez-vous dans un lieu public. Mais Woz et Jobs, finalement, n'eurent pas le cran de se retrouver à nouveau face à face avec son pistolet, même s'il y avait peut-être cent cinquante dollars à gagner.

Cette expérience ouvrit la voie vers la plus grande aventure de leur vie. « Sans la Blue Box, jamais Apple n'aurait vu le jour, m'expliquera Jobs. J'en suis sûr à cent pour cent. Woz et moi, à cette occasion, avons appris à travailler ensemble ; nous avons acquis la certitude que nous pouvions résoudre tous les problèmes techniques et lancer un produit. » Ils avaient mis au point un appareil avec un petit circuit qui pouvait faire la nique à des multinationales pesant plusieurs milliards de dollars. « Cela nous a procuré une confiance en nous extraordinaire, conclut également Woz. C'était sûrement une erreur de les vendre, mais cela nous a offert un aperçu de ce que l'on pouvait faire, moi avec mes talents en électronique et Steve avec sa vision à grande échelle. » La Blue Box posa entre eux les bases du partenariat à venir : Wozniak serait le gentil magicien, qui viendrait avec ses inventions de génie et Jobs imaginerait comment les présenter, les rendre conviviales, et les lancerait sur le marché pour gagner de l'argent.

CHAPITRE TROIS

TOUT LÂCHER

Harmonie, ouverture, détachement…

Chrisann Brennan

Vers la fin de sa terminale à Homestead High, au printemps 1972, Steve Jobs fréquenta une hippie nommée Chrisann Brennan, qui avait son âge mais était encore en première. Avec ses cheveux châtain clair, ses yeux verts, ses hautes pommettes et son allure délicate, elle avait le charme d'une princesse elfe. Ses parents étaient en pleine rupture, ce qui la rendait plus attachante encore. « On travaillait tous les deux sur un film d'animation. On est sortis ensemble et elle est devenue ma première véritable petite amie », m'expliqua Jobs. Chrisann dira plus tard : « Steve était un peu fou. C'est pourquoi il m'attirait. »

La folie de Steve Jobs était une folie travaillée. Il avait commencé depuis longtemps ses régimes drastiques – uniquement des fruits et des légumes. Il était donc fin et musclé comme un lévrier. Il avait appris à regarder les gens fixement, sans battre des paupières, et il cultivait les longs silences émaillés de staccato de paroles. Cet étrange mélange d'intensité et de détachement, associé à des cheveux longs, une barbe hirsute, lui donnait des airs de chaman. Parfois il passait pour un être charismatique, parfois il faisait carrément peur. « Il tournait en rond dans les pièces, comme un aliéné, se souvenait Chrisann. Il avait beaucoup d'angoisses. Il y avait comme une grande obscurité autour de lui. »

Jobs prenait de l'acide, et il entraîna Chrisann dans ses paradis artificiels ; cela se passait souvent dans un champ de blé dans les environs de Sunnyvale. « C'était génial, racontait-il. J'écoutais du Bach et, soudain, tous les blés jouaient du Bach. Je n'avais jamais rien connu d'aussi beau et merveilleux. J'avais l'impression d'être le chef d'orchestre et que l'âme du compositeur venait me rejoindre en traversant les blés. »

L'été 1972, après sa sortie du lycée, Jobs s'installa avec Chrisann dans une cabane dans les collines de Los Altos. Quand il annonça son projet à ses parents, son père piqua une colère : « Pas question. Moi vivant, tu ne feras pas ça ! » Ils s'étaient déjà récemment disputés à propos de la marijuana et une fois encore le jeune Steve Jobs se montra inflexible. Il leur dit au revoir et s'en alla dans sa cabane.

Chrisann passa beaucoup de temps cet été-là à peindre ; elle avait du talent. Elle peignit un clown pour Steve qu'il garda accroché au mur. Jobs écrivait de la poésie et jouait de la guitare. Il se montrait parfois très froid avec elle, mais il était également captivant et irrésistible, et imposait facilement sa volonté. « C'était un être éclairé et cruel à la fois, disait-elle. Un curieux mélange. »

Au milieu de l'été, Jobs a failli mourir brûlé vif dans sa Fiat rouge. Il roulait sur Skyline Boulevard dans les monts Santa Cruz avec un ami du lycée, Tim Brown, quand celui-ci, en regardant derrière lui, vit que des flammes sortaient du moteur. D'un ton détaché, il dit : « Gare-toi, Steve, ta voiture est en feu. » Son père, malgré leur dispute, vint dans les montagnes chercher la Fiat.

Pour gagner de quoi s'acheter une nouvelle voiture, Jobs demanda à Wozniak de l'emmener au College De Anza pour jeter un coup d'œil sur les petites annonces. Le centre commercial Westgate à San José cherchait des étudiants pour se déguiser et amuser les enfants. Pour trois dollars de l'heure, Jobs, Wozniak et Chrisann enfilaient de gros costumes et des masques, et jouaient *Alice au pays des merveilles*, le chapelier fou et le lapin blanc. Wozniak, avec sa personnalité douce et appliquée, trouva l'exercice amusant. « Je me disais : c'est super, j'adore les enfants. Ça me changeait de mon emploi chez HP. Steve, je crois, trouvait ce boulot totalement crétin, mais moi, je voyais ça comme une expérience insolite. » Pour Jobs, en effet, ce fut un calvaire : « J'étouffais, je crevais de chaud, les costumes étaient horriblement lourds ; je n'en pouvais plus… à la fin, j'avais envie de frapper les gosses ! » La patience n'avait jamais été l'une de ses vertus.

College Reed

Dix-sept ans plus tôt, ses parents avaient ouvert un fonds de financement quand ils avaient adopté Steve. Il ferait des études supérieures. Alors ils travaillèrent dur et mirent de l'argent de côté pour que leur fils puisse aller à l'université. Mais Jobs, devenant de plus en plus têtu, compliquait la situation. Il songeait à arrêter ses études. « J'avais envie de partir à New York », me dit-il en mesurant à quel point sa vie – et peut-être celle de nous tous – aurait été différente. Plus ses parents insistaient, plus il se braquait. Il ne souhaitait pas aller dans une université d'État, comme Berkeley où était Wozniak, même si ces établissements étaient bien plus abordables. Et il ne voulait pas davantage entendre parler de Stanford, qui se trouvait à deux pas et qui lui accorderait sans doute une bourse. « Les gars qui allaient là-bas avaient déjà un plan de carrière. Ils n'avaient pas la fibre artistique. Moi, je désirais un supplément d'âme, faire quelque chose de différent et d'intéressant. »

Il ne voyait donc qu'une seule option : College Reed, un établissement privé dont le programme portait sur les sept arts libéraux. Il se situait à Portland, dans l'Oregon et c'était l'un des collèges d'enseignement supérieur les plus chers du pays. Le jeune homme se trouvait avec Woz à Berkeley quand son père l'appela pour lui annoncer qu'il était reçu à Reed ; il tenta encore de le dissuader de partir là-bas. Sa mère aussi. C'était bien trop cher pour eux. Mais leur fils leur posa un ultimatum. Soit il allait à Reed, soit il n'allait nulle part. Paul et Clara cédèrent, comme toujours.

Reed ne comptait que mille étudiants ; c'était un établissement deux fois plus petit que Homestead High. Il était réputé pour la liberté de parole qui y régnait et son mode de vie hippie – ce qui contrastait curieusement avec son enseignement classique et dogmatique. Cinq ans auparavant, Timothy Leary, le gourou de l'illumination psychédélique, était venu au campus de Reed lors de sa campagne pro LSD (League for Spiritual Discovery[1]). Assis en tailleur, il avait prêché : « Comme toutes les grandes religions du passé nous cherchons le divin en nous… cette quête ancienne s'inscrit dans notre mantra contemporain : harmonie, ouverture, détachement. » Nombre d'étudiants de Reed avaient pris cette injonction au pied de la lettre. Plus d'un tiers des jeunes, soucieux de se « détacher » des contingences matérielles, abandonnaient leurs études durant les années 1970.

À l'automne 1972, quand vint le moment des inscriptions, ses parents emmenèrent Jobs jusqu'à Portland, mais dans un nouvel accès de rébellion, il leur interdit de pénétrer sur le campus. Il ne leur dit ni au revoir ni merci. Il me narra cet épisode avec une contrition qui ne lui était guère coutumière :

> C'est l'un des moments de ma vie dont j'ai le plus honte. Je ne leur ai montré aucune gratitude ; et je les ai blessés. Je n'aurais pas dû. Ils avaient tout fait pour que je puisse aller là-bas, mais je ne voulais pas les avoir dans mes pattes. Je voulais que personne ne sache que j'avais des parents. Je voulais être l'orphelin qui avait traversé tout le pays en train, et qui débarquait de nulle part. Un être vierge, sans racines, sans relations, ni passé.

À l'arrivée de Jobs à Reed, la vie au campus avait connu une mutation profonde. L'implication du pays dans la guerre du Viêt-nam, avait reculé et, avec lui, le mouvement de contestation. L'engagement politique avait quasiment disparu. La nuit, dans les dortoirs, on parlait moins de changer le monde que de quêtes individuelles. Steve Jobs fut grandement influencé par la littérature traitant de spiritualité et d'éveil personnel, en particulier le célèbre *Remember, ici et maintenant*, un guide prônant la méditation et l'exploration des merveilles qu'offraient les substances psychédéliques, écrit par Ram Dass, anciennement Richard Alpert. « C'était si profond. Ce texte m'a totalement métamorphosé, comme nombre de mes camarades. »

Son ami le plus proche était Daniel Kottke, un autre barbu hirsute, dont il avait fait la connaissance une semaine après son arrivée ; ils partageaient le même intérêt pour le zen, Dylan et l'acide. Kottke

---

1. « Ligue pour la découverte spirituelle. » *(N.d.T.)*

venait d'une banlieue huppée de New York. Il était intelligent mais marchait au ralenti, son indolence hippie rendue plus mollassonne encore par la pratique du bouddhisme. Cette quête spirituelle l'avait incité à se défaire de tout bien matériel, mais il était néanmoins impressionné par le magnétophone de Jobs : « Steve a débarqué avec un TEAC à bandes ! Et avec tous les enregistrements pirates de Dylan ! C'était un mec à la fois baba cool et high-tech. »

Steve Jobs passa beaucoup de temps avec Kottke et sa petite amie, Elizabeth Holmes, même s'il s'était montré grossier envers elle, lors de leur première rencontre, quand il lui avait demandé combien il fallait lui donner d'argent pour qu'elle accepte de coucher avec un autre garçon. Ils partaient sur la côte en auto-stop, discutaient à n'en plus finir sur le sens de la vie, assistaient aux célébrations dans le temple des Hare Krishna, allaient au centre zen pour avoir un repas végétarien gratuit. « On s'amusait beaucoup, disait Kottke. Mais on en apprenait aussi beaucoup, philosophiquement. Pour nous, le zen c'était très sérieux. »

Steve Jobs se mit à fréquenter la bibliothèque et lisait, comme Kottke, de plus en plus d'ouvrages sur la spiritualité orientale, tels que *Esprit zen, esprit neuf* de Shunryu Suzuki, *Autobiographie d'un yogi* de Paramahansa Yogananda, *La Conscience cosmique*, de Richard Maurice Bucke, et *Pratique de la voie tibétaine : au-delà du matérialisme spirituel*, de Chögyam Trungpa. Ils avaient installé une chambre de méditation dans le grenier au-dessus de la chambre d'Elizabeth Holmes, l'avaient décorée avec des dessins indiens, un tapis en dhurrie, des bougies, et des coussins. « On y accédait par une trappe, me raconta Jobs. C'était un immense espace. On prenait parfois là-haut des produits psychédéliques, mais le plus souvent on méditait. »

L'engagement de Steve Jobs dans la spiritualité orientale et le bouddhisme ne fut pas une passade de jeunesse. Il s'y adonna totalement, avec sa détermination coutumière. « Steve était à fond dans le zen, me confia Kottke. Ça a été d'une grande influence chez lui. Ça se voit, encore aujourd'hui, dans son approche globale des choses, son goût de l'épure, sa capacité de concentration. » Steve Jobs fut aussi très sensible à la place que le bouddhisme laissait à l'intuition : « Je me suis rendu compte que la compréhension intuitive et la conscience étaient plus importantes que la pensée abstraite et la logique. » Son caractère passionné l'empêchait toutefois d'atteindre le véritable nirvana. Son esprit zen n'était pas accompagné d'une paix intérieure, de calme et de sérénité ; il était loin de l'harmonie dans ses rapports avec les autres.

Jobs et Kottke aimaient jouer à une variante allemande des échecs datant du XIXe siècle, appelée le Kriegspiel, où les joueurs sont dos à dos avec chacun son échiquier et ses propres pièces, et sans voir le jeu de l'adversaire. Un arbitre les informe si le coup qu'ils veulent jouer est possible ou non, et ils doivent imaginer où sont les pièces ennemies. « La partie la plus folle que j'aie jouée avec eux eut lieu pendant un orage, se rappelle Elizabeth Holmes qui faisait office d'arbitre. On était installés devant la cheminée. Les garçons étaient tous les deux sous acide. Ils jouaient si vite que j'avais du mal à suivre. »

Un autre ouvrage eut une grande influence sur Steve Jobs durant cette première année à Reed – une influence peut-être trop grande : *Sans viande et sans regrets* de Frances Moore Lappé, qui vantait les bienfaits du régime végétarien pour les hommes comme pour la planète. « C'est à cette époque que j'ai tiré un trait sur la viande », me dit-il. Mais le livre renforça également son inclination pour les régimes extrêmes, imposant des purges, des jeûnes, ou de ne manger uniquement qu'un ou deux aliments, par exemple des carottes et des pommes, pendant plusieurs semaines d'affilée.

Jobs et Kottke devinrent des végétariens radicaux dès leur première année à Reed. « Steve est allé encore plus loin que moi, relate Kottke. À un moment, il ne se nourrissait plus que de bouillies de céréales. » Jobs allait dans une coopérative agricole pour trouver ses produits aux vertus miraculeuses – dattes, amandes, carottes en pagaille. « Il s'était acheté un robot mixeur, et il se faisait des jus ou des salades. On raconte que Steve est devenu tout orange à force d'ingurgiter autant de carottes, et ce n'est pas qu'une invention ! » Nombre de ses amis se souviennent encore de son teint, parfois, « coucher de soleil ».

Les régimes de Steve Jobs devinrent obsessionnels quand il lut *Santé et guérison par le jeûne*, de Arnold Ehret, un nutritionniste radical, d'origine allemande, du début du XXe siècle. Il pensait qu'en ne mangeant que des fruits et des légumes sans amidon, il empêchait le corps de sécréter du mucus néfaste pour la santé ; il préconisait des cures organiques par des jeûnes prolongés. Cela signifiait donc l'arrêt des céréales, du riz, du pain, ou du lait. Steve Jobs avertit ses amis des dangers du mucus qui se trouvait tapi dans leurs bagels. « J'ai entraîné tout le monde et, comme à mon habitude, je n'ai pas fait dans la demi-mesure ! » Par moments, Kottke et Jobs ne mangeaient plus que des pommes pendant toute une semaine ; mais Jobs tenta les véritables jeûnes. Il débuta par des périodes de deux jours, et finalement les fit durer une semaine, voire davantage, les entrecoupant de prises de grandes quantités d'eau et de jus de légumes vert. « Après une semaine, on commence à se sentir en pleine forme, m'expliqua-t-il. On tire une énorme vitalité à ne pas ingérer toute cette nourriture. Je débordais d'énergie. Tous les matins, j'avais l'impression que j'aurais pu aller à San Francisco à pied. » (Ehret mourut à l'âge de cinquante-six ans ; il marchait dans la rue, quand il a glissé sur une flaque et a fait une chute fatale.)

Régime végétarien et bouddhisme zen, méditation et spiritualité, acide et rock and roll – Steve Jobs menait tout de front, à mille pour cent, comme le voulaient l'époque et la quête de l'illumination qui animait les campus. Même s'il ne toucha pas à un transistor durant son séjour à Reed, la corde de l'électronique continuait de vibrer dans son esprit, et un jour, cette vibration entra en résonance avec toutes les autres.

Robert Friedland

Pour trouver de l'argent, Steve Jobs décida un jour de vendre sa machine à écrire IBM Selectric. Il entra dans la chambre de l'étudiant qui s'était proposé de l'acheter et tomba au milieu d'un ébat amoureux. Jobs s'apprêtait à rebrousser chemin mais l'étudiant l'invita à prendre une chaise et à attendre qu'ils aient fini. « Je me suis dit : en voilà un qui ne manque pas d'aplomb ! » C'est ainsi que débuta son amitié avec Robert Friedland, l'une des rares personnes capables de surprendre Steve Jobs. Il suivit l'exemple de Friedland et pendant quelques années le prit pour un gourou – jusqu'à ce qu'il le considère comme un imposteur et un maître arnaqueur.

Friedland avait quatre ans de plus que Jobs, mais n'avait toujours pas décroché son diplôme. Fils d'un rescapé d'Auschwitz devenu un architecte prospère de Chicago, Robert Friedland avait commencé ses études dans le Maine, mais en deuxième année, il fut arrêté en possession de vingt-quatre mille pilules de LSD pour un montant de cent vingt-cinq mille dollars. Les journaux locaux avaient publié sa photo où on le voyait emmené par les policiers, souriant devant l'objectif, le visage auréolé de ses longs cheveux blonds. Il avait été condamné à deux ans de réclusion à la prison fédérale de Virginie d'où il avait été libéré sur parole en 1972. Il était arrivé à Reed cet automne-là, et il fit immédiatement campagne pour être élu représentant des étudiants, prétextant qu'il avait besoin de laver son nom suite à cette erreur judiciaire. Et il fut élu.

Friedland avait entendu les prêches de Ram Dass, l'auteur de *Remember, ici et maintenant*, lors d'une conférence à Boston et, comme Jobs et Kottke, il était un adepte de la spiritualité orientale. Durant l'été 1973, Friedland était parti en Inde rencontrer le gourou de Ram Dass, Neem Karoli Baba, baptisé par ses fidèles Maharaj-ji. Quand il rentra de ce séjour, Friedland avait pris un *nouveau* nom, et déambulait dans le campus en sandales et sari. Il louait une chambre à l'extérieur du campus, au-dessus d'un garage. Jobs lui rendait visite là-bas très souvent. Il aimait la force (apparente) des convictions de Friedland, qui soutenait qu'un état d'illumination existait et pouvait être atteint. « Il me fit découvrir divers niveaux de conscience », me confia Jobs.

La fascination était réciproque. « Steve se promenait toujours pieds nus. C'est son intensité qui me saisissait le plus. Quoi qu'il entreprenne, il s'y lançait sans retenue, tout entier. » Friedland avait vite remarqué que Jobs maniait à merveille silence et paroles pour manipuler les autres personnes. « L'une de ses tactiques préférées, c'était de fixer dans les yeux la personne à qui il parlait. Il vrillait ses prunelles dans celles de son interlocuteur, posait une question et ne le lâchait plus du regard jusqu'à ce qu'il ait sa réponse. »

Selon Kottke, certaines manières de Jobs – dont bon nombre lui restèrent toute sa vie – furent empruntées à Friedland. « C'est Robert qui a appris à Steve comment créer un champ de distorsion de la réalité. Il était charismatique, rusé, et tournait toutes les situations à son avantage. Il était sûr de lui, tyrannique. Steve admirait ça et le devint à son tour à son contact. »

Jobs assimila également la façon dont Friedland parvenait à être le centre d'attention. « On aurait dit un commercial en représentation, un bonimenteur de foire, raconte Kottke. Quant à Steve, c'était, à l'origine, un gars effacé, timide, très discret. Je crois que Robert lui a appris l'art du commerce, à sortir de sa coquille ; il lui a montré comment s'ouvrir et prendre les commandes en toute circonstance. » Friedland diffusait autour de lui une aura à haute tension. « Quand il entrait dans une pièce, on le remarquait aussitôt. Steve était l'exact opposé à son arrivée à Reed. Mais après avoir passé du temps avec Robert, il commença à s'imposer en public. »

Les dimanches soir, Jobs et Friedland se rendaient au temple d'Hare Krisna, à la sortie ouest de Portland ; souvent Kottke et Elizabeth Holmes étaient du voyage. Ils dansaient et chantaient à pleins poumons. « On entrait en transe, se souvient Elizabeth. Robert était à fond dedans et gesticulait comme un fou. Steve montrait plus de retenue, comme s'il n'osait pas se lâcher. » Puis on leur offrait un repas végétarien en récompense de leurs efforts.

Friedland avait dirigé une plantation de pommes de cent hectares à soixante kilomètres au sud-ouest de Portland, qui appartenait à un oncle suisse, Marcel Müller, un millionnaire excentrique qui avait fait fortune dans l'ancienne Rhodésie. Pétri désormais de spiritualité orientale, Friedland avait transformé l'exploitation en ferme communautaire baptisée la All One Farm ; Jobs passa plusieurs weekends là-bas, avec Kottke, Elizabeth, et d'autres personnes en quête de l'illumination intérieure. Il y avait un bâtiment principal, une grande grange, et un abri de jardin où Kottke et Elizabeth dormaient. Jobs eut la charge des pommiers Gravenstein avec un résident de la communauté, Greg Calhoun. « Nous vendions du cidre bio, m'expliqua Friedland. Jobs devait, avec une équipe de hippies, tailler les arbres et leur redonner une nouvelle jeunesse. »

Des moines et des disciples du temple Hare Krishna venaient préparer des festins végétariens qui fleuraient bon le cumin, la coriandre et le safran. « Steve mourait de faim quand il arrivait, et il se gavait comme une oie, se souvient Elizabeth. Puis il allait se faire vomir. Pendant des années, j'ai cru qu'il était boulimique. C'était très troublant parce qu'on se donnait beaucoup de mal pour cuisiner ces repas, et il allait tout rendre dans les buissons. »

Jobs en eut assez de voir Friedland se prendre pour un demi-dieu que la communauté devait révérer. « Peut-être avait-il vu enfin clair en Robert ? » supposa Kottke. Bien que la ferme fût un refuge contre le matérialisme, Friedland commença à la diriger comme une entreprise. Il demandait à ses fidèles de couper du bois de chauffage et de le vendre, de construire des pressoirs à pommes et des poêles à bois, et autres tâches pour lesquelles ils n'étaient évidemment pas payés. Une nuit, Jobs dormit sous la table de la cuisine et assista au ballet des résidents qui venaient se voler mutuellement leur nourriture dans le réfrigérateur. La communauté n'était pas, à ses yeux, un modèle économique : « Cela devenait, paradoxalement, ultramatérialiste. Tout le monde avait l'impression de travailler trop dur pour la ferme de Robert et tous, les uns après les autres, s'en allaient. J'en avais marre moi aussi. »

Des années plus tard, Friedland devint milliardaire avec ses mines de cuivre et d'or, avec des bureaux à Vancouver, Singapour et en Mongolie. Pour la préparation de ce livre, j'eus un entretien avec lui lorsqu'il fut de passage à New York. Le soir même, j'envoyai un e-mail à Steve Jobs pour lui parler de mon rendez-vous. Il me téléphona de Californie dans l'heure qui suivit pour me dire de me méfier. Il m'apprit que, lorsque Robert Friedland avait eu des problèmes de pollution dans certaines de ses mines, il l'avait contacté pour lui demander de faire intervenir Bill Clinton en sa faveur, mais Jobs n'avait pas donné suite. « Robert s'est toujours dépeint comme quelqu'un pétri de spiritualité, m'expliqua-t-il, mais il a franchi un point de non-retour ; son charisme ne lui sert plus qu'à manipuler les gens. Ça fait un drôle d'effet d'avoir connu dans sa jeunesse un apôtre du détachement matériel et de retrouver plus tard, au propre comme au figuré, un chercheur d'or. »

Exit Reed

Jobs s'ennuya rapidement à Reed. Il aimait vivre dans ce campus mais pas pour y suivre les cours. Il tomba de haut lorsqu'il découvrit que, malgré son aura hippie, l'enseignement était très coercitif ; il était censé lire l'*Iliade*, étudier la guerre du Péloponnèse. Lorsque Wozniak rendit visite à Jobs, il lui agita son emploi du temps sous le nez en se lamentant :

— Ils m'ont obligé à prendre tous ces cours !

— C'est un peu comme ça dans toutes les facultés. Il y a un cursus imposé.

Jobs ne consentit pas à se rendre à ces cours obligatoires et en suivit d'autres de son choix, tels que la classe de danse où il pouvait à la fois laisser s'exprimer sa créativité et rencontrer de jolies filles. « Moi, je n'aurais jamais eu le culot de faire ça, confie Wozniak. C'est là toute la différence entre Steve et moi. »

Mais, dans le même temps, Jobs se sentait coupable : « Toutes les économies de mes parents sont passées dans les frais de scolarité, dira-t-il plus tard en introduction à sa fameuse conférence à Stanford. Je n'avais pas la moindre idée de ce que je voulais faire de ma vie et encore moins comment Reed allait pouvoir m'aider à choisir. Et j'avais gaspillé tout l'argent que mes parents avaient économisé, dollar après dollar, durant toute leur vie. Alors j'ai tout lâché. J'ai abandonné mes études et croisé les doigts très fort pour que tout aille pour le mieux. »

Jobs ne voulait pas vraiment quitter Reed. Il voulait simplement arrêter de payer et de suivre des cours qui ne l'intéressaient pas. Curieusement, l'établissement accepta ses conditions. « Steve Jobs avait un esprit très critique, une personnalité très attachante, racontait Jack Dudman, le directeur de la vie étudiante à Reed. Il refusait d'accepter des vérités toutes faites, il voulait tout vérifier par lui-même. » Dudman autorisa Jobs à suivre certains cours en auditeur libre et à rester avec ses amis dans les dortoirs même s'il ne payait plus ses frais de scolarité.

« Dès que j'ai quitté officiellement Reed, j'ai pu me consacrer aux matières qui m'intéressaient vraiment. » Il y avait, en particulier, la calligraphie. Sa curiosité avait été piquée au vif quand il avait remarqué que la plupart des affiches sur le campus étaient magnifiquement réalisées. « C'est ainsi que j'ai découvert les polices avec ou sans empattement, qu'on pouvait jouer sur l'espace entre les caractères, et plein d'autres astuces typographiques. C'était beau, ancestral, artistique, il y avait ce petit supplément d'âme qui échappe à la science ; je trouvais ça réellement passionnant. »

C'est encore un exemple où l'on voit Steve Jobs se placer consciemment à l'intersection de l'art et de la technologie. Dans tous ses produits, la technologie ira de pair avec la beauté, l'élégance, la fluidité ; on y sentira la main de l'homme et pourquoi pas de l'amour… c'est lui qui voudra des interfaces graphiques agréables et conviviales pour l'utilisateur. Le cours de calligraphie en ce sens est emblématique. « Si je n'avais pas suivi ce cours à Reed, le Mac n'aurait jamais proposé autant de types de caractères et encore moins des polices proportionnelles. Et puisque Windows a simplement copié le Mac, il est vraisemblable qu'aucun micro-ordinateur n'en aurait eu. »

Pour l'heure, Jobs menait une vie de bohème en marge de Reed. Il allait pieds nus la plupart du temps, ne chaussant des sandales que lorsqu'il neigeait. Elizabeth Holmes lui préparait à manger, faisant son possible pour suivre ses régimes drastiques. Il rapportait des bouteilles de soda à la consigne pour récupérer quelques dollars, se rendait le dimanche au temple d'Hare Krishna pour avoir un dîner gratuit ; il louait vingt dollars par mois un petit appartement sans chauffage, aménagé au-dessus d'un garage. Quand le manque d'argent se fit trop sentir, il proposa ses services au laboratoire du département psychologie pour réparer les appareils électroniques qu'ils utilisaient pour leurs expériences sur les animaux. De temps en temps, Chrisann Brennan venait lui rendre visite. Leur relation s'étirait en pointillés. Mais le plus clair de son temps, le jeune homme suivait les mouvements de son âme et les impératifs de sa quête de l'illumination.

« Je suis né à une époque magique, me dira-t-il. Notre conscience était éveillée par le zen et aussi par le LSD. » Même adulte, il continuait de vanter les vertus des produits psychédéliques : « Prendre du LSD était une expérience profonde ; ce fut l'un des moments les plus importants de ma vie. Le LSD montre l'autre facette des choses ; on ne s'en souvient plus quand l'effet se dissipe, mais on sait qu'on l'a vue. Cela a renforcé mes perceptions, m'a permis de savoir ce qui était essentiel − créer plutôt que gagner de l'argent, mettre à flot le plus de choses possible dans le fleuve de l'histoire et de la conscience humaine. »

CHAPITRE QUATRE

ATARI ET L'INDE

Du zen et de l'art de concevoir des jeux

Atari

En février 1974, après avoir traîné dix-huit mois à Reed, Jobs décida de rentrer chez ses parents à Los Altos et de se trouver un emploi. Ce n'était pas mission impossible à l'époque. Dans les années 1970, le *San Jose Mercury* comptait soixante pages de petites annonces rien que pour le secteur technologie. L'une d'entre elles attira son attention : « Amusez-vous en gagnant de l'argent », proposait-elle. Ce jour-là, Jobs poussa la porte du fabricant de jeux vidéo Atari et dit au directeur du personnel – qui était quelque peu surpris par la mise négligée du jeune homme – qu'il ne quitterait pas le bâtiment tant qu'il n'aurait pas décroché un emploi.

Atari était, alors, l'endroit où tout le monde voulait travailler. Son fondateur était un grand costaud nommé Nolan Bushnell. Un visionnaire charismatique avec un talent d'homme de spectacle – en d'autres termes, un futur modèle pour Jobs. Lorsqu'il devint célèbre, Bushnell roulait en Rolls, fumait de l'herbe et tenait ses réunions de travail dans un jacuzzi. Il avait le don, comme Friedland – et comme Jobs plus tard –, de transformer son charme en force de persuasion, de cajoler et d'intimider, et de distordre la réalité par la puissance de sa personnalité. Son ingénieur en chef était Al Alcorn, un homme jovial, taillé aussi comme une armoire à glace, mais un petit peu moins excentrique que le patron. À mesure que la société prenait son essor, il s'évertuait à concrétiser les idées de génie de Bushnell et à tempérer ses coups de folie.

En 1972, Bushnell demanda à Alcorn de créer une version arcade d'un jeu vidéo appelé Pong, où deux joueurs tentaient, sur un écran, de se renvoyer un carré blanc à l'aide de deux barres verticales que l'on pouvait déplacer de haut en bas (si vous avez moins de quarante ans, demandez à vos parents, ils connaissent !). Avec cinq cents dollars, l'ingénieur conçut un appareil et le fit installer dans un bar sur Camino Real, à Sunnyvale. Quelques jours plus tard, le gérant du bar téléphona à Bushnell pour lui annoncer que la machine ne fonctionnait plus. Il envoya Alcorn régler le problème. Celui-ci découvrit qu'il y avait tant de pièces dans le monnayeur que cela avait tout bloqué. C'était le jackpot !

Quand Jobs, campé dans le hall d'Atari, avec ses sandales aux pieds, fit savoir qu'il exigeait un emploi, ce fut Alcorn le premier averti. « On m'a dit : "On a un hippie à l'accueil. Il dit qu'il ne partira pas tant qu'on ne l'aura pas embauché. Je dois appeler la police ou le laisser monter ?" Et j'ai rétorqué : "Amenez-le-moi vite !" »

Jobs fut l'un des premiers employés chez Atari, il y en avait une cinquantaine à l'époque. Il travaillait comme technicien pour cinq dollars de l'heure. « Avec le recul, je me rends compte que c'était plutôt saugrenu d'embaucher un gars qui sortait de Reed sans même avoir fini ses études, concède Alcorn. Mais j'ai vu quelque chose chez ce garçon. Il était très intelligent, enthousiaste, et fou de technologie. » Alcorn l'a placé avec Don Lang, un ingénieur très collet monté. Le lendemain, Lang est venu se plaindre : « Ce type est un hippie crasseux qui pue à dix pas. Qu'est-ce que j'ai fait pour mériter ça ? En plus, il est rétif comme une vieille carne ! » Jobs croyait dur comme fer que son régime ultravégétarien évitait la production non seulement de mucus mais également de toute odeur corporelle, ce qui lui permettait de faire l'impasse sur les déodorants et les douches. Cette théorie était fausse.

Lang et les autres voulaient qu'on mette Jobs à la porte, mais Bushnell trouva une solution : « L'odeur et le comportement ne me posaient pas de problème, raconte-t-il. Steve n'était pas commode, mais je l'aimais bien. Alors je lui ai demandé de travailler pendant le service de nuit. Je ne voyais que ça pour lui sauver la mise. » Jobs, de cette manière, arriverait au bureau après le départ de Lang et de ses collègues. Même isolé ainsi, son arrogance devint légendaire. Les rares fois où il devait collaborer avec d'autres, il ne se gênait pas pour les traiter de « crétins finis ». Même avec les années, Steve Jobs n'a pas changé d'avis : « J'ai brillé pour une seule raison, c'est parce que les autres étaient des nuls. »

Malgré cette arrogance (ou grâce à elle), il gagna la sympathie du patron d'Atari : « À l'inverse de mes collaborateurs, il avait un réel questionnement philosophique. On avait des discussions telles que "libre arbitre ou déterminisme". J'avais tendance à me dire que notre vie était plutôt écrite, que nous étions programmés. Avec la bonne information, nous pourrions prévoir la réaction de toutes les personnes. Steve était convaincu du contraire. » Ce point de vue s'accordait avec sa croyance que la volonté pouvait déformer la réalité.

Jobs apprit beaucoup lors de son séjour chez Atari. Il améliora certains jeux en mettant au point des circuits qui produisaient des dessins plus amusants et pilotaient des interfaces plus conviviales. L'exemple de Bushnell qui, par la force de sa volonté, imposait ses propres règles, fut une source d'inspiration pour Jobs. De plus, le jeune homme appréciait la simplicité des jeux Atari. Ils étaient livrés sans manuel et devaient être suffisamment accessibles pour qu'un lycéen défoncé ou ivre mort puisse en comprendre les règles. Les seules instructions données avec le *Star Trek* d'Atari étaient : 1) Insérez une pièce. 2) Évitez les Klingons.

Tous les employés d'Atari n'exécraient pas Jobs. Il devint ami avec quelques-uns d'entre eux, tel Ron Wayne, un dessinateur industriel, qui avait lancé un peu plus tôt une fabrique de machines à sous. Il avait fait faillite, mais Jobs fut fasciné par l'idée qu'on puisse créer sa propre société. « Ron était un type étonnant, racontait Jobs. Il n'arrêtait pas de lancer des entreprises. Je n'avais jamais rencontré quelqu'un comme lui. » Il proposa à Wayne de faire des affaires ensemble. Jobs annonça qu'il pouvait emprunter cinquante mille dollars, et qu'ils pourraient concevoir tous les deux une nouvelle machine à sous et la commercialiser. Mais Wayne s'était déjà brûlé les doigts. « Je lui ai dit que c'était le meilleur moyen de perdre cinquante mille dollars, se rappelle Wayne. Mais j'admirais sa fougue. Steve avait le feu sacré. »

Les week-ends, Jobs allait chez Wayne, et parlait philosophie avec lui. Un jour, Wayne lui dit qu'il avait un secret à lui confier. « Je crois savoir ce que c'est, répliqua Jobs. Tu aimes les hommes, c'est ça ? » Wayne acquiesça. « C'était la première fois que je rencontrais un homo. Je l'ai assailli de questions : Qu'est-ce que ça te fait quand tu regardes une jolie fille ? Et il m'a donné une image parlante : "C'est comme regarder un magnifique cheval. Tu apprécies sa beauté, ses lignes, mais tu n'as pas envie de coucher avec. Tu regardes juste quelque chose de beau." » Wayne n'en revenait pas d'avoir révélé à Jobs son secret. « Personne n'était au courant à Atari, et je pouvais compter sur les doigts de ma main le nombre de gens à qui je l'avais dit dans ma vie. Mais sur le coup, ça m'a paru nécessaire. Je savais qu'il comprendrait. Et cela n'a rien changé à nos rapports. »

L'Inde

Jobs était impatient de gagner de l'argent en 1974 parce que Robert Friedland, qui était parti en Inde l'été précédent, le pressait de faire son voyage initiatique. Friedland avait suivi là-bas les enseignements de Neem Karoli Baba (Maharaj-ji), le grand gourou des hippies des années 1960. Jobs décida d'imiter son mentor, et convainquit Daniel Kottke de venir avec lui. Ce n'était pas simplement l'aventure qui le tentait : « Pour moi, il s'agissait d'une véritable quête. Je cherchais l'illumination intérieure ; je voulais savoir qui j'étais et comment être en harmonie avec le monde. » Pour Kottke, cette quête était liée au fait qu'il ne connaissait pas ses parents biologiques. « Il y avait un vide en lui, un vide béant qu'il essayait de combler. »

Quand Jobs annonça aux gens d'Atari qu'il allait partir pour chercher un gourou en Inde, le jovial Alcorn ne cacha pas son amusement : « Steve débarque dans mon bureau, me regarde droit dans les yeux et déclare : "Je pars à la recherche de mon gourou" et je réponds : "C'est vrai ? Génial. Envoie-moi une carte postale !" C'est alors qu'il me dit qu'il veut que je participe aux frais. Évidemment je lui rétorque : "Pas même en rêve !" » Mais Alcorn eut une idée ; Atari avait envoyé à Munich des machines en kit pour être assemblées là-bas et distribuées ensuite par un grossiste à Turin. Mais il y avait un problème. Les jeux étaient conçus pour le marché américain où la fréquence du secteur est de 60 Hz ; ils ne fonctionnaient donc pas avec les tubes cathodiques européens cadencés à 50 Hz. Alcorn conçut avec Jobs un dispositif pour résoudre l'incompatibilité et lui proposa de le payer pour qu'il se rende en Europe et lance les modifications. « Ce sera moins cher d'aller en Inde de là-bas », lui expliqua-t-il. Jobs accepta. « Et tu salueras ton gourou de ma part ! »

Jobs passa quelques jours à Munich, où il régla le problème technique, mais en se mettant à dos les cadres allemands. Ceux-ci se plaignirent à Alcorn, en disant qu'il puait, était habillé comme l'as de pique et se comportait de façon grossière avec eux.

— Est-ce qu'il a trouvé une solution au problème ? questionna Alcorn.

— Oui.

— Alors, si vous avez encore d'autres problèmes, appelez-moi. Je vous enverrai d'autres gars comme lui !

— Non, non, on réglera ça nous-mêmes la prochaine fois ! répondirent-ils tous en chœur.

Pour sa part, Jobs n'en pouvait plus que les Allemands tentent de le gaver de charcuterie et de pommes de terre.

— Ils n'ont même pas un mot pour dire « végétarien » ! se lamenta-t-il quand il eut Alcorn au téléphone.

La situation s'améliora quand le jeune homme prit le train pour aller voir le distributeur à Turin ; les pâtes italiennes et la chaleur latine de son hôte étaient davantage sa tasse de thé. « J'ai passé deux semaines de rêve à Turin, qui est pourtant une ville industrielle, me raconta-t-il. Le grossiste était un type étonnant. Il m'emmenait tous les soirs dîner dans un restaurant improbable où il n'y a que huit tables et pas de carte. On dit au maître d'hôtel ce qu'on veut et il vous le fait sur place. L'une des tables était réservée au président de Fiat. C'était vraiment super. » Jobs se rendit ensuite à Lugano, en Suisse, où il séjourna chez l'oncle de Friedland. C'est de là qu'il s'envola pour l'Inde.

Quand il atterrit à New Delhi, il fut frappé par les ondes de chaleur qui montaient du tarmac — et on était seulement en avril. On lui avait donné le nom d'un hôtel, mais il était plein ; le chauffeur de taxi lui en conseilla un autre, qui était très bien disait-il. « Évidemment, le chauffeur touchait une com, parce que l'hôtel en question était un bouge infâme. » Jobs demanda si l'eau du robinet était filtrée et il commit l'erreur de le croire. « J'ai eu la turista très vite. J'étais malade comme un chien, avec une fièvre carabinée. J'ai perdu vingt kilos en une semaine. »

Une fois suffisamment rétabli pour se déplacer, il décida de quitter Delhi. Il mit le cap sur Haridwar, à l'ouest, à proximité des sources du Gange, où, tous les trois ans, se tenait une grande fête religieuse appelée une *mela*. 1974 marquait la fin d'un cycle de douze ans à l'issue duquel les festivités étaient gigantesques : la Kumbhâ Mela. Plus de dix millions de personnes affluaient dans une ville de la taille de Palo Alto, qui d'ordinaire comptait cent mille habitants. « Il y avait des hommes saints partout, des tentes où tenaient audience des sages illustres, des gens sur des éléphants. C'était dantesque. J'étais là pour quelques jours, mais j'ai préféré m'enfuir. »

Il se rendit en train puis en bus dans une communauté près de Nainital au pied de l'Himalaya. C'est là que vivait le gourou Neem Karoli Baba – du moins où il avait vécu, car lorsque Jobs arriva à destination, le gourou n'était plus de ce monde, du moins pas dans la même réincarnation. Le jeune homme loua une chambre avec un matelas au sol chez une famille qui lui fit recouvrer la santé en le nourrissant de plats végétariens. « Il y avait chez eux un exemplaire de l'*Autobiographie d'un Yogi* en anglais que le précédent voyageur avait laissé. Je le lus plusieurs fois parce que je n'avais pas grand-chose d'autre à faire. Je me promenais de village en village pendant ma convalescence. » Parmi ceux qui vivaient encore dans la communauté, il y avait Larry Brilliant, un épidémiologiste qui cherchait à éradiquer la variole et qui, plus tard, dirigera le département caritatif de Google et la Fondation Skoll. Il devint l'ami fidèle de Jobs.

Un jour, on parla à Jobs d'un jeune hindou, un homme saint, qui allait rassembler ses fidèles dans la propriété d'un riche homme d'affaires. « C'était l'occasion de rencontrer un sage, de faire la connaissance de ses fidèles, et aussi d'avoir un bon repas. Je sentis de très loin l'odeur de nourriture ; j'avais tellement faim. » Pendant que Jobs mangeait, l'homme saint – qui avait l'âge de Jobs – le désigna parmi la foule et partit d'un rire hystérique. « Il s'est précipité vers moi en courant, m'a attrapé en poussant un hululement et a dit : "Tu es comme un bébé !" Je n'aimais pas être ainsi le centre d'attention. » Il prit la main de Jobs, et l'emmena en haut d'une colline, où il y avait un puits et un petit étang. « On s'est assis et il a sorti un rasoir en acier. Je pensais qu'il avait un grain, et je n'en menais pas large. Puis il a pris un morceau de savon. J'avais les cheveux longs à l'époque. Il m'a fait un shampooing et m'a rasé le crâne. Il m'a dit qu'il me sauvait la vie. »

Daniel Kottke arriva en Inde au début de l'été, et Jobs revint à Delhi le récupérer à l'aéroport. Ils sillonnèrent le pays, le plus souvent en car. À ce moment-là, Jobs avait abandonné sa quête d'un gourou susceptible de lui insuffler une nouvelle sagesse ; il cherchait davantage l'illumination par une vie d'ascète, par la privation et le dénuement. Malheureusement, il ne parvenait pas à trouver la paix intérieure. Kottke m'a raconté une dispute mémorable entre Jobs et une Indienne sur un marché, qu'il accusait d'avoir coupé son lait avec de l'eau.

Toutefois Jobs pouvait se montrer généreux. Quand ils arrivèrent à Manali, une ville à la frontière tibétaine, Kottke se fit voler son sac de couchage avec ses traveller's cheques à l'intérieur. « Steve m'a nourri et m'a acheté un billet pour que je puisse retourner à Delhi. » Il lui remit aussi tout l'argent qui lui restait, une centaine de dollars, pour parer aux imprévus.

Sur le chemin du retour, à l'automne, après avoir passé sept mois en Inde, Jobs fit une halte à Londres, pour rendre visite à une femme qu'il avait rencontrée en Inde. De là, il avait un vol charter pour Oakland. Il avait très peu donné de nouvelles à ses parents – il laissait de temps en temps une lettre à l'agence American Express de New Delhi quand il y passait. C'est donc avec surprise qu'ils reçurent de leur fils un appel téléphonique de l'aéroport de Oakland, leur demandant de venir le chercher. Ils quittèrent immédiatement Los Altos. « J'avais le crâne rasé, des vêtements indiens, et ma peau avait viré au brun à cause du soleil. J'étais assis là et mes parents sont passés cinq fois devant moi sans me reconnaître. Finalement, c'est ma mère qui m'a remarqué. "Steve ?" et j'ai dit "Salut, M'man". »

Ils le ramenèrent à Los Altos. Il fallut du temps à leur fils pour se retrouver. Il y avait tant de voies à explorer pour découvrir l'illumination ; le matin et le soir, il méditait et étudiait le zen, et durant son temps libre, il allait à Stanford suivre quelques cours sur la physique et l'électronique.

La quête

L'intérêt de Steve Jobs pour la spiritualité orientale, l'hindouisme, le bouddhisme zen, et la recherche de l'illumination intérieure n'était pas une lubie de jeunesse. Durant toute sa vie, il cherchera à suivre les préceptes fondamentaux des religions orientales, tels que le chemin expérientiel de la prajña – une perception aiguë que l'on atteint intuitivement par la concentration. Des années plus tard, assis dans son jardin de Palo Alto, il me parlera des enseignements de son voyage en Inde :

Revenir en Amérique fut, pour moi, un choc culturel plus violent que d'aller en Inde. Les gens dans la campagne indienne n'utilisent pas leur intellect de la même façon que nous, ils se fient davantage à l'intuition ; et là-bas, elle est bien plus développée que partout ailleurs dans le monde. L'intuition est très puissante, bien plus puissante que l'intellect, à mon sens. Et elle a eu une grande influence sur mon travail.

La pensée rationnelle occidentale n'est pas une caractéristique humaine innée ; elle est acquise et c'est le grand œuvre de la civilisation occidentale. Dans les villages d'Inde, ils n'ont jamais appris une telle pensée. Ils ont acquis une autre façon de penser, qui, à certains égards, est aussi efficace que la nôtre, et à d'autres ne l'est pas du tout. C'est le pouvoir de l'intuition et de la sagesse expérientielles.

En revenant au pays après sept mois passés dans les villages indiens, j'ai vu toute la folie de l'Occident et l'omniprésence de sa pensée rationnelle. Asseyez-vous et essayez d'observer ce qui se passe dans votre tête, vous allez vous rendre compte à quel point votre esprit est agité. Si vous tentez de le calmer, cela empire, mais avec du temps et de la persévérance, il parvient à s'apaiser, et quand ce miracle se produit, alors il y a de la place pour entendre des choses plus subtiles – c'est à ce moment que notre intuition s'ouvre et que l'on commence à discerner le monde plus clairement, et à être davantage dans le présent. L'esprit ralentit sa course, et on découvre le grand espace du temps. Le regard porte alors si loin, on voit tellement mieux qu'auparavant. Mais cela exige une discipline de vie. Cela ne vient qu'avec la pratique.

Le zen a eu une profonde influence dans ma vie. À un moment donné, j'ai songé me rendre au Japon et tenter d'entrer au monastère d'Eihei-ji, mais mon conseiller spirituel m'a demandé instamment de rester ici. Il disait qu'il n'y avait rien là-bas qui ne fût déjà ici, et il avait raison. Comme dit le proverbe zen : si tu es prêt à sillonner le monde pour trouver un maître, l'un d'eux apparaîtra à ta porte.

Jobs trouva effectivement un maître – pas à sa porte, mais à deux pas de chez lui, dans son quartier de Los Altos. Shunryu Suzuki, qui avait écrit *Esprit zen, esprit neuf* et dirigeait le San Francisco Zen Center, venait tous les mercredis au centre pour enseigner ses préceptes et méditer avec un petit groupe de fidèles. Au bout d'un moment, Jobs et d'autres voulurent aller plus loin ; Suzuki demanda alors à son assistant, Kobun Chino Otogawa, de proposer une formation à plein temps. Jobs devint un élève fervent, avec Chrisann Brennan (sa petite amie occasionnelle), Daniel Kottke et Elizabeth Holmes. Il se rendit également seul aux retraites organisées au Tassajara Zen Center, un monastère à proximité de Carmel où Kobun officiait.

Kottke trouvait Kobun amusant : « Son anglais était atroce. Il parlait constamment par haiku, avec des métaphores poétiques, et la moitié du temps on n'y comprenait rien. Pour moi, tout ça était une plaisante distraction. » Sa petite amie Elizabeth prenait ça plus au sérieux : « On allait aux méditations de Kobun ; on s'asseyait sur nos zafus, lui sur son estrade. On apprenait à se couper de toute pensée parasite. C'était des moments magiques. Un soir, alors que nous méditions et qu'il pleuvait, Kobun nous a montré comment utiliser le bruit ambiant pour nous recentrer sur notre méditation. »

Quant à Jobs, il s'agissait d'un véritable sacerdoce. « Il commença à se prendre très au sérieux et devint rapidement imbuvable », explique Kottke. Jobs voyait Kobun tous les jours, et tous les deux ou trois mois, il partait avec lui pour méditer. « Faire la connaissance de Kobun a été une expérience fondatrice pour moi ; à la fin, je passais tout mon temps avec lui. Il avait une femme, infirmière à Stanford, et deux enfants. Elle travaillait la nuit, alors je pouvais passer la soirée avec lui. Quand elle rentrait vers minuit, elle me mettait gentiment à la porte. » Jobs se demandait s'il ne devait pas se consacrer entièrement à ses quêtes spirituelles, mais Kobun lui déconseilla de s'engager sur cette voie. Il lui suggérait plutôt de rester en contact avec cette facette spirituelle de lui-même tout en ayant une activité dans la société. La relation entre les deux hommes fut longue et solide ; dix-sept ans plus tard, Kobun Chino officierait au mariage de Jobs.

Jobs, toujours dans sa quête de l'illumination intérieure, entreprit une thérapie fondée sur le cri primal, qui venait d'être développée à Los Angeles par le psychothérapeute Arthur Janov. Elle s'appuyait sur la théorie freudienne stipulant que les névroses provenaient des douleurs refoulées de l'enfance. Janov prétendait qu'on pouvait les soigner en revivant ces souffrances primales et en les exprimant par le cri. Jobs préférait ça à la thérapie par la parole, parce qu'il s'agissait d'intuition, d'action émotionnelle, et non de pensée rationnelle. « Il ne s'agissait pas de réfléchir. Il s'agissait de faire : fermer les yeux, prendre une inspiration, plonger en soi, et ressortir de l'autre côté avec une nouvelle acuité. »

Un groupe de disciples de Janov avait ouvert l'Oregon Feeling Center dont les séances se tenaient dans un vieil hôtel d'Eugene dirigé (comme par hasard ?) par Robert Friedland, l'ancien gourou de Jobs à Reed, dont la communauté All One Farm se trouvait non loin de là. À la fin de l'année 1974, Jobs s'inscrivit à douze semaines de thérapie, pour un coût de mille dollars. « Comme Steve, j'étais intéressé par le développement personnel, m'expliqua Kottke, mais je n'ai pas pu y aller avec lui, faute de moyens. »

Jobs disait à ses amis proches que le fait d'avoir été abandonné et d'ignorer qui étaient ses parents biologiques était une douleur de chaque instant. « Steve tenait à connaître ses parents naturels pour mieux se connaître lui-même », me précisa Friedland. Il savait, par Paul et Clara Jobs, que ses géniteurs avaient fait des études supérieures et que son père était vraisemblablement syrien. Steve Jobs avait songé un moment à engager un détective privé, mais il avait ajourné ce projet. « Je ne voulais pas faire de la peine à mes parents. »

« Il n'arrivait pas à accepter qu'il ait été abandonné, déclare Elizabeth Holmes. Il voulait "dépasser" cette souffrance. » Greg Calhoun fait la même analyse : « Le fait d'avoir été adopté lui torturait les méninges. Steve m'en parlait souvent. Avec le cri primal et les régimes sans mucus, il tentait de se purger, et plus il se purgeait, plus le problème de sa naissance prenait corps. Il me disait être plein de colère à l'idée d'avoir été ainsi rejeté. »

John Lennon avait entrepris la même thérapie primale en 1970, et en décembre de la même année, il composa la chanson « Mother » avec le Plastic Ono Band. Les paroles racontent la souffrance de Lennon, causée par l'abandon du père et la mort de sa mère quand il était adolescent. Dans le refrain revient la complainte : « *Mama don't go, Daddy come home*[1]. » Elizabeth Holmes se rappelle que Jobs écoutait ce morceau en boucle.

Au bout de quelque temps, Jobs annonça à Janov que sa thérapie ne marchait pas bien. « Il m'a sorti une réponse toute faite, et trop simpliste pour être honnête. J'ai compris qu'il n'y avait plus rien à attendre. Adieu la révélation intérieure ! » Mais Elizabeth dresse un bilan moins négatif : « Après ça, je l'ai trouvé changé. Steve était toujours "rugueux", mais il y avait une sorte de paix en lui, du moins pendant un certain temps. Sa confiance s'est accrue, il s'est senti moins décalé. »

Jobs se mit à croire qu'il pouvait insuffler aux autres cette nouvelle confiance en soi et les pousser à réaliser des prouesses, à réussir l'impossible. Elizabeth avait rompu avec Kottke et rejoint un groupe religieux à San Francisco qui lui demandait de couper tous les liens avec ses anciens amis. Mais Jobs n'eut que faire de cette injonction. Il débarqua à la maison du culte dans sa Ford Ranchero, déclara qu'il se rendait à la ferme de Friedland et qu'il emmenait Elizabeth avec lui. Avec la même détermination, il annonça à la jeune femme que c'était elle qui allait conduire pour quitter la secte, même si elle ne savait pas passer les vitesses. « Une fois qu'on a rejoint la route, il m'a placée derrière le volant, et il a passé les vitesses jusqu'à ce que l'on atteigne les quatre-vingt-dix kilomètres à l'heure. Puis il a mis une cassette de Bob Dylan, *Blood on the Tracks*, posé sa tête contre mon épaule et s'est endormi. Il donnait l'impression de pouvoir tout oser, et c'était contagieux. Il remettait sa vie entre mes mains. Et il m'a fait réussir une chose que je croyais au-dessus de mes forces. »

C'était la partie lumineuse de son célèbre champ de distorsion de la réalité. « Si on a foi en lui, il vous fait réaliser des prodiges, conclut Elizabeth Holmes. S'il réclame l'impossible, il se produit. »

---

1. « Maman ne t'en va pas, papa revient à la maison. » *(N.d.T.)*

Le premier défi

Un jour, au début de l'année 1975, Al Alcorn se trouvait dans son bureau à Atari lorsque Ron Wayne débarqua, tout en émoi :

— Steve est de retour !

— Magnifique ! Dis-lui de monter me voir.

Jobs arriva pieds nus, vêtu d'un sari couleur safran, avec dans les mains un exemplaire de *Remember, ici et maintenant*, qu'il tendit à Alcorn en insistant pour qu'il le lise.

— Est-ce que je peux récupérer ma place ?

« Il ressemblait à un gars d'Hare Krishna, mais j'étais content de le revoir. "Bien sûr !" lui ai-je aussitôt répondu. »

À nouveau, pour la paix sociale de l'entreprise, Jobs prit le service de nuit. Wozniak, qui habitait dans le quartier et qui travaillait chez HP, passait le voir après dîner et jouait aux jeux vidéo d'Atari. Il était tellement accro à Pong qu'il avait construit une version qui fonctionnait sur sa télévision, ce qui lui évitait de devoir se rendre au bowling de Sunnyvale pour jouer sur la borne d'Arcade.

Un jour, à la fin de l'été 1975, Nolan Bushnell, faisant fi des prévisions annonçant que les jeux d'adresse de ce type étaient *has been*, décida de développer une version de Pong pour un seul joueur. Au lieu de lutter contre un adversaire, le joueur devait envoyer la balle contre un mur qui perdait une brique à chaque rebond. Il appela Jobs dans son bureau et lui demanda de concevoir le jeu. Il y aurait un bonus à la clé – pour chaque puce qu'il parviendrait à économiser en dessous de la barre des cinquante unités. Bushnell savait que Jobs n'était pas un grand concepteur, mais il se doutait, à juste titre, qu'il embaucherait Wozniak, qui traînait toujours avec lui. « Ces deux-là étaient inséparables. Et Woz était un magicien de l'électronique. »

Wozniak fut tout excité quand Jobs lui suggéra de l'aider sur ce projet, en lui proposant la moitié des gains. « C'était l'offre la plus belle qu'on m'ait jamais faite : concevoir entièrement un jeu ! » Jobs annonça qu'il fallait le réaliser en quatre jours en utilisant le moins de puces possible. Mais il cacha à Woz que c'était lui, et non Bushnell, qui avait imposé ce délai, parce qu'il voulait être à la All One Farm pour la cueillette des pommes. Il ne mentionna pas non plus qu'il y aurait un bonus sur le nombre de puces économisées.

« Pour un électronicien moyen, il fallait un mois ou deux pour mettre au point un jeu comme celui-là, explique Wozniak. Je ne pensais pas pouvoir relever le défi, mais Steve m'assura que c'était dans mes cordes. » Alors Woz travailla non stop quatre jours durant. La journée, à HP, il peaufinait ses plans de montage et, après un repas frugal dans un fast-food, il filait à Atari passer la nuit sur son fer à souder. À mesure que Wozniak pondait ses circuits, Jobs, assis à sa gauche, câblait les puces sur une plaque. « Pendant que Steve terminait les branchements, je jouais à mon jeu préféré, Gran Trak 10, un jeu de course de voitures. »

Contre toute attente, ils finirent le travail dans les délais – et Wozniak utilisa seulement quarante-cinq puces ! Ici, les versions diffèrent, mais pour certains témoins (la majorité) Jobs donna la moitié de l'argent à Woz mais garda pour lui le bonus concernant l'économie des cinq puces. Dix ans plus tard, Wozniak découvrira (dans *Zap*, un livre sur l'épopée d'Atari) que Jobs avait touché un bonus. « Steve avait sans doute besoin d'argent, mais il n'empêche qu'il m'a caché la vérité. » Quand Wozniak, pendant l'un de nos entretiens, évoqua cette histoire, il marqua de longs silences, reconnaissant que cette attitude l'avait blessé. « J'aurais préféré qu'il soit honnête avec moi. S'il m'avait dit qu'il était dans le besoin, il savait que je lui aurais laissé cet argent. C'était un ami. Entre amis, on se soutient. » Pour Wozniak, c'est là une différence fondamentale entre eux. « L'éthique a toujours été primordiale pour moi ; et je ne comprends toujours pas les raisons de cette dissimulation. Mais personne n'est fait dans le même moule. »

Quand *Zap* sortit, dix ans plus tard, Jobs avait appelé son ami pour lui dire que c'était un mensonge. « Il m'a affirmé qu'il n'avait aucun souvenir de ce détail, raconte Wozniak ; s'il avait fait une chose pareille, il s'en souviendrait forcément – c'était donc la preuve que cela ne s'était pas produit ! » Quand, avec Jobs, je voulus revenir sur cette histoire, il se fit silencieux, hésitant. « Je ne sais pas d'où vient cette calomnie… J'ai donné à Woz la moitié de l'argent que j'ai touché. Cela a toujours été comme ça avec lui. Woz a cessé de travailler pour Apple en 1978. Il n'a plus jamais rien fait dans la société après cette date. Mais il a eu exactement le même nombre d'actions que moi. »

Tous leurs souvenirs étaient-ils faussés ? Peut-être Jobs n'avait-il jamais dupé son ami ? « Possible, concède Wozniak. Ma mémoire peut toujours me jouer des tours... » Mais après un moment, il se ravise : « Non, je me souviens très bien. Du chèque de trois cent cinquante dollars, et de tous les détails... » À la sortie de *Zap*, il était passé voir Nolan Bushnell et Al Alcorn pour en avoir le cœur net. Bushnell me confirma ce fait : « J'ai effectivement parlé de cette histoire de bonus avec Woz et il était très affecté. Je lui ai dit que oui, il y avait bien une prime pour chaque puce économisée. Alors il a secoué la tête, avec un claquement de langue de dépit. »

Quelle que soit la vérité, Wozniak veut passer l'éponge. « Jobs est quelqu'un de complexe ; son côté manipulateur est la face cachée de tout ce qui a fait son succès. » Wozniak n'était pas comme ça mais, comme il le dit, il n'aurait jamais créé Apple. « Je préfère oublier ça, répliqua-t-il devant mon insistance. Je ne veux pas juger Steve là-dessus. »

Cette expérience chez Atari permit à Jobs d'affiner son approche des affaires et sa conception de l'électronique. Il aimait cette simplicité, cette convivialité chez Atari : *Insérez une pièce et évitez les Klingons.* « Cette simplicité a été une révélation pour lui, et sera le leitmotiv de toutes ses créations », explique Ron Wayne, qui travaillait avec lui chez Atari. Jobs reprit également à son compte le credo de Bushnell : ne jamais céder. « Nolan ne se contentait jamais d'un "non" comme réponse, m'a précisé Alcorn, et Steve a adopté cette attitude de management. Nolan n'était jamais insultant comme pouvait l'être Steve, mais ils avaient la même force de persuasion. Cela fichait la chair de poule, mais ça marchait ; les choses étaient faites ! En ce domaine, on peut dire que Nolan a été un maître pour Steve Jobs. »

Bushnell est de cet avis : « Pour être un bon chef d'entreprise, il faut avoir quelque chose de particulier, et j'ai vu cette chose chez Steve. Il n'était pas seulement intéressé par l'électronique, mais aussi par les affaires. Je lui ai montré qu'il fallait se comporter comme si on allait réussir ce qu'on voulait entreprendre et qu'alors ça se faisait tout seul. C'est ce que je dis tout le temps : si l'on feint de savoir ce que l'on fait, les gens vous suivent ! »

CHAPITRE CINQ

L'APPLE I

Allumage, démarrage, connexion...

*Daniel Kottke et Steve Jobs avec l'Apple I
au salon informatique d'Atlantic City, en 1976.*

Des machines bienveillantes

Divers séismes culturels bouleversèrent San Francisco et la Silicon Valley vers la fin des années 1960. Il y avait la révolution technologique, initiée par l'augmentation des contrats militaires, qui avait attiré des sociétés d'électronique, des fabricants de puces, des concepteurs de jeux vidéo et des fabricants d'ordinateurs. Il y avait une sous-culture, celle des pirates – des inventeurs de génie, des cyberpunks, des dilettantes

comme de purs *geeks* ; on comptait également dans leurs rangs des électroniciens qui refusaient d'entrer dans le moule de HP et leurs enfants
impétueux qui voulaient faire tomber toutes les barrières. Il y avait des
groupes de recherche, quasi universitaires, qui menaient des expériences
in vivo sur les effets du LSD, tels que Doug Engelbart à l'Augmentation Research Center, qui participera plus tard au développement de
la souris et des interfaces graphiques, ou Ken Kesey, qui faisait l'éloge
de la drogue dans des spectacles psychédéliques mêlant musique et
lumière, animés par une troupe de musiciens qui deviendra le mythique
Grateful Dead. Il y avait également le mouvement hippie, issu de la
Beat Generation de Kerouac, originaire de la baie de San Francisco, et
les activistes politiques, nés du Mouvement pour la liberté d'expression
de Berkeley. Et, englobant tout ça, il y avait les divers courants spirituels
cherchant l'illumination intérieure – zen, hindouisme, méditation, yoga,
cri primal, privation sensorielle, et massage Esalen.

Steve Jobs était l'incarnation de cette fusion du *Power Flower* et
des puces électroniques, de la quête de la révélation personnelle et
de la haute technologie : il méditait le matin, suivait, l'après-midi,
des cours de physique à Stanford, travaillait la nuit chez Atari en
rêvant de lancer sa propre entreprise. « Il se passait vraiment quelque
chose à cette époque, me disait Jobs. C'était le berceau de la
meilleure musique – le Grateful Dead, Jefferson Airplane, Joan
Baez, Janis Joplin – et celui des circuits intégrés, et d'OVNIs inclas-
sables tels que le *Whole Earth Catalog*. »

Initialement, techniciens et hippies n'avaient guère d'atomes crochus.
Nombre d'adeptes de la contre-culture considéraient les ordinateurs
comme des machines oppressives à la Orwell – l'œil du Pentagone, le
Big Brother. Dans *Le Mythe de la machine*, l'historien Lewis Mumford
soutenait que les ordinateurs étaient liberticides et allaient détruire les
valeurs humanistes. L'avertissement inscrit sur les cartes perforées de
l'époque « Ne pas tordre, ne pas percer, ne pas endommager » fut repris
avec ironie par les militants contre la guerre du Viêt-nam.

Mais, au début des années 1970, les mentalités changèrent.
« L'ordinateur, après avoir été décrié, en tant qu'instrument d'un
pouvoir bureaucratique, devenait symbole de libération et d'expression individuelle », écrivait John Markoff dans son essai sur la
convergence entre contre-culture et informatique, *What the Dormouse
Said*. On retrouvait cette idée magnifiée dans un poème de Richard

Brautigan en 1967, *All Watched Over By Machines of Loving Grace*[1] ;
la fusion « cyberdélique » fut officialisée quand Timothy Leary
déclara que les ordinateurs domestiques étaient devenus le nouveau
LSD et changea son fameux mantra « harmonie, ouverture, détachement » par « allumage, démarrage, connexion ». Le musicien
Bono, qui devint plus tard un ami de Jobs, expliquait comment la
contre-culture de la baie de San Francisco, rebelle, adepte du rock
et de drogues psychédéliques, avait pu favoriser l'essor de la cyber-
nétique : « Ces hippies qui fumaient de l'herbe et qui marchaient
avec des sandales comme Steve ont inventé le XXIe siècle, parce qu'ils
proposaient une autre vision du monde. Bien sûr, les mentalités
rigides en Angleterre, en Allemagne, au Japon ou sur la côte Est,
se méfiaient de ce mouvement. Les années 1960 furent un bouillon
de culture, un terreau idéal pour inventer le monde de demain. »

Un homme tel que Stewart Brand encourageait les adeptes de la
contre-culture à faire cause commune avec les pirates informatiques.
Brand, trublion génial qui fourmilla d'idées pendant plusieurs décennies, participa à l'une des premières études sur le LSD à Palo Alto.
Avec son ami Ken Kesey, il lança le Trips Festival, où l'acide était
à l'honneur, et apparaît dans les premières pages du livre *Acid Test*
de Tom Wolfe ; avec Douglas Engelbart, il collabora à la célèbre
présentation sur les nouvelles technologies intitulée *La mère de toutes
les démos*. « La grande majorité des gens de ma génération mépri-
saient les ordinateurs, écrivait Brand, ils étaient, à leurs yeux, l'incarnation d'un pouvoir centralisé. Mais quelques irréductibles, qu'on
appela plus tard des *hackers*, jetèrent leur dévolu sur ces machines
et firent d'elles des instruments de libération. Et c'est ainsi qu'ils
ouvrirent la voie vers le futur. »

Brand sillonnait le pays avec son « Whole Earth Truck Store »,
un camion-boutique qui vendait toutes sortes de produits et de
manuels de la contre-culture. En 1968, il décida de lancer le *Whole
Earth Catalog*. Sur la couverture figurait la célèbre photo de la
NASA où l'on voyait la Terre vue de l'espace et la célèbre maxime :
« Libre accès aux outils. » La technologie peut être notre amie, telle
était l'idée maîtresse de ce catalogue alternatif. Comme l'écrivait
Brand sur la page de garde de la première édition : « Un nouveau

---

1. « Sous la garde de machines bienveillantes. » *(N.d.T.)*

pouvoir privé et personnel s'offre à nous. L'individu peut désormais mener sa propre éducation, trouver sa propre inspiration, modeler son environnement, et partager son aventure avec tous ceux qui le veulent. Les outils permettant ce processus ont été répertoriés dans ce catalogue. » Buckminster Fuller, sensible à ce courant de pensée, commençait un poème ainsi : « Je vois Dieu dans les machines et mécanismes qui accomplissent fidèlement leur tâche… »

Jobs devint un grand amateur de ce catalogue. En particulier du dernier numéro, sorti en 1971, quand il était encore au lycée ; il l'emmena avec lui à Reed, et à la communauté All One Farm. « Sur le texte de couverture, il y avait l'image d'une route de campagne au petit matin, du genre de celles que les auto-stoppeurs connaissent bien. Dessous, il y avait ces mots : "Restez affamés. Restez fous." » Pour Brand, Jobs était l'incarnation parfaite de ce mélange culturel que le catalogue tentait de prôner. « Il est à l'exacte intersection de la technologie et de la contre-culture, explique Brand. Il a cherché à créer des outils pour l'homme. »

Le catalogue de Brand était publié avec le Portola Institute, une fondation dédiée à l'enseignement de l'informatique. La fondation avait aussi aidé à lancer la People's Computer Company, qui n'avait rien d'une compagnie mais était une gazette et une association ayant pour maxime « Le pouvoir informatique au peuple ». Ils organisaient des dîners-débats le mercredi soir, et deux habitués, Gordon French et Fred Moore, décidèrent de créer un club plus officiel où l'on pourrait partager les dernières innovations technologiques en matière d'ordinateurs personnels.

Tout le monde était émoustillé par le numéro de janvier 1975 de la revue *Popular Mechanics*, qui faisait sa couverture avec le premier micro-ordinateur en kit : l'Altair. L'Altair était un coup d'épée dans l'eau – un tas de composants pour quatre cent quatre-vingt-quinze dollars devant être soudés sur des plaques et qui une fois assemblés ne pouvaient pas faire grand-chose – mais, pour les pirates et les passionnés d'électronique, cela préfigurait l'aube d'une ère nouvelle. Bill Gates et Paul Allen lurent le magazine et se mirent à écrire un BASIC pour l'Altair. La machine retint également l'attention de Jobs et de Wozniak. Quand un exemplaire de l'Altair arriva à la People's Computer Company, l'appareil devint le sujet principal de la première réunion du club que French et Moore avaient décidé de lancer.

Le Homebrew Computer Club

Le groupe se baptisa le Homebrew Computer Club[1] et il s'inscrivait parfaitement dans la mouvance « Whole Earth », la fusion de la contre-culture et de la technologie. Ce club est devenu à l'ère de l'ordinateur personnel ce que fut le café *Turk's Head* à l'époque du Dr Johnson, un lieu d'émulations et d'échanges d'idées. Moore écrivit le texte de l'affichette pour la première réunion du club qui se tint le 5 mars 1975, dans le garage de Gordon French à Menlo Park : « Vous construisez votre propre ordinateur ? Un terminal informatique ? Une télévision ? Une machine à écrire ? Alors venez retrouver des gens qui partagent la même passion que vous ! »

Allen Baum repéra le flyer sur le panneau d'affichage chez HP et appela son ami Woz, qui accepta tout de suite de l'y accompagner. « Cette réunion fut l'un des tournants de ma vie », me confia Wozniak. Il y avait une trentaine de personnes dans le garage, qui chacune se sont présentées. Quand vint le tour de Wozniak, celui-ci expliqua, d'une voix rendue chevrotante par le trac, qu'il aimait « les jeux vidéo, les films à la demande dans les hôtels, et concevoir des calculateurs et des terminaux informatiques », comme le rapporte le compte rendu de Moore. Il y eut la démonstration du nouveau Altair, mais le plus saisissant pour Wozniak, ce fut de découvrir la fiche technique d'un microprocesseur.

En songeant à ce microprocesseur – une puce intégrant une unité complète de calcul – Woz eut une vision. Il avait déjà conçu un terminal, avec un clavier et un écran, qui pouvait être connecté à un mini-ordinateur distant. Avec un tel microprocesseur, il pourrait placer un peu de la puissance de calcul du mini-ordinateur dans le terminal lui-même, pour qu'il puisse devenir un véritable poste de travail informatique, un ordinateur de bureau. C'était l'idée de génie : un clavier, un écran, et une unité de calcul, le tout en un seul appareil, pour un usage domestique. « Cette image de l'ordinateur de bureau a soudain jailli dans ma tête, raconte Wozniak. Tout s'est mis en place. Et le soir même, j'ai commencé à dessiner les premières esquisses du futur Apple I. »

---

1. Le club des ordinateurs « faits à la maison ». *(N.d.T.)*

Au début, il voulait utiliser le microprocesseur qui équipait l'Altair, un Intel 8080. « Mais chacune de ces puces coûtait pratiquement le prix de mon loyer. » Alors Wozniak chercha une alternative. Il trouva le Motorola 6800 qu'un ami chez HP pouvait lui avoir pour quarante dollars pièce. Puis il découvrit chez MOST Technologies une puce électroniquement identique mais pour seulement vingt dollars. Cela rendait sa machine abordable, mais il y aurait un prix à payer à long terme : les puces Intel allaient devenir le standard du marché, et les ordinateurs d'Apple seraient incompatibles avec elles.

Chaque jour, après le travail, Wozniak rentrait chez lui pour dîner devant la télévision et retournait à HP la nuit pour travailler sur son ordinateur. Il étalait les éléments sur son bureau, imaginait leur emplacement et les soudait sur la carte mère. Puis il commença à écrire le logiciel qui permettrait au microprocesseur d'afficher des images sur un écran. Comme il n'avait pas les moyens de se payer du temps d'utilisation d'ordinateur, il écrivit le code à la main. Après deux mois de travail, il était prêt à tester sa machine. « J'ai appuyé sur quelques touches du clavier, et ô miracle ! Les lettres sont apparues sur le moniteur ! » C'était le dimanche 29 juin 1975, un moment charnière pour la micro-informatique. « C'était la première fois dans l'histoire, me précisa Wozniak, que quelqu'un tapait un caractère sur un clavier et le voyait s'afficher sur l'écran de son propre ordinateur, juste sous ses yeux ! »

Jobs était impressionné. Il assaillit Wozniak de questions. L'ordinateur pouvait-il être mis en réseau ? Était-il possible d'ajouter un disque dur pour mémoriser des données ? Il se mit à aider Wozniak à trouver des composants. Le point crucial était les puces de mémoire dynamique à accès direct[1]. Jobs passa des coups de fil et parvint à en obtenir quelques-unes chez Intel gratuitement. « C'était là tout le don de Steve, s'émerveillait encore Wozniak. Il savait comment embobiner un commercial. Je n'aurais jamais su faire ça. J'étais bien trop timide. »

Jobs accompagna alors Wozniak aux réunions du Homebrew Computer Club, portant le moniteur et l'aidant à installer sa machine. Les séances attiraient désormais plus de cent personnes et se tenaient dans

---

1. *Dynamic Random Access Memory (DRAM)* – la mémoire vive. *(N.d.T.)*

l'amphithéâtre du Stanford Linear Accelerator Center, là où ils avaient trouvé la revue qui leur avait permis de construire la Blue Box. Les débats étaient dirigés par Lee Felsenstein, un autre symbole de la convergence entre le monde de la contre-culture et celui de l'informatique. Il avait quitté l'université, était devenu un membre actif du Mouvement pour la liberté d'expression, et un militant pacifiste. Il avait été, un temps, journaliste pour la revue alternative *Berkeley Barb*, puis avait repris ses études d'informatique.

Felsenstein, en maître de cérémonie, commençait par un « mappage » des commentaires à chaud, puis invitait un intervenant à présenter sa communication et terminait la soirée par une séance « à adressage direct », où les gens pouvaient se déplacer et poser des questions individuelles et prendre des contacts. Woz était trop timoré pour parler en public, mais les gens s'agglutinaient autour de sa machine après les présentations et il pouvait montrer avec fierté ses progrès. Moore avait tenté d'insuffler au Homebrew un esprit de partage et de collaboration, et non de commerce. « La vocation du club, m'a expliqué Woz, c'était d'aider les autres. » Cela venait tout droit de l'éthique des pirates qui tenaient à ce que l'information circule librement et qui se méfiaient de toute forme d'autorité ou de contrôle. « Quand j'ai conçu l'Apple I, je voulais le donner gratuitement à tout le monde. »

Ce n'était pas précisément la vision de Bill Gates. Quand Paul Allen et lui ont terminé d'écrire leur BASIC pour l'Altair, Gates était outré que les membres du Homebrew aient fait des copies de son programme et le fassent circuler. Alors il écrivit une lettre qui est restée dans les annales du club : « Comme le sait le petit monde de l'informatique, la plupart de vos membres volent notre logiciel. Vous trouvez ça normal ? Ce que vous faites, c'est de dégoûter tout le monde d'écrire de bons programmes. Qui pourrait se permettre de travailler pour rien ? J'apprécierais que ceux qui m'ont pillé me contactent pour payer leur dû. »

Steve Jobs, de la même manière, n'appréciait guère l'altruisme de Wozniak. Qu'il s'agisse d'une Blue Box ou d'un ordinateur, tout avait un prix. Il convainquit alors Wozniak d'arrêter de donner des copies de ses schémas de montage. La plupart des gens n'auraient pas le temps de toute façon de construire leur ordinateur. « Pourquoi ne pas assembler nous-mêmes le circuit et leur vendre tout monté ? »

C'était l'exemple même de leur symbiose. « Chaque fois que je mettais au point un truc génial, Steve trouvait le moyen d'en tirer de l'argent pour nous. Vendre des cartes-mère d'ordinateurs ne m'avait jamais traversé l'esprit. C'est Steve qui a dit : "Mettons-leur l'eau à la bouche et proposons quelques-unes à la vente." »

Jobs dénicha quelqu'un à Atari pour imprimer une cinquantaine de circuits. Cela coûterait environ mille dollars plus les frais pour le technicien. Les deux compères pourraient les vendre quarante dollars pièce et se faire, sur l'ensemble, un bénéfice net de sept cents dollars. Wozniak était sceptique : « Pour moi, on n'allait jamais revoir notre argent. » Il avait déjà des problèmes avec son logeur à qui il avait fait des chèques en bois et il était désormais contraint de payer son loyer en liquide.

Mais Steve Jobs savait parler à Wozniak. Il ne lui promit pas qu'ils gagneraient de l'argent, mais qu'ils allaient vivre une belle aventure. « Même si on perd notre mise, on aura une société à nous, lui expliqua-t-il au volant de son combi Volkswagen. Pour la première fois de notre vie, on aura notre propre entreprise. » Ça, c'était de nature à convaincre Woz, bien davantage que la perspective de devenir riche : « Les deux meilleurs amis du monde fondant leur propre société. Ouah ! j'ai su alors que j'allais foncer. Comment résister à ça ? »

Pour trouver les fonds nécessaires, Wozniak vendit sa calculatrice HP 65 pour cinq cents dollars, bien que l'acheteur parvînt à l'arnaquer de la moitié de la somme. De son côté, Jobs vendit son combi pour mille cinq cents dollars. Son père lui avait déconseillé d'acheter ce van, et Jobs reconnut qu'il avait raison. Ce véhicule était une vraie épave. Et l'acheteur vint trouver Jobs deux semaines plus tard pour lui dire que le moteur avait rendu l'âme. Jobs accepta de payer la moitié des frais de réparations. Malgré ces déconvenues, les deux jeunes gens avaient, en ajoutant leurs propres économies, un capital de mille trois cents dollars, un produit, et un projet. Ils pouvaient lancer leur entreprise d'informatique.

Apple est né

Maintenant qu'ils avaient décidé de créer leur société, il fallait lui trouver un nom. Jobs était parti à la All One Farm, aider à la taille des Gravenstein, et Wozniak alla le chercher à l'aéroport. Pendant le trajet jusqu'à Los Altos, ils cherchèrent une idée. Un terme technique emblématique, tel que Matrix ? Ou un néologisme, tel que Executek, ou d'autres appellations d'une évidence ennuyeuse telle la Personal Computer Inc ? Ils devaient avoir une idée avant le lendemain, car Jobs voulait remplir les papiers. Finalement il proposa Apple Computer. « J'étais dans la phase "pommes" de mon régime, expliqua-t-il. Je revenais de la plantation de pommiers. Je trouvais ce nom drôle et sympathique, et pas intimidant. Apple mangea finalement le mot "computer". En plus, cela nous plaçait avant Atari dans l'annuaire ! » Il posa un ultimatum : si Wozniak n'avait pas une meilleure idée d'ici le lendemain après-midi, ce serait Apple. Et Apple ce fut.

Apple. Un excellent choix. Le nom donnait une image de convivialité et de simplicité. Il était à la fois légèrement décalé et aussi quotidien qu'une part de tarte. Et il y avait un zest de contre-culture, une allusion au retour à la nature, à la terre, et en même temps ça ne pouvait pas sonner plus américain. Et les deux mots ensemble – Apple Computer – créaient une juxtaposition amusante. « "Les Ordinateurs Pomme", cela avait un petit côté absurde, me dit Mike Markkula, qui devint, peu après, le premier président de la compagnie. Cela interpelle. On ne mélange pas les pommes et les ordinateurs ! Cela nous a aidés à nous démarquer des autres. »

Wozniak n'était pas encore prêt à s'engager dans la société à plein temps. Il était employé d'HP dans l'âme, et il voulait garder son travail de jour. Steve Jobs comprit qu'il allait avoir besoin d'aide pour débaucher Wozniak, de quelqu'un qui pourrait trancher en cas de désaccord entre les deux hommes. Il fit donc appel à son ami Ron Wayne, l'ingénieur de chez Atari qui avait autrefois lancé une société de machines à sous.

Wayne savait que ce ne serait pas facile de convaincre Wozniak de quitter HP et qu'il lui faudrait du temps. En revanche, il était urgent de lui faire comprendre que ses schémas d'ordinateurs allaient être la propriété d'Apple. « Woz était très attaché à ses circuits, raconte Wayne. Il voulait pouvoir s'en servir à son gré et aussi laisser HP les utiliser, Steve et moi savions que ces circuits seraient le trésor même d'Apple. On a passé deux heures autour d'une table chez moi à discuter avec Woz et j'ai pu enfin lui faire entendre raison. »

Wayne lui expliqua qu'on se souviendrait d'un grand inventeur uniquement s'il faisait équipe avec un grand commercial, et que pour cela, il était nécessaire que ses circuits soient la propriété de la société. Jobs fut tellement impressionné par les talents de négociateur de Wayne qu'il lui offrit dix pour cent des parts, faisant de lui le Pete Best d'Apple[1] et, plus essentiel, le médiateur tout désigné en cas de désaccord ultérieur entre Jobs et Wozniak.

« Ils étaient très différents, mais ils formaient une paire redoutable », déclare Wayne. Jobs, parfois, paraissait démoniaque, Woz n'était qu'innocence, bercée par les anges. Jobs avait de l'aplomb qui lui permettait d'arriver à ses fins, quitte à être manipulateur. Il pouvait être charismatique, parfois réellement impressionnant, mais aussi froid et brutal. Wozniak, quant à lui, était réservé, peu sûr de lui, ce qui lui donnait cette douceur enfantine. « Woz est très brillant dans son domaine, me raconta Jobs, mais il était comme ces savants qui sont mal à l'aise et maladroits en société. Il perdait tous ses moyens quand il était face à des personnes qu'il ne connaissait pas. On se complétait bien, lui et moi. » Wozniak aussi, de son côté, était impressionné par Jobs et son sens inné des affaires. « Je n'ai jamais voulu négocier avec les gens ni marcher sur les pieds de qui que ce soit, mais Steve pouvait appeler quelqu'un qu'il ne connaissait ni d'Ève ni d'Adam et le convaincre de faire quelque chose pour lui. Il pouvait être très dur avec ceux qu'ils pensaient stupides, mais il a toujours été gentil avec moi, même des années plus tard, quand j'ai été un peu dépassé par les événements. »

Même si Wozniak avait accepté que ses schémas électroniques appartiendraient à Apple, il jugea plus honnête de les proposer d'abord à HP, puisqu'il travaillait là-bas. « J'avais conçu mes circuits chez eux, pendant mes heures de travail. C'était une question d'éthique. » Alors il présenta son prototype à son supérieur et à une brochette de cadres au printemps 1976. Le directeur présent à la réunion fut impressionné – pour ne pas dire médusé – mais, finalement, il décida que HP ne pouvait développer un tel produit. Il s'agissait d'un appareil d'amateur, du moins pour le moment, et que le marché de HP, c'était uniquement le secteur des machines haut

---

1. Pete Best : le premier batteur des Beatles, limogé lors de l'enregistrement de leur premier succès. *(N.d.T.)*

de gamme. « J'étais déçu, confie Wozniak, mais au moins je n'avais plus de scrupule à entrer chez Apple. »

Le 1ᵉʳ avril 1976, Jobs et Wozniak se rendirent chez Ron Wayne dans son appartement de Mountain View pour poser les bases du partenariat. Wayne disait avoir quelque expérience dans la rédaction de « document juridiques », et il écrivit lui-même le contrat de trois pages. Effectivement, la prose juridique l'inspirait ; tous les paragraphes commençaient par des formules alambiquées, telles que « nonobstant toute plause [*sic*] contraire… conformément aux alinéas ci-inclus… le cas advenant que l'une des parties susnommées, eu égard à son engagement respectif… ». Mais la répartition des parts et des profits était, elle, parfaitement claire : 45 pour cent-45 pour cent-10 pour cent ; et il était stipulé que toute dépense supérieure à cent dollars nécessitait l'accord d'au moins deux des associés. Les responsabilités de chacun étaient écrites noir sur blanc. « Stephen Wozniak aura la charge de l'ingénierie électronique des projets, Steve Jobs de la direction générale et du marketing et Wayne de l'ingénierie mécanique et de la documentation. » Jobs signa en lettres script minuscules, Wozniak de son écriture cursive appliquée, et Wayne d'un gribouillis illisible.

Mais Wayne prit peur. Quand Jobs prévit d'emprunter plus d'argent, il se souvint de l'échec de sa propre société. Il ne voulait pas revivre ça. Jobs et Wozniak n'avaient aucun bien personnel, mais Wayne (qui redoutait un Armageddon financier) avait quelques louis d'or cachés sous son matelas. Comme Apple, par ses statuts, était une société de personnes et non une société de capitaux, les associés étaient tenus pour responsables du passif de l'entreprise ; Wayne craignait que les créditeurs ne lui tombent dessus. Alors il revint dans le comté de Santa Clara seulement onze jours plus tard avec « une déclaration de retrait » et un avenant au contrat de partenariat. « Eu égard à une réévaluation des charges et devoirs entre chacune des parties…, commençait le document, Ron Wayne renonce à son statut d'"associé". » Il était spécifié qu'en rétribution des 10 pour cent de parts qu'il rétrocédait à la société, il recevrait huit cents dollars dans un premier temps, auxquels s'ajouterait, ultérieurement, un second versement de mille cinq cents dollars.

Si Wayne avait gardé ses parts, ses 10 pour cent vaudraient, en 2010, approximativement deux milliards six cents millions de dollars. Au lieu de ça, il vit seul aujourd'hui dans une petite maison de Pahrump dans le Nevada, où il joue avec ses bandits manchots et vit de l'assistance publique. Il m'a dit n'avoir aucun regret. « J'ai pris ma décision à l'époque. Les deux autres étaient de vraies tornades et je savais que je ne pourrais pas suivre le rythme. »

Jobs et Wozniak montèrent sur la scène du Homebrew Computer Club pour présenter leur bébé, peu après la création d'Apple. Wozniak, exhibant son nouveau circuit, décrivit le microprocesseur, la mémoire de 8 Ko, et le BASIC qu'il avait écrit. Il insista sur la caractéristique qui lui paraissait essentielle : « Il y a un clavier fait pour les humains, et non un panneau frontal totalement crétin équipé d'un fatras de LED et d'interrupteurs. » Puis ce fut au tour de Jobs de prendre la parole. Il annonça que l'Apple, à la différence de l'Altair, était un appareil complet, équipé de tous les éléments nécessaires à son utilisation. Il posa alors une question à son auditoire : « Combien seriez-vous prêts à payer pour avoir un petit bijou comme ça ? » Il essayait d'estimer la valeur de l'Apple. C'était une pirouette oratoire qu'il réutiliserait dans nombre de ses présentations ultérieures.

Le public n'était pas impressionné outre mesure. L'Apple avait un microprocesseur bas de gamme, pas un Intel 8080. Mais une personne essentielle resta dans la salle pour en savoir plus. Il s'appelait Paul Terrel et avait ouvert, en 1975, un magasin d'informatique, qu'il avait appelé le Byte Shop, sur Camino Real à Menlo Park. Un an plus tard, il avait trois magasins et projetait de lancer une chaîne dans tout le pays. Jobs ne demandait qu'à lui faire une démonstration privée. « Regardez ça. Vous n'allez pas le regretter, je vous le promets. » Terrel fut suffisamment convaincu pour leur laisser sa carte.

« On reste en contact », dit-il.

« Je reste en contact, comme vous avez dit », annonça Jobs le lendemain, en passant pieds nus les portes du Byte Shop. Il conclut la vente. Terrel commanda cinquante ordinateurs. Mais il y avait une condition : il ne voulait pas vendre des circuits imprimés à cinquante dollars pièce, pour lesquels les clients devraient acheter toutes les puces et les monter eux-mêmes. Cela pouvait amuser quelques passionnés d'électronique, mais pas le client lambda. Il exigeait que les circuits soient assemblés. Pour cela, il était prêt à payer cinq cents dollars la machine, à la livraison et en liquide.

Jobs appela immédiatement Wozniak :

— Tu es assis ?

— Non, debout.

Jobs lui annonça néanmoins la nouvelle. « J'étais sous le choc, totalement abasourdi, raconte Wozniak. Je n'oublierai jamais cet instant. »

Pour honorer leur engagement, il leur fallait trouver quinze mille dollars. Allen Baum, le troisième joyeux luron de Homestead High, et son père, acceptèrent de leur prêter cinq mille dollars. Jobs tenta de faire un emprunt dans une banque de Los Altos, mais le directeur, après avoir regardé Jobs de la tête aux pieds, refusa. Il se rendit alors chez Halted Supply et leur offrit des parts d'Apple en échange de leur participation financière, mais le patron déclara qu'il ne donnerait pas un sou à « deux jeunes loquedus chevelus ». Alcorn chez Atari voulait bien leur vendre des puces à condition qu'ils payent d'avance et en liquide. Finalement, Jobs parvint à convaincre le directeur de Cramer Electronics d'appeler Paul Terrel pour qu'il lui confirme qu'il avait bien passé commande pour vingt-cinq mille dollars. Terrel assistait à une conférence quand il entendit qu'il y avait un appel urgent pour lui. (Jobs s'était montré persuasif avec la standardiste.) Le directeur de Cramer lui dit que deux hippies avaient débarqué chez lui en lui agitant sous le nez un bon de commande du Byte Shop. Était-ce un canular ? Terrel confirma la commande et le fournisseur accepta un paiement à trente jours pour les pièces de Jobs.

Le « Garage Band[1] »

La maison de Jobs à Los Altos devint l'usine d'assemblage des cinquante Apple I qui devaient être livrés au Byte Shop dans le mois, avant que le fournisseur n'exige d'être payé. Tout le monde fut appelé à la rescousse – Daniel Kottke, son ex-petite amie Elizabeth Holmes (qui avait coupé les ponts avec sa secte) et Patty, la petite sœur de Jobs, enceinte jusqu'aux yeux. Sa chambre vacante, comme la table de la cuisine et le garage furent réquisitionnés. À Elizabeth, qui avait suivi des cours de joaillerie, il fut confié la tâche

---

1. Allusion au logiciel de composition musicale fourni avec tous les Mac (dans la suite iLife). Littéralement « le groupe du garage ». *(N.d.T.)*

de souder les composants. « La plupart des soudures fonctionnaient, mais j'ai eu des courts-circuits sur quelques-unes. » Cela agaçait Jobs : « On a juste le compte, pour les puces. » Ce qui était vrai. Il la muta au service comptabilité en cuisine, et assura lui-même l'assemblage. Quand un circuit était monté, il le donnait à Wozniak. « Je branchais chaque plaque à la télévision et au clavier pour la tester, explique-t-il. Si elle fonctionnait, je la rangeais dans une boîte. Dans le cas contraire, je cherchais quelle soudure posait problème. »

Paul Jobs suspendit sa restauration de vieilles voitures pour que la société Apple puisse disposer de tout le volume du garage. Il installa un long établi, accrocha les plans de l'ordinateur sur la nouvelle paroi de Placoplatre qu'il avait montée, et construisit une servante, avec des tiroirs étiquetés pour ranger tous les composants. Il fabriqua également une étuve, alimentée par des lampes infrarouges, pour pouvoir tester la résistance des circuits en chauffe. Quand il y avait un coup de colère, ce qui arrivait souvent quand son fils était dans les parages, Paul Jobs, calme de nature, désamorçait le conflit. « Que se passe-t-il, Steve ? demandait-il. Tu fais encore ton cador ? » En échange, il sollicitait de temps en temps l'autorisation de récupérer la télévision – car c'était le seul poste de la maison – pour pouvoir regarder la fin d'un match de foot. Durant ces pauses obligatoires, Jobs et Kottke sortaient dans le jardin jouer de la guitare.

Sa mère ne se formalisait pas de voir sa maison transformée en usine et en chambres d'hôtes, mais les régimes draconiens de son fils la mettaient en fureur. « Elle roulait des yeux devant les obsessions diététiques de Steve, se souvient Elizabeth. Elle voulait simplement le nourrir convenablement et il lui sortait des explications toutes plus bizarres les unes que les autres, telles que "je suis fruitarien et je ne mange que des feuilles cueillies par des vierges à la pleine lune". »

Lorsque Wozniak eut testé une dizaine de circuits, Jobs les emporta au Byte Shop. Terrel fit grise mine. Il n'y avait pas d'alimentation, ni boîtier, ni moniteur, ni clavier. Il s'attendait à avoir un produit fini. Mais Jobs lui lança son regard assassin et Terrel paya.

Au bout de trente jours, Apple était sur le point d'être rentable. « Nous avions pu monter les circuits pour un coût moindre que prévu, me raconta Jobs, parce que j'avais bien négocié le prix des composants. Les cinquante cartes que nous avons vendues au Byte Shop nous payaient quasiment les pièces pour une centaine. » Ils allaient pouvoir faire de vrais bénéfices en vendant les cinquante derniers circuits à leurs amis et collègues du Homebrew.

Elizabeth Holmes devint officiellement la comptable à mi-temps de la société, pour quatre dollars de l'heure. Elle faisait le voyage de San Francisco une fois par semaine et tentait de mettre de l'ordre dans les papiers de Jobs et de tenir une comptabilité digne de ce nom. Pour donner l'image d'une véritable entreprise, Jobs loua une boîte vocale, qui renvoyait alors tous les appels sur le téléphone de sa mère. Ron Wayne dessina un logo, en détournant une gravure illustrant un ouvrage de l'époque victorienne, où l'on voyait Newton assis sous son pommier avec, pour bannière, un extrait d'un poème de Wordsworth : « Un esprit voyageant pour toujours sur les mers étranges du savoir… seul. » C'était une maxime curieuse, qui correspondait peut-être davantage à Ron Wayne qu'à Apple Computer. Une autre phrase de Wordsworth, celle faisant allusion à la Révolution française, aurait peut-être été plus appropriée : « Ce fut un don du ciel que d'être vivant et de voir cette aube se lever/ mais être jeune, c'était être le ciel lui-même ! » Wozniak exultait de joie : « C'était la plus grande révolution qui fût jamais en marche. Et on en faisait partie ! »

Wozniak avait déjà pensé à la prochaine version de la machine, alors ils se mirent à appeler leur modèle actuel l'Apple I. Jobs et Woz sillonnaient Camino Real pour convaincre les magasins d'électronique d'en commander. En plus des cinquante exemplaires vendus au Byte Shop et presque cinquante autres aux amis, ils en construisirent une centaine encore pour les vendre en direct. Évidemment, il y eut des divergences d'opinion : Woz désirait les vendre quasiment à prix coûtant, tandis que Jobs voulait faire de gros bénéfices. Le point de vue de Jobs l'emporta. Il le proposa à la vente pour le triple du coût de revient, soit 33 pour cent plus cher que le prix auquel l'avaient acquis le Byte Shop et les autres magasins – six cent soixante-six dollars. « Moi aussi, j'aimais bien les répétitions de chiffres, raconte Wozniak. Le numéro de mon service de blagues au téléphone était le 255-6666. » Jobs, comme son compère, ignorait que 666 était cité dans le Livre des révélations, comme étant le « nombre de la bête ». Ils reçurent rapidement des plaintes, en particulier après que 666 était apparu dans *La Malédiction*, le blockbuster de l'année. (En 2010, l'un des Apple I de l'époque fut vendu chez Christie's pour deux cent treize mille dollars.)

Le premier article sur la nouvelle machine parut en juillet 1976 dans *Interface*, la gazette d'un passionné d'électronique, aujourd'hui décédé. Jobs et ses amis construisaient les ordinateurs encore à la main dans leur garage, mais l'article présentait Jobs comme « directeur du marketing » et « ancien consultant d'Atari ». Cela donnait à Apple des airs de véritable société. « Steve Jobs est en contact avec beaucoup de clubs d'informatique, ce qui lui permet de sentir le pouls de ce marché émergeant, narrait l'article en le citant : "Si nous connaissons en amont l'attente et les besoins des consommateurs, nous pourrons au mieux exaucer leurs souhaits." »

Apple avait d'autres rivaux, en plus de l'Altair ; en particulier, l'IMSAI 8080 et le SOL-20 de la Processor Technology Corporation. Cette dernière machine était construite par Lee Felsenstein et Gordon French du Homebrew Computer Club. Ils avaient tous un stand au premier salon de la micro-informatique qui se tint, en septembre 1976, le week-end de la fête du travail, dans un hôtel miteux sur la promenade, décatie à l'époque, d'Atlantic City, dans le New Jersey. Jobs et Wozniak prirent un vol TWA pour Philadelphie, avec dans les bras leur Apple I dans une boîte à cigares, et dans une autre, le prototype du modèle suivant sur lequel Woz travaillait. Assis derrière eux, Felsenstein, en apercevant l'Apple I dans sa caisse en bois, lança à son compère : « Du bricolage d'amateurs ! » Wozniak était agacé par ces commentaires derrière lui : « Je les entendais parler affaires, citant des acronymes à tire-larigot qui m'étaient totalement inconnus. »

Wozniak passa le plus clair de son temps dans la chambre d'hôtel, à travailler sur son nouveau prototype. Il était trop timide pour tenir le stand d'Apple, qui se situait tout au fond du hall d'exposition. Daniel Kottke avait pris le train de Manhattan, puisqu'il suivait désormais ses études à Columbia, et gérait le stand quand Jobs déambulait dans les allées pour inspecter la concurrence. Ce qu'il vit ne l'impressionna pas. Il était rassuré ; Woz était le meilleur concepteur du moment, et l'Apple I (et son successeur à n'en pas douter) battait tous les autres en termes de fonctionnalité. Toutefois, le SOL-20 avait plus d'allure. Il était monté dans un boîtier de métal avec un clavier et une alimentation secteur. C'était un produit qui faisait sérieux. L'Apple I présentait aussi mal que ses créateurs.

CHAPITRE SIX

L'APPLE II

L'aube d'une ère nouvelle

Tout en un !

Tandis que Jobs rôdait dans les allées du premier salon de la micro-informatique, il comprit que Paul Terrel du Byte Shop avait raison : les micro-ordinateurs devaient être des produits complets. Le nouvel Apple, décida-t-il, aurait un beau boîtier, un clavier intégré, et serait livré avec tous ses éléments, de l'alimentation jusqu'au moniteur. « Je voulais créer le premier ordinateur prêt à l'emploi, m'expliqua-t-il. Notre cible ne serait plus une poignée de passionnés qui aimaient assembler eux-mêmes leur machine, et qui savaient où trouver des transformateurs et des claviers. Pour un seul de ces bidouilleurs, il y avait mille personnes qui attendaient un appareil prêt à fonctionner. »

Dans leur chambre d'hôtel, en ce week-end de septembre de l'année 1976, Wozniak bricolait le prototype du futur Apple II grâce auquel Jobs espérait faire décoller sa société. Ils ne sortirent leur prototype qu'une fois, tard le soir, pour le tester avec un vidéoprojecteur couleur installé dans l'une des salles de conférences. Wozniak avait trouvé un moyen astucieux pour produire un signal couleur avec ses puces et il voulait voir si ça marchait avec les tubes vidéo qui pouvaient projeter l'image sur un écran. « Je craignais que la gestion électronique des couleurs sur ces nouveaux appareils soit incompatible avec la mienne, me dit-il. Alors j'ai branché l'Apple II au vidéoprojecteur et ça a marché comme sur des roulettes ! » À mesure qu'il pianotait sur son clavier, des lignes de couleur et des arabesques apparaissaient sur l'écran à l'autre bout de la salle. La première personne à voir fonctionner l'Apple II fut l'électricien de l'hôtel. De toutes les machines qu'il avait vues tourner au salon, déclara-t-il, c'était celle-là qu'il aurait achetée.

Pour construire l'Apple II complet, il allait leur falloir des fonds. Ils songèrent donc à vendre Apple à une autre société. Jobs rendit visite à Al Alcorn pour solliciter un entretien avec la direction d'Atari. Celui-ci organisa un rendez-vous avec le président du conseil d'administration, Joe Keenan, qui n'avait pas la largesse d'esprit d'Alcorn ou de Bushnell. « Steve est arrivé pour présenter son projet, mais Joe a tout de suite détesté le personnage, raconte Alcorn. Il ne supportait pas son allure sale et négligée. » Jobs était pieds nus, et à un moment il commit l'erreur d'étendre ses jambes. « Non seulement nous n'allons pas acheter votre machin, s'écria Keenan, mais vous allez sortir de mon bureau avec vos pieds crasseux ! » Alcorn s'était dit alors : « Bon. Affaire réglée. »

Fin septembre, Chuck Peddle de Commodore passa chez Jobs pour suivre une démonstration. « On a ouvert la porte du garage et il est entré, avec son costume et son chapeau texan », se souvient Wozniak. Peedle fut conquis par l'Apple II, et il organisa une présentation de leur machine pour le big boss quelques semaines plus tard, au siège social de Commodore. « Vous pourriez nous racheter pour quelques centaines de milliers de dollars », annonça Jobs quand ils furent dans le bureau. Wozniak n'en croyait pas ses oreilles. C'était une proposition « démentielle », mais Jobs ne se démonta pas. Les huiles de Commodore rappelèrent un ou deux jours plus tard pour dire que cela leur coûterait moins cher de produire leur propre machine. Jobs n'était même pas déçu. Il s'était renseigné sur la société Commodore et trouvait qu'elle était dirigée par « une bande de vendus ». Wozniak ne regretta pas cette manne perdue, mais il vit rouge quand Commodore sortit le PET neuf mois plus tard. C'était un affront à ses talents de concepteur. « Cela me rendait malade. Ils avaient sorti une vraie merde à vouloir aller trop vite. Alors qu'ils auraient pu avoir Apple. »

La tentative de rapprochement avec Commodore mit au jour une divergence de point de vue entre Jobs et Wozniak : l'apport de chacun d'eux dans Apple était-il réellement égal ? Et par la suite, quel profit devraient-ils chacun en tirer ? Le père de Woz, qui plaçait les créateurs au-dessus des marchands, considérait que la majeure partie de l'argent devait revenir à son fils. Il eut une explication houleuse avec Jobs quand celui-ci vint chez eux : « Tu mérites que dalle ! Tu n'as rien créé. » Jobs se mit à pleurer, ce qui lui arrivait souvent. Il n'était pas du genre à contenir ses émotions (et ne le serait jamais) : « Si on n'est pas à 50/50, annonça-t-il à Woz, tu peux tout garder. » Steve Wozniak, à l'inverse de son père, savait que Jobs et lui formaient un couple symbiotique. Sans Jobs, il serait encore en train de distribuer gratuitement les schémas de ses circuits aux réunions du Homebrew. C'était Jobs qui avait transformé son génie de bidouilleur en source de profits, comme cela avait déjà été le cas avec la Blue Box. Il décida donc de ne rien changer à leur partenariat.

Ce fut une sage décision. Les circuits miraculeux de Wozniak ne suffiraient pas à assurer le succès de l'Apple II. Il fallait créer un produit fini pour le marché, et ça, c'était le rôle de Steve Jobs.

Il demanda d'abord à son ex-associé Ron Wayne de lui dessiner un boîtier. « J'ai supposé qu'ils n'avaient pas d'argent, alors j'en ai conçu un qui ne nécessitait aucun outillage et qui pouvait être fabriqué dans le premier atelier venu », m'a-t-il expliqué. Son boîtier original avait un couvercle en Plexiglas fixé par des pattes métalliques et un capot roulant pour couvrir le clavier.

Jobs ne l'aimait pas. Il voulait quelque chose de simple et d'élégant, pour qu'Apple se différencie des concurrents qui tous avaient opté pour de vilains boîtiers gris en métal. En se promenant dans un grand magasin, il fut saisi par le design des robots-mixeurs Cuisinart. Voilà ce qu'il voulait, un boîtier en plastique moulé, aux lignes épurées, fin et racé. Lors d'une réunion au Homebrew, il proposa à un consultant, Jerry Manock, mille cinq cents dollars pour leur fournir un prototype. Se méfiant de l'apparence de Jobs, il demanda à être payé d'avance. Jobs refusa, mais Manock accepta quand même le travail. Au bout de quelques semaines, il leur apporta un caisson en plastique moulé, au design simple et séduisant. Jobs était ravi.

Vint ensuite le problème de l'alimentation. Les geeks comme Wozniak ne prêtaient aucune attention à ce genre d'éléments aussi vulgaires, mais Jobs considérait que c'était un composant clé du projet. Il voulait un bloc d'alimentation ne nécessitant pas de ventilateur – et ce serait son exigence tout au long de sa carrière. Les ventilateurs dans les ordinateurs, ce n'était pas zen. Leur bruit était dérangeant. Jobs fit un saut chez Atari pour demander conseil à Alcorn, qui était un expert en système électrique à l'ancienne. « Al m'a renvoyé vers Ron Holt, un type extraordinaire – marxiste, fumeur invétéré, plusieurs fois divorcé, et un touche-à-tout génial. » Comme Manock et d'autres personnes lors de leur première rencontre avec Jobs, Holt resta sur ses gardes : « Je suis très cher. » Jobs, sentant le potentiel de son interlocuteur, répondit que peu importait le coût. « Il m'a tellement bien fait l'article que je n'ai pas pu refuser. » C'est ainsi que Holt devint un collaborateur à plein temps chez Apple.

Au lieu d'une alimentation linéaire classique, Holt en construisit une à découpage comme celles qui équipaient les oscilloscopes et autres appareils de mesure électroniques. Le dispositif ne coupait pas le courant soixante fois par seconde, mais des milliers de fois, ce qui permettait d'emmagasiner de l'énergie pendant beaucoup moins longtemps, et donc de dissiper moins de chaleur. « Cette alimentation à découpage était aussi révolutionnaire que la carte mère de l'Apple II, m'expliqua Jobs. On ne parle pas beaucoup de Rod dans les livres retraçant l'épopée de la micro-informatique, pourtant tous les ordinateurs aujourd'hui utilisent des alimentations à découpage. Ils ont tous copié l'invention de Rod. » Wozniak, avec tout son génie, n'aurait jamais pu concevoir un tel dispositif : « Je savais à peine comment une telle alim' fonctionnait. »

Le père de Jobs lui avait enseigné qu'un bon artisan porte un même souci de finition à toutes les parties de son travail, qu'elles soient visibles ou invisibles. Jobs appliqua cette règle jusqu'à la disposition des circuits internes de l'Apple II. Il rejeta le dessin original de la carte mère parce qu'esthétiquement il n'était pas irréprochable.

Ce goût pour « la belle facture » ne fit qu'amplifier chez Jobs son besoin de contrôler tous les stades de la production. La plupart des pirates et des amateurs d'électronique aimaient personnaliser leur ordinateur, les modifier, leur brancher toutes sortes d'accessoires. Pour Jobs, c'était une hérésie. Cela risquait de ruiner la perfection de la machine, d'en détruire sa fluidité d'utilisation, sa convivialité. Wozniak, bidouilleur dans l'âme, n'était pas de cet avis. Il voulait inclure six connecteurs d'extensions sur l'Apple II pour que les utilisateurs puissent insérer autant de cartes ou de périphériques qu'ils désiraient. Jobs n'en voulait que deux, une pour l'imprimante, une autre pour le modem. « D'ordinaire, je suis plutôt coulant, mais cette fois, je ne me suis pas laissé faire : "Si c'est comme ça, va-t'en construire un tout seul !" Des tas de gens, comme moi, adoraient ajouter des trucs à leur machine. » Wozniak eut gain de cause cette fois-ci. « J'étais encore en position de faire entendre ma voix, mais ce ne serait bientôt plus le cas. »

Mike Markkula

Tout ça nécessitait de l'argent : « L'outillage pour la fabrication des boîtiers allait coûter cher, dans les cent mille dollars, m'expliqua Jobs. Rien que pour lancer la production, il nous fallait environ deux cent mille dollars. » Il retourna donc voir Nolan Bushnell, cette fois pour le convaincre d'investir dans sa société. Ce dernier se souvenait encore de l'entrevue : « Steve m'a demandé de mettre cinquante mille dollars sur la table et qu'en échange il me donnait le tiers des parts d'Apple. Je me suis cru finaud et j'ai dit non. Quand j'y repense, j'en ris encore. Pour ne pas en pleurer ! »

Bushnell proposa à Jobs d'aller tenter sa chance auprès de Don Valentine, un ancien directeur marketing de la National Semiconductor qui avait fondé Sequoia Capital, l'un des premiers cabinets d'investissements à risque. Valentine arriva devant le garage de Jobs à bord d'une magnifique Mercedes, en costume bleu et cravate de soie moirée. Valentine avait appelé Bushnell juste après sa visite, mi-figue, mi-raisin : « Pourquoi m'as-tu envoyé voir ces parias de l'espèce humaine ? » Valentine prétend ne pas se souvenir précisément de ces paroles, mais reconnaît que l'aspect et l'odeur de Jobs l'avaient dérangé : « Steve essayait d'incarner la contre-culture. Il avait une barbe hirsute, était maigre comme un clou et ressemblait à Hô Chi Minh. »

Valentine, toutefois, n'était pas devenu une figure phare de la Silicon Valley en s'arrêtant aux apparences. Ce qui le dérangeait vraiment, c'était que Jobs ne connaissait rien au marketing et semblait se contenter de faire du porte-à-porte pour placer ses produits dans les boutiques d'informatique. « Si vous voulez que je vous finance, lui annonça Valentine, vous allez avoir besoin de quelqu'un qui s'y connaisse en commerce et en distribution pour établir un plan de développement. » Devant un aîné qui lui donnait des conseils, Jobs ne connaissait que deux réactions : celle du renégat ou celle du novice. Avec Valentine, il opta pour la seconde posture : « Si vous avez quelques noms à nous proposer... »

Valentine lui suggéra trois personnes. Jobs les rencontra et choisit un dénommé Mike Markkula qui jouera un rôle crucial chez Apple durant les deux décennies suivantes.

Markkula n'avait que trente-trois ans, mais il avait déjà pris sa retraite après avoir travaillé pour Fairchild et ensuite pour Intel ; il avait gagné des millions avec ses stock-options quand le fabricant de puces fut coté en Bourse. C'était un homme prudent et avisé, qui, en ancien gymnaste, aimait la précision et l'efficacité ; il excellait en stratégie commerciale, en réseaux de distribution, en marketing et en finance. Malgré une certaine réserve naturelle, il avait un côté m'as-tu-vu. Il se fit construire une maison sur le lac Tahoe, et plus tard un manoir dans les hauteurs de Woodside. Quand il apparut pour son premier rendez-vous avec Jobs au garage Apple, il vint non en Mercedes comme Valentine, mais à bord d'une Corvette décapotable couleur or. « À mon arrivée, Wozniak était à son établi et me fit aussitôt une démonstration de l'Apple II. Ces deux gars avaient grand besoin d'aller chez le coiffeur, mais j'ai été stupéfié par ce qu'ils m'ont montré. Le coiffeur pouvait attendre, pas le génie. »

Jobs apprécia tout de suite Markkula. « Il était petit et le poste de directeur du marketing d'Intel venait de lui passer sous le nez... ce qui devait le motiver pour prouver ce qu'il valait. Un type droit et honnête, incapable de vous planter un poignard dans le dos, même s'il en a l'occasion. Avec une vraie éthique. » Wozniak aussi était impressionné : « C'était pour moi le gars le plus sympa qu'ait porté la terre. Et en plus, il a adoré ce qu'on lui a montré ! »

Markkula proposa donc à Jobs d'établir un plan de développement. « Si ça tient la route, je mettrai des billes, annonça Markkula. Sinon, je vous aurais offert gracieusement quelques semaines de mon temps. » Jobs se rendit tous les soirs chez Markkula, faisant des prévisions, discutant stratégies d'entreprise. « On faisait beaucoup de suppositions, telles que le nombre de foyers qui auraient un micro-ordinateur, et parfois à 4 heures du matin on tirait encore des plans sur la comète. » Markkula finalement écrivit la quasi-totalité du business plan. « Steve disait : "Je t'apporte cette partie la prochaine fois, promis", mais il était toujours en retard. Alors j'ai fini par le faire moi-même. »

Le plan de Markkula étudiait les possibilités de dépasser le petit marché des passionnés d'informatique. Wozniak n'en revenait pas : « Il voulait introduire l'ordinateur chez le citoyen lambda, pour qu'il puisse archiver ses recettes de cuisine favorites ou faire ses comptes ! » Markkula avait fait une prévision qui paraissait totalement irréaliste : « D'ici deux ans, nous serons dans le top 500 des plus grosses entreprises du pays. Nous vivons la naissance d'une nouvelle industrie. Cela n'arrive qu'une fois tous les dix ans. » Il faudrait, en fait, cinq ans à Apple pour entrer dans le *Fortune 500*, mais globalement sa prédiction fut exacte.

Markkula apportait deux cent cinquante mille dollars et en échange il réclamait le tiers des parts de la société. Apple deviendrait une société de capitaux ; il détiendrait 26 pour cent des actions, comme Jobs et Wozniak ; le reste serait réservé pour attirer de futurs investisseurs. Le trio se réunit dans le cabanon à côté de la piscine de Markkula et scella le pacte. Jobs était extatique : « Je craignais que Mike ne revoie jamais ses deux cent cinquante mille dollars, et je n'en revenais pas qu'il prenne un tel risque. »

Restait à convaincre Wozniak de venir travailler à plein temps pour Apple… « Pourquoi ne pourrais-je pas continuer à faire ça sur mon temps libre et garder mon travail à HP par sécurité ? » Markkula lui répéta que c'était impossible et il lui donna quelques jours pour se décider. Wozniak m'expliqua ses réticences : « J'étais très inquiet à l'idée de m'engager dans une nouvelle société où j'allais devoir mettre la pression à des gens et surveiller ce qu'ils faisaient. Je m'étais toujours dit que je n'exercerais jamais quelque fonction d'autorité. » Alors il alla trouver Markkula pour lui annoncer qu'il ne quittait pas HP.

Markkula haussa les épaules, fataliste. Mais Jobs était très embêté. Il appela Woz, le cajola. Il envoya des amis pour tenter de le convaincre. Il pleura, cria, tapa du poing sur la table. Il alla même rendre visite aux parents de Wozniak, fondit en larmes, supplia Francis Wozniak de raisonner son fils. À présent le père de Woz avait compris qu'il y avait beaucoup d'argent à gagner avec l'Apple II et il se rangea du côté de Jobs. Woz était assailli de toutes parts : « Je recevais au travail des coups de fil de papa, de maman, de mon frère, et de tout un tas d'amis. Tout le monde me disait que j'avais pris la mauvaise décision. » Mais rien n'y faisait. Puis, Allen Baum – leur ami commun du Buck Fry Club de Homestead High – appela :

— Tu dois sauter le pas et foncer. Même si tu rejoins Apple à plein temps, rien ne t'oblige à faire du management.

« C'était exactement ce que j'avais besoin d'entendre. Je pourrais rester tranquille au fin fond de l'organigramme, en tant que simple ingénieur. » Alors Wozniak joignit Jobs et déclara qu'il était prêt à s'embarquer dans l'aventure.

Le 3 janvier 1973, la nouvelle société – l'Apple Computer Co – fut officiellement créée, mettant définitivement un terme à l'ancien partenariat que Jobs et Wozniak avaient lancé neuf mois plus tôt. Une mutation qui passa quasiment inaperçue. Ce mois-là, le Homebrew fit un recensement et découvrit que sur les cent quatre-vingt-un membres qui avaient un ordinateur personnel, seuls six possédaient un Apple. Jobs était toutefois persuadé que l'Apple II changerait la donne.

Markkula devint une nouvelle figure paternelle pour Jobs. Comme son père adoptif, il se plierait à la volonté de fer du jeune homme ; et comme son père biologique, il l'abandonnerait. « Markkula et Steve, c'était l'exemple même d'une relation père-fils », me confiera le financier Arthur Rock. Markkula commença à lui donner des cours de marketing. « Mike m'a pris sous son aile. Nous avions les mêmes valeurs. Il disait qu'il ne fallait jamais lancer une entreprise dans le but de devenir riche. Il fallait avant tout de la sincérité, croire en ce que l'on faisait. Et viser la pérennité de la société. »

Markkula consigna les principes fondateurs sur une page, intitulée « La philosophie marketing d'Apple », regroupés en trois chapitres. Un : L'empathie, une connexion intime avec les attentes des clients. « Nous devons comprendre leurs besoins mieux que toute autre entreprise. » Deux : La convergence. « Afin que notre travail soit le plus efficace possible, il faut éliminer toute activité d'importance secondaire. »

Le troisième principe, tout aussi fondamental, était nommé, bizarrement : L'incarnation. Il était question de l'opinion que les gens se font d'une société en fonction des signaux qu'elle leur envoie. « Les gens jugent un livre à sa couverture, écrivait-il. Nous pouvons avoir le meilleur produit du marché, la meilleure qualité, le meilleur système d'exploitation, etc., si nous les présentons d'une manière merdique, tout ça sera perçu comme de la merde. Si nous les présentons d'une façon créative et professionnelle, nous "incarnons" de fait ces qualités. »

Durant le restant de sa carrière, Jobs se souciera, parfois avec excès, de l'image de ses produits, poussant le souci du détail jusqu'au carton d'emballage : « Quand on ouvre la boîte d'un iPhone ou d'un iPad, il faut que cette expérience tactile donne le ton, oriente déjà la façon dont le client va percevoir le produit. C'est Mike qui m'a appris ça. »

Regis McKenna

La première étape du processus était de convaincre le grand publicitaire de la vallée, Regis McKenna, de travailler pour Apple. McKenna venait d'une famille d'ouvriers de Pittsburgh, et la dureté de l'acier l'avait pénétré jusqu'à l'os – une cuirasse néanmoins qu'il portait avec charme. Il avait abandonné ses études et avait travaillé pour Fairchild et la National Semiconductor avant de lancer sa propre agence de communication. Ses deux spécialités étaient d'organiser pour ses clients des interviews exclusives avec des journalistes et de lancer des campagnes publicitaires choc qui parvenaient à créer une identité de marque pour des produits aussi neutres que des puces électroniques. Sa dernière campagne photo, pour les microprocesseurs Intel, représentait des voitures de course et des jetons de poker plutôt que de montrer les sempiternelles courbes de performance. Cela avait attiré l'attention de Jobs. Quand Jobs téléphona, il ne put avoir McKenna en ligne. On lui passa Frank

Burge, un directeur commercial, qui écourta la conversation. Jobs rappela presque tous les jours.

Quand, de guerre lasse, Burge accepta de faire un saut au garage de Jobs, il se dit : « Encore un dingue. Je passe deux minutes pour avoir la paix et je m'en vais. » Mais quand il se retrouva face à Jobs, hirsute et crasseux, deux détails le saisirent : « Un, ce gars était incroyablement futé. Deux : je ne comprenais rien à ce qu'il me racontait. »

Alors Jobs et Wozniak furent invités à un rendez-vous avec, comme l'indiquait avec facétie sa carte de visite, « Regis McKenna himself » ! Cette fois, ce fut Wozniak le timide qui s'emporta. McKenna parcourut le texte que Wozniak avait écrit pour présenter Apple et décréta qu'il était trop technique et trop ennuyeux. « Ce n'est pas un gugusse d'une boîte de com' qui va me donner des leçons ! » McKenna leur suggéra donc de partir. Mais Steve le rappela tout de suite pour avoir un autre rendez-vous. Cette fois, il vint sans Wozniak et le marché fut conclu.

McKenna fit plancher son équipe sur les brochures d'Apple. Le plus urgent, c'était de remplacer le logo vieillot de Ron Wayne qui allait à l'encontre du style coloré et malicieux de McKenna. Un directeur artistique de l'agence, Rob Janoff, fut sommé d'en trouver un nouveau. « Je veux un truc évident sans chichi », précisa Jobs. Janoff revint avec une silhouette de pomme, déclinée en deux versions : l'une entière, l'autre déjà mordue à un coin. Le premier modèle ressemblait à une cerise, donc Jobs choisit celle où il manquait un morceau. Il opta aussi pour une version avec six bandes colorées, un arc-en-ciel de teintes psychédéliques prises en sandwich entre le vert de l'écologie et le bleu du ciel, même si l'impression d'un tel logo était assez onéreuse. En haut de la brochure, McKenna plaça une maxime, souvent attribuée à Léonard de Vinci, qui deviendra le mantra de Jobs concernant le design des produits Apple : « La simplicité est la sophistication suprême. »

Le premier grand lancement

La présentation de l'Apple II devait avoir lieu le jour du premier salon de l'informatique de la côte Ouest, en avril 1977 à San Francisco. Il était organisé par Jim Warren, un fidèle du Homebrew. Jobs réserva un stand dès qu'il fut au courant de l'événement. Il voulait avoir un bon emplacement cette fois, juste à l'entrée, pour faire sensation avec son Apple II. Wozniak n'en revenait pas de voir Jobs payer cinq mille dollars d'avance. « Steve voulait faire un grand coup, raconte Wozniak. On allait montrer au monde entier que nous avions une super machine et une super société ! »

C'était l'application d'un des préceptes de Markkula ; il fallait « incarner » la grandeur d'Apple en faisant une forte impression aux gens, en particulier quand on lançait un nouveau produit. Ainsi, Jobs porta une attention toute particulière au décorum du stand. D'autres exposants avaient des tables pliantes et des panneaux d'affichage en carton. Apple avait un comptoir tendu de velours noir et un grand panneau en plexiglas rétro-éclairé arborant le nouveau logo de Jarnoff en taille XXL. Ils ne présentaient que les trois Apple II que Wozniak avait terminés, mais des boîtes vides étaient empilées derrière le comptoir pour faire croire qu'ils avaient tout un stock à leur disposition. Jobs piqua une colère quand il vit que les boîtiers des ordinateurs étaient arrivés avec des petites taches. Il fit venir tout le monde en avance au salon pour nettoyer et lustrer les caissons. Le souci du détail se porta aussi sur l'apparence de Jobs et de Wozniak. Markkula les envoya chez un tailleur de San Francisco acheter un costume trois pièces ; ils avaient l'air un peu ridicules dans ces habits, comme des adolescents endimanchés. « Markkula nous disait comment nous habiller, comment nous tenir, comment nous comporter ! » se rappelle Wozniak.

Mais le jeu en valait la chandelle. L'Apple II avait fière allure sur son écrin de velours, si attirant dans sa livrée beige de plastique, rien à voir avec les autres machines froides et austères dans leur boîte de métal, posées sur des tables en Formica. Apple eut trois cents commandes fermes ; Jobs fit la connaissance d'un industriel japonais du textile, Mizushima Satoshi, qui devint le premier revendeur Apple au Japon.

Les costumes chics et les conseils de Markkula ne pouvaient, cependant, empêcher Wozniak de faire ses blagues. Il avait en démo sur l'Apple II un programme qui devinait la nationalité des gens une fois qu'ils tapaient leur nom de famille, et qui affichait la réponse accompagnée d'un petit commentaire humoristique sur l'origine ethnique.

Il avait aussi fabriqué et distribué de fausses brochures annonçant la sortie d'un nouvel ordinateur, le Zaltair, accompagnées d'une brochette de messages publicitaires tels que : « Mieux qu'une voiture à cinq roues ! » Jobs s'était fait avoir aussi, et était tout fier de voir l'Apple II battre le Zaltair dans les essais comparatifs. Il ne sut qui était l'auteur de ce canular que huit ans plus tard, quand Wozniak lui offrit un exemplaire dédicacé du fascicule pour ses trente ans.

Mike Scott

Apple était désormais une société à part entière, avec une dizaine d'employés, une capacité d'emprunt, et les pressions quotidiennes émanant des clients et fournisseurs. Apple avait quitté le garage paternel et louait des locaux sur Stevens Creek Boulevard à Cupertino – à environ un kilomètre du lycée qu'avaient fréquenté Jobs et Wozniak.

Jobs supportait mal ces nouvelles responsabilités. Il avait toujours été d'un tempérament vif et ombrageux. Chez Atari, son comportement lui avait valu d'être relégué au service de nuit, mais chez Apple, il n'y avait pas d'échappatoire possible. Cela inquiétait Markkula : « Steve est devenu de plus en plus tyrannique et acerbe dans ses critiques. Il criait sur tout le monde : "C'est de la merde !" » Il était particulièrement dur avec les jeunes programmeurs de Wozniak, tels que Randy Wigginton et Chris Espinosa. Wigginton, qui sortait tout juste du lycée, en garde un souvenir cuisant : « Steve débarquait dans le bureau, jetait un coup d'œil à ce que j'avais fait, et me disait que c'était merdique, sans même savoir de quoi il s'agissait et pourquoi je l'avais fait. »

Il y avait aussi le problème de l'hygiène. Jobs restait convaincu, contre toute évidence, que ses régimes végétaliens le dispensaient d'utiliser du déodorant ou de prendre une douche régulièrement. « On aurait dû le fiche dehors et lui dire d'aller se laver, m'explique Markkula. Aux réunions on avait sous les yeux ses pieds crasseux. » Parfois, pour soulager le stress, il allait tremper ses pieds dans la cuvette des toilettes, une pratique qui avait le don de dégoûter ses collègues.

Markkula, qui détestait les conflits, décida d'appeler Mike Scott à la rescousse, pour faire rentrer Jobs dans le rang. Markkula et

Scott étaient entrés à Fairchild le même jour en 1967, travaillaient dans des bureaux mitoyens et étaient nés le même jour ; ils célébraient leur anniversaire ensemble. Lors de leur repas rituel en février 1977, alors que Scott fêtait ses trente-deux ans, Markkula l'invita à devenir le nouveau directeur d'Apple.

Sur le papier, cela paraissait un bon choix. Scott dirigeait une unité de production pour la National Semiconductor, et avait l'avantage, pour un dirigeant, de s'y connaître en électronique. Dans la réalité, il était obèse, plein de tics et avait de sérieux problèmes de santé ; il était tellement tendu que parfois on le voyait traverser les couloirs les poings serrés. Il pouvait être également très autoritaire. Avec Jobs, c'était donc quitte ou double.

Wozniak était enchanté d'embaucher Scott. Comme Markkula, il détestait les conflits et les tensions que son partenaire faisait naître. L'avis de Jobs, évidemment, était beaucoup plus mitigé : « Je n'avais que vingt-deux ans, je savais que je n'étais pas prêt pour diriger une grande société. Mais Apple était mon bébé et je ne voulais pas le lâcher. » Abandonner la plus petite parcelle de pouvoir le rendait malade. Il batailla ferme pendant des déjeuners interminables devant un hamburger au Bob's Big Boy (le restaurant favori de Woz) ou devant un plat végétarien au Good Earth (le restaurant favori de Jobs). Finalement, le jeune entrepreneur céda, à contrecœur.

Mike Scott, qu'on appelait Scotty pour ne pas le confondre avec Mike Markkula, avait une mission prioritaire : gérer Jobs. Le jeune homme, pour discuter d'affaires importantes, préférait marcher avec son interlocuteur. « Ma toute première promenade avec Steve, m'expliqua Mike Scott, ce fut donc pour lui dire de se laver plus souvent. Il m'a répondu qu'en échange je devais lire son livre sur le fruitarisme et tenter de perdre du poids. » Scott ne changea pas ses habitudes alimentaires, et Jobs ne modifia guère plus la fréquence de ses ablutions. « Steve soutenait mordicus qu'un bain par semaine suffisait tant qu'il mangeait des fruits ! »

Jobs aimait tout contrôler et abhorrait l'autorité. Cela allait forcément faire des étincelles avec l'homme qui avait été embauché pour jouer le régent. D'autant plus que Scott se révéla l'une des rares personnes sur terre à ne pas se plier à sa volonté : « Qui de Steve ou moi serait le plus entêté, telle était la question… et à ce petit jeu, je n'étais pas le dernier ! Il fallait le faire marcher droit et, évidemment, il détestait ça. » Jobs le dira lui-même : « Jamais, je ne me suis autant disputé avec quelqu'un ! »

L'une des premières altercations eut lieu à cause des numéros des badges pour le personnel. Scott attribua le numéro 1 à Wozniak et le numéro 2 à Jobs. Évidemment, Jobs exigea d'avoir le numéro 1. « Je n'ai pas cédé, parce que ç'eût été flatter son ego. » Le jeune homme entra dans une colère noire, en pleura même de rage. Finalement, il proposa une solution. Il aurait le badge numéro 0. Scott accepta, du moins pour la numérotation des badges, mais le système informatique pour le versement des salaires ne pouvait admettre que des nombres positifs. Jobs resta donc, pour la comptabilité, le numéro 2 d'Apple.

Le désaccord était plus profond qu'un simple conflit de personnes. Jay Elliot, que Jobs avait embauché après avoir fait sa connaissance, par hasard, dans un restaurant, avait bien saisi la nature du problème : « L'obsession de Steve, c'était le produit, la perfection de sa conception. » Pour Mike Scott, le pragmatisme passait avant la perfection. Le design du boîtier de l'Apple II en était un exemple criant. La société Pantone, à qui Apple avait confié la réalisation de la couleur des plastiques, avait plus de deux mille teintes de beige dans son nuancier. « Aucune d'entre elles ne convenait à Steve ! me raconte Scott, avec encore de l'incrédulité dans la voix. Il voulait créer une teinte différente ; alors j'ai dû mettre le holà. » Quand vint le moment d'arrêter la forme définitive du boîtier, Jobs passa des jours à peaufiner la rondeur des angles. « Je me fichais de savoir s'ils étaient ronds ou carrés, je voulais juste qu'il se décide ! » Une autre dispute éclata à cause des postes de travail dans les ateliers. Scott désirait des établis d'un gris standard, le jeune homme d'un blanc immaculé. Tout ça se termina en foire d'empoigne devant Markkula pour savoir qui de Scott ou de Jobs avait la décision finale pour les achats ; Markkula soutint Scott. Le jeune entrepreneur voulait également qu'Apple ait une politique client différente de celle de ses concurrents et réclamait que l'Apple II soit garanti un an. Cela avait le don de faire sortir Scott de ses gonds. Les garanties, d'ordinaire, étaient de trois mois. Une fois encore, Jobs fondit en larmes durant l'une des réunions houleuses sur le sujet. Tout le monde partit faire le tour du parking à pied pour se calmer et Scott accepta de céder sur ce point.

Wozniak commençait à s'agacer du comportement de son ami. « Steve était trop dur avec les gens. Je voulais que notre société soit une grande famille, où tout le monde prenne du plaisir. » Quant à ce dernier, il reprochait à Wozniak de ne pas vouloir grandir. « Il était vraiment trop immature. Il avait fait un magnifique BASIC, mais il n'a jamais trouvé le temps d'y intégrer la virgule flottante dont nous avions si cruellement besoin. Finalement, on a été contraints de passer par Microsoft. Woz se dispersait trop. »

Pour l'heure, les conflits personnels demeuraient gérables car la société se portait bien. Ben Rosen, l'analyste dont les bulletins faisaient la pluie et le beau temps sur le monde des industries technologiques, se fit le champion de l'Apple II. Un développeur indépendant vint chez Apple avec le premier tableur, doté d'un outil de gestion, VisiCalc, et pendant un temps il fut uniquement disponible sur l'Apple II, ce qui donnait une raison de plus aux familles et aux entreprises d'investir dans cette machine. La société attirait de nouveaux investisseurs. Arthur Rock, l'un des premiers financiers spécialisés dans le capital-risque, avait au début eu une mauvaise impression lors de sa rencontre avec Jobs, venu le trouver sur les conseils de Markkula. « On aurait cru qu'il revenait tout juste d'Inde après avoir vu son gourou. Et il puait à dix pas ! » Mais quand il vit tourner l'Apple II, il prit des parts de la société et rejoignit le conseil d'administration.

L'Apple II sera commercialisé, sous divers modèles, durant seize ans ; il se vendit à près de six millions d'exemplaires. C'est cette machine qui lança le marché de la micro-informatique. Wozniak restera dans l'Histoire comme le créateur de son électronique révolutionnaire et le concepteur de son système d'exploitation – c'est l'une des très rares grandes inventions du siècle à avoir été perpétrée par un seul homme. Mais Jobs est celui qui a intégré les circuits de Wozniak dans un ensemble convivial, du bloc d'alimentation au design séduisant de son boîtier. Il a aussi créé la société qui a grandi grâce aux circuits de Wozniak. Comme le dit Regis McKenna : « Woz a conçu une machine extraordinaire, mais sans Steve Jobs, il traînerait encore dans des boutiques d'électronique avec d'autres geeks. » Toutefois, la plupart des gens pensaient que l'Apple II était l'œuvre de Wozniak. Jobs comprit qu'il lui fallait faire une nouvelle percée technologique, dont, cette fois, il pourrait revendiquer seul la paternité.

CHAPITRE SEPT

CHRISANN ET LISA

Celui qui a abandonné...

Depuis qu'ils avaient vécu ensemble dans une cabane durant l'été, à la fin du lycée, Chrisann Brennan avait continué à avoir une relation épisodique avec Steve Jobs. Après son retour d'Inde en 1974, ils avaient passé du temps ensemble dans la ferme de Robert Friedland. « Steve m'avait invitée à le rejoindre. Nous étions jeunes, libres et ouverts d'esprit. Il y avait une énergie là-bas qui me touchait profondément. »

Quand ils rentrèrent à Los Altos, leurs relations devinrent plutôt amicales. Jobs vivait chez ses parents et travaillait à Atari. Chrisann occupait un petit appartement et passait le plus clair de son temps au centre zen de Kobun Chino. Au début de l'année 1975, elle fréquentait Greg Calhoun, un ami commun. « Elle était avec Greg, mais revenait de temps en temps vers Steve, raconte Elizabeth Holmes. C'était un peu comme ça pour tout le monde. Les relations, ça allait et venait, ça tournait. C'était les années 1970. »

Calhoun était au College Reed avec Jobs, Friedland, Kottke et Elizabeth Holmes. Comme les autres, Calhoun versait dans la spiritualité orientale. Il abandonna ses études et se retrouva dans la communauté de Robert Friedland. Puis il transforma un poulailler de deux mètres cinquante de large sur six mètres de long en petite maison, en le surélevant sur des parpaings. Au printemps 1975, Chrisann emménagea dans le poulailler avec Calhoun, et l'année suivante ils décidèrent d'accomplir, à leur tour, un pèlerinage en

Inde. Jobs conseilla à Calhoun de ne pas emmener Chrisann, disant qu'elle allait parasiter sa quête spirituelle, mais le jeune homme ne l'écouta pas. « J'étais tellement impressionnée par ce qui était arrivé à Steve durant son voyage en Inde, confie Chrisann, que je voulais y aller aussi. »

Ce fut un grand périple, qui commença en mars 1976 et se termina quasiment un an plus tard. À un moment donné, le couple se retrouva à court d'argent, alors Calhoun se rendit en auto-stop en Iran pour enseigner l'anglais à Téhéran. La jeune femme resta en Inde, et lorsque Calhoun eut terminé de donner ses cours, ils firent chacun de l'auto-stop pour se retrouver à mi-chemin, en Afghanistan. Autre temps, autre monde...

Au bout d'un moment, leur relation tourna à l'aigre et ils rentrèrent au pays chacun de son côté. À l'été 1976, Chrisann revint à Los Altos ; pendant un temps, elle dormit dans une tente plantée sur le domaine du centre zen. À cette époque, Jobs avait quitté le foyer familial et louait, avec Daniel Kottke, une petite maison à Cupertino pour six cents dollars par mois, qu'ils avaient baptisée Rancho Suburbia. Deux hippies vivant dans un lotissement pour classe moyenne ! « Il y avait quatre chambres ; on en louait une de temps en temps à des hurluberlus de tout poil ! Une fois on a accueilli une stripteaseuse », me raconta Jobs. Kottke ne comprenait pas pourquoi son colocataire ne prenait pas une maison pour lui tout seul, puisqu'il avait de l'argent. « Peut-être n'aimait-il pas la solitude ? »

Même si la relation que Chrisann entretenait avec Jobs était plus que sporadique, elle emménagea bientôt au Rancho Suburbia. La situation devint digne d'un vaudeville. La maison avait deux grandes chambres et deux minuscules. Jobs, évidemment, avait réquisitionné la plus grande, et Chrisann (puisqu'elle n'était pas officiellement avec Jobs) occupa l'autre grande chambre. « Les deux autres pièces étaient vraiment pour des bébés, me précise Kottke. Pas question de dormir là-dedans ! Alors je me suis installé dans le salon, sur un matelas en mousse. » Ils transformèrent l'une des petites chambres en salon pour méditer et prendre de l'acide, comme dans le grenier qu'ils avaient aménagé à Reed. La pièce était tapissée avec la mousse qui servait à protéger les ordinateurs dans leurs cartons d'emballages. « Les gamins du lotissement étaient tout le temps fourrés à la maison et on s'entassait tous là-dedans. C'était génial ! se souvient Kottke. Mais Chrisann a ramené des chats qui ont pissé partout, et il a fallu qu'on se débarrasse de la mousse. »

Vivre sous le même toit rapprochait parfois Chrisann et Jobs ; et au bout de quelques mois, la jeune femme tomba enceinte. « Ça faisait cinq ans que notre relation traînait, raconte-t-elle. On n'était pas bien ensemble, et pas bien non plus séparés. » Quand Greg Calhoun arriva en stop du Colorado pour passer Thanksgiving avec eux, Chrisann lui apprit la nouvelle : « Steve et moi, on s'est plus ou moins remis ensemble et je suis enceinte. Mais ça recommence à battre de l'aile et je ne sais pas quoi faire. »

Calhoun remarqua que Jobs était totalement déconnecté de la situation. Il tenta même de convaincre Calhoun de rester avec eux et de venir travailler chez Apple. « Steve n'intégrait pas que Chrisann était enceinte, m'expliqua-t-il. Il pouvait s'intéresser à vous un moment, puis la seconde suivante se désintéresser complètement de votre cas. C'était assez effrayant. »

Lorsque Jobs ne voulait pas être distrait par un problème, il parvenait à en faire totalement abstraction. Il pouvait ainsi déformer la réalité non seulement pour les autres mais aussi pour lui-même. Dans le cas de la grossesse de Chrisann, il chassa ce fait de son esprit. Lorsqu'on le mettait devant le problème, il niait être le père. « Je n'étais même pas sûr que le gosse était de moi. Je n'étais certainement pas le seul avec qui elle couchait. Elle avait simplement une chambre dans la maison. » Chrisann n'avait aucun doute sur la paternité. Elle n'avait pas eu d'autres partenaires à cette période.

Jobs se mentait-il à lui-même ou doutait-il réellement être le père ? « Je crois qu'il ne pouvait se faire à l'idée d'être responsable. Son cerveau boguait là-dessus. » Telle était l'hypothèse de son ami Kottke. Elizabeth Holmes partageait cette analyse : « Il envisagea les deux options ; être père ou ne pas l'être. Et il a choisi de croire la seconde possibilité. Il avait d'autres projets de vie à cette époque. »

Personne ne parla mariage. « L'épouser aurait été une erreur, me confia-t-il. On n'aurait pas été heureux et ça n'aurait pas tenu. J'étais partisan qu'elle avorte, mais elle hésitait. Un jour c'était oui, un autre non. Je ne savais pas ce qu'elle voulait. Je crois surtout qu'elle a laissé le temps décider à sa place. » Chrisann m'assura qu'elle avait « choisi » de garder le bébé. « Steve préférait que j'avorte, mais il n'a jamais fait pression sur moi. » En revanche, et c'était révélateur étant donné son parcours, il s'était fermement opposé à une autre option : l'adoption.

Il y avait là une curieuse ironie du sort. Steve Jobs et Chrisann étaient tous les deux âgés de vingt-trois ans, exactement l'âge auquel Joanne Schieble et Abdulfattah Jandali avaient eu Steve. Jobs n'avait pas encore cherché à retrouver ses géniteurs, mais ses parents adoptifs lui avaient un peu raconté son histoire. « J'ignorais que nous avions le même âge, alors ça n'est pas rentré en ligne de compte dans mes discussions avec Chrisann. » Il ne voulut pas admettre qu'en refusant d'assumer ses responsabilités il suivait l'exemple de son propre père, mais il reconnut qu'il y avait là un étrange pied de nez du destin : « Quand j'ai découvert que ma mère, Joanne, avait aussi vingt-trois ans à ma naissance, ça m'a fait un choc. »

Sa relation avec Chrisann s'est rapidement détériorée. « Elle se la jouait victime, raconte Kottke, affirmait que Steve et moi on se liguait contre elle. C'est vrai que Steve se moquait d'elle et ne la prenait pas au sérieux. » Chrisann reconnaît qu'à l'époque elle n'était pas « émotionnellement stable ». Elle cassait des assiettes, lui jetait des objets au visage, mettait toute la maison sens dessus dessous, et écrivait des injures sur les murs. D'après elle, Jobs faisait exprès d'être froid pour la faire sortir de ses gonds. « Il est si éclairé et en même temps si cruel. C'est vraiment un mélange inconcevable. » Et Kottke était pris entre les deux. « Daniel n'avait pas une once de méchanceté dans le sang ; il était donc un peu effaré par le comportement de Steve. Il acquiesçait : "C'est vrai qu'il ne te traite pas bien", mais une heure après, il se moquait de moi avec Steve. »

Robert Friedland arriva en sauveur. « Il avait appris que j'étais enceinte ; il m'a proposé de venir à la communauté pour accoucher. C'est ce que j'ai fait. » Elizabeth Holmes et d'autres amis communs vivaient là-bas. Ils trouvèrent une sage-femme de l'Oregon pour l'aider à mettre son enfant au monde. Le 17 mai 1978, Chrisann donna naissance à une petite fille. Trois jours plus tard, Jobs se rendit à la ferme pour choisir avec la mère le nom du bébé. La pratique dans la communauté était de donner un nom oriental aux nouveau-nés, mais Jobs a déclaré que la petite était née sur le sol américain et donc devait avoir un prénom en adéquation avec ses origines. Chrisann était du même avis. Ils l'appelèrent donc Lisa

Nicole Brennan – et pas « Jobs ». Puis le jeune père retourna travailler chez Apple. « Il ne voulait plus avoir affaire à nous, raconte Chrisann, ni à moi, ni à la petite. »

La mère et l'enfant emménagèrent dans une ruine qui se trouvait derrière une maison à Menlo Park, vivant des subsides de l'État, parce que Chrisann n'avait pas poursuivi le père pour obtenir une pension alimentaire. Finalement, le comté de San Mateo fit un procès à Steve Jobs pour établir sa paternité et obtenir de lui une réparation financière. Au début, Jobs était déterminé à se défendre. Ses avocats avaient même convaincu Kottke de témoigner pour lui et d'affirmer qu'il n'avait jamais vu Jobs et Chrisann au lit ensemble. Ils tentèrent même de prouver qu'elle couchait avec d'autres hommes. La jeune mère était à bout : « J'ai appelé Steve et j'ai hurlé au téléphone : "Tu sais très bien que ce n'est pas vrai !" Il allait me traîner dans un tribunal avec mon bébé pour démontrer que j'étais une putain et que n'importe qui pouvait être le père ! »

Quand Lisa eut un an, Jobs accepta de faire un test de paternité. La famille de Chrisann était surprise d'un tel revirement ; mais Apple allait être coté en Bourse et il valait mieux en finir une fois pour toutes avec cette histoire. Les tests ADN en étaient à leurs balbutiements. Celui de Jobs fut réalisé à l'UCLA[1]. « J'avais eu vent de cette nouvelle technique et je voulais en avoir le cœur net. » Les résultats furent sans appel. Les probabilités de paternité s'élevaient à 94,41 pour cent ! Le tribunal de Californie condamna Jobs à payer une pension de trois cent quatre-vingt-cinq dollars par mois pour l'enfant, à signer une reconnaissance de paternité, et à rembourser au comté les cinq mille huit cent cinquante-six dollars que l'État avait versés à la mère en allocation sociale. Il eut un droit de visite également, qu'il n'exerça jamais, du moins pas avant longtemps.

Et même après le jugement, Jobs continuait à nier la réalité. « Finalement, il l'a avoué au conseil d'administration, raconte Arthur Rock, mais il nous disait encore que ce n'était pas du sûr à 100 pour cent, qu'il y avait de fortes probabilités pour que la petite ne soit pas sa fille. » À Michael Moritz, du *Time*, il avait déclaré : « 28 pour cent de la population masculine des États-Unis peut être le père. » Non seulement c'était très mal formulé, mais en plus le calcul

---

1. L'université de Californie à Los Angeles. *(N.d.T.)*

était faux. Pis encore, Chrisann, en découvrant l'article, crut que Jobs sous-entendait qu'elle avait couché avec 28 pour cent des hommes du pays ! « Il préférait me faire passer pour une putain ou une traînée plutôt que d'assumer ses responsabilités. »

Des années plus tard, Jobs regretta devant moi son comportement. Ce fut l'une des rares fois où il le reconnut :

> J'aurais préféré réagir différemment. Je n'arrivais pas à me voir père à l'époque, alors je n'ai pas voulu regarder la vérité en face. Mais quand le résultat du test est tombé, j'ai su avec certitude que la petite était de moi. Quand je disais que j'avais des doutes, ce n'était pas vrai. Je me suis engagé à verser une pension alimentaire jusqu'à ses dix-huit ans et à donner un peu d'argent aussi à Chrisann. J'ai acheté une maison à Palo Alto, pour les loger. Sa mère trouvait les meilleures écoles pour Lisa, et moi je payais. J'ai fait ce que j'ai pu. Mais si c'était à refaire, je m'y prendrais autrement. Et mieux.

Une fois cette affaire classée, Jobs reprit le cours de sa vie – mûrissant dans bien des domaines, mais non dans tous. Il arrêta la drogue, fut un peu moins strict sur son régime végétalien, et réduisit le nombre de ses retraites zen. Il alla chez le coiffeur, acheta des chemises et des costumes dans les boutiques chic de San Francisco. Puis il noua une relation sérieuse avec une employée de Regis McKenna, Barbara Jasinski, une charmante métisse – mi-polynésienne, mi-polonaise.

Il avait encore son esprit d'enfant rebelle. Avec Barbara et Kottke, ils allaient se baigner tout nus dans le Felt Lake qui bordait la nationale 280, aux environs de Stanford. Jobs acheta une vieille motocyclette datant de 1966, une BMW R60/2 dont il avait décoré le guidon avec des houppes à franges orange. Le jeune patron pouvait toujours se comporter de façon détestable. Il terrorisait les serveuses et souvent renvoyait le plat en cuisine en proclamant que c'était « bon pour les chiens ! ». Lors de la première fête de Halloween à Apple en 1979, il s'était déguisé en Jésus. Il trouvait ça drôle – une sorte de clin d'œil, mi-ironique, mi-sérieux, sur sa personne – mais beaucoup de gens n'apprécièrent pas. Et même dans ses tentatives pour rentrer dans le rang, il y eut des loupés. Il acheta une maison décente dans les hauteurs de Los Gatos, qu'il décora avec des peintures de Maxfield Parrish ; il y avait aussi une machine à café Braun et des couteaux Henkel. Mais il était tellement exigeant en matière de mobilier que la maison resta quasiment vide – pas de lits, pas de chaises, pas de canapé. Dans la chambre à coucher, il avait jeté un matelas au sol, accroché au mur des portraits d'Einstein et du gourou Maharaj-ji. Et, dans un coin, il y avait un Apple II.

CHAPITRE HUIT

XEROX ET LISA

Les interfaces graphiques

Un nouveau bébé

L'Apple II fit passer la société du garage paternel au sommet des industries de pointe. Ses ventes montèrent en flèche, passant de deux mille cinq cents unités en 1977 à deux cent dix mille en 1981. Mais Jobs n'était pas satisfait. Le succès de l'Apple II ne durerait pas éternellement ; en outre, malgré tout ce qu'il avait apporté à cette machine, en matière de convivialité et de design, cela restait le chef-d'œuvre de Wozniak. Il lui fallait sa propre machine. Mieux encore, il voulait un produit, pour reprendre ses propres termes, qui « ferait avancer d'un cran la roue de l'univers ».

Au début, il espérait que l'Apple III assumerait ce rôle. Il aurait encore plus de mémoire, l'écran pourrait afficher quatre-vingts caractères au lieu de quarante, et gérerait les majuscules et les minuscules. Toujours exigeant en matière de design industriel, Jobs définit la forme et les dimensions du boîtier, et refusa d'en changer même lorsque les ingénieurs ajoutèrent de nombreux composants aux cartes d'origine. Le résultat fut un enchevêtrement de circuits imprimés avec de mauvaises connexions qui tombaient souvent en panne. Quand l'Apple III fut lancé en mai 1980, ce fut un naufrage. Randy Wigginton, l'un des concepteurs, l'évoque en une métaphore parlante : « L'Apple III était un bébé conçu après une nuit d'orgie. Quand tout le monde s'est réveillé avec la gueule de bois, il y avait cet enfant bâtard et personne n'était prêt à en assumer la paternité. »

Mais Jobs avait déjà pris ses distances avec l'Apple III, et s'échinait à trouver quelque chose de réellement différent. Au début, il songea à des écrans tactiles, mais le dispositif était d'une lenteur insupportable. Lors d'une démonstration, il arriva en retard, s'agita quelques instants sur son siège, trépignant d'impatience, et interrompit les ingénieurs au beau milieu de leur présentation.

— Merci.

— Vous voulez qu'on s'arrête là ? demanda l'un d'eux, perplexe.

— Exactement.

Puis Jobs incendia ses collègues pour lui avoir fait perdre son temps.

Il débaucha ensuite deux ingénieurs de Hewlett-Packard pour concevoir une machine totalement nouvelle. Le nom que choisit Jobs pour ce projet aurait fait sursauter le plus flegmatique des psychiatres : Lisa. D'autres concepteurs avaient déjà donné à leur réalisation le prénom de leur enfant, mais l'enfant en question, cette fois, avait été abandonné. Et Jobs n'en reconnaissait toujours pas la paternité. « Peut-être se sentait-il coupable ? avance Andrea Cunningham, une employée de Regis McKenna, chargée de la communication du projet. Il a fallu qu'on trouve un acronyme pour pouvoir démentir le fait que Lisa était le nom de la petite fille que Steve avait abandonnée. » Ils trouvèrent donc : Local Integrated Systems Architecture. Cela ne voulait rien dire mais ce fut l'explication officielle. Entre ingénieurs, on disait : « Lisa : Invented Stupid Acronyme » ! Des années plus tard, quand je lui parlai de cet épisode, Jobs reconnut les faits : « Bien sûr que c'était le nom de ma fille ! »

Le Lisa devait être vendu deux mille dollars ; il avait un microprocesseur 16 bits au lieu du 8 bits qui faisait tourner l'Apple II. Sans les astuces de génie de Wozniak, qui travaillait toujours dans son coin sur l'Apple II, les ingénieurs conçurent une machine sérieuse avec un affichage alphanumérique ordinaire, mais se révélèrent incapables de montrer les prouesses dont était capable le 16 bits. Jobs perdait patience. Le Lisa allait être d'un ennui mortel.

Un développeur, cependant, insuffla un peu de vie au projet. Il s'agissait de Bill Atkinson. Il écrivait une thèse sur les neurosciences, un domaine qu'il avait exploré abondamment sous acide. Quand on lui proposa de venir travailler chez Apple, il déclina l'offre. Mais Apple lui envoya un billet d'avion. Il finit par l'utiliser et vint rencontrer le jeune patron. « Ici, nous inventons le futur ! conclut Jobs à la fin des trois heures d'entretien. C'est comme surfer au sommet d'une vague. C'est exaltant. Imagine l'effet que ça fait de pagayer dans le creux de la vague, sans jamais pouvoir la rattraper. C'est ici qu'il faut être. C'est ici qu'on s'amuse. Alors rejoins-nous, viens faire avancer d'un cran la roue de l'univers. » Et c'est ce que fit Atkinson.

Avec ses cheveux hirsutes, sa grosse moustache qui ne dissimulait en rien l'expression de son visage, Atkinson avait un peu du génie de Wozniak et, comme Jobs, le goût des produits qui sortaient de l'ordinaire. Son premier travail fut de développer un programme capable de suivre un portefeuille d'actions en temps réel, par une connexion téléphonique qui appelait automatiquement le service du Dow Jones, récupérait les cotations et raccrochait tout seul. « J'ai dû écrire ça très vite parce que dans une brochure d'Apple on voyait un père de famille assis dans sa cuisine en train de surveiller les cours de la Bourse sur un Apple, et sa femme, derrière son évier, le regardait rayonnante de joie – mais un tel logiciel n'existait pas. Alors je devais en créer un de toute urgence. » Il écrivit ensuite pour l'Apple II une version du Pascal, un langage de programmation de grande puissance. Jobs s'y était opposé, considérant que le BASIC de Woz était amplement suffisant pour l'Apple II, mais il finit par céder : « Puisque tu ne veux pas en démordre, je te donne six jours pour me prouver que j'ai tort. » Atkinson releva le défi. Et gagna le respect de Jobs.

À l'automne 1979, Apple avait trois poulains potentiels pour supplanter l'écurie Apple II : le funeste Apple III ; le futur Lisa qui commençait à décevoir ; et quelque part, hors de portée des antennes de Jobs, du moins à cette époque, un projet en sous-marin visant à construire une machine à bas prix, dont le nom de code était « Annie », développé par Jef Raskin, un ancien professeur de Bill Atkinson. L'objectif de Raskin était de proposer un ordinateur bon marché pour les masses populaires, qui serait assimilable à un appareil d'électroménager – une machine autonome avec unité de calcul, clavier, moniteur et logiciel intégré – et qui disposerait d'une interface graphique. Le développeur tenta de convaincre Apple de se rapprocher d'un centre de recherches, installé aussi à Palo Alto, qui était pionnier en ce domaine.

Le Xerox PARC

Le Palo Alto Research Center de la société Xerox – appelé Xerox PARC – avait été créé en 1970 pour explorer, dans le domaine numérique, des idées pour le futur. Il avait été édifié à quatre mille kilomètres des pressions commerciales de la maison mère dans le Connecticut – un éloignement qui fut à la fois un bien et un mal. Parmi les visionnaires qui travaillaient là, il y avait Alan Kay – et ses deux maximes que Jobs appréciait particulièrement : « Le meilleur moyen de prédire l'avenir, c'est de l'inventer » et « Tout développeur de logiciel digne de ce nom devrait concevoir aussi les machines qui vont avec. » Kay projetait de mettre au point un petit ordinateur personnel, baptisé le Dynabook[1], qui serait si simple d'utilisation que même un petit enfant pourrait l'utiliser. Alors les ingénieurs du Xerox PARC travaillaient sur des interfaces conviviales susceptibles de remplacer les lignes de commandes et le curseur clignotant, réclamant ses instructions, qui intimidaient tant le profane. La métaphore qu'ils employaient pour une telle interface était « le bureau ». L'écran présentait divers dossiers et documents, et à l'aide d'une souris, il était possible de déplacer un pointeur et d'aller cliquer sur le fichier pour l'ouvrir.

Cette interface graphique – appelée GUI en anglais pour Graphical User Interface – était rendue possible par une autre innovation du PARC : le bitmapping, soit l'affichage d'images matricielles. Jusqu'alors, lorsqu'on tapait un caractère au clavier, la machine affichait le caractère à l'écran, en illuminant un petit nombre prédéfini de particules de phosphores vertes sur un fond noir. Puisque le nombre de lettres et de symboles alphanumériques était limité, cela ne nécessitait pas beaucoup de calculs pour accomplir cette tâche. Dans un système à mappage de bit, chaque pixel est piloté, point par point, par la mémoire de l'ordinateur. Pour afficher quelque chose sur l'écran – par exemple une lettre – la machine doit indiquer à chaque pixel s'il est éteint ou allumé, et dans le cas d'un affichage couleur, gérer la colorimétrie. Cela requiert beaucoup de calculs, mais cela permet de créer des gra-

---

1. Le livre dynamique. *(N.d.T.)*

phismes magnifiques, des polices de caractères originales, et des pages d'accueil séduisantes.

L'image matricielle et les interfaces graphiques devinrent la caractéristique des ordinateurs du PARC, tels que l'Alto, et son langage de programmation orienté objet – le Smalltalk. Jef Raskin considérait que c'était l'avenir de la micro-informatique. Il voulait que Jobs et des développeurs d'Apple se rendent au centre de recherche pour voir une démonstration.

Mais il y avait un problème : Jobs considérait Raskin comme un théoricien pompeux et pédant ou, pour reprendre la terminologie plus précise de Jobs, « un connard qui fait chier son monde ». Or, pour le patron, le monde se divisait en deux castes : les nuls et les génies. Alors Raskin, qui savait dans quelle catégorie il était rangé, demanda à Atkinson, qui était dans les petits papiers du patron, de le convaincre de s'intéresser à ce qui se passait au PARC. Ce que Raskin ignorait, c'est que Jobs menait déjà des tractations complexes avec Xerox. Le département investissement de la société de Norwalk voulait s'engager dans la seconde ouverture de capital d'Apple durant l'été 1979. Le jeune homme leur fit donc une offre : « Je vous laisse investir un million de dollars si vous me montrez ce que vous faites au PARC. » Xerox accepta. La société dévoilerait à Apple ses nouvelles technologies et, en retour, elle pourrait acheter cent mille actions à dix dollars l'unité.

Lorsque Apple entra en Bourse un an plus tard, les parts de Xerox dans Apple, acquises pour un million de dollars, en valaient près de dix-huit fois plus. Mais c'est Apple qui eut la part du lion dans ce marché. Jobs et ses collègues se rendirent au PARC en décembre 1979 ; quand le patron d'Apple comprit qu'on ne lui avait pas tout montré, il tapa du poing sur la table et exigea une démonstration complète. Ce qui fut fait quelques jours plus tard. Larry Tesler était l'un des deux chercheurs du centre à qui on avait demandé d'organiser les visites. L'ingénieur était impatient de montrer à Jobs son travail que ses supérieurs sur la côte Est ignoraient avec superbe. Mais l'autre intervenante, Adele Goldberg, enrageait de voir sa société dévoiler ainsi ses merveilles : « C'était de la folie pure, d'une bêtise sans fond, et j'étais bien décidée de ne pas tout donner à Steve Jobs. »

Adele Goldberg parvint à ses fins lors de la première visite. Jobs, Raskin et John Couch, le chef du projet Lisa, furent confinés dans le hall d'accueil où un Alto avait été installé. « C'était une démonstration très limitée ; on a montré quelques applications, en particulier un logiciel de traitement de texte », raconte Adele Goldberg. Mais Jobs n'était pas satisfait et avait aussitôt appelé le siège social…

Il fut donc invité quelques jours plus tard, et cette fois il vint avec une équipe plus importante, dont Bill Atkinson et Bruce Horn, un développeur transfuge du PARC. Ces deux-là savaient où chercher. « Quand je suis arrivé au bureau, raconte Adele Goldberg, c'était l'affolement général. On m'a dit que Jobs et une bande de programmeurs se trouvaient dans la salle de réunion. » L'un des ingénieurs du PARC essayait de les retenir en leur montrant des détails du programme de traitement de texte. Mais Jobs s'impatientait : « Ça suffit les conneries ! Je veux du lourd ! » Alors les gens de Xerox tinrent conciliabule et décidèrent d'en montrer un peu plus – mais au compte-gouttes. Ils acceptèrent que Tesler fasse une démonstration de son Smalltalk, le langage de programmation orienté objet, mais uniquement la version « démo », rien de classé « confidentiel ». « Cela va le scotcher et il ne saura jamais qu'on ne lui a pas montré l'essentiel », expliqua le chef du département à Adele Goldberg.

Mais ils se trompaient. Atkinson et ses collègues s'étaient documentés sur le PARC ; ils surent aussitôt qu'on leur cachait des choses. Jobs téléphona au directeur du pôle investissement de Xerox pour se plaindre. Aussitôt le centre reçut un appel du siège social stipulant qu'ils devaient tout montrer à la délégation d'Apple. Adele Goldberg quitta le bureau, folle de rage.

Quand Tesler dévoila enfin ce qu'ils avaient sous le capot, le groupe n'en revint pas. Atkinson scrutait l'écran, examinant chaque pixel de si près que l'ingénieur sentait son souffle dans son cou. Jobs marchait de long en large, battant des bras d'excitation. « Il ne tenait pas en place, raconte Tesler. Je ne sais pas comment il a pu voir la démonstration. Mais il n'en a pas raté une miette, parce qu'il m'a posé plein de questions. À chaque nouveau détail que je montrais, il était sidéré. »

— Vous êtes assis sur une mine d'or ! Pourquoi Xerox n'en profite pas ?

Il y eut trois moments forts dans la démonstration du Smalltalk. Le premier a été la possibilité de mise en réseaux des ordinateurs. Le deuxième, ce fut de découvrir les arcanes de la programmation orientée objet. Mais, ce qui fascina réellement Jobs et ses acolytes, ce fut l'interface graphique et l'image matricielle. « C'est comme si un voile soudain s'était soulevé devant mes yeux. D'un coup, j'ai entrevu toute l'informatique de demain. »

Quand la rencontre au PARC prit fin, après plus de deux heures de démonstration, Jobs ramena Bill Atkinson au siège d'Apple à Cupertino. Tout était en mode « vitesse grand V », sa conduite, ses pensées, comme son débit de paroles : « Mais bien sûr ! C'est ça ! C'est ça que l'on doit faire ! » C'était le bond technologique qu'il attendait depuis si longtemps : l'ordinateur irait désormais à l'homme, grâce à une architecture innovante mais abordable, comme une maison Eichler, avec sa cuisine facile d'emploi et tout équipée.

— Combien de temps il nous faut ?

— Je ne sais pas, répondit Atkinson. Six mois peut-être.

C'était une estimation bien optimiste, mais le train était en marche.

Prendre aux meilleurs

L'expédition au Xerox PARC est parfois décrite comme le plus grand vol industriel de l'histoire. Jobs l'assume avec fierté : « Il faut savoir prendre ce que l'homme fait de mieux et le refaçonner pour pouvoir l'intégrer dans votre propre œuvre. Picasso avait une maxime pour ça : "Les bons artistes copient, les grands artistes volent." Et à Apple, on n'a jamais eu de scrupules pour prendre aux meilleurs. »

On dit aussi qu'il s'agissait moins d'un vol d'Apple qu'une monumentale bourde de Xerox. Une assertion également reprise par Jobs. « Ce n'étaient que des fabricants de photocopieurs qui n'avaient pas la moindre idée de ce que pouvait faire un ordinateur. Ils ont juste raté le coche. Xerox aurait pu être le maître de toute l'industrie informatique. »

Ces deux assertions contiennent une part de vérité, mais elles n'expliquent pas tout. Il existe effectivement une zone d'ombre, comme l'écrit T.S. Eliot, entre la conception et la création. Dans les annales des grandes innovations, l'idée de génie n'est qu'un élément de l'équation. La mise en œuvre est tout aussi importante.

Jobs et ses développeurs améliorèrent notablement l'interface graphique qu'ils avaient découverte au PARC, ce qui leur permit de la rendre réellement utilisable dans un contexte quotidien, une mise en œuvre dont Xerox était parfaitement incapable. Par exemple, leur souris avait trois boutons, c'était un appareil compliqué et coûteux (trois cents dollars pièce), dont le déplacement était loin d'être aisé. Quelques jours après leur seconde visite au PARC, Jobs alla trouver une entreprise locale de design industriel et expliqua à son fondateur, Dean Hovey, qu'il voulait un instrument avec un seul bouton pour quinze dollars. « Et elle doit pouvoir rouler sur du Formica comme sur mon jean ! »

Ce n'étaient pas des améliorations de détail. C'était toute la conception qui fut remise à plat. La souris de Xerox était incapable de déplacer une fenêtre dans un écran. Les développeurs d'Apple conçurent une interface où l'on pouvait non seulement déplacer des fenêtres et des fichiers mais en plus les ranger dans des dossiers. Le système de Xerox exigeait de sélectionner une commande pour accomplir telle ou telle action, qu'il s'agisse de redimensionner une fenêtre ou de changer le suffixe d'un nom de fichier. Le système d'Apple transformait la métaphore du « bureau » en une authentique réalité virtuelle, où il était possible de manipuler, déplacer et organiser toutes sortes de choses. Les développeurs travaillaient en duo avec les designers. Jobs les harcelait tous les jours, pour qu'ils améliorent le concept de bureau en ajoutant des icônes amusantes, des menus que l'on pouvait dérouler à partir d'une barre d'action située au-dessus de chaque fenêtre. Il fallait également pouvoir tout ouvrir d'un simple double-clic, fichiers, dossiers et programmes.

La direction de Xerox savait ce que leurs chercheurs du PARC avaient créé. En fait, ils essayaient déjà d'en tirer profit – et à cet égard, ils démontrèrent en quoi les bonnes idées ne sont pas moins essentielles que leur bonne exécution. En 1981, bien avant le Lisa ou le Macintosh, ils avaient lancé le Xerox Star, une machine qui utilisait toutes leurs inventions : interface graphique, souris, gestion de l'écran point par point, fenêtres et concept du « bureau ». Mais il était lent (il fallait plusieurs minutes pour sauvegarder un fichier), onéreux (seize mille cinq cent quatre-vingt-quinze dollars) et son cœur de cible était les entreprises, avec plusieurs postes mis en réseau. Ce fut un flop commercial : seulement trente mille unités vendues.

Jobs et son équipe allèrent chez un revendeur Xerox dès la sortie du Star pour se faire une idée. Mais l'appareil était si mal conçu que Jobs décréta qu'il ne dépenserait pas un dollar pour en acheter un. « On était soulagés, me raconta-t-il. On avait la confirmation qu'ils s'y étaient pris comme des manches, qu'on pouvait faire bien mieux et pour le quart du prix. » Quelques semaines plus tard, Jobs appela Bob Belleville, l'un des concepteurs de l'électronique du Star. « Tout ce que vous avez fait jusqu'à présent, c'est de la merde en barre. Pourquoi ne viendriez-vous pas plutôt travailler pour moi ? » C'est ce que fit Belleville, et Larry Tesler aussi.

Dans son excitation, Jobs reprit en main le Lisa qui était, jusqu'alors, à la charge de John Couch, un ancien développeur de HP. Court-circuitant le chef du projet, Jobs travailla directement avec Atkinson et Tesler pour imposer ses propres idées, en particulier celle d'inclure une interface graphique. « Il m'appelait n'importe quand, raconte Tesler, qu'il soit 2 heures du matin ou 5 heures du matin. C'était génial cette passion ! Mais cela mettait en rage ma hiérarchie. » On demanda à Jobs de cesser d'appeler les employés en direct. Jobs se tint quelque temps tranquille, mais cela ne dura pas.

Puis Atkinson eut l'idée de génie : le fond d'écran devait être blanc et non pas noir. Cela rendait possible une fonction à laquelle Jobs et lui tenaient particulièrement : le WYSIWYG, qu'on prononce, « ouiziouig », un acronyme pour What You See Is What You Get[1]. Ce qui est affiché à l'écran sera identique à ce qui sera imprimé. « Les ingénieurs ont poussé les hauts cris, se souvient Atkinson. Ils disaient qu'on allait devoir utiliser un phosphore beaucoup moins rémanent et qu'on allait avoir des problèmes de scintillement. » Atkinson eut le soutien de Jobs. L'équipe de conception du matériel repartit en bougonnant, mais elle trouva une solution. « Steve n'était pas ingénieur, mais il savait parfaitement analyser les réponses des gens. Il sentait tout de suite si c'était de la mauvaise volonté de leur part ou l'expression d'un véritable doute. »

L'un des tours de force d'Atkinson (une idée révolutionnaire à laquelle nous sommes tellement habitués qu'elle nous semble aller de soit), ce fut de permettre aux fenêtres de se chevaucher, de sorte

---

1. Littéralement : « Ce qu'on voit est ce qu'on obtient. » *(N.d.T.)*

que celle du « dessus » occultait celles placées « dessous ». Atkinson trouva une astuce de programmation pour que l'on puisse déplacer les fenêtres dans l'écran, comme une feuille de papier sur un bureau, masquant ou dévoilant celles se trouvant dessous. Évidemment, sur un écran d'ordinateur, il n'y a pas plusieurs couches de pixels, aucune fenêtre n'est « au-dessus » d'une autre. Créer cette illusion d'optique nécessite une programmation complexe faisant intervenir la notion de « zones ». Atkinson se fit un point d'honneur d'y parvenir, parce qu'il était persuadé d'avoir vu cet effet d'empilement durant sa visite au PARC. Mais les chercheurs de Xerox n'avaient jamais réalisé ce prodige. Ils lui confièrent plus tard qu'ils avaient été impressionnés par son ingéniosité : « C'est ce qu'on appelle la force de la naïveté, explique Atkinson. Ignorant que personne ne l'avait fait avant moi, j'étais persuadé que c'était faisable. » Le développeur travailla si dur qu'un matin, ivre de fatigue, il faillit se tuer au volant de sa Corvette en s'encastrant dans un camion en stationnement. Jobs se rendit aussitôt à l'hôpital :

— On s'est fait un sang d'encre pour toi, déclara-t-il quand Atkinson reprit conscience.

Le programmeur esquissa un pâle sourire.

— Ne t'inquiète pas, Steve, je n'ai pas perdu la mémoire… je sais encore faire se chevaucher des fenêtres.

Jobs avait un faible aussi pour la fluidité des mouvements. Les documents ne devaient pas sauter d'une ligne à l'autre quand on les faisait défiler, mais se déplacer de façon coulée et harmonieuse. C'était une véritable obsession, m'explique Atkinson : « Il tenait à ce que tout soit gracieux et agréable pour l'utilisateur. » Jobs voulait aussi une souris qui puisse déplacer le curseur dans toutes les directions, pas simplement de haut en bas et de droite à gauche. Il fallait donc utiliser une seule bille et non deux roues directionnelles. L'un des ingénieurs affirma qu'il était impossible de concevoir un tel instrument à un prix abordable. Le soir même, Atkinson avait rapporté le problème à Jobs. Le lendemain, il découvrit que l'employé avait été mis à la porte à la première heure. Quand son remplaçant se présenta à Atkinson, ses premiers mots furent : « Je vais fabriquer cette souris ! »

Atkinson et Jobs devinrent très amis pendant un temps ; le soir, ils dînaient très souvent ensemble au Good Earth.

Mais John Couch et d'autres développeurs de l'équipe Lisa, des gens très guindés typiques des écuries HP, prenaient ombrage des ingérences de Jobs dans le projet et ne supportaient plus ses insultes. Il y avait aussi une différence profonde de points de vue. Jobs voulait un *VolksLisa*, une machine simple, bon marché, pour les masses populaires : « C'était la guerre entre nous, chacun tirait de son côté ; il y avait le camp des gens qui, comme moi, voulaient un ordinateur pour monsieur tout le monde et celui de Couch et autres transfuges d'HP, qui visaient le marché des entreprises. »

Scott comme Markkula étaient bien décidés à mettre de l'ordre dans la maison Apple et s'inquiétaient de plus en plus du comportement colérique de Jobs. Alors, en septembre 1980, en secret, ils envisagèrent une restructuration. Couch fut promu le seul et unique responsable du projet Lisa. Jobs perdit la main sur cet ordinateur qui portait le nom de sa propre fille. Il se vit aussi privé de ses prérogatives de vice-président de la division recherche et développement. Il devint le président honoraire du conseil d'administration, ce qui lui permettait de représenter Apple officiellement, mais sans avoir le moindre pouvoir interne. Ce fut un coup dur pour le jeune homme : « Markkula m'avait abandonné, je me sentais trahi. Avec Scotty, ils avaient jugé que je n'étais pas de taille pour diriger l'équipe Lisa. Ça m'a fait pas mal cogiter. »

CHAPITRE NEUF

PASSER EN BOURSE

Vers la gloire et la fortune

Avec Wozniak, en 1981.

Actions et stock-options

Lorsque Mike Markkula rejoignit Jobs et Wozniak pour faire de leur petite entreprise l'Apple Computer Co., en janvier 1977, elle valait cinq mille trois cent neuf dollars. Près de quatre ans plus tard, ils décidèrent qu'il était temps d'ouvrir le capital. Ce serait l'introduction en Bourse la plus spectaculaire depuis celle de Ford Motor en 1956. À la fin de l'année 1980, Apple pèserait un milliard sept cent quatre-vingt-dix millions de dollars. Oui, presque deux milliards. Et dans cette ascension fulgurante, trois cents personnes devinrent millionnaires du jour au lendemain.

Daniel Kottke ne fut pas de ces heureux élus. Il avait été le compagnon de Jobs à Reed, en Inde, à la communauté All One Farm, dans la maison qu'ils louaient pendant les problèmes avec Chrisann Brennan. Il était chez Apple quand son QG était dans le garage de Jobs, et il y travaillait encore, mais pas à un poste assez élevé pour avoir des stock-options. On en distribuait seulement aux cadres. « J'avais une confiance aveugle en Steve. J'étais persuadé qu'il veillerait sur moi comme j'avais veillé sur lui, alors je n'ai rien demandé. » La raison officielle c'était que Kottke était un technicien, payé à l'heure, pas un concepteur salarié, ce qui était la condition *sine qua non* pour être rémunéré en stock-options. Malgré ce statut, on aurait pu, par gratitude, lui offrir des titres, mais le capitaine Jobs ne faisait pas de sentiments avec son équipage. « La loyauté ne figurait pas parmi les priorités de Steve, explique Andy Hertzfeld, un développeur d'Apple de la première heure qui, néanmoins, est resté ami avec lui. Ce serait même un anti Monsieur Loyal. Il a abandonné en chemin nombre de gens dont il était très proche. »

Kottke, bien décidé à plaider sa cause, fit le planton devant le bureau de son ancien ami. Mais chaque fois, Jobs éludait la question. « Steve ne m'a jamais dit qu'il s'y opposait. Je pensais le mériter après tout ce que j'avais fait pour lui. Quand je lui parlais des stock-options, il se contentait de me dire d'aller en parler à mon chef. » Finalement, six mois après l'introduction en Bourse, Kottke alla trouver Jobs pour avoir une explication. Mais Jobs s'est montré si glacial que Kottke en perdit tous ses moyens. « Je tombais de si haut... j'en ai eu les larmes aux yeux ; je n'ai pas pu sortir un mot. Notre amitié avait fait long feu. C'était si triste. »

Rod Holt, l'ingénieur qui avait construit l'alimentation et reçu beaucoup de stock-options, tenta de faire revenir Jobs sur sa décision : « Il faut faire quelque chose pour ton ami Daniel. » Il proposa même de lui donner une part de ses propres titres :

— Je suis prêt à mettre la moitié avec toi, Steve. Choisis le nombre et je te suis.

— D'accord. Je lui donne zéro !

Wozniak, évidemment, avait l'attitude exactement inverse. Avant le passage en Bourse, il décida de vendre, à bas prix, deux mille de ses actions à quarante collaborateurs. La plupart des bénéficiaires purent se payer une maison. Wozniak s'acheta lui aussi une maison, une demeure de rêve, pour lui et sa nouvelle femme. Mais il n'eut pas le temps d'en profiter. Sa femme demanda le divorce et Woz se retrouva dehors. Plus tard, il offrit aussi des parts à des employés qu'il jugeait lésés – dans le lot, il y avait Kottke, Fernandez, Wigginton et Espinosa. Tout le monde aimait Wozniak, encore plus après ses gestes de générosité, mais tous s'accordaient à dire, comme Jobs, qu'il était « naïf et incroyablement puéril ». Quelques mois plus tard, United Way sortit une affiche montrant un mendiant débarquant pendant le conseil d'administration d'une grande société. Quelqu'un avait écrit sur l'une d'entre elles : « Woz en 1990. »

Jobs, lui, n'était pas naïf. Il veilla à ce que son accord financier avec Chrisann Brennan soit signé avant qu'Apple passe en Bourse.

Jobs était le visage d'Apple pour cette entrée sur les marchés, et il participa au choix des deux banques d'investissement qui devaient la mettre à exécution : la vénérable Morgan Stanley de Wall Street et, plus atypique, le jeune cabinet d'affaires Hambrecht & Quist à San Francisco. « Steve était très insolent avec les gars de Morgan Stanley, qui étaient très cul pincé à cette époque », raconte Bill Hambrecht. La Morgan voulait fixer le prix à dix-huit dollars, même s'il était évident que la cote allait monter rapidement. « Qu'allez-vous faire de ces actions à dix-huit dollars ? demanda Jobs aux banquiers. Vous allez les vendre à vos meilleurs clients, n'est-ce pas ? Et vous osez réclamer une commission de 7 pour cent ? » Hambrecht reconnaissait que le procédé était quelque peu fallacieux et qu'une mise aux enchères serait plus équitable avant une introduction en Bourse.

Apple entra sur le marché le matin du 12 décembre 1980. Les banquiers avaient fixé le prix à vingt-deux dollars. Le titre monta à vingt-neuf dollars à la fin du premier jour. Jobs était venu chez Hambrecht & Quist juste à temps pour l'ouverture des cours. À l'âge de vingt-cinq ans, Steve Jobs pesait désormais deux cent cinquante-six millions de dollars.

Chéri, tu es riche !

Qu'il fût riche ou sans le sou, Jobs, qui avait connu dans sa vie la disette comme l'opulence, avait toujours entretenu avec l'argent un rapport complexe. Hippie en lutte contre le matérialisme, il avait pourtant fait fortune en exploitant les idées de génie d'un ami qui, lui, voulait les offrir au monde gratuitement. Adepte du zen, il avait fait un pèlerinage en Inde pour trouver l'illumination intérieure, mais avait découvert que sa voie était de créer une entreprise. Et pourtant, tous ces facteurs, d'apparence contradictoires, semblaient s'emboîter avec une certaine harmonie.

Jobs avait une passion pour certains produits, en particulier pour ceux de « belle facture », tels que les voitures Porsche ou Mercedes, les couteaux Henckel, les appareils Braun, les motos BMW, les photographies d'Ansel Adams, les pianos Bösendorfer, les chaînes hifi Bang & Olufsen. Et pourtant, les maisons où il vivait, quel que soit le montant de sa fortune, étaient sans ostentation, meublées si simplement. Ni à cette époque, ni plus tard, Jobs ne se déplacerait avec une cour, n'aurait un bataillon d'assistants, ni même des gardes du corps. Il avait une jolie voiture, certes, mais il la conduisait lui-même. Lorsque Markkula lui proposa d'acheter avec lui un jet privé, il refusa (même si, plus tard, il exigera qu'Apple lui offre un Gulfstream pour ses besoins personnels). Comme son père, il pouvait se montrer âpre en affaires, mais il ne laissait jamais l'appât du gain prendre l'ascendant sur la qualité.

Trente ans après l'entrée d'Apple en Bourse, il eut cette réflexion sur le fait de devenir riche du jour au lendemain :

> Je ne me suis jamais préoccupé de l'argent. J'ai grandi dans une famille de la classe moyenne ; je n'ai jamais eu peur d'avoir faim. Et j'ai découvert chez Atari que je pouvais être un bon développeur, alors je n'ai jamais eu d'inquiétude quant à l'avenir. J'ai été pauvre volontairement quand j'étais à Reed et en Inde, et j'ai vécu simplement quand je travaillais. Je suis donc passé d'une pauvreté relative – qui était agréable parce que je n'avais pas à me soucier de l'argent – à une grande opulence, où de la même manière, l'argent n'entrait pas en ligne de compte.
>
> Je voyais les gens d'Apple s'enrichir et se sentir obligés de changer de mode de vie. Certains s'achetaient une Rolls Royce, des maisons, avec, pour chaque, une brigade d'employés plus quelqu'un pour diriger tout ce petit monde. Leurs épouses se faisaient tout refaire et ne ressemblaient plus à rien. Ce n'est pas ainsi que je voulais vivre. C'est de la folie. J'ai fait le serment de ne pas laisser l'argent ruiner ma vie.

Jobs n'était pas un philanthrope dans l'âme. Il créa une fondation, mais se lassa vite du personnel qu'il avait embauché pour la diriger, des gens qui ne cessaient de parler d'aide humanitaire et de nouvelles campagnes pour « motiver » les dons. Jobs n'avait que mépris pour ces aficionados des médias qui n'avaient que le mot « solidarité » à la bouche et se posaient en sauveurs du monde. Quelques années plus tôt, il avait, en toute discrétion, envoyé un chèque de cinq mille dollars pour soutenir la fondation Seva du Dr Larry Brilliant dans son combat contre les maladies endémiques du tiers-monde ; il avait même accepté de siéger au conseil d'administration. Mais lors d'une réunion, il eut un différend avec le célèbre médecin. Jobs voulait embaucher Regis McKenna pour lancer une campagne de collecte de fonds. Jobs se retrouva sur le parking, pleurant de frustration et de colère. Brilliant et Jobs se réconcilièrent le lendemain soir, en coulisses, lors d'un concert caritatif que donnait le Grateful Dead en faveur de la fondation. Mais quand Brilliant, avec quelques membres du conseil d'administration – dont Wavy Gravy et Jerry Garcia – débarquèrent chez Apple juste après son entrée fracassante en Bourse pour solliciter une donation, Jobs éconduisit la délégation. Il préféra réfléchir comment un Apple II équipé de VisiCalc pourrait aider la fondation à optimiser son étude sur la cécité au Népal.

Son plus gros don fut en faveur de ses parents, Paul et Clara Jobs, à qui il versa sept cent cinquante mille dollars en actions. Ils en vendirent un peu pour payer leur crédit sur leur maison de Los Altos. Leur fils vint à la petite fête qu'ils avaient organisée pour célébrer l'événement. « C'était la première fois de leur vie qu'ils n'avaient plus d'emprunts sur le dos, me raconta Jobs. Tous leurs amis étaient là, et c'était très sympa. » Mais ils n'envisagèrent pas d'acheter une maison plus jolie. « Cela ne les intéressait pas. Ils étaient heureux dans leur vie. » Leur seul luxe, ce fut de s'offrir une croisière chaque année. « Celle où ils ont passé le canal de Panama est restée, pour mon père, la plus mémorable de toutes. » Sans doute parce que cela lui rappelait son retour en bateau à San Francisco à la fin de la guerre.

Avec le succès d'Apple, vint la notoriété. *Inc.* fut le premier magazine à mettre en couverture, en octobre 1981, une photo du fondateur de la Pomme, accompagnée du titre : « Cet homme a bouleversé le monde des affaires. » Jobs avait une barbe bien taillée, des cheveux longs coiffés avec soin ; il portait un jean, une chemise et une veste un peu trop satinée. Il était accoudé sur un Apple II et regardait l'objectif avec ce regard envoûtant qu'il avait chipé à Robert Friedland. « Quand Steve Jobs parle, c'est avec l'enthousiasme de celui qui voit le futur et qui sait qu'il sera comme il le souhaite », rapportait le magazine.

Le *Time* suivit en février 1982 avec un numéro sur les jeunes chefs d'entreprise. En couverture, un dessin de Jobs, avec encore ce regard hypnotique. L'article était dithyrambique : « Il a quasiment créé à lui tout seul toute l'industrie de l'informatique ! » La biographie, rédigée par Michael Moritz, notait : « À vingt-six ans, Steve Jobs dirige une société qui, il y a six ans, avait ses bureaux dans le garage de la maison de ses parents, mais qui, cette année, prévoit six cents millions de chiffre d'affaires. [...] Jobs est parfois un jeune patron vif et autoritaire avec ses employés. Comme il le reconnaît lui-même : "Je dois apprendre à contenir mes émotions." »

Malgré sa notoriété et sa fortune, Jobs se voyait encore comme un enfant de la contre-culture. Lors d'une conférence à l'université de Stanford, il retira son blazer Wilkes Bashford et ses chaussures, se percha sur une table et prit la posture du lotus. Les étudiants commencèrent à lui poser des questions d'ordre économique, par exemple s'il pensait que l'action Apple allait encore monter, mais il rejeta tout ça d'un geste. Au lieu de parler finance, il évoqua sa passion pour les produits du futur, son rêve de pouvoir construire, un jour, un ordinateur pas plus gros qu'un livre. Quand les questions de management se tarirent, Jobs inversa les rôles et se mit à interroger l'assemblée d'étudiants tous tirés à quatre épingles : « Combien d'entre vous n'ont jamais eu de rapports sexuels ? » Il y eut des gloussements. « Combien d'entre vous ont pris du LSD ? » De nouveaux gloussements, cette fois plus gênés. Une ou deux mains se levèrent, pas plus. Plus tard, Jobs se plaindra de la nouvelle génération, qui lui paraissait tellement plus matérialiste et carriériste que la sienne. « Quand je faisais mes études, c'était juste après les années 1960 et avant que ne déferle cette vague de la réussite individuelle. Aujourd'hui, les étudiants n'ont pas d'idéaux, pas même au sens le plus large. Ils ne veulent pas perdre de temps avec les questions philosophiques que pose l'existence, ils sont bien trop accaparés à étudier le monde de l'argent. » Sa génération à lui demeurait différente, disait-il. « Le vent de la révolution souffle toujours dans notre dos ; on le sent encore nous chatouiller la nuque, et la plupart des gens de mon âge ont cette soif d'idéal inscrite à jamais dans leur chair. »

CHAPITRE DIX

LE MAC EST NÉ

Vous vouliez une révolution…

Steve Jobs, en 1982.

Le bébé de Jef Raskin

Jef Raskin était le type même de personne qui pouvait soit fasciner Jobs, soit l'agacer au plus haut point. Les deux furent vrais. Philosophe à ses heures, d'une personnalité tantôt badine, tantôt pompeuse, Raskin avait étudié l'informatique, enseignait la musique et les arts plastiques, dirigeait une formation d'opéra de chambre et faisait du théâtre de rue. Dans sa thèse de doctorat, soutenue à l'université de San Diego en 1967, il prétendait que les ordinateurs devraient avoir des interfaces graphiques et non textuelles. Quand il se lassa de l'enseignement, il loua une montgolfière, se laissa porter par les vents et, en passant au-dessus de la maison du doyen de l'université, il lui cria qu'il démissionnait.

Quand, en 1976, Jobs cherchait quelqu'un pour rédiger le manuel de l'Apple II, il avait fait appel à Raskin qui, à l'époque, avait fondé un petit cabinet de conseil. Raskin se rendit au garage Apple, vit Wozniak qui s'activait sur son établi et accepta de rédiger le manuel pour cinquante dollars. Finalement, il devint le directeur des publications Apple. L'un de ses rêves était de construire un ordinateur bon marché pour Monsieur Tout-le-monde et en 1979, il convainquit Mike Markkula de le laisser diriger un minuscule projet baptisé « Annie ». Raskin trouvant machiste de donner à des machines des noms de femmes, il rebaptisa le projet en l'honneur de sa variété de pommes préférées, la McIntosh. Mais il modifia volontairement la graphie du mot pour ne pas risquer un procès avec le fabricant de matériel audio, McIntosh Laboratory. L'ordinateur s'appela donc le Macintosh.

Raskin imaginait une machine bon marché, vendue un petit millier de dollars, très facile d'emploi, avec un écran et un clavier incorporé. Pour baisser les coûts de production, il proposa un minuscule écran de cinq pouces et un Motorola 6809, un microprocesseur très bon marché (et très peu puissant). Raskin se voyait comme un philosophe, et il écrivait ses pensées dans un carnet de notes qui ne cessait de grossir, qu'il avait intitulé « le livre du Macintosh ». Il publia aussi quelques manifestes. L'un d'eux s'intitulait « Des ordinateurs par millions ». Il s'ouvrait sur cette prophétie : « Si les ordinateurs personnels deviennent vraiment personnels, alors il est probable que n'importe quelle famille, prise au hasard, en possédera au moins un. »

Durant l'année 1979 et le début de l'année 1980, le projet Macintosh eut une existence précaire. Tous les deux ou trois mois, on annonçait l'arrêt du programme, mais Raskin parvenait à amadouer Markkula et à sauver son bébé. L'équipe Macintosh se composait de seulement quatre développeurs ; elle occupait les anciens locaux d'Apple près du restaurant The Good Earth, à quelques pâtés de maisons du bâtiment principal d'Apple. L'espace de travail était encombré de jouets et d'avions radio-télécommandés (la passion de Raskin). On se serait cru dans une salle de jeux pour gamins attardés. De temps en temps, toute activité cessait pour une partie improvisée de balle au prisonnier. Andy Hertzfeld se souvient : « Tout le monde avait entouré son poste de travail avec des cartons, pour se protéger en cas de partie impromptue. Le bureau avait des airs de labyrinthe cubiste. »

La vedette de l'équipe était Burrell Smith, un blondinet aux airs de chérubin. Il vouait une admiration quasi mystique aux programmes de Wozniak et espérait accomplir lui-même de pareilles prouesses. Atkinson avait découvert Smith alors qu'il travaillait aux ateliers de maintenance et, impressionné par son génie de bidouilleur, l'avait recommandé à Raskin. Il devint finalement schizophrène, mais au début des années 1980 il était capable de focaliser son énergie mentale pendant des semaines pour réussir des prodiges d'ingénierie.

Jobs était emballé par le projet de Raskin, mais moins par les compromis qu'il était prêt à consentir pour minimiser les coûts. Finalement, durant l'automne 1979, le jeune patron lui dit de se soucier exclusivement de concevoir cet ordinateur « incroyablement génial » – expression favorite de Jobs. « Ne t'occupe pas du prix, concentre-toi sur les caractéristiques que devrait avoir une machine idéale. » Raskin répondit par une note sarcastique. Il y énumérait tout ce qu'on pouvait rêver de mieux : un écran couleur haute réso-lution avec une largeur de quatre-vingt-seize caractères, une impri-mante qui fonctionnait sans ruban et pouvait sortir des graphiques couleur à la vitesse d'une page par seconde, un accès illimité à l'Arpanet, la reconnaissance vocale, et une synthèse sonore capable de « simuler Caruso chantant avec le chœur du Tabernacle Mormon, avec un effet de réverbération réglable ». La note se terminait par : « Partir d'une machine idéale est un non-sens. Nous devons nous fixer à la fois une fourchette de prix et un ensemble de spécifications, et garder un œil sur la technologie d'aujourd'hui et d'un futur proche. » En d'autres termes, Raskin s'agaçait de l'attitude de Jobs qui croyait qu'on pouvait distordre la réalité si on mettait suffisam-ment de cœur à l'ouvrage.

Entre les deux hommes, la situation était électrique, et les ten-sions s'exacerbèrent lorsque le jeune homme fut écarté du projet Lisa en septembre 1980 et qu'il se mit en quête d'un autre projet grâce auquel il pourrait, comme Wozniak, laisser sa marque dans l'histoire de l'informatique. Inévitablement, son œil se braqua sur l'équipe Macintosh. Les manifestes de Raskin présentant un ordi-nateur pour les masses populaires, avec une interface graphique simple et un design épuré, lui enflammèrent l'esprit. Mais il y avait un corollaire à cet intérêt : si Jobs entrait en scène, les jours de Raskin étaient comptés. « Steve s'est mis à nous dire ce que nous devions faire, raconte Joanna Hoffman, membre de l'équipe Mac. Jef en a pris ombrage. On savait tous comment cela allait finir. »

Le premier conflit eut trait au choix de Raskin pour le petit Motorola 6809. Une fois encore, il y avait une divergence de point de vue. Raskin voulait proposer un appareil pour moins de mille dollars et Jobs voulait son ordinateur « incroyablement génial ». Alors Jobs insista pour que le Mac soit équipé du Motorola 68000, un microprocesseur plus puissant qui faisait déjà tourner le Lisa. À la fin de l'année 1980, peu avant Noël, il demanda à Burrell Smith, sans en informer Raskin, de concevoir un nouveau prototype susceptible de fonctionner avec le 68000. Comme l'aurait fait son idole Wozniak, Smith se jeta corps et âme dans cette mission, travaillant jour et nuit pendant trois semaines, réalisant des prodiges de programmation. Fort de cette réalisation, Jobs avait désormais une arme pour imposer le passage au Motorola 68000. Raskin n'eut d'autre choix que de ronger son frein et de réviser à la hausse le prix du Mac.

Il y avait plus important en jeu. Le microprocesseur bon marché qu'avait choisi Raskin n'aurait pu gérer toutes les extensions graphiques – fenêtres, menus déroulants, souris… – que l'équipe avait vues fonctionner au Xerox PARC. Raskin avait convaincu tout le monde d'aller jeter un coup d'œil au PARC. Il avait aimé le principe de l'affichage matriciel point par point, ainsi que la présentation par fenêtre. Mais il n'était guère fan des icônes et des jolis petits graphismes ; et il détestait carrément l'idée d'utiliser une souris plutôt que les flèches du clavier pour déplacer le curseur. « Certaines personnes dans l'équipe étaient devenues de véritables accros de la souris ; ils voulaient s'en servir pour tout ! ronchonnait Raskin. L'autre absurdité, c'est le recours aux icônes. Une icône est un symbole contextuel qui, par définition, ne peut être compris dans toutes les cultures. C'est pour ça que les hommes ont inventé le langage articulé. »

Bill Atkinson, l'ancien étudiant de Raskin, prit le parti de Jobs. Tous les deux voulaient un microprocesseur puissant pour gérer les effets graphiques et une souris. « Steve devait reprendre le projet en main. Jef se montrait trop têtu, et Steve eut raison de le débarquer. C'était mieux pour tout le monde. »

Le désaccord était plus en profondeur. Il y avait un réel conflit de personnes. « Steve voulait avoir une armée des béni-oui-oui autour de lui, maugréa Raskin plus tard. On ne pouvait pas lui faire confiance. Il détestait être pris en défaut. Si on ne le considérait pas comme un demi-dieu, c'était la porte. » Jobs n'était pas tendre non plus à l'égard de Raskin : « Jef était d'une pédanterie insupportable. Et ne connaissait rien aux interfaces. Alors j'ai récupéré certains membres de son équipe, des gars vraiment bons, comme Atkinson, j'en ai fait venir quelques autres, et j'ai repris les commandes. On allait construire un Lisa moins cher, pas de la camelote. »

Certains développeurs de l'équipe jugeaient Jobs impossible à vivre dans le travail : « Steve crée de la tension, des dissensions, et harcèle tout le monde plutôt que de faire tampon, écrivait un collaborateur dans une note pour Raskin en décembre 1980. J'aime discuter avec lui, vraiment, j'admire ses idées, sa vision à long terme, son énergie. Mais il génère une atmosphère pourrie qui ne me convient pas. Moi, j'ai besoin de soutien et de sérénité. »

Mais beaucoup d'autres comprirent que Jobs, malgré son caractère difficile, avait le charisme et l'instinct pour leur faire réaliser un prodige. Jobs expliqua à l'équipe que Raskin était un rêveur, alors que lui était un bâtisseur du réel et que le Mac serait terminé en un an. Le jeune homme voulait évidemment prendre sa revanche après avoir été chassé du projet Lisa ; la compétition l'électrisait. Il paria, devant témoin, cinq mille dollars avec John Couch que le Mac sortirait avant le Lisa. « On va faire un ordinateur moins cher que le tien, et meilleur, et on sera les premiers ! »

Jobs, pour montrer que c'était lui qui désormais tenait les rênes, annula une conférence à la pause de midi que Raskin avait organisée pour toute la société en février 1981. Raskin, qui passait par là, découvrit qu'une centaine de personnes attendaient sa communication. Jobs ne s'était pas même donné la peine de prévenir le reste des employés que l'intervention était annulée. Alors Raskin est entré dans la salle et a fait sa présentation.

Cet incident décida Raskin d'envoyer une note incendiaire à Mike Scott, qui se retrouva à nouveau dans une position délicate, celle d'un président devant faire la morale à un cofondateur colérique et actionnaire majoritaire de la société. La note avait pour titre « Travailler avec/pour Steve Jobs » et Raskin y écrivait :

> C'est un manager détestable... j'ai toujours apprécié Steve, mais il est impossible de travailler avec lui... Il oublie régulièrement ses rendez-vous. Cela arrive si souvent que c'en est devenu comique... il agit sans réfléchir, à tort et à travers... Il ne rend justice à personne... très souvent, quand on lui expose une idée, il la démonte tout de suite et dit que c'est nul ou absurde, que c'est une perte de temps. Rien que cela prouve ses piètres qualités de manager ; mais si l'idée est bonne, il ira, ensuite, dire à tout le monde que c'est lui qui l'a eue... il coupe la parole à tout le monde, il n'écoute pas.

Cet après-midi-là, Scott convoqua Jobs et Raskin pour une explication au sommet en présence de Markkula. Jobs se mit à pleurer. Raskin et lui étaient d'accord sur un point : ils ne pouvaient plus travailler ensemble. Pour le projet Lisa, Scott s'était rangé du côté de Couch. Cette fois, il jugea opportun de donner le dernier mot à Jobs. Le Mac était, après tout, un projet mineur, mené extramuros ; cela occuperait le jeune impétueux et on ne le verrait plus dans le bâtiment principal. Raskin fut prié de prendre un congé. Jobs analysait ainsi leur décision : « Ils ont voulu me caresser dans le sens du poil et me donner quelque chose à faire. C'était précisément ce que je voulais. Pour moi, c'était comme retourner dans notre garage des débuts. J'avais ma propre équipe de renégats et j'étais le chef. »

L'éviction de Raskin peut paraître injuste, mais ce fut une bonne chose pour le Macintosh. Raskin voulait un appareil avec peu de mémoire, un microprocesseur anémique, un lecteur à cassette, pas de souris, et un graphisme minimaliste. À l'inverse de Jobs, il aurait sans doute pu tenir le budget et sortir une machine sous la barre des mille dollars. Apple serait peut-être devenu leader sur ce segment de marché. Mais cela n'aurait pas empêché Jobs de poursuivre son graal, à savoir créer une machine qui allait révolutionner le monde de la micro-informatique. On peut même avoir une idée assez distincte de l'endroit où menait la route de Raskin : il fut embauché par Canon pour réaliser son projet d'ordinateur à bas prix. « Ce fut le Canon Cat, un flop total, raconte Atkinson. Personne n'en voulait. Quand Steve transforma le Mac en un Lisa compact, il en fit une véritable plateforme informatique et non un appareil d'électroménager comme un presse-purée[1]. »

Les tours Texaco

Quelques jours après le départ de Raskin, Jobs débarqua dans le bureau de Andy Hertzfeld, un jeune développeur de l'équipe Apple II. Il avait le même air poupon et le même caractère facétieux que son ami Burrell Smith. La plupart des employés d'Apple étaient terrorisés par Jobs, à cause de ses coups de colère et de sa manie de dire aux gens exactement ce qu'il pensait d'eux – et ce qui était rarement agréable à entendre. Mais Hertzfeld n'avait pas peur du patron. Sa présence le stimulait plutôt.

— Tu es bon ou nul ? lui demanda Jobs d'entrée. Nous, on ne cherche que des bons pour travailler sur le Mac. Tu te crois de taille ? Moi, je n'en suis pas sûr.

Hertzfeld connaissait la réponse à donner.

— Si, je suis très bon.

Jobs s'en alla et Hertzfeld reprit sa programmation. Plus tard dans l'après-midi, il vit que Jobs l'observait par-dessus la paroi de son espace de travail.

— J'ai une bonne nouvelle pour toi. Tu fais partie de l'équipe à présent. Suis-moi !

Hertzfeld répondit qu'il lui fallait encore deux jours pour finir le programme qu'il écrivait pour l'Apple II. Il en était au beau milieu.

— Rien n'est plus important que de travailler sur le Macintosh !

Hertzfeld expliqua qu'il devait avancer encore son travail avant de pouvoir repasser le bébé à quelqu'un d'autre.

— Tu perds ton temps ! On s'en fout de l'Apple II. Il sera mort dans un an ou deux. L'avenir, c'est le Macintosh et tu vas te mettre dessus tout de suite !

---

1. Quand le millionième Mac sortit des chaînes en mars 1987, Apple avait fait graver le nom de Raskin sur le boîtier et le lui avait offert, au grand dam de Jobs. Raskin mourut d'un cancer du pancréas en 2005, peu après que le propre cancer de Jobs fut diagnostiqué. *(N.d.A.)*

Sur ce, Jobs arracha le cordon d'alimentation de l'ordinateur, faisant disparaître toutes les lignes de programme sur lesquelles Hertzfeld travaillait.

— Suis-moi ! j'ai dit. Je vais te montrer ton nouveau bureau.

Jobs embarqua Hertzfeld, avec son ordinateur et ses affaires, dans sa Mercerdes argent et fila vers les locaux de l'équipe Mac.

— Voilà ton nouveau chez-toi, annonça-t-il en le poussant dans un espace de travail jouxtant celui de Burrell Smith. Bienvenue à bord !

Hertzfeld comprit qu'il se trouvait dans le bureau de Raskin. Son départ avait été si précipité qu'il y avait encore, dans les tiroirs, ses breloques et ses modèles réduits d'avion.

Le premier critère de recrutement pour former son équipe de joyeux pirates en ce printemps 1980 était élémentaire : être passionné par le projet. Parfois, Jobs faisait entrer un candidat dans une pièce où trônait un prototype du Mac caché sous un tissu, et d'un geste théâtral, il retirait le voile et observait la réaction du prétendant. « Si ses yeux s'éclairaient, s'il allait tout de suite toucher la souris et se mettait à cliquer dessus, Steve souriait et embauchait le gars, raconte Andrea Cunningham. Il voulait les entendre dire "ouah !" »

Bruce Horn était l'un des programmeurs au Xerox PARC. Quand il vit plusieurs de ses amis, tels que Larry Tesler, rejoindre le groupe Macintosh, Horn commença à être tenté. Mais une autre société lui avait fait une belle offre avec quinze mille dollars de prime à la signature. Jobs l'appela un vendredi soir : « Je t'attends chez Apple demain matin. J'ai des tas de choses à te faire voir. » Horn vint, et Jobs lui jeta le grappin dessus. « Steve était tellement excité à l'idée de construire cette machine qui allait changer le monde. Son enthousiasme était si communicatif qu'il m'a fait revenir sur ma décision. » Il lui montra comment les pièces de plastique seraient moulées, et s'ajusteraient parfaitement, ainsi que l'élégance du montage des composants à l'intérieur. « Il voulait me prouver que ce projet était viable, que tout était pensé de A à Z. Ouah ! j'ai dit. On ne voit pas tous les jours une telle passion. Et j'ai signé avec Apple. »

Jobs tenta de rallier Wozniak. « Je lui en voulais un peu de se la couler douce, mais en même temps, je savais que c'était grâce à son génie que j'en étais arrivé là », me racontera plus tard Jobs. Mais au moment où il était sur le point de convaincre Woz de rejoindre l'équipe Mac, ce dernier se crasha au décollage avec son nouveau Beechcraft monomoteur dans les environs de Santa Cruz. Il frôla la mort, et s'en sortit avec une amnésie partielle. Jobs passa beaucoup de temps à l'hôpital ; mais quand Wozniak fut rétabli, il décida qu'il était temps pour lui de prendre ses distances avec Apple. Dix ans après avoir délaissé ses études, il reprit des cours à l'université de Berkeley pour terminer son diplôme d'ingénieur en électronique, en s'inscrivant sous le nom de Rocky Raccoon Clark.

Pour s'approprier totalement le projet, Jobs voulut changer l'appellation de l'ordinateur. Il ne supportait plus qu'il porte le nom de la pomme préférée de Raskin. Dans plusieurs interviews, Jobs comparait les ordinateurs à une bicyclette pour l'esprit. Les humains, en créant le vélocipède, avaient la possibilité de se déplacer plus loin et plus vite qu'un condor, de même, en créant l'ordinateur, les hommes décuplaient l'efficacité de leur esprit. Un jour, donc, Jobs décréta que le Macintosh s'appellerait désormais le Bicycle. La pilule fut dure à avaler. « Burrell et moi trouvions que c'était la pire absurdité qui soit, raconte Hertzfeld. Et on a refusé d'utiliser ce nouveau nom. » Au bout d'un mois, l'idée fut abandonnée.

Au début de l'année 1981, l'équipe Mac comptait une vingtaine de membres. Jobs décida qu'il était temps d'avoir des locaux plus grands. Alors il emmena tout le monde au premier étage d'un bâtiment couvert de bardeaux à quelques centaines de mètres du siège d'Apple. L'immeuble se trouvait à proximité d'une station essence Texaco. L'endroit fut rapidement baptisé les Texaco Towers. Daniel Kottke, bien que vexé de n'avoir pas droit à son quota de stockoptions, vint câbler quelques prototypes. Bud Tribble, un autre développeur de génie, créa un écran de démarrage avec le fameux « hello ! ». Jobs jugea que les locaux manquaient d'animation, alors il demanda à l'équipe d'acheter de quoi écouter de la musique. « Burrell et moi, on a foncé acheter un gros ghetto-blaster à lecteur cassette avant qu'il ne change d'avis ! » raconte Hertzfeld.

Le triomphe de Jobs fut bientôt complet. Quelques semaines après avoir remporté son duel contre Jef Raskin pour la direction de l'équipe Mac, il participa au limogeage de Mike Scott. Scotty, le président d'Apple, était devenu de plus en plus erratique. Il pouvait passer dans le même instant du despote au père aimant. Il s'était mis à dos quasiment toute l'entreprise quand il avait pratiqué un dégraissage surprise avec une rare brutalité. En outre, il commença à souffrir de toute une collection de maux, allant des infections oculaires à la narcolepsie. Pendant que Scott était en vacances à Hawaii, Markkula convoqua tous les chefs de département pour leur demander s'il fallait le remplacer. La plupart des responsables, dont Jobs et John Couch, se prononcèrent en faveur de cette décision. Alors Markkula prit la présidence en intérim. Il se révéla un patron plutôt passif, et Jobs put alors régner en maître absolu sur son équipe.

CHAPITRE ONZE

LE CHAMP DE DISTORSION DE LA RÉALITÉ

Imposer ses propres règles du jeu

*L'équipe originelle du Mac, en 1984 ; de gauche à droite, George Crow,
Joanna Hoffman, Burrell Smith, Andy Hertzfeld, Bill Atkinson et Jerry Manock.*

Quand Andy Hertzfeld rejoignit l'équipe Mac, Bud Tribble,
l'autre développeur logiciel, lui expliqua la montagne de travail qu'il
restait encore à faire. Jobs voulait l'ordinateur fini pour janvier 1982,
soit moins d'un an plus tard.

— C'est de la folie, bredouilla Hertzfeld. C'est impossible.

Tribble lui répliqua que Jobs ne voulait rien savoir.

— La meilleure définition de cette bizarrerie, tu l'as dans *Star
Trek*. Steve crée un champ de distorsion de la réalité !

Devant l'air ahuri de Hertzfeld, Tribble développa :

— En sa présence, la réalité devient malléable. Il peut faire croire
à n'importe qui à peu près n'importe quoi. L'effet, certes, se dissipe
quand il n'est pas là, mais cela t'empêche sérieusement d'avoir des
prévisions réalistes pour quoi que ce soit !

« Le champ de distorsion de la réalité »... Tribble avait trouvé ce concept dans « La Ménagerie », le célèbre épisode en deux parties de la série, « celui où des extraterrestres créent leur nouveau monde uniquement par leur pouvoir mental ». Dans sa bouche, ces mots étaient davantage un compliment qu'une mise en garde. « Il est dangereux d'être pris dans le champ de distorsion de Steve, mais c'est grâce à lui qu'il a pu effectivement changer la réalité. »

Au début, Hertzfeld pensait que Tribble exagérait. Mais après deux semaines à côtoyer Jobs, il vit à plusieurs reprises se produire le phénomène : « Le CDR était un mélange troublant de charisme et de force mentale ; c'est la volonté de plier les faits pour qu'ils entrent dans le moule. Si un argument ne faisait pas mouche, Steve passait aussitôt au suivant. Au besoin, il vous prenait de court et adoptait soudain votre point de vue, comme si cela avait toujours été le sien, et sans jamais reconnaître qu'il était d'un avis contraire la seconde précédente. »

Il était inutile de résister à cette force. Il n'existait pas de bouclier contre elle, comme s'en aperçut Hertzfeld : « Curieusement, le CDR restait efficace même quand vous saviez que vous étiez soumis à son effet d'illusion. On a longtemps cherché des parades, des procédés pour l'annihiler, mais on finissait tous par baisser les bras. On ne pouvait rien y faire. C'était une force de l'univers. Peut-on empêcher le vent de souffler ? » Quand Jobs décréta que les sodas dans le réfrigérateur seraient remplacés par des jus bio d'oranges et de carottes de la marque Odwalla, quelqu'un de l'équipe fit imprimer des tee-shirts avec écrit devant : « Attention au Champ de Distorsion de la Réalité ! », et derrière : « Il vient des jus de fruits ! »

D'une certaine manière, parler de distorsion de la réalité était une façon pudique de dire que Jobs mentait. Mais il s'agissait d'une forme plus complexe de dissimulation. Il affirmait des assertions – au regard d'un fait historique ou de la paternité d'une idée lancée par quelqu'un au cours d'une réunion – sans qu'à aucun moment, la vérité n'entre en ligne de compte. Il voulait défier la réalité, pas seulement pour les autres, mais aussi pour lui-même. « Il pouvait se leurrer lui-même, raconte Bill Atkinson. S'il parvenait à duper les gens, à les faire adhérer à sa vision, c'est parce qu'il l'avait faite sienne, parce qu'il était le premier à y croire. »

Beaucoup de gens, certes, déforment la réalité. Pour Jobs, c'était le moyen d'arriver à ses fins. Wozniak, qui, à l'inverse de Jobs, avait l'honnêteté dans le sang, s'émerveillait de l'efficacité tactique de cette manœuvre. « Steve usait de son CDR quand il devait soutenir des choses qui allaient contre tout bon sens, comme, par exemple, lorsqu'il m'a dit que je pouvais développer le premier jeu de casse-brique en moins d'une semaine. Je savais que c'était impossible, et pourtant il s'est débrouillé pour que cela se réalise. »

Quand les membres de l'équipe Mac furent piégés dans le champ de distorsion de Jobs, ils étaient quasiment hypnotisés. « Il me faisait penser à Raspoutine, raconte Debi Coleman. Il braquait ses yeux sur vous, comme deux lasers, et vous regardait fixement. Il pouvait vous servir n'importe quoi, même du soda empoisonné, vous le buviez sans broncher. » Mais comme Wozniak, elle pense que le CDR avait un effet énergisant. Grâce à lui, Jobs était parvenu à dynamiser toute l'équipe et à trouver des idées pour changer le cours de l'histoire dans le domaine informatique, et tout ça avec dix fois moins de moyens que Xerox ou IBM. « C'était un effet de distorsion qui modifiait le réel, insiste-t-elle. Vous réalisiez l'impossible parce qu'il vous avait convaincu que vous pouviez le faire. »

Cet effet de distorsion de la réalité puisait son énergie dans la volonté implacable de Jobs, qui croyait dur comme fer que les lois de l'univers ne s'appliquaient pas à lui. Et souvent, les faits lui avaient donné raison. Dans son enfance, il avait souvent plié la réalité selon ses désirs. Mais la source première de cette croyance, c'était son caractère rebelle qui ne cessa de grandir en lui. Jobs était convaincu d'être différent du commun des mortels. Comme le raconte Hertzfeld : « Pour Steve, seules quelques personnes par siècle naissent avec quelque chose de plus que les autres, des gens comme Einstein, Gandhi, les gourous qu'il a rencontrés en Inde. Et Steve se compte dans le lot. C'est ce qu'il a expliqué à Chrisann. Une fois, il m'a même dit, très sérieusement, qu'il se considérait comme "un être élu et éclairé". C'était presque du Nietzsche. » Jobs n'a jamais lu ce philosophe, mais ses concepts de volonté omnipotente et de surhomme lui venaient naturellement. Pour citer *Ainsi parlait Zarathoustra* : « L'esprit maintenant impose sa propre volonté et celui qui fut perdu pour le monde, conquiert à présent le monde. » Si la réalité ne pouvait se plier à sa volonté, Jobs l'oblitérait, comme cela avait été le cas pour la naissance de sa fille Lisa et comme il le fera encore quand on lui annoncera son cancer. À l'instar de ses petites rébellions quotidiennes, comme de ne pas mettre de plaque d'immatriculation sur sa voiture ou de se garer sur les places réservées aux handicapés, Jobs vécut toute sa vie comme s'il n'était pas soumis aux mêmes règles que les autres, ni à la même réalité.

Une autre clé pour comprendre cette vision du « monde selon Jobs », c'est sa répartition binaire de l'humanité. Il y avait « les éclairés » et « les demeurés ». Leur travail était respectivement « du génie à l'état pur » soit « de la merde en barre ». Bill Atkinson, qui se trouva catalogué dans le bon camp en fait une description édifiante :

> Il était difficile de travailler sous les ordres de Steve, parce qu'il existait une polarité forte entre les dieux et les crétins. Si vous étiez un dieu, vous étiez sur un piédestal et vous ne pouviez vous tromper. Ceux qui, comme moi, étaient considérés comme tels, savaient qu'ils n'étaient que de simples mortels, qu'ils pouvaient se planter dans leurs calculs et qu'ils pétaient comme tout le monde. Alors notre grande terreur, c'était de tomber de notre piédestal. Quant à ceux qui se retrouvaient chez les crétins, même si c'était des développeurs brillants qui travaillaient dur, ils avaient l'impression qu'ils ne seraient jamais reconnus à leur juste valeur et ne sortiraient jamais de leur caste.

Mais ces catégories n'étaient pas immuables. En particulier quand le classement de Jobs portait sur les idées davantage que sur les personnes. Quand Tribble parla à Hertzfeld du champ de distorsion de la réalité, il mit en garde le nouveau venu. Jobs se comportait comme un courant alternatif à haute tension : « Ne va pas t'imaginer que parce qu'il te dit un jour qu'un truc est nul ou génial, que ce sera encore le cas le lendemain. Si tu lui présentes une nouvelle idée, il dira d'abord que c'est de la merde. Et puis, si, en fait, il l'aime bien, une semaine plus tard, jour pour jour, il va débarquer dans ton bureau et te proposer exactement l'idée que tu lui as exposée − et comme si c'était la sienne ! »

Une pirouette audacieuse qui aurait impressionné Diaghilev. Cette mésaventure était précisément arrivée à Bruce Horn, le programmeur qui, avec Tesler, avait été débauché du Xerox PARC :

« Un jour, je lui ai parlé d'une idée qui m'était venue, et il m'a répondu qu'elle était absurde. La semaine suivante, il vient me dire : "Hé, je viens d'avoir une idée géniale", et c'était mon idée ! Alors je l'arrête et je lui dit : "Steve, c'est l'idée que je t'ai donnée il y a huit jours" et il me répond, "d'accord, d'accord" et il a continué comme si de rien n'était. »

On avait l'impression que dans le cerveau de Jobs, il manquait un câblage pour limiter les pics émotionnels. Aussi, pour pouvoir travailler avec lui, l'équipe adopta un artifice extrait du monde audio : le filtre passe-bas. Grâce à ce dispositif, ils parvenaient à atténuer l'amplitude des hautes fréquences du « signal Jobs ». Ce lissage permettait d'obtenir en sortie un signal modulé moins agressif. « Après avoir enduré quelques cycles où Jobs prenait alternativement des positions diamétralement opposées, explique Hertzfeld, on apprenait à écrêter le signal. »

Contrairement à ce qu'on pourrait croire, ce comportement brut n'était pas dû à un manque de finesse psychologique. Les antennes de Jobs étaient, au contraire, hypersensibles. Il pouvait sonder les gens avec une précision redoutable ; il détectait aussitôt leurs défauts, leurs failles, leurs peurs. D'instinct, il savait quand quelqu'un connaissait son affaire ou était un imposteur. Jobs était passé maître dans l'art de la cajolerie, de la flatterie, de la persuasion, ou de l'intimidation. « Il repérait immédiatement votre point faible, raconte Joanna Hoffman. Il savait d'instinct ce qui pouvait vous faire mal, vous rendre honteux, vous ratatiner sur place. On retrouve cette faculté chez tous les hommes de pouvoir ; ce sont des manipulateurs nés. Et quand on sait que quelqu'un peut vous écraser d'une pichenette, on se sent tout faible et très impatient de faire plaisir. C'est ainsi que Steve pouvait vous tirer vers le haut, vous mettre sur un piédestal, et s'assurer ainsi de votre fidélité à vie. »

Il y avait des bons côtés. Ceux qui n'étaient pas broyés par le rouleau compresseur en sortaient plus forts. Ils effectuaient un meilleur travail, à la fois par peur, par envie de plaire au maître, et aussi parce que c'est ce qu'on attendait d'eux. Comme me l'explique Joanna Hoffman : « Le comportement de Steve pouvait être nerveusement épuisant, mais si on tenait le coup, ça portait ses fruits. » On pouvait aussi – parfois – montrer les dents et, non seulement, en sortir vivant, mais s'en trouver mieux. Cela ne fonctionnait pas toujours : Raskin, par exemple, avait tenté de se rebiffer ; il avait connu quelques victoires mais, à la fin, Jobs avait eu sa peau. Mais si on contre-attaquait en douceur, avec calme et détermination, et si le patron estimait que vous saviez ce que vous faisiez, il vous respectait encore plus. Dans le cercle professionnel comme privé, Steve Jobs s'était toujours entouré de fortes personnalités plutôt que de lèche-bottes.

L'équipe Mac le savait. Tous les ans, à partir de 1981, elle récompensait la personne qui avait su le mieux tenir tête à Jobs. Ce concours était à la fois une plaisanterie et une réalité. Jobs était au courant et ça l'amusait beaucoup. Joanna Hoffman remporta le prix la première année. Originaire d'Europe de l'Est, la jeune femme avait un caractère bien trempé et beaucoup de conviction. Un jour, elle découvrit que le patron avait modifié ses prévisions financières sans la prévenir et d'une façon qu'elle jugeait totalement irréaliste. Furieuse, elle fonça vers son bureau. « En grimpant l'escalier, j'ai dit à son assistant que j'allais l'étriper. Al Eisenstat, le conseiller juridique, m'a rattrapée *in extremis* sur les marches. Mais Steve m'avait entendue et est revenu à ma version. »

Joanna Hoffman remporta encore le prix en 1982. « J'enviais Joanna, raconte Debi Coleman, qui avait rejoint l'équipe cette année-là. Elle osait tenir tête à Steve, et moi je n'en avais pas le courage. Et puis, en 1983, j'ai eu le prix à mon tour. J'avais appris à défendre mes idées, ce que Steve respectait. J'ai même commencé à monter en grade après ça. » Au final, elle eut la direction de tout le département fabrication.

Atkinson me relata qu'un jour, Jobs avait fait irruption dans le bureau d'un développeur de l'équipe et avait sorti son habituel « c'est de la merde ». L'employé ne s'était pas laissé démonter et avait répondu, calmement : « Non, c'est très bien. C'est même le meilleur moyen de faire qui existe », et il avait détaillé l'astuce technique qu'il avait trouvée. Jobs avait fait machine arrière. Atkinson, en effet, avait appris à son équipe à passer les paroles de Steve dans un traducteur avant de les compiler. « En réalité le "c'est de la merde" était une question et signifiait : "Explique-moi en quoi c'est le meilleur moyen de faire ça ?" » Mais l'histoire eut un épilogue, qu'Atkinson jugeait tout aussi instructif. Le développeur, finalement, trouva le moyen d'améliorer encore le programme que Jobs avait critiqué. « Il a réussi ça parce que Steve l'avait piqué au vif ! Ce qui prouve qu'il est bien de lui tenir tête mais qu'il faut l'écouter aussi, car Steve a le plus souvent raison. »

Jobs ne supportait pas les gens qui faisaient des compromis – même si c'était parfois à juste titre – pour tenir les délais ou le budget. « Il voulait toujours ce qu'il y a de mieux, affirme Atkinson. La perfection était son obsession. Si quelqu'un avait des visées moins hautes que lui, c'est qu'il était un crétin. » Au salon de l'informatique de la côte Ouest en avril 1981, par exemple, Adam Osborne présenta le premier véritable ordinateur portable. Ce n'était pas une machine très puissante – un petit écran de cinq pouces et très peu de mémoire – mais il tournait vaille que vaille. Lorsque Osborne déclara « l'efficacité suffit, le reste n'est que superflu », Jobs en eut des sueurs froides. C'était à ses yeux un blasphème. « Ce gars n'a rien compris ! fulminait-il en arpentant les couloirs d'Apple. Il ne fait pas de l'art, il fait de la merde ! »

Un jour, Jobs débarqua dans le bureau de Larry Kenyon, le développeur du système d'exploitation du Macintosh, pour se plaindre que la machine prenait trop de temps à démarrer. Kenyon voulut lui exposer les raisons de cette lenteur mais Jobs l'interrompit. « Si ça pouvait sauver la vie d'une personne, est-ce que tu trouverais le moyen de gagner dix secondes sur le temps de chargement ? » Kenyon concéda qu'il le pourrait probablement. Jobs l'entraîna vers un tableau blanc et lui montra que s'il y avait cinq millions d'utilisateurs Mac et s'il fallait à chacun dix secondes de moins pour le démarrer chaque matin, cela représentait environ cinq millions d'heures gagnées par an, soit l'équivalent d'un demi-millénaire. « Larry fut impressionné, raconte Atkinson, et quelques semaines plus tard, il revint vers Steve. Il avait gagné vingt-huit secondes sur le temps de démarrage ! Steve n'avait pas son pareil pour motiver les gens en leur faisant voir plus loin, et plus grand. »

Finalement l'équipe eut pour le Mac la même passion que le patron. Tous voulaient réaliser un produit exceptionnel, pas seulement rentable. « Steve se considérait comme un artiste et il encourageait les concepteurs à avoir la même ambition, explique Hertzfeld. L'objectif n'était pas de battre la concurrence, ou de gagner beaucoup d'argent. Il fallait faire un chef-d'œuvre, rien de moins. » Jobs emmena même l'équipe au Metropolitan Museum de New York voir une exposition des œuvres de Tiffany, parce que cet artiste avait su créer de l'art susceptible d'être produit en grand nombre. « Louis Tiffany ne faisait pas toutes ses pièces de ses propres mains, mais transmettait son savoir-faire à d'autres personnes, raconte Bud Tribble. On se disait : "Hé, si on doit faire quelque chose d'important au cours de notre existence, autant que ce soit beau." »

Le comportement colérique et autoritaire de Steve Jobs était-il nécessaire ? Sans doute pas. Pas plus qu'il n'était souhaitable. Il y avait d'autres moyens de motiver des troupes. Même si le Macintosh allait se révéler une réussite absolue, il sortirait bien plus tard que prévu, avec un beau dépassement de budget, du fait des modifications multiples de Jobs dans sa quête de la perfection. Malmener les gens avait également un coût humain. Nombre de collaborateurs jetèrent l'éponge. « L'apport de Steve aurait pu être aussi efficace sans tous ces psychodrames, sans terroriser les gens, assure Wozniak. Je préfère être patient et je déteste les conflits. Pour moi, une société doit être une seconde famille. Si j'avais dirigé le projet Macintosh à ma manière, ça aurait sans doute été un beau bordel. Mais si on avait fait un mélange de nos deux styles, ç'aurait été bien mieux, pour le Mac comme pour tout le monde. »

Toutefois, il y avait des aspects positifs au style de Jobs. Il insuffla chez les employés d'Apple une passion pour les produits révolutionnaires et la certitude qu'ils pouvaient accomplir l'impossible. Ils arboraient des tee-shirts scandant : « Quatre-vingt-dix heures par semaine et j'aime ça ! » Poussés par la peur et l'envie d'impressionner le patron, ingénieurs et développeurs se surpassaient et s'étonnaient eux-mêmes. Parce que Jobs leur interdisait tout compromis, y compris ceux qui auraient permis de fabriquer le Mac à moindre coût et dans les délais, il leur évita par la même occasion de faire d'autres compromis qui eux auraient été regrettables.

« J'ai appris avec les années que lorsqu'on a des bons avec soi, on n'a pas besoin de les materner, me dira plus tard Jobs. Si l'on attend d'eux le meilleur, ils vous le donnent. L'équipe Mac du début m'a montré que les joueurs de première classe aiment jouer ensemble et détestent que vous n'exigiez pas d'eux des prodiges. Posez-leur la question. Tous vous diront que ça en valait la peine. »

Peut-être pas tous, mais la plupart…

« Il hurlait aux réunions, "bande de nuls, vous faites de la merde !" se souvient Debi Coleman. C'était comme ça tout le temps. Et pourtant je considère que travailler avec lui a été la grande chance de ma vie. »

CHAPITRE DOUZE

LE DESIGN

Les vrais artistes simplifient

L'esthétique du Bauhaus

Contrairement aux autres gamins qui avaient grandi, comme lui, dans des maisons Eichler, Jobs savait précisément pourquoi ces habitations étaient si agréables à vivre. Il aimait le modernisme simple et épuré conçu pour les masses. Il avait aussi appris avec son père à apprécier la « patte » d'un constructeur automobile en analysant le style des carrosseries. Alors depuis le début chez Apple, il croyait que le design industriel – un logo simple, un boîtier élégant – permettait à une société de se démarquer de la concurrence et de se forger une identité.

Les premiers locaux d'Apple, après avoir quitté le garage paternel, se trouvaient dans un petit bâtiment que Jobs partageait avec un bureau des ventes Sony. Le constructeur nippon était réputé pour son style et le design de ses produits ; Jobs furetait donc souvent chez son voisin. « Il passait me voir, raconte Dan'l Lewin qui travaillait là, vêtu n'importe comment et étudiait avec délectation les dépliants et les catalogues, restant parfois en arrêt devant le design d'une pièce. De temps en temps il demandait : *"Je peux te prendre cette brochure ?"* » Dès 1980, Jobs débauchera Lewin pour qu'il rejoigne les rangs d'Apple.

Son goût pour les habillages noirs de Sony s'estompa au moment où il commença à se rendre, à partir de juin 1981, au salon international du design industriel qui se tenait, tous les ans, à Aspen. Cette année-là, le thème était le style italien. L'architecte Mario Bellini, le réalisateur Bernardo Bertolucci, le designer Sergio Pininfarina et Susanna Agnelli, l'héritière de l'empire Fiat, étaient invités. « J'avais une vénération pour le design italien, me confia Jobs, comme le gamin de *La Bande des quatre* pour les cyclistes italiens ! Cela a été pour moi une révélation et une grande source d'inspiration. »

À Aspen, il découvrit le design fonctionnel et pur du mouvement du Bauhaus qui fut porté à son apogée par Herbert Bayer, dans ses constructions, ses polices de caractères bâtons et son mobilier que l'on trouvait à l'Institut Aspen. Comme ses maîtres Walter Gropius et Ludwig Mies van der Rohe, Bayer considérait qu'il n'existait pas de frontière entre l'art et le design industriel. Le « style international » défendu par le Bauhaus montrait que le design devait rester simple, sans être froid. Il mettait en avant la rationalité et la fonctionnalité en utilisant des lignes et des formes pures. « Dieu est dans les détails », « le moins est le mieux », tels étaient les préceptes prêchés par Mies et Gropius. Comme c'était le cas des maisons Eichler, la sensibilité artistique devait être combinée à la production de masse.

Jobs déclara publiquement son goût pour le style du Bauhaus dans un discours prononcé lors du salon du design d'Aspen en 1983, dont le thème était « Le futur n'est plus ce qu'il était ». Parlant sous un chapiteau, Jobs prédit le déclin du style Sony au profit de la simplicité du Bauhaus. « Le design industriel actuel, initié par la firme nipponne, est le high-tech, c'est-à-dire de l'acier gris, parfois teint en noir, avec adjonctions d'appendices bizarroïdes. C'est facile et efficace. Mais ça n'a pas de classe. » Il proposait une autre voie, issue du Bauhaus, qui serait plus en adéquation avec la nature et la fonction du produit. « Nos produits, au contraire, doivent être présentés de façon la plus pure qui soit. Le client saura alors tout de suite qu'il y a, à l'intérieur, de la haute technologie. Nous allons les insérer dans des petits boîtiers, qui seront beaux et tout blancs, comme le fait Braun pour ses appareils. »

Jobs tenait à ce que les articles d'Apple soient simples et élégants. « Apple doit avoir un design beau et pur, jouer la carte de la transparence et de la convivialité pour ses produits, à l'inverse de Sony,

avec son design industriel surchargé et noir, noir et encore noir !
exhortait-il. Nous devons chercher la simplicité avant tout, faire des
œuvres d'art dignes d'être exposées au Museum of Modern Art. Que
ce soit dans le management de l'entreprise, l'apparence de nos produits, nos publicités, tout doit aller dans le même sens : faisons
simple. Vraiment simple. » Ce mantra sera écrit noir sur blanc sur
la première brochure d'Apple : « La simplicité est la sophistication
suprême. »

Pour Jobs, simplicité du design rimait avec simplicité d'emploi.
Cette idée, cependant, n'allait pas toujours de soi. Parfois le design
d'un produit pouvait être tellement épuré et minimaliste que l'utilisateur était intimidé, et n'osait pas s'en servir. « Nous devons montrer que l'utilisation de nos produits est intuitive et évidente, et ce
doit être le message premier de notre design », expliquait Jobs au
parterre de créateurs. Il citait toujours la métaphore du bureau qu'il
avait créé pour le Macintosh. « Tout le monde sait, intuitivement,
comment s'y retrouver. Sur tous les bureaux de la planète c'est
pareil : le document posé au-dessus des autres est le plus important.
C'est ainsi qu'on organise les priorités. Si nous utilisons ce genre
de métaphores pour nos ordinateurs, c'est parce que le commun des
mortels en a déjà fait l'expérience. »

Pendant que Jobs faisait son discours, dans une salle plus modeste,
une autre personne donnait également une conférence. Il s'agissait de
Maya Lin, vingt-trois ans, qui s'était retrouvée sous le feu des projecteurs en novembre, quand son mémorial pour les vétérans du Viêt-
nam avait été inauguré à Washington. Jobs et Maya Lin devinrent
amis, et Jobs l'invita à visiter Apple. Le jeune homme était intimidé
par les artistes comme Maya Lin, il demanda à Debi Coleman de
lui prêter main-forte. « J'ai travaillé avec Steve pendant une semaine,
raconte Maya Lin. J'ai voulu savoir pourquoi les ordinateurs ressemblaient tous à de grosses télévisions ? Pourquoi ne faites-vous pas
quelque chose de plus fin ? Pourquoi pas un ordinateur tout mince
et plat ? » Jobs lui répondit que c'était effectivement son objectif, mais
que la technologie ne le permettait pas encore.

À cette époque, le patron d'Apple jugeait la créativité dans le
domaine du design industriel au point mort. Jobs avait une lampe
Richard Sapper qu'il aimait beaucoup. Il appréciait aussi le mobilier de Charles et Ray Eames, ainsi que les produits Braun des-

sinés par Dieter Rams. Mais il n'existait aucune figure de proue susceptible de révolutionner le design industriel comme l'avaient fait Raymond Loewy et Herbert Bayer en leur temps. « Il ne se passait rien dans ce domaine, en particulier à la Silicon Valley, me raconte Maya Lin. Steve voulait donner un coup de pied dans la fourmilière. En matière de design, il aime l'élégance, mais pas le conventionnel, le tout avec une pointe d'humour. Il est porté vers le minimalisme, parce qu'en adepte du zen, il recherche la simplicité, mais il ne veut pas que ses produits soient froids. Ils doivent rester sympathiques. Il est passionné et hyper-sérieux en matière de design, et en même temps, il y a de la malice, un sourire en coin. »

À mesure que son sens esthétique s'affinait, Jobs fut de plus en plus attiré par le style japonais et se mit à fréquenter quelques-unes de ses figures de proue, tels Issey Miyake et I.M. Pei. « J'ai toujours trouvé le bouddhisme – en particulier le bouddhisme japonais – d'une beauté absolue, expliquait-il, mon plus grand choc esthétique, je l'ai eu en découvrant les jardins de Kyoto. J'étais impressionné par les chefs-d'œuvre qu'avait produits cette culture, et cette beauté puisait sa source directement dans le bouddhisme zen. »

Comme une Porsche

Le Macintosh de Jef Raskin devait ressembler à une valise, dont le clavier, faisant office de couvercle, se refermait sur l'écran. Quand Jobs reprit le projet, il décida de sacrifier l'aspect portable de l'appareil pour en faire une machine de bureau au design élégant qui occuperait un espace très réduit sur le plan de travail. Il saisit un annuaire de téléphone, le posa sur un bureau, et déclara, au grand dam des ingénieurs, que la base du Mac ne devrait pas être plus grande que ça. L'équipe de design, dirigée par Jerry Manock et Terry Oyama, se mit à plancher sur un modèle ayant un écran intégré, juste au-dessus de l'unité centrale, et équipé d'un clavier détachable.

Un jour, en mars 1981, Andy Hertzfeld, qui revenait travailler au bureau après dîner, trouva Jobs penché au-dessus de leur prototype numéro un, en pleine discussion avec James Ferris, le directeur du pôle création.

— Il nous faut un look classique, qui soit indémodable, comme la Coccinelle de Volkswagen, insistait Jobs qui avait appris, avec son père, à apprécier le classicisme dans le design automobile.

— Non. Il faut des courbes voluptueuses, comme une Ferrari.

— Non, pas comme une Ferrari. Ce serait une erreur. Comme une Porsche, voilà ce qu'il faut !

Jobs avait à l'époque une Porsche 928. (Ferris, plus tard, partit travailler pour la firme de Stuttgart comme conseiller en communication.) Un week-end, l'impétueux patron avait montré sa Porsche à Bill Atkinson : « Le véritable art invente l'esthétique, il ne la suit pas ! » Il lui avait également fait admirer sa Mercedes sur le parking d'Apple. « Au fil des ans, ils sont parvenus à affiner les lignes et, en même temps, à accentuer les détails. C'est ça que nous devons faire pour le Macintosh. »

Oyama dessina une première esquisse et réalisa une maquette en plâtre. Jobs et l'équipe réunie au grand complet découvrirent le modèle. Hertzfeld le trouva « mignon ». D'autres aussi aimaient bien le projet. Mais Jobs n'était pas content. « C'est bien trop carré ! on dirait une grosse boîte ! Il faut que ce soit plus rond. Le rayon du premier chanfrein doit être plus grand et je n'aime pas l'attaque du biseau. » Dans ce jargon de designer industriel – que Jobs avait appris récemment – il critiquait l'arrondi des angles du boîtier. Mais il lâcha quand même un compliment : « C'est un début. »

Une fois par mois, Manock et Oyama venaient présenter leur version rectifiée, conformément aux demandes de Jobs. La dernière maquette en plâtre était dévoilée, entourée de toutes les évolutions précédentes. Non seulement on voyait mieux ainsi la progression du projet, mais cela empêchait Jobs de soutenir que les designers n'avaient pas suivi à la lettre toutes ses consignes. « Arrivé à la version quatre, je ne voyais déjà plus la différence avec la numéro trois ! raconte Hertzfeld. Mais Steve était toujours aussi critique et précis, disant qu'il aimait ceci, qu'il détestait cela – des détails que je remarquais à peine. »

Un week-end, Jobs se rendit au grand magasin Macy's à Palo Alto, pour étudier, encore une fois, le design des appareils électro-ménager, en particulier celui du robot-mixeur Cuisinart. Il revint au bureau le lundi et demanda à son équipe d'aller en acheter un. Il donna alors une série de modifications à apporter au modèle en prenant exemple sur les lignes, les courbes et les angles biseautés du Cuisinart. Oyama conçut donc une nouvelle ébauche qui ressemblait beaucoup à un appareil de cuisine, mais Jobs reconnut lui-même qu'ils faisaient fausse route. On revint donc au modèle de la semaine précédente, et Jobs donna son feu vert.

Jobs tenait à ce que la machine paraisse sympathique. Au fil des modifications, le Macintosh ressemblait de plus en plus à un visage humain. Avec son lecteur de disquette sous l'écran, l'unité était plus haute et plus étroite que la plupart des ordinateurs, et ressemblait effectivement à un visage. Le renfoncement à la base de l'appareil donnait l'illusion d'un menton, et Jobs fit araser la portion de plastique au-dessus de l'écran pour que le Mac n'ait pas un front de Néanderthalien – un détail qui rendait le Lisa disgracieux. Le design du boîtier sera signé conjointement par Steve Jobs, Jerry Mannock et Terry Oyama. « Même si Steve n'a pas dessiné une ligne, ses idées et son influence ont fait du Mac ce qu'il est, dira plus tard Oyama. Pour être honnête, avant que Steve nous l'explique, on ne savait pas comment un ordinateur pouvait être "sympathique". »

Jobs était aussi exigeant sur l'aspect de l'écran. Un jour, Bill Atkinson débarqua aux Texaco Towers tout excité. Il venait de concevoir un algorithme ingénieux qui permettait de tracer des cercles et des ovales rapidement à l'écran. Le calcul pour tracer des cercles fait appel à des racines carrées, ce que le Motorola 68000 ne pouvait gérer. Mais Atkinson trouva une astuce fondée sur le fait que les sommes de nombres impairs donnent une succession de carrés parfaits (par exemple, 1+3 = 4, 1+3+5 = 8, etc.). Hertzfeld raconte que tout le monde était impressionné quand Atkinson avait fait une démonstration de son programme – tout le monde, sauf Jobs.

— D'accord, tes cercles et tes ovales sont bien, mais pourquoi tes rectangles n'ont-ils pas de coins arrondis ?

— Je me suis dit que ce n'était pas nécessaire.

Atkinson lui précisa que mathématiquement, c'était quasiment impossible à réaliser. « Je voulais avoir des routines graphiques les plus légères possibles, m'expliqua-t-il, et les limiter au tracé de formes fondamentales qui étaient réellement indispensables. »

— Des rectangles avec des coins arrondis, il y en a partout ! lança Jobs en bondissant de son siège. Regarde autour de toi ! Rien que dans cette pièce !

Jobs montra le tableau blanc, le plateau du bureau, et autres objets rectangulaires.

— Et jette un coup d'œil dehors ! Il y en a encore plus. Absolument partout. On ne peut pas y échapper !

Sur ce, Jobs entraîna Atkinson à l'extérieur, lui désignant les vitres des voitures, les panneaux dans les rues, les écriteaux. « Rien que sur cent mètres, on en a trouvé dix-sept ! me raconta Jobs. Je tendais mon doigt tous azimuts ! »

Atkinson s'avoua vaincu : « Quand il m'a signalé un panneau "Stationnement Interdit", j'ai dit : "D'accord, Steve, tu as gagné. Il nous faut des rectangles à coins arrondis comme forme fondamentale !" » C'est Hertzfeld qui me narra la suite : « Bill est revenu aux Texaco Towers le lendemain après-midi, avec un grand sourire aux lèvres. Sa démo dessinait à présent de jolis rectangles avec des angles ronds, et ce, à une vitesse sidérante. » Les boîtes de dialogues et les fenêtres sur le Lisa et le Mac, comme sur la majorité des ordinateurs ultérieurs, auraient toutes cette finition « coins ronds ».

Grâce au cours de calligraphie qu'il avait suivi durant son passage à Reed, Jobs avait découvert la typographie, avec toutes ses variations de caractères – droits, à empattement, proportionnels – et ses interlignages divers. « Quand on a conçu le premier Macintosh, tout cet enseignement m'est revenu », m'expliqua-t-il. Puisque le Mac avait un affichage point par point, il était possible de concevoir une infinité de polices, de la plus classique à la plus loufoque, et de les restituer pixel par pixel à l'écran.

Pour concevoir ces polices, Hertzfeld recruta Susan Kare, une camarade de lycée originaire des environs de Philadelphie. Elle donna aux polices le nom des gares de son ancienne ligne de trains de banlieue : Overbrook, Merion, Ardmore, Rosemont. Jobs était emballé par l'idée, mais il revint la voir l'après-midi même, l'air chagrin : « Ce sont des petites bourgades que personne ne connaît. Il faut que ce soit des villes connues du monde entier ! » C'est ainsi que naquirent les polices Chicago, New York, Geneva, London, San Francisco, Toronto et Venice !

Markkula, et d'autres cadres, n'appréciaient guère cette passion de Jobs pour les polices de caractères. « Il avait une connaissance remarquable en ce domaine, et il voulait avoir les plus belles typos, raconte Markkula. Je n'arrêtais pas de dire : "Des nouveaux carac-

tères ? Encore ? On a des problèmes plus importants à régler, tu
ne crois pas ?" » En fait le Mac, avec ses belles polices et ses possibilités graphiques, combiné à une imprimante laser, ouvrirait tout
le secteur de la PAO à Apple. En outre, cela démocratisa l'accès à
la typographie. Tout le monde se passionna pour les polices de
caractères, des journalistes en herbe rédigeant la gazette du lycée,
aux mères de famille écrivant les bulletins d'information des associations de parents d'élèves – un domaine autrefois réservé aux
imprimeurs et autres petites mains maculées d'encre.

Susan Kare dessina aussi les icônes – telles que la poubelle – qui
permit de donner une identité à l'interface graphique. Le courant
passait bien entre elle et Jobs. Tous les deux avaient le même goût
de la simplicité et la même envie d'insuffler au Mac de la fantaisie.
« Il venait me voir tous les jours en fin d'après-midi, raconte-t-elle.
Il voulait savoir ce que j'avais fait de nouveau. Il avait un œil sûr,
pour tout ce qui était visuel. » Parfois, Jobs passait au bureau le
dimanche matin ; Susan Kare se fit alors un point d'honneur d'être
là pour pouvoir lui montrer ses maquettes. De temps en temps, une
idée ne lui plaisait pas. Il rejeta, par exemple, l'icône du lapin, un
bouton destiné à accélérer la vitesse du double-clic de la souris, en
disant que cet animal à l'air de peluche faisait trop homo.

Jobs portait le même soin aux barres de titre, au sommet des
fenêtres, des documents et des écrans. Atkinson et Susan Kare
recommencèrent leur ouvrage encore et encore, mais Jobs n'était
toujours pas satisfait. Il n'aimait pas celle du Lisa, parce qu'elles
étaient trop noires et agressives. Il voulait que les bandeaux du Mac
soient plus doux, avec un joli liseré. « On lui a présenté plus de
vingt versions avant qu'il ne soit content », se souvient Atkinson.
À un moment donné, Atkinson et Susan lui reprochèrent de passer
trop de temps sur un détail tel que l'aspect des barres de titre, alors
qu'il y avait encore tellement de points essentiels à régler. Jobs avait
piqué une colère : « Imaginez que vous ayez ça tous les jours sous
les yeux ! Ce n'est pas un détail. Au contraire ! C'est essentiel et il
faut que ce soit parfait ! »

Chris Espinosa trouva un moyen ingénieux de satisfaire les exigences esthétiques de Jobs tout en se protégeant de sa tyrannie.
Espinosa, qui était un jeune acolyte de Wozniak de l'époque du
garage, avait abandonné ses études à Berkeley pour rejoindre l'équipe

Mac. Jobs s'était montré persuasif : « Tu pourras toujours étudier, mais construire le Mac, cela ne se produira qu'une fois dans ta vie. » De son propre chef, Espinosa décida de concevoir une calculette pour l'ordinateur. « On était tous rassemblés autour de Chris quand il l'a montrée à Steve, raconte Hertzfeld. On retenait notre souffle, attendant sa réaction. »

— C'est un début. Mais visuellement, c'est pourri. Le fond est trop sombre, certains contours sont trop épais, et les touches sont trop grosses.

Espinosa affina sa maquette en fonction des critiques de Jobs, mais chaque nouvelle version recevait un même lot de critiques. Finalement, un après-midi, quand Jobs arriva pour examiner la nouvelle ébauche, Espinosa avait eu une idée de génie : « Le kit calculette spécial Steve Jobs. » L'utilisateur pouvait personnaliser la version présentée, changer l'épaisseur des traits, la taille des touches, l'ombrage, le fond et autres aspects visuels. Non seulement le patron trouva le clin d'œil amusant, mais il se prit aussitôt au jeu et commença à modifier l'aspect de la calculette selon son goût. Dix minutes plus tard, il avait ce qu'il voulait. Et, évidemment, c'est sa version qui fut installée sur le Mac et qui y demeura pendant les quinze années suivantes.

Même si toute son attention était accaparée par le Macintosh, Jobs voulait créer une identité pour tous les produits Apple. Alors, avec l'aide de Jerry Manock et un groupe informel baptisé l'Apple Design Guild, il lança un appel d'offres pour trouver un designer de renommée internationale qui serait à Apple ce que Dieter Rams avait été pour Braun. Le projet avait pour nom de code Blanche Neige – pas parce que Jobs aimait le blanc, mais parce que les produits visés par ce « relooking » portaient le nom des sept nains. Le gagnant fut Hartmut Esslinger, un créateur allemand à qui l'on devait le design des télévisions Trinitron de Sony. Jobs lui rendit visite dans sa Bavière natale. Il fut non seulement impressionné par la passion du designer pour son métier, mais aussi par sa conduite enthousiaste, quand ils traversèrent la Forêt Noire dans sa Mercedes à plus de cent soixante kilomètres à l'heure.

Bien qu'Allemand, Esslinger déclara qu'il fallait revendiquer les gènes américains d'Apple, annoncer un produit « made in Californie », sentir dans son ADN « l'influence d'Hollywood, du rock, de

la contre-culture, et de la libération sexuelle ». Son mantra était :
« La forme suit l'émotion » – par conséquent la forme devait suivre
la « fonction ». Il conçut ainsi quarante modèles pour illustrer ce
concept, et quand Jobs les découvrit il s'écria : « C'est ça ! » La charte
Blanche Neige, qui fut appliquée immédiatement à l'Apple IIc,
comprenait des boîtiers blancs, des courbes franches, et un réseau
de fines fentes à la fois décoratives et utiles pour la ventilation. Jobs
lui proposa un contrat avec Apple, à la condition expresse qu'il
emménage en Californie. Les deux hommes se serrèrent la main
pour conclure l'accord. Esslinger, qui n'est pas un exemple de
modestie, décrira cet instant en ces termes : « Par cette poignée de
main débutait une collaboration qui allait révolutionner le design
industriel. » frogdesign[1], la société d'Esslinger, ouvrit ses portes à
Palo Alto au milieu de l'année 1983 avec un contrat avec Apple de
un million deux cent mille dollars par an. À partir de ce jour-là,
tous les produits de la société de Cupertino porteront fièrement la
mention « Designed in California ».

Paul Jobs avait appris à son fils qu'un bon artisan apporte le même
soin à toutes les parties de son travail, que celles-ci soient visibles
ou non. Steve Jobs poussa ce précepte à l'extrême, jusqu'à peaufiner
la disposition des puces et composants sur la carte mère – une pièce
qu'aucun utilisateur ne verrait jamais.

— Ce circuit est plutôt joli, mais regardez l'arrangement des
mémoires. C'est ni fait ni à faire ! Elles sont bien trop rapprochées
les unes des autres.

— Mais la seule chose qui importe, c'est que ça fonctionne au
mieux, répliqua un ingénieur. Personne ne va voir cette carte.

La réaction de Jobs était prévisible :

— Je veux que tout soit le plus élégant possible, même si c'est à
l'intérieur de la caisse. Un menuisier digne de ce nom ne va pas

---

1. La société s'appela frog design en 2000 et déménagea à San Francisco. Esslinger choisit le mot « frog » (grenouille) pas uniquement parce que ce batracien était capable de métamorphoses, mais en hommage à sa terre natale : la (f)ederal (r)epublic (o)f (g)ermany. Il disait « l'emploi des minuscules est une réaffirmation de l'idéal d'un tout non hiérarchique si cher au Bauhaus, et montre que la société désire émuler un partenariat démocratique ». *(N.d.A.)*

utiliser du bois de mauvaise qualité pour faire le fond de son armoire !

Dans une interview, donnée des années plus tard, après la sortie du Macintosh, Jobs répéta cet enseignement paternel : « Quand un artisan réalise une jolie commode, il ne va pas mettre un bout de contreplaqué pour fermer le fond, même si cette partie est contre le mur et invisible. C'est une histoire de conscience professionnelle. Vous, vous savez que cette planche est là. Si on veut dormir tranquille, avec la satisfaction du travail bien fait, il ne faut rien lâcher – l'esthétique et la qualité doivent être les maîtres mots jusqu'au bout. »

Mike Markkula, une autre figure paternelle de Jobs, avait apporté un corollaire à cette théorie de « la beauté cachée » : il fallait avoir le même souci esthétique pour la présentation et l'emballage du produit. Les gens jugeaient un livre à sa couverture. Il en était de même du carton du Macintosh. Jobs choisit donc un emballage de couleur et tenta de le rendre le plus attractif possible. « Il le fit refaire cinquante fois, raconte Alain Rossmann, un membre de l'équipe Mac qui épousa Joanna Hoffman. La boîte était destinée à finir à la poubelle, mais Steve tenait à ce qu'elle soit belle. » Pour Rossmann, c'était exagéré ; une fortune était dépensée dans l'emballage, alors que les développeurs s'échinaient à faire des économies sur les puces. Mais du point de vue de Jobs, chaque détail était essentiel. Le Macintosh devait être extraordinaire, tant par ses fonctionnalités que par son aspect.

Lorsque le design définitif fut arrêté, Jobs rassembla toute l'équipe pour fêter l'événement. « Les artistes signent leur œuvre », déclara-t-il. Alors il sortit une feuille de papier millimétré, un feutre fin, et demanda à tous d'écrire leurs noms. Les signatures seraient gravées à l'intérieur de tous les Macintosh. Personne ne les verrait jamais, à l'exception des réparateurs. Mais tous les membres de l'équipe savaient que leurs noms étaient là, sur la face interne du boîtier, comme ils savaient que la carte mère à l'intérieur était d'une finition irréprochable. Jobs appela chaque membre, un à un, pour venir signer. Burrell Smith fut le premier. Jobs passa en dernier, après les quarante-cinq autres. Il trouva une petite place au milieu et écrivit son nom, tout en minuscules. Puis il leva sa coupe de champagne. Atkinson se souvient encore de cet instant : « À ce moment-là, nous savions que nous avions créé une œuvre d'art. »

CHAPITRE TREIZE

FABRIQUER LE MAC

Le voyage est la récompense

La compétition

Quand IBM lança son micro-ordinateur, en août 1981, Jobs et son équipe en achetèrent un pour le disséquer. Ils s'accordèrent tous pour dire que l'appareil était mauvais. Pour Chris Espinosa, c'était « un bricolage mal fichu et fait à la va-vite » – et ce n'était pas entièrement faux. L'ordinateur fonctionnait avec des lignes d'instructions à l'ancienne et l'écran affichait des caractères classiques et non gérés point par point par une interface graphique. Apple se montra arrogant, sans réaliser que les chefs d'entreprise risquaient de préférer acheter une machine construite par une grande société comme IBM, plutôt qu'un appareil portant le logo d'une pomme. Bill Gates se trouvait chez Apple le jour du lancement de l'IBM PC. « Ils s'en fichaient totalement, raconte-t-il. Cela leur a pris un an à comprendre ce qui venait de leur tomber sur la tête. »

Sûr de sa prédominance, Apple s'offrit une pleine page de pub dans le *Wall Street Journal*, avec le titre : « Bienvenue, IBM. Sérieusement. » Cela annonçait clairement le combat à venir, entre la petite Pomme impétueuse, et le Goliath IBM, en faisant ostensiblement abstraction des autres sociétés telles que Commodore, Tandy, Osborne qui, pourtant, s'en tiraient aussi bien qu'Apple.

Jobs s'était toujours vu comme un rebelle partant en croisade contre l'empire du mal, un chevalier Jedi, un samouraï bouddhiste combattant les forces obscures. IBM était l'ennemi idéal. La lutte ne serait pas uniquement commerciale et technologique, mais spirituelle. « Si, pour quelque raison, nous commettons une énorme erreur et qu'IBM l'emporte, je pense alors que nous entrerons dans un âge sombre de l'informatique pour au moins vingt ans, expliqua-t-il à un journaliste. Dès que Big Blue a le contrôle d'un marché, ils étouffent toute innovation. » Trente ans plus tard, en se souvenant de cette compétition, Jobs persiste et signe. C'était bien une croisade : « IBM était à l'époque ce qu'est Microsoft aujourd'hui dans ses pires travers. Ils ne représentaient pas une force de création, mais une force du mal. IBM, c'était comme Microsoft ou Google de nos jours. »

Malheureusement pour Apple, les foudres de Jobs s'abattirent aussi sur une autre machine « ennemie » : le Lisa fabriqué par sa propre société. Il y avait de la revanche dans l'air, évidemment. Jobs avait été chassé de l'équipe rivale, et maintenant, il voulait l'humilier. Il voyait également dans cette lutte intestine un bon moyen de motiver ses troupes. C'était ainsi qu'il avait parié publiquement cinq mille dollars avec John Couch que le Macintosh serait prêt avant le Lisa. Le problème, c'est que cette compétition interne n'était pas saine. Jobs passait son temps à répéter que ses développeurs étaient des petits génies, les véritables forces vives d'Apple, sous-entendant que l'équipe Lisa était un ramassis de vieux croûtons sans une once d'imagination.

Quand Jobs abandonna le projet de Jef Raskin, à savoir de fabriquer un ordinateur portable bon marché, pour faire du Macintosh une machine de bureau puissante, dotée d'une interface graphique, il marchait de fait sur les plates-bandes du Lisa. Le Macintosh, devenant alors une version grand public du Lisa, allait lui prendre des parts de marché. La concurrence fut encore plus flagrante quand Jobs demanda à Burrell Smith de repenser les circuits pour le Motorola 68000, faisant du Mac une machine plus rapide que le Lisa.

Larry Tesler, qui dirigeait le développement des applications pour le Lisa, voulait, pour limiter la casse, que les deux machines puissent utiliser les mêmes programmes. Pour enterrer la hache de guerre, il invita Smith et Hertzfeld à venir faire une démonstration du Macintosh dans les locaux de l'équipe. Vingt-cinq ingénieurs vinrent à la présentation. Ils écoutaient poliment les explications des deux hommes quand la porte s'ouvrit brutalement ; c'était Rich Page, l'un des principaux concepteurs du Lisa. « Le Macintosh est en train de saboter le Lisa ! cria-t-il. Le Macintosh va ruiner Apple ! » Devant Smith et Hertzfeld, saisis d'effroi, Page continua sa diatribe : « Jobs veut détruire le Lisa parce qu'on n'a pas voulu lui laisser diriger le projet ! (Page paraissait au bord des larmes) Plus personne ne va acheter un Lisa parce que tout le monde sait que Macintosh arrive ! Mais ça, vous vous en foutez ! » Il sortit de la pièce en claquant la porte, mais revint quelques instants plus tard et s'adressa à Smith et Hertzfeld : « Vous n'y êtes pour rien, les gars. C'est Steve Jobs le problème. Dites à Jobs qu'il va faire couler la boîte ! »

Le Macintosh fut effectivement un rival, plus rapide, meilleur marché, et utilisant des logiciels qui ne pouvaient tourner sur le Lisa. Mais plus inquiétant encore, c'est que ni le Lisa ni le Macintosh n'étaient compatibles avec l'Apple II. Puisqu'il n'y avait personne à la barre pour veiller à la cohérence des produits, Jobs n'en faisait qu'à sa tête.

Tout maîtriser de A à Z

Jobs avait donc rendu le Mac incompatible avec l'architecture du Lisa ; ce n'était pas qu'une simple question de vengeance ou de rivalité. Il y avait, en filigrane, une préoccupation quasi philosophique – celle d'avoir la maîtrise totale. Pour qu'un ordinateur soit vraiment révolutionnaire, il fallait que matériel et logiciel soient conçus conjointement et intimement liés. Si on voulait qu'une machine puisse faire tourner des programmes conçus pour d'autres plateformes, on était contraint de faire l'impasse sur certaines fonctionnalités. Les meilleurs produits devaient donc être des « packs tout compris », conçus par le fabricant de A à Z, avec des logiciels faits sur mesure pour le matériel et vice versa. C'est ce qui différenciait le Macintosh – doté d'un système d'exploitation exclusif – de l'environnement Microsoft avec MS-DOS[1] (et plus tard de celui de

---

1. Micro(S)oft – Disk Operating System. *(N.d.T.)*

Google avec son Android), qui pouvait être utilisé par de multiples fabricants.

« Steve Jobs est un artiste élitiste et têtu qui ne veut pas que ses créations soient modifiées par des programmeurs de seconde zone, écrivait Dan Farber, rédacteur en chef de *ZDNet*. Pour lui, c'est comme si quelqu'un venait ajouter quelques coups de pinceau à un tableau de Picasso, ou s'avisait de changer les paroles d'une chanson de Bob Dylan. » Ces dernières années, la stratégie du « tout en un » permit encore à l'iPhone, l'iPod et l'iPad de se distinguer de la concurrence, et d'être des produits d'exception. Mais ce n'est pas toujours la meilleure tactique pour dominer un marché. « Du premier Mac au dernier iPhone, les machines de Steve Jobs ont toujours été fermées pour éviter que les utilisateurs puissent les modifier », note Leander Kahney, l'auteur de *Cult of Mac*.

Ce désir de limiter la liberté de l'utilisateur avait été au cœur du débat avec Wozniak quand il avait été question de mettre ou non des connecteurs d'extension sur l'Apple II – des fentes qui permettaient à l'utilisateur d'enficher des cartes pour accroître les fonctionnalités de la machine. Wozniak, cette fois-là, l'avait emporté. L'Apple II pouvait recevoir jusqu'à huit cartes d'extension. Mais le Macintosh était la chasse gardée de Jobs. Ce serait donc une machine fermée à double tour ! On ne pourrait même pas ouvrir le boîtier pour accéder à la carte mère. Pour un passionné d'informatique ou un pirate, c'était un défaut rédhibitoire. Mais Jobs destinait le Mac aux masses populaires. Il voulait leur offrir une liberté « contrôlée ». Il n'était pas question que quelque bidouilleur gâche son design parfait en enfichant partout des cartes d'extension.

« Le Mac est à l'image de son créateur, explique Berry Cash, un responsable de la stratégie marketing embauché par Jobs en 1982 et qui avait fait ses classes aux Texaco Towers. Steve se plaignait souvent de la liberté que laissait l'Apple II : "On ne contrôle plus rien. Regarde ce que ces dingues essaient de faire avec ! Je ne commettrai plus jamais cette erreur !" » Il alla jusqu'à concevoir des vis spéciales pour qu'il soit impossible d'ouvrir le boîtier avec un tournevis classique. « Personne, sauf les réparateurs agréés, ne pourra accéder à l'intérieur ! »

Il décida aussi de supprimer les touches directionnelles du clavier. La souris devait être le seul et unique moyen de déplacer le curseur.

C'était une façon de contraindre les anciens utilisateurs à changer leurs habitudes. À l'inverse des autres fabricants, Jobs ne considérait pas que le client avait toujours raison. Il devait s'habituer à utiliser la souris. Et s'il refusait, c'était tant pis pour lui. C'était là un autre exemple de l'exigence de Jobs – la perfection de son produit passait avant la satisfaction immédiate du consommateur.

Il y avait un autre avantage (qui pouvait être un désavantage, selon le point de vue) à supprimer les touches directionnelles : cela obligeait les développeurs de logiciels à écrire des programmes spécifiquement pour le Macintosh, et non des logiciels génériques susceptibles de tourner sur n'importe quel ordinateur. Cela imposait une intégration strictement verticale entre l'application, le système d'exploitation, et le matériel, ce qui était justement le cheval de bataille de Jobs.

Il n'était donc pas question de donner le code source du système d'exploitation du Macintosh pour que d'autres sociétés puissent en fabriquer des clones. C'eût été une hérésie pour Jobs. Mike Murray, le nouveau directeur marketing, dans une notre confidentielle en 1982, tenta de lui faire entendre raison : « Il serait formidable que l'environnement Macintosh devienne une norme industrielle. Rarement – sinon jamais – une société seule n'a pu créer et maintenir un nouveau standard sans la partager avec d'autres fabricants. » Il proposait d'octroyer la licence à Tandy. Parce que la chaîne de magasins d'électronique Radio Shack, propriété de Tandy, s'adressait, disait-il, à une autre clientèle et ne grèverait pas les ventes d'Apple. Mais Jobs opposa un non catégorique. Il ne pouvait supporter de lâcher son bébé. Cela signifiait que le Macintosh resterait un système fermé, avec son propre standard, mais aussi, comme le redoutait Murray, qu'il aurait du mal à survivre dans un monde dominé par les clones de l'IBM PC.

« *La machine de l'année* »

À la fin de l'année 1982, Jobs espérait être « l'homme de l'année » du *Time*. Il arriva un jour au bureau en compagnie de Michael Moritz, le chef du bureau californien du magazine, et demanda à tout le monde de lui accorder des interviews. Mais Jobs n'eut pas droit à sa couverture. À la place, ce fut « l'ordinateur » qui eut l'honneur du numéro spécial du *Time* et qui fut élu « machine de l'année ». À côté de l'article, il y avait en encadré une biographie du jeune président d'Apple, fondée sur les renseignements recueillis par Moritz ce jour-là et rédigée par Jay Cocks, un journaliste spécialiste du rock qui d'ordinaire s'occupait des pages musique du magazine : « Avec son art inné de bonimenteur, et sa foi aveugle à rendre jaloux un témoin de Jéhovah, c'est Steve Jobs, plus que quiconque, qui a poussé notre porte et fait entrer les micro-ordinateurs dans nos foyers. » L'article était bien documenté, mais sans concession, pour ne pas dire désobligeant – au point que Moritz (après avoir écrit un livre sur Apple et être devenu un associé du cabinet d'investissement Sequoia Capital avec Don Valentine) le renia, en soutenant que son texte avait été « siphonné, biaisé, lardé de ragots enfiellés par un journaliste de New York qui d'ordinaire rédigeait des chroniques sur le monde sulfureux de la scène rock ». Dans l'article, Bud Tribble évoquait « le champ de distorsion de la réalité » de Jobs, et le fait qu'il pouvait fondre en larmes lors de réunions houleuses. La déclaration la plus savoureuse vint de Jef Raskin quand il expliqua que Steve Jobs « aurait fait un excellent roi de France ».

À la stupeur du jeune homme, le *Time* fit mention de sa fille qu'il avait abandonnée, Lisa Brennan. C'est dans cet article qu'on trouve sa fameuse déclaration : « 28 pour cent de la population masculine des États-Unis peut être le père », ce qui mit Chrisann dans une fureur noire. Il savait que c'était Kottke qui avait parlé de Lisa et il lui passa un savon devant toute l'équipe. « Quand le journaliste du *Time* m'a demandé si j'étais au courant que Steve avait une fille nommée Lisa, me confia Kottke, j'ai répondu que oui, bien sûr. Je n'allais pas dire que Steve niait être le père et le faire passer pour un salaud. J'étais son ami et je voulais le protéger. Mais Steve n'était vraiment pas content, j'avais violé sa vie privée. Il a dit devant tout le monde que je l'avais trahi. »

Mais le plus dur à encaisser pour Jobs, c'était qu'il n'avait pas été élu « homme de l'année » :

Le *Time* m'avait dit qu'ils allaient faire de moi « l'homme de l'année » ; j'avais vingt-sept ans, et à cet âge, ce genre de chose compte beaucoup. Je trouvais ça super. Ils ont envoyé Mike Moritz pour faire un article. Nous avions le même âge et j'avais bien réussi – il y avait de la jalousie chez lui, et il m'en tenait rigueur. Il a écrit ce pamphlet au vitriol. Une véritable lapidation publique. Alors les responsables de New York en lisant l'article se sont dit : on ne peut pas choisir ce type comme « homme de l'année ». Ça m'a vraiment blessé. Mais cela a été une bonne leçon. Cela m'a appris à ne plus attacher d'importance à ce genre de gratifications, puisque les médias c'est planche pourrie et compagnie. Ils m'ont envoyé par FedEx le numéro, et je me souviens avoir ouvert l'enveloppe, persuadé de voir ma bobine en couverture, et au lieu de ça, il y avait cette espèce de type en plâtre assis devant un ordinateur. J'ai fait gloups ! Puis j'ai lu l'article. C'était si horrible que j'en ai pleuré.

En fait, il n'y avait guère raison de croire que Moritz fût jaloux, ou qu'il ait voulu déformer la réalité. Pas plus que Jobs ait été pressenti pour être élu « l'homme de l'année ». Cette année-là, les responsables du magazine (j'étais nouveau au *Time* à l'époque) avaient décidé depuis longtemps de choisir l'ordinateur plutôt qu'une personne pour leur numéro spécial. Ils avaient commandé des mois plus tôt à George Segal la fameuse sculpture pour faire la couverture. Ray Cave, qui était le directeur du *Time* à l'époque, se souvient très bien : « Steve Jobs n'a jamais été une option. Personne ne pouvait incarner l'ordinateur à lui tout seul. Pour la première fois, on avait décidé de faire la couv' avec un objet. La sculpture de Segal était un gros investissement… jamais, nous n'avons envisagé de mettre la photo de quelqu'un. »

Apple lança le Lisa en janvier 1983 – une année avant le Mac. Et Jobs paya les cinq mille dollars à Couch. Même s'il n'appartenait pas à l'équipe de conception, Jobs se rendit à New York pour en faire la promotion, comme son rôle de président et d'icône de la marque l'imposait.

Il avait appris de Regis McKenna, son conseiller en communication, comment donner des interviews exclusives et piquer la curiosité des médias. Les journalistes accrédités étaient emmenés tour à tour dans une suite du Carlyle Hotel pour une heure d'entretien. Dans la chambre trônait le Lisa entouré de fleurs. Le service des relations publiques avait demandé à Jobs de ne parler que du Lisa, et surtout pas du Macintosh. Toute spéculation sur l'arrivée d'un nouveau modèle pouvait saper l'avenir de l'ordinateur. Mais Jobs ne put s'en empêcher. La plupart des articles écrits ce jour-là citaient le Macintosh. « Plus tard dans l'année, Apple va lancer une version moins puissante du Lisa, et moins chère, nommée le Macintosh, disait *Fortune*. C'est Steve Jobs qui a dirigé personnellement ce projet. » Le *Business Week* citait Jobs *in extenso* : « Quand il sortira, le Mac sera l'ordinateur le plus extraordinaire du monde. » Le jeune homme précisa également que le Mac et le Lisa ne seraient pas compatibles. Au lieu d'un lancement, ce fut l'hallali.

Et le Lisa mourut, d'une mort lente et douloureuse. Au bout de deux ans, la production fut arrêtée. « Il était trop cher et on a voulu le placer à de grosses sociétés alors que notre savoir-faire c'était la vente aux particuliers », expliquera plus tard Jobs. Mais l'échec fut, d'une certaine manière, positif : quelques mois après la sortie du Lisa, Apple n'avait plus d'autre choix que de tout miser sur le Macintosh.

Pirates !

L'équipe Mac grandissant sans cesse, elle quitta les Texaco Towers pour s'installer au siège d'Apple sur Bandley Drive. Au milieu de l'année 1983, elle occupa définitivement le bâtiment Bandley 3. Il y avait un grand hall avec des jeux vidéo, choisis par Burrell Smith et Andy Hertzfeld, un lecteur CD Toshiba, avec des enceintes Martin Logan, accompagnés d'une centaine de disques. L'équipe logiciel était visible du hall, derrière des parois vitrées, comme enfermée dans un bocal, et la cuisine était remplie tous les jours de jus de fruits Odwalla. Avec le temps, d'autres objets prirent place dans le hall – il y eut un piano Bösendorfer et une moto BMW, Jobs jugeant qu'ils étaient des exemples de « belle facture » et que ceux-ci seraient une source d'inspiration pour toute l'équipe.

Le patron surveilla de près l'embauche. Il voulait des gens créatifs, intelligents, et qui soient un peu rebelles. L'équipe de programmeurs faisait jouer les candidats à Defender, le jeu favori de Smith. Jobs posait des questions décalées, comme à son habitude, pour voir comment la personne réagissait, si elle avait de l'humour, du répondant.

Un jour, il interrogea, avec Hertzfeld et Smith, un candidat qui postulait pour un poste de manager du département logiciel. Il était évident, dès son arrivée, que l'homme était trop coincé et conventionnel pour pouvoir gérer la bande d'allumés dans leur bocal. Jobs s'amusa à le tourmenter :

— À quel âge avez-vous été dépucelé ?

— Je vous demande pardon ?

— Vous êtes encore puceau ?

Le candidat piqua un fard, muet comme une carpe, alors Jobs attaqua ailleurs :

— Combien de fois avez-vous pris du LSD ?

« Le malheureux passait par toutes les couleurs, raconte Hertzfeld. Pour alléger son tourment, j'ai voulu lui poser une question technique... » Mais quand le candidat se lança dans une fastidieuse explication, Jobs l'interrompit :

— Et bla-bla-bla, et bla-bla-bla...

Smith et Hertzfeld éclatèrent de rire.

— Visiblement, je ne suis pas la personne qu'il vous faut, répondit le pauvre homme en se levant de son siège.

Malgré ses remarques déplaisantes, Jobs savait insuffler à l'équipe un esprit de corps. Après avoir humilié les gens, il trouvait le moyen de les relever et de leur montrer que le projet Macintosh était une expérience unique pour eux. Tous les six mois, il emmenait le gros de l'équipe pour deux jours de séminaire dans un hôtel de la région.

Le séminaire de septembre 1982 se passait au Pajaro Dunes dans les environs de Monterey. Une cinquantaine de personnes s'installèrent dans la salle à manger où trônait une grande cheminée. Jobs s'assit sur une table en face d'eux. Il parla tranquillement pendant un moment, puis marcha vers un tableau et commença à inscrire ses principes.

Le premier : « Refuser tout compromis. » Une injonction qui, avec le recul, fut aussi salutaire que néfaste. La plupart des équipes dans le domaine des hautes technologies faisaient des concessions. Le Mac, certes, grâce à l'acharnement de Jobs et de ses acolytes, serait « incroyablement génial », mais il ne serait terminé que seize mois plus tard, bien au-delà de la date prévue. Quand Jobs donnait une date de livraison, il ajoutait souvent : « Mieux vaut dépasser que de bâcler. » Un autre type de dirigeant, acceptant les compromis, aurait bloqué une date après laquelle plus aucun changement ne pouvait être apporté au projet. Mais Jobs n'était pas de cette espèce. Il écrivit une autre consigne : « Rien n'est terminé tant que le produit n'est pas dans les cartons. »

Il écrivit également un autre commandement, à la manière d'une phrase Kōan : « Le voyage est la récompense » (sa maxime préférée, comme il me le confiera). L'équipe Mac, comme il se plaisait à le dire, était un corps d'élite, investi d'une mission sacrée. « Un jour, lorsqu'ils songeront à cette époque où ils étaient ensemble, ils oublieront les moments difficiles, ils en riront même, et considéreront cet épisode comme la plus grande expérience de leur vie, un moment de grâce. »

À la fin de la présentation, Jobs leur posa cette question : « Vous voulez voir quelque chose de vraiment magnifique ? » Il sortit un objet de la taille d'un agenda de bureau. Quand il l'ouvrit, le public s'aperçut qu'il s'agissait d'un ordinateur qui pouvait tenir sur les genoux, avec un écran et un clavier reliés par une charnière. « Voilà mon rêve, et nous allons le rendre réel avant la fin de la décennie ! » Toute l'équipe avait cette même certitude : ils bâtissaient une grande société et elle allait écrire le futur.

Durant les deux jours suivants, des chefs d'équipe se succédèrent au micro. Ben Rosen, le grand analyste du marché technologie, intervint également. Le soir, c'était quartier libre, avec parties de billard, et dancing. À la fin du séjour, Jobs s'adressa à toute l'assemblée : « Chaque jour qui passe, le travail accompli par vous prépare une onde géante qui va ébranler tout l'univers. Je sais que je suis un peu difficile à vivre, mais je vis avec vous l'aventure la plus excitante de ma vie. » Des années plus tard, toute l'équipe aura le sourire en songeant aux moments où Jobs avait été « un peu difficile à vivre », et s'accordera à dire que oui, lancer ce tsunami avait été un grand moment de leur vie.

Le séminaire suivant eut lieu en janvier 1983, au La Playa de Carmel, le mois où était sorti le Lisa ; et le ton général du séjour avait quelque peu changé. Quatre mois plus tôt, Jobs avait écrit sur son tableau : « Refusez tout compromis. » Cette fois la maxime était : « Les vrais artistes terminent leurs œuvres. » Tout le monde était tendu. Atkinson, furieux d'avoir été écarté de la campagne promotionnelle pour le lancement du Lisa, débarqua dans la chambre d'hôtel de Jobs en menaçant de donner sa démission. Jobs tenta de minimiser l'affaire, mais Atkinson était réellement vexé. « Je n'ai pas le temps de m'occuper de ça. Il y a soixante autres personnes qui se dévouent corps et âme pour le Macintosh, et elles m'attendent. » Sur ce, il planta le développeur pour aller s'adresser à ses fidèles.

Jobs fit un prêche enflammé, au cours duquel il annonça qu'il avait réglé le problème avec le fabricant de matériel hifi McIntosh, à propos du nom Macintosh. (En réalité, un accord n'avait toujours pas été trouvé, mais étant donné l'importance du moment, il fallait faire appel au champ de distorsion de la réalité.) Il brandit une bouteille d'eau minérale, et symboliquement, baptisa le prototype. Atkinson, qui se tenait à l'écart dans le hall, entendit les applaudissements et les vivats ; avec un soupir, il rejoignit le groupe. Le séjour se termina par un bain de minuit dans la piscine, un feu sur la plage et de la musique jusqu'à l'aube. À la fin, la direction de l'hôtel leur annonça qu'ils étaient désormais *persona non grata* dans leur établissement. Quelques semaines plus tard, Jobs offrit une promotion à Atkinson. Il devenait « Apple Fellow », une distinction qui signifiait augmentation de salaire, stock-options, et le droit de choisir ses propres projets. En outre, il fut convenu que chaque fois qu'on lancerait le programme de dessin du Macintosh que le développeur avait conçu, il serait affiché sur l'écran : « MacPaint by Bill Atkinson. »

Jobs écrivit une autre consigne durant ce séminaire de janvier : « Mieux vaut être pirate que de rejoindre la marine. » Il voulait insuffler un esprit rebelle à son équipe, qu'ils soient des bretteurs fiers de leur adresse mais prêts également à la rapine. Susan Kare avait parfaitement saisi le message : « En gros, il nous disait : "Soyons des renégats, agissons vite et faisons main basse !" » Pour célébrer les vingt-huit ans de Jobs quelques semaines plus tard, l'équipe loua un panneau publicitaire sur la route du QG d'Apple. Il y était écrit : « Bon anniversaire Steve. Le voyage est la récompense. Les Pirates. »

Steve Capps, l'un des développeurs les plus farfelus de l'équipe, décida que pour marquer ce nouvel état d'esprit il fallait hisser le « Jolly Roger ». Il trouva un drap noir et demanda à Susan Kare de peindre une tête de mort et des tibias croisés. Le bandeau était décoré du logo d'Apple, couvrant l'une des orbites vides. Dans la nuit du dimanche, Capps monta sur le toit du Bandley 3, tout juste rénové, et hissa le pavillon noir au bout d'un tube d'échafaudage que les ouvriers avaient laissé sur place. Il flotta ainsi fièrement pendant quelques semaines jusqu'à ce que les membres de l'équipe Lisa, au cours d'un raid nocturne, volent le pavillon pirate et envoient une demande de rançon à leurs rivaux. Capps monta un commando pour aller récupérer leur bien. Après une lutte acharnée avec une secrétaire, il put reprendre le précieux drapeau qu'elle gardait caché sous son bureau. Certains cadres d'Apple craignaient que cet esprit de piraterie, initié par Jobs, n'aille trop loin. « Accrocher ce drapeau noir était vraiment une idée stupide, m'expliqua Arthur Rock. Cela disait au reste des employés d'Apple qu'ils étaient des bons à rien. » Mais Jobs adorait ce pavillon. Et il veilla à ce qu'il flotte au vent jusqu'à la sortie du Mac. « Nous étions des renégats et nous voulions que tout le monde le sache ! »

Les anciens de l'équipe Mac avaient appris à se rebeller. S'ils maîtrisaient leur sujet, Job pouvait tolérer une petite mutinerie ; il pouvait même admirer cette marque de courage. En 1983, ceux qui étaient accoutumés à son champ de distorsion de la réalité avaient fait une découverte majeure : en cas d'extrême nécessité, on pouvait carrément faire fi des instructions du capitaine. Si l'avenir vous donnait raison, Jobs apprécierait cette attitude renégate, et ce refus de l'autorité. Après tout, c'était ce qu'il avait toujours fait.

Cet esprit de rébellion, par exemple, a été crucial lorsqu'il a fallu choisir le lecteur de disquette pour le Macintosh. Apple avait une unité de production qui avait développé un lecteur de disquette, appelé Twiggy, qui pouvait lire et écrire des données sur ces fines disquettes magnétiques souples de 5 pouces un quart, que les lecteurs plus âgés (qui se souviennent de Twiggy-la-brindille, le mannequin anglais) connaissent bien. Mais quand le Lisa fut prêt à être lancé, il fut évident que le Twiggy n'était pas fiable. Comme le Lisa embarquait un disque dur, ce n'était pas catastrophique. Mais le Mac n'avait pas de disque dur, alors le problème était épineux. « Tout le monde commençait à paniquer », raconte Hertzfeld.

On en discuta, en privé, lors du séminaire à Carmel en janvier 1983. Debi Coleman donna la liste des dysfonctionnements du Twiggy. Quelques jours plus tard, Jobs se rendit à l'usine Apple à

San Jose pour voir l'unité de production du Twiggy. Plus de la moitié des appareils étaient rejetés à chaque étape de l'assemblage. Jobs vit rouge. Il se mit à les traiter d'incapables, à dire qu'il allait mettre tout le monde à la porte. Bob Belleville, le chef de production, lui fit faire un petit tour sur le parking pour discuter des alternatives possibles.

Il y avait une piste qu'avait explorée Belleville : le nouveau lecteur Sony qui utilisait des disquettes de 3 pouces et demi. La disquette était logée dans un étui rigide protecteur et pouvait tenir dans une poche de chemise. L'autre option était de faire construire un clone du Sony par un fabricant japonais plus modeste, la Alps Electronic Co, qui produisait déjà les lecteurs de l'Apple II. Alps venait d'acquérir la licence pour fabriquer le nouveau lecteur Sony ; ils pouvaient peut-être construire leur propre modèle dans les temps et pour beaucoup moins cher.

Jobs et Belleville, avec Rod Holt, un ancien d'Apple (l'homme qui avait conçu l'alimentation sans ventilateur de l'Apple II), partirent au Japon afin de se faire une idée sur place. Ils prirent le Shinkansen à la gare de Tokyo pour se rendre à l'usine de Alps. Les ingénieurs là-bas n'avaient même pas de prototype opérationnel, juste une maquette rudimentaire. Mais Jobs était enthousiaste ; Belleville beaucoup moins. Pour lui, jamais Alps ne serait prêt pour la sortie du Mac dans un an.

Tandis que la délégation Apple faisait le tour des sociétés nippones susceptibles de construire leur lecteur, le jeune patron se comporta de façon grossière – du Jobs pur jus. Il se présentait en jean et baskets devant des chefs d'entreprise tirés à quatre épingles. Quand les Japonais lui offraient des petits cadeaux de bienvenue, comme le veut la coutume, il les laissait sur place, et ne leur rendait jamais la politesse, arrivant toujours les mains vides. Il regardait d'un air méprisant les ingénieurs, alignés en rang d'oignons, qui s'inclinaient sur son passage, impatients de montrer leur travail. Jobs détestait leurs produits et leur obséquiosité. « C'est pour ça que vous me faites déplacer ? lâcha-t-il lors d'une visite dans une usine. C'est de la merde ! Le premier bricoleur venu ferait mieux ! » La plupart des développeurs japonais étaient horrifiés, mais certains avaient le sourire aux lèvres ; ils avaient eu vent des coups de colère de Jobs et maintenant ils y assistaient en direct.

La dernière étape de leur voyage fut l'usine Sony, située dans un faubourg sinistre de Tokyo. Jobs n'aima pas la conception brouillonne du lecteur, ni son prix. Et beaucoup de composants étaient assemblés à la main, ce que Jobs détestait par-dessus tout. De retour à l'hôtel, Belleville se prononça pour une collaboration avec Sony. L'appareil était opérationnel. Jobs n'était pas d'accord. Il préférait travailler avec Alps et leur demander de fabriquer leur propre clone. Il ordonna à Belleville de couper tous les ponts avec Sony.

Mais Belleville jugea plus prudent d'expliquer la situation à Mike Markkula, qui lui dit de s'assurer qu'il y ait un lecteur prêt à temps – mais de ne pas en parler à Jobs. Avec l'aide de ses ingénieurs, Belleville demanda à Sony d'adapter son lecteur pour qu'il puisse tourner sur le Mac. Si Alps ne pouvait pas livrer le périphérique à temps – ce qui était fort probable – Apple pourrait changer son fusil d'épaule et s'adresser à Sony. Le constructeur nippon envoya bientôt chez Apple, en catimini, le concepteur du lecteur, Hidetoshi Komoto, un diplômé de l'université Purdue, qui, heureusement, prenait avec humour sa présence clandestine dans les locaux.

Chaque fois que Jobs quittait son bureau pour rendre visite à l'équipe – c'est-à-dire tous les après-midi – il fallait cacher Komoto. Un jour, Jobs croisa l'ingénieur dans un magasin de journaux de Cupertino ; il le reconnut mais ne se douta de rien. Il y eut un moment critique lorsque Jobs débarqua à l'improviste dans la salle, alors que Komoto était assis à l'un des bureaux. Un développeur le tira par le bras et désigna le placard à balais.

— Vite, là-dedans !

« Komoto ne comprenait pas ce qui se passait, se souvient Hertzfeld, mais il a sauté de son siège et a fait ce qu'on lui demandait. Il a dû rester cinq bonnes minutes dans ce placard, avant que Steve ne se décide à partir ! »

L'équipe Mac s'excusa platement.

— Pas de problème. Mais vous autres, Américains, avez des méthodes de travail étranges. Vraiment très étranges.

La prédiction de Belleville se réalisa. En mai 1983, la direction d'Alps reconnut qu'il leur fallait encore un an et demi avant d'être prêts à lancer la production de leur clone du lecteur Sony. Lors d'un séminaire au Pajaro Dunes, Markkula mit la pression sur Jobs :

et maintenant, comment comptait-il rattraper le coup ? Au bout d'un moment, Belleville intervint et annonça qu'il y avait un plan B. Jobs eut un moment d'arrêt, puis comprit. Voilà pourquoi il avait croisé le concepteur du lecteur Sony à Cupertino. « Espèce de fils de pute ! » lâcha Jobs – mais avec un grand sourire aux lèvres. « Steve a ravalé sa fierté, raconte Hertzfeld, et les a remerciés d'avoir désobéi à ses ordres et pris la bonne décision. » Après tout, il aurait fait la même chose à leur place.

CHAPITRE QUATORZE

ENTRÉE EN SCÈNE DE SCULLEY

Le défi Pepsi

Avec John Sculley, en 1983.

La cour

Mike Markkula n'avait jamais voulu être le président d'Apple. Il aimait dessiner ses nouvelles maisons, voler dans son avion privé, et vivre grassement de ses stock-options ; il détestait par-dessus tout gérer les conflits et les ego démesurés des cadres de la société. Il avait endossé ce rôle à contrecœur, après avoir accepté de limoger Mike Scott, et avait promis à sa femme que ce serait provisoire. À la fin de l'année 1982, près de deux ans plus tard, son épouse s'impatienta : « Trouve un remplaçant tout de suite ! »

Jobs avait admis qu'il n'était pas de taille à diriger une entreprise de cette importance, même si une part de lui brûlait d'essayer. Markkula lui avait expliqué qu'il était encore un peu brut de décof-

frage pour être P-DG. Alors ils décidèrent d'un commun accord
de trouver quelqu'un.

Leur choix se porta sur Don Estridge. Il avait lancé le projet de
l'IBM PC et l'avait mené à bien jusqu'à sa commercialisation. Même
si Jobs et son équipe avaient critiqué le produit, l'IBM PC se vendait
davantage que les Apple. Estridge avait installé son équipe à Boca
Raton, en Floride, loin du siège social d'Armonk et de sa mentalité
coincée de la côte Est. Comme Jobs, il était un dirigeant dynamique,
innovant et un peu rebelle, mais à l'inverse de Jobs, il laissait à ses
collaborateurs la paternité de leurs idées. Le jeune homme prit
l'avion pour Boca Raton avec, dans ses bagages, une offre sédui-
sante : un million de dollars en salaire plus un million de dollars
de prime à la signature. Mais Estridge refusa. Il n'était pas du genre
à passer à l'ennemi. Il aimait aussi faire partie de l'*establishment* –
autrement dit, « il était plus marine que piraterie ». Il n'appréciait
guère que Jobs, dans sa jeunesse, se soit amusé à pirater la compagnie de téléphone AT & T. Quand on lui demandait où il travaillait,
c'était en gonflant le torse qu'il répondait : « Chez IBM. »

Alors Jobs et Markkula embauchèrent Gerry Roche, un chasseur
de têtes, pour trouver une autre piste. Ils décidèrent de ne pas se
focaliser sur des dirigeants du secteur technologie. Ils avaient davantage
besoin d'un génie du marketing, quelqu'un qui saurait communiquer,
trouver de nouveaux marchés, et qui aurait l'aura suffisante pour rassurer Wall Street. Roche jeta son dévolu sur la star du moment dans
le domaine du marketing de masse : John Sculley, le président de
Pepsi-Cola chez PepsiCo. Sa dernière campagne de communication,
« le défi Pepsi », un test consommateur en aveugle Pepsi contre Coca,
avait été un triomphe. Il était venu donner une conférence à Stanford
quelque temps avant le patron d'Apple, et tout le monde en disait
grand bien. Roche eut donc le feu vert pour le contacter.

Le parcours de Sculley était très différent de celui de Jobs. Sa
mère, new-yorkaise, était une haute figure de l'Upper East Side,
qui ne sortait qu'en gants blancs ; quant à son père, c'était un avocat
d'affaires pur jus. Sculley avait fréquenté les meilleures écoles – la
St Mark's School, puis l'université Brown, puis enfin Wharton pour
un MBA. Il avait fait carrière chez Pepsi en commercial de génie,
avec guère d'intérêt pour le développement produit ou la technologie
de l'information.

Sculley se rendit à Los Angeles à Noël pour voir ses deux enfants issus d'un premier mariage. Il les emmena dans une boutique d'informatique ; il fut sidéré par la présentation des produits – c'était lamentable. Quand les deux adolescents lui demandèrent pourquoi il s'intéressait soudain aux ordinateurs, il répondit qu'il projetait d'aller à Cupertino rendre visite à Steve Jobs. Ses enfants devinrent hystériques ; ils avaient fréquenté dans leur enfance tout le gratin de Hollywood, mais Steve Jobs, c'était lui, la véritable star ! À voir la réaction de sa progéniture, Sculley prit plus au sérieux la proposition d'Apple.

Quand il arriva au siège social, Sculley fut surpris par le laisser-aller et le doux bazar qui régnaient dans les bureaux. « La plupart des gens étaient plus mal habillés que les hommes de ménage chez Pepsi. » Pendant le déjeuner, Jobs picorait sa salade d'un air absent, mais quand Sculley déclara que la majorité des chefs d'entreprise considéraient que les ordinateurs posaient davantage de problèmes qu'ils n'en réglaient, le jeune patron se métamorphosa en prédicateur enflammé. « C'est justement ça que nous voulons changer – le rapport avec les ordinateurs ! »

Dans l'avion qui le ramenait chez lui, Sculley rédigea quelques notes. Le résultat de ses cogitations tenait sur huit pages, jetant les bases du marketing et de la communication à adopter pour intéresser le consommateur à ce produit. Par moments, le texte était soporifique – avec des passages soulignés, des diagrammes, et des graphiques – mais cela montrait l'intérêt de Sculley pour ce nouveau marché. Les ordinateurs étaient des produits plus excitants que du soda. On trouvait parmi ses recommandations : « Développer le capital sympathie de la marque par des présentoirs et des supports de communication séduisants – il faut convaincre le consommateur qu'avoir un Apple chez lui rendra sa vie plus belle et plus riche. » (Sculley était un adepte du soulignage.) Mais il hésitait toujours à quitter Pepsi. Jobs l'intriguait : « J'étais touché par sa jeunesse, son impétuosité, son génie ; j'avais envie de le connaître un peu mieux. »

Alors Sculley accepta de le rencontrer à nouveau. Ce qui eut lieu en janvier 1983, quand le jeune patron vint à New York pour le lancement du Lisa. Après la journée d'interview, l'équipe d'Apple fut surprise de voir entrer un visiteur imprévu dans la suite du Carlyle Hotel. Jobs desserra sa cravate et présenta le président de Pepsi-

Cola comme étant peut-être un futur gros client. Pendant que John Couch lui montrait le Lisa, Jobs faisait des commentaires avec son vocabulaire consacré : « révolutionnaire », « incroyablement génial ». Il affirmait qu'Apple allait bouleverser totalement la nature de l'interaction entre l'homme et l'ordinateur.

Ils allèrent dîner ensuite au Four Season, un havre de paix et de raffinement pour les grands de ce monde, conçu par Mies van der Rohe et Philip Johnson. Tandis que Jobs mangeait son plat végétarien, Sculley décrivit la stratégie marketing qui avait propulsé Pepsi au sommet des ventes. La campagne « Génération Pepsi » était destinée à attirer l'attention du consommateur sur le produit – elle associait des publicités, des événements et un grand travail de relations publiques. Il s'agissait avant tout de faire parler de la marque. Sculley était parvenu à transformer le lancement commercial d'un nouveau produit en événement national… c'était précisément ce que cherchaient Jobs et Regis McKenna.

Quand les deux hommes quittèrent le restaurant, il était près de minuit.

— Cela a été l'une des soirées les plus passionnantes de ma vie, déclara le fringant patron tandis que Sculley le raccompagnait au Carlyle. Je n'ai pas vu le temps passer.

Quand le président de Pepsi-Cola rentra chez lui ce soir-là, à Greenwich dans le Connecticut, il eut du mal à trouver le sommeil. Discuter avec Jobs était autrement plus intéressant que de négocier avec des dirigeants d'usines d'embouteillage. « Cela me stimulait l'esprit, ravivait mon envie d'être un bâtisseur d'idées », racontera-t-il plus tard. Le lendemain matin, Roche appela Sculley :

— Je ne sais pas ce que vous avez fait hier soir, les gars, mais je peux te dire que Steve est sur un petit nuage !

Et la cour se poursuivit. Sculley résistait, mais sans opposer de fin de non-recevoir. Jobs revint sur la côte Est en février, un samedi, et prit une limousine pour se rendre à Greenwich. Il trouva la maison flambant neuve de Sculley d'un luxe ostentatoire, avec ses hautes fenêtres à l'ancienne, mais il admira longuement la porte en chêne massif de cent cinquante kilos qui, équilibrée à merveille, pivotait sur ses gonds d'une petite pichenette. « Steve était fasciné par cette réalisation parce que, comme moi, il était sensible au travail bien fait. » C'est ainsi que commença un processus de séduction quelque peu biaisé – l'aîné découvrant chez un jeune prodige des qualités qu'il s'imaginait avoir lui-même.

Sculley d'ordinaire se déplaçait en Cadillac, mais percevant que ce ne serait pas du goût de Jobs, il emprunta la Mercedes 450 SL décapotable de sa femme pour l'emmener visiter le fief de Pepsi. Il régnait là-bas un tel luxe que les locaux d'Apple, par comparaison, avaient des airs de monastère. Pour Jobs, c'était là toute la différence entre l'économie naissante de l'informatique et les sociétés bien installées dans le top 500 des plus grosses entreprises du pays. Une allée serpentait au milieu de magnifiques pelouses, décorées de sculptures (il y avait là Rodin, Moore, Calder, Giacometti), pour mener à un bâtiment de verre et de ciment dessiné par Edward Durrel Stone. Le bureau de Sculley était pharaonique : un tapis persan, huit hautes fenêtres, un jardin, un salon privé, une salle de bains. Jobs eut droit à la visite de la salle de gymnastique du complexe – une partie, avec jacuzzi, était réservée aux dirigeants.

— C'est bizarre cette ségrégation entre cadres et employés, remarqua Jobs.

— En fait, j'étais contre cette séparation, s'empressa de préciser Sculley. Et régulièrement, je vais faire de la gym dans la partie du personnel.

Leur rendez-vous suivant eut lieu en Californie, lorsque Sculley fit un saut à Cupertino, en revenant d'un congrès à Hawaii avec des responsables de chaînes d'embouteillage. Mike Murray, le directeur marketing du Macintosh, prépara l'équipe pour la visite de ce grand patron, mais il n'avait aucune idée de ce qui se tramait. « Pepsi risque de nous acheter des milliers de Mac ! exultait-il dans une note adressée à tous les développeurs. Il se trouve que Mr Sculley et un certain Mr Jobs sont devenus très amis cette année. Le président de Pepsi-Cola est un génie du marketing qui joue dans la cour des grands, alors faisons-lui bon accueil ! »

Jobs voulait communiquer à Sculley son enthousiasme pour le Macintosh : « Cette machine est la réalisation de ma vie, John. Je veux que tu sois la première personne étrangère à Apple à la découvrir. » D'un geste théâtral, il sortit le prototype de son sac en vinyle et lui fit une démonstration. Sculley trouva le jeune homme aussi fascinant que son ordinateur : « Steve était plus un homme de spectacle qu'un homme d'affaires. Tous ses gestes étaient calculés, comme s'il avait répété, pour faire de ce moment une expérience unique. »

Jobs avait demandé à Hertzfeld et sa bande de concocter une page spéciale à l'écran pour amuser Sculley. « C'est un homme très brillant, leur disait-il. Son intelligence est absolument sidérante. » Hertzfeld était perplexe : « J'avais du mal à croire que Sculley venait acheter des Macintosh pour Pepsi. C'était un peu gros. » Mais avec Susan Kare, il prépara un écran d'accueil montrant des bouteilles de Pepsi qui s'ouvraient comme autant de petits volcans, au milieu d'une forêt de logos Apple. Hertzfeld était si content de son animation qu'il leva les bras en l'air en signe de victoire pendant la démo. Sculley, toutefois, resta de marbre. « Il a posé quelques questions pour la forme, mais il semblait s'en ficher royalement », raconte Hertzfeld. En fait entre Sculley et Hertzfeld le courant ne passa jamais. « Il était d'une prétention sans fond, un frimeur de première, me confiera-t-il. Il disait s'intéresser à la technologie, mais ce n'était pas vrai. C'était un commercial, et comme tous les commerciaux, ce n'était qu'un beau parleur. »

L'intimité entre les deux chefs d'entreprise fut scellée en mars, lors de leur seconde rencontre à New York. Tandis que les deux hommes se promenaient dans Central Park, Jobs fit sa déclaration : « Je pense sincèrement que tu es la personne qu'il me faut, John. Je veux que tu viennes travailler avec moi. Tu as tellement de choses à m'apprendre. » Le jeune homme, qui avait le culte des figures paternelles, savait comment flatter son aîné et lever ses craintes. Et le charme opéra : « J'étais séduit par Steve, m'avouera-t-il plus tard. Il était d'une intelligence rare. Et nous avions tous les deux la même passion pour l'innovation. »

Sculley, qui versait dans l'histoire de l'art, obliqua vers le Metropolitan Museum, pour faire passer un petit test au jeune homme. « Je voulais voir s'il était prêt à apprendre des choses dans un domaine où il n'y connaissait rien. » Pendant qu'ils déambulaient au milieu des antiquités grecques et romaines, Sculley lui fit un exposé sur les différences entre les sculptures archaïques du VIᵉ siècle avant Jésus-Christ et la période péricléenne un siècle plus tard. Jobs, qui adorait combler ses lacunes en culture générale, se montra très intéressé. Sculley était ravi : « J'ai senti que je pouvais être son pré-

cepteur. » Une fois encore, le maître crut être semblable à l'élève :
« C'est comme si j'avais mon double en face de moi. Moi aussi,
quand j'étais jeune, j'étais impatient, entêté, arrogant, impétueux.
Mon esprit fourmillait d'idées, et ça passait avant tout le reste.
Comme Steve, j'étais impitoyable avec ceux qui n'étaient pas à la
hauteur de mes exigences. »

Tandis qu'ils poursuivaient leur promenade, Sculley lui raconta
qu'en vacances il se rendait à Paris, sur la Rive Gauche, avec un
carnet de croquis à la main. Jobs répondit que s'il ne s'était pas
lancé dans l'informatique, il aurait aimé être poète et vivre la vie
de bohème à Paris. Ils descendirent Broadway jusqu'au magasin
Colony Records sur la 49ᵉ. Jobs lui montra alors la musique qu'il
aimait – Bob Dylan, Joan Baez, Ella Fitzgerald, et les formations
de jazz du label Windham Hill. Puis ils remontèrent l'avenue jusqu'à
l'immeuble San Remo à l'angle de Central Park West et de la 74ᵉ
où Jobs comptait acheter un duplex au dernier étage.

La liaison fut consommée sur l'une des terrasses de l'appartement,
avec Sculley plaqué contre le mur car il avait le vertige. Ils parlèrent
d'abord argent. « Je lui ai dit qu'il me fallait un million de dollars
en salaire, un million en prime à la signature et un million de
dédommagement si ça ne marchait pas », raconte Sculley. Jobs
annonça que c'était faisable.

— Même si je dois payer de ma poche… Nous réglerons tous
ces détails parce que tu es la personne la plus brillante qu'il m'ait
été donné de rencontrer. Je sais que tu es parfait pour Apple et
Apple mérite le meilleur.

Il ajouta qu'il n'avait encore jamais travaillé avec quelqu'un qu'il
respectait vraiment. Sculley serait son mentor, il avait tant à lui
apprendre… Et Jobs le regarda avec ce regard intense dont il avait
le secret.

L'aîné tenta une ultime défense : pourquoi ne resteraient-ils pas
simplement amis ? Jobs pourrait venir lui demander conseil quand
il voudrait… Tout se joua à cet instant. « Steve a baissé la tête et
regardé le sol. Après un long silence, il a prononcé une phrase qui
m'a hanté pendant des jours : "Tu veux passer le reste de ta vie à
vendre de l'eau sucrée ou tu veux changer le monde avec moi ?" »

Ce fut, pour Sculley, comme un uppercut dans l'estomac. Comment refuser après ça ? « Steve avait le don d'arriver toujours à ses

fins. Il savait jauger une personne, frapper précisément là où ça faisait mal… pour la première fois depuis quatre mois, j'ai su que je ne pouvais plus dire non. » Le soleil hivernal commençait à se coucher. Ils quittèrent l'appartement et traversèrent le parc pour rejoindre le Carlyle.

La lune de miel

Markkula négocia à la baisse les émoluments de la nouvelle recrue et Sculley accepta une enveloppe de cinq cent mille dollars en salaire plus le même montant en bonus. Il arriva en Californie en mai, juste à temps pour participer au séminaire organisé par Apple au Pajaro Dunes. Même s'il avait laissé quasiment tous ses costumes à Greenwich, Sculley avait encore du mal à s'habituer au style décontracté qui régnait à la Pomme. Dans la salle de réunion, Jobs était assis par terre, dans la position du lotus, occupé à se curer les pieds. Le nouveau P-DG tenta d'imposer un ordre du jour : il voulait trouver le moyen de différencier commercialement les divers ordinateurs de la marque – l'Apple II, l'Apple III, le Lisa et le Mac – et décider s'il valait mieux structurer la société suivant les lignes de produits, les marchés, ou les services. Mais la réunion se mua en discussion à bâtons rompus, chacun y allant de ses doléances et de ses suggestions.

À un moment, Jobs reprocha à l'équipe Lisa d'avoir fait un flop avec leur machine. « Tu n'as pas livré encore ton Mac, à ce que je sache ! répliqua quelqu'un dans l'assistance. Sors déjà quelque chose avant d'être aussi critique ! » Sculley n'en revenait pas. Chez Pepsi, personne n'aurait jamais osé apostropher le patron comme ça. « Mais ce jour-là, tout le monde lui est tombé dessus. Ça me rappelait une vieille blague que m'avait racontée un commercial d'Apple : "Quelle est la différence entre Apple et un camp de scouts ? Réponse : les scouts sont dirigés par des adultes !" »

Au milieu de la mêlée, un petit séisme ébranla la pièce. « Tous à la plage ! » cria quelqu'un. Tout le monde se précipita vers les portes qui donnaient sur l'océan. Puis quelqu'un d'autre cria que le dernier tremblement de terre avait engendré un tsunami. Alors le groupe rebroussa chemin et fila dans l'autre direction. « L'indécision, les ordres contradictoires, la peur d'un désastre imminent, tout cela augurait ce qui allait se passer », confiera plus tard Sculley.

La rivalité entre les différentes équipes était réelle, mais non dénuée d'humour, comme ce drapeau de pirates qui flottait sur le toit du Bandley 3, le bâtiment du département Macintosh. Quand Jobs s'était vanté que ses développeurs travaillaient quatre-vingt-dix heures par semaine, Debi Coleman avait fait imprimer les fameux tee-shirts : « Quatre-vingt-dix heures par semaine et on aime ça ! » Le groupe Lisa, pour ne pas être en reste, sortit des tee-shirts : « On travaille soixante-dix heures par semaine, mais nous on sort notre produit ! » L'équipe Apple II, qui, tout indolente qu'elle fût, était la seule à rapporter de l'argent à la Pomme, répliqua : « Nous, on travaille soixante heures et on finance le Lisa et le Mac ! » Jobs surnommait les développeurs de l'Apple II les « Clydesdales[1] », mais il savait qu'ils étaient les seuls à faire avancer la roulotte Apple.

Un samedi matin, Jobs invita Sculley et sa femme Leezy à prendre le petit déjeuner chez lui. Il vivait dans une maison à colombages – une jolie bâtisse mais qui n'avait rien d'exceptionnel – à Los Gatos, avec sa compagne du moment Barbara Jasinski, une femme intelligente et réservée qui travaillait pour Regis McKenna. Leezy avait apporté des œufs et fit une omelette (Jobs à l'époque avait pris un peu de distance avec son régime exclusivement végétalien).

— Je suis désolé, je n'ai pas beaucoup de meubles, s'excusa Jobs. Je n'ai pas eu le temps de m'en occuper.

C'était un problème récurrent chez lui. Son amour des beaux objets, associé à son goût pour l'austérité, l'empêchait d'acheter utile. Il lui fallait un vrai coup de cœur pour acquérir un meuble. Il avait une lampe Tiffany, une table ancienne, un lecteur de vidéodisque branché à une télévision Sony Trinitron, mais il n'y avait ni canapé, ni fauteuils, juste quelques coussins en mousse jetés par terre. Sculley sourit, se disant encore, à tort, qu'ils étaient semblables : « Moi aussi, je menais une vie de bohème dans mon appartement de New York au début de ma carrière. »

Jobs confia à Sculley ce matin-là qu'il pensait mourir jeune.

— On a tous droit à un court passage sur terre. On n'a pas trente-six occasions de réaliser quelque chose d'important. Personne ne sait

---

1. Clydesdale : lourd cheval de trait. *(N.d.T.)*

combien de temps il a. Mais je sens que je dois accomplir au plus vite le maximum de choses.

Jobs et Sculley se voyaient dix fois par jour durant les premiers mois de leur idylle. « Steve et moi, on était des frères d'âme, on ne se quittait pas. Quand l'un commençait une phrase l'autre la terminait. » Jobs ne cessait de flatter son aîné. Quand il passait dans son bureau pour parler d'un problème, il commençait toujours par « John, tu es le seul qui peut comprendre ». Ils se racontaient tout – un tandem fusionnel, peut-être trop. À la moindre occasion, Sculley se trouvait des points communs avec Jobs :

> On terminait la phrase de l'autre parce qu'on était sur la même longueur d'onde. Steve m'appelait à 2 heures du matin, pour me parler d'une idée qui venait de lui traverser l'esprit. « Salut, c'est moi », lançait-il, totalement inconscient de l'heure qu'il était ! Curieusement, j'étais pareil que lui à mes débuts chez Pepsi. Steve pouvait déchirer les pages d'une présentation qu'il devait donner le lendemain, jeter aux quatre coins de la pièce les diapositives et les divers documents. Moi aussi, je voulais que mes communications soient de grands moments de marketing. Quand j'étais jeune directeur, j'étais impatient, je voulais que les choses aillent vite et bien, et je me disais qu'on n'était jamais mieux servi que par soi-même. Comme Steve. Parfois, en regardant ce jeune homme impétueux, j'avais l'impression de voir un film sur ma vie. Les similitudes étaient impressionnantes et c'est la raison pour laquelle cette symbiose entre nous deux a pu se développer.

Tout ça n'était qu'illusion et le terreau du désastre à venir. Jobs le sentit le premier : « Nous avions un point de vue différent sur le monde, sur les gens, et des valeurs opposées. Je m'en suis rendu compte très vite, quelques mois après son arrivée. John était assez lent d'esprit, et les gens qu'il voulait faire monter en grade étaient des crétins finis. »

Mais Jobs pensait pouvoir encore le manipuler en continuant à lui faire croire qu'ils étaient semblables. Et plus il le manipulait, plus il le méprisait. Les observateurs avisés de l'équipe, tels que Joanna Hoffman, comprirent ce qui se tramait : « Steve lui faisait croire qu'il était exceptionnel. John ne s'était jamais senti ainsi adulé. Il est devenu imbu de lui-même, parce que Steve lui prêtait toutes sortes de qualités qu'il n'avait pas. Alors, il a pris la grosse tête. Quand il s'est révélé évident qu'il n'était pas à la hauteur de son avatar, le champ de distorsion de la réalité qu'avait créé Steve autour de lui était devenu un terrain miné qui menaçait d'exploser à tout moment. »

La flamme s'éteignit aussi du côté de Sculley. Il voulait restructurer une société bancale, mais il avait un point faible : il ne voulait froisser personne – un défaut que n'avait pas Jobs. Pour dire les choses simplement, John Sculley était quelqu'un de courtois et pas Steve Jobs. L'aîné n'appréciait pas la rudesse avec laquelle son protégé traitait ses collaborateurs. « On débarquait au Bandley 3 à 23 heures, et les gars venaient lui montrer leur travail. Parfois, il n'y jetait pas même un coup d'œil. Il prenait leurs papiers et les leur lançait à la figure. Quand je lui demandais pourquoi il était aussi dur avec eux, Steve me répondait : "Parce qu'ils peuvent faire mieux." » Sculley tenta de recadrer le jeune homme. « Il faut que tu apprennes à te maîtriser. » Jobs était d'accord sur le principe, mais ce n'était pas dans sa nature de passer au filtre ses sentiments.

Le nouveau P-DG commença à se dire que le tempérament mercurien de Jobs, son attitude lunatique et colérique envers les gens, étaient peut-être dus à un problème psychique, le signe d'un petit trouble bipolaire. Il avait des sautes brutales d'humeur. Parfois il était tout joyeux, parfois totalement déprimé. Il pouvait avoir, d'un coup, des colères terribles, et Sculley devait intervenir pour le calmer. « Vingt minutes plus tard, je recevais un autre coup de fil – il fallait que j'intervienne encore car Steve sortait de nouveau de ses gonds. »

Le prix du Macintosh fut leur premier désaccord. La machine devait être vendue mille dollars, mais les modifications de Jobs avaient notablement augmenté les coûts de fabrication. Il était donc question de le proposer au public pour mille neuf cent quatre-vingt-quinze dollars. Toutefois, lorsque les deux hommes décidèrent d'organiser un grand lancement, accompagné d'une communication intensive, le P-DG annonça qu'il fallait majorer le prix de cinq cents dollars. Pour lui, le coût marketing, comme n'importe quel coût de production, devait être intégré au prix de vente. Jobs résista farouchement. « C'est tuer dans l'œuf tout ce pour quoi nous nous battons ! Le Macintosh doit être une révolution pour l'homme, pas une machine à faire des profits. » Sculley répliqua que le choix était simple : soit Jobs vendait son Mac mille neuf cent quatre-vingt-quinze dollars, soit il y avait un budget pour faire un lancement planétaire. C'est l'un ou l'autre, mais pas les deux.

— Vous n'allez pas apprécier, les gars, annonça-t-il à Hertzfeld et aux autres développeurs. John veut vendre la machine deux mille quatre cent quatre-vingt-quinze dollars.

En effet, la nouvelle fut mal prise. Comme le rappelait Hertzfeld, le Mac était conçu pour le citoyen moyen, le sortir à ce prix était une trahison, c'était renier tous leurs principes.

— Ne vous inquiétez pas, je ne vais pas me laisser faire, leur promit Jobs.

Mais Sculley l'emporta. Vingt-cinq ans plus tard, le sujet était encore douloureux pour Jobs : « C'est pour ça que les ventes du Mac se sont effondrées et que Microsoft a dominé le marché. » Sculley lui avait ravi le contrôle sur son produit et sur sa société, et ça, c'était aussi dangereux que d'acculer un tigre.

CHAPITRE QUINZE

LE LANCEMENT

Changer le monde

La publicité « 1984 ».

Les vrais artistes finissent leurs œuvres

Le clou du congrès Apple organisé en octobre 1983 à Hawaii fut un sketch interprété par Jobs qui s'inspirait de l'émission « Tournez manège ». Jobs incarnait le présentateur et les trois candidats étaient Bill Gates et deux autres hautes figures de l'industrie informatique, Mitch Kapor et Fred Gibbons. Une fois le générique de l'émission lancé, les trois hommes s'installèrent sur leur tabouret, puis se présentèrent tour à tour. Gates, avec sa tête de premier de la classe, fut ovationné de la part des sept cent cinquante représentants Apple réunis pour l'occasion, lorsqu'il déclara : « Pour l'année 1984, Microsoft compte réaliser la moitié de son chiffre d'affaires grâce aux logiciels développés pour le Macintosh. » Jobs,

rasé de près et jovial, lança un grand sourire et demanda à Bill
Gates s'il pensait que le nouveau système d'exploitation du Macintosh deviendrait l'une des normes du secteur informatique. « Pour
créer un nouveau standard, répondit Gates, il ne suffit pas de faire
quelque chose d'un peu différent, il faut que cela soit réellement
révolutionnaire et que cela frappe l'imaginaire des gens. Et le Macintosh, de toutes les machines que j'ai vues, est le seul à remplir
ces deux conditions. »

Mais au moment même où parlait Bill Gates, Microsoft était déjà
moins un collaborateur d'Apple qu'un rival. La société de Seattle
continuait à développer des logiciels pour la Pomme, comme Word,
mais une part grandissante de ses revenus allait bientôt provenir du
système d'exploitation qu'elle avait écrit pour l'IBM PC. L'année
précédente, deux cent soixante-dix-neuf mille Apple II furent vendus contre deux cent quarante mille IBM PC et leurs clones. Les
chiffres en 1983 s'annonçaient fort différents : quatre cent vingt
mille Apple II contre un million trois cent mille PC. Quant à
l'Apple III et le Lisa, ils étaient mort-nés.

Au moment où les représentants Apple arrivaient à Hawaii, ce
renversement de la tendance avait fait la couverture du *Business
Week*. Son titre : « L'ordinateur personnel : et le vainqueur est...
IBM. » L'article détaillait l'essor irrépressible de l'IBM PC : « La
bataille pour la conquête du marché est déjà terminée. Dans une
razzia fulgurante, IBM a raflé plus de 26 pour cent du marché en
deux ans ; Big Blue aura la moitié du marché mondial d'ici la fin
1985 – une moitié à laquelle il faudra ajouter les 25 pour cent
qu'auront grignotés les ordinateurs compatibles IBM. »

Cela mettait une nouvelle pression sur le Macintosh, qui devait
être jeté dans l'arène en janvier 1984, dans trois mois, et dont la
mission était de tenir la dragée haute au géant. Il fallait remonter
le moral des troupes. Frapper fort et ne pas faire de quartier... Jobs
monta sur scène et énuméra toutes les erreurs qu'IBM avait commises depuis 1958, puis, d'un ton grave et sinistre, il annonça
qu'IBM aujourd'hui tentait de faire main basse sur le marché de la
micro-informatique. « Allons-nous laisser Big Blue dominer toute
l'industrie des ordinateurs, tuer dans l'œuf la grande ère de l'information qui s'offre à nous ? George Orwell avait-il donc raison pour
1984 ? » À cet instant, un écran descendit des cintres et on projeta

en avant-première une publicité de soixante secondes pour le Macintosh. On se serait cru dans une salle de cinéma et qu'un film de science-fiction commençait... Dans quelques mois, ce spot entrerait dans l'histoire. Mais pour l'heure, il s'agissait simplement de redonner le feu sacré aux forces de vente d'Apple. Jobs s'était toujours vu comme un rebelle, et c'était de là qu'il tirait son énergie. Il était temps de montrer à ses fantassins qu'ils étaient, eux aussi, les soldats de cette révolution.

Il restait néanmoins un obstacle de taille. Hertzfeld et les autres magiciens de la *dream team* n'avaient pas finalisé le système d'exploitation. Le Macintosh devait être dans les cartons le lundi 16 janvier. Il restait une semaine. Malgré toute la bonne volonté du monde, ils ne pourraient pas tenir les délais. Il y avait encore bien trop de bugs dans le programme.

Jobs se trouvait alors au Grand Hyatt à Manhattan, pour préparer la conférence de presse ; une réunion téléphonique fut donc organisée le dimanche matin. Le chef du département logiciel exposa calmement la situation au patron, tandis qu'Hertzfeld et les autres se pressaient autour du haut-parleur, retenant leur souffle. Il leur fallait deux semaines de plus. Les revendeurs pourraient recevoir les machines avec une version « démo » du système d'exploitation et on leur enverrait à la fin du mois la version définitive... il y eut un long silence. Jobs ne piqua pas de colère. Il parla, au contraire, d'une voix grave et solennelle. Il savait qu'ils étaient tous des super bons. Ils étaient tellement bons qu'il était certain qu'ils allaient réussir...

— On ne peut pas repousser. Vous avez travaillé pendant des mois comme des forçats sur ce truc, deux semaines de plus ou de moins, cela ne change pas grand-chose. Ôtez-vous cette idée de la tête. Lundi prochain, j'envoie votre programme, avec vos noms dessus.

Et ils réussirent. Une fois encore, le champ de distorsion de la réalité fit ses miracles. Le vendredi, Randy Wigginton apporta un énorme sac de grains de café enrobés de chocolat pour les trois derniers malheureux qui n'allaient pas dormir du week-end. Lorsque Jobs arriva au bureau le lundi matin à 8 h 30, il trouva Hertzfeld écroulé sur le canapé, dans un demi-coma. Le jeune développeur lui parla des détails qui restaient à terminer mais Jobs décréta que cela n'avait aucune importance. Hertzfeld se traîna jusqu'à sa Golf bleue (équipée de plaques « MACWIZ[1] ») et rentra chez lui se coucher. Un peu plus tard, des cartons décorés de quelques lignes colorés représentant la silhouette stylisée d'un Macintosh sortirent de l'usine Apple à Fremont. Les véritables artistes finissent leurs œuvres, avait déclaré Jobs, et c'est ce qu'avait fait sa bande de pirates.

La pub « 1984 »

Lorsque Jobs avait commencé à réfléchir, au printemps 1983, au lancement du Macintosh, il désirait avoir une publicité qui soit aussi révolutionnaire et inattendue que son produit. « Je veux que les gens s'arrêtent de marcher. Je veux un coup de tonnerre ! » La mission fut confiée à l'agence Chiat\Day, la Pomme étant tombée dans leur escarcelle lorsqu'ils avaient racheté le département publicité du cabinet de Regis McKenna. Le responsable du projet était un grand type dégingandé, avec une barbe hirsute, de longs cheveux, des yeux pétillants et un air jovial de surfeur californien. Il s'appelait Lee Clow. Son équipe de créatifs avait ses bureaux dans le quartier de Venice Beach à Los Angeles. Clow était compétent et drôle, à la fois nonchalant et concentré. Entre Jobs et Clow naquit une amitié qui dura trente ans.

Clow et ses deux collaborateurs – le rédacteur publicitaire Steve Hayden et le directeur artistique Brent Thomas – avaient trouvé un slogan en référence au roman de George Orwell : « Pourquoi 1984 ne sera pas comme 1984. » Jobs adora l'idée. Il leur demanda de partir là-dessus pour le lancement du Macintosh. Ils écrivirent donc un story-board pour une publicité de soixante secondes qui semblerait sortir tout droit d'un film de science-fiction. On y verrait une jolie jeune femme rebelle, poursuivie par des gardes armés, lancer une masse dans un écran diffusant un discours de propagande de Big Brother.

Le concept parvenait à saisir l'essence de la révolution informatique. Beaucoup de jeunes, en particulier ceux de la contre-culture, considéraient les ordinateurs comme des instruments d'oppression susceptibles d'être utilisés par les États ou les grandes sociétés pour

---

1. MACintosh WIZard : magicien du Macintosh. *(N.d.T.)*

contrôler l'individu. Mais à la fin des années 1970, d'autres voyaient dans cette machine un outil d'épanouissement personnel. Cette publicité posait le Macintosh comme le héros de cette croisade pour la liberté – une petite société, jeune et rebelle se lançant avec héroïsme contre les méchantes multinationales qui voulaient diriger le monde et contrôler les esprits.

Jobs aimait ça. Ce concept évidemment trouvait une résonance particulière en lui. Il se voyait comme un contestataire, et il aimait être associé à l'esprit des pirates et bidouilleurs fous qu'il avait embauchés pour construire le Mac. Au-dessus de leur bâtiment flottait le drapeau noir. Même s'il ne restait du rêve communautaire de sa jeunesse que ce logo en forme de pomme, il voulait encore qu'on le considère comme un défenseur de la contre-culture, plutôt que comme un champion du capitalisme.

Mais il savait, au fond de lui, qu'il avait perdu depuis longtemps sa flamme de renégat. Certains auraient pu lui reprocher d'avoir vendu son âme. Quand Wozniak, fidèle à l'éthique du Homebrew Computer Club, avait voulu donner gratuitement ses plans de l'Apple I, Jobs l'en avait empêché et l'avait convaincu de les vendre. C'était lui encore qui, malgré les réticences de Wozniak, avait transformé Apple en une grande société ; il l'avait fait coter en Bourse et n'était guère enclin à donner des stock-options aux amis de la première heure qui avaient sué sang et eau avec eux dans le garage paternel. Et à présent, il s'apprêtait à lancer le Macintosh. Il savait qu'avec cette machine il violait le code de la piraterie. L'ordinateur était vendu cher, très cher, et sans connecteur d'extension. Ce qui interdisait aux passionnés d'informatique de brancher leurs propres cartes ou de bricoler la carte mère pour y ajouter de nouvelles fonctionnalités. On ne pouvait pas même accéder à l'intérieur de l'ordinateur, il fallait un outil spécial pour ouvrir le boîtier. Le Macintosh était un système fermé, ultra-protégé ; c'était la machine d'un Big Brother, et non d'un rebelle avide de liberté.

La pub « 1984 » allait imposer au monde l'image d'un Jobs guérillero, tel qu'il se rêvait d'être. L'héroïne, avec le dessin d'un Macintosh sur son maillot blanc, était une rebelle décidée à braver le pouvoir. En engageant comme réalisateur Ridley Scott, tout auréolé du succès de *Blade Runner*, Jobs pouvait relier Apple et sa personne à la culture cyberpunk de l'époque. Avec cette publicité, la petite Pomme se positionnait clairement du côté des rebelles et des pirates informatiques qui avaient une autre vision du monde et Jobs pouvait prétendre être associé à eux.

Sculley ne fut guère convaincu par le storyboard, mais Jobs voulait une publicité révolutionnaire. Il avait un budget pharaonique de sept cent cinquante mille dollars pour réaliser le film. Ridley Scott le tourna à Londres, en faisant appel à des dizaines de skinheads pour incarner les masses hypnotisées écoutant Big Brother à l'écran. Une jolie sportive lanceuse de disque fut choisie pour incarner l'héroïne. En utilisant un décor industriel dans les tons gris, Ridley Scott rappelait la dystopie du monde de *Blade Runner*. Juste au moment où Big Brother à l'écran assenait « nous allons gagner ! » l'héroïne lançait sa masse sur lui qui explosait dans une gerbe de lumière et de fumée.

Lorsque Jobs avait montré le film au congrès Apple à Hawaii, tout le monde avait adoré. Fort de ce succès, il décida de le présenter au conseil d'administration de décembre 1983. Lorsque la lumière revint dans la salle du conseil, tout le monde resta silencieux. Philip Schlein, le P-DG de la chaîne de magasins Macy's, se tenait la tête entre les mains. Markkula avait les yeux écarquillés ; l'espace d'un instant, on aurait pu croire qu'il était frappé par la force de ce film. Mais l'illusion fut de courte durée : « Qui veut se charger de trouver une autre agence de pub ? » Pour la majorité des administrateurs, cette publicité était un désastre.

Sculley se mit à paniquer. Il a appelé Chiat\Day pour ordonner de revendre les deux créneaux publicitaires – l'un de trente secondes, l'autre de soixante – qu'ils avaient achetés. Jobs était furieux. Voyant Wozniak traîner un soir dans les couloirs, il l'attrapa par le bras :

— Viens voir. J'ai un truc à te montrer...

Il glissa une cassette dans le magnétoscope et lança la publicité. « J'étais soufflé, raconte Woz qui avait pris ses distances avec Apple depuis deux ans. C'était vraiment extraordinaire. » Quand Jobs lui annonça que le conseil d'administration n'en voulait pas et refusait de diffuser ce spot pendant le Super Bowl, Wozniak lui demanda combien coûtait le prix du passage TV.

— Huit cent mille dollars.

— Si tu veux, je paie la moitié avec toi, proposa Woz avec sa générosité habituelle.

Finalement, Wozniak n'eut pas besoin de participer. L'agence avait pu revendre le créneau de trente secondes, mais dans un acte de résistance, ils avaient gardé le passage de soixante secondes. « On a dit à Apple qu'on n'avait pas pu le refourguer, expliqua Lee Clow. Mais ce n'était pas vrai, on n'a même pas essayé. » Sculley, pris en sandwich entre le conseil et Jobs, refila le bébé à Bill Campbell, le directeur du marketing, pour qu'il prenne une décision. Campbell, qui était un ancien entraîneur de football, choisit de tenter le tout pour le tout. « Ne jouons pas petits-bras ! »

Au début du troisième quart temps du Super Bowl, le 22 janvier 1984, les Raiders marquèrent un essai contre les Redskins, mais au lieu de rediffuser le point au ralenti, les télévisions de tout le pays passèrent au noir, pendant deux secondes qui semblèrent durer une éternité. Puis apparut à l'écran, en noir et blanc, une armée d'esclaves marchant au pas, au son d'une musique inquiétante. Plus de quatre-vingt-seize millions de personnes virent cette publicité qui était tellement différente des autres. À la fin, quand les esclaves regardaient avec horreur Big Brother voler en éclats, une voix-off annonçait tranquillement : « Le 24 janvier, Apple Computer va lancer le Macintosh. Et vous allez comprendre pourquoi 1984 ne sera pas comme *1984*. »

L'impact fut phénoménal. Ce soir-là, les trois réseaux nationaux et les cinquante chaînes locales diffusèrent des sujets sur cette publicité, créant un « buzz » médiatique sans précédent à cette époque où You Tube n'existait pas. Le spot fut finalement élu par le *TV Guide* et l'*Advertising Age* la plus grande publicité de tous les temps.

Le coup de pub

Au fil des ans, Steve Jobs devint un expert des lancements commerciaux. Pour le cas du Macintosh, la publicité étonnante de Ridley Scott n'était qu'un des ingrédients. La couverture médiatique était un autre élément crucial de la recette. Jobs trouva tant de moyens spectaculaires de faire parler de son produit que la frénésie des médias finit par s'alimenter toute seule, comme dans une réaction en chaîne. Un phénomène que le patron d'Apple réussit à réitérer avec régularité, pour chaque lancement d'un nouveau produit, du Macintosh de 1984 à l'iPad de 2010. Tel un grand magicien, il parvenait à conquérir son public, même si les journalistes avaient vu dix fois le tour. Il avait beaucoup appris de Regis McKenna, qui n'avait pas son pareil pour se mettre les journalistes dans la poche. Mais Jobs avait un don inné pour susciter l'intérêt, pour faire monter la mayonnaise, et pour manipuler les journalistes, qui avaient la compétition dans l'âme, en leur faisant croire que leur accorder une interview exclusive était l'équivalent d'un cadeau divin.

En décembre 1983, il emmena ses sorciers de la programmation, Andy Hertzfeld et Burrell Smith, à New York pour convaincre *Newsweek* de consacrer un article aux « gamins qui ont créé le Mac ». Après avoir fait une démonstration du Macintosh aux rédacteurs en chef, les trois hommes montèrent à l'étage pour rencontrer Katherine Graham, la grande patronne qui avait un appétit insatiable pour tout ce qui était nouveau. Le magazine envoya son spécialiste technologie et un photographe passer quelques jours avec Hertzfeld et Smith à Palo Alto. Le résultat fut au-delà de toute espérance : quatre pleines pages sur les deux jeunes développeurs, avec des photos où on les voyait chez eux, tels des chérubins de l'ère moderne. L'article citait Smith : « Maintenant, je veux construire l'ordinateur des années 1990. Mais je veux le faire dès demain ! » Le journaliste décrivait la personnalité à la fois charismatique et changeante de leur patron. « Steve Jobs parfois défend ses idées avec véhémence, et ses coups de gueule ne sont pas forcément pur simulacre. On raconte qu'un jour, il a menacé de mettre à la porte tous les employés qui réclamaient des touches directionnelles sur le clavier du Mac, parce qu'il jugeait ces commandes obsolètes. Mais quand il est dans ses bons jours, le cofondateur d'Apple est un curieux mélange de charme et d'impatience, oscillant entre une réserve stratégique et un enthousiasme débordant, ne cessant de répéter que Macintosh est "incroyablement génial" ! »

Quand le journaliste et écrivain Steven Levy, spécialiste d'informatique, qui travaillait alors pour *Rolling Stone*, vint interviewer Jobs, ce dernier lui mit aussitôt la pression pour que l'équipe au grand complet fasse la couverture du magazine.

— Il y a peu de chance que Jann Wenner accepte de déplacer Sting pour mettre à la une une bande de joyeux geeks ! répondit Levy.

Jobs emmena le journaliste manger une pizza et le travailla au corps :

— *Rolling Stone* est coincé dans les cordes. Le magazine ne sort que des articles pourris et a un besoin urgent de nouveaux sujets et d'un nouveau public. Mac peut lui sauver la mise !

Levy défendit son journal. L'avait-il ouvert récemment ? Jobs venait justement de lire, dans l'avion, un article sur MTV. « C'était à chier. » Levy répondit que c'était lui qui l'avait écrit. Jobs, courageux, ne revint pas sur ses propos, mais changea de cible et se mit à attaquer le *Time* pour leur « coup de couteau dans le dos » de l'année passée. Puis il éleva le débat et parla du Macintosh. « Nous profitons des inventions réalisées avant nous et nous prenons ce que nos prédécesseurs ont réalisé de meilleur. C'est pour nous un grand bonheur que de pouvoir, par nos produits, offrir aux hommes tout ce savoir et cette expérience. »

L'article de Levy ne fit pas la couverture. Mais à l'avenir, toutes les grandes réalisations où Jobs serait impliqué – que ce soit à NeXT, à Pixar, ou des années plus tard quand il revint à Apple – firent la une du *Time,* de *Newsweek* ou de *Business Week*.

Le lancement : 24 janvier 1984

Le matin où Andy Hertzfeld, aidé de ses coéquipiers, avait terminé le système d'exploitation du Macintosh, il était rentré chez lui, espérant dormir toute la journée. Mais l'après-midi même, six heures plus tard, il revint au bureau. Il voulait s'assurer qu'il n'y avait pas de problèmes. Et la plupart de ses collègues avaient montré le même zèle. Ils attendaient dans le hall, épuisés mais excités, quand Jobs arriva.

— Debout les gars. On n'a pas fini ! Il me faut une démo pour la présentation !

Il voulait inaugurer le Macintosh devant un grand public et révéler ce dont il était capable sur la musique des *Chariots de feu*.

— Il faut que ce soit prêt pour les répétitions dès samedi prochain, ajouta-t-il.

« On a tous poussé un gémissement, se souvient Hertzfeld, mais en discutant de ce qu'on pouvait faire, on s'est aperçu que ça pouvait être amusant de montrer quelque chose d'impressionnant. »

Le lancement officiel était prévu pour l'assemblée générale des actionnaires le 24 janvier 1984 – huit jours plus tard exactement – dans l'auditorium Flint du De Anza Community College. C'était le troisième ingrédient, après la pub télé, et la couverture médiatique. Une étape qui devint un passage obligé, une grande messe où Jobs faisait du lancement d'un produit de grande consommation un moment épique de l'histoire humaine. L'objet était dévoilé solennellement, en grande pompe, avec fanfares et trompettes, devant une assemblée de fidèles où quelques journalistes avaient l'insigne honneur d'être conviés pour pouvoir partager la liesse générale.

Hertzfeld réussit le prodige de composer pour le Mac la musique des *Chariots de feu*. Mais Jobs n'aima pas le rendu ; on opta donc pour la musique originale. Jobs, en revanche, fut conquis par le synthétiseur vocal, qui lisait à voix haute un texte écrit, avec un charmant accent électronique. Il décida de l'inclure à son intervention. « Je veux que le Macintosh soit le premier ordinateur à se présenter tout seul ! » Steve Hayden, le rédacteur publicitaire de la pub « 1984 », fut engagé pour écrire le texte. Steve Capps conçut un programme pour faire défiler horizontalement le nom « Macintosh » en gros caractères, et Susan Kare se chargea de l'animation graphique de l'écran d'accueil.

La veille, lors de la répétition, rien ne fonctionna. Jobs détestait la façon dont progressaient les lettres à l'écran et ordonna des modifications. Il n'aimait pas non plus l'éclairage de la salle et il demanda à Sculley de passer de siège en siège pour lui donner son opinion à mesure que les corrections étaient apportées. L'ancien président de Pepsi-Cola, peu sensible à ces détails artistiques, donnait des réponses évasives, comme un patient chez l'ophtalmo qui doit choisir avec quel verre il voit le mieux. Les répétitions et les changements de dernière minute durèrent cinq heures, jusque tard dans la nuit. Sculley avait des sueurs froides : « J'étais persuadé qu'on ne serait jamais prêt pour le lendemain matin. »

En plus, Jobs n'était pas content de sa présentation. « Steve n'arrêtait pas de changer de diapositives. Il rendait fous tous les techniciens, piquait une colère à chaque loupé. » Le nouveau P-DG, qui pensait avoir une certaine plume, suggéra des modifications dans le texte. Jobs fut agacé, mais leur relation était encore au grand beau, alors il flatta son aîné : « Pour moi, tu es l'égal de Woz ou de

Markkula. Tu es l'un des pères fondateurs de la société. Les deux autres l'ont créée, mais toi et moi, nous écrivons son futur. » Sculley buvait du petit-lait. Des années plus tard, il en était encore tout chaviré.

Le lendemain matin, l'auditorium de deux mille six cents places était plein à craquer. Jobs arriva, avec une veste croisée bleu marine, une chemise blanche impeccable et un nœud papillon vert clair. « C'est le moment le plus important de ma vie, confia-t-il à son aîné en coulisses. J'ai vraiment le trac. Tu es la seule personne qui sache ce que ça représente pour moi. » Sculley lui serra la main chaleureusement et lui souhaita bonne chance.

En tant que président de la société, Jobs monta sur scène pour ouvrir officiellement l'assemblée générale. Il le fit à la façon d'un prédicateur. « Je voudrais commencer cette séance par un poème, vieux de vingt ans, écrit par Dylan – le grand Bob Dylan. » Il esquissa un sourire, puis se mit à lire le deuxième couplet de « The Times They Are A-Changin' ». Sa voix était rapide et vibrante quand il lut les dernières lignes : « *For the loser now/ Will be later to win/ For the times they are a-changin*'[1]. » Cette chanson était l'hymne qui permettait au président multimillionnaire d'une société cotée en Bourse de conserver une image de contestataire. Sa version favorite était celle d'un concert donné par Dylan, avec Joan Baez, pour Halloween, en 1964, au Philharmonic Hall du Lincoln Center – concert dont il avait une copie pirate.

Sculley rejoignit à son tour la scène pour faire le rapport financier de la compagnie. Le public se fit distrait pendant la longue énumération de chiffres. Finalement, le P-DG conclut son exposé par une note personnelle : « La plus belle chose qui me soit arrivée ces neuf derniers mois passés à Apple c'est d'être devenu ami avec Steve Jobs. Le lien qui nous unit est devenu essentiel pour moi. »

Les lumières baissèrent quand Jobs réapparut au pupitre et prononça son discours de bataille qu'il avait déjà adressé aux représentants à Hawaii : « 1958, IBM rate l'opportunité de racheter une jeune société en expansion qui avait mis au point une nouvelle technologie d'impression, appelée alors la xérographie. Deux ans plus

---

1. Car le perdant d'aujourd'hui/sera le gagnant de demain/Car les temps changent. *(N.d.T.)*

tard, Xerox naissait et IBM s'en mord encore les doigts. » La salle
éclata de rire. Hertzfeld avait déjà entendu ce laïus à Hawaii et en
d'autres occasions, et pourtant il ne put s'empêcher d'être pris. Il y
avait cette fois une telle passion, une telle intensité dans la voix de
Jobs. Après avoir énuméré les erreurs passées d'IBM, Jobs fit monter
encore la tension d'un cran en abordant le moment présent :

> Et maintenant nous sommes en 1984. Et IBM veut tout le gâteau
> pour lui. Apple est perçu comme le seul obstacle sur sa route. Les
> distributeurs, après avoir accueilli IBM à bras ouverts, ont peur
> désormais de voir Big Blue dominer et contrôler le futur. Ils se
> tournent tous vers Apple parce qu'elle est la seule à pouvoir leur
> garantir leur liberté future. IBM veut tout, et maintenant elle pointe
> ses canons vers le dernier bastion qui résiste à son hégémonie.
> Allons-nous laisser IBM dominer tout le monde informatique ?
> Toute l'ère de l'information ? George Orwell aurait-il raison ?

Quand son discours atteignit son paroxysme, la foule, exaltée, se
mit à applaudir et à pousser des vivats. Sans leur laisser le temps
de reprendre leur souffle, la salle fut plongée dans les ténèbres et
la publicité « 1984 » apparut sur l'écran. À la fin du film, la salle
était debout, le public en délire.

Avec un sens inné de la dramaturgie, Jobs marcha dans la
pénombre vers une petite table installée sur le côté de la scène, sur
laquelle était posé un sac en tissu. « Et maintenant, je voudrais vous
présenter Macintosh en personne. Toutes les images que vous allez
voir sur l'écran derrière moi sont générées par ce qu'il y a dans ce
sac. » Jobs sortit l'unité centrale, le clavier et la souris, les raccorda
avec adresse, puis sortit de sa poche de chemise une disquette de
trois pouces et demi qu'il glissa dans la fente du lecteur. La foule
poussa encore des hourras. Le thème des *Chariots de feu* commença
et les images se succédèrent sur le grand écran. Jobs retint son
souffle car la démo avait planté la veille aux répétitions. Mais cette
fois, tout fonctionna. Le mot MACINTOSH défila horizontalement puis, dessous, apparut, comme écrit par une main invisible :
« Incroyablement génial ! » Guère habituée à ce genre de performance
graphique, la salle resta silencieuse, médusée. On entendit quelques
hoquets de stupeur. Et puis, en une succession rapide, défila une

série d'images de présentation : un dessin réalisé avec Macpaint conçu par Bill Atkinson, un échantillon des différentes polices de caractères, des graphiques, des dessins, un jeu d'échecs, un tableur, et un portrait de Steve Jobs avec une bulle, au-dessus de sa tête, où figurait le Macintosh qu'il rêvait de construire.

À la fin de la séquence, Jobs sourit et porta l'estocade : « On a beaucoup parlé du Macintosh dernièrement. Aujourd'hui, il est temps de le laisser se présenter tout seul. » À ces mots, il se dirigea vers l'ordinateur et cliqua sur la souris, et d'une voix grave aux consonances électroniques, le Macintosh fut le premier ordinateur de l'histoire à s'adresser à son public : « Bonjour. Je m'appelle Macintosh. Cela fait du bien de sortir de ce sac ! » commença-t-il. La seule chose que la machine ne savait pas faire, c'était de marquer une pause en attendant que les applaudissements se calment. Elle enchaîna donc sous les vivats : « Comme je ne suis guère habitué à parler en public, j'aimerais vous confier la pensée que j'ai eue la première fois que j'ai rencontré un IBM PC : "Ne jamais faire confiance en un ordinateur qu'on ne peut pas déplacer !" » Encore une fois, la salle cria à tout rompre. « Comme vous le voyez, je peux parler. Mais pour l'instant, je préfère me taire et écouter. C'est avec une grande fierté que je vous présente l'homme qui a été un père pour moi : Steve Jobs. »

La foule était en délire. Les gens sautaient à pieds joints, levaient les bras en signe de victoire. Jobs hochait lentement la tête, un petit sourire aux lèvres, le visage rayonnant de joie, puis il baissa les yeux et tenta de contenir ses larmes. L'ovation dura pendant près de cinq minutes.

Lorsque l'équipe Macintosh revint à Bandley 3 cet après-midi-là, un camion se gara sur le parking et le patron demanda à tout le monde de se regrouper autour du véhicule. À l'intérieur, il y avait une centaine de Macintosh, personnalisés par une plaque au nom de chaque collaborateur. « Steve nous les a offerts un à un, avec un sourire et une poignée de main pour chacun, pendant que les autres applaudissaient et criaient à tout va », raconte Hertzfeld. L'aventure avait été éprouvante, les ego malmenés, molestés par les manières brutales de Steve Jobs. Mais ni Raskin, ni Wozniak, ni Sculley, ni personne chez Apple n'aurait pu mener à bien la création du Macintosh. Aucun comité ou groupe de réflexion n'aurait pu concevoir une telle machine. Le jour où il a montré au monde le Macintosh, un journaliste du *Popular Science* lui demanda s'il avait fait une étude de marché. Et le père du Mac a répondu : « Vous pensez que Graham Bell a fait une étude de marché quand il a inventé le téléphone ? »

CHAPITRE SEIZE

GATES ET JOBS

Quand deux orbites se croisent

Steve Jobs et Bill Gates, en 1991.

Le partenariat

En astronomie, un système binaire se forme quand les orbites de deux étoiles s'interpénètrent du fait de leur interaction gravitationnelle. Dans l'histoire humaine, il y a déjà eu des cas semblables, causés par la rivalité ou la synergie de deux supernovas, Albert Einstein et Niels Bohr en physique au XXe siècle, Thomas Jefferson et Alexander Hamilton, le siècle précédent, en politique. Pour les trente premières années de l'ère de l'ordinateur personnel, qui avait commencé à la fin des années 1970, le système binaire était composé de deux hommes fougueux, tous deux nés la même année – en 1955 – et tous deux ayant abandonné leurs études.

Bill Gates et Steve Jobs, malgré leurs ambitions similaires, à la confluence de la technologie et des affaires, avaient toutefois des parcours différents et des personnalités diamétralement opposées. Le père de Gates était un avocat renommé de Seattle, sa mère, un éminent personnage de la société civile, qui siégeait au conseil d'administration de nombreuses organisations caritatives. Gates se passionna pour l'informatique à la très chic Lakeside School, mais il n'était ni hippie, ni rebelle. Il ne mena aucune quête spirituelle, et fut encore moins un émissaire de la contre-culture. Au lieu d'inventer une blue box pour pirater le téléphone, Gates créa, pour son école, un programme de gestion des emplois du temps, ce qui lui permettait de choisir les classes où se trouvaient les plus jolies filles ; il mit au point également un programme de comptage de voitures pour aider les spécialistes de la circulation automobile. Il entra à Harvard. Quand il abandonna ses études, ce ne fut pas pour aller chercher l'illumination auprès d'un gourou en Inde, mais pour fonder son entreprise de logiciels.

Gates savait programmer, contrairement à Jobs, et il avait un esprit pragmatique, discipliné et analytique. Le patron d'Apple était plus intuitif, un romantique qui avait le don de créer de la technologie accessible, de beaux designs, et des interfaces conviviales. Avec son obsession de la perfection, il était un capitaine très exigeant qui usait de son charisme et de son tempérament colérique pour mener ses troupes. Gates, quant à lui, était plus méthodique. Il ne s'éparpillait jamais, les réunions avec lui étaient des modèles d'efficacité ; il n'avait pas son pareil pour aller directement au cœur du problème. Tous deux pouvaient être despotiques, mais Gates – qui, au début de sa carrière, avait tout du geek flirtant dangereusement avec l'autisme – s'en prenait rarement aux personnes ; c'était davantage du mordant intellectuel que de la violence passionnelle. Jobs regardait les gens avec intensité, avec défi. Gates, parfois, avait le regard fuyant, mais c'était quelqu'un de doux et bienveillant par nature.

« Chacun se croyait plus brillant que l'autre, explique Hertzfeld, mais Steve affichait une condescendance ostensible à l'égard de Bill, en particulier en matière de goût et de style. Et Bill, de son côté, prenait Steve de haut parce qu'il ne savait pas écrire un programme. » Depuis le début de leur relation, le patron de Microsoft était fasciné par son homologue d'Apple, et légèrement jaloux du charme qu'il exerçait sur son entourage. Mais il le trouvait « bizarre », « pas tout à fait normal ». Il était choqué par sa rudesse et par ses deux seuls modes relationnels : « Soit vous étiez une merde, soit il vous faisait du charme. » Quant à Jobs, il trouvait Gates désespérément étriqué : « Il aurait pu être un gars bien plus ouvert d'esprit s'il avait pris de l'acide dans sa jeunesse ou s'il avait mis les pieds dans un monastère hindou. »

Leur différence de personnalité les conduisit naturellement aux deux pôles de la future partition de l'ère numérique. Jobs était un perfectionniste qui voulait avoir la maîtrise de son œuvre, avec le tempérament entier de l'artiste qui ne souffre aucune concession dans son art. Gates, pour sa part, était un analyste avisé, ayant les pieds sur terre, tant en affaires qu'en technologie ; il céda tout de suite la licence du MS-DOS ainsi que ses logiciels aux autres constructeurs.

Trente ans après, Gates aura toujours du respect pour Jobs : « Il ne connaissait pas grand-chose à la technologie, mais il avait un instinct étonnant pour ce qui pouvait marcher. » Jobs ne lui rendit jamais la pareille ; il ne reconnaîtra jamais les qualités de Gates : « Bill est un être dépourvu d'imagination, et il n'a jamais rien inventé. C'est la raison pour laquelle il est plus à son aise aujourd'hui dans le monde caritatif qu'il ne l'était dans celui de la technologie. Il s'est juste contenté de piquer les idées des autres. »

Lorsque le Macintosh était en phase de développement, Jobs avait rendu visite à Gates à Seattle. Microsoft avait écrit quelques applications pour l'Apple II, dont le tableur Multiplan, et le patron d'Apple voulait convaincre Gates & Cie de s'investir davantage dans le futur Macintosh. Assis dans la salle de réunion en face du Lake Washington, Jobs leur exposa le projet d'un ordinateur novateur pour les masses populaires, doté d'une interface conviviale, qui allait être produit par millions dans une chaîne automatisée de Californie. Les cadres de Microsoft, en entendant Jobs décrire son usine de rêve, qui avalait à un bout des composants et recrachait, à l'autre, des Macintosh complets, surnommèrent son projet « Sand[1] ». Un

---

1. « Sable », la matière première dont on extrait le silicium. Sobriquet inventé par Jeff Harbors, comme si, à entendre Steve Jobs, il suffisait de donner au début de la chaîne du sable grossier pour en voir sortir à l'autre bout des ordinateurs. *(N.d.T.)*

nom qui pouvait également être l'acronyme facétieux de Steve's Amazing New Device[1].

Gates avait fondé Microsoft pour finaliser la vente de leur BASIC pour l'Altair. (BASIC, pour Beginner's All Purpose Symbolic Instruction Code[2], est un langage de programmation conçu à l'origine pour permettre à des néophytes en informatique d'écrire des programmes pouvant tourner sur divers terminaux.) Jobs voulait que Microsoft écrive un BASIC pour le Macintosh, parce que Wozniak – malgré l'insistance de Jobs – n'avait jamais inséré dans son BASIC de l'Apple II la gestion des nombres à virgule flottante. Il désirait également des applications spécifiques, telles que traitement de texte, logiciel de graphisme, tableur. Gates accepta de concevoir une version graphique de leur nouveau tableur appelé Excel, un traitement de texte baptisé Word, ainsi qu'un BASIC.

À l'époque, Jobs était le roi et Gates un courtisan. En 1984, le chiffre d'affaires d'Apple serait de un milliard cinq cents millions de dollars, tandis que celui de Microsoft ne dépasserait pas cent millions. Alors Gates se rendit à Cupertino pour une démonstration du système d'exploitation du Macintosh. Il vint avec trois collaborateurs, dont Charles Simonyi, qui avait travaillé au Xerox PARC. N'ayant pas encore un prototype totalement opérationnel du Macintosh, Andy Hertzfeld bricola un Lisa pour faire tourner le système du Macintosh et afficher l'écran du Mac.

Gates ne fut pas impressionné outre mesure : « Lors de notre première visite, Steve nous a montré un programme qui faisait rebondir des trucs à travers l'écran. C'était leur seule application qui fonctionnait. MacPaint n'était pas encore écrit. » Gates était troublé par l'attitude ambiguë de Jobs. « Il jouait un étrange jeu de la séduction. Il nous disait : "On n'a pas besoin de vous ; on va faire ce truc fabuleux et c'est top secret." C'était sa façon de vendre sa camelote, car en filigrane ça voulait dire aussi : "Mais je suis disposé à vous laisser une part du gâteau." »

Le courant ne passa pas très bien entre les pirates de l'équipe Mac et le patron de Seattle. « Gates croyait tout savoir, raconte Hertzfeld. Il détestait que quelqu'un lui explique comment tel ou

---

1. Littéralement « le nouveau truc étonnant de Steve ». *(N.d.T.)*

2. « Code d'instruction symbolique polyvalent pour débutant. » *(N.d.T.)*

tel programme fonctionnait. Il préférait interrompre la personne et tenter de deviner lui-même comment ça marchait. » Cette arrogance fut flagrante quand on lui fit voir le déplacement du curseur qui s'opérait d'une façon fluide, sans le moindre clignotement.

— Qu'est-ce que vous avez comme écran pour parvenir à ça ?

— L'écran est tout ce qu'il y a de plus ordinaire ! répondit Hertzfeld, très fier de son astuce de programmation.

Mais Gates ne voulait rien savoir. Il continua à soutenir qu'ils avaient trouvé un tube cathodique spécial pour faire bouger ainsi un curseur sans papillotement. Bruce Horn, un développeur de l'équipe, dira plus tard à Hertzfeld : « Laisse tomber. C'est donner de la confiture aux cochons. Il est évident que Gates est incapable de comprendre et d'apprécier l'élégance d'un Macintosh. »

Malgré cette méfiance mutuelle, tout le monde se félicitait que Microsoft développe un logiciel graphique pour le Macintosh ; cela allait ouvrir de nouveaux horizons à la micro-informatique domestique. Jobs emmena Gates dîner dans un grand restaurant pour fêter l'événement. Seattle allait mettre sur ce projet les grands moyens. « Notre équipe était plus importante que la leur, se souvient Bill Gates. Jobs avait quatorze ou quinze personnes. Nous en avions plus de vingt. On avait vraiment misé gros sur ce projet. » Même si Jobs reprochait aux développeurs de Microsoft leur manque d'inventivité, ils étaient consciencieux, et opiniâtres : « Au début, leurs applications étaient merdiques, mais ils ont continué à bosser et à la fin, ce n'était pas mal du tout. » Jobs devint même un inconditionnel d'Excel ! À tel point qu'il passa un marché avec Gates : si Microsoft réservait son tableur exclusivement pour le Macintosh pendant deux ans, sans sortir de version pour l'IBM PC, alors il demanderait à son équipe de ne plus travailler sur le BASIC du Mac et s'engagerait à n'utiliser que le BASIC de Microsoft. Gates s'empressa d'accepter. Les développeurs chez Apple étaient furieux. Non seulement leur projet était annulé, mais dorénavant, Microsoft aurait un moyen de pression dans les futures négociations.

En attendant, Jobs et Gates formaient un tandem. Cet été-là, ils participèrent ensemble à une conférence animée par l'analyste Ben Rosen, durant un salon du Playboy Club, à Lake Geneva dans le Wisconsin. À l'époque, personne ne savait qu'Apple développait des interfaces graphiques. « Tout le monde agissait comme si l'IBM PC était le seul ordinateur au monde, se rappelle Gates. C'était agréable à entendre, mais Steve et moi, on avait un petit sourire en coin : "Attendez les gars, on vous réserve une petite surprise." Steve a même fait des sous-entendus appuyés mais personne n'a relevé. » Gates devint un habitué des séminaires Apple. « J'étais de toutes les fêtes, raconte-t-il. Je faisais quasiment partie de l'équipe. »

Gates se rendait souvent à Cupertino. C'est à ces occasions qu'il découvrit les coups de colère de Jobs et son caractère obsessionnel. « Steve était comme le joueur de flûte du conte, mais qui aurait basculé du côté obscur. Il proclamait que le Mac allait changer le monde, harcelait ses collaborateurs, ne leur laissait pas le temps de souffler, et tissait tout un réseau de relations complexes et conflictuelles. » Il découvrit également son tempérament mercurien et ses sautes d'humeur : « Le vendredi soir, on dînait en ville et Steve était sur un petit nuage. Tout se passait à merveille. Mais le lendemain, il voyait tout en noir : "Merde, il va falloir vendre ce truc ! Merde, je dois augmenter le prix ! Désolé de t'avoir entraîné là-dedans, parce que je suis entouré d'une bande de crétins !" »

Gates vit le champ de distorsion de la réalité à l'œuvre, lors de la sortie du Xerox Star. Jobs demanda à Gates, au cours d'un dîner en présence d'une partie de l'équipe, combien de Star avaient été vendus. Gates répondit six cents. Le lendemain, devant le P-DG de Microsoft et de l'équipe Mac au complet, Jobs annonça que seulement trois cents Star avaient été vendus, oubliant que Gates avait dit devant tout le monde qu'il s'en était écoulé le double. « Alors tous les gars se sont tournés vers moi, comme pour me dire "pourquoi tu ne lui dis pas qu'il raconte des conneries ?". Mais j'ai préféré ne pas réagir. » Une autre fois, Jobs et ses proches collaborateurs étaient en visite chez Microsoft et dînaient au Seattle Tennis Club. Jobs s'était lancé dans un prêche disant que le Macintosh et ses logiciels seraient si faciles d'emploi qu'il n'y aurait pas besoin de fournir de manuels d'instruction. Gates n'en revenait pas : « À son ton, il sous-entendait clairement que ceux qui pensaient qu'il fallait livrer un mode d'emploi avec les applications Mac étaient de parfaits idiots. On se demandait tous : "Est-ce qu'il est sérieux ? Il sait très bien qu'on a des gens, en ce moment, qui rédigent les manuels." »

Au fur et à mesure, le tandem connut des ratés. Il était prévu, au départ, que les applications Microsoft développées pour le Mac, telles que Excel, Chart, File, portent le logo de la pomme, et soient livrées dans le carton de l'ordinateur, conformément à la politique de Jobs du « tout en un » ; il avait projeté aussi d'inclure les logiciels maison, MacPaint et MacWrite. « On devait toucher dix dollars par application et par machine », explique Gates. Mais cet accord dérangeait les autres développeurs de logiciel tels que Mitch Kapor de Lotus. En outre, certaines applications de Microsoft risquaient de ne pas être prêtes pour le lancement. Alors Jobs, invoquant une rupture du contrat, décida d'exclure du pack tous les programmes Microsoft. La société de Seattle devrait se débrouiller seule pour vendre ses produits aux consommateurs.

Gates accepta relativement de bonne grâce. Il était habitué aux méthodes de Jobs : « Steve était un impulsif et ne connaissait pas la demi-mesure. » Et il se disait que cette situation pouvait lui profiter, car le marché était en pleine expansion ; la firme de Seattle vendra finalement ses applications pour d'autres plateformes et délaissera le Word pour Mac au profit de celui pour IBM PC. En définitive, la décision de Jobs nuira davantage à la Pomme qu'à Microsoft.

Lorsque Excel pour Mac fut dans les bacs, Jobs et Gates célébrèrent l'événement lors d'un dîner organisé pour la presse au Tavern de New York. Quand un journaliste demanda si Gates allait développer un Excel pour IBM PC, Gates ne révéla pas l'accord qu'il avait avec Cupertino, mais répondit que ça arriverait « en son temps ». Jobs prit le microphone pour ajouter : « À mon avis, d'ici là, nous serons tous morts ! »

La bataille de l'interface graphique

Dès le début des pourparlers avec Microsoft, Jobs et son équipe craignaient que Gates en profite pour copier l'interface graphique du Macintosh. Microsoft avait déjà un système d'exploitation – le MS-DOS – disponible pour les IBM PC et les autres ordinateurs compatibles. Il était conçu sur une interface antédiluvienne en mode texte, imposant à l'utilisateur des invites de commande rébarbatives telles que C:\>. Leurs inquiétudes redoublèrent lorsque Andy Hertzfeld remarqua que son homologue de Microsoft posait beaucoup de questions sur le système d'exploitation du Macintosh. « J'ai dit à Steve que je soupçonnais Microsoft de vouloir cloner le Mac. Mais Jobs ne se faisait pas trop de soucis ; il était persuadé que Microsoft ne serait pas fichu de faire un bon programme, même avec le Macintosh pour modèle. » En réalité, Jobs était inquiet, très inquiet même, mais il ne voulait pas le montrer.

Et il avait raison de l'être. Gates avait compris que les interfaces graphiques étaient l'avenir, et considérait que Microsoft avait autant le droit qu'Apple de copier ce qui avait été inventé au PARC. « On se disait : "Nous aussi on croit aux IG, nous aussi on a vu tourner le Xerox Alto !" »

Dans leur accord originel, Jobs avait contraint Gates à promettre que Microsoft ne développerait aucun logiciel doté d'une interface graphique pendant un an, après le lancement du Macintosh prévu pour janvier 1983. Malheureusement pour Apple, le Mac sortira des chaînes avec un an de retard. Gates était donc parfaitement dans son droit lorsque, en novembre 1983, il entreprit le développement d'un nouveau système d'exploitation pour l'IBM PC doté d'une interface graphique avec fenêtres, icônes et souris. Son nom : Windows. Gates fit une grande annonce digne de Jobs, au Helmsley Palace Hotel de New York. Jamais, ils n'avaient organisé de cérémonie plus fastueuse. Gates, le même mois, présenta son projet au COMDEX, le salon de l'informatique de Las Vegas, avec l'aide de son père qui passait les diapositives. Dans son discours, intitulé « Les logiciels ergonomiques », il annonça que le graphisme serait une caractéristique essentielle des machines de demain, que les interfaces utilisateurs devaient devenir plus conviviales, et qu'une souris équiperait bientôt tous les ordinateurs de la planète.

Jobs était furieux. Il ne pouvait pas faire grand-chose – Microsoft n'étant pas dans l'illégalité – mais il voyait rouge quand même. « Convoque-moi Bill immédiatement ! » ordonna-t-il à Mike Boich, qui était l'« évangéliste » d'Apple auprès des autres sociétés informatiques. Gates vint seul – seul et prêt à ferrailler avec Jobs. « Il m'avait fait venir pour me passer un savon. Je suis descendu à Cupertino, comme un soldat aux ordres. Je lui ai dit tranquillement : "On va développer Windows. Car nous aussi, on mise sur l'interface graphique." »

La scène se passait dans la salle de réunion ; Gates était entouré par dix employés d'Apple venus assister à la curée. « Je regardais, fasciné, Steve qui hurlait sur Bill », raconte Hertzfeld. Sur ce point, Jobs ne déçut pas ses troupes.

— C'est un coup en traître ! On t'a fait confiance et maintenant tu nous fais les poches !

Gates soutint le regard de Jobs, puis se mit à crier aussi, de sa voix de fausset :

— Il y a une autre façon de voir les choses, Steve ! Xerox était notre riche voisin à tous les deux, et quand je suis entré chez lui pour lui voler sa télévision, j'ai découvert que tu l'avais déjà emportée !

Une réplique qui devint culte.

Pendant les deux jours que dura la visite de Gates, Jobs fit le spectacle, alternant emportements hystériques et froides manipulations. Il était clair, dorénavant, que l'entente sacrée entre Apple et Microsoft était devenue une danse des scorpions ; chacun tournait autour de l'autre avec méfiance, sachant que celui qui attaquerait le premier causerait autant de dégâts qu'il s'en infligerait. Après l'altercation dans la salle de réunion, Gates lui montra en privé son projet Windows. « Steve ne savait plus que dire. Il aurait pu s'écrier "C'est du vol manifeste !" mais non. Il est resté silencieux. » Au bout d'un moment, il articula :

— Mais c'est de la merde...

— Oui, c'est de la merde, convint Gates pensant que cela allait calmer le jeu.

Mais l'impétueux patron d'Apple passa par toutes sortes d'émotions contraires. « Il a d'abord été d'une agressivité incroyable. Et puis tout à coup, il a été au bord des larmes, comme s'il me disait : "Je t'en prie, ne me fais pas ça." » Gates resta de marbre : « Je suis toujours très bon quand les gens sont émotifs. Dans ces cas-là, je suis un poisson froid. C'est ce qui fait ma force. »

Jobs, comme à son habitude quand il avait un sujet important à aborder, proposa au patron de Seattle d'aller marcher. Ils parcoururent les rues de Cupertino, de long en large, jusqu'au College De Anza ; ils s'arrêtèrent pour dîner et marchèrent encore. « On a dû faire une promenade interminable, ce qui n'est pas mon *modus operandi* pour résoudre un problème, raconte Gates. Et finalement

Steve a cédé : "C'est bon, n'en parlons plus, mais tâche que cela ne ressemble pas trop au Mac." »

Jobs n'avait pas le choix. Il avait besoin que Microsoft continue de développer des applications pour le Macintosh. Lorsque Sculley, plus tard, voulut les poursuivre en justice, Gates menaça aussitôt d'arrêter la commercialisation des versions Macintosh de Word, Excel, et autres logiciels – ce qui aurait fait chuter les ventes d'Apple – et le P-DG avait été contraint de battre en retraite. Jobs accepta donc que Microsoft, pour son futur Windows, reprenne certains aspects graphiques mis au point par Apple. En retour, Microsoft s'engageait à continuer à développer des applications pour Macintosh et à donner à Apple une exclusivité temporaire pour Excel, période durant laquelle le fameux tableur ne serait disponible que sur le Macintosh et pas sur l'IBM PC et ses clones.

Finalement, Microsoft sortit son Windows 1.0 à l'automne 1985. Mais cela restait du bricolage. La conception n'avait pas l'élégance du Macintosh et les fenêtres s'empilaient sans cet effet de chevauchement que Bill Atkinson avait mis au point. Les critiques se moquèrent de cette pâle copie et les clients la boudèrent. Mais, comme c'est souvent le cas avec les produits Microsoft, grâce à l'opiniâtreté des développeurs de Seattle, Windows s'améliora au fil des mises à jour et finit par dominer le marché.

Jobs, à ce sujet, ne décoléra jamais. Trente ans plus tard, il était encore furieux : « Ils nous ont dépouillés ! Bill n'a aucune éthique ! » Quand je rapportai ces paroles à Gates, celui-ci me rétorqua : « Si c'est ce qu'il croit, c'est qu'il s'est définitivement perdu dans son champ de distorsion ! » D'un point de vue juridique, Microsoft était dans son droit, comme l'a statué la justice dans maintes affaires semblables. Et d'un point de vue factuel, elle avait également un dossier solide. Même si Apple avait passé un accord avec Xerox pour utiliser les inventions du PARC, tôt ou tard une autre société aurait développé des interfaces graphiques – c'était inévitable. Comme la Pomme le découvrit à ses dépens, « l'aspect et la convivialité » d'une interface d'ordinateur étaient difficiles à protéger, tant légalement que dans les faits.

Néanmoins, le courroux de Jobs est compréhensible. Apple avait innové, fait preuve d'imagination, avait conçu un produit élégant, intelligent et révolutionnaire. Et même si Microsoft se contenta de sortir de grossières copies, c'est lui qui gagna la guerre des DOS ! Cet épisode montre une faille dans la machinerie de l'univers : ce n'est pas le meilleur ni le plus innovant qui gagne. Ce qui poussa Jobs, dix ans plus tard, à tenir ces propos méprisants : « Le problème de Microsoft, c'est qu'ils n'ont pas de goût, absolument aucun. Je parle au sens le plus général du terme. Ces gens-là sont incapables d'avoir des idées, ils ne cherchent pas à apporter du savoir ou du bonheur à l'humanité avec leurs produits... Alors, oui, la réussite de Microsoft m'attriste. Leur succès ne me pose pas de problème en soi. Ils l'ont plus ou moins mérité, à force d'opiniâtreté. Ce qui me désespère, c'est qu'ils font des produits de troisième zone. »

CHAPITRE DIX-SEPT

ICARE

À monter trop haut...

L'ascension

Le lancement du Macintosh fit de Jobs une célébrité planétaire, ainsi qu'il s'en rendit compte au cours de son voyage à Manhattan peu après. Il fut invité à une fête que donnait Yoko Ono pour son fils Sean Lennon âgé de neuf ans ; il lui apporta en cadeau un Macintosh. Le garçon était ravi. Les artistes Andy Warhol et Keith Haring étaient présents. Ils furent emballés par ce qu'on pouvait faire avec une machine qui, jusque-là, dans la sphère de l'art contemporain, était considérée comme le mal incarné.

— Regardez ! J'ai dessiné un cercle ! s'exclama Warhol après avoir joué avec MacDraw.

L'apôtre du Pop Art annonça à Jobs qu'il fallait absolument qu'il apporte un Mac à Mick Jagger. Quand Jobs, avec Bill Atkinson, se présenta chez la rock star, Jagger parut tomber des nues. Il ne savait pas trop qui était Jobs. Plus tard le patron d'Apple racontera à son équipe : « Je pense qu'il était défoncé. Ou alors, il a définitivement une partie du cerveau grillée. » En revanche, Jade, la fille de Jagger, prit aussitôt l'ordinateur et commença à dessiner avec MacPaint.

Jobs acheta le duplex en terrasse qu'il avait montré à Sculley, dans l'immeuble San Remo, au bord de Central Park. Il embaucha James Freed du cabinet de I.M. Pei pour le rénover, mais à cause de son obsession du détail, Jobs ne l'occupa jamais. (Il le vendra plus tard à Bono pour quinze millions de dollars.) Il acquit aussi une grande demeure de quatorze chambres aux airs d'hacienda mexicaine, à Woodside, sur les hauteurs de Palo Alto, que s'était fait bâtir un magnat du cuivre. Jobs y emménagea mais ne trouva jamais le temps de la meubler.

À Apple, son statut aussi s'était élevé notablement. Au lieu de chercher à limiter son autorité, Sculley lui ouvrit en grand les portes du pouvoir. Les équipes Lisa et Macintosh furent fusionnées, et placées sous sa houlette. Cette nouvelle gloire n'adoucit en rien son comportement. Il donna un exemple de sa rudesse quand il s'adressa aux deux équipes pour leur expliquer comment allait se dérouler la fusion. Son groupe de développeurs du Macintosh aurait tous les postes de responsabilité, et le quart des effectifs du département Lisa sera renvoyé chez eux. « Vous vous êtes plantés, les gars, leur dit-il en les regardant, tour à tour, dans les yeux. Vous êtes l'équipe B. Des joueurs de seconde ou troisième division, alors aujourd'hui on va en lâcher une partie pour qu'ils aillent gonfler les rangs des petites sociétés qui pullulent dans la vallée. »

Bill Atkinson, qui avait travaillé avec les deux équipes, trouvait ces paroles non seulement insultantes mais injustes. « Ces gens avaient travaillé dur, c'était des développeurs brillants. » Mais Jobs, fort de son expérience sur le projet Macintosh, jugeait que c'était ainsi qu'on motivait les employés. « Il est facile, quand l'équipe grandit, d'ouvrir la porte à des gens moyens, qui, par un effet boule de neige, vous ramènent de vrais mauvais ! Avec l'épopée du Macintosh, j'ai appris que les bons aiment travailler avec les bons, c'est pour cela qu'il ne faut garder que les meilleurs. »

À cette époque-là, Jobs et Sculley pouvaient encore se convaincre que leur amitié était solide. Toutes les occasions étaient bonnes pour dire à quel point ils s'appréciaient mutuellement. On eût dit deux lycéens découvrant les premiers émois de l'amour ! Lorsque vint le moment de fêter le premier anniversaire de l'arrivée de Sculley chez Apple, Jobs l'emmena dîner au Mouton Noir, un restaurant huppé dans les environs de Cupertino. À la surprise de Sculley, le jeune homme avait invité les membres du conseil d'administration, le comité de direction au grand complet et même quelques investisseurs de la côte Est. Tout le monde vint le féliciter. « Steve se tenait à l'écart rayonnant de joie, raconte Sculley. Il hochait la tête de satisfaction, avec ce sourire malicieux aux lèvres. » Jobs ouvrit le dîner en portant un toast.

— Les instants les plus heureux de mon existence, ce fut le lancement du Macintosh et le jour où John Sculley a accepté de venir chez nous. J'ai vécu la plus belle année de ma vie à ses côtés, John m'a tellement appris.

Puis il lança un montage passant en revue les hauts faits du P-DG.

Sculley lui retourna la politesse, expliqua avec émotion toute la joie que lui procurait cette collaboration, et termina son discours par cette phrase : « Apple a un seul chef : Steve et moi. » Il chercha du regard Jobs, assis à l'autre bout de la table. Il le vit sourire. « C'est comme si nous communiquions par télépathie. » Mais il remarqua l'air mitigé, pour ne pas dire sceptique, d'Arthur Rock et de quelques autres responsables. Ils étaient inquiets de voir le P-DG totalement subjugué. Ils avaient embauché Sculley pour serrer la bride à Jobs, et à présent, il était évident que c'était le jeune homme qui tenait les rênes. « John cherchait tellement à faire plaisir à Steve qu'il lui laissait faire ce qu'il voulait », racontera Arthur Rock.

Rendre Jobs heureux, et continuer à jouir de son aura de mentor… ç'aurait pu être une bonne stratégie, sachant qu'il valait mieux arrondir les angles que de monter au front. Mais Sculley oublia que le jeune homme était incapable de partager son pouvoir. La déférence exigeait de lui trop d'efforts. L'élève commença bientôt à critiquer la gestion du maître. Lors d'une réunion de stratégie d'entreprise en 1984, Jobs demanda une réorganisation du pôle vente et marketing d'Apple en petites équipes attachées aux différents produits. Personne n'était d'accord, mais Jobs insista. « Tout le monde me regardait, raconte Sculley, attendant que je reprenne les choses en main. Que je lui dise de s'asseoir et de se taire, mais je n'ai pas bougé le petit doigt. » À la fin de la réunion, il entendit quelqu'un murmurer : « Pourquoi John ne lui rabat-il pas son caquet ? »

Quand Jobs décida de construire une usine ultramoderne à Fremont pour produire le Macintosh, sa passion du beau et son besoin de tout contrôler lui firent dépasser les bornes. Il voulait que les machines soient peintes dans des couleurs vives, comme le logo d'Apple, mais il passa tellement de temps à trouver la bonne teinte que le directeur de l'usine, Matt Carter, résolut de les installer dans leur couleur d'origine, beige ou grise. Lorsque Jobs vint visiter les ateliers, il ordonna que les machines soient repeintes sur-le-champ. Carter s'y opposa. C'était des mécanismes de précision, on risquait de les endommager. L'avenir lui donnera raison. L'un des robots les plus chers – qui fut repeint en bleu clair – connut des problèmes à répétition et fut baptisé : « La folie de Steve. » De guerre lasse, Carter donna sa démission : « Cela réclamait trop d'énergie de se battre continuellement contre lui, et la plupart de temps, pour des futilités sans nom. »

Jobs nomma Debi Coleman pour le remplacer, la jeune femme qui avait remporté, en 1983, le concours de l'employé ayant le mieux résisté à Jobs. Mais elle savait également se plier, au besoin, aux lubies du patron. Un jour, le directeur artistique Clement Mok lui annonça que Jobs voulait que les murs à Fremont soient peints en blanc.

— On ne peut pas peindre une usine en blanc ! Il va y avoir de la poussière partout !

— Et c'est du blanc de chez blanc qu'il veut ! précisa Mok.

Mais Debi Coleman jugea plus judicieux de céder. « Avec ces murs d'un blanc aveuglant et ces machines multicolores, on se serait cru dans une expo Calder ! »

Quand je demandai à Jobs pourquoi il avait de telles exigences esthétiques pour l'usine de Fremont, il m'a répliqué que c'était pour s'assurer de la perfection des produits.

Quand je suis passé à l'usine, j'ai enfilé un gant blanc et j'ai vérifié la poussière. Il y en avait partout – sur les robots, sur les rayons, sur le sol ! Alors j'ai ordonné qu'on nettoie tout. Je voulais que l'on puisse manger par terre. Mais c'était trop pour Debi. Elle m'a répondu qu'elle ne voyait pas qui aurait envie de manger par terre dans une usine. Je suis resté sec sur le coup. J'avais été marqué par mes visites au Japon. Ce que j'admire chez eux, entre autres, c'est leur sens de la discipline et leur esprit de corps. Si nous n'avons pas la discipline pour garder cet endroit propre, nous ne l'aurons pas plus pour faire fonctionner ces machines de façon optimale.

Un dimanche matin, Jobs emmena son père visiter l'usine. Paul Jobs avait toujours veillé à ce que son atelier soit en ordre, chaque chose à sa place, et une place pour chaque chose. Son fils voulait lui prouver qu'il avait suivi son exemple. Debi Coleman était venue jouer les guides. « Steve rayonnait de joie, raconte-t-elle. Il était si fier de montrer son œuvre à son père. » Jobs lui expliqua la fonction de tous les robots, et Paul Jobs était réellement admiratif. « Steve ne cessait de regarder son père, qui touchait, impressionné, toutes les machines et appréciait à quel point tout était net et impeccable. »

Le courant, en revanche, passa moins bien avec Danielle Mitterrand, qui vint voir la chaîne d'assemblage pendant que son mari, président de la France à l'époque, rencontrait d'autres chefs d'État. Jobs demanda à Alain Rossmann, le mari de Joanna Hoffman, de faire office de traducteur. Mme Mitterrand posa beaucoup de questions, par l'intermédiaire de sa propre traductrice, sur les conditions de travail des ouvriers, tandis que Jobs vantait la robotique et la haute technologie de ses machines. Après que Jobs eut parlé des plannings de production, précis comme des montres suisses, Danielle Mitterrand demanda si les employés avaient droit à des heures supplémentaires. Cette question agaça le jeune patron ; il préféra ne pas répondre et expliquer que l'automation permettait d'abaisser les coûts de fabrication, un sujet, il le savait, qui allait l'agacer à son tour.

— Le travail est-il pénible ? s'enquit-elle. Combien de vacances ont-ils ?

Jobs n'en pouvait plus.

— Si elle s'intéresse à ce point au bien-être des ouvriers, lança-t-il en s'adressant à sa traductrice, elle n'a qu'à venir travailler ici !

L'interprète pâlit et resta sans voix. Un ange passa. Pressentant l'incident diplomatique, Rossman intervint et « traduisit » :

— Mr Jobs vous remercie de votre visite et apprécie l'intérêt que vous portez à son usine.

Ni Steve Jobs, ni Mme Mitterrand ne sut ce qui s'était réellement dit...

Tandis qu'il rentrait à vive allure à bord de sa Mercedes, fulminant encore contre Mme Mitterrand, un policier l'arrêta pour excès de visite, raconte Rossmann. Il avait été chronométré à cent soixante-dix kilomètres à l'heure. Pendant que le policier dressait la contravention, Jobs klaxonna.

— Qu'y a-t-il, monsieur ? demanda l'officier de police.

— Vous pouvez vous dépêcher, je suis pressé.

Contre toute attente, le flic garda son calme. Il termina de remplir ses papiers et lui dit que si on le reprenait à plus de quatre-vingt-dix kilomètres à l'heure, c'était la nuit au trou. Dès que le policier s'en alla, Jobs reprit son cent soixante-dix kilomètres à l'heure de croisière. Rossmann n'en revenait pas : « Il se croyait réellement au-dessus des lois, c'était incroyable. »

Sa femme Joanna Hoffman assista au même comportement quand elle accompagna Jobs en Europe, quelques mois après le lancement du Macintosh. « Il était vraiment très désagréable, et se pensait au-dessus de tout le monde ! » À Paris, elle avait organisé un repas d'affaires avec des développeurs français de logiciel, mais au dernier moment, Jobs décréta qu'il préférait se rendre à l'exposition Folon. « Les Français étaient si outrés qu'ils ont refusé de nous serrer la main ! »

Il prit tout de suite en grippe le directeur général d'Apple Italie, un type grassouillet et affable qui venait d'un réseau commercial traditionnel. Jobs lui annonça sans détour qu'il n'était pas satisfait de ses équipes de ventes ni de sa stratégie marketing. « Vous ne méritez pas de distribuer le Mac ! » Mais ce n'était rien comparé à sa réaction dans le restaurant que le malheureux directeur avait choisi. Jobs commanda un plat végétalien, mais le serveur, avec préciosité, lui apporta un petit pot de crème fraîche. Il piqua une telle colère que Joanna Hoffman le menaça de lui verser son café bouillant sur les genoux s'il n'arrêtait pas.

Durant ce séjour en Europe, Jobs se heurta à un problème épineux : les pronostics de ventes. Sous l'effet de son champ de distorsion de la réalité, le patron d'Apple poussait toujours ses équipes à surévaluer leurs prévisions. Cela avait déjà été le cas, aux États-Unis, lorsqu'elles avaient écrit le premier plan de développement du Macintosh – et cela lui avait joué des tours. Et il commettait à nouveau la même erreur en Europe. Il ne cessait de menacer les responsables européens ; ils n'auraient pas un sou tant qu'ils ne réviseraient pas à la hausse leurs objectifs ! Les dirigeants locaux lui demandaient d'être réaliste ; mais il ne voulait rien entendre et Joanna Hoffman devait faire tampon : « À la fin du séjour, j'étais tellement épuisée nerveusement que je tremblais de partout. »

Ce fut au cours de ce voyage que Jobs fit la connaissance de Jean-Louis Gassée, le directeur général d'Apple France. Gassée fut l'un des rares à tenir tête à Jobs. « Steve avait une façon toute personnelle de voir la réalité des choses, me confiera Gassée. La seule façon de traiter avec lui c'était de lui rentrer dedans. » Quand Jobs se mit à le menacer de lui couper les vivres s'il ne relevait pas ses prévisions de ventes, Gassée s'emporta. « Je l'ai pris par le col et lui ai dit de la fermer, et il s'est calmé. Il ne fallait pas me chercher. J'étais un vrai connard avant de me faire soigner. Et Steve en était un de première. »

Gassée fut toutefois impressionné par le charme de Jobs quand il voulait se montrer affable. À l'époque, le président François Mitterrand prêchait « l'informatique pour tous », et divers experts en haute technologie, tels que Marvin Minsky et Nicholas Negroponte, venaient régulièrement assurer les chœurs. Jobs fit un discours remarqué au Bristol et expliqua comment la France pouvait prendre la tête de la course si elle équipait toutes ses écoles d'ordinateurs. Il ne fut pas, non plus, insensible au charme de Paris, la ville des amoureux. Gassée et Negroponte lui prêtent plusieurs conquêtes durant son séjour.

La chute

Après l'excitation de la nouveauté, les ventes du Macintosh commencèrent à ralentir durant la seconde moitié de l'année 1984. L'explication était simple : la machine était extraordinaire, mais horriblement lente, un défaut que la meilleure campagne de promotion ne pouvait masquer. La magnificence de son interface graphique rendait l'écran du Macintosh agréable comme une chambre d'été ensoleillée, par comparaison à l'antre obscur d'un MS-DOS, affichant des caractères verts sur fond noir et un curseur clignotant, attendant des lignes de commandes ésotériques. Mais c'était aussi sa plus grande faiblesse. Un caractère dans un affichage en mode texte nécessitait moins d'un octet de code ; mais lorsque le Mac dessinait une lettre, pixel par pixel, dans l'une de ses jolies polices, cela nécessitait vingt à trente fois plus de calculs. Le Lisa gérait cet affichage facilement grâce à son 1 Mo de RAM, alors que le pauvre Macintosh ne disposait que de 128 Ko.

L'absence de disque dur interne était également problématique. Joanna Hoffman s'était battue pour imposer un tel périphérique de stockage de données mais Jobs lui avait rétorqué qu'elle n'était qu'une « vieille bigote de Xerox ». Le Macintosh était donc proposé avec un unique lecteur de disquette. Quand on voulait enregistrer des données, il fallait donc jongler entre la disquette programme et la disquette sauvegarde, en les glissant tour à tour dans le lecteur, et ce un nombre incalculable de fois, au risque de contracter l'équivalent d'un tennis elbow ! En outre, le Macintosh était dépourvu de ventilateur – le vieux dogme de Jobs pour la tranquillité de l'utilisateur. La machine connaissait donc des problèmes de surchauffe, ce qui lui valut le sobriquet de « grille-pain », ce qui n'aida pas les ventes à décoller. L'appareil était si révolutionnaire qu'on se l'arracha les premiers mois, mais lorsque les gens se rendirent compte de ses défauts, les ventes s'effondrèrent. Comme le dira plus tard Joanna Hoffman avec regret : « Le champ de distorsion de la réalité peut faire illusion un temps, mais la réalité finit par vous rattraper. »

À la fin de 1984, les ventes du Lisa étaient quasiment nulles et celles du Macintosh en chute vertigineuse, bien en dessous des dix mille unités par mois. Jobs prit donc une décision qui allait à l'encontre de son éthique, une manœuvre désespérée pour redresser la barre : récupérer le stock de Lisa invendus, leur adjoindre un programme d'émulation Macintosh et le commercialiser sous le nom Macintosh XL. Ce fut l'une des rares fois où Jobs sortit un produit auquel il ne croyait pas. « J'étais furieuse, raconte Joanna Hoffman, parce que le Mac XL était un attrape-nigaud. C'était juste une astuce pour écouler les Lisa qu'on avait sur les bras. Ça s'est bien vendu, et à l'épuisement des stocks nous avons dû arrêter cette honteuse supercherie. »

L'humeur sinistre qui régnait chez Apple transparut également dans la publicité sortie en janvier 1985, qui exploitait le sentiment anti-IBM qui avait fait le succès de la pub « 1984 ». Malheureusement, il y avait une différence fondamentale : la première publicité finissait sur une note optimiste, grâce à un geste héroïque, mais le storyboard présenté par Lee Clow et Jay Chiat pour la nouvelle pub, intitulée « Les lemmings », montrait une cohorte d'hommes d'affaires, en costumes noirs, marchant les yeux bandés vers le bord d'une falaise pour tomber un à un dans le vide. Depuis le début, Jobs et Sculley n'étaient guère convaincus. Cela ne donnait pas une image positive ; on avait davantage l'impression qu'Apple se moquait des dirigeants qui avaient acheté un IBM.

Jobs et Sculley demandèrent d'autres approches, mais les créatifs de l'agence refusèrent.

— L'année dernière, vous ne vouliez pas qu'on diffuse « 1984 » ! répliqua l'un des responsables de l'agence.

Au dire de Sculley, Lee Clow avait même ajouté : « Je miserais jusqu'à ma dernière chemise et toute ma réputation de publiciste sur le succès de ce spot. » Quand le film fut tourné – par Tony Scott, le frère de Ridley – la publicité était encore plus sombre que ne le laissait prévoir le storyboard, avec ces hommes d'affaires décérébrés se jetant du haut de la falaise, en sifflant une version sinistre de « Heigh hi, Heigh ho » des sept nains. « Tu comptes vraiment insulter tous les dirigeants de ce pays ? » s'écria Debi Coleman en découvrant la publicité. Aux réunions marketing, elle ne se gênait pas pour dire tout le mal qu'elle pensait de ce film. « J'ai posé ma lettre de démission sur le bureau de Steve. Je l'avais écrite sur mon Mac. C'était un manque de respect pour les entrepreneurs. On commençait tout juste à se faire une place dans le secteur de la PAO ! »

Mais Jobs et Sculley cédèrent devant l'enthousiasme de l'agence et diffusèrent la publicité pendant le Super Bowl. Ils se rendirent tous deux sur place, au Stanford Stadium où se jouait le match, avec Leezy, la femme de Sculley, et la nouvelle petite amie de Jobs, Tina Redse – une jeune femme sémillante pleine d'humour. Lorsque le film fut diffusé sur l'écran géant vers la fin du quatrième quart-temps, le public ne montra guère d'intérêt. La plupart des critiques furent assassines. « Apple se moque de ses propres futurs clients », expliquait le président d'un cabinet d'affaires dans *Fortune*. Le directeur du marketing d'Apple suggéra d'acheter un encart dans le *Wall Street Journal* pour présenter des excuses officielles. Jay Chiat s'énerva : s'ils s'avisaient de faire une chose pareille, son agence s'achèterait une pleine page pour dénoncer la frilosité d'Apple !

À cause de cette publicité maladroite et de la situation financière de la société, Jobs était particulièrement sur les nerfs lorsqu'il se rendit à New York, en janvier, pour donner une série d'interviews exclusives. Comme d'habitude, Andy Cunningham, du cabinet de Regis McKenna, se chargeait de l'organisation et de la logistique au Carlyle. À peine arrivé, Jobs décréta que la décoration de la suite ne lui convenait pas, même s'il était 22 heures et que les entretiens commençaient le lendemain matin. Le piano n'était pas à la bonne place, les fraises n'étaient pas de la bonne variété. Mais son plus gros problème, c'était les fleurs. Ce n'était pas, selon lui, de vrais arums. « On a eu une discussion pour qu'il nous explique ce qu'il voulait au juste, raconte la jeune femme. Je ne connaissais qu'une sorte d'arum, l'arum des fleuristes, parce qu'il y en avait à mon mariage. Il me traitait d'idiote parce que je ne savais pas ce qu'était un authentique arum. » Alors Andy Cunningham partit à minuit en chercher de « vrais ». Et, magie de New York by night, elle en trouva. Lorsqu'elle revint à l'hôtel pour arranger le bouquet, il se mit à critiquer sa tenue vestimentaire.

— Ton tailleur est immonde !

La jeune femme savait que parfois il avait besoin de défouler sa colère, alors elle tenta de le calmer.

— Écoute, je sais que tu es inquiet, je sais ce que tu ressens et…

— Tu ne sais rien du tout ! Comment pourrais-tu imaginer ce que je ressens ? Tu n'es pas moi, à ce que je sache !

Déjà trente ans

Trente ans est un âge charnière, en particulier pour ceux qui proclamaient qu'on ne pouvait faire confiance à quelqu'un d'aussi âgé. Pour son trentième anniversaire, en février 1985, Jobs lança un code vestimentaire à la fois classique et décalé – cravates noires et baskets – pour une fête avec mille invités dans le grand salon du St Francis Hotel à San Francisco. On pouvait lire sur le carton d'invitation : « Comme le dit un vieux proverbe hindou : "Durant les trente premières années de la vie, l'homme se forge des habitudes, passé trente ans, ce sont les habitudes qui font l'homme." Venez m'aider à passer ce cap. »

À une table étaient rassemblés les ténors de l'informatique, dont Bill Gates et Mitch Kapor. À d'autres, il y avait de vieux amis, telle Elizabeth Homes, qui était venue avec sa compagne du moment, vêtue d'un smoking. Andy Hertzfeld et Burell Smith avaient loué des habits de soirée et portaient des baskets avachies, ce qui était saisissant à voir quand ils dansaient une valse de Strauss que jouait le San Francisco Symphony Orchestra.

Ella Fitzgerald vint chanter pour les convives, Bob Dylan ayant décliné l'invitation. Elle interpréta des morceaux de son répertoire, mais de temps en temps, elle avait adapté une chanson spécialement pour l'occasion tel que « The Girl From Ipanema » qui parlait désormais d'un garçon de Cupertino. Elle chanta aussi quelques autres standards à la demande de Jobs. Puis conclut sa prestation par un langoureux « Happy Birthday Mr Jobs ».

Sculley monta sur scène pour lancer un toast à la santé « d'un des plus grands visionnaires du monde de la haute technologie ». Wozniak vint aussi et offrit à Jobs une copie encadrée de la brochure du Zaltair, le canular qu'il avait lancé lors de la West Coast Computer Fair en 1977, le salon de l'informatique où l'Apple II avait été présenté pour la première fois. Don Valentine s'émerveillait de la métamorphose de Jobs en dix ans : « Il était passé d'un clone de Hô Chi Minh, qui disait se méfier de toute personne âgée de plus de trente ans, à un grand businessman américain qui donnait une somptueuse fête pour son trentième anniversaire avec Ella Fitzgerald en *guest star*. »

Nombre d'invités avaient apporté des présents, des cadeaux personnalisés qu'ils avaient passé beaucoup de temps à trouver, car l'homme n'était pas facile à contenter. Debi Coleman, par exemple, avait déniché la première édition du *Dernier Nabab* de F. Scott Fitzgerald. Mais Jobs, dans un geste curieux et en même temps en accord avec le personnage, les laissa tous dans une chambre de l'hôtel. Il n'en emporta aucun. Wozniak et quelques anciens d'Apple, qui n'avaient guère apprécié la mousse de saumon et le fromage de chèvre qui avaient été servis, quittèrent la soirée pour aller se remplir la panse au Denny's.

« Il est rare qu'un artiste trentenaire ou quadragénaire produise une œuvre réellement novatrice », confia Jobs à l'écrivain David Sheff, qui publia un long entretien sur le président d'Apple dans *Playboy*, le mois suivant. « Bien sûr, il y a des gens qui demeurent

curieux de nature, des enfants toute leur vie, mais ils sont rares. »
L'interview abordait divers sujets, mais le passage le plus poignant
avait trait au temps qui passe et à l'avenir :

La pensée construit des modèles comme une sorte d'échafaudage
dans l'esprit. Ça creuse dans le cerveau de vrais chemins chimiques.
Dans la plupart des cas, les gens restent coincés dans ce modèle,
comme l'aiguille d'un tourne-disque dans le sillon d'un disque vinyle.
Et ils n'en sortent jamais.

Je resterai à jamais lié à Apple. J'espère que, toute ma vie, le fil
de mon existence et celui d'Apple resteront intimement mêlés,
comme la trame d'une tapisserie. Je prendrai peut-être mes distances
quelques années, mais je reviendrai toujours. Cet éloignement sera
peut-être inévitable. Je demeure un étudiant dans l'âme – c'est la
clé de ma personnalité. Pour moi, je suis toujours sur le terrain
d'entraînement.

Si on veut mener une vie créative, comme un artiste, il ne faut pas
regarder en arrière. Il faut savoir tirer un trait sur ce qu'on était et
ce qu'on a fait, et tout recommencer à zéro.

Plus le monde extérieur se fait une image précise de vous, plus il
est difficile de continuer d'être un artiste ; c'est la raison pour laquelle,
souvent, les créateurs tirent leur révérence : « Ciao tout le monde ! Je
dois m'en aller. Je deviens fou. Il faut que je prenne le large. » Et ils
partent ; ils hibernent quelque part. Et ressortent, un beau jour de
leur tanière, un peu différents.

Par ces déclarations, Jobs semblait pressentir que sa vie allait bas-
culer. Peut-être le fil de sa vie était-il sur le point de se délier de
celui d'Apple, peut-être était-il temps de faire table rase et de prendre
un nouveau départ. Peut-être était-il temps de dire « Ciao tout le
monde ! Je dois m'en aller », pour revenir plus tard, transformé ?

L'exode

Andy Hertzfeld prit un congé après la sortie du Macintosh en
1984. Il avait besoin de recharger les batteries et de prendre ses
distances avec son directeur, Bob Belleville, qu'il n'appréciait pas.

Un jour, il apprit que Jobs avait donné une prime de cinquante mille dollars aux membres de l'équipe Macintosh, qui gagnaient moins que leurs homologues de l'équipe Lisa. Quand il est passé voir le patron pour avoir sa prime comme les autres, Jobs répondit que Belleville avait décidé d'octroyer ce bonus uniquement aux gens qui étaient en exercice aujourd'hui. Hertzfeld découvrit plus tard que cette décision, en fait, émanait de Jobs en personne. Alors il revint lui demander des explications. Au début, Jobs tenta de noyer le poisson, puis il lâcha :

— Quand bien même ce serait vrai, qu'est-ce que ça change ?

— Si tu te sers de cette prime comme moyen de pression pour me faire revenir, alors je ne reviendrai pas. C'est une question de principe.

Jobs céda, mais la confiance était brisée du côté de Hertzfeld.

Quand son congé prit fin, Hertzfeld convint d'un rendez-vous avec le patron. Ils allèrent dîner dans un restaurant italien du quartier.

— Je veux vraiment revenir, annonça-t-il. Mais c'est un grand bazar à présent dans la boîte.

Jobs paraissait agacé, avoir la tête ailleurs.

— Le moral de l'équipe logiciel est au plus bas, insista le développeur. Ils n'ont rien sorti depuis des mois. Et Burrell en a tellement marre qu'il ne tiendra pas l'année.

— Tu dis n'importe quoi ! L'équipe Macintosh va très bien et je vis en ce moment les meilleurs moments de ma vie. Tu es complètement à l'ouest.

Jobs avait un regard mauvais, mais il tenta de paraître amusé par les propos de son ancien collaborateur.

— Si c'est vraiment ce que tu penses, alors il est inutile que je revienne. Cela veut dire que les pirates ne sont plus.

— L'équipe doit grandir et toi aussi. Je veux que tu reviennes, mais si tu ne veux pas, je ne vais pas te forcer. Tu n'es pas aussi indispensable que tu l'imagines.

Et Hertzfeld ne revint pas.

Au début de l'année 1985, Burrell Smith avait décidé également de partir. Mais il craignait que Jobs parvienne à lui faire changer d'avis. Le champ de distorsion de la réalité était très puissant sur le jeune développeur. Alors il parla avec Hertzfeld des méthodes possibles pour se libérer du joug de Jobs. « J'ai trouvé ! s'écria-t-il un jour. Je vais entrer dans son bureau, descendre mon pantalon et pisser sur son sous-main. Il sera bien obligé de me laisser partir. C'est du sûr à cent pour cent ! » Dans l'équipe tout le monde paria que même le courageux Burrell Smith n'aurait pas le cran de faire ça. Quand il décida que le moment était venu, un peu avant la grande fête prévue pour les trente ans de Jobs, l'informaticien prit rendez-vous. À sa surprise, Jobs l'accueillit d'un air hilare :

— Alors ? Tu vas le faire ? Tu vas vraiment le faire ?

Smith soutint le regard de Jobs.

— Si j'y suis obligé, oui.

Jobs toisa Smith et le jeune homme jugea que ce n'était pas absolument nécessaire. Il démissionna donc d'une façon plus académique, et quitta son patron en bons termes.

Son départ fut suivi par celui de Bruce Horn, un autre grand développeur de l'équipe. Quand il vint faire ses adieux, Jobs lui dit :

— Tous les problèmes que rencontre le Mac aujourd'hui, c'est à cause de toi.

— Et tout ce qui marche dans le Mac, c'est aussi à cause de moi. Et il a fallu que je me batte comme un lion pour imposer ces aménagements.

— C'est vrai, reconnut Jobs. Je te donne quinze mille dollars de stock-options si tu restes. (Quand Horn déclina l'offre, Jobs montra son bon côté) : Allez, viens que je te souhaite bonne chance.

Et les deux hommes se serrèrent dans les bras.

Mais le départ le plus traumatisant pour la Pomme, ce fut celui de Wozniak, son cofondateur. Peut-être l'écart entre lui et Jobs s'était-il trop creusé ? Wozniak était resté un grand enfant rêveur, Jobs était devenu plus despotique que jamais. Les deux hommes ne se disputèrent jamais, mais leur désaccord était profond sur la façon de diriger l'entreprise. Wozniak, qui travaillait tranquillement comme simple ingénieur dans le département de l'Apple II, était la mascotte de la société, le témoin vivant des origines. Il se tenait le plus éloigné possible de l'équipe dirigeante, ne voulant ni se mêler de management ni de politique commerciale. À juste titre, il pensait que Jobs n'appréciait pas l'Apple II, qui demeurait pourtant la poule aux œufs d'or de la société, puisque à Noël 1984, il représentait encore 70 pour cent des ventes. « Les gens du département de l'Apple II étaient traités avec mépris par les autres services, m'explique-t-il. Alors que l'Apple II était la locomotive de la société depuis le début et le restera encore plusieurs années. » Excédé, Wozniak fit, un jour, une démarche qui n'était guère dans sa nature : il appela Sculley pour lui dire qu'il en avait assez que la direction n'ait d'yeux que pour Jobs et son Macintosh.

De guerre lasse, Wozniak décida de quitter définitivement Apple pour lancer une nouvelle société qui commercialiserait une télécommande universelle qu'il venait de mettre au point. Avec ce boîtier on pouvait piloter la télévision, la chaîne hifi et autres appareils avec quelques boutons programmables à volonté. Il donna sa démission à son chef de service, mais, avec sa modestie naturelle, ne jugea pas utile d'en informer l'équipe dirigeante. C'est par un article dans le *Wall Street Journal* que Jobs apprit le départ de son ancien complice. Avec son honnêteté coutumière, Wozniak avait répondu aux questions du journaliste quand celui-ci avait appelé. « Oui, Apple se désintéresse totalement de l'Apple II. Il y a cinq ans que la direction nous fait subir ce traitement humiliant. »

Moins de deux semaines plus tard Jobs et Wozniak partaient ensemble à la Maison Blanche pour recevoir, des mains de Ronald Reagan, la première National Medal of Technology. Reagan cita le président Rutherford Hayes quand on lui avait montré un téléphone : « Voilà une invention étonnante. Reste à savoir qui va s'en servir ? » Puis Reagan ajouta en trait d'esprit : « Moi, à l'époque, j'ai su tout de suite qu'il se trompait ! » À cause du malaise qu'avait suscité le départ de Wozniak, Apple n'organisa pas de fête pour célébrer la remise des médailles, et ni Sculley, ni les huiles de la société ne firent le voyage avec eux jusqu'à Washington. Alors Jobs et Wozniak partirent se promener et avalèrent un sandwich. Ils bavardèrent aimablement, en évitant les sujets qui fâchent.

Wozniak voulait s'en aller dans les meilleurs termes possibles. C'était son style. Alors il accepta de rester employé d'Apple à mi-temps pour un salaire de vingt mille dollars et de représenter la société aux congrès et salons professionnels. Cela aurait pu en rester là – une séparation en douceur – mais pour Jobs, la pilule ne passait pas. Un samedi, quelques semaines après leur visite à la Maison Blanche, alors qu'il se trouvait dans les locaux de frogdesign à Palo Alto, qui s'occupait du design des produits Apple, il tomba sur des esquisses que le cabinet avait réalisées pour la nouvelle télécommande de Wozniak, et il piqua une colère noire. Apple avait une clause d'exclusivité qui interdisait à frogdesign de travailler pour la concurrence. « Je leur ai dit, me raconta Jobs, que nous ne pouvions accepter qu'ils aient Woz pour client. »

Lorsque le *Wall Street Journal* eut vent de l'affaire, le journal contacta Wozniak qui, comme d'habitude, répondit aux questions en toute honnêteté. Il disait que Jobs se vengeait. « Steve a une dent contre moi, sûrement à cause de ce que j'ai dit sur Apple. » L'attitude de Jobs était sans doute mesquine, mais il savait mieux que quiconque que l'aspect d'un produit était un point crucial du marketing. Un appareil signé Wozniak, et reprenant la même esthétique que les produits de la Pomme, serait considéré comme un produit « made in Cupertino ». « Cela n'a rien de personnel, expliqua Jobs dans la presse. Mais nous devons protéger notre design. Woz doit se trouver ses propres collaborateurs. Il ne peut utiliser ainsi les ressources d'Apple. On ne peut lui accorder de régime de faveur. »

Jobs remboursa de sa poche les frais engagés par frogdesign pour les travaux préparatoires qu'ils avaient réalisés pour Wozniak, mais Helmut Esslinger et son équipe restèrent choqués par tant d'intransigeance. Quand Jobs leur demanda de lui envoyer les esquisses ou de les détruire, ils refusèrent. Jobs dut leur faire porter une lettre d'injonction, rappelant les termes du contrat qu'ils avaient signé avec Apple. Herbert Pfeifer, le directeur artistique du cabinet, bravant le courroux du patron de Cupertino, annonça publiquement son désaccord dans le *Wall Street Journal* : « C'est une pure vendetta. Un simple problème d'ego. »

Hertzfeld était furieux quand il apprit les mesquineries de Jobs à l'égard de Wozniak. Hertzfeld habitait à un kilomètre de chez Jobs et souvent ce dernier lui rendait visite au cours de ses promenades de santé − une habitude qui perdura même après le départ du développeur. « J'étais si en colère contre lui, que lorsque Steve est passé, je ne l'ai même pas fait entrer. Il savait qu'il avait tort, mais il tentait de se trouver des excuses et peut-être que, dans sa réalité distordue, il y parvenait. » Wozniak, toujours bon bougre, dénicha un autre cabinet de design et continua à jouer les VRP d'Apple pour les grandes occasions.

Printemps 1985, rien ne va plus !

La rupture entre Sculley et Jobs était inévitable. Les points de désaccord, au printemps 1985, étaient devenus trop nombreux. Certains d'ordre purement professionnel, comme par exemple lorsque Sculley, voulant assurer les bénéfices, refusa de baisser le prix du Macintosh. D'autres étaient plus psychologiques, du fait de leur relation fusionnelle. Sculley quêtait désespérément l'affection de Jobs et Jobs cherchait un père et un mentor. Après l'ardeur des premiers mois, le retour de flamme fut forcément violent. Mais, au tréfonds, il y avait deux forces contraires, issues de chaque camp, qui aggravaient cette fracture.

Pour Jobs : Sculley ne s'était jamais passionné pour les produits. Il n'en avait pas fait l'effort, ou il en était incapable. Il n'avait jamais été sensible à la beauté des ordinateurs d'Apple. Pis, il trouvait le perfectionniste de Jobs contre-productif. Il avait passé sa vie à vendre des sodas et il se fichait de savoir comment ils étaient faits. Il n'avait pas le goût du travail bien fait, et c'était là un péché capital pour le jeune homme : « J'ai tenté de l'éduquer, de lui apprendre à apprécier les finesses de conception, mais il n'avait pas la moindre idée de la façon dont était conçu un ordinateur et à la longue ça m'a agacé. Et l'avenir m'a toujours donné raison : le produit est au centre de tout. » Il commença à considérer Sculley comme un incapable et ce mépris fut exacerbé par la cour que lui faisait son aîné, cherchant son affection et pensant, à tort, avoir trouvé un double de lui-même.

Pour Sculley : Jobs, quand il ne cherchait ni à séduire, ni à manipuler, se montrait brutal, grossier, égoïste et cruel envers les autres. L'ancien président de Pepsi-Cola, qui était un pur produit des écoles de commerce, était autant agacé par le comportement de Jobs, que ce dernier pouvait l'être par son manque d'intérêt pour la conception des produits. John Sculley était affable, attentionné et poli. L'inverse exact de Steve Jobs. Un jour qu'ils devaient rencontrer Bill Glavin, le vice-président de Xerox, l'aîné supplia le jeune homme de bien se tenir. Mais dès qu'ils furent assis, Jobs attaqua bille en tête : « Vous autres, chez Xerox, vous êtes des incapables. » Et la réunion tourna court. À la sortie, Jobs s'excusa : « Désolé, c'était plus fort que moi. » Des anecdotes semblables il y en eut des dizaines. Comme le remarque Al Alcorn chez Atari : « John voulait rendre les gens heureux, et entretenir de bonnes relations avec tout le monde. Mais Steve s'en fichait comme de sa première chemise. Pour lui, seule la qualité du produit importait ; c'est ce que John n'a jamais saisi. Et pourtant c'est ainsi que Steve est parvenu à limiter le nombre de guignols chez Apple, en insultant tous ceux qui n'étaient pas au top niveau. »

Le conseil d'administration s'inquiétait de la situation financière de la société et, au début de l'année 1985, Arthur Rock, avec quelques autres administrateurs, sermonna vertement les deux hommes. Ils rappelèrent à Sculley qu'il était censé tenir la barre, et qu'il était temps qu'il le fasse avec plus d'autorité et en arrêtant de faire ami-ami avec Jobs. Quant à Jobs, ils lui demandèrent de remettre en ordre de marche l'équipe Macintosh et de ne plus se mêler des affaires des autres départements. Après la réunion, le jeune homme se réfugia dans son bureau et écrivit sur son Macintosh : « Je ne dois pas critiquer le reste de la société. Je ne dois pas critiquer le reste de la société… »

Les ventes du Macintosh étaient toujours aussi décevantes (en mars 1985, à peine 10 pour cent des objectifs de vente étaient atteints). Le jeune patron trépignait dans son bureau, ou arpentait les couloirs en passant ses nerfs sur tout le monde. Son tempérament mercurien s'aggrava et, avec lui, la violence de son comportement envers son entourage. Les chefs de département finirent par se liguer contre lui. Mike Murray, le responsable marketing de l'équipe Mac, demanda un entretien à Sculley lors d'un congrès. Alors que les deux hommes se dirigeaient vers la chambre du P-DG, Jobs les repéra et voulut être de la partie. Mais Murray refusa. Jobs était ingérable, dit-il au P-DG ; on devait lui retirer la direction de l'équipe Macintosh. Sculley n'était pas encore prêt à aller à la confrontation. Murray envoya plus tard un mot à Jobs pour critiquer la façon dont il traitait ses collègues et dénonçait ce qu'il appelait : « Un management par l'humiliation et la destruction des individus. »

Durant quelques semaines, on crut entrevoir une solution au problème. Jobs se passionnait depuis peu pour la technologie des écrans plats, développée par Woodside Design, une société des environs de Palo Alto, dirigée par un inventeur excentrique nommé Steve Kitchen. Il s'intéressait aussi aux travaux d'une jeune entreprise qui développait un écran tactile que l'on pouvait commander du bout du doigt, sans avoir besoin d'une souris. Ces deux technologies semblaient lui ouvrir la voie de son rêve, à savoir créer un « Mac dans un livre[1] ». Pendant une promenade avec Kitchen, Jobs repéra un bâtiment près de Menlo Park. C'était pour lui l'endroit idéal pour y installer un centre de recherche. On pourrait l'appeler l'AppleLabs et Jobs le dirigerait ; il reviendrait enfin à ses premières amours… avoir une petite équipe et développer un nouveau produit révolutionnaire.

Sculley était tout excité à cette idée. Cela résoudrait d'un coup tous ses problèmes de management. Il avait aussi un remplaçant tout trouvé pour Jobs : Jean-Louis Gassée, le directeur général d'Apple France, qui avait tenu tête à Jobs lors de sa visite en Europe. Gassée s'envola pour Cupertino et annonça qu'il acceptait le poste, s'il avait la garantie qu'il dirigerait l'équipe sans avoir Jobs sur le dos. L'un des membres du conseil d'administration, Phil Schlein des magasins Macy's, tenta de convaincre le jeune homme qu'il serait plus heureux avec sa petite équipe de passionnés à inventer de nouveaux produits.

Mais après réflexion, Jobs décida de ne pas prendre cette voie. Il refusa de passer les rênes à Gassée qui, sagement, retourna à Paris pour éviter une guerre des chefs qui n'aurait pas manqué d'éclater. Jusqu'à la fin du printemps, Jobs hésita. Parfois il se plaçait comme chef d'entreprise, écrivant même des notes de service, annonçant que, pour réduire les coûts de production, il n'y aurait plus de jus de fruits Odwalla dans le réfrigérateur et que les vols se feraient, dorénavant, en seconde classe. Parfois aussi, il était très tenté de fonder l'AppleLabs.

En mars, Murray publia une nouvelle note avec la mention « ne pas faire circuler » mais qu'il donna à de nombreux collègues : « Depuis trois années que je travaille chez Apple, je n'ai jamais vu un tel marasme ; partout règnent la peur et la confusion. Jamais les dysfonctionnements n'ont été aussi critiques que ces derniers mois. Nous sommes comme un navire privé de gouvernail, qui dérive sur l'océan de l'oubli. » Murray avait tenté sa chance dans les deux camps ; dans un passé, pas si lointain, il s'était ligué avec Jobs pour évincer Sculley. Mais cette fois, à ses yeux, le seul fautif c'était Jobs. « Qu'il soit la cause – ou la victime – de ces dysfonctionnements, Steve s'est désormais claquemuré dans son donjon. »

---

1. « Mac in a book », d'où, plus tard, le Macbook. *(N.d.T.)*

À la fin du mois, l'aîné trouva enfin le courage de dire à son protégé qu'il devait abandonner la direction du département Macintosh. Il se rendit un soir dans son bureau, accompagné du directeur des ressources humaines, Jay Elliot, pour que la confrontation soit officielle. « Personne n'admire plus que moi ton intelligence et ton imagination… », commença Sculley. Il avait tant de fois prononcé de telles flatteries, seulement, cette fois, il y aurait un « mais » pour nuancer ses pensées. Et il n'y en eut pas qu'un… « Mais on ne peut plus continuer comme ça. Nous avons tissé une amitié solide et rare, poursuivit-il, croyant encore à cette chimère, mais je doute désormais de tes capacités à diriger l'équipe Macintosh. » Sur le même ton, il lui reprocha aussi de dire du mal de lui.

Jobs parut saisi, et contre-attaqua avec un argument curieux : « Il faut que tu passes plus de temps avec moi pour me montrer comment il faut faire. » Mais c'en était trop. Jobs n'en pouvait plus de ces mièvreries… Il sortit les dents : il reprocha à Sculley d'être un ignare total en informatique, le pire P-DG qui soit, de n'avoir cessé de le décevoir depuis son arrivée à Apple. Puis le jeune homme passa à son troisième et dernier type de réaction : il se mit à pleurer. Sculley resta assis sur sa chaise, à se ronger les ongles.

— Je vais porter le problème devant le conseil, déclara finalement le P-DG. Je vais recommander qu'on te retire la direction du département Macintosh. Je voulais que tu le saches.

Il lui conseilla d'accepter sans faire de vagues et d'aller développer ses merveilles dans son futur centre de recherche.

Jobs bondit de son siège.

— Je suis sûr que tu ne vas pas le faire. Si tu m'écartes, c'est la mort d'Apple !

Durant les semaines qui suivirent, le comportement de Jobs fut plus erratique encore. À un moment, il était prêt à créer l'Apple-Labs, à un autre il cherchait des appuis pour mettre Sculley dehors. Parfois il tendait la main à son ancien mentor, parfois il cassait du sucre dans son dos, parfois les deux successivement dans la même soirée. Un jour, à 21 heures, il appela Al Eisenstat, l'avocat conseil d'Apple, pour lui dire qu'il n'avait plus confiance en Sculley et qu'il avait besoin de son soutien pour convaincre le conseil d'administration de le limoger. À 23 heures le même soir, il réveillait le P-DG pour lui dire au téléphone : « Tu es un type génial et je veux que tu saches que j'adore travailler avec toi. »

Au conseil d'administration, le 11 avril, John Sculley annonça officiellement qu'il voulait démettre Jobs de ses fonctions de directeur du département Macintosh, pour qu'il puisse consacrer toute son énergie à l'élaboration de nouveaux produits. Arthur Rock, l'administrateur le plus intraitable, prit la parole. Il en avait assez, de l'un comme de l'autre. À Sculley, il reprochait d'avoir été d'une mollesse sans fond durant toute l'année passée et à Jobs, d'agir comme « un sale gosse gâté ». Le conseil d'administration avait besoin d'en finir une fois pour toutes avec ce problème ; ils décidèrent donc de s'entretenir avec les deux hommes, séparément, et en privé.

Sculley sortit de la pièce pour laisser Jobs passer en premier. Jobs répéta que c'était Sculley le problème. Il ne connaissait rien aux ordinateurs. Rock tança Jobs. De sa voix de stentor, il lui dit qu'il se comportait de façon totalement irresponsable depuis un an et que, dans ces conditions, il n'avait pas le droit de diriger le moindre département de la société. Même Phil Schlein, le plus grand supporter de Jobs, lui conseilla de céder sa place pour aller fonder l'AppleLabs.

Quand ce fut le tour de Sculley, il posa au conseil un ultimatum : « Soit vous allez dans mon sens, et je reprends les rênes de la compagnie, soit vous vous trouvez un autre P-DG. » S'il avait leur feu vert, disait-il, il ferait ça en douceur, mais il pousserait Jobs vers la sortie en quelques mois. Le conseil se rangea, à l'unanimité, du côté du P-DG. Il avait désormais toute autorité pour démettre Jobs de ses fonctions quand le moment lui semblerait opportun. Pendant que le jeune homme attendait dans le couloir, sachant très bien qu'il avait perdu la partie, il aperçut Del Yocam, un collaborateur de longue date. Et il s'effondra en sanglots.

Après que le conseil d'administration eut pris sa décision, Sculley se montra conciliant. Jobs demanda que la transition se fasse sans heurts, et Sculley accepta de bonne grâce. Plus tard le soir même, Nanette Buckhout, l'assistante de Sculley, appela Jobs pour prendre de ses nouvelles. Il était toujours dans son bureau, hagard et prostré. Sculley était déjà parti, et Jobs vint parler avec Nanette. Une fois encore, il adopta deux attitudes opposées à l'égard de Sculley. « Comment John peut-il me faire ça ? Il m'a trahi. » Puis il changea du tout au tout. Peut-être aurait-il dû prendre le temps pour restaurer la confiance qu'il y avait entre eux deux. « Mon amitié pour John est plus importante que tout le reste et je crois que je devrais porter tous mes efforts à la sauver. »

Le putsch

Jobs ne pouvait supporter qu'on lui refuse quoi que ce soit. Il se rendit donc dans le bureau du P-DG, début mai 1985, pour lui demander un peu de temps, histoire de lui montrer qu'il pouvait diriger l'équipe Macintosh. Il voulait leur prouver qu'il serait un manager efficace. Mais Sculley resta intraitable. Jobs changea donc de tactique : il réclama la démission de son aîné : « Je crois que tu t'es essoufflé, John. Tu étais vraiment bon la première année et tout était miraculeux. Mais ce n'est plus le cas. » Sculley, qui était d'un naturel assez calme, perdit patience et se mit à crier que Jobs avait été incapable de finaliser le système du Macintosh, de sortir de nouveaux modèles ou de ramener des clients. L'entrevue tourna à l'aigre ; ce fut à celui qui crierait le plus fort, chacun reprochant à l'autre d'être le plus mauvais dirigeant de la planète. Quand le jeune homme s'en alla en claquant la porte, l'aîné tourna le dos à la paroi vitrée de son bureau, derrière laquelle le reste de l'équipe avait assisté à l'escarmouche, et ne put retenir ses larmes.

La crise prit fin le mardi 14 mai, quand l'équipe Macintosh fit sa présentation trimestrielle à Sculley et aux autres dirigeants d'Apple. Jobs n'avait toujours pas abandonné le commandement, et il était prêt à mordre quand il arriva dans la salle. Il commença par se disputer avec Sculley quand il fut question de définir la mission première du département. Jobs disait que c'était de vendre le plus de Macintosh possible ; Sculley, que c'était de défendre les intérêts de la compagnie dans sa globalité. Comme de coutume, il y avait très peu de collaboration entre les équipes. Le Macintosh devait recevoir un nouveau lecteur de disquette qui était différent de celui développé dans le département Apple II. Le débat, qui devait durer quelques minutes, se prolongea pendant une heure entière.

Jobs décrivit ensuite les projets en cours : un Mac plus puissant qui prendrait la place du Lisa mort-né, et un logiciel appelé FileServer, qui permettrait au Macintosh de partager des fichiers sur un réseau. Mais Sculley apprit ce jour-là qu'ils auraient du retard. Il critiqua vertement les prévisions marketing de Murray, reprocha à Bob Belleville, le chef du service développement, de ne pas savoir tenir les délais, et le management totalement erratique de Jobs. Malgré cela, le jeune homme termina son intervention par une doléance personnelle : qu'on lui donne une chance de se rattraper. Sculley refusa.

Ce soir-là, le capitaine emmena ses pirates dîner au Nina's Café à Woodside. Jean-Louis Gassée était en ville, pour préparer, à la demande de Sculley, la reprise du département Macintosh ; le cofondateur d'Apple l'invita à passer la soirée avec eux. Bob Belleville proposa de trinquer « à tous ceux qui comprennent ce qu'est "le monde selon Steve" ». Cette phrase – « le monde selon Steve » – avait été utilisée par d'autres d'une façon péjorative, qui se moquaient de son champ de distorsion de la réalité. Quand tout le monde fut parti, Belleville monta avec Jobs dans sa Mercedes et le pressa de lancer les hostilités contre Sculley. Il fallait avoir sa peau.

Jobs était manipulateur ; il pouvait en effet flatter, charmer à loisir. Mais il n'était ni un grand stratège, ni un dissimulateur. Il n'avait pas la patience de quêter les faveurs des gens. « Steve n'a jamais été un tacticien. Ce n'était ni dans ses gènes ni dans son âme », affirme Jay Elliot. En outre, il était bien trop arrogant pour s'abaisser à faire des ronds de jambe à qui que ce soit. Par exemple, lorsqu'il avait demandé le soutien de Del Yocam, il n'avait pu s'empêcher de lui dire qui aurait été un meilleur directeur des opérations que lui.

Quelques mois plus tôt, Apple avait obtenu le droit de vendre des Macintosh en Chine et Jobs avait été invité à signer le contrat au Grand Palais du Peuple durant le week-end du Memorial Day. Lorsqu'il en avait parlé à Sculley, celui-ci avait répondu qu'il voulait y aller lui-même – ce qui convenait parfaitement à Jobs. Il ferait donc son putsch pendant son absence… La semaine précédant le Memorial Day, il mit beaucoup de gens dans la confidence, préparant son attaque.

Sept jours en mai 1985

Jeudi 23 mai : Lors de la réunion hebdomadaire avec ses lieutenants du département Macintosh, Jobs expliqua comment il comptait se débarrasser de Sculley. Il fit un tableau pour leur montrer la future réorganisation de la société. Il avertit aussi Jay Elliot, le directeur des ressources humaines, qui lui répondit sans détour que son plan ne fonctionnerait pas. Elliot avait parlé à divers administrateurs, pour les convaincre de prendre la défense de Jobs, malheureusement il avait découvert que la grande majorité soutenait Sculley. Mais Jobs ne voulut rien entendre. Il révéla même son plan à Gassée, durant une promenade sur le parking, malgré le fait que le Français était venu de Paris pour lui prendre sa place. « J'ai commis l'erreur de lui en parler », confia Jobs avec amertume des années plus tard.

Le soir, l'avocat conseil Al Eisenstat organisait un barbecue chez lui pour Sculley et Gassée, avec leurs épouses respectives. Quand Gassée informa Eisenstat que Jobs fomentait un coup d'État, il lui conseilla de prévenir l'intéressé. « J'ai entraîné John à l'écart, raconte Gassée, je lui ai mis le doigt sur le sternum et lui ai dit : "Si tu pars demain pour la Chine, tu vas te retrouver éjecté d'Apple, mon pote. Steve va te voler ton fauteuil." »

Vendredi 24 mai : Sculley annula son voyage et décida de confondre Jobs lors de la réunion du comité de direction le vendredi matin. Jobs arriva en retard et découvrit que le siège qu'il occupait d'ordinaire à côté du P-DG était pris. Il s'installa à l'autre bout de la table. Il était en costume Wilkes Bashford et avait l'air volontaire de celui qui s'apprêtait à monter au front. Sculley était tout pâle. Il annonça qu'il avait annulé son voyage pour résoudre un problème qui empoisonnait tout le monde.

— J'ai appris que tu voulais me jeter dehors, déclara-t-il en regardant Jobs droit dans les yeux. J'aimerais savoir si c'est vrai.

Jobs fut pris de court. Mais il n'était pas du genre à faire marche arrière. Il plissa les paupières d'un air mauvais et vrilla son regard dans celui du P-DG.

— Je pense que tu es néfaste pour cette entreprise, et que tu n'es pas la bonne personne pour la diriger. Tu devrais t'en aller. Tu n'as pas les compétences et tu ne les auras jamais.

Il reprocha à nouveau à Sculley de ne rien comprendre aux ordinateurs, et il ajouta dans un accès d'égocentrisme :

— Je t'ai fait venir pour que tu m'aides à grandir, mais tu n'as rien fait pour moi.

Devant une assemblée statufiée, Sculley perdit son sang-froid. Sous l'effet de la colère, il se mit à bégayer comme lorsqu'il était enfant.

— Je n'ai p-plus c-confiance en t-toi, et c'est r-rédhibitoire p-pour m-moi !

Quand Jobs assura qu'aux commandes, il serait meilleur que lui, le P-DG le prit au mot. Il demanda un vote immédiat. « Il a eu une idée de génie, reconnut plus tard Jobs. Il a profité du fait qu'on était devant le comité de direction. "C'est moi ou Steve. Votez, messieurs !" Il a présenté la chose de telle façon que celui qui votait pour moi passait pour un crétin fini. »

Brusquement, l'assemblée, muette jusque-là, s'agita. Del Yocam fut le premier à s'exprimer. Il commença par dire qu'il aimait beaucoup Jobs, il voulait qu'il continue à participer à l'essor de la société, mais déclara, malgré le regard assassin du jeune homme, qu'il « respectait » Sculley. Et qu'il votait pour qu'il continue à diriger Apple. Eisenstat regarda Jobs bien en face et tint à peu près le même discours. Regis McKenna, qui siégeait en consultant extérieur, s'adressa directement à Jobs et lui répéta ce qu'il lui avait déjà dit : « Tu n'es pas prêt à diriger cette société. » Tous les autres votèrent pour Sculley. Pour Bill Campbell, le choix fut cornélien. Il aimait réellement beaucoup Jobs et n'appréciait guère l'ancien président de Pepsi-Cola. Sa voix tremblota quand il dit au jeune homme toute son affection. Même s'il optait pour Sculley, il exhorta les deux hommes à trouver un accord et à donner un rôle à Jobs au sein de la société. « On ne peut pas laisser partir Steve. »

Jobs était atterré. « Maintenant les choses sont claires », et il s'en alla en claquant la porte. Personne ne bougea de son siège.

Il retourna dans son bureau, rassembla son ancienne garde de fidèles et pleura. Il devait quitter Apple. Au moment où il sortait de la pièce, Debi Coleman le retint. Tout le monde le fit asseoir en lui disant de ne rien précipiter. Il avait le week-end pour réfléchir. Peut-être y avait-il un moyen de ne pas faire exploser la société.

Sculley était abattu par sa victoire. Comme un guerrier blessé, il alla se réfugier dans le bureau de Al Eisenstat et lui demanda de l'emmener faire un tour.

— Je ne sais pas comment je vais surmonter ça, se lamenta-t-il, une fois à bord de la Porsche de l'avocat. (Voyant l'air perplexe d'Eisenstat, il précisa :) Je crois que je vais donner ma démission.

— Tu ne peux pas faire ça. Apple volerait en morceaux.

— Je jette l'éponge. Je ne crois pas être l'homme qu'il faut pour la société. Tu veux bien appeler le conseil d'administration pour les prévenir ?

— Entendu. Mais je crois que tu dramatises trop. Tu dois lui tenir tête.

Puis il le raccompagna chez lui. Leezy, la femme de Sculley, s'étonna de le voir rentrer si tôt du bureau.

— J'ai échoué, lui annonça-t-il.

Leezy était une femme impulsive qui n'avait jamais porté Jobs dans son cœur ; elle détestait voir son mari lui courir après. En apprenant ce qui s'était produit, elle sauta dans sa voiture et fonça chez Apple. On lui apprit que Jobs était parti au Good Earth. Elle s'y rendit au pas de charge et le coinça sur le parking au moment où il sortait du restaurant avec Debi Coleman et quelques fidèles.

— Steve, je peux te parler ? (Jobs resta bouche bée.) As-tu la moindre idée de la chance que tu as eue de connaître quelqu'un d'aussi bien que John ? (Elle le dévisagea avec défi. Jobs détourna les yeux.) Regarde-moi quand je te parle !

Mais quand Jobs le fit – en lui retournant ce regard intense dont il avait le secret – elle battit en retraite : « C'est bon, j'en ai assez vu… Quand je regarde les yeux de quelqu'un, je vois une âme. Mais chez toi, tout ce que je vois, c'est un puits sans fond, un trou noir. Le vide de la mort. »

Puis elle tourna les talons et le laissa sur place.

Samedi 25 mai : Mike Murray passa chez Jobs à son hacienda de Woodside pour prendre des nouvelles. Il fallait qu'il accepte de quitter la direction de l'équipe Mac et de lancer l'AppleLabs. Jobs sembla presque convaincu. Mais d'abord, il voulait faire la paix avec Sculley. Il appela donc le P-DG, tout miel. Pouvaient-ils se voir dans l'après-midi ? Ils feraient une promenade dans les collines derrière l'université de Stanford, comme au bon vieux temps… Peut-être trouveraient-ils le moyen de dénouer tout ça ?

Jobs ignorait que Sculley avait eu l'intention la veille de démissionner. Mais cela n'avait plus d'importance. Il avait changé d'avis durant la nuit. Il restait. Et malgré l'altercation de la veille, il voulait toujours avoir l'estime de Jobs. Il accepta donc le rendez-vous le lendemain après-midi.

Jobs songeait peut-être à une réconciliation, mais cela ne se vit pas au choix du film qu'il avait décidé de voir la veille avec Murray : *Patton.* L'odyssée épique d'un général qui refuse de se rendre. Mais il avait prêté la cassette vidéo à son père qui, pendant la guerre, avait transporté les troupes du général ; alors Jobs retourna jusqu'au lotissement de son enfance récupérer la cassette. Ses parents étaient absents et il n'avait pas la clé. Il fit le tour de la maison avec Murray, à la recherche d'une porte ou d'une fenêtre ouverte – mais en vain. Le vidéo club n'avait pas le film, alors ils se rabattirent sur un autre titre presque autant de circonstance : *Trahisons conjugales.*

Dimanche 26 mai : Comme prévu, Jobs et Sculley se retrouvèrent, l'après-midi, sur le campus de Stanford et marchèrent plusieurs heures au milieu des collines et des prés où galopaient des chevaux. Jobs plaida encore sa cause ; il fallait lui donner un poste décisionnel à Apple. Sculley resta inflexible. Cela ne fonctionnera pas, répétait-il. Il le supplia d'accepter ce poste de conception de produits du futur et de créer l'AppleLabs, mais Jobs refusa. Il ne voulait pas être une potiche. Niant totalement la réalité, avec un aplomb inconcevable pour quelqu'un d'autre que Jobs, il contre-attaqua en suggérant à Sculley d'abandonner le navire et de lui donner la barre. « Tu pourrais être président d'honneur et je serais le P-DG, qu'en penses-tu ? » Sculley fut saisi. Jobs y croyait donc encore ?

— Steve, cela n'a aucun sens. C'est absurde.

Jobs proposa alors un partage des responsabilités. Sculley s'occuperait de la partie financière et commerciale, et lui du développement des produits. Le conseil d'administration avait non seulement confirmé Sculley dans ses fonctions, mais lui avait demandé de faire marcher Jobs au pas.

— Une seule personne doit diriger la boîte. Et j'ai la confiance du conseil, pas toi.

À la fin, les deux hommes se serrèrent la main. Et Jobs accepta de prendre en considération ce poste de « visionnaire du futur ».

Sur le chemin du retour, Jobs s'arrêta chez Markkula. Il n'était pas chez lui, alors il lui laissa un message, le conviant à venir dîner le lendemain soir. Il comptait inviter aussi sa garde prétorienne. Il espérait convaincre Markkula que c'était de la folie de laisser les rênes à Sculley.

Lundi 27 mai : Le Memorial Day. C'était une belle journée chaude et ensoleillée. Le noyau dur de l'équipe Mac – Debi Coleman, Mike Murray, Susan Barnes, Bob Belleville – arriva une heure plus tôt à l'hacienda pour préparer la stratégie. Ils s'installèrent tous dans le patio. Debi était de l'avis de Murray : il devait accepter l'offre d'être le visionnaire d'Apple et lancer l'AppleLabs. De tous ses fidèles, Debi Coleman était la plus réaliste. Dans le nouvel organigramme, Sculley l'avait promue directrice du département production, parce qu'il savait qu'elle était loyale envers Apple, et pas uniquement envers Jobs. Les autres étaient un peu plus dans les nuages. Ils voulaient demander à Markkula de valider un nouvel organigramme qui plaçait Jobs à la tête d'Apple, sinon à la direction générale du département recherche et développement.

Lorsque Markkula fut là, il accepta d'écouter leurs revendications, à une condition : Jobs devait se taire. « Je voulais entendre l'opinion de l'équipe, et non pas voir Steve les pousser à la mutinerie. » Comme le temps se rafraîchissait, ils rentrèrent dans la maison à peine meublée et tout le monde prit place devant la cheminée. Le cuisinier prépara une pizza végétarienne au blé complet, qui fut servie sur la table de jeu. Markkula préféra picorer des cerises que Jobs gardait dans un cageot. L'ancien P-DG d'Apple empêcha la conversation de dévier en un feu nourri de diatribes et se concentra sur les problèmes de management. Pourquoi le FileServer n'était-il toujours pas prêt ? Pourquoi l'équipe Mac avait-elle du mal à apporter les modifications qu'on leur demandait ? Quand tout le monde se fut expliqué, Markkula donna son point de vue. « Je leur ai dit que je n'étais pas d'accord avec la restructuration de Steve et que les jeux étaient faits. Sculley était le patron. Ils étaient fous de rage, ils voulaient lancer une fronde générale, mais c'était comme ça. Ils devaient s'y faire. »

Pendant ce temps, Sculley cherchait conseil aussi de son côté. Devait-il céder aux demandes de Jobs ? Tout le monde tombait des nues. Comment pouvait-il ne serait-ce qu'y penser ? Le simple fait de se poser la question le rendait pitoyable et trahissait encore toute l'affection qu'il avait pour le jeune homme. « Tu as notre soutien, lui répéta un administrateur influent, mais nous voulons que tu aies une poigne de fer, on ne veut plus voir Jobs au moindre poste décisionnel. »

Mardi 28 mai : Les épaules redressées par les coups d'éperon de ses supporters, le torse gonflé de colère depuis que Markkula lui avait appris que Jobs avait essayé de le rallier à sa cause la veille au soir, Sculley débarqua dans le bureau de Jobs pour la curée. C'était fini. Jobs devait prendre la porte. Puis il se rendit chez Markkula pour lui soumettre le nouvel organigramme. Markkula posa une foule de questions et finalement donna sa bénédiction. Lorsque Sculley rentra au bureau, il appela un à un tous les autres membres du conseil d'administration, pour s'assurer qu'il avait toujours leur soutien. Oui, il l'avait.

À ce moment-là, il appela Jobs pour être sûr qu'il s'était bien fait comprendre : le conseil avait validé sa réorganisation des services qui aurait lieu cette semaine. Gassée assurerait la direction de sa chère équipe de pirates ainsi que celle des autres produits Apple. Il n'y avait plus de place pour lui. Sculley se montra néanmoins magnanime. Il lui proposa d'être président d'honneur et de rester le visionnaire maison, mais il n'aurait plus aucune responsabilité décisionnelle. On ne lui parlait même plus de fonder l'AppleLabs.

C'était la fin. Il n'y avait plus de recours possible, plus moyen de déformer la réalité. Il fondit en larmes et appela ses amis – Bill Campbell, Jay Elliot, Mike Murray et les autres. Murray était en communication avec sa femme partie à l'étranger, quand la standardiste interrompit la conversation pour annoncer un appel urgent.

— J'espère que c'est vraiment le cas, lâcha l'épouse à la standardiste.

— Ça l'est, répondit Jobs.

Quand Jobs eut Murray en ligne, il pleurait.

— C'est fini.

Et il raccrocha.

Murray, craignant que Jobs ne fasse une bêtise, rappela aussitôt. Pas de réponse. Il fila à l'hacienda de Woodside. Il frappa à la porte. Toujours pas de réponse. Il fit le tour de la maison, grimpa l'escalier et regarda à la fenêtre de la chambre. Jobs était allongé sur le lit dans sa chambre spartiate. Il laissa entrer Murray et les deux hommes parlèrent jusqu'à l'aube.

Mercredi 29 mai : Jobs trouva enfin une cassette de *Patton*. Il la regarda le mercredi soir, mais Murray lui dit qu'il devait s'ôter de la tête l'idée de repartir au combat. Il lui conseilla de venir à l'assemblée du vendredi où Sculley devait présenter la nouvelle organisation des services. Il n'avait d'autre choix que de jouer le bon petit soldat. Le temps du général renégat était révolu.

L'effet boule de neige

Jobs se faufila au fond de la salle au moment où Sculley allait présenter aux troupes la nouvelle chaîne de commandement. Il y eut plusieurs regards en coin dans sa direction, mais peu de gens le saluèrent, et aucun ne lui montra le moindre signe d'affection. Jobs observait fixement le P-DG. « Un regard chargé de mépris, se souvient encore Sculley. Intense. Comme des rayons X qui vous transperçaient jusqu'aux os, qui allaient fouiller ce qu'il y avait de plus intime et de plus fragile en vous. » Un instant, Sculley, oubliant le regard assassin de Jobs au dernier rang, songea au temps de leur amitié d'antan, quand l'année passée ils s'étaient rendus ensemble à Cambridge dans le Massachusetts pour rencontrer Edwin Land – Land, le héros de Jobs, l'homme qui avait inventé le Polaroid et qui avait été chassé de sa propre entreprise comme un malpropre. Cette idée révoltait Jobs : « Tout ça parce qu'il a perdu quelques millions de dollars, ils lui ont volé sa société. » Et maintenant, c'était au tour de Sculley de spolier Jobs.

Sculley poursuivit sa présentation, ignorant toujours Jobs avec superbe. Au moment de dévoiler le nouvel organigramme, il présenta Jean-Louis Gassée ; c'était le nouveau directeur des départements Macintosh et Apple II réunis. Sur le diagramme, une petite case était étiquetée « Président » mais aucune ligne ne la reliait aux restes du schéma, ni à Sculley, ni à personne d'autre. Le P-DG annonça rapidement que, à ce poste, Jobs serait le « visionnaire planétaire ». Mais il continua de faire comme si Jobs n'était pas dans la salle. Il y eut quelques applaudissements gênés.

Hertzfeld, apprenant la nouvelle, fit un saut au siège d'Apple, ce qui lui arrivait très rarement depuis qu'il avait démissionné. Il voulait soutenir ce qui restait de la *dream team*. « Comment le conseil d'admi-nistration pouvait-il chasser Steve, lui qui était l'âme et le corps de la société – même s'il était parfois difficile à vivre ? C'était inconcevable. Quelques gars de l'équipe Apple II, qui n'avaient pas apprécié l'attitude méprisante de Jobs à leur égard, se réjouissaient de son départ, quelques autres se félicitaient de ce remue-ménage qui allait leur offrir des opportunités d'avancement, mais la plupart des employés d'Apple étaient tristes, et inquiets pour l'avenir. » Hertzfeld espéra que Jobs allait fonder l'AppleLabs. Et il se surprit à rêver de revenir travailler avec son ancien patron. Mais cela n'arriva pas.

Jobs resta cloîtré chez lui les jours suivants, volets baissés, le télé-phone sur répondeur, ne voyant que sa fiancée, Tina Redse. Pendant des heures, il écoutait ses enregistrements pirates de Bob Dylan, en particulier « The Times They Are A-Changin ». Seize mois plus tôt, il avait lu le second couplet lorsqu'il avait dévoilé le Macintosh aux actionnaires. Le texte finissait par cette note d'espoir : « *For the loser now/ Will be later to win...* »

Une équipe de sauvetage débarqua le dimanche soir, menée par Andy Hertzfeld et Bill Atkinson. Jobs mit un temps fou à répondre à leur tambourinement à la porte. Il les conduisit dans une pièce à côté de la cuisine où il y avait quelques meubles. Avec l'aide de Tina, il servit le repas végétarien qu'il avait commandé.

— Alors que s'est-il passé ? demanda Hertzfeld. C'était aussi moche que ça ?

— Pire encore. Pire que tout ce que tu peux imaginer.

Sculley l'avait poignardé dans le dos ! Sans lui, Apple était mort. Son rôle de président était une fonction de pur apparat. Il était éjecté de son bureau à Bandley 3 et se retrouvait dans un placard, dans un petit bâtiment vide que tous surnommaient « Siberia[1] ». Hertzfeld chassa la morosité en évoquant le bon vieux temps, et tout le monde y alla de ses souvenirs.

Dylan avait sorti, plus tôt dans la semaine, un nouvel album, *Empire Burlesque*, et Hertzfeld s'était empressé de l'acheter. Il l'ins-talla sur la platine de la chaîne hifi de Jobs. La chanson la plus remarquable, « When the Night Comes Falling From the Sky[2] »,

---

1. Sibérie. *(N.d.T.)*

2. « Quand la nuit tombe du ciel. » *(N.d.T.)*

avec son message apocalyptique, semblait appropriée pour la soirée, mais Jobs ne l'aima pas. Elle sonnait disco et il déclara que Dylan était sur la pente descendante depuis *Blood on the Tracks*. Alors Hertzfeld posa la tête de lecture sur la dernière chanson de l'album, « Dark Eyes » qui était un morceau purement acoustique où Dylan jouait de la guitare et de l'harmonica. La chanson était lente et mélancolique, dans la veine du grand Dylan d'antan. Mais Jobs la détesta aussi. Il n'eut pas même envie d'écouter le reste du disque.

L'abattement de Jobs était compréhensible. Sculley avait été autrefois comme un père pour lui. Comme Markkula. Comme Arthur Rock. Et cette semaine, les trois l'avaient abandonné. « Cela ravivait sa vieille blessure d'enfance, expliqua son ami l'avocat George Riley. Cet abandon est au cœur de sa mythologie personnelle, et c'est ce qui, selon lui, le définit aux yeux du monde. » Quand il a été rejeté par ses figures paternelles, c'est comme si on l'abandonnait une deuxième fois. « J'ai eu l'impression de recevoir un coup de poing dans le ventre. J'étais sonné ; je n'arrivais plus à respirer », me confiera plus tard Jobs.

Perdre le soutien d'Arthur Rock fut particulièrement douloureux. « Arthur était un second père pour moi. Il m'avait pris sous son aile. » Rock l'avait initié à l'opéra, avec sa femme Toni, il l'avait hébergé à San Francisco et à Aspen. Jobs, qui n'avait jamais été du genre à faire des cadeaux, avait toujours un petit présent pour eux. Il leur avait rapporté un walkman Sony à son retour du Japon. « Je me souviens qu'un jour alors que nous traversions San Francisco en voiture, je lui ai dit : "Ce bâtiment de la Bank of America est vraiment une horreur" et il m'avait répondu : "Pas du tout, c'est un chef-d'œuvre." Il m'avait alors fait un cours sur l'architecture ; et il avait raison, évidemment. » Des années plus tard, les yeux de Jobs s'emplissaient encore de larmes à ce souvenir. « Et il a préféré Sculley à moi. Cela m'a vraiment fichu par terre. Jamais je n'aurais cru qu'il m'abandonnerait. »

Le plus insupportable, c'était que sa chère société était désormais aux mains d'un type qu'il considérait comme un incapable. « Le conseil a jugé que je n'étais pas apte à diriger Apple, c'est leur droit le plus strict. Mais ils ont commis une grosse erreur. Ils auraient dû dissocier les deux problèmes : que faire de moi, et que faire de John. Ils auraient dû le foutre à la porte, même s'ils ne me pensaient pas de taille à diriger l'entreprise. » Même si la déception s'estompa, sa colère contre Sculley ne tarit jamais. Des amis communs tentèrent un rapprochement, en vain. Un soir vers la fin de l'été 1985, Bob Metcalfe, qui avait co-inventé l'Ethernet quand il travaillait au Xerox PARC, invita les deux hommes pour pendre la crémaillère de sa nouvelle maison de Woodside. « Ce fut un fiasco, raconte-t-il. John et Steve se tenaient aux deux extrémités de la maison, et ils ne se sont pas adressé la parole. J'ai compris que la brouille était définitive. Steve est peut-être un génie, mais parfois c'est un vrai connard avec les gens. »

La situation empira quand Sculley annonça publiquement que Jobs n'avait plus aucune influence dans la société, même s'il en avait le titre de président. « Il n'y a pas de place pour Steve Jobs chez Apple, que ce soit aujourd'hui ou demain. Et j'ignore ce qu'il va faire de sa vie. » Il y eut quelques hoquets de stupeur dans la salle.

Peut-être qu'aller en Europe l'aiderait à faire passer la pilule, se disait Jobs. En juin donc, il se rendit à Paris, où il donna une conférence à une Apple Expo et fut invité à un dîner donné en l'honneur du vice-président George Bush. Puis il partit pour l'Italie, avec Tina Redse, et visita la Toscane. Il acheta une bicyclette, fit de longues promenades en solitaire. À Florence, il admira l'architecture de la ville et la qualité des matériaux de construction. Il eut un coup de foudre pour les dalles au sol qui provenaient de la carrière Il Casone des environs de Firenzuola. Les dalles étaient d'un gris bleuté particulièrement apaisant, à la fois élégant et chaleureux. Vingt ans plus tard, il ordonnera que les sols des Apple Store soient dallés avec ces pierres.

L'Apple II venait tout juste d'être commercialisé en Russie, alors Jobs se rendit à Moscou, où il retrouva Al Eisenstat. Comme Washington tardait à signer l'autorisation d'exportation du Macintosh et de ses logiciels, ils prirent rendez-vous avec Mike Merwin, l'attaché commercial de l'ambassade américaine, pour faire accélérer le processus. Merwin expliqua qu'il y avait des règlements très stricts concernant le partage de technologie avec les Soviétiques. Jobs était agacé. À Paris, le vice-président Bush l'avait encouragé à vendre des ordinateurs en Russie pour « lancer la révolution par le bas ». Pendant qu'ils dînaient avec Merwin dans un restaurant géorgien, Jobs continua sa diatribe. « Comment vendre des micro-ordinateurs aux Russes pourrait-il violer nos lois américaines alors que cela sert de façon si manifeste nos intérêts ? En leur mettant des Mac dans les mains, ils vont pouvoir imprimer leurs journaux dissidents ! »

Jobs montra à Moscou son côté passionné quand il se lança dans un panégyrique enflammé pour Trotski, le grand révolutionnaire qui avait été assassiné par Staline. À un moment, l'agent du KGB qui leur avait été assigné demanda à Jobs de réduire sa ferveur. « Nous préférons ne pas parler de Trotski, expliqua-t-il. Nos historiens ont étudié son cas, et nous ne pensons plus que c'était un grand homme. » Cela ne freina pas Jobs pour autant. Lorsqu'ils donnèrent une conférence à l'université de Moscou pour parler des ordinateurs, Jobs recommença à faire l'éloge de Trotski. Jobs avait de l'empathie pour tous les révolutionnaires du monde.

Jobs et Eisenstat assistèrent à la fête du 4-Juillet, à l'ambassade américaine. Dans sa lettre de remerciement adressée à l'ambassadeur Arthur Hartmann, Eisenstat annonçait que Jobs avait l'intention d'intensifier l'implantation d'Apple en Russie dans l'année à venir. « Nous sommes très tentés de revenir à Moscou en septembre prochain. » Pendant un moment de grâce, il sembla que les espoirs de Sculley finiraient par se réaliser… Jobs allait endosser son rôle de « visionnaire planétaire » de la compagnie. Mais la lumière fut de courte durée. Les événements de septembre ne furent pas ceux escomptés.

CHAPITRE DIX-HUIT

NeXT

Prométhée délivré

Les pirates abandonnent le navire

Au cours d'un déjeuner à Palo Alto donné par Donald Kennedy, le président de l'université de Stanford, Jobs se retrouva assis à côté du Paul Berg, prix Nobel de biochimie, qui lui expliqua les progrès de la science en matière de génie génétique et de recombinaison de l'ADN. Jobs adorait élargir le champ de ses connaissances, en particulier quand son guide était une sommité. À son retour d'Europe, donc, en août 1985, quand il commença à réfléchir à ce qu'il allait faire, il voulut revoir le scientifique. Les deux hommes se retrouvèrent sur le campus de Stanford, firent une longue promenade, puis allèrent déjeuner dans un petit coffee shop.

Berg lui exposa les difficultés de l'expérimentation en laboratoire, car il fallait des semaines pour mener un bouillon de culture à maturité et obtenir des résultats. « Pourquoi ne faites-vous pas des simulations sur ordinateurs ? Non seulement, cela vous permettrait de

gagner du temps mais en plus, tous les étudiants en biologie moléculaire du pays pourraient utiliser le logiciel de recombinaison génétique du Pr Paul Berg. »

Berg répliqua que les ordinateurs avec ces puissances de calculs
étaient trop chers pour les universités. « Le visage de Steve Jobs
s'est soudain illuminé, raconte le savant. Il entrevoyait toutes les
possibilités qui s'offraient à lui. Il allait créer une nouvelle société !
Il était jeune et riche et il tenait son nouveau grand projet. »

Jobs s'était déjà intéressé au monde universitaire, et avait tenté
de savoir quels étaient ses besoins spécifiques en matière d'ordinateurs. Dès 1983, il s'était rendu au département des sciences informatiques du Brown College pour tenter de placer le Macintosh,
mais on lui avait répondu qu'il leur fallait une machine beaucoup
plus puissante. Le rêve des chercheurs était d'avoir une station de
travail à la fois performante et individuelle. Quand il était à la tête
du département Macintosh, Jobs avait initié un programme pour
concevoir une telle machine, baptisée le Big Mac. La machine tour-
nerait sous Unix mais serait équipée d'une interface Macintosh pour
la convivialité. Après l'éviction de Jobs à l'été 1985, son remplaçant
Jean-Louis Gassée avait arrêté le projet Big Mac.

Jobs avait alors reçu un appel de Rich Page, qui développait les
composants du Big Mac. Il était effondré. Tous les employés
mécontents chez Apple pressaient leur ancien patron de fonder une
nouvelle société pour les sortir de ce bourbier. Le projet se précisa
le week-end de la fête du travail, quand Jobs annonça à Bud Tribble,
l'ancien chef du développement logiciel, qu'il songeait à lancer une
nouvelle entreprise pour construire un ordinateur très puissant mais
qui resterait personnel. Il enrôla également deux employés de
l'équipe Mac qui désiraient mettre les voiles, le développeur George
Crow et Susan Barnes, une responsable du service financier.

Il restait un poste clé à pourvoir : une personne susceptible de
vendre la machine aux universités. Le candidat idéal était Dan'l
Lewin, l'homme qui travaillait au bureau de vente Sony lorsque Jobs
venait espionner les brochures. Jobs l'avait débauché en 1980 et il
avait monté une centrale d'achat dédiée aux établissements de
l'enseignement supérieur pour leur fournir des Macintosh au prix
de gros. Les deux lettres manquantes à son prénom n'étaient pas
les seules particularités de Lewin. Il avait les traits de Superman,

l'aura charismatique d'un ancien de Princeton, et la grâce d'un sportif – il avait été un champion de natation à l'université. Malgré leurs parcours différents, Jobs et Lewin avaient un grand point commun : Lewin avait écrit une thèse sur Bob Dylan et était un meneur d'hommes, deux domaines où Jobs était un expert.

La centrale d'achat universitaire avait été une manne financière pour le Macintosh. Mais Lewin s'était senti mis à l'écart quand, après le départ de Jobs, Bill Campbell avait révisé la stratégie marketing et réduit drastiquement les ventes directes aux universités. Le commercial comptait justement appeler Jobs ce week-end-là, mais son ancien patron le devança. Les deux hommes se retrouvèrent à l'hacienda de Jobs, toujours aussi vide, et se promenèrent dans le parc en discutant du projet. Lewin était très intéressé par cette nouvelle société, mais n'était pas encore prêt à sauter le pas. Il devait se rendre à Austin avec Campbell la semaine suivante ; il voulait avoir ces moments de réflexion.

Lewin donna sa réponse dès son retour. Jobs pouvait compter sur lui. La nouvelle tomba juste pour la réunion du conseil d'administration le 13 septembre. Bien que Jobs fût officiellement le président d'Apple, il n'avait assisté à aucune séance depuis son éviction. Il appela Sculley pour lui annoncer qu'il serait présent cette fois et qu'il voulait qu'on ajoute à l'ordre du jour « le rapport du président ». Il ne révéla pas la teneur de son intervention. Le P-DG supposa qu'il s'agissait sans doute de critiquer la réorganisation de la société. Mais Jobs leur fit part de son envie de créer une nouvelle société. « J'ai beaucoup réfléchi et je crois qu'il est temps pour moi de tourner la page. Je ne peux rester sans rien faire. Je n'ai que trente ans, c'est trop jeune pour la retraite. » Puis il présenta son projet : concevoir un ordinateur pour le monde universitaire. La société ne ferait donc aucune concurrence à la Pomme. Et il ne prendrait avec lui qu'une poignée d'employés n'ayant aucune fonction clé dans l'entreprise. Il proposait de démissionner de son poste de président, mais espérait qu'Apple et lui travailleraient encore ensemble. Peut-être Apple voudrait-elle acheter les droits de distribution pour son produit, ou lui vendre la licence du système d'exploitation du Mac ?

Mike Markkula n'aimait pas l'idée que Jobs emmène avec lui des employés d'Apple.

— Pourquoi ne cherches-tu pas des gens ailleurs ?

— Ne t'inquiète pas. Ce sont des gens qui ont des postes subalternes. Ils ne te manqueront pas. Et de toute façon, ils veulent partir.

Le conseil se montra au départ bien disposé à l'égard de ce projet. Les administrateurs, après s'être concertés en privé, suggérèrent qu'Apple prenne 10 pour cent du capital dans la nouvelle entreprise de Jobs et qu'il reste président honoraire.

Le soir, Jobs et ses cinq pirates se retrouvèrent à l'hacienda de Woodside pour dîner. Jobs était tenté d'accepter l'investissement d'Apple, mais les autres le convainquirent que c'était dangereux. Il fallait démissionner. Faire une coupure nette.

Alors Jobs écrivit une lettre officielle pour indiquer les noms des cinq personnes qui allaient quitter Apple. Il signa la missive, de son nom, comme à son habitude, écrit en minuscules, et se rendit le lendemain matin à Cupertino pour la remettre en main propre à Sculley avant la réunion de direction de 7 h 30.

— Steve, ce ne sont pas des employés de second plan !

— De toute façon, ils s'en vont. Ils donnent leur dém' ce matin à 9 heures.

Du point de vue de Jobs, le marché était parfaitement honnête. Les cinq membres qui quittaient le navire n'étaient ni des chefs de département ni des membres de la garde rapprochée de Sculley. Tous s'étaient sentis lésés par le nouvel organigramme de la société. Mais du point de vue de Sculley, c'était des collaborateurs importants. Page était un « Apple Fellow », et Lewin une pièce maîtresse pour le marché de l'éducation supérieure. En outre, ils connaissaient tout du Big Mac ; même si le projet était au fond d'un tiroir, c'était toujours de l'information sensible, propriété d'Apple. Mais le P-DG fut de bonne composition, du moins au début. Il demanda même à Jobs de rester président d'honneur. Jobs répondit qu'il allait y réfléchir.

Mais quand Sculley arriva à la réunion de direction et qu'il annonça à ses lieutenants les noms de ceux qui partaient, ce fut un tollé général. Pour tous, Jobs manquait à ses devoirs de président et se montrait malhonnête envers la société. Sculley raconte que Campbell était le plus remonté de tous : « Nous devons révéler à tout le monde qu'il n'est qu'un escroc pour que les gens cessent enfin de le considérer comme le Messie ! »

Campbell reconnaît qu'il était furieux ce jour-là, même s'il devint plus tard un ardent défenseur de Jobs. « Je lui en voulais surtout de nous prendre Lewin. Lewin était notre interface avec les universités. Il ne cessait de se plaindre répétant à quel point Jobs était pénible à vivre, et maintenant, il s'en allait pour aller travailler avec lui ! » Campbell était tellement en colère qu'il quitta la réunion pour appeler Lewin chez lui. Sa femme répliqua qu'il était sous la douche.

— J'attends, annonça-t-il.

Plusieurs minutes plus tard, sa femme revint en ligne pour lui dire qu'il était toujours dans la salle de bains.

— Ce n'est pas grave, j'attends...

Quand il eut enfin Lewin au téléphone, Campbell lui demanda si c'était vrai qu'il quittait Apple. Lewin répondit oui. Et Campbell lui raccrocha au nez.

Après le coup de colère de Campbell, Sculley observa la réaction du conseil d'administration. Tous jugeaient que Jobs les avait trompés. Arthur Rock était particulièrement courroucé. Même s'il avait pris le parti de Sculley lors de la tentative de putsch du Memorial Day, il était parvenu à rétablir une relation père-fils avec Jobs. La semaine précédente, il avait invité Jobs et Tina Redse à dîner chez eux pour faire la connaissance de sa compagne. Ils avaient passé une soirée délicieuse dans leur maison de Pacific Heights à San Francisco. À aucun moment, le jeune homme n'avait parlé de son projet, Rock se sentait trahi. « Il s'est présenté devant le conseil et il nous a menti, explique Rock encore avec amertume. Il nous a dit qu'il songeait à lancer une nouvelle entreprise, alors qu'elle était déjà créée. Il a dit qu'il n'allait emmener que des personnes d'importance secondaire, alors qu'il nous volait cinq collaborateurs clés. » Markkula, quoique toujours plus réservé, était, lui aussi, outré. « Il a débauché dans notre dos cinq cadres sup' avant de s'en aller. Ce n'est pas une façon de procéder. Ce n'est pas correct. »

Durant le week-end, le conseil d'administration, comme le comité de direction, convainquit Sculley qu'Apple devait déclarer la guerre à son cofondateur. Markkula rédigea un communiqué officiel accusant Jobs « d'avoir débauché des membres importants du personnel d'Apple, en violation manifeste de ses engagements et de ses devoirs de président honoraire ». Plus loin, la menace se faisait plus explicite : « Nous réfléchissons, à présent, aux actions appropriées à mener à son encontre. » Bill Campbell, dans le *Wall Street Journal*, se déclara « choqué et courroucé » par le comportement de Jobs.

Un autre administrateur fut cité, anonymement : « Je n'ai jamais vu un conseil aussi en colère de toute ma carrière. Steve Jobs nous a tous dupés. »

Jobs, ayant quitté Sculley sur une bonne impression, pensait que son départ n'allait pas faire de vagues. Mais en lisant les journaux, il se devait de réagir. Il téléphona à son panel de journalistes et les invita chez lui pour une conférence de presse « privée », le lendemain. Puis il appela Andrea Cunningham, du cabinet Regis McKenna, qui était sa conseillère en communication. « Je suis arrivée dans son hacienda toujours aussi vide et je l'ai trouvé avec ses cinq collègues entassés dans la cuisine pendant que les journalistes attendaient dehors sur la pelouse. » Jobs lui énuméra la liste des récriminations qu'il comptait développer. Andy Cunningham fut horrifiée. « Cela va être catastrophique pour ton image. » Jobs fit marche arrière, accepta de se limiter à leur donner une copie de sa lettre de démission et à ne faire que des commentaires très mesurés.

Jobs songeait à envoyer par courrier sa lettre de démission, mais Susan Barnes jugeait ce *modus operandi* trop méprisant. Il se rendit donc en voiture chez Markkula, où il trouva l'avocat conseil Al Eisenstat. Pendant un quart d'heure, la discussion fut très tendue ; voyant la situation s'envenimer, Susan Barnes fit sortir Jobs de la maison avant qu'il ne tienne des propos qu'il pourrait regretter. L'ancien cofondateur de la Pomme laissa derrière lui sa lettre de démission, qu'il avait rédigée sur son Macintosh et imprimée sur la nouvelle Laserwriter :

17 septembre 1985

Cher Mike,

Il est écrit dans la presse, ce matin, qu'Apple songe à me démettre de mes fonctions de Président. J'ignore qui est à l'origine de cette information, mais elle est non seulement mensongère mais injuste.

Tu te souviens qu'à la dernière réunion du conseil d'administration, jeudi, j'ai annoncé mon intention de créer une nouvelle société et j'ai proposé, à cet effet, ma démission.

Le conseil m'a, au contraire, demandé de rester à ce poste et m'a laissé ce week-end pour réfléchir à sa proposition. J'ai accepté de prendre ce temps de réflexion parce que vous aviez accueilli avec bien-veillance mon projet, en laissant même entendre qu'Apple était prêt à y investir de l'argent. Vendredi matin, après avoir donné à John Sculley la liste de mes futurs collaborateurs, il m'a confirmé la volonté d'Apple de soutenir ma nouvelle société.

Et à présent, la société affiche une attitude ostensiblement hostile envers moi et mon projet. Par conséquent, je me vois dans l'obligation de poser sans délai ma démission...

Comme tu le sais, la récente réorganisation de la société m'a mis à l'écart, sans responsabilité ni quelque pouvoir décisionnel. Je n'ai que trente ans et je veux poursuivre mon chemin, et mon œuvre.

Après tout ce que nous avons accompli ensemble, j'aurais aimé que notre séparation soit plus amicale et plus digne.

Bien sincèrement.

Steven P. Jobs

Quand un homme d'entretien vint récupérer les affaires de Jobs dans son bureau, il découvrit une photo par terre. On y voyait Jobs et Sculley en grande conversation, sourires radieux aux lèvres ; il y avait une dédicace : « Aux grandes idées, aux grandes aventures, et aux grandes amitiés ! – John » Le cadre était en mille morceaux. Jobs l'avait lancé contre le mur. Depuis ce jour, Sculley et Jobs ne s'adressèrent plus jamais la parole.

L'action Apple atteignit un sommet – plus 7 pour cent – lorsque les marchés apprirent la démission de Jobs. « Les investisseurs de la côte Est n'aimaient pas savoir des Californiens excentriques aux commandes d'une grande entreprise, expliqua un analyste boursier. Maintenant que Wozniak et Jobs sont hors jeu, le marché est rassuré. » Mais Nolan Bushnell, le fondateur d'Atari, qui avait été, dix ans plus tôt, le mentor de Jobs, déclara dans le *Time* que le jeune visionnaire allait manquer cruellement à la société. « Qui sera désormais la muse de Cupertino ? Apple risque à présent de devenir aussi attrayant qu'une nouvelle recette de Pepsi. »

Après avoir tenté, sans succès, de trouver un accord avec Jobs, Sculley et le conseil d'administration décidèrent de le poursuivre en justice. La plainte formulait ainsi les charges :

Manquant à ses obligations fiduciaires, il est reproché à Steve P. Jobs, président honoraire du conseil d'administration de la société Apple, garant du bien et des intérêts de la société :

a) d'avoir comploté secrètement en vue de la constitution d'une entreprise rivale d'Apple ;

b) de vouloir, au profit de ladite entreprise rivale, utiliser illicitement les recherches qu'Apple a d'ores et déjà menées pour concevoir, développer et commercialiser la nouvelle génération d'ordinateurs...

c) d'avoir débauché d'Apple des employés de premier rang.

À l'époque, Jobs possédait six millions cinq cent mille actions Apple, soit 11 pour cent du capital, pour une valeur de plus de cent millions de dollars. Jobs vendit ses parts. En cinq mois, il avait tout écoulé. Il ne garda qu'une seule action pour avoir le droit d'assister aux assemblées générales si l'envie lui en prenait. Il était furieux – et maintenant bien décidé, même s'il ne voulait pas le reconnaître, à lancer une société concurrente d'Apple. « Viser le marché de l'éducation, où Apple était bien implanté, raconte Joanna Hoffman qui travailla une courte période pour la nouvelle société de Jobs, c'était de la pure vengeance, de la mesquinerie manifeste. Il voulait leur rendre la monnaie de leur pièce. »

Jobs, bien entendu, avait une tout autre explication : « Je n'ai pas la moindre rancune », déclara-t-il dans *Newsweek*. Une fois encore, il invita sa brochette de journalistes chez lui et cette fois il n'avait pas Andy Cunningham pour lui rappeler de mesurer ses propos. Il réfuta qu'il avait débauché de façon illicite ses cinq collaborateurs. « Ces gens m'ont appelé parce qu'ils voulaient quitter la société, expliqua-t-il aux journalistes agglutinés dans son salon spartiate. Apple ne sait plus traiter dignement les gens de valeur. »

Il accepta un reportage de *Newsweek* pour pouvoir présenter sa version des faits, et les interviews qu'il donna à cette occasion furent édifiantes : « Mon point fort, c'est de trouver des gens talentueux et de les faire travailler ensemble. » Il déclara qu'il aurait toujours une affection particulière pour son ancienne société : « Je me souviendrai toujours d'Apple comme on se souvient d'un premier amour. » Mais il montra les dents aussi : « Quand quelqu'un vous traite de voleur, vous êtes bien obligé de vous défendre. » L'action en justice d'Apple était indigne, disait-il. Et très triste. Cela prouvait que la Pomme n'était plus une entreprise innovante et rebelle. « On a du mal à croire qu'une compagnie pesant deux milliards de dollars et ayant quatre mille trois cents employés puisse avoir peur de six personnes en jeans ! »

Pour contrer la communication de Jobs, Sculley appela Wozniak à la rescousse et l'invita à s'exprimer en public. Woz n'était ni revanchard, ni manipulateur, mais d'une honnêteté implacable : « Steve peut se montrer dur et insultant », expliqua-t-il dans le *Time* de la semaine. Il révéla que Jobs lui avait demandé de rejoindre sa nouvelle société – ç'aurait été une belle façon de discréditer la direction actuelle d'Apple – mais il avait refusé d'entrer dans ce petit jeu. Dans le *San Francisco Chronicle*, il raconta comment Jobs avait interdit à frogdesign de travailler sur sa télécommande universelle sous prétexte que cela faisait concurrence à la Pomme. « Je suis certain qu'il va nous sortir une superbe machine, et je lui souhaite tout le succès possible, mais sur son intégrité, je ne saurais me prononcer. »

Être seul à la barre

« La meilleure chose qui ait pu arriver à Steve, déclara Arthur Rock, c'est qu'on l'ait mis à la porte, avec perte et fracas. » Sa théorie, partagée par beaucoup de gens, c'est que ce revers du sort l'avait rendu plus sage, plus mature. Mais la réalité n'est pas aussi simple. Au sein de sa nouvelle société, Jobs n'avait pas changé de comportement ; il montrait, comme à son habitude, le meilleur et le pire. Et il n'y avait personne pour le réfréner. Cela se traduisit par une succession de flops monumentaux – ce fut là la véritable leçon ! Ce qui le prépara au fulgurant succès de l'acte trois, ce ne fut pas son limogeage à l'acte un, mais ses échecs de l'acte deux.

Tout d'abord, il céda à sa passion du design. Le nom qu'il choisit par sa société était plutôt simple et direct : Next[1]. Pour le rendre plus remarquable, Jobs avait besoin d'un logo reconnaissable sur la terre entière. Alors il courtisa le roi des rois en la matière, Paul Rand. À soixante et onze ans, le dessinateur originaire de Brooklyn

---

1. Le prochain, le suivant. *(N.d.T.)*

avait déjà créé les logos les plus célèbres de la planète, dont celui de *Esquire*, IBM, Westinghouse, ABC et UPS. Il était sous contrat avec IBM, et ses supérieurs dirent à Rand, à juste titre, que concevoir un logo pour une autre société d'ordinateurs leur posait problème. Alors Jobs décrocha son téléphone et appela le P-DG d'IBM, John Akers. Il était en déplacement, mais Jobs insista tellement qu'on lui passa le vice-président Paul Rizzo. Après deux jours de travail au corps, Rizzo comprit que Jobs ne lâcherait pas le morceau, alors il donna son accord.

Rand vint donc à Palo Alto et se promena avec Jobs pendant qu'il lui expliquait son projet. L'ordinateur ressemblerait à un cube. Il aimait cette forme. C'était simple et parfait. Rand décida donc que le logo aurait cette même forme élémentaire, et qu'il serait incliné selon un angle de vingt-huit degrés. Quand Jobs lui demanda combien d'options il lui présenterait, Rand répliqua qu'il ne proposait pas de logos à la carte. « Je résoudrai votre problème et vous me paierez. Vous aurez le choix d'utiliser ou non ce que je vous soumettrai, mais il n'y aura pas plusieurs options, et dans l'un ou l'autre cas, il faudra payer. »

Le jeune patron appréciait ce genre d'attitude. Cela avait des résonances en lui. Alors il misa sur Rand. La société paierait la somme faramineuse de cent mille dollars pour avoir une seule proposition de logo. « Cette relation était très claire et saine, m'expliqua Jobs. Rand avait la pureté de l'artiste, mais il était intraitable en affaires. Il était d'un abord rugueux – un parfait grippe-sou à l'extérieur, mais un gros nounours à l'intérieur. » C'était l'une des grandes valeurs que l'ancienne icône d'Apple cherchait chez l'homme : la pureté de l'artiste.

Deux semaines plus tard seulement, Rand revenait à Woodside montrer à Jobs son travail. Ils dînèrent d'abord, puis Rand lui tendit un beau livret qui décrivait le processus de création. La dernière planche présentait le travail finalisé. « Par son design, son agencement des couleurs, et son orientation, ce logo est une étude des contrastes, proclamait le livret. Avec cette inclinaison, il induit un zeste de décontraction, de convivialité et de spontanéité, comme un timbre de Noël facétieux, et en même temps on y trouve l'autorité d'un tampon de la poste. » Le mot Next était écrit sur deux lignes, pour remplir entièrement la face du cube, et seul le « e » était en minuscule. « Cette lettre mise en exergue, expliquait encore le livret, connotait l'éducation, l'excellence… e = mc². »

Il était toujours difficile de prévoir les réactions de Jobs à une présentation. Il pouvait dire que c'était nul comme une idée de génie, et on ne savait jamais à l'avance laquelle des deux options ce serait. Mais avec un dessinateur de légende comme Rand, il y avait plus de chances que Jobs s'enthousiasme. Jobs regarda fixement le logo, releva les yeux vers Rand et le serra dans ses bras. Jobs n'avait qu'un petit bémol : le jaune pour le « e » était un peu éteint. Il voulait un jaune plus brillant et plus traditionnel. Rand tapa du poing sur la table : « Je fais ça depuis cinquante ans et je connais mon métier ! » Jobs n'insista pas.

La société avait non seulement un nouveau logo, mais également un nouveau nom. Ce n'était plus Next, mais NeXT. Tout le monde ne comprit pas cette agitation pour un logo et encore moins la dépense de cent mille dollars. Mais pour Jobs c'était la véritable naissance du bébé. NeXT avait son identité, une aura mondiale, même si elle n'avait pas conçu le moindre produit. Comme Markkula le lui avait enseigné, on juge un livre à sa couverture et une grande entreprise devait imposer ses valeurs dès la première impression. En plus, le logo était vraiment réussi et sympathique.

En bonus, Rand accepta de dessiner la carte de visite de Jobs. Rand lui apporta une version multicolore, qui lui plut beaucoup. Ils eurent cependant une âpre discussion à propos de l'emplacement du point après le « P » de Steven P. Jobs. Rand l'avait placé à droite du « P », comme il apparaîtrait en caractères d'imprimerie classiques. Jobs préférait que le point soit plus à gauche, sous la boucle du « P », comme il est possible de le faire avec une typographie numérique. « Ce fut beaucoup de palabres pour pas grand-chose », se souvient Susan Kare. Mais, cette fois, Jobs l'emporta.

Pour avoir des produits dignes du logo NeXT, Jobs avait besoin d'un grand designer industriel. Il envisagea plusieurs options, mais aucune ne l'impressionna autant que le Bavarois qu'il avait trouvé pour Apple : Hartmut Esslinger, dont la société frogdesign avait dorénavant pignon sur rue dans la Silicon Valley et qui, grâce à Jobs, avait un contrat en or avec la Pomme. Convaincre IBM de laisser Paul Rand travailler pour NeXT était en soi un petit miracle, devenu réalité par l'effet du champ de distorsion de la réalité. Mais convaincre Apple de laisser Esslinger travailler pour NeXT était du domaine de l'impossibilité quantique.

Cela n'empêcha pas Jobs de tenter sa chance. Début novembre 1985, cinq semaines après que Apple avait intenté une action en justice, Jobs écrivit à Eisenstat (l'avocat qui avait déposé la plainte) pour lui demander son autorisation : « J'ai parlé avec Hartmut Esslinger ce week-end, et il m'a suggéré de t'écrire pour t'annoncer que j'aimerais travailler avec frogdesign. » Jobs étayait sa demande par un curieux argument : Esslinger était le seul à connaître à la fois les projets de NeXT et d'Apple. « Comme NeXT et les autres cabinets de design ignorent vos projets, il y a toujours le risque que l'esthétique de nos produits se ressemble, par un pur effet du hasard. C'est donc dans l'intérêt commun d'Apple et de NeXT que de se fier au professionnalisme de Harmut qui veillera à ce qu'il n'y ait pas de similitudes. » Eisenstat était sidéré par le toupet de Jobs. Sa réponse fut sans appel : « Au nom d'Apple, j'ai déjà dit que je redoutais que tu t'engages dans un domaine qui implique l'utilisation d'informations confidentielles de notre société. Ta lettre ne lève en rien mes inquiétudes. Bien au contraire. Tu affirmes n'avoir aucune connaissance des projets d'Apple, ce qui est une contrevérité patente. » Le comble pour Eisenstat, c'était que Jobs, l'année passée, avait interdit à frogdesign de travailler sur le design de la télécommande de Wozniak !

Si Jobs voulait travailler avec Esslinger, il allait donc devoir mettre un terme au conflit qui l'opposait à Apple. Et ce n'était pas la seule raison qui le motivait à parvenir à un cessez-le-feu... Par chance Sculley aussi voulait la paix. En janvier 1986, ils trouvèrent un accord à l'amiable, n'impliquant aucune contrepartie financière. Apple abandonnait ses poursuites, et en échange, NeXT acceptait un certain nombre de conditions : ses produits seraient exclusivement destinés à l'enseignement supérieur, vendus directement aux universités, et ne seraient pas lancés sur le marché avant mars 1987. Apple exigea également que l'ordinateur NeXT ne soit pas compatible avec le système d'exploitation du Mac ; ce qui n'était pas forcément un choix heureux pour Apple.

Après l'accord, Jobs reprit sa cour auprès de Esslinger jusqu'à ce que le designer décide de rompre son contrat qui le liait à Apple. C'est ainsi que frogdesign, à la fin de l'année 1986, put travailler avec NeXT. Esslinger, comme Paul Rand, exigea d'avoir carte blanche. « Parfois, il fallait sortir la grosse artillerie avec Steve », explique-t-il. Mais comme Rand, Esslinger était un artiste... Jobs acceptait donc ce genre de caprice qu'il aurait refusé au commun des mortels.

L'ordinateur devait avoir la forme d'un cube parfait, avec des arêtes d'un pied de long et des angles de quatre-vingt-dix degrés exactement. Jobs aimait les cubes. Ils avaient une aura solennelle tout en gardant l'aspect malicieux d'un jouet. C'était la même approche que pour le Macintosh : la fonction suivait la forme – ce qui était l'exact inverse du dogme du Bauhaus et autres adeptes du design fonctionnel. Les circuits imprimés, qui se logeaient si facilement dans des boîtiers plats, type carton à pizza, durent être totalement repensés pour pouvoir tenir dans un petit cube.

Plus problématique encore : la perfection géométrique d'un cube était très difficile à réaliser en usine. La plupart des pièces moulées avaient un angle légèrement plus ouvert, pour qu'elles soient plus faciles à démouler (c'est le même principe que pour les moules à gâteaux). Mais Esslinger stipula (avec le soutien entier de Jobs) que les angles devaient être précisément de quatre-vingt-dix degrés pour assurer la pureté esthétique du cube. Alors chaque face dut être fabriquée séparément, à l'aide de moules coûtant six cent cinquante mille dollars pièce, dans un atelier spécialisé de Chicago. Le perfectionnisme de Jobs n'avait plus de limite. Lorsqu'il remarqua une fine ligne sur le pourtour du boîtier laissée par les moules, un défaut mineur que tout autre fabricant d'ordinateur aurait jugé inévitable, Jobs prit l'avion pour Chicago pour convaincre les ouvriers fondeurs qu'ils pouvaient faire mieux et qu'il leur fallait tout recommencer. « Il était rarissime qu'un grand patron se déplace en personne pour s'adresser aux ouvriers », note David Kelley, l'un des designers. Jobs fit acheter une sableuse de précision pour un coût de cent cinquante mille dollars pour effacer les lignes de jonction entre les faces. Il voulait que les caissons en magnésium soient peints en noir mat, ce qui les rendait plus salissants.

Kelley dut imaginer également un boîtier élégant pour le moniteur, une tâche compliquée par le fait que Jobs exigeait qu'il soit pourvu d'un système de rotation pour régler l'inclinaison de l'écran. « On voulait le raisonner, expliqua Kelley dans *Business Week*. "Steve, ça va coûter une fortune" ou "c'est impossible", sa réponse était invariablement : "Tu es un petit joueur." Il avait l'art de vous faire passer pour un poltron. » Alors Kelley et son équipe restèrent des nuits à plancher pour concrétiser les lubies du patron. Devant un candidat, lors d'un simple entretien pour un poste dans le service marketing, Jobs, d'un geste théâtral, avait retiré un drap noir pour qu'il admire le support aux formes arrondies, avec dessus un parpaing pour représenter le moniteur. Sous le regard interdit du candidat, Jobs avait montré avec fierté le mécanisme pivotant, en lui disant que le brevet était à son nom.

De tout temps, Jobs avait veillé à ce que les parties invisibles soient d'aussi belle facture que la façade, en hommage à son père qui soignait l'arrière de ses commodes. Dans ce domaine aussi, il poussa le perfectionnisme trop loin. Il voulut que les vis à l'intérieur de la machine soient recouvertes d'un placage doré. Il exigea également que l'intérieur de la caisse reçoive la même finition mate que l'extérieur, même si uniquement les réparateurs le verraient.

Joe Nocera, qui écrivait à l'époque dans *Esquire*, décrit assez bien l'hyperactivité de Jobs pendant les réunions :

> Dire que Jobs « siégeait » au comité de direction induirait le lecteur en erreur. En réalité Jobs ne demeurait jamais assis bien longtemps dans un siège ; il ne tenait pas en place. Il s'agenouillait dans son fauteuil, puis la seconde suivante s'y étendait de tout son long ; puis il se levait d'un bond, fonçait au tableau gribouiller un schéma. Il était plein de tics aussi ; il se rongeait les ongles jusqu'au sang. Et scrutait de son regard foudroyant quiconque prenait la parole. Ses mains, curieusement jaunâtres, étaient toujours en train de papillonner.

Mais c'est son « manque de tact » qui marqua le plus Nocera. Ce n'était pas une simple incapacité à contenir ses émotions ; c'était plutôt un procédé, une volonté – un besoin pervers – d'humilier les gens, de les mettre plus bas que terre, pour leur montrer à quel point il leur était supérieur. Lorsque Dan'l Lewin lui tendait un organigramme, par exemple, Jobs roulait des yeux en disant « c'est de la merde ». Mais son comportement pouvait changer du tout au tout, comme du temps où il était à Apple. Un gars du service financier débarqua en réunion et Jobs le couvrit d'éloges : « C'est vraiment du bon travail, du très bon travail », alors que la veille il lui avait dit « c'est nul à chier ».

L'un des dix premiers employés de NeXT fut un décorateur dont la tâche était de relooker les premiers locaux de la compagnie, à Palo Alto. Même si Jobs louait un immeuble tout neuf et joliment agencé, il le dépouilla complètement pour tout refaire. Les murs furent remplacés par des parois vitrées, les moquettes par du plancher. Les mêmes grands travaux furent lancés quand NeXT emménagea dans des bureaux plus vastes à Redwood City en 1989. Le bâtiment était flambant neuf, mais le patron voulut retirer les ascenseurs du rez-de-chaussée pour que le hall soit plus majestueux. Au centre de l'espace, il demanda à I.M. Pei de concevoir un grand escalier. La construction était si aérienne qu'elle semblait flotter dans l'air. Le responsable du chantier assura que c'était impossible à construire. Mais Jobs insista et la prouesse fut réalisée. C'est ce même escalier que Jobs fera installer dans la plupart des Apple Store.

L'ordinateur

Durant les premiers mois de NeXT, Jobs et Dan'l Lewin sillonnèrent le pays, souvent accompagnés d'autres collègues, pour demander aux universitaires ce que serait, pour eux, la machine idéale. À Harvard, ils dînèrent avec Mitch Kapor, le président de Lotus. Voyant Kapor étaler une bonne épaisseur de beurre sur son pain, Jobs lui lança :

— Tu as entendu parler du cholestérol ?

— On va faire un marché, toi et moi. Tu ne fais aucun commentaire déplacé sur mon régime alimentaire, et moi je ne dis rien sur ton comportement !

C'était lancé sur le ton de la plaisanterie. Et Lotus accepta de développer un tableur pour NeXT. Mais Kapor dira plus tard de Jobs : « Les relations humaines, ce n'était pas son fort. »

Le patron de NeXT voulait un ensemble séduisant de logiciels livrés avec l'ordinateur. Michael Hawley conçut donc un dictionnaire numérique. Un jour, en achetant une nouvelle édition des œuvres de Shakespeare, il découvrit qu'un de ses amis, aux Oxford University Press, avait participé à la saisie informatique des ouvrages. Cela voulait dire que quelque part, il y avait une bande magnétique contenant les œuvres complètes. S'il pouvait mettre la main dessus, il pourrait l'intégrer dans la mémoire du NeXT. « J'ai soumis cette idée à Steve, et il a dit que ce serait magnifique. Alors nous sommes partis tous les deux pour l'Angleterre. » Par une belle journée de printemps de l'année 1986, ils pénétrèrent dans le grand bâtiment de la maison d'édition au cœur d'Oxford et Jobs offrit deux mille dollars plus soixante-quatorze cents par ordinateur vendu, en échange des droits de l'édition numérique de Shakespeare. « Ce sera tout bénef' pour vous. Vous allez être des précurseurs. C'est une première mondiale. » Ils donnèrent un accord de principe et partirent boire une bière et jouer aux fléchettes dans le pub au coin de la rue où Lord Byron avait jadis ses habitudes. Lorsque le NeXT sera lancé, il sera livré également avec un dictionnaire des synonymes et des citations, faisant de cette machine une pionnière dans le domaine du livre électronique.

Au lieu d'utiliser des puces déjà existantes pour le NeXT, Jobs demanda à ses ingénieurs d'en concevoir des originales qui puissent intégrer diverses fonctions. La tâche était déjà compliquée, mais Jobs en fit un casse-tête insoluble à cause de toutes les modifications qu'il ne cessait d'ajouter au projet initial. Au bout d'un an, il devint évident qu'ils allaient avoir beaucoup de retard.

Jobs voulait aussi avoir une usine entière robotisée, à l'égal de celle qu'il avait fait construire pour le Macintosh. Les problèmes rencontrés la première fois n'avaient pas réfréné ses ardeurs. Il reproduisit les mêmes erreurs, à une échelle plus grande. Machines et robots furent peints et repeints au fil des ajustements esthétiques du patron. Comme dans l'usine Macintosh, les murs étaient d'un blanc immaculé – on se serait cru dans un musée –, et il commanda pour vingt mille dollars de fauteuils et d'escaliers de designers, comme pour le siège social. Il voulait également que la chaîne d'assemblage, longue de cinquante mètres, fabrique les circuits imprimés de droite à gauche, pour que les visiteurs puissent suivre plus facilement le processus de fabrication. Les cartes vides devaient être insérées dans les machines à un bout, et sortir, avec tous leurs composants et leurs connexions, vingt minutes plus tard, sans la moindre intervention humaine, à l'autre extrémité de la chaîne.

L'usine fonctionnait suivant le principe japonais du « Kanban », où chaque machine n'accomplissait sa tâche que si la précédente avait terminé la sienne.

Jobs n'avait pas changé non plus sa façon de diriger ses employés. « Steve usait du charme ou de l'humiliation publique, et la plupart du temps c'était très efficace », raconte Tribble. Mais parfois, c'était totalement contreproductif, comme le prouve la réaction de David Paulsen, un concepteur, qui travaillait quatre-vingt-dix heures par semaine depuis dix mois à NeXT : « Steve, un vendredi après-midi, a débarqué en disant qu'on se tournait les pouces et j'ai démissionné sur-le-champ. » Quand le *Business Week* lui demanda pourquoi il était aussi dur avec ses employés, Jobs soutint que c'était salutaire pour la société. « J'ai le devoir de veiller à la qualité de mes produits. Certaines personnes ne sont pas habituées à un environnement où on exige l'excellence. » Mais il n'usait pas seulement du bâton ; il y avait la carotte aussi – des voyages, des stages chez des maîtres d'aïkido, des séminaires sur la côte. Et il avait gardé cet esprit pirate. Quand Apple, après le départ de Jobs, avait limogé Chiat\Day, l'agence de publicité qui avait réalisé « 1984 » et l'annonce dans les journaux disant « Bienvenue IBM – sérieusement », le patron de NeXT publia une pleine page dans le *Wall Street Journal* déclarant « Félicitations Chiat\Day – sérieusement... parce qu'il y a une vie après Apple ».

Mais le champ de distorsion de la réalité demeura la grande constante, chez Apple comme chez NeXT. Il fonctionna à pleine puissance durant le premier séminaire de la société organisé à Pebble Beach, à la fin de l'année 1985, lorsque Jobs annonça à son équipe que le NeXT serait prêt dans dix-huit mois. Il était évident que c'était une date impossible à tenir mais il rabroua un ingénieur qui osa dire qu'il serait plus réaliste de tabler sur une sortie en 1988. « Le monde ne va pas nous attendre ! En 1988, la technologie des fenêtres sera déjà dépassée et tout le travail qu'on aura fourni sera bon à mettre à la poubelle ! »

Joanna Hoffman, l'ancienne de l'équipe Macintosh, était l'une des rares à pouvoir tenir tête à Jobs :

— Le CDR est utile pour la motivation des troupes, mais quand vient le moment d'arrêter une date, il faut revenir à la réalité, sinon on se retrouve dans une merde noire !

— Nous devons creuser notre sillon. Si nous ratons cette fenêtre de tir, alors toute notre crédibilité sera sapée.

Ce que Jobs ne leur disait pas – même si tout le monde s'en doutait – c'est qu'ils allaient bientôt être à court d'argent. Jobs avait engagé sept millions de dollars sur ses fonds propres, mais au rythme actuel, dans dix-huit mois ce serait la banqueroute s'ils ne lançaient pas un produit sur le marché pour remplir les caisses.

Trois mois plus tard, quand ils retournèrent tous à Pebble Beach au printemps 1986, Jobs, au moment de présenter les objectifs du trimestre, déclara : « Les vacances sont finies. » Lors de leur troisième séminaire, à Sonoma en septembre 1986, tout le planning avait volé en éclats et la société allait droit dans le mur.

Perot à la rescousse !

À la fin de l'année 1986, Jobs envoya une brochure à tous les cabinets d'investissement, en offrant 10 pour cent des parts de NeXT pour trois millions de dollars. Implicitement, cela signifiait que la société valait trente millions de dollars, un chiffre que Jobs avait sorti de son chapeau. Moins de sept millions avaient été investis dans la société pour l'instant, et NeXT n'avait rien à montrer si ce n'était des bureaux high-tech et un joli logo. La société n'avait ni revenus, ni produits, pas même une ébauche de projet. Alors, comme il fallait s'y attendre, tout le monde botta en touche.

Un cowboy téméraire, toutefois, fut intéressé… Ross Perot, le Texan qui avait fondé Electronic Data Systems et vendu la société à General Motors pour deux milliards quatre cent mille dollars, tomba en novembre 1986 sur un reportage de la chaîne PBS intitulé « Les entrepreneurs ». Il y avait un sujet sur Jobs et NeXT. Dans l'instant, il se sentit des affinités avec ce jeune patron et sa bande de pirates : « Je finissais toutes les phrases qu'ils commençaient. » (Cela rappelait curieusement ce que disait Sculley autrefois.) Perot contacta Jobs le lendemain de la diffusion et proposa : « Si vous avez besoin d'un investisseur, appelez-moi. »

Jobs avait cruellement besoin d'un coup de main. Mais pour faire bonne mesure, il attendit une semaine avant de le rappeler. Perot envoya un de ses analystes pour évaluer NeXT, mais Jobs veilla à traiter uniquement avec Perot. L'un de ses grands regrets, confiera plus tard Perot, ce fut de n'avoir pas acheté Microsoft, du moins une bonne partie, quand le jeune Bill Gates était venu le trouver à Dallas en 1979. Lorsqu'il appela Jobs, Microsoft venait d'être coté en Bourse pour une valeur de un milliard de dollars. Perot avait raté une occasion de gagner beaucoup d'argent et de vivre une belle aventure. Il était donc impatient d'effacer cette erreur.

Jobs fit une offre trois fois plus chère que ce qu'il avait proposé discrètement aux cabinets d'affaires quelques mois plus tôt. Pour vingt millions de dollars, Perot aurait 16 pour cent des parts de la société, lorsque Jobs aurait remis cinq millions dans les caisses. Cela signifiait que NeXT valait cent vingt-cinq millions. Mais l'argent n'était pas le souci premier de Perot. Après un entretien avec Jobs, il se déclara partant : « Je choisis les jockeys et les jockeys choisissent les chevaux qu'ils montent. Je parie sur vous les gars. À vous de gagner la course maintenant. »

Perot offrit à NeXT bien plus que vingt millions de dollars. Il était un partenaire enthousiaste et jovial, quelqu'un qui apporterait de la crédibilité à la société dans la cour des grands. « En termes de start-up, NeXT est la société la plus fiable que j'aie vue ces vingt-cinq dernières années, confia-t-il au *New York Times*. Nous connaissons des pointures dans le monde de l'informatique. Mais Steve Jobs et sa bande les battent à plate couture. »

Perot avait également ses entrées dans certains cercles mondains. Il complétait Jobs à merveille. Il emmena le patron de NeXT à une soirée de gala à San Francisco que Gordon et Ann Getty donnaient en l'honneur du roi Juan Carlos d'Espagne. Quand le roi demanda à Perot quelle personne il devait rencontrer, Perot lui présenta immédiatement Jobs. Rapidement Perot les vit engager une « discussion enflammée ». « Jobs, avec sa pétulance coutumière, parlait au monarque de la prochaine génération d'ordinateur. À la fin, le roi écrivit quelque chose sur un bout de papier qu'il donna à Jobs. »

— Alors ? Comment ça s'est passé ? s'enquit Perot.

— Je lui ai vendu un NeXT.

Cette anecdote et nombre d'autres firent partie de la biographie romancée que Perot racontait à qui voulait l'entendre. À une réunion du National Press Club à Washington, il décrivit ainsi la vie de Jobs, brodant un tissu de mensonges aussi large que son stetson.

... il était si pauvre qu'il n'a pas pu aller à l'université, il travaillait dans son garage la nuit, jouant avec ses puces d'ordinateur qui étaient sa grande passion. Son père – un personnage qu'on dirait sorti tout droit d'une peinture de Norman Rockwell – descendit un jour et lui dit : « Steve, soit tu construis quelque chose que je peux vendre, soit tu te trouves un travail. » Deux mois plus tard, dans une caisse en bois que son père lui avait bricolée, il montait son premier Apple. Et ce jeune homme, qui n'avait jamais fait d'études supérieures, a changé la face du monde !

Une seule phrase est vraie, celle qui concerne Paul Jobs ; il ressemblait effectivement à un personnage de Norman Rockwell. Et peut-être aussi la dernière, celle où il dit que Jobs avait changé le monde. Sans doute, Perot croyait-il à ce qu'il racontait. Comme Sculley, il se trouvait des points communs avec le jeune homme. « Steve est comme moi, dira-t-il à David Remmick du *Washington Post*. Nous sommes deux animaux bizarres. Des frères d'âmes. »

Gates et NeXT

Bill Gates n'était pas l'âme sœur de Jobs, loin s'en fallait ! Jobs l'avait convaincu de développer des applications pour le Macintosh et cela s'était révélé une opération juteuse pour Microsoft. Mais Gates était insensible à son champ de distorsion de la réalité ; il refusa donc d'écrire des logiciels pour la plateforme NeXT. Le patron de Seattle descendit régulièrement en Californie pour suivre l'évolution du projet mais, chaque fois, il n'était guère convaincu. « Le Macintosh était réellement unique, mais je ne vois pas ce que le NeXT propose de nouveau », déclara-t-il dans *Fortune*.

Deux titans qui ne pouvaient se montrer allégeance – la rivalité était trop forte. Lorsque Gates visita le siège de NeXT pour la première fois à Palo Alto, à l'été 1987, Jobs le fit attendre une demi-heure dans le hall, alors que Gates, par les parois vitrées, voyait bien que son hôte n'était pas occupé et bavardait tranquillement avec ses collaborateurs. « J'ai eu droit à un jus de carottes Odwalla, la marque la plus chère du marché, en attendant que Steve daigne se soucier de mon sort. Je n'ai jamais vu des bureaux aussi luxueux ! »

L'argument de vente de Jobs était simple, au dire de Gates : « On a fait le Mac ensemble. Et ça a bien marché pour Microsoft, non ? Alors maintenant, faisons celui-ci ensemble et ce sera encore tout bénef. »

Mais Gates se montra brutal avec Jobs comme ce dernier pouvait l'être avec les autres : « Cette machine est merdique. Le disque optique est trop lent, et le caisson est mille fois trop cher. Ce projet ne tient pas la route. » Ce fut le même laïus lors de chaque visite du patron de Seattle. Il ne voulait pas consacrer du temps et de l'argent pour développer des applications sur le NeXT. « Écrire des logiciels pour cette machine grotesque ? Pas même en rêve ! » lâcha-t-il dans *Infoworld*.

Lorsqu'ils se croisèrent à une conférence, Jobs s'emporta, reprochant à Gates de refuser de travailler pour NeXT.

— Quand tu auras un marché pour refourguer ta camelote, on en reparlera ! répliqua Gates.

Jobs s'emporta. « C'était à celui qui crierait le plus fort ; ils se disputaient comme des chiffonniers, devant tout le monde », raconte Adele Goldberg, ingénieur au Xerox PARC qui avait assisté à l'altercation. Jobs hurlait que le NeXT serait l'ordinateur de la nouvelle génération. Gates, comme souvent quand Jobs s'énervait trop, devenait d'un calme glacial. Il se contenta de secouer la tête et de s'en aller.

Derrière leur rivalité personnelle, il y avait une différence fondamentale de point de vue. Jobs croyait à l'intégration pyramidale matériel/logiciel, qui imposait de construire des machines incompatibles avec les autres. Gates, au contraire (et c'était la voie la plus rentable), croyait en un monde horizontal où les ordinateurs des différents fabricants seraient tous compatibles – tous tournant sur le même système d'exploitation (le Windows de Microsoft) – et pourraient utiliser n'importe quelle application (telle que Excel ou Word, de Microsoft encore). « L'ordinateur de Steve Jobs est proposé avec le label "certifié incompatible" ! raillait Gates dans le *Washington Post*. Il n'accepte aucun logiciel existant. C'est vraiment un ordinateur super chouette. Si j'avais voulu faire une machine d'autiste, je ne m'y serais pas pris autrement ! »

Lors d'un colloque à Cambridge dans le Massachusetts, en 1989, Jobs et Gates montèrent tour à tour à la tribune. Leur approche différente et rivale fut manifeste. L'ancien patron d'Apple expliqua qu'il y a une avancée technologique en informatique tous les deux ou trois ans. Macintosh était révolutionnaire par son interface graphique. Aujourd'hui le NeXT apportait une nouvelle révolution avec son programme orienté objet, associé à une station de travail puissante équipée d'un disque optique dernier cri. « Aucun grand développeur de logiciels ne veut rater ce rendez-vous avec l'histoire. Seul Microsoft tergiverse ! » Quand Gates monta sur scène, il évoqua à nouveau le credo de Jobs, la « verticalité », une approche qu'il jugeait vouée à l'échec, comme Apple avait perdu face à Windows qui avait imposé son standard. « Le marché des ordinateurs et des logiciels est distinct », répéta-t-il. Lorsqu'on évoqua les chefs-d'œuvre que pouvait produire cette conception verticale, Gates désigna du doigt le prototype du NeXT qui trônait encore sur la scène et renifla avec dédain : « Si vous le voulez d'une autre couleur, je vous offre le pot de peinture. »

IBM

Jobs envisagea une parade à Gates, un mouvement imparable de jujitsu, qui aurait pu renverser l'équilibre des forces de façon irrévocable. Mais pour cela, il fallait que le patron de NeXT accomplisse deux actions qui étaient, pour lui, contre nature. Un : céder la licence d'utilisation de son système d'exploitation à un autre fabricant d'ordinateur ; deux : s'acoquiner avec IBM. Jobs avait un certain sens pratique, même s'il l'étouffait bien souvent, et parvint donc à surmonter sa répulsion. Mais le cœur n'y était pas, c'est pourquoi l'entente avec Big Blue ne fit pas long feu.

Elle débuta au cours d'une fête mémorable, le soixante-dixième anniversaire de Katharine Graham, la directrice du *Washington Post*, en juin 1987. Six cents invités étaient conviés, dont le président Ronald Reagan. Jobs fit le déplacement de Californie, et le président d'IBM, John Akers, de New York. C'était la première fois que les deux hommes se rencontraient. Jobs profita de l'occasion pour critiquer Microsoft : « Je n'ai pas pu m'empêcher de lui dire qu'ils prenaient un grand risque à tout miser sur Microsoft, parce que ce logiciel n'était vraiment pas bon. »

Contre toute attente, Akers lui répondit :

— Et vous pensez pouvoir nous aider ?

Quelques semaines plus tard, Jobs s'envolait pour le siège d'IBM à Armonk dans l'État de New York, avec son développeur logiciel Bud Tribble. Ils firent une démonstration du NeXT, qui stupéfia les ingénieurs d'IBM. En particulier NeXTSTEP, le système d'exploitation orienté objet de la machine. « Le DOS de Jobs prenait en charge pléthore de routines de programmation, ce qui facilitait grandement la tâche des développeurs de logiciel », expliquait Andrew Heller, directeur du département des stations de travail chez IBM. Il fut tellement impressionné qu'il appela son fils Steve.

Les négociations durèrent jusqu'en 1988, car Jobs ne cessait de pinailler sur des détails. Il quittait les réunions furieux, parce qu'il n'était pas d'accord avec la couleur ou le design. Tribble ou Lewin devaient à chaque fois le calmer. Jobs ne savait plus qui était son pire ennemi, entre Microsoft et IBM. En avril, Perot décida de jouer le médiateur et convoqua les deux parties dans ses locaux de Dallas. Un accord fut trouvé. IBM achetait la version actuelle de NeXTSTEP, et s'il le désirait, il pourrait l'utiliser sur ses propres stations de travail. IBM envoya à Palo Alto un contrat de cent vingt-cinq pages, détaillant toutes les clauses de l'accord. Jobs le jeta à la poubelle sans le lire. « Vous n'avez rien compris, les gars ! vous pouvez tout recommencer ! » Il souhaitait un document de quelques pages seulement. Armonk lui renvoya donc un contrat simplifié dans la semaine.

Jobs voulait que l'accord soit tenu secret. Bill Gates ne devait l'apprendre que le jour du lancement officiel du NeXT, prévu pour octobre. Mais IBM préférait jouer cartes sur table avec son partenaire de Seattle. Gates fut furieux. Cet accord permettait à IBM de ne plus être dépendant de Microsoft. « Mais NeXTSTEP n'est compatible avec rien ! » rageait-il devant les responsables de Big Blue.

Au début, ce rapprochement entre IBM et NeXT donna à Bill Gates des sueurs froides. D'autres fabricants d'ordinateur, tels que Compaq ou Dell, qui étaient soumis au diktat de Microsoft avec son Windows, vinrent demander à Jobs le droit de cloner le NeXT et d'utiliser NeXTSTEP. Ils étaient même prêts à payer une fortune si NeXT s'engageait à ne pas fabriquer d'ordinateurs.

Ces histoires de clonage révulsaient Jobs. Ce fut la goutte qui fit déborder le vase. Il coupa court à toutes ces discussions et prit ses distances avec IBM. L'éloignement fut réciproque. Quand le négociateur de Big Blue, qui avait conclu l'accord commercial avec NeXT, quitta ses fonctions, Jobs se rendit à Armonk pour rencontrer son remplaçant, Jim Cannavino. Ils ordonnèrent à tout le monde de sortir pour parler en privé. Jobs demanda une rallonge pour fournir des versions plus récentes de NeXTSTEP. Cannavino ne prit aucun engagement et ne répondit plus aux appels du jeune patron. L'entente cordiale tomba à l'eau. NeXT gagna beaucoup d'argent en cédant les droits du premier NeXTSTEP, mais il manqua l'occasion de changer le monde.

Le lancement, octobre 1988

Jobs avait le sens du spectacle. Chaque lancement de produit était un événement national. Et pour l'inauguration du premier ordinateur NeXT, le 12 octobre 1988, au Symphony Hall de San Francisco, il voulut se surpasser. Il avait besoin de lever tous les doutes. Durant les semaines précédant la cérémonie, il se rendit presque tous les jours à San Francisco dans la maison victorienne de Susan Kare, la graphiste de NeXT, qui avait créé les polices et les icônes du Macintosh. Elle l'aida à préparer chaque illustration tandis que Jobs supervisait tous les détails, des cartons d'invitation à la couleur du rideau de fond de scène. « J'aime bien ce vert », déclara-t-il quand il fit un essai grandeur nature avec les techniciens. « Oui, oui, c'est un joli vert ! » s'empressait d'acquiescer tout le monde. Jobs corrigeait, peaufinait chaque image qui serait projetée, avec le même soin que T.S. Eliot incorporant les suggestions de Ezra Pound dans la *Terre vaine*.

Aucun détail n'était anodin. Il passa en revue la liste des invités, apporta sa patte au menu (eau minérale, croissants, fromage à tartiner et germes de soja). Il paya soixante mille dollars les services d'une société spécialisée dans les vidéoprojections. Et il embaucha l'artiste post-modern George Coates pour mettre en scène l'événement. Coates et Jobs optèrent, comme on pouvait s'y attendre, pour un décor simple et austère. Le cube parfait du NeXT serait dévoilé au public sur une scène dépouillée à l'extrême, avec un fond noir. L'ordinateur serait posé sur une table drapée de noir, et un tissu semblable recouvrirait la machine. Un simple bouquet de fleurs apporterait une touche de couleur à l'ensemble. Mais comme le NeXT n'était pas terminé (ni sa partie matérielle, ni son logiciel) on conseilla fortement à Jobs de présenter une simulation enregistrée. Mais il refusa. Même si cela revenait à marcher sur une corde raide sans filet, il décida de faire une démonstration en direct.

Plus de trois mille personnes se présentèrent à la grande messe. Ils faisaient déjà la queue devant le Symphony Hall deux heures avant l'ouverture des portes. Ils ne furent pas déçus – du moins par le spectacle. Jobs resta trois heures sur scène, et encore une fois, comme le dira Andrew Pollack du *New York Times*, il se révélera « le Andrew Lloyd Webber des lancements commerciaux, un maître dans l'art du spectacle et de la mise en scène ». Wes Smith du *Chicago Tribune* dira : « Cet événement fut à l'égard de l'industrie informatique ce que Vatican II fut à l'Église romaine. »

Jobs reçut une ovation dès ses premiers mots. « C'est bon d'être de retour ! » Il commença par rappeler les grandes dates de la micro-informatique, et il annonça à l'assistance qu'elle allait être témoin d'un événement historique qui ne se produisait qu'une fois par décennie : « La naissance d'une nouvelle architecture informatique qui allait changer la face du monde. » Le logiciel comme la machine avaient été conçus après trois années de consultation auprès des universités de tout le pays. « Nous avons exaucé tous les souhaits des universitaires en matière de station de travail personnelle. »

Comme de coutume, il usa et abusa de superlatifs. La machine était « incroyable », elle concentrait le « meilleur que puisse faire l'homme ». Il vanta la beauté de ses parties cachées. En faisant tourner entre ses doigts le circuit imprimé d'un pied de côté qui se logeait au millimètre près dans le cube, il s'émerveillait : « J'espère que vous aurez la chance un jour de l'examiner de plus près. C'est la plus belle carte mère que j'aie vue de toute ma vie. » Puis Jobs montra comment l'ordinateur pouvait parler et lire à haute voix des discours imprimés – il fit écouter un extrait de « I have a dream » de Martin Luther King et « Ask not[1] » de Kennedy – et fit voir comment expédier un message audio par e-mail. Il se pencha vers le microphone intégré de l'ordinateur et dit : « Bonjour, c'est Steve, j'envoie un message en cette journée mémorable. » Il demanda au public d'applaudir pour habiller le message et tout le monde joua le jeu.

Jobs considérait qu'il était crucial, de temps en temps, de parier sur une nouvelle idée ou une nouvelle technologie – et *alea jacta est* ! C'était même l'un de ses grands principes d'entrepreneur. Lors du lancement du NeXT, il se vanta d'avoir fait le choix de la modernité (un choix qui se révélera cette fois catastrophique) : il avait misé sur le disque optique, une unité à très grande capacité de stockage (mais très lente), sans prévoir de lecteur de disquette pour les sauvegardes. « Nous avons découvert cette technologie révolutionnaire il y a deux ans et nous avons décidé de faire le choix du futur. »

Puis il passa à une autre option technique qui, elle, fut plus judicieuse. « Avec le NeXT, nous avons créé le premier livre électronique », annonça-t-il en faisant référence aux œuvres complètes de Shakespeare des éditions Oxford et aux autres ouvrages inclus dans la machine. « C'est la plus grande invention dans le monde du livre depuis Gutenberg. »

Parfois, avec humour, Jobs faisait preuve d'une grande lucidité sur lui-même. Pour montrer la facilité d'utilisation du livre électronique, il se prit comme cobaye : « On dit souvent que j'ai un tempérament "mercurien". » Comme tout bon acteur, il marqua une pause pour ménager son effet. Le public s'esclaffa, en particulier ses collaborateurs assis au premier rang. Puis il entra le mot dans la fenêtre de recherche du dictionnaire et lut la définition : « Né sous l'influence de la planète Mercure. » Il fit défiler le texte : « Je crois que c'est la troisième définition qui nous intéresse : "Se dit d'un caractère imprévisible, ayant des sautes d'humeur." » Tout le monde rit aux éclats. « Si nous demandons un antonyme, on trouve "saturnien". Qu'est-ce donc ? D'un double clic, on a aussitôt la définition : "Tempérament froid, déprimé. Lent à réagir. D'humeur sombre." » Il esquissa un sourire, tandis que les rires fusaient dans la salle.

---

1. « *Ask not what your country can do for you. Ask what you can do for your country.* » (« Ne vous demandez pas ce que le pays peut faire pour vous. Demandez-vous ce que vous, vous pouvez faire pour votre pays. ») *(N.d.T.)*

« Finalement, être "mercurien", ce n'est pas si mal. » Après les applaudissements, il se servit du dictionnaire des citations pour aborder un point plus délicat encore, celui du champ de distorsion de la réalité. Il choisit un extrait de *De l'autre côté du miroir* de Lewis Carroll – le passage où Alice se plaint de ne pas parvenir, malgré ses efforts, à croire à ce qui est impossible et où la Reine Blanche lui répond : « Comme c'est bizarre, moi, il m'est arrivé quelquefois de croire jusqu'à six choses impossibles avant le petit déjeuner. » Le premier rang, complice, rit à gorge déployée.

Toute cette bonne humeur permit de faire passer la mauvaise nouvelle, comme le glaçage sucré d'une pilule amère : le prix de vente de l'ordinateur. Quand vint le moment d'aborder le sujet, Jobs utilisa sa bonne vieille technique : énumérer toutes les caractéristiques de la machine, les décrire une à une comme autant de joyaux valant des « milliers et des milliers de dollars » pour laisser croire au public que le produit devait être hors de prix. Puis il annonçait un prix qui, espérait-il, paraîtrait très bas : « Nous allons céder cette merveille aux facultés et aux écoles supérieures au prix unique de six mille cinq cents dollars. » Les dévots applaudirent. Mais les représentants des universités avaient annoncé depuis longtemps que le prix devait se situer entre deux mille et trois mille dollars, et ils s'attendaient à ce que Jobs tienne sa promesse. Certains d'entre eux étaient horrifiés. En particulier lorsqu'ils découvrirent que l'imprimante, en option, coûtait la bagatelle de deux mille dollars et que la lenteur du disque optique rendait quasiment obligatoire l'achat d'un disque dur magnétique externe valant deux mille cinq cents dollars pièce.

Il y eut vers la fin une autre déception que Jobs tenta de minimiser tant bien que mal : « Dès le début de l'année prochaine, nous sortirons la version 0.9, autrement dit, la version pour les développeurs et les plus impatients de nos fans. » Il y eut quelques rires nerveux. En filigrane, cela signifiait que la machine et son logiciel – sa version commercialisable 1.0 – n'étaient pas prêts. Jobs n'avança d'ailleurs aucune date. Il laissa simplement entendre que ce serait sans doute au printemps 1989. Lors du premier séminaire NeXT à la fin de l'année 1985, Jobs avait refusé, malgré l'insistance de Joanna Hoffman, de reculer la date de sortie. Il avait annoncé que la machine serait prête au début 1987. Et maintenant, tout le monde savait que la sortie aurait lieu avec plus de deux ans de retard.

La cérémonie se termina sur une note – au sens propre – plus joyeuse. Jobs fit monter sur scène un violoniste de l'orchestre symphonique de San Francisco, qui interpréta *Le Concerto pour violon en la mineur* de Bach en duo avec le NeXT. La salle applaudit à tout rompre. Le prix et les délais de livraison furent oubliés dans la liesse. Quand un journaliste lui demanda, juste après l'inauguration, pourquoi la machine accusait un tel retard, Jobs répondit : « Elle n'est pas en retard. Elle est en avance de cinq ans sur son temps ! »

Comme à son habitude, Jobs accorda des interviews « exclusives » à divers journaux en échange de faire la couverture. Cette fois, il poussa le concept de « l'exclu multiple » un peu trop loin. Il proposa à Katie Hafner du *Business Week* d'avoir une interview spéciale avant le lancement du NeXT. Et passa le même accord avec *Newsweek* et avec *Fortune*. Mais Jobs négligea un détail : l'une des responsables de la rédaction de *Fortune*, Susan Fraker, était mariée à Maynard Parker, le rédacteur en chef de *Newsweek*. Lors de la conférence de rédaction à *Fortune*, quand chacun se félicitait de leur « exclu » avec Jobs, Susan Fraker prit la parole, penaude, et annonça qu'elle avait appris que Jobs avait promis la même chose à *Newsweek* et que l'article allait sortir quelques jours avant celui de *Fortune*. Cette semaine-là, Jobs ne fit donc la couverture que de deux journaux sur trois. Celle de *Newsweek* avait pour légende « Mr Chips[1] » et Jobs posait à côté de son beau NeXT avec en exergue : « La machine la plus excitante de l'année. » Celle du *Business Week* le montrait avec un sourire angélique, dans un beau costume sombre, le bout des doigts joints, comme un professeur ou un prêtre. Mais Katie Hafner faisait état de la manipulation de Jobs dans son article : « NeXT a soigneusement choisi ses interviewers, et surveillé leurs propos avec un œil de censeur. La stratégie est payante, mais elle a un prix. C'est précisément cette attitude qui a causé tant d'ennuis à Steve Jobs chez Apple : ce besoin maladif de tout contrôler. »

L'excitation des premiers jours retomba vite, puisque l'ordinateur n'était pas prêt. Bill Joy, l'ingénieur de génie de Sun Microsystems, la société rivale de NeXT, appela l'ordinateur de Jobs « La première station de travail pour yuppies », ce qui n'était pas un compliment.

---

1. Chips : puces électroniques. Et allusion à Mr Chips, personnage du film *Au revoir Mr Chips*. *(N.d.T.)*

Bill Gates, de son côté, continua sa campagne de dénigrement :
« Franchement, je suis très déçu, déclara-t-il dans le *Wall Street Journal*. En 1981, on était tous enthousiastes quand Jobs nous a montré
le Macintosh, parce qu'il ne ressemblait à aucune machine existante.
Ce n'est pas le cas du NeXT. La plupart des fonctionnalités qu'il
apporte sont purement gadget. » Gates annonça que Microsoft campait sur sa position. Il ne développerait pas de logiciels pour le
NeXT. Juste après la présentation, Gates envoya un e-mail sarcastique à son équipe. Il commençait par ces mots : « Un moment de
pure fiction. » Gates en rit encore : « C'est sans doute le meilleur
e-mail que j'aie jamais écrit. »

Quand le NeXT fut mis en vente au milieu de l'année 1989,
l'usine était conçue pour sortir dix mille unités mensuelles. Les commandes ne dépassèrent pas les quatre cents par mois. Les beaux
robots flambant neufs, dans leur jolie livrée colorée, connaissaient
le chômage technique et NeXT perdait de l'argent à flots.

CHAPITRE DIX-NEUF

PIXAR

Quand la technologie rencontre l'art

De gauche à droite, Ed Catmull, Steve Jobs et John Lasseter, en 1999.

Le département informatique de Lucasfilm

Lorsque Jobs commença à perdre de son influence à Apple à l'été 1985, il fit une longue marche avec Alan Kay, un ancien du Xerox PARC, devenu depuis « Apple Fellow », pour lui parler de ses déboires. Kay savait que Jobs s'intéressait à la conjonction de la création et de la technologie. Il lui suggéra donc de rendre visite à Ed Catmull, un de ses amis qui travaillait dans le département informatique du studio de George Lucas. Ils louèrent une limousine et gagnèrent le comté Marin jusqu'aux abords du ranch Skywalker du cinéaste, où Catmull et sa petite équipe d'informaticiens avaient leurs locaux. « J'ai été tout de suite impressionné, me raconta Jobs. Dès mon retour, j'ai tenté de convaincre Sculley de racheter la société pour Apple. Mais les gars d'Apple n'étaient pas intéressés et de toute façon, ils étaient trop occupés à me débarquer. »

Le département informatique de Lucasfilm avait deux équipes : l'une développait un ordinateur qui pouvait numériser les images d'un film et y intégrer des effets spéciaux et l'autre, plus petite, était constituée de spécialistes de l'animation numérique et réalisait des courts-métrages, tels que *Les Aventures d'André et Wally B.*, qui avait fait la célébrité du réalisateur John Lasseter quand il l'avait montré à un salon informatique en 1984. Lucas, qui venait de terminer la première trilogie de la *Guerre des étoiles*, était empêtré dans un divorce compliqué ; et il avait besoin de liquidités. Il avait demandé à Catmull de vendre son département informatique.

Après avoir rencontré quelques acheteurs potentiels à l'automne 1985, Catmull et son cofondateur, Alvy Ray Smith, décidèrent de chercher plutôt des investisseurs pour pouvoir continuer à diriger le département. Ils appelèrent donc Jobs, arrangèrent une nouvelle rencontre, et se rendirent à Woodside. Après avoir pesté pendant un bon moment sur la perfidie et l'incompétence de Sculley, Jobs proposa de racheter leur unité. Catmull et Smith mirent le holà. Ils voulaient un investisseur, pas un nouveau propriétaire. Mais, rapidement, les deux parties trouvèrent un juste milieu : Jobs achèterait la majorité des parts, serait le président, mais laisserait Catmull et Smith diriger la société.

« Je voulais l'acheter parce que les ordinateurs graphiques c'était mon truc, m'expliqua Jobs. Quand j'ai vu les gars de là-bas, j'ai compris qu'ils étaient en avance sur tout le monde en ce qui concernait la réunion de l'art et de la technologie. Et c'était précisément ce domaine qui m'intéressait. » Jobs savait que les ordinateurs, dans les années à venir, seraient cent fois plus puissants ; les graphismes et les animations en 3D feraient alors un pas de géant. « Le groupe de Lucas réalisait des manipulations d'images qui nécessitaient une puissance de calcul colossale ; ils allaient entrer dans l'histoire, j'en étais persuadé. Et j'aimais ce genre de dynamique. »

Jobs proposa à George Lucas cinq millions de dollars. Il injecterait, en sus, cinq autres millions en capital afin que le département puisse être une société viable et autonome. C'était beaucoup moins que ce que Lucas demandait, mais le moment joua en faveur de Jobs. Le directeur financier de Lucasfilm trouvait Jobs arrogant et désagréable, alors quand vint le moment d'organiser une réunion avec tous les protagonistes de l'affaire, il dit à Catmull : « Nous devons définir un ordre strict dans la becquée. » Le plan serait le suivant : Catmull rassemblerait tout le monde avec Jobs, puis le directeur financier arriverait quelques minutes après pour mener la danse. « Mais Steve ne s'en est pas laissé conter, raconte Catmull. Il a lancé tout de suite les négociations. Quand le directeur financier est venu, Steve tenait déjà les rênes et l'autre n'avait plus qu'à jouer les seconds couteaux. »

Jobs rencontra une seule fois George Lucas ; celui-ci le mit aussitôt en garde : « Les gars, là-bas, sont des mordus de l'animation. Il n'y a que ça qui compte pour eux. » Le cinéaste racontera plus tard : « J'ai averti Steve Jobs que la fabrication d'ordinateurs, ce n'était pas leur truc, mais je crois qu'il a acheté la société sur un coup de cœur, parce que les films en numérique ça l'amusait aussi. »

L'accord fut finalisé en janvier 1986. Pour dix millions d'investissement, Jobs aurait 70 pour cent de la société, et le reste des parts serait distribué à Ed Catmull, Alvy Ray Smith et les trente-huit autres employés, tous actionnaires, jusqu'à la standardiste. Le joyau de la société était le Pixar Image Computer, et c'est cette machine qui donna son nom à la société. Le dernier détail à régler, c'était le lieu de la signature. Jobs voulait que cela se fasse dans ses bureaux de NeXT, Lucasfilm, au ranch Skywalker. On trouva un compromis, dans un cabinet d'avocats d'affaires de San Francisco.

Pendant un temps, Jobs laissa Catmull et Smith diriger Pixar à leur guise. Ils se réunissaient une fois par mois, le plus souvent au siège de NeXT, où Jobs s'occupait principalement de stratégies et de finances. Mais chassez le naturel, il revient au galop ! Jobs voulut jouer un plus grand rôle, en tout cas plus grand que ne le souhaitaient Catmull et Smith. Il se mit à lancer des idées, certaines raisonnables, d'autres plus farfelues, sur les voies que devrait explorer la nouvelle société. Au cours de ses visites occasionnelles chez Pixar, il insufflait un vent de renouveau. « J'ai été élevé chez les baptistes dans le Sud, relate Alvy Ray Smith, et je retrouvais ces sermons enflammés avec des prêtres charismatiques mais corrompus. Steve avait cette force : le pouvoir de l'orateur, et les mots qu'il fallait pour capter son auditoire. Nous avions conscience du danger, alors nous avons mis au point un code secret — on se grattait le nez, ou on se tirait le lobe de l'oreille – dès que quelqu'un se faisait embarquer dans le champ de distorsion de Steve, pour le ramener au plus vite à la réalité. »

Jobs croyait en l'intrication intime du matériel et du logiciel, ce que précisément Pixar avait fait avec son Image Computer et ses logiciels de rendus 3D. En fait, Pixar avait tissé un troisième fil au canevas : ils produisaient des contenus, tels que des films d'animations ou des graphismes. Ces trois éléments se trouvèrent portés harmonieusement par la double personnalité de Jobs, qui était celle à la fois d'un artiste et d'un passionné d'informatique. « Les gens de la Silicon Valley n'avaient que peu d'estime pour les créateurs d'Hollywood et Hollywood considérait les développeurs de la vallée comme des exécutants qu'on embauchait pour une tâche précise et qu'on n'avait pas besoin de rencontrer, expliquait Jobs. Chez Pixar, cas unique, les deux cultures étaient respectées. »

Au départ, les revenus étaient censés provenir du matériel. Le Pixar Image Computer était facturé cent vingt-cinq mille dollars. Les spécialistes de l'animation étaient le cœur de cible ainsi que les designers graphistes, mais la machine trouva également des débouchés dans le domaine de l'imagerie médicale (les images des scanners pouvaient être rendus en 3D) et du renseignement (pour traiter les images transmises par les satellites et les avions espions). Parce qu'il vendait leur machine à la NSA, le patron subit un interrogatoire en règle. Un responsable de Pixar raconte qu'à un moment, l'agent du FBI avait demandé à Jobs s'il avait consommé des drogues, et lesquelles, et tout naturellement, au grand étonnement de l'enquêteur, il répondait tout tranquillement : « Celle-là, la dernière fois que j'en ai pris c'est... », ou bien « non, celle-là, je n'ai jamais essayé... ».

Jobs incita Pixar à construire une version à bas prix de l'Image Computer, susceptible d'être vendue trente mille dollars. Il voulait qu'Harmut Esslinger s'occupe du design, même si Catmull et Smith poussaient les hauts cris au vu de ses honoraires exorbitants. Le produit ressemblait beaucoup à son grand frère : un cube, avec une empreinte circulaire au milieu d'une des faces, comme l'impact d'une balle de baseball, mais couvert d'un réseau de fentes qui était la marque de fabrique de frogdesign.

Jobs voulait viser le marché de masse avec les ordinateurs Pixar. Il fit donc ouvrir des bureaux de vente dans toutes les grandes villes, selon la théorie que les gens créatifs inventeraient eux-mêmes toutes les utilisations possibles de cette machine. « Je crois que l'homme est un créateur dans l'âme et qu'il trouve toujours de nouvelles façons d'utiliser les outils qu'on lui propose. Je pensais que c'est ce qui se passerait avec l'ordinateur de Pixar, comme cela avait été le cas pour le Mac. » Mais les machines ne séduisirent jamais le consommateur moyen. Elles coûtaient trop cher et il n'y avait pas beaucoup de logiciels disponibles.

Sur le plan logiciel, Pixar avait un programme de rendu, appelé REYES (Renders Everything You Ever Saw[1]) pour générer des graphiques ou des images en 3D. Sous la présidence de Jobs, la société développa un nouveau langage et une nouvelle interface – Render-Man. Jobs espérait qu'il deviendrait un standard du rendu 3D, comme PostScript d'Adobe le fut pour l'impression laser.

Jobs voulut s'ouvrir le marché populaire – en plus de celui très spécialisé des animations – avec son logiciel de rendu 3D. Les petites niches ne l'avaient jamais vraiment excité. « Il souhaitait, à tout prix, vendre à Monsieur Tout-le-monde, précise Pam Kerwin, la directrice marketing de Pixar. Il rêvait d'un RenderMan dans chaque foyer. Il arrivait aux réunions pour nous expliquer toutes les utilisations possibles pour le citoyen moyen, que ce soit pour réaliser des graphiques en 3D ou des images ayant un rendu de qualité photographique. » L'équipe Pixar tenta de lui faire entendre raison, en lui indiquant que RenderMan n'était pas aussi simple d'emploi que Excel ou Adobe Illustrator. Alors Jobs fonçait au tableau et leur montrait comment rendre le programme plus convivial et accessible au consommateur lambda. « On dodelinait tous de la tête, gagnés par son enthousiasme, "oui, oui, c'est génial !", raconte Pam Kerwin. Et puis quand il s'en allait on se regardait tous comme au sortir d'une hallucination collective et on s'écriait "mais il est tombé sur la tête !". Il avait un tel charisme qu'il nous fallait un temps de réinitialisation pour revenir à la réalité ! » Comme c'était prévisible, le commun des mortels ne ressentit pas le besoin impérieux de dépenser une petite fortune pour faire des images ayant le réalisme d'une photo. RenderMan ne se vendit pas.

---

1. « Il reproduit tout ce qu'on peut voir. » *(N.d.T.)*

Il y avait, toutefois, une société qui était pressée de pouvoir intégrer des animations numériques en couleur dans les photogrammes
d'un film. Roy Disney avait réorganisé totalement l'entreprise
qu'avait créée son oncle Walt et avait annoncé au P-DG, Michael
Eisner, qu'il voulait faire renaître de ses cendres le vénérable département des films animés. L'une de ses priorités était d'automatiser
le processus d'animation et Pixar remporta l'appel d'offres. Pixar créa
un pack sur mesure pour Disney, comprenant machine et logiciels :
le Computer Animation Productions System. Il fut utilisé pour la
première fois en 1988 dans la dernière scène de *La Petite Sirène*,
où le roi Triton dit adieu à Ariel. Disney acheta des dizaines de
Pixar Image Computer et le CAPS devint un passage obligé dans
la production de ses dessins animés.

L'animation

Le département d'animation numérique de Pixar – le groupe qui
réalisait des courts-métrages – était une division très secondaire de
la société, son rôle étant de montrer les possibilités des ordinateurs
et des logiciels Pixar. Le service était dirigé par John Lasseter, un
homme à l'air poupon dont la bonhomie cachait un perfectionnisme
qui n'avait d'égal que celui de Jobs. Né à Hollywood, Lasseter avait
grandi avec les dessins animés que diffusait la télévision le samedi
matin. En classe de troisième, il avait écrit une synthèse sur *The
Art of Animation*, un ouvrage retraçant l'histoire des studios Disney ;
il avait alors trouvé sa vocation.

Après le lycée, Lasseter avait suivi les cours d'animation au California Institute of the Arts, fondé par Walt Disney. Durant les
vacances scolaires, il faisait des recherches dans les archives de
Disney et travaillait comme guide à Disneyland sur l'attraction « The
Jungle Cruise ». Cette dernière expérience lui apprit les vertus du
rythme dans une histoire, un concept difficile à maîtriser quand on
dessine une scène, image par image. Il remporta le Student Academy
Award avec son film de troisième année, *The Lady and the Lamp*,
qui était à la fois un vibrant hommage à *La Belle et le Clochard* et,
par l'animation d'une lampe ayant des sentiments humains, un
avant-goût de ce qui allait faire sa renommée. À sa sortie du

Les photographies de Diana Walker

*Pendant près de trente ans, la photographe Diana Walker
a eu accès à l'intimité de son ami Steve Jobs.
Voici une sélection de ses clichés.*

1982, dans sa maison de Cupertino : c'était un tel perfectionniste qu'il avait du mal à
acheter de simples meubles.

Dans sa cuisine : « En revenant au pays après sept mois passés dans les villages indiens, j'ai vu toute la folie de l'Occident et l'omniprésence de sa pensée rationnelle. »

1982, à Stanford : « Combien d'entre vous n'ont jamais eu de rapports sexuels ? Combien d'entre vous ont pris du LSD ? »

Avec le Lisa : *Les bons artistes copient, les grands artistes volent*, dixit Picasso.
« Et chez Apple, on n'a jamais eu de scrupules pour prendre aux meilleurs. »

1984, avec John Sculley à Central Park : « Tu veux passer le reste de ta vie à vendre de l'eau sucrée ou tu veux changer le monde avec moi ? »

1982, dans son bureau chez Apple : quand on lui demandait s'il avait fait une étude de marché, il répondait : « Les gens ne savent pas ce qu'ils veulent tant qu'ils ne l'ont pas sous les yeux. »

1988, chez NeXT : libéré du joug d'Apple, il fut capable du meilleur comme du pire.

Août 1997, avec John Lasseter : sous son air poupon et son apparence débonnaire se cache une exigence artistique et un perfectionnisme identiques à ceux de Steve Jobs.

Chez lui, en pleine préparation de la Macworld Expo de Boston, après son retour chez Apple, en 1997 : « Dans cette folie, nous voyons le génie. »

Au téléphone avec Bill Gates, scellant le pacte de non-agression : « Merci pour ton concours, Bill. Le monde s'en portera mieux. »

À la Macworld Expo de Boston, lorsque Bill Gates présente leur partenariat :
« Cela a été la prestation la plus mauvaise de toute mon existence. […] Cela me
rendait tout petit par rapport à lui. »

En août 1997, avec son épouse, Laurene Powell, dans leur jardin de Palo Alto :
elle était une ancre dans sa vie.

En 2004, dans son bureau à Palo Alto : « J'aime vivre à l'intersection entre les arts et les sciences. J'aime ce point de jonction, il a une aura magique. »

De l'album de famille des Jobs

En août 2011, quand Steve Jobs était très malade, on s'est installés dans sa chambre et avons parcouru les albums de mariage et de vacances. En voici quelques photos :

En 1991, le mariage : Kobun Chino, le maître de Zen Sōtō de Steve Jobs, officiant à la cérémonie.

Avec son père Paul Jobs, fier de son fils : bien que sa sœur eût retrouvé leur père biologique, Steve ne voulut jamais le rencontrer.

À gauche : la coupe
du gâteau représentant
le Half Dome, avec
Laurene, et sa fille Lisa
Brennan, issue d'une
précédente liaison.

Dessous : Laurene,
Lisa et Steve : Lisa
emménagea chez eux
peu après et y séjourna
durant ses études
au lycée.

Steve, Eve, Reed, Erin et Laurene à Ravello en Italie, 2003 : même en vacances, il pouvait se plonger dans son travail.

Avec Eve au Foothills Park, à Palo Alto : « C'est une battante ! Jamais je n'ai vu une volonté aussi affirmée chez un enfant. »

Au canal de Corinthe en Grèce, 2006, avec Laurene, Eve, Erin, et Lisa : « Toute la jeunesse veut la même chose, quel que soit le pays. Car nous ne formons plus qu'un seul monde à présent. »

En 2010, avec Erin à Kyoto : comme Reed et Lisa, elle a fait un voyage spécial avec son père.

En 2007, avec Reed au Kenya : « Quand j'ai appris mon cancer, j'ai passé un accord avec Dieu, le ciel, ou je ne sais quoi : je voulais assister à la remise de diplôme de mon fils. »

Un portrait de 2004, dans sa maison de Palo Alto.

CalArts, il fut embauché pour le travail auquel il avait été formé : animateur chez Disney.

Mais l'expérience fut décevante. « Les jeunes comme moi voulions faire des films d'animation de la qualité de la *Guerre des étoiles*, mais les anciens réfrénaient nos ardeurs, raconte Lasseter. J'étais très frustré. Un jour, j'ai été pris dans une lutte intestine entre deux responsables, le chef du service animation m'a mis à la porte. » Alors en 1984, Ed Catmull et Alvy Ray Smith le recrutèrent pour travailler là où justement la « qualité *Guerre des étoiles* » était la seule norme connue : chez Lucasfilm ! Comme George Lucas, qui s'inquiétait déjà du coût exorbitant de son département image de synthèse, risquait de refuser qu'on embauche un animateur à plein temps, Lasseter fut engagé comme « concepteur d'interface ».

Lorsque Jobs entra en scène, les deux hommes partagèrent leur passion pour le design. « J'étais le seul gars à Pixar qui était un artiste dans l'âme, alors l'intérêt de Steve pour le design nous a rapprochés. » Lasseter était quelqu'un de sociable et jovial ; il portait des chemises hawaiiennes, son bureau était encombré de jouets anciens, et il était un grand amateur de cheeseburgers. Jobs était sec et désagréable, végétarien convaincu, et aimait l'austérité et les espaces vides. Mais le courant passa entre les deux. Jobs rangea Lasseter dans sa case « artiste », ce qui le mettait du bon côté de sa partition binaire du genre humain. Jobs lui reconnaissait du talent et donc lui témoignait du respect. Lasseter, à juste titre, considérait que le patron pouvait apprécier l'art et savait le mêler à la technologie et au commerce.

Jobs et Catmull, pour révéler les possibilités de leur machine, confièrent à Lasseter la réalisation d'un autre court-métrage en 1986 pour le SIGGRAPH, le salon annuel de l'image de synthèse où *Les Aventures d'André et de Wally B.* avait fait sensation deux ans plus tôt. À l'époque, Lasseter se servait de sa lampe de bureau Luxo comme modèle de rendu numérique. Il décida donc de transformer cette lampe en un véritable personnage. Le fils d'un ami lui donna l'idée d'ajouter au casting un Luxo junior. Il montra des bouts d'essai à un autre animateur qui lui conseilla d'avoir une vraie histoire. Lasseter répondit qu'il ne faisait qu'un petit court-métrage, mais l'animateur lui rappela qu'on pouvait raconter une histoire même en quinze secondes. Lasseter retint la leçon. *Luxo Jr* durait deux minutes, et il narrait l'histoire d'un papa lampe jouant à la balle avec son fils jusqu'à ce que la balle crève, au grand désarroi de l'enfant.

Jobs était tellement enthousiasmé par le film qu'il décida de se soustraire aux pressions de NeXT pour accompagner Lasseter au SIGGRAPH, qui avait lieu à Dallas en août. « Le temps était si chaud que chaque fois qu'on mettait le nez dehors, on avait l'impression de recevoir une claque », raconte Lasseter. Il y avait dix mille personnes au salon. Jobs adorait cette agitation. L'art l'électrisait, en particulier lorsqu'il était lié à la technologie.

Il y avait une file interminable pour entrer dans l'auditorium où les films étaient projetés, alors Jobs, qui n'était pas du genre à attendre son tour, se fraya un chemin pour passer avant tout le monde. *Luxo Jr* eut droit à une standing ovation et reçut le prix du meilleur film. « Mais oui ! s'exclama Jobs à la fin. C'est évident ! Je sais ce qu'il faut faire ! » Il me dira vingt-cinq ans plus tard : « Notre film était notre seul produit où il y avait de l'art, et pas seulement de la technologie. Pixar allait réussir cette association miraculeuse, comme l'avait fait le Macintosh. »

Luxo Jr fut nommé aux oscars, et Jobs se rendit à la cérémonie à Los Angeles. Le film ne remporta pas le prix, mais le patron décida de sortir un film par an, même si l'intérêt commercial était discutable. Et quand la situation financière devint préoccupante chez Pixar et qu'il fallut faire des économies sévères, Jobs continua à financer les projets du réalisateur.

« *Tin Toy* »

Toutes les relations entre Jobs et Pixar n'étaient pas aussi idylliques. Entre Jobs et Alvin Ray Smith, le cofondateur de Pixar avec Catmull, il y eut une altercation mémorable. Élevé chez les baptistes du Texas, Smith était devenu un graphiste avec l'esprit contestataire d'un hippie, un grand gaillard, doté d'un rire tonitruant, d'une forte personnalité – et, de temps en temps, d'un ego tout aussi surdimensionné. « Alvy était la vedette, un personnage haut en couleur, truculent, et il avait son fan-club en réunion, expliqua Pam Kerwin. Cela allait forcément faire des étincelles avec Jobs. C'étaient tous deux des visionnaires, des personnes ayant une grande énergie et une haute opinion d'eux-mêmes. Alvy ne risquait pas de se montrer diplomate et de prendre les choses avec distance. »

Pour Alvy Ray Smith, Jobs, individu à fort charisme et fort ego, abusait de son autorité. « Il était comme ces télévangélistes, répétait Smith. Il voulait dominer tout le monde, mais je ne comptais pas être son esclave ; c'est pour cela qu'il y a eu des frictions. Ed était bien plus souple que moi. » Parfois, Jobs, pour asseoir son pouvoir, ouvrait les réunions en tenant des propos insultants ou en accusant tel ou tel de fautes qu'il n'avait pas commises. Smith s'amusait beaucoup à lui casser ses effets, en éclatant de rire, avec sarcasme. Jobs ne le portait donc pas dans son cœur.

Un jour, à une réunion de direction, Jobs se mit à reprocher vertement à Smith et à d'autres chefs de service le retard de fabrication des circuits imprimés pour la nouvelle version du Pixar Image Computer. À l'époque, NeXT était aussi très en retard avec ses propres ordinateurs, et le cofondateur de Pixar ne se gêna pas pour le préciser : « Hé, toi aussi, tu es à la bourre, alors ne passe pas tes nerfs sur nous. » Jobs est devenu fou furieux, ou pour reprendre les termes exacts de Smith, « totalement non linéaire ». Lorsque Smith était attaqué, son accent texan avait tendance à revenir. Jobs s'empressa de l'imiter pour le ridiculiser. « C'était un procédé indigne, j'étais hors de moi. Ni une ni deux, je me suis retrouvé à un centimètre de son visage, en train de lui hurler au nez. »

Le tableau était la chasse gardée du nouveau patron. Alors, un jour, Smith, par bravade, écarta Jobs pour écrire dessus.

— Je t'interdis de faire ça !

— Quoi ? On ne peut pas écrire sur un tableau blanc ? V'là autre chose !

Jobs sortit de la pièce en claquant la porte.

Alvy Ray Smith, finalement, démissionna pour fonder une nouvelle société afin de développer des logiciels de montage et de dessins. Jobs lui refusa l'autorisation d'utiliser les programmes qu'il avait mis au point à Pixar, ce qui ne fit qu'accroître leur inimitié. « Alvy a finalement eu gain de cause, expliqua Catmull, mais cette histoire l'a tellement stressé qu'il en a fait une infection pulmonaire. » Mais tout se termina bien pour lui ; Microsoft racheta la société de Smith, faisant de lui l'une des rares personnes à avoir vendu une société aux deux frères ennemis de la micro-informatique.

Déjà désagréable quand tout allait bien, Jobs devint particulièrement colérique quand il apparut que les trois piliers porteurs de Pixar – les ordinateurs, les logiciels, et les animations – perdaient de l'argent. « Je ne cessais de devoir renflouer les caisses ! » Il pestait, mais continuait à signer les chèques. Après avoir été éjecté d'Apple, et connu des déboires avec NeXT, Jobs ne pouvait se permettre un troisième échec.

Pour minimiser les pertes, il procéda à un dégraissage massif, qu'il effectua avec sa brutalité coutumière. Comme le dit Pam Kerwin : « Il n'a offert ni compassion, ni compensation financière pour rendre moins douloureux le limogeage de ces gens. » Jobs voulait que les licenciements prennent effet sur-le-champ, et sans indemnité de départ. Pam emmena Jobs faire un tour sur le parking et le supplia d'accorder aux salariés au moins deux semaines de préavis.

— D'accord. Mais le préavis est rétroactif et il a pris effet il y a quinze jours !

Catmull se trouvait à Moscou, et la jeune femme l'appela, affolée. À son retour, il réussit à négocier une indemnité de misère et à apaiser un peu les tensions.

À un moment, l'équipe d'animation tenta de convaincre Intel de leur confier la réalisation de leurs publicités. Intel tergiversait et Jobs s'impatientait. Au cours d'une réunion, agacé par les demandes du directeur du marketing d'Intel, Jobs décrocha son téléphone et appela Andrew Grove, le P-DG, pour négocier directement avec lui. Grove décida de donner à Jobs une leçon d'humilité : « Je lui ai dit que mon employé avait toute autorité pour conclure l'affaire, raconte-t-il avec amusement. Steve détestait être traité comme un simple fournisseur. »

Pixar parvint à développer des logiciels puissants pour le citoyen moyen, du moins pour ceux qui partageaient la même passion que Jobs pour le design et le graphisme. Il croyait encore que concevoir des images 3D hyperréalistes chez soi deviendrait un *must* pour tous ceux qui faisaient de la PAO. Le Showplace, de Pixar, par exemple, permettait de changer l'ombrage sur un objet en relief, en variant l'angle et la nature de l'éclairage. Jobs adorait ce logiciel, mais les consommateurs ne ressentirent pas le besoin d'acheter cette merveille de technologie. C'était dans ce genre de situation que son caractère passionné lui jouait des tours et lui faisait oublier ses fondamentaux : l'application, malgré ses fonctionnalités prodigieuses, manquait cruellement de simplicité d'emploi. Pixar ne pouvait rivaliser avec Adobe, qui développait des programmes moins puissants mais également moins compliqués et moins chers.

Même lorsque les départements logiciels et ordinateurs se révélèrent des pertes abyssales, Jobs continua à protéger le service d'animation de Lasseter. C'était pour le jeune patron un îlot de création artistique et de magie qui lui donnait du bonheur. Il ne voulait pas l'abandonner, il y projetait tous ses espoirs. Au printemps 1988, l'état financier de la société était devenu si critique que Jobs organisa une réunion extraordinaire avec les chefs de département pour procéder à des coupes drastiques. À la fin, lorsque les réductions de budget furent décidées, Lasseter et son équipe se voyaient mal solliciter une rallonge pour la réalisation d'un nouveau film. Mais ils trouvèrent quand même le courage d'aborder le sujet. Il fallait que le patron sorte trois cent mille dollars de sa poche. Jobs les regarda d'un air froid et dubitatif ; le moment s'éternisa. Puis après un long silence, il demanda s'il y avait un storyboard. Catmull l'entraîna alors dans les locaux de l'équipe où Lasseter commença son show ; il présenta la succession de dessins, joua les personnages, montra un tel enthousiasme pour ce nouveau projet que Jobs fut conquis. L'histoire portait sur l'amour des vieux jouets (la passion de Lasseter). Le récit était raconté du point de vue d'un jouet – un petit homme-orchestre – nommé Tinny, qu'un bambin s'amuse à tourmenter. Terrorisé, il se cache sous le canapé, où se sont déjà réfugiés toutes sortes de jouets. Mais quand le petit se cogne la tête, Tinny sort de sa cachette pour venir le consoler.

Jobs accepta encore une fois de payer. « Je croyais en ce que faisait John, dira-t-il plus tard. C'était de l'art. C'était important pour lui, et ça l'était pour moi. Je lui ai toujours dit oui. » Son seul commentaire à la fin de la présentation de Lasseter, ce fut : « Tout ce que je te demande, John, c'est de faire un grand film. »

Tin Toy gagna l'Oscar en 1988 pour le meilleur court-métrage d'animation. C'était la première fois qu'un film entièrement conçu par ordinateur décrochait cette récompense. Pour fêter l'événement, Jobs emmena Lasseter et son équipe dîner au Greens, un restaurant végétarien de San Francisco. Lasseter saisit l'Oscar qui trônait au milieu de la table, le souleva et porta un toast à Jobs en disant : « Tout ce que tu as exigé, c'était qu'on fasse un grand film ! »

La nouvelle équipe chez Disney – avec pour P-DG Michael Eisner, et Jeffrey Katzenberg à la tête du département cinéma – commença à faire les yeux doux à Lasseter. Ils voulaient le faire revenir dans leur giron. Ils avaient aimé *Tin Toy*, et ils pensaient qu'on pouvait aller plus loin encore avec une histoire de jouets animés ayant des sentiments humains. Mais Lasseter, parce que Jobs lui faisait confiance, considérait que Pixar était le seul endroit où il pouvait avoir une liberté de création totale. Il confia à Catmull : « Je peux aller chez Disney et être un réalisateur parmi d'autres, ou je peux rester ici et écrire l'histoire. » Alors Disney changea son fusil d'épaule et proposa une coproduction avec Pixar. « Les films de John Lasseter étaient vraiment étonnants, tant par l'histoire que par leur maîtrise technique, raconte Katzenberg. J'ai tout fait pour le débaucher, mais il est resté fidèle à Pixar et à Steve. Alors, comme on dit : si tu ne peux vaincre, fais alliance. On a cherché le moyen de s'associer à Pixar pour qu'ils réalisent un film pour nous, un long métrage avec une histoire de jouets. »

À cette époque, Jobs avait déjà injecté cinquante millions de dollars dans Pixar, soit plus de la moitié de la somme qu'il avait empochée en vendant ses actions Apple, et il perdait toujours de l'argent avec NeXT. Il fit preuve de pragmatisme : il acceptait de remettre encore de l'argent sur ses fonds propres à condition que tout le personnel cède ses parts. Mais Jobs était aussi un romantique, du moins en ce qui concernait la fusion de l'art et de la technologie. Il avait cru, à tort, que le consommateur aurait envie de s'amuser avec les logiciels 3D, mais une autre foi naquit en lui, et celle-ci se révéla prémonitoire : l'association du talent artistique et de la technologie numérique pouvait, dans le domaine du film d'animation, être une révolution, un pas déterminant comme on n'en avait pas vu depuis 1937, date à laquelle Walt Disney avait réalisé *Blanche Neige*.

Avec le recul, Jobs confia que, s'il l'avait compris plus tôt, il aurait concentré ses efforts dès le début sur les films d'animation, au lieu de s'égarer dans le développement d'ordinateurs et de logiciels. Mais d'un autre côté, s'il avait su que les ordinateurs et logiciels Pixar n'auraient jamais été rentables, aurait-il acheté cette société ? « La vie m'a piégé, mais c'était finalement pour mon bien. »

CHAPITRE VINGT

UN HOMME COMME LES AUTRES

Love is a four letter word[1]

Avec Laurene Powell, en 1991.

Joan Baez

En 1982, quand il travaillait encore sur le Macintosh, Jobs fit la connaissance de la célèbre chanteuse par l'intermédiaire de sa sœur Mimi Fariña, qui s'occupait d'une association caritative collectant des ordinateurs pour des détenus. Quelques semaines plus tard, Steve Jobs et Joan Baez déjeunaient ensemble à Cupertino. « Je n'attendais rien de spécial, mais elle était drôle et intelligente », raconta-t-il. À l'époque, sa relation avec Barbara Jasinski tirait à sa fin. Barbara était une jolie métisse polynésienne qui avait travaillé

---

1. « Love est un mot de quatre lettres », chanson de Joan Baez. *(N.d.T.)*

pour Regis McKenna. Le couple partait en vacances à Hawaii, habitait une maison dans les hauteurs de Santa Cruz ; ils avaient même assisté ensemble à un concert de Joan Baez. Lorsque la flamme avec Barbara s'éteignit, Jobs fréquenta de plus en plus la chanteuse. Il avait vingt-sept ans, elle en avait quarante et un, mais pendant quelques années, ils eurent une liaison. « C'est devenu sérieux comme deux amis qui, sans l'avoir décidé, seraient devenus amants », me confia Jobs d'un ton chargé de regret.

Pour Elizabeth Holmes, l'amie de Steve Jobs depuis les années Reed, la principale raison de son intérêt pour Joan — hormis le fait qu'elle était belle, drôle et talentueuse — c'était qu'elle avait eu une liaison avec Bob Dylan. « Steve adorait ce lien subliminal avec Dylan. » Joan Baez et Dylan avaient été amants au début des années 1960, et ils ont continué à faire des tournées ensemble, en amis, comme lors de la Rolling Thunder Revue en 1975 (dont Jobs avait les enregistrements pirates).

Quand Joan Baez rencontra Jobs, elle avait un fils de quatorze ans, Gabriel, fruit de son mariage avec l'activiste pacifiste David Harris. Au déjeuner, elle raconta au jeune patron qu'elle essayait d'apprendre à Gabe à taper à la machine.

— À la machine à écrire ?

Elle acquiesça.

— Mais c'est une antiquité ce truc ! s'exclama Jobs.

— Si c'est une antiquité, qu'est-ce que je suis moi ?

Il y eut un silence gêné. « Dès que j'ai dit ça, me confia la chanteuse, je me suis aperçue que la réponse n'était que trop évidente. Steve ne savait pas quoi répondre. Et moi, plus où me mettre. »

Au grand étonnement de l'équipe Macintosh, Jobs arriva un jour au bureau avec la jeune femme et lui montra le prototype du Macintosh. Ils n'en revenaient pas que le patron ose ainsi dévoiler un produit classé « secret défense » à une étrangère, connaissant sa peur des fuites. Mais ils étaient surtout impressionnés de se trouver à côté de la grande Joan Baez. Jobs offrit à Gabe un Apple II et, plus tard, il donna à la chanteuse un Macintosh. Il leur rendait régulièrement visite pour leur détailler les possibilités de l'ordinateur. « Steve était gentil et patient, mais j'étais une telle bille en informatique qu'il ne savait pas trop par où commencer. »

Le jeune homme était devenu millionnaire du jour au lendemain. Joan Baez était une icône planétaire, mais elle avait les pieds sur terre, et était loin d'être riche. Elle ne savait trop à quoi s'en tenir avec lui. Trente ans plus tard, elle continuait à le trouver troublant. Lors d'un dîner au début de leur relation, Jobs parla de Ralph Lauren et de sa boutique sélecte où elle n'avait jamais mis les pieds.

— Il y a, là-bas, une jolie robe rouge qui t'irait à ravir.

Et sans attendre, il l'emmena à la boutique sur le Stanford Mall. « Je me suis dit, génial, je suis avec l'un des hommes les plus riches de la planète et il m'emmène essayer une robe. » Une fois arrivé au magasin, Jobs acheta quelques polos pour lui et lui désigna la robe, en lui disant qu'elle serait parfaite dedans.

— Tu devrais l'acheter.

Joan fut un peu surprise et lui répondit qu'elle n'en avait pas les moyens. Jobs ne réagit pas et ils quittèrent le magasin. « Quand quelqu'un vous parle d'une robe toute la soirée, et qu'il vous emmène l'essayer à point d'heure, on s'attend à autre chose, non ? » Des années plus tard, elle n'en revenait toujours pas. « À vous de résoudre "le mystère de la robe rouge", me dit-elle. Moi, je n'ai toujours pas compris. » Jobs pouvait lui offrir des ordinateurs mais pas une robe, et quand il lui apportait des fleurs, il s'empressait de dire qu'il les avait récupérées au bureau. « Il était à la fois romantique et terrifié de l'être. »

Un jour, il se rendit chez Joan avec un NeXT sous le bras pour lui montrer qu'il pouvait faire de la musique. « Il lui a fait lire la partition d'un quatuor de Brahms, et il m'a dit qu'un jour les ordinateurs joueraient mieux que les humains, avec toutes les nuances et les intonations. Il s'extasiait à cette idée, tandis que moi je contenais ma colère… comment pouvait-il réduire la musique à ça ? »

Jobs parla souvent à Debi Coleman et à Joanna Hoffman de sa relation avec la chanteuse. Était-il raisonnable d'épouser une femme qui avait un fils adolescent et qui sans doute ne voulait plus d'enfants ? « Parfois, il lui reprochait d'être une chanteuse "engagée", raconte Joanna Hoffman, et non une véritable artiste ayant un point de vue général sur le monde comme Bob Dylan. Joan était une femme de caractère, et Steve loin d'être docile. Et puis, il tenait vraiment à fonder une famille, et avec elle, cela paraissait compromis. »

Et donc, après trois années, leur liaison prit fin. Ils devinrent de simples amis. « Je pensais être amoureux d'elle, mais en fait c'était davantage de l'estime. Beaucoup d'estime, dira Jobs plus tard. Nous n'étions pas faits l'un pour l'autre. Je voulais des enfants, elle n'en voulait plus. » Dans ses mémoires, en 1989, Joan Baez parle de sa rupture avec son mari et explique pourquoi elle ne souhaitait plus jamais se marier. « Depuis j'ai vécu seule, avec quelques interruptions occasionnelles, comme autant de déjeuners sur l'herbe », écrivait-elle. À la fin du livre, dans les remerciements, elle fait ce gentil commentaire : « À Steve Jobs, qui m'a forcée à utiliser un traitement de texte, parce qu'il en a mis un dans ma cuisine. »

Recherche Joanne et Mona désespérément

Quand Jobs eut trente et un ans, un an après avoir été chassé d'Apple, sa mère, Clara, qui était fumeuse, eut un cancer du poumon. Il passa beaucoup de temps au chevet de la mourante. Jamais mère et fils n'avaient conversé de façon aussi intime. Il lui posa toutes les questions qu'il avait refoulées jusqu'à présent : « Quand toi et papa vous vous êtes mariés, tu étais vierge ? » Elle avait du mal à parler, mais lui répondait de bonne grâce. Elle lui expliqua qu'avant de rencontrer son père, elle avait déjà été mariée – à un homme qui n'était pas revenu de la guerre. Elle lui donna aussi quelques détails sur la façon dont elle et Paul Jobs l'avaient adopté.

À peu près à la même époque, Jobs parvint à retrouver sa mère biologique. Son enquête discrète avait commencé au début des années 1980 ; il avait engagé un détective privé, mais celui-ci avait fait chou blanc. Puis Jobs remarqua le nom d'un médecin de San Francisco sur son acte de naissance. « Il était dans l'annuaire, alors je lui ai passé un coup de fil », me raconta Jobs. Le médecin ne lui fut d'aucune aide. Il prétendit que ses dossiers avaient été détruits dans un incendie. En réalité, juste après l'appel du jeune homme, le médecin écrivit une lettre, la mit dans une enveloppe et inscrivit dessus : « À remettre à Steve Jobs après ma mort. » Quand le médecin mourut quelque temps plus tard, sa veuve respecta ses dernières volontés. Dans son courrier, le médecin précisait que sa mère était une jeune étudiante du Wisconsin, nommée Joanne Schieble.

Il fallut encore quelques mois, et le concours d'un autre détective, pour repérer sa trace. Après avoir abandonné Steve, Joanne avait épousé son père biologique, Abdulfattah « John » Jandali, et ils avaient eu un autre enfant, Mona. Jandali avait quitté la mère et la fille cinq ans plus tard, et Joanne avait épousé un moniteur de patins à glace, George Simpson. Le mariage ne dura pas longtemps non plus ; et en 1970, débuta une longue errance qui emmena la mère et l'enfant (qui avait gardé le patronyme Simpson) jusqu'à Los Angeles.

Jobs ne voulait pas dire à Paul et Clara qu'il recherchait sa mère biologique, craignant de leur faire de la peine (une délicatesse qui ne lui était guère coutumière et qui prouvait la grande affection qu'il avait pour eux). Il ne contacta donc jamais Joanne Simpson jusqu'à la mort de sa mère en 1986. « Je ne voulais pas qu'ils pensent que je ne les considérais pas comme mes vrais parents – parce que c'étaient eux, mes parents, à cent pour cent. Je les aimais tellement que je ne voulais pas qu'ils soient au courant. Je demandais même aux journalistes de ne rien dire quand l'un d'entre eux avait vent de mon enquête. » Lorsque Clara mourut, il se décida à parler à Paul Jobs de ses recherches. Cela ne posait aucun problème à son père adoptif.

Alors Jobs, un jour, appela Joanne Simpson. Il lui expliqua qui il était et vint à Los Angeles pour la rencontrer. Il dira plus tard que c'était par pure curiosité. « Je crois que l'environnement, plus que les gènes, forge votre personnalité, mais j'avais envie de connaître mes racines biologiques. Je voulais aussi rencontrer cette femme pour lui dire qu'elle avait eu du courage ; pour la remercier, parce que j'étais bien content qu'elle ne se soit pas fait avorter. Elle avait vingt-trois ans et elle avait vécu un calvaire pour m'avoir. »

Joanne fut submergée par l'émotion quand son fils vint la voir chez elle. Elle avait appris qu'il était riche et célèbre, mais elle ne savait pas trop ce qu'il faisait. Tout de suite, elle lui raconta qu'on avait fait pression sur elle pour qu'elle abandonne son bébé. Et elle n'avait accepté de signer qu'après s'être assurée qu'il était heureux chez ses parents adoptifs. Jamais, elle ne l'avait oublié et, tout au long de sa vie, elle avait vécu dans le remords. Elle n'arrêtait pas de se fustiger, d'implorer son pardon, même lorsque Jobs la rassurait et lui disait que tout s'était bien passé pour lui.

Une fois calmée, elle lui annonça qu'il avait une sœur, Mona Simpson, qui tentait sa chance comme jeune écrivaine à Manhattan.

Joanne n'avait jamais dit à sa fille qu'elle avait un frère, et elle lui annonça la nouvelle le jour même, au téléphone. « Ma chérie, tu as un frère ; il est génial, magnifique et célèbre, et je vais venir à New York te le présenter ! » Mona terminait un roman sur sa mère et leurs pérégrinations du Wisconsin jusqu'à la côte Ouest, *N'importe où sauf ici*. Ceux qui ont lu le livre ne seront guère surpris par la façon inattendue dont la mère apprit la nouvelle à sa fille. Elle refusa de lui dire de qui il s'agissait, sinon qu'il avait été pauvre et qu'il avait fait fortune, qu'il était beau et célèbre, qu'il avait de longs cheveux et qu'il habitait la Californie. Mona travaillait, à l'époque, à *The Paris Review*, une revue littéraire dont les locaux se trouvaient, à Manhattan, au rez-de-chaussée de la maison de son fondateur George Plimpton. Avec ses collègues, elle tenta de deviner l'identité de ce frère mystérieux. John Travolta ? – c'était leur choix numéro un. On envisagea également d'autres acteurs. À un moment quelqu'un avança : « C'est peut-être l'un des gars qui ont lancé Apple ? » Mais personne ne se souvenait des noms.

La rencontre eut lieu dans le hall du St Regis Hotel. Joanna Simpson fit les présentations ; c'était bien l'un des fondateurs d'Apple. « Il était direct et charmant, un gars normal et sympa », se souvient Mona. Ils s'assirent et parlèrent quelques minutes, puis Jobs emmena sa sœur faire une longue marche, juste tous les deux. Le jeune homme était tout excité de découvrir qu'il avait une sœur qui lui ressemblait tant. Ils étaient tous les deux passionnés par la création, attentifs à la marche du monde, sensibles et en même temps dotés d'une volonté de fer. Quand ils dînèrent ensemble, leur similitude fut frappante, tant par leur apparence que par leurs goûts. À son retour, il exultait de joie : « Ma sœur est écrivain ! » lança-t-il tout fier à ses collègues d'Apple.

Quand Plimpton organisa une fête pour la sortie de *N'importe où sauf ici* à la fin de l'année 1986, Jobs fit le voyage jusqu'à New York pour être aux côtés de Mona. Ils devinrent très proches, même si leur amitié avait cette complexité prévisible du fait de leurs parcours séparés et de leurs retrouvailles tardives. « Au début, Mona n'était pas si contente de me voir débarquer dans sa vie, d'autant plus que sa mère me manifestait une affection débordante, m'expliqua-t-il. Avec le temps, nous sommes devenus vraiment bons amis ; pour moi, elle fait partie de ma famille. Je ne sais pas ce que je ferais sans elle. Je ne pourrais rêver d'une meilleure sœur. Avec ma sœur Patty, adoptée par mes parents, on n'a jamais été aussi proches. » Mona, finalement, eut beaucoup d'affection pour son frère et parfois se montra très protectrice, même si elle écrivit plus tard un roman sarcastique à son sujet, *A Regular Guy*[1], qui décrivait sans concession son comportement à l'égard de sa propre fille.

Un des rares reproches que Jobs faisait à sa sœur portait sur ses goûts vestimentaires. Elle s'habillait comme un écrivain sans le sou, et il ne cessait de lui dire de choisir des habits « plus seyants ». Ses commentaires finirent par l'agacer à tel point qu'elle lui envoya une lettre : « Je suis une jeune écrivaine fauchée, c'est ma vie, et je ne cherche pas à jouer les top models ! » Il ne répondit pas, mais quelques jours plus tard, on livra chez la jeune femme un colis de la boutique d'Issey Miyake – Jobs appréciait ce couturier parce qu'il retrouvait chez lui le même souci de l'épure, et une forte influence de l'univers de la technologie. « Il était allé m'acheter des vêtements. Et il avait choisi ce qu'il y avait de plus beau, avec des couleurs exquises et tout était exactement à ma taille ! » Il y avait un tailleur pantalon que Jobs aimait particulièrement. Il y en avait trois dans le colis, tous identiques. « Je me souviens des premiers ensembles que j'ai envoyés à Mona, me raconta-t-il. Il y avait un pantalon en lin et un haut d'un vert pâle. Cela lui allait si bien avec ses cheveux roux. »

À l'ombre du Père

Mona Simpson, de son côté, avait tenté de retrouver son père qui était parti quand elle avait cinq ans. Ken Auletta et Nick Pileggi, deux écrivains célèbres de Manhattan, lui présentèrent un policier à la retraite qui avait créé son agence de détectives privés. « Je lui ai donné le peu d'argent que j'avais », raconte Mona, mais il n'a rien trouvé. Je me suis ensuite adressée à un autre détective en Californie et lui a été capable de dénicher l'adresse de Abdulfattah Jandali grâce au service d'immatriculation des voitures. Mona Simpson avertit son frère de sa découverte et prit l'avion pour se rendre à Sacramento et voir l'homme qui était peut-être son père.

---

1. « Un homme comme les autres. » *(N.d.T.)*

Jobs n'avait pas envie de le rencontrer. « Il ne s'était pas bien comporté avec moi, m'expliqua-t-il. Mais je ne lui en veux pas. J'ai eu une belle vie. Ce qui m'embêtait vraiment, c'était qu'il avait fait du mal à Mona. Il l'avait abandonnée. » Steve Jobs, lui aussi, avait abandonné sa propre fille Lisa, et à cette époque, il tentait de renouer une relation avec elle. La conscience de ses failles personnelles, toutefois, n'adoucissait en rien son jugement envers Jandali. Mona Simpson se rendit donc seule à Sacramento.

« Ce fut intense », me confia Mona. Son père travaillait dans un petit restaurant. Il semblait heureux de la voir, mais restait étrangement détaché. Ils parlèrent une heure ou deux ; il lui raconta qu'après avoir quitté le Wisconsin, il avait cessé l'enseignement et s'était lancé dans la restauration. Il s'était marié une seconde fois, une union qui n'avait pas duré, avec une femme riche plus âgée que lui. Mais il n'avait pas eu d'autres enfants.

Jobs avait demandé à Mona de ne pas parler de lui. Elle tint son engagement. Mais à un moment, son père annonça à Mona qu'il avait eu avec sa mère un autre enfant, un garçon, avant sa naissance.

— Que lui est-il arrivé ? demanda-t-elle.

— On n'a jamais revu le petit. Jamais.

Mona tressaillit mais resta silencieuse.

Il y eut une révélation plus déstabilisante encore : Jandali lui décrivait les autres restaurants qu'il avait dirigés durant sa carrière. Il y en avait eu des prestigieux, insistait-il, bien plus haut de gamme que l'établissement miteux où ils se trouvaient. Il lui raconta, avec un trémolo dans la voix, qu'il aurait aimé pouvoir lui montrer le Mediterranean dont il avait eu la direction au nord de San Jose.

— C'était un endroit merveilleux. Toutes les huiles de la Silicon Valley venaient y dîner. Même Steve Jobs !

Mona Simpson pâlit.

— Oui, oui, il venait souvent. C'était un type sympa et il laissait toujours de gros pourboires.

Un supplice de Tantale. Mona brûlait de lâcher : Steve Jobs est ton fils !

Après sa visite, elle appela son frère de la cabine téléphonique du restaurant et convint de le retrouver à l'Expresso Roma à Berkeley. Amplifiant encore la tension émotionnelle de la rencontre, Jobs vint avec sa fille Lisa, qui était alors en classe de quatrième et qui vivait chez sa mère Chrisann. Quand ils arrivèrent au café, il était près de 22 heures et Mona narra l'entrevue. Elle lui parla du restaurant chic près de San Jose. Jobs se souvenait très bien de l'endroit. « C'était incroyable, me confia-t-il. Je suis allé dîner dans ce restaurant plusieurs fois et je me rappelle très bien le propriétaire. Un Syrien. Il venait régulièrement me saluer. »

Jobs, néanmoins, n'avait toujours aucune envie de se rapprocher de lui. « J'étais riche à l'époque, et je me méfiais de lui. Je le voyais bien tenter de m'extorquer de l'argent ou de vendre notre histoire à la presse. J'ai donc demandé à Mona de ne pas lui parler de moi. »

Mona Simpson tint parole, mais des années plus tard Jandali découvrit, sur Internet, qu'il était le père de Jobs (un bloggeur avait remarqué, dans un annuaire des auteurs, que dans la biographie de Mona Simpson il était écrit que Jandali était son père, et en avait donc conclu qu'il était également le géniteur de Steve Jobs). À l'époque, Jandali en était à son quatrième mariage et dirigeait le service bar et restauration du Resort & Casino de Boomtown, à l'ouest de Reno dans le Nevada. Quand il vint présenter Roscille, sa nouvelle épouse, à Mona Simpson, en 2006, il aborda le sujet : « C'est vrai ce qu'on raconte sur Steve Jobs ? » Elle confirma les faits, mais ajouta que son fils ne voulait pas le voir. Jandali accepta sans faire de commentaires. « Mon père est quelqu'un de réfléchi, un conteur hors pair, mais il est très très passif, explique Mona Simpson. Il n'a plus jamais parlé de cette histoire. Il n'a jamais tenté de contacter Steve. »

Cette recherche du père fut le sujet de son deuxième roman, *À l'ombre du père*, publié en 1992. (Jobs convainquit Paul Rand, le designer du logo NeXT, de concevoir la couverture, mais elle ne plut pas à Mona : « C'était horrible, on ne l'a jamais utilisée. ») Elle chercha également la trace de la famille de Jandali, à Homs en Syrie, ainsi qu'aux États-Unis ; et en 2011, elle écrivit un roman sur ses origines orientales. L'ambassadeur de Syrie à Washington organisa un dîner en son honneur où furent invités un cousin et son épouse qui vivaient en Floride.

Mona pensa que son frère finirait par rencontrer son père, mais avec le temps, il se désintéressa de cette question. En 2010, quand Jobs et son fils Reed vinrent fêter l'anniversaire de Mona dans sa maison de Los Angeles, Reed passa du temps à observer les photos de son grand-père biologique, mais Jobs n'y accorda pas un regard. Il semblait se contreficher de ses racines syriennes. Quand le Moyen-Orient venait dans la conversation, il restait en retrait, ou proférait des jugements à l'emporte-pièce, même lorsque le peuple syrien se révolta lors du Printemps arabe de 2011. « Personne ne sait ce qu'on doit faire, répondit-il quand on lui demandait si l'administration Obama devait intervenir. Si on bouge on est dans la merde, et si on ne bouge pas, on l'est aussi ! »

En revanche, Jobs conserva une relation très amicale avec sa mère biologique. Elle venait souvent, avec sa fille, passer Noël chez Jobs. Ces visites étaient à la fois agréables et éprouvantes. Joanne fondait souvent en larmes, lui répétant à quel point elle l'aimait et comme elle regrettait de l'avoir abandonné. Il tentait encore et encore de la rassurer : « Ne t'inquiète pas. J'ai eu une enfance heureuse. Tout a été pour le mieux pour moi. »

Lisa

Lisa Brennan, elle, n'eut pas une enfance heureuse. Quand elle était petite, son père n'allait quasiment jamais la voir. « Je ne voulais pas être père, alors je n'en ai pas été un », m'expliqua-t-il. Parfois, toutefois, le remords l'étreignait. Un jour, quand Lisa avait trois ans, Jobs, qui passait à proximité de la maison qu'il avait achetée pour Chrisann et Lisa, décida de s'arrêter. Lisa ne savait pas de qui il s'agissait. Il s'assit sur les marches du perron, sans s'aventurer à l'intérieur et parla à Chrisann. Cette scène se reproduisait une ou deux fois par an. Il débarquait à l'improviste, discutait avec la mère de la scolarité de Lisa, puis repartait dans sa Mercedes argentée.

Lorsque Lisa eut huit ans, en 1986, les visites se firent plus fréquentes. Jobs était sorti du tourbillon du Macintosh et des luttes de pouvoir avec Sculley. Il avait lancé NeXT, où l'ambiance était plus calme, plus chaleureuse, et le siège social à Palo Alto se trouvait à deux pas de la maison de Chrisann et Lisa. En outre, dès que Lisa fut en CE2, il devint évident que la fillette était une enfant éveillée avec des talents artistiques. Ses instituteurs remarquèrent très vite qu'elle avait un vrai don d'écriture. Elle était volontaire, drôle et, comme son père, toujours prête à défier son entourage. Physiquement, elle lui ressemblait beaucoup aussi, avec ses sourcils en arc de cercle, et sa mâchoire carrée à l'orientale. Un jour, à la surprise de ses collègues, il la fit venir au bureau. Elle faisait la roue dans le couloir en criant : « Regarde-moi ! Regarde-moi ! »

Avie Tevanian, un ingénieur de NeXt, un gars dégingandé au caractère jovial qui était devenu ami avec Jobs, raconte que de temps en temps, quand les deux hommes allaient dîner, il s'arrêtait chez Chrisann pour prendre Lisa. « Il était très gentil avec elle. Steve était végétarien, Chrisann aussi, mais pas la petite. Cela ne l'embêtait pas. Quand elle voulait de la viande, il lui laissait en commander. »

Le poulet devint le péché mignon de la fillette, prise qu'elle était entre ses deux parents végétariens pour qui manger des produits naturels tenait de la quête spirituelle. « On allait tout le temps faire nos courses – chicorée, quinoa, céleri, graines de caroube – dans des épiceries bio où les femmes ne se teignaient pas les cheveux, écrivit-elle plus tard. Mais parfois, on craquait avec ma mère. On achetait un poulet rôti chez un boucher avec ses rangées de rôtissoires fumantes ; on mangeait ça à même le sac, avec nos doigts. » Son père, qui suivait parfois des régimes drastiques avec une obsession maladive, ne tolérait aucun écart. Elle l'avait vu un jour recracher sa cuillerée de soupe dans son assiette quand on lui avait dit qu'il y avait du beurre dedans. Après avoir lâché un peu de lest du temps où il travaillait à Apple, il était revenu à son régime végétalien radical. Toute jeune, Lisa comprit que cette alimentation contrôlée était un choix de vie – l'ascétisme et le minimalisme permettaient d'intensifier les sensations. « Papa croyait que les meilleures récoltes se font sur des sols arides, que le plaisir venait forcément de la privation. Il connaissait une équation ignorée du plus grand nombre : "Toute chose conduit à son contraire." »

De la même manière, la froideur et l'absence de son père rendaient ses marques d'affection plus précieuses, de véritables dons du ciel. « Je ne vivais pas avec lui, mais il passait parfois à la maison. Il arrivait comme dieu sur terre, apportant la joie et le bonheur pendant quelques instants miraculeux. » Lisa en grandissant devint de plus en plus digne d'intérêt pour Jobs. Il l'emmenait en promenade, faisait du roller avec elle dans les rues tranquilles du vieux Palo Alto ; il passait souvent avec sa fille chez Joanna Hoffman et

Andy Hertzfeld. La première fois qu'il leur présenta Lisa, il toqua à la porte et annonça simplement : « Voici Lisa. » Joanna s'en serait doutée : « Il était évident que c'était sa fille, me dit-elle. Personne n'a cette mâchoire. C'est la marque de fabrique de la famille. » Joanna Hoffman, qui n'avait pas vu son propre père avant ses dix ans, suite à un divorce douloureux, encouragea Jobs à être un bon papa. Il suivit son conseil et, plus tard, lui en sera reconnaissant.

Un jour, il emmena Lisa en voyage d'affaires à Tokyo. Ils descendirent à l'Okura Hotel, un établissement luxueux. Il y avait un bar à sushis au sous-sol ; Jobs commanda un grand plateau d'unagi, il adorait tellement ces sushis à l'anguille qu'il se convainquait que cela n'allait pas à l'encontre de son régime végétalien. Les morceaux de poisson étaient délicatement nappés d'une sauce sucrée. Lisa se rappelle encore la sensation exquise lorsqu'ils fondaient dans sa bouche – comme fondait la distance entre eux. Ainsi qu'elle l'écrivit plus tard : « C'était la première fois qu'en sa présence, j'étais aussi détendue et heureuse. Cette nourriture chaude revigorante, délicieuse – après les froides salades macrobiotiques ! – ouvrait un espace de complicité entre nous, qui, jusqu'alors, m'avait paru inaccessible. Soudain, il était moins strict avec lui-même, plus humain sous ces grands plafonds moulurés, assis que nous étions sur nos petites chaises, avec ce poisson dans son assiette, et moi à ses côtés. »

Mais tout n'était pas toujours aussi rose. Jobs était mercurien avec Lisa comme avec les autres. Les cycles de connivence et d'abandon se succédaient. Un jour, il était d'humeur taquine, un autre, il était distant ou totalement absent. « Elle ne savait jamais sur quel pied danser avec lui, raconte Hertzfeld. Un jour, alors que j'étais venu assister à l'anniversaire de la petite, Jobs était en retard – très en retard. Lisa était toute triste et déçue. Plus rien ne l'amusait. Mais quand il est enfin arrivé, la petite a retrouvé aussitôt le sourire. Tout était oublié. »

Lisa, avec le temps, se montra aussi lunatique et emportée que son père. Leur relation fut en montagnes russes, avec des passages en creux qui pouvaient s'éterniser en raison de leur entêtement mutuel. Après une dispute, ils restaient des mois sans se parler. Aucun des deux n'était très doué pour les excuses ou les réconciliations – pas même lorsque les problèmes de santé de Jobs commencèrent. Un jour, à l'automne 2010, il fouillait dans un carton de photos avec moi, quand il tomba sur un cliché où on le voyait rendre visite à Lisa quand elle était petite. « Je n'ai sans doute pas été assez présent. » Puisqu'il ne lui avait pas parlé depuis un an, je lui ai demandé s'il allait l'appeler ou lui envoyer un e-mail. Il me regarda un moment, et recommença, sans autre commentaire, à fouiner dans son carton.

Le romantique

Avec les femmes, Jobs pouvait être un grand romantique. Il était souvent fou amoureux. Il racontait à ses amis les hauts et les bas de ses histoires d'amour, et se lamentait chaque fois que sa dulcinée du moment était loin de lui. À l'été 1983, il se rendit à un dîner à la Silicon Valley avec Joan Baez. Il se retrouva assis à côté d'une étudiante de l'université de Pennsylvanie ; elle s'appelait Jennifer Egan et elle ne savait pas trop qui était Jobs. À l'époque, sa relation avec la chanteuse battait de l'aile, et Jobs se laissa charmer par la jeune femme ; elle avait trouvé un travail d'été dans un hebdomadaire de San Francisco. Il retrouva sa trace, l'appela, et l'invita à prendre un verre au Café Jacqueline, un bistrot spécialisé dans les soufflés végétariens.

Ils eurent une liaison pendant un an, et Jobs prenait souvent l'avion pour lui rendre visite sur la côte Est. Lors de la Macworld Expo de Boston, il raconta à la cantonade à quel point il était amoureux, et qu'il devait se presser pour attraper un avion et rejoindre sa belle. Son auditoire était tout ému. Quand il était à New York, Jennifer Egan prenait le train pour le retrouver au Carlyle ou dans l'appartement de Jay Chiat dans l'Upper East Side. Ils mangeaient au Café Luxembourg, surveillaient l'avancée des travaux dans l'appartement du San Remo que Jobs faisait rénover, allaient au cinéma. Une fois, ils allèrent même à l'Opéra.

La nuit, ils se parlaient pendant des heures au téléphone. Un sujet était récurrent dans leurs conversations : Jobs, influencé par le bouddhisme, prétendait qu'il ne fallait pas accorder d'importance aux biens matériels. Notre soif de consommation était malsaine, et pour atteindre l'illumination intérieure, il fallait mener une vie d'ascète détachée du matérialisme de cette civilisation. Il envoya même à la jeune femme un enregistrement de Kobun Chino, son maître de zen, où il expliquait les problèmes que posait le désir de possession. Jennifer Egan ne s'en laissait pas conter : la suivait-il, lui, cette philosophie, en fabriquant des ordinateurs et autres produits pour le plus grand nombre ? « Cet argument l'agaçait, raconte la jeune femme. Steve n'aimait pas qu'on mette le doigt sur sa dichotomie. Et nous avions des discussions houleuses à ce sujet. »

La fierté que Jobs éprouvait pour ses produits était plus forte que son désir d'apprendre aux masses les vertus de l'ascétisme. Lorsque le Macintosh fut lancé en janvier 1984, Jennifer Egan passait les vacances de Noël chez sa mère à San Francisco. Un soir, Jobs (qui était devenu célèbre) arriva à l'improviste, avec un Mac sous le bras et monta dans la chambre de la jeune fille pour l'installer.

À elle aussi, il confia qu'il craignait de mourir jeune. « Il y avait une urgence chez lui, comme s'il était persuadé qu'il n'aurait pas le temps de tout faire », raconte-t-elle. Leur relation prit fin à l'automne 1984, quand Jennifer lui annonça qu'elle était trop jeune pour se marier.

Peu de temps après, au moment où les problèmes avec Sculley commençaient, début 1985, alors qu'il traversait les couloirs pour se rendre à une réunion, il aperçut, dans le bureau de la Fondation Apple, une jeune femme blonde. Elle combinait la pureté d'une hippie avec la sophistication d'une consultante en informatique. Elle s'appelait Tina Redse, et elle travaillait pour la People's Computer Co. « Jamais, je n'avais vu une femme aussi jolie », me dit-il.

Il l'appela le lendemain et l'invita à dîner. Elle refusa, prétextant qu'elle avait un petit ami. Quelques jours plus tard, il l'emmena faire une promenade dans un parc. Il fit à nouveau sa demande et cette fois elle annonça à son fiancé qu'elle voulait le quitter. Tina était très franche et honnête. Après le premier dîner avec Jobs, elle se mit à pleurer, parce qu'elle savait que sa vie allait être bouleversée. Et ce fut effectivement le cas. Au bout d'un mois, elle emménageait dans l'hacienda vide de Woodside. « Elle était la première femme dont j'étais vraiment amoureux, m'expliqua Jobs. Nous avions une connexion très profonde. Je n'ai jamais rencontré quelqu'un qui me comprenne aussi bien. »

L'enfance de la jeune femme avait été compliquée ; elle partageait avec lui la souffrance d'avoir été abandonnée. « Nous étions tous les deux des oisillons blessés. Steve disait que nous n'étions, ni lui, ni moi, à notre place en ce monde, et c'est ce qui nous rapprochait tant. » Ce fut l'amour fou entre eux deux, et les tourtereaux ne se privaient pas de le montrer. Les employés de NeXT se souviennent encore de leurs effusions dans le hall – comme de leurs disputes, qui pouvaient avoir lieu en pleine séance de cinéma ou devant des invités à Woodside. Mais Jobs louait la pureté d'âme de sa compagne. Il lui attribuait aussi toutes sortes de vertus spirituelles. Joanna Hoffman, en femme ayant les pieds sur terre, ne partageait pas cette analyse : « Steve avait tendance à interpréter les névroses et les failles de Tina comme des manifestations de dons surnaturels. »

Lorsque Jobs avait été chassé d'Apple en 1985, Tina voyagea avec lui en Europe, le temps qu'il panse ses plaies. Sur un pont enjambant la Seine, un soir, ils caressèrent l'idée de rester en France, de s'y installer peut-être définitivement. Tina était sérieuse, mais pas Jobs. L'ambition le consumait encore. « Ce sont mes actes qui font ce que je suis », déclara-t-il à la jeune femme. Elle évoqua ce moment à Paris dans un e-mail poignant qu'elle lui envoya vingt-cinq ans plus tard. Ils avaient repris chacun le fil de leur vie mais ils avaient gardé leur lien spirituel.

Nous étions sur ce pont à Paris, durant l'été 1985. Le temps était nuageux. On était accoudés au parapet, fait de cette pierre si douce au toucher, et nous regardions l'eau verte couler sous nos pieds. Ton monde s'était fracturé et arrêté de tourner, en attendant qu'avec un nouveau projet tu remettes tout en branle. Je ne voulais pas revivre ça. J'ai tenté de te convaincre de commencer une nouvelle vie ici, à Paris, avec moi, de nous construire un nid, un havre qui nous aurait ressemblés et nous aurait laissé une chance d'être traversés par d'autres ondes. Je voulais nous extirper du chaos noir de ton monde brisé, nous faire émerger à la lumière, anonymes et purs, et vivre une vie pleine et entière où j'aurais cuisiné pour toi, où nous aurions été ensemble tout le temps, comme deux enfants jouant pour le simple plaisir du jeu, dans l'innocence, sans calcul. J'aurais aimé que tu réfléchisses à cette option avant d'en rire et de me répliquer : « Qu'est-ce que je ferais ? Je suis devenu un intouchable ! » Voilà quel était mon souhait le plus ardent, à cet instant où le cours de nos vies hésitait, durant ce moment de flottement miraculeux, avant que le temps nous reprenne dans son flot – vivre ensemble cette vie simple jusqu'à nos vieux jours, avec une ribambelle de petits-enfants autour de nous, dans une bastide du sud de la France, une existence paisible, douce et bonne comme du bon pain, baignée du parfum de la patience et de la complicité.

Leur union fut en dents de scie pendant cinq ans. Tina détestait son hacienda déserte. Jobs avait embauché un couple distingué, qui travaillait autrefois dans le grand restaurant Chez Panisse, pour s'occuper de la maison et faire la cuisine. Et Tina Redse se sentait étrangère dans cette immense demeure. De temps en temps, elle retournait vivre dans son appartement de Palo Alto, en l'occurrence après chacune de leurs disputes. « Négliger l'autre est une forme de torture », avait-elle écrit sur le mur du couloir menant à leur chambre. Elle était sous son charme, mais aussi révoltée par son manque d'attention. Il était très douloureux d'aimer quelqu'un d'aussi centré sur lui-même, me confiera-t-elle. Aimer quelqu'un incapable de donner, c'était vivre un enfer qu'elle ne souhaitait à personne.

Ils étaient différents à bien des égards. « Sur le spectre allant de la cruauté à la gentillesse, ils étaient chacun à un extrême », explique Hertzfeld. La gentillesse de Tina était manifeste au quotidien. Elle donnait de l'argent aux mendiants, travaillait comme bénévole pour des associations d'aide aux malades mentaux (comme l'était son père), elle se démenait pour que Lisa et même Chrisann se sentent bien en sa compagnie. C'est elle, plus que quiconque, qui poussa Jobs à passer plus de temps avec sa fille. Mais elle n'avait pas la volonté et l'énergie de son compagnon. Son tempérament lunaire qui, aux yeux de Jobs, lui donnait une aura de spiritualité était également une barrière entre eux. « Cela faisait beaucoup d'étincelles ! raconte Hertzfeld. Du fait de leurs personnalités diamétralement opposées, c'étaient des disputes à répétition. »

Ils avaient en outre un point de vue radicalement différent sur le monde : pour elle, les goûts esthétiques appartenaient à l'individu, ils devaient rester l'émanation de son libre arbitre. Pour Jobs, il fallait éduquer les masses car il existait une esthétique universelle. Elle lui reprochait d'être trop influencé par le mouvement du Bauhaus.

« Steve considérait que notre rôle était d'éveiller le peuple à l'art, d'enseigner aux gens ce qui était beau. Je n'étais pas de cet avis. Quand on écoute attentivement, à la fois en soi-même et à travers les autres, on est alors en mesure de faire émerger ce qui est inné et vrai chez l'être. »

Quand ils étaient ensemble pendant longtemps, cela ne se passait pas bien. Mais quand ils étaient séparés, Jobs se languissait d'elle. Finalement, à l'été 1989, il la demanda en mariage. Elle refusa ; c'était au-dessus de ses forces. Cette idée la terrifiait. Elle avait grandi dans le bruit et la fureur, et sa relation avec Jobs ressemblait trop à ce qu'elle avait connu enfant. Les opposés s'attirent, disait-elle, mais le mélange était trop détonant. « Je n'aurais pas été une bonne épouse pour "Steve Jobs", l'icône de la Silicon Valley. J'aurais été nulle dans ce rôle. Et dans notre relation, je n'arrivais pas à m'habituer à son manque de gentillesse. Je ne voulais pas le blesser, mais je ne voulais pas être là à le regarder faire du mal aux autres. C'était insupportable et épuisant. »

Après leur rupture, Tina Redse participa à la création, en Californie, de OpenMind, une fondation venant en aide aux personnes atteintes de maladies mentales. Un jour, elle avait découvert dans un manuel de psychiatrie une pathologie nommée : « trouble de la personnalité narcissique » et les symptômes correspondaient parfaitement à ceux de Jobs. « Cela décrivait tellement bien son comportement, et les souffrances qu'imposait cette maladie à l'entourage, que je me suis rendu compte que demander à Steve d'être plus attentionné ou moins égoïste, c'était comme demander à un aveugle de voir. Cela éclairait sous un nouveau jour son attitude avec sa fille. Je pense que le cœur du problème, c'est l'empathie. Elle lui fait totalement défaut. »

Tina Redse se maria plus tard, eut deux enfants, puis divorça. De temps à autre, Jobs la regrettait, même après son propre mariage. Quand commença son combat contre le cancer, elle le contacta pour lui apporter son soutien. Parler de sa relation avec Steve Jobs l'émouvait encore : « Malgré nos différences et nos disputes qui rendaient tout projet de vie commune impossible, l'affection que j'avais pour lui est toujours vivante, vingt ans plus tard. » L'émotion était la même chez Jobs : « Elle est la personne la plus pure que j'aie rencontrée, me confiait-il, les larmes aux yeux. Il y avait quelque chose

de transcendant en elle, et aussi dans notre connexion l'un à l'autre. »
Il regrettait que cela n'ait pas pu marcher entre eux, et il savait que
les regrets du côté de Tina étaient partagés. Mais le rêve était impossible. Là-dessus, tous les deux aussi étaient d'accord.

Laurene Powell

Un marieur aurait pu dresser le profil de l'épouse idéale pour
Jobs : intelligente, mais sans fatuité ; assez solide pour lui tenir tête,
mais suffisamment zen pour prendre les choses avec recul ; cultivée
et indépendante, mais prête à faire des concessions ; les pieds sur
terre, mais avec une touche de folie ; de la ruse pour le manipuler,
mais assez de sérénité pour lui faire confiance ; et belle si possible,
blonde, avec un bon sens de l'humour ; et végétarienne de surcroît.
En octobre 1989, après sa rupture avec Tina Redse, Steve Jobs
trouva cette perle rare...

Pour être exact, la perle rare le trouva. Jobs avait accepté de donner une conférence à la Stanford Business School qui invitait régulièrement des grands noms du monde des affaires. C'était un jeudi
soir. Laurene Powell était une jeune diplômée de l'école. Un ami
de sa promotion l'avait convaincue de venir assister à la conférence.
Ils arrivèrent en retard ; comme tous les sièges étaient pris, ils s'installèrent dans l'allée. Mais un ouvreur leur demanda de bouger. Laurene Powel entraîna alors son camarade vers le premier rang et ils
s'assirent parmi les places réservées aux VIP. Jobs fut conduit par
l'ouvreur sur le siège juste à côté de celui de Laurene : « J'ai regardé
sur ma droite, et il y avait une fille magnifique à côté de moi. On
a donc commencé à bavarder en attendant qu'on me convie à monter
sur scène. » Ils plaisantèrent un peu. Laurene annonça qu'elle avait
gagné cette place de privilégiée à une tombola. Et que le gros lot,
c'était d'être invitée à dîner. « Il était tellement mignon », me
confiera-t-elle.

Après la conférence, Jobs resta en bord de scène pour discuter
avec des étudiants. Il vit Laurene s'en aller, puis revenir, se tenant
à l'écart du petit groupe, puis partir à nouveau. Il lui courut alors
après, bousculant au passage le directeur de l'école qui voulait lui
dire un mot. Il la rattrapa sur le parking :

— Excusez-moi, mais vous avez gagné le gros lot, non ? Je dois donc vous inviter à dîner, n'est-ce pas ? (Elle rit.) Samedi, ça vous va ?

Elle accepta et lui donna son numéro. Jobs retournait vers sa voiture pour aller passer la soirée chez le vigneron Thomas Fogarty avec les représentants de NeXT, quand il s'arrêta brusquement. « D'un seul coup, je n'avais plus du tout envie d'aller à cette soirée, alors j'ai fait demi-tour et j'ai couru vers elle pour lui proposer de dîner le soir même. » Elle acquiesça. C'était une belle soirée d'automne et ils marchèrent jusqu'au restaurant végétarien sur St. Michael's Alley. Ils restèrent là-bas quatre heures. « Et depuis on ne s'est plus jamais quittés. »

Avie Tevanian attendait, avec les représentants de NeXT, l'arrivée de Jobs. « Steve parfois n'était pas toujours fiable, mais quand je lui ai demandé les raisons de son absence, j'ai compris qu'il s'était passé quelque chose d'important. » Dès que Laurene Powell rentra chez elle, à minuit passé, elle appela son amie Kathryn Smith, qui habitait Berkeley, et lui laissa un message tout excité sur son répondeur. « Il faut que je te raconte ce qui vient de m'arriver ! Tu ne vas pas le croire ! » Kathryn Smith rappela le lendemain matin et apprit ce qui s'était passé « Nous connaissions tous Steve Jobs ! explique Kathryn Smith. C'était un modèle pour nous, puisque nous étions étudiants d'une école de commerce. »

Andy Herztfeld et quelques autres supputèrent que Laurene avait organisé un stratagème pour faire la connaissance de Jobs. « Laurene est gentille, mais elle sait être calculatrice, et je crois qu'elle a tout manigancé pour arriver à ses fins. Sa colocataire m'a raconté que Laurene avait tous les magazines où Steve était en couverture, et qu'elle rêvait de faire sa connaissance. C'est vrai que comme manipulateur, Steve se pose là, mais cette fois ce fut l'arroseur arrosé. » Laurene, plus tard, m'assura que leur rencontre était le pur fruit du hasard – c'était son ami qui l'avait convaincue de venir à cette conférence – et qu'elle se trompait de personne. « Je savais que Steve Jobs était l'orateur, mais le visage que j'avais en mémoire était celui de Bill Gates. J'avais mélangé les trombines. On était en 1989. Jobs travaillait chez NeXT, et il n'était pas si important que ça à mes yeux. C'était mon ami qui était tout émoustillé de le voir, alors je l'ai accompagné. »

« Il n'y a eu que deux femmes dont j'ai été réellement amoureux durant ma vie, me confia Jobs. Je pensais être amoureux de Joan

Baez, mais c'était en fait une grande affection. Tina et Laurene sont les deux seuls amours de ma vie. »

Laurene Powell est née dans le New Jersey en 1963. Elle apprit très tôt à être indépendante. Son père était pilote chez les Marines ; il est mort en héros au cours d'un crash à Santa Anna en Californie. Il guidait un avion endommagé vers la piste d'atterrissage quand un appareil a heurté le sien. Il a continué à voler pour éviter les zones d'habitation au lieu de s'éjecter et de sauver sa vie. Sa mère se remaria. Cette union se révéla traumatisante, mais elle ne quitta pas son second mari parce qu'elle n'avait aucun moyen de subsistance. Pendant dix ans, Laurene et ses trois frères durent endurer ce climat délétère tout en faisant bonne figure à l'extérieur. Les enfants apprirent à compartimenter leur vie. Et Laurene y réussit bien. « La leçon était évidente : ne jamais dépendre financièrement de qui que ce soit. J'y ai mis un point d'honneur. L'argent pour moi est un outil pour être libre et rien d'autre. »

Après avoir décroché son diplôme de l'université de Pennsylvanie, elle travailla un temps chez Goldman Sachs comme analyste boursière. Elle brassait des millions de dollars pour le compte du cabinet. Jon Corzine, son patron, tenta de la garder à la banque, mais la jeune femme jugeait son travail trop terre à terre. Impossible pour elle de s'épanouir. « On pouvait gagner beaucoup d'argent, mais on ne faisait que consolider le grand capital. » Après trois ans de bons et loyaux services, elle démissionna et partit vivre à Florence pendant huit mois avant de s'inscrire à la Stanford Business School.

Après leur premier dîner le jeudi, elle invita Jobs le samedi dans son appartement de Palo Alto. Kat Smith fit le voyage de Berkeley en se faisant passer pour sa colocataire, car elle brûlait de rencontrer ce monstre sacré de la Silicon Valley. Entre Laurene et Jobs, ce fut tout de suite très passionné. « Ils s'embrassaient et se pelotaient à tout bout de champ, raconte Kat. Steve était fou d'elle. Il m'appelait au téléphone et me demandait "à ton avis, tu crois que je lui plais ?" Cela faisait bizarre qu'un grand patron m'appelle pour me demander mon avis. »

Pour le nouvel an, ils allèrent dîner Chez Panisse, le célèbre restaurant d'Alice Waters à Berkeley, en compagnie de Lisa, alors âgée de onze ans. Il y eut une petite dispute entre Laurene et Jobs, et Laurene partit dormir chez Kat Smith. À 9 heures le lendemain matin, on toqua à la porte. C'était Jobs, sous la pluie, avec à la main un bouquet de fleurs des champs qu'il avait cueilli en chemin.

— Je peux voir Laurene ? bredouilla-t-il.

Elle dormait encore quand il entra dans sa chambre. Deux heures passèrent. Kat Smith attendait dans le salon, ne pouvant aller chercher ses vêtements dans la chambre. À bout de patience, elle enfila un manteau sur sa nuisette et alla prendre un petit déjeuner au Peet's Coffee. Jobs ne sortit de la pièce qu'à midi passé.

— Kat, tu peux venir une seconde s'il te plaît ?

Ils se retrouvèrent tous les trois dans la chambre.

— Comme tu le sais, le père de Laurene est mort et puisque tu es sa meilleure amie, c'est à toi que je vais poser la question : je voudrais épouser Laurene. Tu nous donnes ton consentement ?

Kat Smith grimpa sur le lit et regarda Laurene :

— Tu es d'accord ? (La jeune femme acquiesça.) Alors c'est OK pour moi.

Mais tout ne fut pas scellé pour autant. Jobs pouvait être obsédé par une question, puis s'en désintéresser brusquement. Au travail, il se concentrait sur ce qu'il voulait, et quand il le voulait, ignorant tout autre sujet même si ses collègues poussaient les hauts cris en lui disant que c'était urgent. Dans sa vie personnelle, c'était le même mode opératoire. Parfois Laurene et lui se montraient si amoureux en public, que les gens étaient embarrassés par leurs épanchements. Ils n'avaient aucune retenue, que ce soit devant Kat Smith ou devant la mère de Laurene. Certains matins, dans son hacienda toujours aussi vide, il réveillait Laurene en mettant à fond « She Drives me Crazy » des Fine Young Cannibals. Mais, parfois, il l'ignorait totalement. « Steve oscillait entre deux extrêmes, raconte Kat Smith, l'un où Laurene était le centre de l'univers, et l'autre où elle était rejetée aux confins du néant parce que le travail lui accaparait l'esprit. Il était un peu comme un rayon laser. Quand il était dirigé sur vous, vous entriez en ébullition, baigné par la lumière intense de son attention. Mais quand il orientait son faisceau ailleurs, vous vous retrouviez dans le noir total. C'était très déstabilisant pour Laurene. »

Une fois qu'il eut fait sa demande en mariage le 1er janvier 1990, il n'en parla plus pendant plusieurs mois. Finalement, Kat mit les pieds dans le plat un jour qu'il était assis au bord d'un bac à sable à Palo Alto : quel était le problème ? Jobs n'était pas certain que

Laurene pourrait supporter la vie qu'il menait ni son caractère difficile. En septembre, la jeune femme en eut assez d'attendre et s'en
alla. Le mois suivant, il lui offrit une bague de fiançailles et elle
revint emménager chez lui.

En décembre, Jobs emmena Laurene sur son lieu de vacances
préféré, au Kona Village à Hawaii. Il avait découvert ce coin de
paradis neuf ans plus tôt quand, épuisé par les tensions qui régnaient
à Apple, il avait demandé à un assistant de lui trouver un endroit
calme où recharger ses batteries. De prime abord, il n'aima pas ce
petit groupe de bungalows au toit de paille, nichés sur une plage.
C'était un hôtel familial, avec un buffet restaurant. Mais en quelques
heures, il fut gagné par la magie du lieu. Cette simplicité, cette
beauté préservée l'émouvaient. Il y retournait à la moindre occasion.
Être là-bas avec Laurene, pour les fêtes de fin d'année, était un
bonheur miraculeux. Leur amour avait mûri. Au réveillon de Noël,
il la demanda de nouveau en mariage, avec plus de solennité cette
fois. Mais un nouvel événement allait précipiter les choses : durant
leur séjour à Hawaii, Laurene tomba enceinte. « On sait exactement
où et quand il a été conçu ! » me confiera Jobs en riant.

18 mars 1991, le mariage

Le fait que Laurene soit enceinte ne leva pas pour autant tous
les doutes de Jobs concernant le mariage – même s'il lui avait fait
sa demande à deux reprises dans la même année ! Furieuse, Laurene
déménagea à nouveau et rentra chez elle. Pendant un temps, Jobs
bouda et s'enferma dans sa bulle. Il s'interrogea même s'il n'était
pas encore amoureux de Tina Redse. Il fit porter des roses à son
ancienne fiancée et tenta de la convaincre de revenir avec lui, et
pourquoi pas de l'épouser. Il était perdu. Il sollicitait le conseil
d'amis proches, ou de personnes qu'il connaissait à peine. Que
devait-il faire ? Qui était la plus jolie, Tina ou Laurene ? Laquelle
préférait-il ? Qui devait-il épouser ? Dans un chapitre du roman de
Mona Simpson, *A Regular Guy*, le personnage de Jobs demandait
« à plus de cent personnes » laquelle des deux femmes était la plus
belle. Mais c'était de la fiction ; dans la réalité, ils étaient sans doute
un peu moins de cent.

Finalement, il fit le bon choix. Comme le dira Tina Redse à ses amis, elle n'aurait pas survécu si elle était retournée vers Jobs, et leur mariage non plus. Même s'il regrettait le caractère spirituel de leur « connexion », le lien avec Laurene était bien plus solide. Il l'estimait, l'aimait, la respectait, et il était bien avec elle. Il ne la voyait peut-être pas comme un être mystique, mais elle était une ancre solide dans sa vie. La plupart des femmes qu'il avait fréquentées jusqu'alors avaient les mêmes failles et névroses que lui, à commencer par Chrisann Brennan. Ce n'était pas le cas de Laurene Powell. « Steve a vraiment eu de la chance de tomber sur elle, explique Joanna Hoffman. C'est une fille intelligente, elle peut, intellectuellement, lui tenir la dragée haute et, surtout, supporter ses sautes d'humeur. Parce qu'elle n'est pas névrosée, Steve a l'impression qu'elle est plus terre à terre que Tina. Mais c'est idiot. » Andy Hertzfeld était du même avis : « Laurene, physiquement, ressemblait beaucoup à Tina mais, en réalité, elles étaient très différentes. Laurene est solide, avec une cuirasse à l'épreuve des balles. C'est grâce à ça que leur mariage a tenu. »

Jobs en avait conscience. Malgré de nombreux avis de tempête, leur union résista contre vents et marées, parce qu'il avait pour fondations la loyauté et la confiance.

Avie Tevanian décida que Jobs devait enterrer dignement sa vie de garçon. Mais c'était plus facile à dire qu'à faire. Le patron n'aimait pas les fêtes, et n'avait pas beaucoup d'amis hommes. Il n'avait même pas encore trouvé son témoin pour le mariage. Alors la « bande de joyeux lurons » se limita à Tevanian et à Richard Crandall, un professeur d'informatique de Reed qui avait pris un congé sans solde pour travailler chez NeXT. Tevanian loua une limousine et quand ils arrivèrent devant la maison de Jobs, Laurene Powell ouvrit la porte habillée en homme, arborant une fausse moustache, disant qu'elle voulait être de la fête. C'était pour rire, et bientôt les trois célibataires, dont aucun d'eux ne buvait d'alcool, descendirent à San Francisco pour tenter un simulacre de fête.

Tevanian n'avait pu obtenir une table au Greens, un restaurant végétarien à Fort Mason que Jobs appréciait particulièrement, alors il avait réservé dans le restaurant d'un hôtel cinq étoiles. « Je ne veux pas manger ici ! » annonça Jobs dès que le pain fut servi. Il les fit quitter la table et partir, à l'effarement de Tevanian qui n'était guère habitué aux intolérances culinaires de Jobs. Ils dînèrent au Café Jacqueline sur North Beach, là où on servait les soufflés macrobiotiques qu'il aimait tant. Ensuite, ils traversèrent le Golden Gate Bridge pour finir la soirée dans un bar de Sausalito. Ils commandèrent trois tequilas auxquelles ils touchèrent à peine. « J'ai connu plus rigolo comme enterrement de vie de garçon, concède Tenavian, mais on a fait de notre mieux. Steve n'est pas quelqu'un de facile à contenter ; et nous étions les seuls à vouloir organiser quelque chose pour lui. » Jobs apprécia le geste. Plus tard, il se mit en tête que Tenavian ferait un bon mari pour sa sœur Mona. Ce vœu resta lettre morte, mais c'était indubitablement une marque d'affection.

Laurene, qui se chargeait d'organiser les noces, eut rapidement un avant-goût de ce que serait la vie commune avec son futur mari : la graphiste qui devait réaliser les cartons d'invitation vint à Woodside montrer ses propositions. Comme il n'y avait aucune chaise pour s'asseoir, elle s'installa par terre et étala sur le sol les différentes calligraphies possibles. Jobs les étudia un moment, puis se leva et quitta la pièce sans un mot. Les deux femmes attendirent son retour, en pure perte. Au bout d'un moment, Laurene alla le trouver dans la chambre. « Fiche-la dehors ! Je ne veux pas en voir davantage. C'est de la merde ! »

Le 18 mars 1991, Steven Paul Jobs, trente-six ans, épousa Laurene Powell, vingt-sept ans, au Ahwahnee Lodge dans le parc national du Yosemite. Construit en 1920, l'édifice était un assemblage de pierre et de bois mélangeant Art nouveau et Art déco, rehaussé d'une grosse cheminée de trappeur – comme dans tous les hôtels du parc – pour faire couleur locale. Le grand atout du Ahwahnee Lodge était sa vue. Ses hautes fenêtres offraient un panorama imprenable sur le Half Dome et les chutes.

Il y avait une cinquantaine d'invités, dont Paul Jobs et Mona Simpson. Sa sœur était venue avec son fiancé, Richard Appel, un avocat qui devint scénariste pour la télévision. (Pour la série *Les Simpsons*, il donna à la mère d'Homer le prénom de sa femme.) Jobs, voulant garder la maîtrise totale des événements, avait exigé que les invités arrivent tous par le car qu'il avait affrété à cet effet.

La cérémonie avait lieu dans le solarium, tandis qu'au-dehors la neige tombait dru et masquait presque totalement Glacier Point, le célèbre belvédère. C'était Kobun Chino, son vieux maître de zen, qui officiait, armé d'une baguette et d'un gong. Il alluma de l'encens, psalmodia des chants qui restèrent incompréhensibles à la plupart des convives. « Je pensais que le bonze était complètement saoul », raconte Tevanian. Mais il ne l'était pas. La pièce montée avait la forme du Half Dome, le pic de granit dominant la vallée, mais comme elle était exclusivement végétalienne – c'est-à-dire sans œufs, sans lait, sans beurre, ni aucun produit transformé – personne ou presque n'y toucha. Après, tout le monde fut convié à aller faire une marche. Les trois frères de Laurene – de gros costauds – lancèrent une bataille de boules de neige, avec force placages et mêlées.

— Tu vois, Mona, annonça Jobs à sa sœur, Laurene a les gènes d'un quarterback, et nous d'un John Muir.

Une maison pour la famille

Laurene avait les mêmes exigences diététiques que son mari. Pendant ses études à l'école de commerce de Stanford, elle avait travaillé à mi-temps chez Odwalla, le fabricant de jus de fruits bio, où elle avait participé au premier plan marketing. Après avoir épousé Jobs, elle avait jugé important d'avoir un métier de son côté, ayant bien retenu le contre-exemple maternel. Elle avait donc créé sa propre société, Terravera, qui vendait des plats cuisinés issus de l'agriculture biologique dans tout le nord de la Californie.

Plutôt que de vivre dans un palais vide et coupé du monde, le couple avait emménagé dans une maison charmante et sans prétention dans un quartier résidentiel du vieux Palo Alto. Dans ce secteur plutôt privilégié – leurs voisins étaient, entre autres, le financier John Doerr, le fondateur de Google Larry Page, celui de Facebook, Mark Zuckerberg, Andy Hertzfeld et Joanna Hoffman – les demeures étaient sans ostentation ; il n'y avait pas de hautes grilles, ni d'allées interminables pour se protéger des regards indiscrets. Les bâtisses étaient quasiment collées les unes aux autres, le long de rues tranquilles, bordées de larges trottoirs. « On voulait vivre dans un endroit où les enfants pourraient aller voir leurs amis à pied », expliqua Jobs.

La maison n'avait pas le style minimaliste et dépouillé qu'affectionnait tant l'ancien patron d'Apple. Ni la magnificence d'un manoir à faire tourner la tête des passants. C'était une construction des années 1930, dessinée par Carr Jones, un architecte local sensible au charme des chaumières d'antan.

Sur deux niveaux, la maison était faite de briques rouges avec des poutres apparentes ; elle avait un toit de bardeaux qui lui donnait un air de cottage anglais, ou d'une maison de Hobbits de la Comté. La touche californienne, c'était les ailes de la maison qui formaient une cour comme dans les anciennes missions. Le grand salon, au plafond voûté, était chaleureux, avec son sol de tomettes. À l'une des extrémités, une grande fenêtre triangulaire, équipée de vitraux, donnait à la pièce une atmosphère de chapelle. Jobs s'empressa de les retirer pour mettre du verre transparent. Le couple fit installer un four à pizzas dans la cuisine, ainsi qu'une grande table de ferme. Cette pièce deviendrait le cœur de la vie de famille. Les travaux de rénovation étaient censés durer quatre mois ; il en fallut seize, parce que Jobs ne cessait de modifier ses plans. Ils achetèrent également la petite maison qui se trouvait juste derrière. Ils la rasèrent pour pouvoir aménager un jardin. Laurene, qui avait la main verte, le transforma en une oasis bucolique, avec une profusion de fleurs de saison, de légumes et d'herbes aromatiques.

Jobs fut impressionné par la façon dont Carr Jones se servait de matériaux de récupération – briques usagées comme d'anciens poteaux télégraphiques – pour réaliser une construction simple et robuste. Les poutres dans la cuisine étaient des éléments de coffrage des fondations du Golden Gate Bridge, dont la construction était contemporaine à celle de la maison. « C'était un autodidacte, m'expliqua Jobs en me montrant des détails d'architecture. Un artisan qui se souciait davantage d'avoir des idées innovantes que de gagner de l'argent. D'ailleurs, il ne fit jamais fortune. Et il ne quitta jamais la Californie. Il puisait ses idées dans les livres d'histoire et l'*Architectural Digest*. »

Jobs n'avait jamais meublé son immense demeure de Woodside au-delà du strict nécessaire : une commode et un matelas dans sa chambre ; une petite table de jeu, quelques chaises pliantes dans la grande pièce qui ne devint jamais une « salle de séjour ». Il ne voulait s'entourer que de pièces artisanales qu'il aimait vraiment. Acheter des meubles dans un but purement fonctionnel était, pour lui, mission impossible. Maintenant qu'il habitait dans une maison « normale » avec une épouse et bientôt un enfant, il dut faire quelques concessions. Mais cela lui était pénible. Ils acquirent des lits, des armoires et une chaîne hifi pour le salon ainsi que d'autres meubles tels qu'un canapé et des fauteuils. « On a parlé de mobilier pendant huit années, raconte Laurene. On passait beaucoup de temps à nous demander quelle était la fonction première d'un divan ! » Acheter des lampes était aussi sujet à des débats philosophiques. Tout achat impulsif était proscrit. Jobs donna, dans *Wired*, un aperçu de ses questionnements, quand il lui fallut choisir une machine à laver :

> Les Américains ont tout faux en ce qui concerne le lavage et le séchage du linge. Les Européens s'y prennent bien mieux que nous – mais ils mettent deux fois plus de temps à faire leur lessive ! Ils lavent leurs vêtements avec quatre fois moins d'eau et mettent beaucoup moins de détergent. Plus important encore : ils préservent ainsi leurs habits. Ils utilisent moins de savon, moins d'eau, et néanmoins leur linge sort plus propre, plus doux et dure plus longtemps. Nous avons passé beaucoup de temps à la maison à nous demander quelle voie nous voulions emprunter. Il s'est également posé la question du design, mais aussi des valeurs que nous voulions prôner dans notre famille. La rapidité d'une lessive était-elle fondamentale ? – une heure et demie au lieu d'une heure ? Voulions-nous préserver notre linge, qu'il soit plus doux ? Était-ce important de consommer quatre fois moins d'eau ? Tous les soirs, à table, pendant deux semaines, on a creusé ces questions.

Ils finirent par acheter un lave-linge et un sèche-linge Miele. « Leurs produits sont remarquables, déclara Jobs. Cela faisait des années que le design d'objets manufacturés ne m'avait procuré une telle émotion. »

La seule œuvre d'art que Jobs acheta pour le grand salon était un tirage d'Ansel Adams ; un lever de soleil hivernal dans la Sierra Nevada. Adams avait effectué ce tirage monumental pour sa fille qui, plus tard, l'avait vendu. Un jour, la femme de ménage l'avait nettoyé avec un linge mouillé… Jobs avait fait des pieds et des mains pour retrouver l'assistant d'Adams et le convaincre de venir chez lui réparer les dégâts.

La maison était si modeste que Bill Gates, qui se faisait construire à l'époque un manoir de cinq mille mètres carrés dans les environs de Seattle, s'exclama : « Vous vivez tous ici ? » Même lors de son retour triomphal chez Apple, faisant de lui une célébrité planétaire, Jobs n'avait ni garde du corps ni domestiques à demeure ; il laissait même la porte côté jardin ouverte.

Son seul problème de sécurité, ironie sinistre du sort, vint de Burrell Smith, le développeur du système d'exploitation du Macintosh, l'ancien acolyte d'Andy Hertzfeld. Après avoir quitté Apple, Smith fut atteint d'un syndrome maniaco-dépressif bipolaire doublé de schizophrénie. Il habitait une petite maison au bout de la rue d'Hertzfeld. À mesure que sa maladie s'aggravait, il se mit à errer nu en ville ; parfois il cassait des pare-brise ou des vitraux d'églises. Il était sous neuroleptiques, mais le dosage se révélait difficile à établir. Lorsque ses démons revenaient le hanter, il allait le soir jusqu'à la maison de Jobs et lançait des pierres sur les fenêtres, laissait des lettres incohérentes. Un jour, il jeta même un gros pétard dans la salle à manger. Il fut arrêté, et on lui demanda de renforcer son traitement. « Burrell était si drôle, si naïf, et du jour au lendemain, il a pété un plomb, m'expliqua Jobs. C'était vraiment bizarre, et tellement triste. »

Smith se replia dans son monde intérieur, sous l'effet des médicaments. En 2011, il errait toujours dans les rues de Palo Alto, incapable de parler à qui que ce soit, pas même à Hertzfeld, son vieil ami. Jobs avait de la compassion pour Smith ; souvent, il demandait à Hertzfeld s'il pouvait faire quelque chose. Un jour, Smith se retrouva en prison et refusa de donner son nom. Lorsque Hertzfeld le trouva, trois jours plus tard, il appela Jobs et lui demanda de l'aider à le faire libérer sous caution. Jobs vint à la rescousse, mais il lui posa une question étrange : « S'il m'arrive la même chose, Andy, tu voudras bien t'occuper de moi comme tu t'occupes de Burrell ? »

Jobs avait toujours son hacienda de quatorze pièces dans les collines de Woodside, à une quinzaine de kilomètres de Palo Alto. Il avait le projet de raser cette vénérable demeure, datant de 1925, pour construire une maison moderne, extrêmement simple, de style japonais, qui aurait été trois fois moins grande. Mais, pendant plus de vingt ans, ce fut une litanie de procès avec des associations de sauvegarde du patrimoine qui voulaient sauver cette bâtisse historique. (En 2011, Jobs eut enfin gain de cause, mais il n'avait plus l'énergie d'édifier une deuxième maison.)

Parfois, Jobs se servait de l'hacienda – en particulier de sa piscine – pour organiser des fêtes de famille. Bill Clinton, du temps où il était président, séjournait avec son épouse dans la fermette des années 1950 qui se trouvait en bout de propriété, lorsqu'ils venaient rendre visite à leur fille à Stanford. Puisque la maison de maître, comme les dépendances étaient vides, Laurene louait du mobilier et des œuvres d'art pour la venue des Clinton. Un jour, peu après la sortie de l'affaire Monica Lewinsky, Laurene, qui faisait son tour d'inspection avant l'arrivée du couple, remarqua qu'il manquait un tableau. Inquiète, elle demanda à l'équipe du président et aux agents des services secrets ce qui s'était passé. On lui répondit que la peinture représentait une robe sur un cintre, et comme toute la presse parlait de la robe tachée de Monica, ils avaient jugé judicieux de retirer cette œuvre.

Lisa emménage

Alors qu'elle était en classe de quatrième, en pleine année scolaire, les professeurs de Lisa convoquèrent son père. Il y avait de gros problèmes à l'école. Peut-être était-il préférable que l'adolescente ne vive plus chez sa mère… Jobs, au cours d'une promenade avec Lisa, lui parla de la situation et lui proposa d'emménager chez lui. Elle venait d'avoir quatorze ans ; elle était mûre pour son âge et demanda deux jours de réflexion. Puis elle accepta. Elle avait déjà choisi sa chambre : celle juste à côté de son père. Un jour qu'il n'y avait personne à la maison, elle l'avait testée en s'allongeant à même le sol.

Ce fut une période difficile. Chrisann Brennan, qui habitait le quartier, marchait jusque chez Jobs et lui criait des insultes depuis la rue. Quand, lors de mes entretiens, j'ai demandé à Chrisann pourquoi elle avait fait ça, et pourquoi sa fille avait quitté la maison, elle me répondit qu'il lui fallait un peu de temps pour remettre de l'ordre dans ses souvenirs. Quelques jours plus tard, elle m'envoya un long e-mail d'explication :

Vous savez comment Steve a eu gain de cause pour la démolition de sa maison de Woodside ? Des gens souhaitaient sauver cette bâtisse pour son intérêt historique, mais Steve voulait la raser pour construire une nouvelle maison avec un verger. Steve a alors laissé l'hacienda à l'abandon si bien qu'elle fut, au bout de quelques années, bonne pour les bulldozers. Sa stratégie pour parvenir à ses fins était élémentaire : suivre la ligne de moindre résistance. En ne s'occupant plus de cette demeure, peut-être même en laissant sciemment les fenêtres ouvertes pendant des années, il en avait fait une ruine. Brillant, non ? Il put alors avoir l'autorisation de la mairie pour mener à bien son projet. Il usa de la même méthode pour saper mon autorité de mère ET ma sérénité quand Lisa avait treize ou quatorze ans, afin de pouvoir la récupérer. Il commença par une stratégie frontale, puis changea de tactique pour adopter celle, plus pernicieuse, qui avait toujours fait ses preuves – ce qui fut très destructeur pour moi et qui exacerba mes problèmes relationnels avec Lisa. Ce n'est peut-être pas d'une grande intégrité morale, mais c'est efficace.

Lisa vécut avec Laurene et son père durant quatre ans, jusqu'à sa sortie du lycée. Elle se fit appeler Lisa Brennan-Jobs. Jobs essayait d'être un bon père mais, parfois, il ne pouvait s'empêcher d'être froid et distant. Lorsque Lisa n'en pouvait plus, elle trouvait refuge chez des voisins. Laurene fit son possible pour aider l'adolescente et c'était elle qui assistait à toutes les réunions ou fêtes de l'école.

Quand Lisa fut en troisième, elle s'épanouit brusquement. Elle participa activement à la gazette du lycée, *The Campanile*, et en devint corédactrice en chef. Avec son camarade de classe, Ben Hewlett, le petit-fils de l'homme qui avait donné à son père son premier emploi, elle révéla l'existence de fonds secrets que l'école versait à certains membres du conseil d'administration. Quand il fut temps d'entrer à l'université, elle voulut aller sur la côte Est. Elle s'inscrivit à Harvard – en imitant la signature de son père qui était en déplacement – et y entra en 1996.

À Harvard, Lisa participa encore à un journal, *The Crimson,* ainsi qu'à la revue littéraire de l'université, *The Advocate.* Après avoir rompu avec son petit ami, elle partit une année au King's College de Londres. Ses relations avec son père demeurèrent tumultueuses tout au long de ses études supérieures. Quand elle rentrait à la maison, des disputes éclataient pour des peccadilles – que mangeait-on au dîner ? Pourquoi ignorait-elle ainsi son demi-frère et ses demi-sœurs ? Père et fille pouvaient rester brouillés pendant des semaines ; parfois des mois. Leurs rapports devinrent à un moment si tendus que Jobs lui coupa les vivres. Elle allait emprunter de l'argent à diverses personnes, dont Andy Hertzfeld. L'ancien développeur d'Apple lui prêta vingt mille dollars quand son père la menaça de ne pas payer ses frais de scolarité. « Steve m'a passé un savon quand il a su que j'avais aidé sa fille, raconte Hertzfeld, mais il m'a rappelé le lendemain matin pour m'annoncer que son comptable allait me rembourser. » Jobs n'assista pas à la remise des diplômes à Harvard en 2000. Sa fille ne l'avait pas invité, me dit-il.

Il y eut, toutefois, des moments heureux. Un été en particulier, Lisa participa à un concert pour la fondation Electronic Frontier au célèbre Fillmore Auditorium de San Francisco où s'étaient produits le Grateful Dead, Jefferson Airplane et Jimi Hendrix. Elle chanta la chanson de Tracy Chapman « Talkin' Bout a Revolution » (« *Poor people are gonna rise up/ And get their share*[1]... » tandis que son père se tenait au fond de la salle, avec dans les bras Erin, sa petite dernière âgée de un an.

Les crises continuèrent entre le père et la fille, même lorsque celle-ci s'installa à Manhattan pour tenter de vivre de sa plume. Les dissensions se trouvaient exacerbées par le conflit qui opposait Jobs à Chrisann. Il lui avait acheté une maison de sept cent mille dollars qu'il avait mise au nom de Lisa, mais la mère convainquit sa fille de la lui céder. Elle la vendit et utilisa l'argent pour voyager avec son conseiller spirituel et vivre à Paris. Une fois sans le sou, elle revint à San Francisco et se lança comme artiste conceptuel ; elle réalisait des « tableaux de lumière » et des mandalas bouddhistes. « Je suis une "interface", une visionnaire du futur de l'humanité et de la Terre sublimée », écrivait-elle sur son site Internet (dont Herztfeld assurait la maintenance). « J'intègre les formes, les couleurs et les fréquences sonores des vibrations sacrées pour créer mes œuvres. » Quand elle eut besoin d'argent pour se faire soigner les sinus et les dents, Jobs refusa de payer, ce qui provoqua la colère

---

1. « Les pauvres vont se révolter/ Et réclamer leur dû. » *(N.d.T.)*

de Lisa et une nouvelle brouille avec son père pendant plusieurs années. Un modèle immuable.

Mona Simpson se nourrit de toutes ces anecdotes, ainsi que de son imagination, pour écrire son troisième roman, *A Regular Guy*, paru en 1996. Le protagoniste de l'histoire ressemblait beaucoup à Jobs, et était souvent sa copie conforme : on retrouvait la générosité discrète de Jobs, comme lorsqu'il avait acheté une voiture spéciale pour un ami souffrant d'une grave maladie dégénérative des os. La description de ses relations avec sa fille était assez fidèle, rapportant dans le menu son « déni de paternité ». Mais certains passages étaient de la pure fiction : Chrisann avait effectivement appris à conduire à Lisa très tôt, mais la scène décrite dans le livre où l'on voit la petite « Jane » conduire un camion sur une route de montagne pour retrouver son père n'a, évidemment, jamais eu lieu. En outre, certains détails dans le roman étaient, comme on dit entre journalistes, « trop croustillants pour être vérifiés », telle la première phrase du livre, présentant le personnage inspiré de Jobs : « C'était un homme trop pressé pour tirer la chasse d'eau des toilettes. »

De prime abord, le portrait semblait au vitriol. Le héros de Mona « était incapable de faire attention aux autres, et ne voyait pas l'intérêt de satisfaire leurs besoins ou leurs désirs... Il ne croyait pas au déodorant, et soutenait qu'avec une bonne hygiène alimentaire, on ne transpirait pas et qu'on ne pouvait sentir la sueur ». Mais le roman était magnifique et complexe, et il avait plusieurs niveaux de lecture. À la fin du récit, on découvrait un homme qui avait perdu la société qu'il avait créée et qui avait appris à apprécier sa fille abandonnée à sa naissance. Le roman se terminait sur une scène poignante où le père dansait avec sa fille.

Jobs m'affirma qu'il n'avait jamais lu le livre : « On m'avait prévenu que ça parlait de moi. Si c'était le cas, cela risquait de me mettre en colère, et je ne voulais pas me fâcher avec ma sœur, alors je ne l'ai pas ouvert. » Toutefois, il confia à Steve Lohr, du *New York Times*, quelques mois après la parution du livre, qu'il l'avait lu et reconnaissait avoir vu des similitudes entre lui et le protagoniste : « À 25 pour cent, c'est moi, jusque dans les moindres détails, mais je me garderai bien de vous dire de quels 25 pour cent il s'agit ! »

Laurene m'expliqua, qu'en fait, Jobs avait jeté un coup d'œil au roman et qu'il lui avait demandé de le lire pour lui.

Mona Simpson envoya le manuscrit à Lisa avant la publication, mais la jeune fille eut du mal à dépasser l'introduction. « Dès les premières pages, j'ai eu ma famille sous les yeux, mes anecdotes, mes petits secrets, mes pensées – "Jane" c'était moi. Et dans cette description chirurgicale, il y avait des passages entiers qui étaient pure invention – des mensonges éhontés sur moi, rendus plus dangereux encore parce qu'ils étaient mêlés à des détails authentiques. » Lisa s'était sentie flouée et elle avait écrit dans *The Advocate* d'Harvard un article sur ce sujet. Le premier jet était très dur, mais elle l'adoucit un peu avant de le publier : « Je ne savais pas que, pendant ces six années, Mona, feignant d'être mon amie, collectait des informations sur moi, écrivit-elle. J'ignorais que, lorsque je venais lui demander conseil ou chercher un peu de réconfort, elle me pillait. » Finalement, Lisa se réconcilia avec Mona. Elles allèrent dans un café parler du livre, et Lisa lui dit qu'elle n'avait pu aller jusqu'au bout. Mona lui répondit qu'elle aurait aimé la fin. Il y eut des blancs entre Lisa et sa tante mais bien moins qu'entre la fille et le père.

Les enfants

Quand Laurene accoucha en 1991, quelques mois après le mariage, le bébé n'eut pas de nom pendant deux semaines, sinon celui de « baby boy », parce que choisir un prénom se révéla presque aussi cornélien que de choisir une machine à laver. Finalement, ils se décidèrent pour Reed Paul. Le second prénom était celui du père de Jobs, et le premier – Reed – (Laurene comme Jobs insistaient bien sur ce point) avait été choisi parce qu'il était joli et non parce que c'était le nom du collège de Jobs.

Reed se révéla la copie conforme de son père en bien des aspects : incisif, intelligent, avec un regard intense et un charme irrésistible. Mais à l'inverse de son géniteur, il avait un caractère doux et effacé. Il était créatif aussi – parfois un peu trop, puisqu'il aimait se déguiser enfant et refusait de quitter son personnage. Il devint un étudiant brillant en science. Il pouvait avoir ce regard tueur du père, mais savait se montrer affectueux et paraissait dépourvu de toute cruauté.

Erin Siena Jobs vint au monde en 1995. Elle était toute discrète et parfois souffrait en silence de la froideur de son père. Elle avait, comme lui, le goût du design et de l'architecture, mais elle apprit à garder ses distances avec Jobs pour ne pas être blessée par son manque d'attention.

Eve, la benjamine, naquit en 1998. C'était une enfant volontaire, pétulante, qui n'était ni en attente d'un geste d'affection de son père, ni intimidée par lui ; elle savait comment le prendre, négocier avec lui (et parfois l'emporter), et se moquer de lui. Jobs disait qu'un jour elle prendrait la direction d'Apple, à moins qu'elle ne devienne présidente des États-Unis !

Jobs eut une relation forte avec Reed, mais avec ses filles, il se montra plus lointain. Comme à son habitude, son comportement était en dents de scie ; parfois très présent, parfois totalement désintéressé. « Quand il était accaparé par son travail, ses filles n'existaient plus », raconte Laurene. Un jour, il déclara à sa femme qu'il se félicitait que ses enfants s'en sortent aussi bien. Son explication, c'était, qu'en tant que parents, ils n'étaient pas toujours présents pour eux. Cette remarque amusa Laurene, tout en l'agaçant quelque peu, parce qu'elle avait justement abandonné sa carrière pour s'occuper de la famille !

En 1995, Larry Ellison, le P-DG d'Oracle, organisa une grande fête pour les quarante ans de Jobs, où étaient invités les grands noms de la haute technologie et de la finance. Les deux hommes étaient devenus très proches, et souvent Ellison emmenait les Jobs en croisière à bord de l'un de ses luxueux yachts. Reed appelait Larry Ellison « notre ami riche », ce qui était une façon amusante de mettre en évidence que son père refusait de montrer tout signe extérieur d'opulence. C'était la leçon du bouddhisme. Les possessions matérielles encombraient la vie plus qu'elles ne l'enrichissaient, disait-il. « Tous les P-DG que je connais ont des gardes du corps. Ils en ont même à demeure. Ce n'est pas une vie. Nous, on a décidé de ne pas imposer ça à nos enfants. »

CHAPITRE VINGT ET UN

TOY STORY

Buzz et Woody à la rescousse

Jeffrey Katzenberg

« C'est très amusant de réaliser l'impossible », avait déclaré Walt Disney. Jobs aimait cette attitude. Il admirait Disney pour son souci du détail. Sur le papier, Pixar et les studios Disney étaient faits pour s'entendre.

Disney avait acheté la licence d'utilisation du système d'animation de Pixar, et en termes d'achat d'ordinateurs, Disney était son plus gros client. Un jour, Jeff Katzenberg, le directeur du département cinéma de Disney, invita Steve Jobs dans leurs studios de Burbank pour qu'il voie leur technologie en action. Tandis que les employés de Disney montraient leurs prouesses graphiques, Jobs se tourna vers Katzenberg et demanda à brûle-pourpoint :

— Disney est-il heureux de travailler avec Pixar ?

— Absolument !

— Et à ton avis, Pixar est-il heureux de travailler avec Disney ? Un acquiescement évident.

— Eh bien non, nous ne le sommes pas ! Nous voulons faire un film avec vous. Voilà ce qui rendrait heureux Pixar !

Katzenberg était d'accord sur le principe. Il appréciait les courts-métrages de John Lasseter – qu'il n'avait pas réussi à débaucher. Alors Katzenberg invita l'équipe Pixar à discuter d'un éventuel partenariat. Lorsque Catmull, Jobs et Lasseter s'installèrent à la table de réunion, Katzenberg s'adressa tout de go au réalisateur : « John, puisque tu ne veux pas revenir travailler chez nous, je vais donc passer par la bande ! »

À l'image des deux sociétés, Jobs et Katzenberg avaient des points communs. Ils pouvaient se montrer charmants, ou cinglants (ou pire encore) suivant leur humeur ou leurs intérêts. Alvy Ray Smith, qui était sur le point de quitter Pixar, assistait à la réunion : « Les similitudes entre Jeffrey et Steve étaient saisissantes. Deux tyrans, rois du boniment ! » Katzenberg, avec une certaine fatuité, déclara à la délégation Pixar : « Tout le monde pense que je suis un despote. C'est la vérité. Je suis un despote. Mais il se trouve que j'ai quasiment toujours raison ! » Jobs aurait pu faire la même assertion.

Deux hommes ayant le même ego… Les négociations durèrent donc des mois. Katzenberg voulait que Pixar cède à Disney les droits de sa technologie d'animation 3D. Jobs refusa, et sur ce point il eut gain de cause. Pixar aussi avait ses exigences : il voulait être copropriétaire, avec Disney, du film et des personnages, ce qui impliquait, également, un droit de regard sur les suites et les négociations des droits TV et vidéo. « Steve, si tu comptes vraiment revendiquer ça, répliqua Katzenberg, tu peux partir tout de suite. Inutile de perdre notre temps. » Jobs resta assis et lâcha du lest.

« C'était un spectacle fascinant, raconte Lasseter. Comme un duel. Avec deux bretteurs d'exception. » Mais Katzenberg avait un sabre dans les mains et Jobs un simple fleuret. Pixar était au bord de la faillite et avait besoin, pour sa survie, d'un accord avec Disney. Ce qui n'était pas le cas des studios de Burbank. Ils pouvaient très bien produire le film tout seuls. Un accord, à l'arraché, fut conclu en mai 1991 : Disney aurait la propriété du film et des personnages, verserait à Pixar 12,5 pour cent des recettes, aurait le contrôle artistique, pourrait arrêter le film quand bon lui semblerait contre une indemnité minime, et aurait l'option (non l'obligation) de produire les deux films suivants de Pixar, ainsi que le droit de réaliser (avec ou sans Pixar) les suites reprenant les personnages du film.

L'histoire que Lasseter leur présenta s'appelait *Toy Story*. L'idée de base, c'était de se dire que les objets avaient une qualité qui leur était propre – une essence – inhérente à la fonction pour laquelle ils avaient été conçus (un postulat auquel Jobs adhérait

depuis toujours). Donc, si lesdits objets devaient avoir des sentiments, ceux-ci seraient directement induits par leur désir de remplir
leur fonction. Le but d'un verre, par exemple, était de retenir un
liquide ; si ce verre pouvait avoir des émotions, il serait heureux
quand il serait rempli et triste quand il serait vide. L'essence d'un
écran d'ordinateur était d'être une interface avec les humains.
L'essence d'un monocycle, c'était d'être monté par un acrobate et
de faire des tours de piste dans un cirque. Pour le cas des jouets,
c'était que les enfants jouent avec eux, et leur terreur existentielle,
c'était d'être abandonnés ou déboutés par l'arrivée d'un nouveau
jouet. Donc, un duo, entre un jouet flambant neuf et le bon vieux
jouet préféré d'un enfant, posait les bases d'une bonne dramaturgie,
en particulier si l'action se déroulait au moment où les jouets se
trouvaient séparés de leur petit maître. Le traitement original commençait ainsi : « Pour un enfant, perdre un jouet est un traumatisme. Tout le monde, au cours de son enfance, en a fait la
douloureuse expérience. Notre histoire est racontée du point de vue
du jouet qui se retrouve tout seul et qui lutte pour retrouver son
statut, à savoir que des enfants jouent avec lui. Parce que c'est le
sens même de son existence. »

On envisagea toutes sortes de possibilités pour les deux protagonistes de l'histoire avant d'arrêter un choix : Buzz l'Éclair et Woody.
Toutes les deux semaines, Lasseter et son équipe présentaient chez
Disney les nouvelles séquences storyboardées ou des bouts d'essai.
Lors des premiers tests d'animation, Pixar montra tout son savoir-
faire, par exemple dans une scène où Woody se déplaçait au sommet
d'une commode sous les rayons de soleil filtrant d'un store vénitien,
créant un jeu d'ombre et de lumière sur sa chemise – un effet quasiment impossible à rendre à la main.

Mais impressionner Disney avec l'histoire ne fut pas aussi simple.
Lors de chaque présentation, Katzenberg démontait toute la scène,
aboyant ses commentaires et ses modifications. Une équipe d'assistants, carnets de note à la main, consignaient toutes les instructions
du maître pour être certains qu'elles seraient intégrées à la nouvelle
mouture.

Katzenberg voulait ajouter de la dureté aux deux personnages.
C'était peut-être un film d'animation intitulé *Toy Story*, disait-il,
mais il n'était pas destiné exclusivement aux enfants. « Au début, il

n'y avait pas de tension, pas de vraie histoire, pas de conflit, raconte Katzenberg. Pas même de véritable fil conducteur. » Il conseilla à Lasseter de revoir des films célèbres de duos, tel que *La Chaîne* ou *48 Heures*, où deux héros que tout oppose sont propulsés dans une situation dramatique et sont contraints de s'entraider. En outre, il voulait « du mordant » comme il disait ; Woody devait être plus jaloux, plus méchant et belliqueux envers Buzz, le nouveau du coffre à jouets – l'étranger. « Ici, il n'y a pas de place pour nous deux ! » lâchait Woody dans une scène où il balançait Buzz par la fenêtre.

Après avoir exécuté les multiples modifications imposées par Katzenberg, Woody n'avait plus aucun charme. Dans une séquence, il veut expulser tous les jouets qui se trouvent sur le lit et ordonne à Zigzag de l'aider à faire le ménage. Quand le chien émet des doutes, Woody se met en colère : « Tu n'es pas là pour penser, saucisse à ressort ! » Zigzag alors pose la question qui bientôt va tourmenter toute l'équipe Pixar : « Pourquoi ce cow-boy est-il si méchant ? » Tom Hanks, qui avait été engagé pour faire la voix de Woody, ne comprenait pas non plus : « Ce mec est un vrai connard ! »

Coupez !

Lasseter était prêt à projeter la première moitié du film en novembre 1993 ; toute l'équipe se rendit à Burbank pour montrer les images à Katzenberg et aux autres huiles de Disney. Peter Schneider, le chef du service animation, qui n'avait jamais été très fan à l'idée de demander à une entreprise extérieure de réaliser un film pour Disney, déclara que c'était une catastrophe et qu'il fallait arrêter la production. Katzenberg était d'accord.

— Pourquoi est-ce si mauvais ? demanda Katzenberg à Tom Schumacher, l'un de ses collaborateurs.

— Parce que ce n'est plus leur film, répliqua-t-il sans détour.

Comme Schumacher le dira lui-même : « Ils avaient suivi scrupuleusement toutes les indications de Jeffrey, et le projet avait perdu son âme. »

Le réalisateur comprit que Schumacher avait raison. « J'étais assis là, gêné par ce qu'on venait de projeter. Les personnages étaient sinistres et méchants. » Il pria Disney de le laisser réécrire le scénario.

Jobs assumait pleinement son rôle de coproducteur, avec Ed Cat-mull, mais ne se mêlait pas de l'artistique. Connaissant son goût du pouvoir, cette réserve prouvait le grand respect qu'il portait à John Lasseter et aux autres magiciens de Pixar – même si, en sous-marin, le réalisateur, avec une certaine habileté tactique, faisait tout pour tenir le patron à distance. Toutefois, Steve Jobs participa acti-vement à arrondir les angles avec Disney, et les gens de Pixar appré-cièrent cette aide. Lorsque Katzenberg et Schneider interrompirent la production, Jobs mit la main à la poche pour continuer le projet. Et il défendit son équipe bec et ongles : « Katzenberg avait tout fait foirer, m'expliquera-t-il plus tard. Il désirait que Woody soit le méchant de l'histoire. Quand il a voulu nous couper les vivres, c'est nous qui l'avons éjecté. On lui a dit : "Ce n'est pas le film qu'on veut faire !" Et on l'a fait à notre façon. »

L'équipe Pixar revint trois mois plus tard avec un nouveau scé-nario. Woody n'était plus le chef tyrannique des autres jouets d'Andy, mais leur guide, sage et avisé. Sa jalousie à l'encontre de Buzz paraissait plus sympathique, et était amenée par la chanson de Randy Newman « Strange Things ». La scène où Woody jetait Buzz dans le vide avait été remaniée ; désormais, c'était le résultat d'un malheureux concours de circonstances, impliquant une lampe Luxo (un clin d'œil au premier film de Lasseter). Katzenberg et sa suite approuvèrent la nouvelle mouture et, en février 1994, le film était de nouveau sur les rails.

Katzenberg était impressionné par les talents de gestionnaire de Jobs : « Dès le début de la production, Steve a veillé à limiter les coûts et à optimiser le temps. » Mais les dix-sept millions de dollars de bud-get alloués par Disney se révélèrent bientôt insuffisants, en particulier après le surcoût de travail imposé par les égarements dramaturgiques de Katzenberg. Donc, Jobs réclama une rallonge pour finir le film.

— On a conclu un accord, je te rappelle, répliqua Katzenberg. On t'a mis aux commandes de la production, et tu as accepté de faire le film avec cette somme !

Jobs était furieux. Il ne cessait de l'appeler au téléphone ou de débarquer dans son bureau, devenant, pour reprendre l'expression de Katzenberg, « totalement ingérable ». Jobs soutenait que Disney devait supporter le dépassement de budget puisque c'était à cause de son directeur que le budget avait été dépassé.

— Eh tout doux ! On t'a aidé. On t'a fait profiter de notre expérience, et maintenant tu veux nous le facturer ?

Un combat des chefs pour déterminer qui était redevable à l'autre...

Ed Catmull, plus diplomate que Jobs, parvint à dénouer la situation : « Contrairement aux autres gars de Pixar, je n'avais pas une mauvaise opinion de Jeffrey. » Mais cet incident convainquit Jobs de la nécessité d'avoir, à l'avenir, un moyen de pression plus fort pour négocier avec le studio. Il détestait être un simple sous-traitant. Il aimait avoir la maîtrise de la situation. Cela signifiait que Pixar devrait apporter ses propres fonds dans les futurs projets et qu'il fallait réviser les termes de l'accord avec Disney.

Plus la production du film avançait, plus Jobs était enthousiaste. Quelques mois plus tôt, il avait proposé à diverses sociétés – de Hallmark Cards à Microsoft – de racheter Pixar, mais en regardant Buzz et Woody naître à la vie, il sentit qu'il était sur le point de révolutionner l'industrie du cinéma. À mesure que les scènes sortaient des ordinateurs, il les passait en boucle, les montrait à tous ses amis. « Je ne sais plus combien de versions de *Toy Story* j'ai vues ! se lamente encore Larry Ellison. À la fin, c'était devenu une vraie torture. Steve me demandait de passer chez lui pour me montrer la moindre amélioration que les graphistes avaient apportée ! Steve voulait que tout soit irréprochable – l'histoire et la technique. Comme d'habitude, il n'acceptait que la perfection. »

Son espoir d'un retour possible sur investissement fut conforté lorsque Disney invita le patron de Pixar à assister à une projection, pour la presse, de quelques scènes de *Pocahontas*, en janvier 1995, sous un chapiteau monté en plein Central Park. À cette occasion, le P-DG de Disney, Michael Eisner, annonça que *Pocahontas* serait projeté en avant-première devant cent mille personnes sur un écran géant de vingt-cinq mètres de haut, sur l'immense pelouse de Central Park. Jobs, pourtant un spécialiste des grands coups médiatiques, fut étonné par l'ampleur de l'événement. Le cri de ralliement de Buzz l'Éclair résonna à ses oreilles. Vers l'infini et au-delà !

Jobs décida que la sortie de *Toy Story* en novembre 1995 était le moment opportun pour lancer Pixar en Bourse. Même les investisseurs les plus audacieux étaient sceptiques ; cela faisait cinq ans que Pixar perdait de l'argent. Mais Jobs ne voulait pas en démordre, malgré l'instance de Lasseter : « Cela me paraissait trop risqué. Je l'ai supplié d'attendre le deuxième film, mais Steve m'a répondu qu'on avait besoin de fonds. Il voulait être en mesure d'apporter la moitié du financement sur nos prochains projets et de renégocier le contrat avec Disney. »

Vers l'infini !

Disney organisa la première de *Toy Story* au El Capitan, un beau et vénérable cinéma de Los Angeles, et installa à côté le décor de la maison d'Andy avec tous les personnages du film. Disney avait donné à Pixar une poignée d'invitations, mais la soirée et les invités étaient typiques d'une production exclusivement Disney. Jobs ne fit même pas le déplacement. Au lieu de ça, le lendemain soir, il loua le Regency, une salle tout aussi magnifique à San Francisco, et organisa à son tour sa première. À la place de Tom Hanks et Steve Martin, les VIP étaient les stars de la Silicon Valley : Larry Ellison, Andy Grove, Scott McNealy. C'était à l'évidence la soirée de Steve Jobs. Ce fut lui qui monta sur scène, pas John Lasseter, pour présenter le film.

La double première alimenta une polémique. Était-ce un film Disney ou Pixar ? Pixar était-il un simple exécutant du géant de l'animation ? Ou le studio de Burbank était-il le simple distributeur de Pixar ? Le juste équilibre se situait à mi-chemin. Restait à savoir si Eisner et Jobs, avec leurs ego démesurés, allaient pouvoir conclure un tel partenariat.

L'enjeu s'amplifia quand *Toy Story* se révéla un succès commercial et critique. Dès la première semaine d'exploitation, le film fut amorti, rien qu'avec le marché national – trente millions de dollars de recette. C'était le blockbuster de l'année, il battit à plates coutures *Batman Forever* et *Apollo 13*, avec cent quatre-vingt-douze millions de dollars aux États-Unis, pour un total planétaire de trois cent soixante-deux millions de dollars. Selon les statistiques du site Rotten Tomatoes, 100 pour cent des soixante-treize critiques compilées par le site étaient dithyrambiques. Richard Corliss du *Time* consacra *Toy Story* « la comédie la plus originale de l'année », David Ansen de *Newsweek* déclara que le film était « une merveille », et Janet

Maslin du *New York Times* le recommandait pour les grands et les petits, « une œuvre d'une intelligence rare, dans la grande tradition Disney ».

Le seul bémol au tableau, c'est que les critiques, telle Janet Maslin, parlaient de « tradition Disney » et non de l'avènement de Pixar. Dans tout son article, pas une fois la journaliste ne citait Pixar. Cette situation devait changer. Lorsque Jobs et Lasseter furent invités sur le plateau de *Charlie Rose*, Jobs mit en avant que *Toy Story* était un film Pixar. Il expliqua même que la venue de ce nouveau studio ferait date dans le monde du cinéma : « Depuis *Blanche Neige*, tous les grands studios se sont risqués dans le film d'animation, et jusqu'à aujourd'hui, seul Disney a connu le succès. Mais maintenant, Pixar va tenir la dragée haute au géant ! »

Il présentait Disney comme le simple distributeur du film. Michael Eisner était furieux : « Steve n'arrêtait pas de dire : "Nous à Pixar on est les vrais génies, vous, à Disney, vous êtes des nuls." Mais c'est grâce à nous que *Toy Story* a vu le jour. On a aidé à la mise en forme, et on a mis à contribution tous nos départements, du service marketing à Disney Channel. C'est grâce à nous que le film a eu un tel succès. » Jobs décida donc que la question fondamentale – était-ce un film Pixar ou Disney ? – devait être réglée contractuellement plutôt que par une guerre ouverte. « Après le succès de *Toy Story*, m'expliqua-t-il, j'ai compris qu'il fallait réviser notre accord avec Eisner si nous voulions pouvoir fonder un vrai grand studio et non plus être un prestataire. » Mais pour faire asseoir Disney à la table des négociations, Pixar devait apporter de l'argent. Il fallait donc que le passage en Bourse soit aussi un succès.

L'action Pixar fut mise en vente une semaine exactement après la sortie de *Toy Story*. Jobs avait parié que le film serait premier au box-office, c'était un gros risque, qui lui rapporta le *jack pot*. Comme lors du passage en Bourse d'Apple, une fête avait été organisée dans les locaux de San Francisco du plus gros souscripteur à 7 heures du matin, pour l'ouverture des marchés. Il était question de proposer les titres à quatorze dollars l'unité, pour être certain qu'il y aurait des acheteurs. Mais Jobs demanda à relever leur prix et à les vendre à vingt-deux dollars, ce qui donnerait à Pixar un surcroît de trésorerie si l'opération était un succès – et le succès dépassa toute leur espérance ! Ce fut l'introduction en Bourse la plus spectaculaire de l'année ; elle se révéla plus juteuse encore que celle de Netscape. Durant la première demi-heure, l'action grimpa jusqu'à quarante-cinq dollars ; la Bourse fut un moment débordée parce qu'il y avait trop d'acheteurs. Elle atteignit un pic à quarante-neuf, puis se stabilisa à trente-neuf dollars à la fermeture.

Plus tôt cette année-là, Jobs avait tenté de trouver un repreneur pour Pixar, pour cinquante millions de dollars, histoire de récupérer ses fonds. À la fin de cette journée historique, les actions qu'il avait gardées – soit 80 pour cent de la société – valaient plus de vingt fois cette somme : un milliard deux cents millions de dollars ! C'était près de cinq fois plus que ce qu'il avait gagné avec l'introduction en Bourse d'Apple en 1980. Mais Jobs se fichait de faire fortune, comme il le confia à John Markoff du *New York Times* : « Je ne compte pas acheter de yacht. Je n'ai jamais fait ça pour l'argent. »

Ce passage en Bourse glorieux permettait à Pixar de ne plus dépendre de Disney pour financer ses films. C'était exactement le moyen de pression que Jobs attendait. « Puisque nous allions apporter la moitié du budget, je pouvais exiger d'avoir la moitié des bénéfices. Mais plus important encore, on aurait nos deux noms au générique. Ce serait désormais des films "Disney ET Pixar". »

Jobs sauta dans un avion pour déjeuner avec Michael Eisner. Le P-DG de Disney fut sidéré de son culot. Le contrat que les deux sociétés avaient signé portait sur trois films, et Pixar n'en avait livré qu'un seul. Le combat fut rude ; chaque camp venait avec son arsenal nucléaire. Katzenberg avait quitté Disney, après un désaccord avec Eisner, pour créer avec Steven Spielberg et David Geffen Dream-Works SKG. Si Eisner refusait de réviser l'accord avec Pixar, Jobs irait trouver un autre partenaire, et pourquoi pas la nouvelle société de Katzenberg, dès que le troisième film serait mis en boîte ! Eisner, de son côté, répliquait que si Pixar lâchait Disney, il ferait tout seul les suites de *Toy Story*, en se servant de Woody, Buzz l'Éclair et de tous les personnages que Lasseter avait créés. La menace était terrible : « C'était comme si on nous arrachait nos enfants, me raconta Jobs. À cette idée, John en a eu les larmes aux yeux. »

Alors tout le monde opta pour « la détente ». Eisner accepta que Pixar finance à 50 pour cent les projets et ait la moitié des bénéfices. « Disney doutait qu'on fasse d'autres succès, m'expliqua Jobs. Ils espéraient donc réaliser ainsi des économies sur la production. Finalement, ça a été tout bénef' pour nous, car nous avons fait dix blockbusters d'affilée ! » Disney accepta aussi la cosignature des films, même si ce point suscita des débats houleux. Eisner s'en souvient encore : « Je voulais que ce soit "un film Disney", "Disney présente", mais j'ai cédé. Après, il a encore fallu se mettre d'accord sur la taille respective des lettres des noms Disney et Pixar. On se serait crus en maternelle ! » Mais au début de l'année 1997, un nouveau partenariat fut conclu – pour cinq films sur les dix prochaines années – et Jobs et Eisner se séparèrent bons amis. « Michael s'était montré raisonnable et équitable envers moi, m'expliqua Jobs. Mais avec le temps, je me suis rendu compte que cet homme était le mal incarné. »

Dans une lettre adressée aux actionnaires, Jobs annonça avec fierté que Pixar avait obtenu les droits à 50/50 sur tous les films produits en collaboration avec Disney – ainsi que sur les jouets et les produits dérivés. « Nous voulons que Pixar devienne un label qui inspire autant confiance que Disney, écrivait-il. Mais pour gagner cette confiance, le public doit savoir que Pixar fait des films. » Jobs était connu pour ses produits révolutionnaires. Mais il avait également le don de créer de grandes sociétés, ayant un fort capital sympathie auprès du public. Il en fonda ainsi deux parmi les plus importantes du siècle : Apple et Pixar.

CHAPITRE VINGT-DEUX

LA SECONDE VENUE

Le loup dans la bergerie

Steve Jobs, en 1996.

Le château s'écroule

Lorsque Jobs dévoila le NeXT en 1988, il y eut un moment d'euphorie. Mais cette excitation était retombée quand l'ordinateur, près d'un an plus tard, fut enfin mis sur le marché. Jobs, malgré ses qualités de communicant, ne parvint pas, cette fois, à charmer la presse. Et il y eut plusieurs mauvais articles. « Le NeXT est incompatible avec les autres machines, à une époque où le secteur s'oriente clairement vers des plateformes interchangeables, écrivit Bart Ziegler de l'Associated Press. Comme il existe très peu de logiciels tournant sur cet ordinateur, il va être difficile d'attirer le client. »

NeXT tenta de se présenter comme le chef de file d'une nouvelle catégorie de machines – des stations de travail puissantes ayant la convivialité d'un ordinateur personnel. Mais les clients susceptibles d'être intéressés par le concept achetaient déjà des Sun, la société montante sur ce segment de marché. Les revenus de NeXT pour l'année 2010 s'élevèrent à vingt-huit millions de dollars. Sun Microsystems, pour sa part, en avait engrangé deux milliards et demi ! IBM ne renouvelant pas sa licence d'exploitation du logiciel de NeXT, Jobs fut contraint de commettre un acte contre nature. Même s'il croyait aux vertus des machines conçues de façon verticale, intégrant dans une même chaîne matériel et logiciel, il accepta, en janvier 1992, d'ouvrir la licence du système NeXTSTEP, pour que d'autres fabricants d'ordinateurs puissent l'utiliser.

Jean-Louis Gassée, contre toute attente, se fit le défenseur de Jobs, même s'il avait joué des coudes pour lui prendre sa place chez Apple – avant d'être éjecté lui-même quelque temps plus tard. Dans un communiqué, il disait à quel point l'ordinateur était novateur. « NeXT n'est peut-être pas Apple, mais le génie de Steve Jobs demeure. » Quelques jours plus tard, on toqua à la porte de chez Gassée. Sa femme alla ouvrir et se précipita dans la chambre pour annoncer à son mari que Jobs l'attendait dans l'entrée. Il le remercia pour son soutien et l'invita à une soirée où Andy Grove d'Intel montait sur scène avec Jobs pour annoncer que NeXTSTEP serait bientôt compatible avec la plateforme IBM/Intel. « Je me suis retrouvé assis à côté du père de Steve, raconte Gassée, un homme impressionnant, très digne. Il avait élevé un enfant difficile ; mais il était fier et heureux de le voir sur scène avec Andy. »

Un an plus tard, Jobs franchit l'étape suivante – inévitable : il arrêta la fabrication des ordinateurs NeXT. Ce fut une décision douloureuse, comme lorsqu'il avait fallu interrompre celle des Pixar Image Computer. Il aimait tous ses produits, mais les ordinateurs étaient sa passion de toujours. Il affectionnait les beaux designs, « la belle mécanique », et il passait des heures à contempler ses robots accomplir un travail parfait. Il dut se séparer de la moitié de ses effectifs, vendre sa chère usine à Canon (qui lorgnait sur sa chaîne d'assemblage automatisée) et se contenter d'une société vendant un système d'exploitation révolutionnaire à des fabricants de machines laides et besogneuses.

Au milieu des années 1990, Jobs appréciait sa vie de famille et son succès en nouveau magnat d'Hollywood, mais il se languissait de revenir à la Silicon Valley. « Toute innovation s'est arrêtée, expliquait-il à Gary Wolf de *Wired* à la fin de l'année 1995. Microsoft domine le marché sans la moindre imagination. Apple a perdu. L'ordinateur de bureau est entré dans son âge obscur. »

Il afficha le même pessimisme dans l'interview qu'il donna, à la même époque, à Anthony Perkins et ses collègues de *Red Herring*. D'abord il leur montra le « Bad Steve » ; après que Perkins et son équipe eurent pris place, Jobs s'esquiva par une porte dérobée, officiellement « pour prendre l'air » et ne revint qu'au bout de trois quarts d'heure. Quand la photographe du magazine voulut prendre quelques photos, il la rabroua sans vergogne et la fit se rasseoir. Perkins s'interroge encore : « Machiavélisme, narcissisme, besoin exacerbé de domination… Je ne voyais pas ce qui pouvait motiver un tel comportement. » Quand, enfin, Jobs fut prêt pour l'entretien, il annonça que l'essor d'Internet ne changerait rien à la domination de Microsoft. « Windows a gagné. Il a vaincu le Mac − et c'est bien triste ; il a vaincu Unix, il a vaincu OS/2[1]. Un produit inférieur a remporté la victoire. »

L'échec de NeXT ébranla les certitudes de Jobs. « On a commis une erreur, celle de vouloir reproduire ce qui avait fonctionné avec Apple, de concevoir encore une fois une machine "tout en un", déclara-t-il en 1995. Nous aurions dû nous apercevoir que le monde avait changé et nous contenter de développer des logiciels dès le début. » Mais Jobs avait beau faire ce genre d'analyse pragmatique, il avait du mal à être un simple commerçant. Au lieu de concevoir des machines révolutionnaires pour la plus grande joie des consommateurs, il se retrouvait à vendre NeXTSTEP comme un vulgaire VRP. « J'étais très triste de ne pouvoir vendre des ordinateurs à des individus. Je n'étais pas sur terre pour céder des licences d'utilisation à des entreprises et voir tourner mon logiciel sur les machines pourries des autres fabricants. »

---

1. Système d'exploitation développé par IBM. *(N.d.T.)*

La chute de la Pomme

Dans les années qui suivirent l'éviction de Jobs, Apple coula des jours heureux, profitant de sa domination sur le marché des ordinateurs personnels pour réaliser de fortes marges. John Sculley, qui était perçu comme un génie en 1987, fit une série d'annonces qui, aujourd'hui, choquerait la plupart des gens. « Jobs voulait qu'Apple devienne une grande société offrant au plus grand nombre des machines d'exception, écrivait-il. C'était un projet insensé... Apple ne vendra jamais des produits de grande consommation... on ne peut distordre ainsi la réalité, même si on rêve de changer le monde... la haute technologie ne peut devenir un bien de consommation. »

Jobs était effaré par ces propos. Il était furieux contre Sculley qui, depuis le début des années 1990, était, jugeait-il, « le président du déclin Apple ». « John est en train de faire couler la société ! Il a apporté trop de gens corrompus, et trop de mauvaises valeurs. Ils ne songent qu'à gagner de l'argent – pour eux-mêmes, en premier lieu – et se contrefichent de faire de bons produits. » Le mercantilisme de Sculley empêchait la Pomme de gagner des parts de marché. « Le Macintosh a perdu contre Microsoft parce que John a voulu engranger un maximum de profits au lieu d'améliorer le produit, et de le rendre accessible au plus grand nombre. »

Il fallut quelques années à Microsoft pour copier l'interface graphique du Macintosh, mais en 1990, à force d'opiniâtreté, ce fut chose faite avec Windows 3.0, et l'essor de la compagnie de Seattle fut irrésistible. Windows 95, qui sortit en 1995, sera le système d'exploitation le plus vendu au monde, et les ventes du Macintosh s'effondrèrent. « Microsoft a pillé notre travail, se lamentait Jobs. Ils ont consacré toute leur énergie à régner sur le marché des compatibles IBM. Apple méritait la place de leader. Après mon départ, ma société n'a plus rien inventé. Le Mac a à peine été amélioré. Et Bill Gates s'est engouffré dans la brèche. »

Sa frustration était évidente quand il donna une conférence à un club de la Stanford Business School au domicile d'un étudiant. Son hôte lui demanda ensuite s'il voulait bien signer le clavier de son Macintosh. Jobs accepta à condition d'enlever les commandes directionnelles du curseur qui avaient été ajoutées après son départ. À l'aide d'une clé, il fit sauter les quatre flèches ainsi que les touches de fonction, F1, F2, F3… qu'il avait également bannies à l'origine. « Il faut remettre le monde dans le droit chemin, machine par machine », déclara-t-il, puis il signa le clavier mutilé.

En 1995, alors qu'il passait Noël au Kona Village à Hawaii, Jobs fit une longue marche avec son ami Larry Ellison, le P-DG d'Oracle. Ellison lui parla de tenter une OPA pour reprendre le pouvoir chez Apple. Ellison pouvait mettre trois milliards sur la table.

— Je rachète Apple, et tu auras tout de suite 25 pour cent des parts en tant que P-DG, et tu pourras rendre à la Pomme sa splendeur d'antan.

Mais Jobs refusa.

— Je ne suis pas un de ces requins de la Bourse. S'ils me demandent de revenir, ça pourrait être différent.

En 1996, les parts de marché d'Apple étaient de 4 pour cent alors qu'elles étaient de 16 pour cent dans les années 1980. Michael Spindler, qui avait remplacé John Sculley en 1993, tenta de vendre la société à Sun Microsystems, IBM, Hewlett-Packard. En vain. Il fut à son tour remplacé à la barre par Gil Amelio, ingénieur électronicien de formation, ancien P-DG de la National Semiconductor. Durant la première année de son règne, la compagnie perdit un milliard de dollars, et l'action, qui valait encore soixante-dix dollars en 1991, n'en cotait plus que quatorze, alors même que la bulle Internet envoyait de nombreux titres du secteur technologie dans la stratosphère.

Amelio ne portait guère Jobs dans son cœur. Ils s'étaient rencontrés pour la première fois en 1994, juste après son élection à la tête d'Apple. Jobs l'avait appelé : « Je veux vous voir. » Amelio lui avait donné rendez-vous dans son bureau de la National Semiconductor. Il se souvient encore de l'arrivée de Jobs : « On eût dit un boxeur, agressif et gracieux à la fois, ou plutôt un félin prêt à fondre sur sa proie. » Après quelques politesses d'usage – un rite auquel Jobs se pliait rarement – il annonça la raison de sa visite. Il voulait qu'Amelio l'aide à revenir chez Apple comme P-DG. « Il n'y a qu'une seule personne qui puisse rallier les troupes. Une seule qui puisse redresser cette société. » L'ère du Macintosh était révolue.

Il était temps pour Apple de lancer un nouveau produit, qui soit aussi innovant que le Mac.

— Si le Mac est mort, qu'est-ce qui va le remplacer ? demanda Amelio.

La réponse ne le convainquit pas. « Steve était évasif. Comme s'il n'avait que de belles phrases, mais rien de tangible. » Amelio reconnut le champ de distorsion de la réalité et fut très fier d'y résister. Il expédia le rendez-vous et renvoya Jobs dans ses pénates.

À l'été 1996, le P-DG rencontra un sérieux problème. Apple fondait tous ses espoirs sur un nouveau système d'exploitation, nommé Copland, mais Amelio, peu après sa nomination, apprit que Copland ne réglerait pas les faiblesses de l'ancien système du Mac dans la gestion des réseaux et la protection de la mémoire vive et, pis encore, qu'il ne serait pas fonctionnel en 1997 comme prévu. Amelio annonça publiquement qu'il allait trouver rapidement une alternative. Mais, il n'avait aucune solution sous le coude.

Apple avait donc besoin d'un partenaire, d'une société capable de lui fournir un système d'exploitation stable, de préférence sous Unix et doté d'une couche de programmation orientée objet. Une seule compagnie à l'évidence pouvait fournir un tel logiciel : NeXT, mais il fallut un temps fou à Apple pour s'en rendre compte.

Au début, Apple courtisa Be, la société fondée par Jean-Louis Gassée. Gassée commença à négocier le rachat de Be par la Pomme, mais en août 1996, il dévoila ses réelles intentions lors d'une rencontre avec Amelio à Hawaii : il voulait transférer son équipe de cinquante personnes chez Apple et il demandait 15 pour cent des parts de la société, contre cinq cents millions de dollars. Amelio était sous le choc. Apple, au mieux, estimait Be à cinquante millions de dollars. Après quelques offres et contre-offres, Gassée refusa de descendre en dessous de deux cent soixante-quinze millions de dollars. Il pensait qu'Apple était le dos au mur ; Amelio eut vent que le Français fanfaronnait en privé : « Je les tiens par les couilles, et je vais les serrer bien fort ! » Amelio n'apprécia pas du tout.

Ellen Hancock, la directrice technique d'Apple, voulait prendre le Solaris, le système d'exploitation sous Unix de Sun Microsystems, même s'il n'avait pas d'interface conviviale. Amelio, de son côté, songeait à utiliser le Windows NT de Microsoft, qui pouvait être retravaillé en surface pour ressembler au système du Mac tout en restant compatible avec tous les logiciels écrits pour les PC. Bill Gates, flairant le bon coup, appela personnellement Amelio pour conclure l'affaire.

Il y avait, évidemment, une autre option. Deux ans plus tôt, Guy Kawasaki, le chroniqueur du magazine *Macworld* (et l'ancien « évangéliste » de la Pomme), avait publié dans le magazine une parodie racontant qu'Apple rachetait NeXT et élisait Jobs comme P-DG. L'article mettait en scène Mike Markkula s'adressant à Jobs : « Tu veux passer le reste de ta vie à vendre Unix avec un joli enrobage, ou changer le monde ? » Et Jobs répondait : « Désormais, je suis père de famille, et je ne peux plus jouer les aventuriers. » L'article faisait cette supputation : « Suite à ses déboires avec NeXT, il est possible que Jobs, pour son retour dans le giron de la maison mère, apportera à la direction d'Apple une dose d'humilité. » Bill Gates aussi était cité ; il disait que, si Jobs revenait en piste, Microsoft aurait à nouveau des innovations à copier ! Tout était inventé et purement humoristique. Mais la réalité a cette fâcheuse habitude de rattraper toutes les satires.

D'un pas nonchalant, vers Cupertino

— Qui connaît suffisamment Steve Jobs pour l'appeler ? demanda Amelio à son équipe.

Sa rencontre deux ans plus tôt s'étant mal terminée, Amelio ne voulait pas téléphoner lui-même. Mais personne n'eut besoin de l'appeler… Apple recevait déjà des signaux de NeXT. Garrett Rice, un cadre marketing de NeXT, décrocha un jour son téléphone et, de son propre chef, demanda à Ellen Hancock si elle serait intéressée de venir voir tourner leur logiciel. Elle envoya aussitôt quelqu'un.

À Thanksgiving de 1996, les deux sociétés avaient engagé des pourparlers en coulisses ; Jobs prit alors son téléphone pour appeler Amelio directement. « Je pars pour le Japon, mais je reviens dans une semaine. J'aimerais vous voir dès mon retour. Ne prenez aucune décision avant qu'on ne se soit parlé. » Amelio, malgré le goût amer que lui avait laissé leur dernière rencontre, était ravi de cet appel, et il caressa l'espoir d'une collaboration. « Pour moi, ce coup de fil de Steve, c'était comme humer un grand cru. » Amelio lui donna sa parole ; il ne signerait rien, ni avec Be, ni avec qui que ce soit, avant qu'ils ne se soient entretenus.

Pour Jobs, le combat contre Be était à la fois professionnel et personnel. NeXT était en échec et l'idée d'être racheté par Apple était une bouée de sauvetage plus que tentante. En outre, Jobs était très rancunier et parfois cela frisait l'obsession. Et Gassée figurait en belle position sur sa liste noire, peut-être encore plus haut que Sculley. « Gassée est vraiment un sale type, me confiera Jobs. C'est l'une des rares personnes en ce monde dont je dirais qu'elle est le mal incarné. En 1985, il m'a poignardé dans le dos. » On peut reconnaître à Sculley, en bon gentleman, qu'il avait eu l'élégance de le poignarder en face.

Le 2 décembre 1996, Steve Jobs revint à Cupertino pour la première fois depuis onze ans. Dans la salle de réunion, il retrouva Amelio et Ellen Hancock pour présenter NeXT. Une fois encore, il gribouilla des graphiques sur le tableau blanc ; il parla des quatre générations de systèmes d'exploitation qui avaient marqué le siècle, dont la dernière en date était NeXTSTEP. Le logiciel de Be n'était pas prêt, expliqua-t-il, et il était beaucoup moins performant que celui de NeXT. Il déploya des trésors de charme, même s'il s'adressait à des gens qu'il méprisait. Le numéro de modestie fut particulièrement convaincant : « C'est sans doute de la folie, mais je suis prêt à accepter l'accord que vous voudrez : la licence de notre système, le rachat de NeXT, à vous de décider. » En réalité, Jobs tenait à vendre, et adroitement, il abonda en ce sens. « Mais quand vous y regarderez de plus près, vous allez vouloir plus que mon logiciel. Vous allez avoir envie de prendre toute la société et les gens qui vont avec ! »

— Tu sais, Larry, je crois que j'ai trouvé le moyen de revenir à Apple et de reprendre les rênes sans avoir besoin de débourser un sou ! annonça Jobs à Ellison, pendant une longue marche alors qu'ils passaient Noël au Kona Village.

« Il m'a expliqué sa stratégie, raconte Larry Ellison. Il allait convaincre Apple de racheter NeXT, puis de le nommer au conseil d'administration ; le poste de P-DG serait alors à sa portée. »

Mais Ellison voyait une faille dans ce plan :

— Si nous ne rachetons pas Apple, comment allons-nous gagner de l'argent ?

C'était le rappel de leur divergence de motivation. Jobs posa la main sur l'épaule d'Ellison et le tira à lui, si près que leurs nez se touchaient presque.

— Larry, c'est pour ça que c'est si important que nous soyons amis. Nous n'avons pas besoin d'argent.

— Je n'ai peut-être pas besoin de cet argent, mais ce n'est pas une raison pour laisser un fonds d'investissement récupérer le pactole à notre place. Pourquoi en faire profiter les autres et pas nous ?

— Si je retourne à Apple, je n'aurai aucune part dans la société, et toi non plus. Ma position morale n'en sera que plus forte.

— Elle nous coûte bonbon ta position morale... Mais c'est d'accord, Steve, tu es mon meilleur ami et Apple est ta société. Fais comme tu veux, je te suis.

Mais Larry Ellison savait alors que le processus était inéluctable : Steve Jobs serait le prochain P-DG d'Apple. « Quiconque passe une demi-heure avec Amelio s'aperçoit que ce type ne connaît qu'un mode de fonctionnement : l'autodestruction. »

La grande finale entre NeXT et Be eut lieu au Garden Court Hotel de Palo Alto, le 10 décembre, devant Amelio, Ellen Hancock et six autres cadres d'Apple. NeXT passa en premier. Avie Tevanian présenta le système d'exploitation tandis que Jobs fit une démonstration de ses talents de commercial. Ils montrèrent que le logiciel pouvait faire tourner quatre vidéos simultanément à l'écran, gérer du multimédia et des liens Internet. « La présentation de Steve fut étonnante, reconnut Amelio. Il expliquait les capacités de son système avec le même enthousiasme que s'il décrivait la prestation de Laurence Olivier dans *Macbeth*. »

Gassée vint ensuite. Il était tellement sûr de l'emporter qu'il ne joua pas les VRP pour sa société. Il se contenta de dire qu'Apple connaissait les possibilités du système d'exploitation de Be et demanda s'il y avait des questions. Ce fut très court. Pendant que Gassée passait son oral, Jobs et Tevanian se promenèrent dans les rues de Palo Alto. Au bout d'un moment, ils croisèrent par hasard l'un des cadres Apple présents à la réunion. « C'est bon, les gars, vous avez remporté le morceau. »

Tevanian expliquera plus tard que cela n'avait rien d'étonnant : « Nous avions une technologie supérieure, un logiciel opérationnel, et nous avions Steve ! » Faire revenir Jobs au bercail était une épée à double tranchant pour Amelio, mais le risque était le même avec Gassée. Larry Tesler, l'un des anciens de la *dream team* du Macintosh, expliqua qu'il valait mieux choisir NeXT, mais ajouta : « Quelle que soit la société que tu choisis, Gil, tu auras à tes côtés quelqu'un qui voudra prendre ta place. »

Amelio opta donc pour Jobs. Il lui téléphona pour lui annoncer qu'il comptait demander au conseil d'administration l'autorisation d'ouvrir les négociations pour le rachat de NeXT. Il lui proposa d'assister à la séance. Quand Jobs entra dans la salle du conseil, l'émotion le saisit. Mike Markkula était là. Il n'avait pas revu son mentor depuis qu'il avait soutenu Sculley en 1985. Jobs marcha vers lui et lui serra la main. Puis, sans l'aide de Tevanian ni de qui que ce soit, il fit une nouvelle démonstration de NeXTSTEP. À la fin, les administrateurs étaient emballés.

Jobs invita Amelio chez lui, dans sa maison de Palo Alto pour qu'il puisse négocier dans un cadre moins formel. Quand le P-DG arriva dans sa Mercedes de 1973, cela fit bonne impression. Jobs aimait cette voiture. Dans la cuisine, qui était enfin rénovée, Jobs mit une bouilloire à chauffer pour préparer le thé et les deux hommes s'installèrent à la table de ferme, devant le four à pizza grand ouvert. La partie financière ne posa pas de problèmes majeurs. Jobs ne voulait pas se montrer trop gourmand, à l'inverse de Gassée. Il proposa qu'Apple achète douze dollars l'action de NeXT. Cela fixait le prix de la société à cinq cents millions de dollars. C'était trop cher pour Amelio qui fit une contre-proposition : dix dollars l'action, pour un total d'un peu plus de quatre cents millions. À l'inverse de Be, NeXT avait un logiciel opérationnel, et une équipe d'informaticiens hors pair, mais Jobs fut néanmoins surpris par la générosité de l'offre. Il s'empressa d'accepter.

En revanche, le patron de NeXT voulait être payé en argent sonnant et trébuchant… « Tu dois te mouiller, Steve », insista Amelio. Il devait être payé en actions et s'engager à les garder pendant au moins une année. Jobs refusa. Finalement, ils trouvèrent un compromis. Jobs aurait cent vingt millions en liquidités et trente-sept millions en titres Apple, avec engagement de les conserver pendant six mois.

Comme de coutume, Jobs voulut effectuer une part des négociations en marchant. Pendant qu'ils sillonnaient les rues de Palo Alto,

Jobs annonça qu'il avait l'intention de siéger au conseil d'administration. Amélio tenta de botter en touche, disant que c'était un peu
tôt, qu'il y avait encore trop de rancœur.

— Gil, c'est vraiment une torture. C'était ma société. J'en ai été
banni depuis ce jour terrible avec Sculley !

Amelio comprenait, mais il n'était pas certain que le conseil accé-
derait à cette demande. Quand il avait ouvert les pourparlers avec
l'ancien fondateur d'Apple, il s'était fait deux recommandations :
« agir avec logique et rationalité » et « se méfier de son charisme ».
Mais, durant leur promenade, il fut pris, comme tant d'autres, dans
son champ de distorsion. « J'ai été emporté par son enthousiasme
et son énergie. »

Après avoir fait plusieurs fois le tour du quartier, les deux hommes
retournèrent dans la maison au moment où Laurene et les enfants
arrivaient. Ils fêtèrent tous ensemble la fin heureuse des négociations, et Amelio repartit dans sa belle Mercedes. « On s'est quittés
comme deux amis de longue date. » Jobs avait, en effet, un certain
talent pour créer cette illusion. Plus tard, lorsque Amelio sera bouté
dehors, il reviendra sur terre : « Ce n'était qu'un leurre, l'une des
multiples facettes de sa personnalité complexe. »

Après avoir annoncé à Gassée qu'Apple rachetait NeXT, Amelio
avait encore un coup de fil à passer, et celui-là promettait d'être
encore plus pénible. Il devait appeler Bill Gates. « Il a piqué une
grosse colère », raconte le P-DG. Le patron de Microsoft n'en revenait pas que l'outsider ait remporté la mise – et en même temps
de la part de Jobs plus rien ne l'étonnait. « Steve n'a rien sous le
capot, tu le sais pourtant ! Je connais la technologie de son système,
ce n'est que de l'UNIX avec un joli habillage. Jamais tu ne pourras
le faire tourner sur tes machines. » Gates, comme Jobs, avait la critique prolixe. La salve dura deux ou trois minutes : « Steve ne
connaît rien à la technique. C'est juste un super VRP. Comment
avez-vous pu prendre une décision aussi stupide ? C'est une bille
en informatique et 99 pour cent de ce qu'il dit est complètement
faux. Pourquoi avez-vous acheté cette merde ? »

Des années plus tard, quand j'ai évoqué avec Bill Gates cet épisode, il ne se rappelait plus s'être mis autant en colère. « Amelio a
payé une blinde pour rien : le système d'exploitation de NeXT n'a
jamais été utilisé ! » Effectivement, Avie Tevanian améliora le

logiciel existant d'Apple et c'est ce dernier qui se retrouva intégré au noyau du NeXT. Gates savait, à l'époque, qu'avec ce rachat, Jobs visait le poste de P-DG. « Sans le savoir, Apple venait d'acheter à prix d'or son nouveau chef… alors que personne de sensé n'aurait parié un dollar sur lui. Mais Steve était un type brillant, avec un grand sens du design et le goût des beaux objets. Et il est parvenu à réfréner suffisamment sa folie pour être nommé P-DG par intérim. »

Contrairement à ce que pensaient Ellison et Gates, Jobs était en proie à de grands doutes. Il ne savait pas s'il devait reprendre un rôle actif chez Apple, du moins tant qu'Amelio était en poste. Quelques jours avant que le rachat de NeXT soit officiellement annoncé, Amelio avait demandé à Jobs de rejoindre Apple à plein temps et de diriger le développement du système d'exploitation. Mais l'ex-patron de la Pomme tergiversait et n'avait toujours pas donné sa réponse.

Enfin, le jour de l'annonce officielle, Amelio fit venir Jobs dans son bureau. Il lui fallait une réponse.

— Steve, tu peux prendre ton argent et t'en aller. Si c'est ça que tu veux, pas de problème.

Jobs ne répondait pas. Il se contentait de regarder Amelio.

— Tu veux être salarié de la société ? Comme conseiller ?

Encore une fois Jobs demeura silencieux. Amelio, excédé, sortit du bureau et alla trouver Larry Sonsini, l'avocat de Jobs, pour lui demander ce que son client voulait.

— Je n'en ai aucune idée, répliqua-t-il.

Alors le P-DG revint dans la pièce, ferma les portes et tenta encore sa chance :

— Steve, que se passe-t-il ? Je t'en prie, il me faut une réponse.

— Je n'ai pas dormi de la nuit.

— Pourquoi ? Quel est le problème ?

— Je réfléchissais à tout ce que je vais avoir à faire, et à notre accord. Je dois tout gérer de front. Je suis vraiment fatigué et je n'arrive pas à avoir les idées claires. Je ne veux plus qu'on me pose de questions.

Amelio rétorqua que c'était impossible. Il ne pouvait faire l'impasse là-dessus.

Enfin, Jobs mit fin au supplice du P-DG :

— Dis-leur que je suis le consultant d'Apple.

Et c'est ce que fit Amelio.

L'annonce fut faite le soir même – le 20 décembre 1996 – devant deux cent cinquante employés réjouis. Comme prévu, Amelio décrivit le nouveau rôle de Jobs : un simple conseiller à mi-temps. Au lieu d'apparaître par les coulisses, il fit son entrée par le fond de la salle et descendit l'allée. Amelio avait dit à l'assistance que l'ex-patron d'Apple était trop fatigué pour prendre la parole, mais les applaudissements avaient dû lui donner un coup de fouet.

— Je suis très heureux, déclara-t-il au micro. Et très impatient de retrouver mes anciens collègues !

Louise Kehoe du *Financial Times* monta sur scène dès la fin de la présentation et lui demanda, d'un ton suspicieux, s'il comptait reprendre les rênes d'Apple.

— Oh non, Louise. J'ai un tas d'autres priorités dans ma vie. J'ai une famille. J'ai Pixar. Mon emploi du temps n'est pas extensible, mais si je peux apporter quelques idées…

Le lendemain, Jobs se rendit chez Pixar. Il aimait beaucoup cet endroit, et il voulait que l'équipe sache qu'il ne les abandonnait pas. Il resterait un président toujours aussi impliqué. Mais les gens de Pixar étaient contents de le voir passer du temps chez Apple ; l'avoir un peu moins derrière leur dos n'était pas pour leur déplaire. La présence de Steve Jobs était essentielle lors des grandes négociations, mais il pouvait être toxique au quotidien. Dès son arrivée à Pixar ce jour-là, il alla voir Lasseter pour lui expliquer que son rôle de consultant chez Apple ne l'accaparerait pas trop. Il voulait la bénédiction du réalisateur.

— Je ne cesse de penser à tout le temps que je ne vais plus pouvoir passer avec ma famille ni avec mon autre famille, ici, avec vous. La seule raison qui me pousse à le faire, c'est que le monde se portera mieux si je reviens chez Apple.

Lasseter sourit gentiment.

— Tu as ma bénédiction, Steve.

CHAPITRE VINGT-TROIS

LA RESTAURATION

Car le perdant d'aujourd'hui sera
le gagnant de demain...

Amelio faisant monter Wozniak sur scène, tandis que Jobs se tient à l'écart, en 1997.

Attendre en coulisses

« Il est rare qu'un artiste trentenaire ou quadragénaire produise une œuvre réellement novatrice », avait déclaré Jobs avant de passer le cap des trente ans.

Ce fut vrai pour la trentaine de Jobs qui avait débuté avec son éviction d'Apple. Mais passé le cap de la quarantaine en 1995, la créativité de Jobs se fit prolixe. *Toy Story* sortit cette année-là, et l'année suivante, le rachat de NeXT par Apple lui permit de reprendre pied dans la société qu'il avait créée. Avec ce retour chez Apple, il allait montrer que les gens de quarante ans n'étaient pas à court d'idées. Il avait révolutionné le monde de la micro-informatique à vingt ans ; il allait en faire de même aujourd'hui pour celui des musiciens, de l'industrie du disque, des téléphones portables, des tablettes graphiques, du livre et du journalisme.

Jobs avait expliqué à Larry Ellison que son plan, avec le rachat de NeXt, était de siéger au conseil d'administration et d'attendre le premier faux pas d'Amelio pour lui souffler la place. Ellison avait eu du mal à admettre que Jobs ne faisait pas ça pour l'argent. C'était pourtant le cas – du moins en partie. Il n'avait pas les pulsions consuméristes d'Ellison, ni les ambitions philanthropiques d'un Gates. Il se fichait de la place que *Forbes* pouvait lui attribuer dans son classement des plus grandes fortunes du pays. Ce que son ego réclamait, c'était de laisser une trace dans l'histoire. Un double legs : un : créer des produits innovants qui allaient bouleverser la vie des gens ; deux : édifier une société pérenne qui lui survivrait. Il voulait sa place au panthéon des grands inventeurs du siècle en compagnie de Edwin Land, Bill Hewlett et David Packard – et si possible, juste un peu au-dessus. Le meilleur moyen d'y parvenir, c'était de retourner chez Apple et de réclamer son royaume.

Mais voilà... au moment où le chemin de la restauration s'ouvrait devant lui, Jobs hésita. Il n'avait pas de scrupule à évincer Gil Amelio. C'était dans sa nature de conquérant ; une fois établi qu'Amelio était un incapable, c'était un passage obligé. Et pourtant, maintenant que la coupe du pouvoir était à portée de lèvres, il se révéla brusquement timoré.

Jobs débarqua en janvier 1997, en qualité de simple conseiller à mi-temps, comme il l'avait annoncé à Amelio. Il s'occupa d'abord de ses affaires, en particulier de protéger les gens de NeXT qui l'avaient suivi chez Apple. Mais dans les autres domaines, il se montra curieusement passif. Le fait qu'on ne lui ait pas proposé de siéger au conseil l'avait vexé. Et il n'avait aucune envie d'être réduit à superviser le développement du nouveau système d'exploitation. C'eût été rendre la part trop belle à Amelio – être à la fois dans la place et en même temps dehors. Ainsi que Jobs me le confiera, il recherchait la tranquillité :

Gil ne me voulait pas dans ses pattes. Et moi, je le considérais comme un incapable. C'était un fait établi avant même de lui vendre NeXT. On allait donc me sortir de mon placard juste pour les grandes occasions comme les Macworld Expo. Ce qui m'allait parfaitement, parce que je m'occupais déjà de Pixar. J'ai donc loué un bureau à Palo Alto pour y travailler quelques jours par semaine, et je passais le reste du temps avec l'équipe de John Lasseter. C'était une vie agréable. Je pouvais lever le pied, rester plus longtemps avec ma famille.

Jobs, effectivement, fut invité à la Macworld Expo début janvier. Et il fut conforté dans son jugement : Amelio était bien incompétent. Près de quatre mille personnes s'étaient arraché les places du grand salon du Marriott de San Francisco pour assister à la conférence du P-DG. Le maître de cérémonie était l'acteur Jeff Goldblum, qui avait sauvé le monde dans *Independence Day* grâce à un PowerBook[1]. « J'ai joué, dans *Jurassic Park,* un expert de la théorie du chaos, déclara-t-il au moment de faire monter sur scène Amelio. Cela fait de moi le présentateur idéal pour un événement Apple ! » Il se tourna vers le P-DG qui arriva vêtu d'un blaser et d'une chemise à rayures avec un col officier boutonnée jusqu'en haut. « On aurait dit un comique de Las Vegas », écrivit Jim Carlton, le journaliste du *Wall Street Journal* ou, comme le dit l'écrivain Michael Malone, « le tonton qui vient de divorcer venant à son premier rendez-vous galant ! ».

Mais il y avait plus grave. Amelio rentrait tout juste de vacances ; il s'était disputé avec les rédacteurs de son allocution et avait refusé de répéter. Quand Jobs arriva en coulisses, il découvrit l'ampleur des dégâts. Amelio, au pupitre, s'était lancé dans une présentation incohérente. Ayant du mal à suivre le plan qui défilait sur son téléprompteur, il avait tenté d'improviser. À plusieurs reprises, il perdit totalement le fil. Après plus d'une heure de supplice, la salle n'en pouvait plus. Par chance, il y eut quelques intermèdes, comme le chanteur Peter Gabriel qui vint montrer les possibilités d'un nouveau programme de composition musicale. Mohammed Ali était assis au premier rang ; le champion devait prendre le micro pour promouvoir un site sur la maladie de Parkinson. Mais le P-DG oublia de le faire monter sur scène et n'expliqua même pas la raison de sa présence dans la salle.

---

1. Ordinateur portable Apple. *(N.d.T.)*

Il ânonna ainsi pendant deux heures avant d'appeler au pupitre la personne que tout le monde attendait. « Jobs, sûr de lui, charismatique, orateur né, était l'antithèse d'Amelio, nota Jim Carlton. Le retour d'Elvis n'aurait pas fait plus sensation. » Toute la salle se mit debout et l'ovationna pendant plus d'une minute. Le long exil était terminé. Finalement, il fit signe à son public de se rasseoir et entra tout de suite dans le vif du sujet : « Il faut rallumer la flamme ! Le Mac n'a pas beaucoup évolué en dix ans. Alors Windows en a profité. Nous devons sortir un nouveau système d'exploitation encore plus révolutionnaire. »

L'intervention aurait été l'épilogue parfait de cette soirée et aurait fait oublier la piètre prestation du P-DG. Mais Amelio revint au micro pour torturer une heure de plus l'auditoire. Enfin, il se prépara à conclure… il appela à nouveau sur scène Jobs et – coup de théâtre – Steve Wozniak. De nouveau, la foule fut en délire. Mais Jobs, visiblement, était contrarié. Pour éviter cette image du trio conquérant, bras en l'air en signe de victoire, il obliqua discrètement vers les coulisses. Amelio n'était pas content : « Steve a fichu en l'air mon effet. Il a fait passer ses sentiments avant l'image médiatique d'Apple. » On n'était que le 7 janvier ; il était évident que l'entente cordiale ne tiendrait pas.

Jobs plaça immédiatement ses gens à des postes clés. « Je tenais à ce que les personnes de valeur qui venaient de NeXT ne soient pas poignardées dans le dos par des apparatchiks incompétents. » Ellen Hancock, qui avait milité pour le Solaris de Sun plutôt que pour NeXTSTEP, figurait en haut de sa liste des indésirables, d'autant plus qu'elle continuait à vouloir utiliser le noyau de Solaris pour le nouveau Mac OS. Quand un journaliste lui demanda quelle influence pouvait avoir l'ancien patron de NeXT dans ce choix technique, elle répondit : « Aucune. » Elle se trompait lourdement. Jobs s'assura en priorité que deux de ses fidèles lui retirent tout pouvoir décisionnel.

Pour superviser le développement du nouveau système d'exploitation, il fit appel à son compère Avie Tevanian. À la direction du département matériel, il nomma Jon Rubinstein, qui avait autrefois occupé le même poste chez NeXT. Rubinstein était en vacances sur l'île de Skye quand Jobs l'appela. « Apple a besoin de ton aide. Tu viens nous donner un coup de main ? » Rubinstein répondit présent. Il rentra juste à temps pour la Macworld Expo et vit Amelio s'atomiser en public. La situation était encore plus grave que prévu. Rubinstein et Tevanian échangeaient des regards consternés pendant les réunions comme s'ils venaient de débarquer dans un asile de fous, où les gens tenaient des propos incohérents tandis qu'Amelio, en bout de table, semblait dans un état de stupeur avancée.

Jobs ne venait pas tous les jours au bureau, mais il avait régulièrement le P-DG au téléphone. Une fois qu'il fut certain que Rubinstein, Tevanian et le reste des troupes tenaient les postes clés, il reporta son attention sur la ligne des produits Apple. Le pire de la liste, à ses yeux, était le Newton, un assistant personnel équipé, vantait la publicité, d'un système de reconnaissance d'écriture. Il n'était pas si mauvais que ça, mais Jobs détestait viscéralement cet appareil. En particulier son stylet qui servait à écrire sur l'écran. « Dieu nous a donné dix stylets, disait-il en agitant les doigts. On n'a besoin de rien d'autre ! » En outre, c'était un projet signé Sculley. Rien que cette paternité suffisait à signer son arrêt de mort.

— Il faut abandonner le Newton, annonça-t-il un jour à Amelio au téléphone.

Cette idée sortait de nulle part. Amelio tenta de défendre le produit.

— Comment ça « abandonner le Newton ? ». Tu sais combien il nous a coûté ?

— Il faut arrêter ça, tout stopper, le jeter aux oubliettes ! Peu importe l'argent investi. Les gens seront ravis que tu mettes un terme à cette hérésie.

— J'ai étudié le Newton. Ça va faire un carton. Je refuse d'arrêter la production.

En mai, toutefois, Amelio annonça l'arrêt du développement du Newton. Ce fut le premier revirement de sa politique de management, le premier des multiples pas qui, une année durant, inéluctablement, le conduisirent vers sa fin.

Tevanian et Rubinstein passaient régulièrement chez Jobs pour le tenir informé. Toute la Silicon Valley avait compris que l'ancien d'Apple, discrètement, poussait Amelio dehors. Ce n'était pas un plan machiavélique, ourdi et calculé froidement par Jobs. Être le chef était simplement inscrit dans ses gènes. Louise Kehoe, la journaliste du *Financial Times,* qui avait senti le coup venir au vu des questions qu'elle avait posées à Jobs lors de l'annonce du rachat de NeXT en décembre, fut la première à sortir un article : « Steve Jobs est le vrai pouvoir derrière la main qui tient le sceptre, écrivit-elle en février. C'est lui qui décide des projets à poursuivre ou à interrompre. S.J. a convaincu de nombreux anciens d'Apple de revenir dans la société, en leur laissant entendre qu'il allait reprendre les commandes. Selon l'un de ses proches collaborateurs, S.J. juge que Gilbert Amelio et son équipe sont incapables de sortir Apple de l'ornière, et qu'il a l'intention de les remplacer pour sauver "sa société". »

Ce mois-là, Amelio eut à rendre des comptes aux actionnaires et à leur expliquer pourquoi, pour le dernier quart de l'année 1996, le chiffre d'affaires avait chuté de 30 pour cent par rapport à l'année précédente. Les actionnaires se succédèrent au micro pour faire savoir leur mécontentement. Amelio ne se rendit pas compte à quel point cette assemblée générale avait été une catastrophe : « On m'a dit que c'était la meilleure présentation de ma carrière. » Mais Ed Woolard, le président du conseil d'administration, autrefois P-DG de DuPont (Markkula étant passé vice-président), était horrifié par la prestation d'Amelio. « C'est un désastre », lui souffla sa femme à l'oreille pendant la séance. Woolard était de cet avis : « Gil est arrivé bien habillé cette fois-ci, mais il paraissait dépassé par les événements. Il n'a pas été fichu de répondre aux questions ; il ne maîtrisait pas son sujet et n'inspirait pas confiance. »

Woolard décrocha son téléphone et appela Jobs, qu'il n'avait jamais rencontré. Il choisit comme prétexte de le convier au Delaware pour rencontrer les responsables de DuPont. Jobs déclina l'invitation. « En vérité, je voulais lui parler de Gil. » Quand il lui demanda ce qu'il pensait du P-DG, l'ancien patron de NeXT se montra curieusement réservé, se contentant de dire qu'Amelio n'était pas fait pour ce poste. Quand je l'interrogeais à ce sujet, Jobs, dans son souvenir, avait été beaucoup plus incisif :

> J'avais un dilemme : soit je lui disais que Gil était un nul, soit je mentais par omission. Ed Woolard était président du conseil d'administration, j'avais donc le devoir de lui dire ce que je pensais. Mais si je le faisais, il en parlerait à Gil ; l'autre, alors, se méfierait de moi

et il allait virer tous les gars que j'avais amenés. Tout ça se bousculait dans ma tête. Finalement, j'ai décidé de lâcher la vérité. J'étais très attaché à Apple. Alors j'ai balancé le morceau. Je lui ai dit que c'était le plus mauvais P-DG que la terre ait porté. S'il fallait un permis pour exercer ce boulot, Gil ne l'aurait jamais eu. Quand j'ai raccroché, j'ai eu un gros doute. J'avais peut-être commis l'erreur de ma vie.

Au printemps, Larry Ellison, le président d'Oracle, rencontra Amelio lors d'une fête et le présenta à la journaliste Gina Smith qui lui demanda aussitôt comment se portait la Pomme.

— Vous savez, Gina, Apple est comme un grand bateau. Ce bateau est chargé de trésors, mais il y a un trou dans la coque. Et mon boulot, c'est de faire ramer tout le monde dans le même sens.

— Et pour le trou ? s'enquit la jeune femme, perplexe.

Cette métaphore du bateau amusa beaucoup Ellison et Jobs. « Quand Larry m'a raconté ça, on était dans un restaurant de sushis, et je me suis littéralement écroulé de rire, à en tomber de mon siège !…. Quel bouffon !… et il se prenait tellement au sérieux ! Il voulait que tout le monde l'appelle Docteur Amelio. Cela en dit long ! »

Brent Schlender, le spécialiste technologie de *Fortune*, connaissait bien Jobs et son mode de fonctionnement. En mars, il sortit un article sur la situation catastrophique à Cupertino : « Apple, le parangon du mauvais management de la Silicon Valley et des révolutions technologiques avortées, est de retour en mode "erreur système", victime pathétique d'une chute abyssale de ses ventes, d'une politique commerciale suicidaire et de la perte de confiance du consommateur. Plan machiavélique ? Tout se passe comme si Steve Jobs, malgré Hollywood qui lui fait les yeux doux (depuis son succès chez Pixar avec *Toy Story*), complotait pour reprendre le pouvoir chez Apple. »

Une fois encore, Ellison laissa entendre publiquement qu'une OPA n'était pas exclue, afin d'installer sur le trône son « meilleur ami ». « Steve est la seule personne qui puisse sauver la société, expliqua Ellison aux journalistes. Je suis prêt à passer à l'action dès qu'il bougera le petit doigt. » Comme l'enfant du conte criant « au loup ! » pour la troisième fois, personne ne prêta attention à cette menace. Plus tard dans le mois, il annonça à Dan Gillmore, du *San Jose*

Mercurey News, qu'il rassemblait un fonds d'investissement de un milliard de dollars pour prendre la majorité des actions Apple. (La société était cotée à l'époque deux milliards trois cents millions.) Le jour où l'article parut, l'action Apple grimpa de 11 pour cent. Pour doper encore le marché, Ellison créa une boîte mail – savapple@us.oracle.com – pour recueillir les votes de ceux qui voulaient qu'Ellison lance cette OPA. (Ellison avait voulu mettre « saveapple » – sauvez Apple – mais le logiciel refusait les noms de plus de huit lettres.)

Jobs était amusé par les manigances du président d'Oracle, et comme il ne savait lui-même trop que faire, il restait évasif : « Larry Ellison m'en parle de temps en temps, expliqua-t-il à un journaliste. Je rappelle que mon rôle à Apple est celui d'un simple consultant. » Amelio, quant à lui, était livide. Il appela Ellison pour en savoir plus, mais ce dernier joua les abonnés absents. Alors il téléphona à Jobs qui lui fournit une réponse équivoque. « Je ne comprends pas ce qui se passe. Tout ça est totalement dingue. » Puis il ajouta, pour le rassurer, une déclaration qui était loin d'être sincère : « Toi et moi, on est amis. » Jobs aurait pu dissiper les inquiétudes par un démenti catégorique et chaleureux. Mais il n'en fit rien. Il resta distant, parce que c'était son intérêt et dans sa nature.

Plus grave encore : Amelio avait perdu le soutien de Woolard, le président du conseil d'administration, un industriel droit et honnête, qui avait des oreilles pour entendre. Car Jobs n'était pas le seul à se plaindre des déficiences d'Amelio. Fred Anderson, le directeur financier d'Apple, annonça à Woolard que la société risquait d'être lâchée par les banques et de se retrouver au bord du dépôt de bilan. Il lui parla aussi du moral des troupes qui était au plus bas. Au conseil d'administration du mois de mars, les autres administrateurs, mécontents, refusèrent d'approuver un budget publicité présenté par Amelio.

De plus, la presse se ligua contre Amelio. Le *Business Week* publia en couverture : « Apple : le crumble s'effrite ? » *Red Herring* titra : « Gil Amelio, s'il vous plaît, démissionnez » et *Wired* montrait en couverture le logo d'Apple en cœur crucifié, ceint d'une couronne d'épines, accompagné de la légende : « Priez pour nous ». Mike Barnicle, du *Boston Globe,* blâmait les erreurs de management de la Pomme : « Comment ces idiots peuvent-ils encore avoir le chéquier de la société ? Leur unique et pitoyable fait d'armes a été de mettre sur la touche le seul ordinateur qui séduisait le public. » À la fin du mois de mai, Amelio accorda une interview à Jim Carlton du *Wall Street Journal*. Quand le journaliste lui demanda s'il pouvait sortir Apple de cette « spirale de la mort », Amelio le regarda fixement et bredouilla :

— Je n'ai pas la réponse à cette question.

Quand Jobs et Amelio avaient signé leur accord en février, Jobs avait littéralement sauté de joie : « Il faut qu'on aille fêter ça et qu'on ouvre une bonne bouteille ! » Amelio proposa d'apporter du vin de sa cave et d'inclure leurs épouses à la célébration. Il fallut attendre juin avant de trouver une date ; mais, malgré les tensions du moment, ils passèrent une bonne soirée. La nourriture et le vin furent aussi peu accordés que ne l'étaient les deux hommes. Amelio apporta un cheval-blanc 1964 et un montrachet valant la bagatelle de trois cents dollars, Jobs choisit un restaurant végétarien pour une addition totale de soixante-douze dollars. Mme Amelio était enchantée : « Steve est très sympathique, et son épouse aussi. »

Jobs savait séduire les gens. Amelio, comme Sculley, s'imaginait, comme Jobs se montrait sous son meilleur jour, que l'estime et le respect étaient mutuels. Pour entretenir cette illusion, Jobs lançait régulièrement quelques flatteries qui comblaient son interlocuteur. Jobs pouvait donc être charmant avec ceux qu'il détestait comme il pouvait se révéler détestable avec ceux qu'il aimait. Amelio ne s'en rendit pas compte – comme Sculley en son temps –, trop empressé qu'il était d'être apprécié. Amelio décrivait son amitié avec Jobs avec quasiment les mêmes mots que l'ancien président de Pepsi-Cola : « Quand j'avais un souci, je marchais avec lui et on réglait le problème. Neuf fois sur dix on tombait d'accord. » Il voulait se persuader que Jobs le respectait : « J'aimais la façon dont Steve analysait une situation ; et nous avions construit une relation de confiance réciproque. »

La désillusion arriva quelques jours après leur dîner. Lors de la négociation du rachat, Amelio avait demandé à Jobs de conserver les actions Apple au minimum six mois. Cette période de six mois expirait en juin. Quand on apprit qu'un million et demi d'actions avaient été vendues, Amelio appela aussitôt l'ancien patron de NeXT.

— J'ai dit à mon équipe que ce n'était pas toi le vendeur. On a convenu que tu ne vendrais rien sans m'en parler d'abord, tu t'en souviens ?

— Parfaitement.

Amelio prit cette réponse pour une confirmation. Il fit donc une déclaration officielle affirmant que Jobs n'avait pas vendu ses actions. Mais dans le rapport de la SEC[1] publié quelque temps plus tard, il était clairement établi que c'était Steve Jobs le vendeur.

— Nom de Dieu, Steve ! Je t'ai posé la question et tu m'as dit que ce n'était pas toi !

Jobs expliqua qu'il avait vendu ses actions sur un « coup de déprime » en songeant à l'avenir d'Apple et qu'il n'avait pas osé le lui dire parce qu'il se sentait « honteux ». Quand, des années plus tard, j'évoquai avec lui cet épisode, il me répliqua simplement : « Je n'ai pas jugé utile de prévenir Gil. »

Mais pourquoi lui mentir ? La raison était toute simple : Jobs, parfois, évitait la vérité. Helmut Sonnenfield disait d'Henry Kissinger : « Cet homme ne ment pas par intérêt personnel, mais parce que c'est dans sa nature. » Et par nature, Steve Jobs était secret, manipulateur. Parfois aussi, il pouvait se montrer d'une franchise brutale, lâchant des vérités que le commun des mortels enroberait d'un beau glacis, ou tairait purement et simplement. La dissimulation et la sincérité n'étaient finalement que les deux facettes de son attitude nietzschéenne à l'égard du monde ; à savoir que les règles de vie des mortels ne s'appliquaient pas à lui.

Exit Amelio

Amelio commençait à comprendre... Jobs n'avait pas officiellement désavoué l'OPA que fomentait Larry Ellison, avait vendu en secret ses actions et lui avait menti, le mettant dans une position délicate... Autrement dit, Jobs voulait sa peau. « Je m'étais empressé de croire qu'on formait une équipe et qu'il était de mon côté. Mais Steve voulait ma place et il chargeait sabre au clair. »

---

1. *Securities and Exchange Commission*, organisme américain chargé de la régulation des marchés financiers. *(N.d.T.)*

Jobs, en effet, disait du mal du P-DG à la moindre occasion. C'était plus fort que lui, et ses critiques avaient la redoutable particularité d'être fondées. Mais il eut un puissant appui pour retourner le conseil d'administration contre Amelio, en la personne de Fred Anderson. Le directeur financier était très inquiet de la situation financière d'Apple. « Fred n'arrêtait pas de m'appeler, raconte Woolard, pour me dire que les comptes étaient dans le rouge, que les gens partaient, et que plusieurs collaborateurs à des postes clés songeaient sérieusement à quitter le navire. Le naufrage était quasiment inévitable ; même lui était à deux doigts de rendre son tablier. » Woolard avait été effaré par la prestation lamentable d'Amelio à l'assemblée générale des actionnaires. Le cri d'alarme d'Anderson fut la goutte d'eau qui fit déborder le vase.

Woolard demanda à Goldman Sachs d'étudier les conditions d'une mise en vente d'Apple, mais la banque d'affaires répondit qu'il y avait peu de chance de trouver un repreneur, le titre étant tombé trop bas. Lors d'une réunion du conseil à huis clos en juin, Woolard exposa la situation aux administrateurs : « Si nous continuons avec Gil, il y a 10 pour cent de chances d'éviter la faillite. Si nous le mettons à la porte et convainquons Steve de reprendre la suite, nous avons 60 pour cent de chances de nous en sortir. Si nous limogeons Gil et nous nous mettons en quête d'un autre P-DG, nos chances de survie ne sont plus que de 40 pour cent. » Le conseil l'autorisa à demander à Jobs s'il voulait revenir à la barre, et convint d'une session extraordinaire par téléphone le 4 juillet, jour de la fête nationale, pour être informé de la situation.

Woolard et sa femme partirent pour Londres, tournoi de Wimbledon oblige. Woolard put suivre quelques matchs la journée, mais il passa ses soirées à téléphoner aux États-Unis. À la fin de son séjour, sa note de téléphone s'éleva à deux mille dollars.

Il appela en premier Steve Jobs. Le conseil d'administration comptait limoger Amelio, expliquait-il, et demandait à Jobs de revenir comme P-DG. Le « consultant » s'était révélé agressif dans ses critiques envers Amelio, et très vindicatif sur la politique à mener chez Apple. Mais, contre toute attente, alors qu'on lui apportait le sceptre sur un plateau, il se montra réservé.

— Je vais vous aider.

— Comme P-DG ?

Jobs répondit non. Woolard insista. Il devait reprendre les rênes. Mais Jobs recula :

— Disons que je serai un conseiller spécial. À titre gratuit.

Il accepta de siéger au conseil d'administration – il en rêvait depuis si longtemps – mais ne voulut pas en être le président.

— C'est tout ce que je peux offrir pour le moment.

Jobs envoya un e-mail aux employés de Pixar pour leur assurer qu'il ne les abandonnerait pas : « Il y a trois semaines, le conseil d'administration d'Apple m'a demandé de diriger la société. Et j'ai décliné leur offre. Ils m'ont alors demandé d'être le président du conseil, mais j'ai encore dit non. Alors ne vous inquiétez pas, n'écoutez pas tout ce qu'on raconte. Je ne compte absolument pas quitter Pixar. On est une équipe. »

Pourquoi Jobs n'a-t-il pas saisi les rênes qu'on lui tendait ? Pourquoi refuser au dernier moment ce qu'il désirait depuis vingt ans si ardemment ? Voici la réponse qu'il me donna :

> Nous venions, avec Pixar, d'être cotés en Bourse. Et j'étais un dirigeant heureux. Je n'avais jamais vu quelqu'un être P-DG de deux sociétés en même temps, même temporairement. De plus, j'ignorais si c'était possible légalement. Je ne savais pas quoi faire, ni ce que je voulais au juste. J'étais content de passer du temps avec ma famille. C'était un vrai dilemme. J'avais conscience qu'Apple était en mauvaise posture, alors je me posais des questions : voulais-je abandonner cette belle vie que j'avais ? Quelle allait être la réaction des actionnaires de Pixar ? J'en ai parlé avec diverses personnes que j'estimais. Finalement, j'ai appelé Andy Grove, le P-DG d'Intel. Il était 8 heures du matin, un samedi – et c'était visiblement trop tôt. Je lui ai raconté la situation et il m'a arrêté en plein élan : « Steve, je n'en ai rien à foutre d'Apple. » J'étais stupéfait. C'est alors que je me suis aperçu que, pour moi, Apple comptait. J'avais créé cette entreprise et c'était une bonne chose pour le monde qu'elle soit là. C'est ça qui m'a décidé à revenir, pour les aider à trouver un bon chef.

En réalité, les employés de Pixar étaient heureux que Jobs passe moins de temps avec eux. Ils étaient secrètement (et ouvertement pour quelques-uns) ravis que Jobs soit pris par Apple. Ed Catmull, qui avait été un P-DG tout à fait honorable, pouvait facilement assurer l'intérim, officiellement ou officieusement. Quant à passer du temps avec sa famille, Jobs ne risquait pas d'être élu « père de l'année », même quand il avait des moments devant lui. Il accordait, certes, un peu plus d'attention à ses enfants, en particulier à Reed, mais sa priorité demeurait son travail. Il était, comme père, froid et distant avec ses deux benjamines, totalement brouillé avec Lisa, son aînée, et comme mari, difficile à vivre.

Alors, quelle était la véritable raison de ces hésitations ? Pourquoi ne pas prendre la direction d'Apple ? Malgré son goût du pouvoir et sa détermination, Jobs pouvait se montrer timoré quand il n'avait pas toutes les cartes en main. Son credo était la perfection. Il n'était pas très doué pour les compromis, ou pour s'arranger avec la réalité. Il n'aimait pas la complexité. C'était le cas pour le design de ses produits ou le mobilier de ses maisons ; il en était de même pour ses engagements personnels. S'il était sûr de son fait, alors rien ne pouvait l'arrêter. Mais s'il avait des doutes, il préférait parfois jeter l'éponge, plutôt que de se retrouver dans une situation qui ne le satisfaisait pas complètement. Jobs jugea donc plus opportun de rester en retrait, comme il l'avait fait lorsque Amelio lui avait demandé quel rôle il voulait tenir chez Apple.

Cette attitude s'expliquait par sa vision bicéphale du monde. Une personne était soit un génie, soit un nul, un produit était soit révolutionnaire soit mauvais. Les situations plus nuancées, plus complexes le mettaient mal à l'aise, telles que le fait de se marier, d'acheter le bon canapé, de s'engager dans une société à la déroute. « Je pense que Steve voulait d'abord s'assurer qu'Apple pouvait être sauvé », explique Fred Anderson.

Woolard et le conseil d'administration décidèrent de prendre les devants. Ils limogèrent Amelio, sans attendre de savoir le degré d'implication de Jobs dans son rôle de « conseiller spécial ». Amelio était parti faire un pique-nique avec sa femme, ses enfants et ses petits-enfants, quand il reçut de Londres le coup de fil de Woolard.

— Gil, on a besoin que tu rendes ton fauteuil.

Amelio rétorqua que ce n'était pas le bon moment pour en discuter, mais Woolard mit les points sur les « i » :

— C'est officiel, on te remplace.

Amelio tenta de plaider sa cause :

— Ed, j'ai dit au conseil qu'il me faudrait trois ans pour redresser Apple. Je ne suis qu'à la moitié de mon mandat.

— Le conseil est à bout. Il ne veut plus discuter.

Amelio demanda qui était au courant de son éviction et Woolard répondit la vérité :

— On en a discuté avec Steve. Son opinion est que tu es un chic type, mais que tu ne connais rien au secteur informatique.

— Pourquoi lui en avez-vous parlé ? Il n'est même pas membre du conseil ! Je ne vois pas ce qu'il vient faire dans cette histoire.

Mais Woolard demeura inflexible et Amelio raccrocha pour poursuivre le pique-nique avec sa famille.

Jobs pouvait montrer, parfois, un curieux mélange d'arrogance et de fragilité. D'ordinaire, il se contrefichait de ce que les gens pouvaient penser de lui. Il était capable de couper les ponts avec quelqu'un et ne plus jamais lui parler de sa vie. Mais parfois, le besoin de se justifier l'étreignait. Et ce soir-là, à sa grande surprise, Amelio reçut un appel de lui : « Gil, je voulais que tu saches… j'ai parlé avec Ed de ce truc et je me sens mal par rapport à ça. Je ne suis pour rien dans ce qui t'arrive, c'est une décision du conseil d'administration exclusivement, mais ils m'ont réclamé mon avis. » Il ajouta qu'il tenait Amelio en grande estime. « Tu es la personne la plus intègre que j'aie jamais connue. » Et il y alla de ses conseils : « Prends six mois pour faire le point. Quand j'ai été chassé d'Apple, je me suis remis tout de suite au travail, et c'était une erreur. J'aurais dû prendre le temps de me retrouver. » Il conclut l'appel en lui disant qu'il pouvait l'appeler s'il avait besoin de quoi que ce soit.

Amelio était stupéfait et bredouilla quelques remerciements. Il se tourna vers sa femme et lui rapporta ce que l'ancien patron de NeXT venait de lui dire.

— Finalement, je continue à le trouver attachant, déclara-t-il, mais je ne crois pas un traître mot de ce qu'il dit.

— J'étais sous le charme de Steve, répliqua-t-elle, et maintenant je me sens comme une idiote.

— Bienvenue au club !

Steve Wozniak, qui jouait aussi les conseillers pour Apple, était ravi du retour de Jobs. « C'est exactement ce qu'il nous fallait. On peut penser ce qu'on veut de Steve, mais lui saura faire renaître la magie. » La chute d'Amelio ne le surprenait pas. Comme il le confia à *Wired* peu après les événements : « Gil Amelio a trouvé Steve Jobs sur son chemin. Game over ! »

Le lundi, tous les responsables d'Apple furent rassemblés dans l'auditorium. Amelio arriva sur scène apparemment calme et détendu. « J'ai le regret de vous annoncer qu'il est temps pour moi de passer le relais. » Fred Anderson, qui assurait la charge de P-DG par intérim, prit ensuite la parole, et ne cacha pas qu'il préparait le terrain pour l'arrivée de Steve Jobs. C'est ainsi que, douze années, jour pour jour, après avoir été chassé de sa société, Jobs fit son grand retour.

L'évidence s'imposait : qu'il l'admette ou non en public (et qu'il l'admette lui-même), il allait bel et bien reprendre la situation en main et ne se contenterait pas d'être un simple « conseiller spécial ». Dès qu'il monta sur scène ce jour-là – en basket, bermuda et son légendaire pull noir –, il réveilla les forces vives de sa chère entreprise.

— Très bien, les gars. Dites-moi ce qui ne va pas ici !

Il y eut quelques murmures mais Jobs les interrompit.

— Les produits ! Voilà ce qui ne va pas. Et quel est le problème avec ces produits ?

À nouveau, il imposa le silence d'un geste.

— Ils sont nuls ! Ils ne font plus bander personne !

Woolard parvint à convaincre Jobs d'être un conseiller « très » spécial. Jobs accepta l'annonce officielle : il allait « fortement s'investir dans les affaires d'Apple pendant quatre-vingt-dix jours, le temps de trouver un nouveau P-DG ». Avec adresse, Woolard déclara que « Steve Jobs conseillerait et guiderait la direction dans ses choix ».

Jobs s'installa dans une petite pièce à côté de la salle du conseil d'administration à l'étage de la direction, dédaignant délibérément le grand bureau qu'occupait Amelio à l'angle du bâtiment. L'ancien patron s'impliqua dans l'entreprise à tous les niveaux : le design des produits, la réduction des coûts, la négociation avec les fournisseurs, la publicité et la communication. Il devait également stopper la fuite des cerveaux d'Apple ; il décida donc de réévaluer le prix de leurs stock-options. L'action était tombée si bas que les titres ne valaient quasiment plus rien. Jobs voulut donc abaisser leur prix d'exercice pour qu'ils redeviennent rentables. À l'époque, cette manip était légale, mais mal vue d'un point de vue financier. Dès la première semaine, Jobs organisa une séance du conseil par téléphone pour régler le problème. Les administrateurs poussèrent les hauts cris. Il leur fallait du temps pour faire une étude, évaluer les répercussions économiques d'une telle modification.

— Il faut agir vite, insista Jobs. Nous perdons des personnes de valeur.

Même son allié, Ed Woolard, qui dirigeait le comité des rémunérations, n'était pas d'accord.

— On n'a jamais procédé comme ça à DuPont.

— Vous m'avez fait venir pour que je redresse la barre, et ces gens sont des éléments clés de l'équipage.

Quand le conseil d'administration annonça qu'il leur fallait deux mois pour mener à bien l'étude, Jobs perdit patience :

— Écoutez les gars, si vous ne me suivez pas, je ne reviens pas lundi. J'ai des milliers de décisions cruciales à prendre qui sont autrement plus délicates que celle-là, et si vous hésitez déjà pour ce genre de chose, je vais échouer. Alors, si vous refusez, je prends mes cliques et mes claques et je m'en vais. Et vous pourrez me mettre tout sur le dos, « Steve n'était pas de taille pour le boulot », et compagnie !

Woolard le rappela quelques heures plus tard : « Le conseil va te donner notre accord. Mais ils sont nombreux à ne pas apprécier du tout. C'est comme si tu nous avais mis un pistolet sur la tempe. » Les stock-options pour les cadres (Jobs n'en avait aucune) furent réévaluées à treize dollars et vingt-cinq-cents, le prix de l'action au moment où Amelio avait été limogé.

Au lieu de savourer sa victoire et de remercier le conseil, Jobs continua à détester rendre des comptes à des administrateurs qu'il ne respectait pas. « Ça ne va pas suffire ! annonça-t-il à Woolard. Cette société est en lambeaux et je n'ai pas le temps de materner les ego. J'ai donc besoin que vous démissionniez tous. Ou alors, c'est moi qui démissionne et je ne reviens pas lundi. » La seule personne qui pouvait rester, c'était Woolard.

Les administrateurs étaient outrés. Jobs refusait de s'engager, de travailler à plein temps pour Apple, et d'être plus qu'un « conseiller », mais il avait le toupet de leur demander de partir ! La vérité nue, c'était qu'il en avait le pouvoir. Ils ne pouvaient se permettre de le voir claquer la porte ; et sans Jobs aux commandes, rester membre du conseil d'administration tenait du suicide. « Après toutes les épreuves qu'ils avaient traversées, la plupart des membres étaient heureux de pouvoir rendre leur tablier », expliqua Woolard.

À nouveau, le conseil céda aux exigences de Jobs. Ils n'eurent qu'une doléance : pouvaient-ils laisser en poste, en plus de Woolard, un autre administrateur ? Pour faire le lien. Jobs accepta. « C'était vraiment un ramassis de branquignols ! me dira Jobs. J'ai donc gardé Ed Woolard, plus Gareth Chang, leur émissaire, qui se révéla être un gros nul. Il n'était pas dangereux, juste nul. Ed, en revanche, était l'un des meilleurs administrateurs que j'aie connus. Un prince, un véritable allié doté d'une grande sagacité. »

Parmi les « remerciés », il y avait Mike Markkula qui, en 1976, alors jeune investisseur, avait rendu visite à Jobs dans son garage. Il avait été tellement séduit par l'ordinateur qui venait de voir le jour sur l'établi, qu'il avait investi deux cent cinquante mille dollars dans la société et était devenu le troisième actionnaire d'Apple, avec un tiers des parts. Durant les deux décennies qui suivirent, il avait toujours siégé au conseil, et avait assisté au ballet des P-DG. Parfois il avait soutenu Jobs, parfois pas – en particulier quand il s'était rangé du côté de Sculley, en 1985. Avec le retour de Jobs, il savait qu'il était temps pour lui de tirer sa révérence.

Jobs pouvait être cinglant et froid, en particulier avec les gens qui se mettaient en travers de son chemin, mais il savait aussi se montrer sentimental avec les coéquipiers de la première heure. Steve Wozniak tombait évidemment dans cette catégorie, même s'il avait pris le large depuis longtemps. Il y avait aussi Andy Hertzfeld et quelques anciens de l'équipe Macintosh. Finalement, Mike Markkula fut rangé avec ce groupe d'élus. « Il m'avait trahi, m'expliqua Jobs, mais il était comme un père pour moi et j'ai toujours eu beaucoup de tendresse pour lui. » Quand vint alors le moment de lui demander sa démission, Jobs se rendit personnellement chez l'administrateur – une immense propriété aux airs de manoir sur les hauteurs de Woodside. Comme de coutume, quand il avait un sujet important à aborder, Jobs lui proposa de marcher un peu. Ils traversèrent le grand parc jusqu'à une table de pique-nique nichée dans un bosquet de séquoias. « Il m'a expliqué qu'il voulait du sang neuf, raconte Markkula. Il avait peur que je lui en tienne rigueur, et il a été visiblement soulagé de ma réaction. »

Ils passèrent le reste du temps à parler de l'avenir d'Apple. Jobs voulait édifier une société qui lui survive et il lui demanda conseil.

Markkula lui répondit que les sociétés qui perdurent sont celles qui savaient se renouveler. C'est ce qu'avait fait sans cesse Hewlett-Packard ; elle avait commencé par construire des instruments de mesure, puis des calculettes, puis des ordinateurs. « Apple a été évincé par Microsoft sur le marché des micro-ordinateurs, lui expliqua Markkula. Tu dois changer de cap, orienter Apple vers un autre produit. Tu dois être comme un papillon et accomplir ta métamorphose. » Jobs ne fut guère loquace, mais il retint la leçon.

L'ancien conseil d'administration se réunit fin juillet pour ratifier la transition. Woolard qui, à l'inverse de Jobs, était doux et affable, fut inquiet en le voyant arriver en jean et baskets. Il craignit qu'en guise d'adieu, il ne leur reproche d'avoir fait couler Apple. Mais Jobs lança un aimable « bonjour tout le monde ». Ils votèrent rapidement la dissolution du conseil, et missionnèrent Woolard et Jobs pour trouver d'autres administrateurs.

La première recrue de Jobs, comme on pouvait s'y attendre, fut Larry Ellison. Le financier répondit qu'il serait heureux de participer à l'aventure, mais qu'il détestait les réunions. Jobs lui répondit que s'il assistait à la moitié des séances, ce serait amplement suffisant. (Finalement, Ellison ne fut présent qu'une fois sur trois, et Jobs, par facétie, avait fait agrandir et coller sur un carton une photo d'Ellison – celle qui avait fait la couverture du *Business Week* – pour l'installer sur son siège vide.)

Jobs fit venir aussi Bill Campbell qui avait été le responsable marketing d'Apple au début des années 1980 et qui s'était retrouvé sous le feu croisé au moment du combat des chefs. Campbell avait rallié le camp de Sculley, mais avait amèrement regretté son choix en découvrant le personnage – Jobs lui pardonna donc sa trahison. Il était à présent le P-DG d'Intuit et faisait souvent de longues promenades avec l'ancien patron de NeXT. « On s'est retrouvés chez Steve, raconte Campbell qui habitait quelques pâtés de maisons plus loin. Il m'a annoncé qu'il revenait à Apple et qu'il voulait que je siège au conseil. Je ne me suis pas fait prier : "Bien sûr que j'accepte !" » Campbell avait été entraîneur de football à l'université de Columbia ; sa grande qualité, c'était d'obtenir de magnifiques résultats avec des joueurs moyens. À Apple, il n'aurait de nouveau que les meilleurs, lui promit le nouveau patron.

Woolard aida Jobs à faire venir Jerry York, qui avait été le directeur financier de Chrysler puis d'IBM. D'autres noms furent avancés, puis rejetés par Jobs. Parmi les « recalés », il y avait Meg Whitman, directrice générale de Playskool, du groupe Hasbro et ancienne responsable marketing chez Disney (en 1998 elle deviendra la P-DG d'eBay, et fera campagne pour être gouverneur de Californie). Ils déjeunèrent ensemble, et Jobs appliqua encore une fois sa classification binaire de l'humanité – les génies et les nuls. Et Meg Whitman ne fut pas rangée dans la première catégorie. « C'était une vraie cruche ! » déclara-t-il – ce qui était parfaitement faux.

Au fur et à mesure, Jobs attira dans le giron d'Apple des grands noms, tels que Al Gore, Eric Schmidt de Google, Art Levinson de Genentech, Mickey Drexler des magasins Gap et J. Crew, et Andrea Jung d'Avon. Mais il veillait au préalable à s'assurer de leur loyauté, même si, parfois, elle se révélait quelque peu « aveugle ». Malgré leur haute stature, ils étaient souvent intimidés par Jobs et se montraient un peu trop pressés de lui faire plaisir. Quelques années après son retour chez Apple, il invita Arthur Levitt, l'ancien président de la SEC, à siéger au conseil. Levitt, qui avait acheté son premier Macintosh en 1984 et était un inconditionnel d'Apple, fut emballé par cette proposition. Mais Jobs tomba sur une déclaration de Levitt concernant le management d'entreprise, où il disait que les conseils d'administration devaient être plus puissants et plus indépendants. Il l'appela aussitôt : « Arthur, je ne pense pas que vous serez heureux chez nous. Vos vues sont peut-être parfaitement appropriées pour d'autres sociétés, mais cela va à l'encontre de la culture d'Apple. » Levitt écrivit plus tard : « J'étais abattu… Mais force est de constater que le conseil d'administration d'Apple est tenu de marcher main dans la main avec son P-DG. »

La Macworld Expo de Boston, août 1997

La circulaire annonçant la réévaluation du prix des stock-options d'Apple était signée « Steve et la direction ». Tout le monde sut alors que Jobs était aux commandes et l'action de la Pomme passa, durant le mois de juillet, de treize à vingt dollars. Il y eut aussi un grand moment lors de la messe des fidèles d'Apple à la Macworld

Expo de Boston en 1997. Plus de cinq mille personnes avaient fait la queue durant des heures pour pouvoir assister à la présentation de Jobs au Park Plaza Hotel. Tous venaient voir le retour de leur héros ; tous se demandaient s'il allait être de nouveau leur guide.

Il y eut des applaudissements à tout rompre quand fut projetée la photo de Jobs, en 1984, posant devant le Macintosh. « Steve ! Steve ! Steve ! » criait le public à l'unisson, avant même que son nom soit prononcé par le présentateur. Quand il apparut enfin sur scène – arborant un gilet noir, un fin sweat blanc, et un petit sourire malicieux – l'ovation et les flashes furent dignes d'une rock star. Dès le début, il calma la liesse générale en rappelant officiellement où il travaillait. « Bonjour, je suis Steve Jobs, le P-DG de Pixar », tandis que son titre s'affichait à l'écran derrière lui. Puis il expliqua son rôle : « Comme beaucoup de gens, j'ai été appelé pour redonner une nouvelle santé à Apple. »

Mais à mesure que Jobs arpentait la scène, en faisant défiler, avec une télécommande, les diapositives derrière lui illustrant ses propos, il devint évident qu'il était le nouveau patron d'Apple – et qu'il allait le rester. Il fit une présentation habile, sans aucune note, pour préciser pourquoi les ventes d'Apple avaient chuté de 30 pour cent ces deux dernières années. « Il y a des gens formidables chez Apple, mais ils ne font pas les bons produits parce que le management est mauvais. Il y a ici une foule de gens qui sont impatients de se rassembler sous la bannière d'une bonne stratégie d'entreprise, mais le problème c'est qu'il n'y en a pas. » La foule poussa de nouveaux vivats.

Plus il parlait, plus sa passion gagnait en intensité. Bientôt, en évoquant Apple, il ne disait plus « ils », mais « nous » ou « je ». « Je continue à croire qu'il faut penser différemment des autres pour choisir un ordinateur Apple. Les gens qui achètent nos produits sortent réellement du lot. Ce sont des personnes créatives, qui veulent changer le monde. Et nous sommes là pour leur donner les moyens de le faire. » Quand il prononça le mot « nous » il joignit les mains et tapota sa poitrine. Et durant toute la fin de sa présentation, le « nous » revint, toujours avec plus de force, quand il évoquait l'avenir d'Apple. « Nous aussi nous devons "penser différent" et être fidèles à tous ces gens qui ont acheté nos produits dès le début. Les autres les prennent pour des fous, mais dans cette folie, nous voyons le génie. » Durant la longue standing ovation, les gens se regardaient ébahis ; certains avaient la larme à l'œil. Jobs venait de leur faire savoir que lui et Apple ne faisaient plus qu'un – de nouveau.

Le pacte de non-agression

L'apparition de Steve Jobs à la Macworld Expo de août 1997 fit l'effet d'une bombe médiatique, et le *Time* et *Newsweek* en firent leur couverture. Vers la fin de sa présentation, Jobs marqua une pause pour boire une gorgée d'eau et reprit d'un ton plus calme : « Apple vit dans un écosystème. Elle a besoin de partenaires pour prospérer. Les relations destructrices n'aident personne dans cette industrie. » Pour ménager son effet, il marqua une nouvelle pause. « J'aimerais vous annoncer aujourd'hui le premier de nos nouveaux partenariats, un partenariat très important avec... Microsoft. » Les logos de la Pomme et de la firme de Seattle apparurent sur l'écran, et l'assistance hoqueta de stupeur.

Entre les deux, la guerre durait depuis dix ans. Apple avait attaqué Microsoft en justice pour plagiat et violations de copyright ; il reprochait en particulier à Bill Gates d'avoir copié l'interface graphique du Macintosh. Au moment où Jobs avait été évincé d'Apple, John Sculley avait signé un traité de paix : Microsoft pouvait utiliser l'interface d'Apple pour son Windows 1.0, et en retour la compagnie de Seattle développerait Excel exclusivement pour le Mac pendant deux ans. En 1988, lorsque Microsoft sortit son Windows 2.0, Apple lui fit un procès. Sculley déclarait que l'accord ne s'appliquait pas à Windows 2.0 ; les diverses améliorations apportées à la version précédente (telles que le « chevauchement » des fenêtres mis au point par Bill Atkinson) étaient la preuve patente du non-respect des clauses du contrat. En 1997, Apple avait perdu son procès y compris en appel, mais il demeurait d'autres litiges en cours et la perspective de nouvelles actions en justice. En outre, l'administration Clinton se préparait à lancer la grosse artillerie contre Microsoft pour violation de la loi anti-trust. Jobs avait invité, à Palo Alto, Joel Klein, le procureur général. « Peu importe que vous parveniez à condamner Microsoft à une amende colossale, expliqua Jobs. Il suffit de les laisser empêtrés dans ce marasme juridique. Cela nous donnera du champ pour combler notre retard et sortir des produits compétitifs. »

Sous le règne d'Amelio, la crise avec Microsoft prit des proportions cataclysmiques. La société de Seattle refusa de continuer à développer Word et Excel pour les prochains Mac OS, ce qui pouvait signer l'arrêt de mort d'Apple. À la décharge de Bill Gates, ce n'était pas de la simple vengeance. Il était effectivement difficile de s'engager à écrire pour un logiciel que personne n'avait vu – même les dirigeants d'Apple étaient incapables de dire quelles seraient les caractéristiques de ce futur système d'exploitation. Juste après le rachat de NeXT, Amelio et Jobs s'étaient rendus à Microsoft, mais Gates eut du mal à savoir qui était le vrai patron. Quelques jours plus tard, il avait appelé Jobs en privé : « Hé, c'est quoi ce bordel ? Je dois écrire mes applications pour le NeXT, ou pour le Mac ? » Jobs avait fait quelques commentaires sarcastiques sur Amelio et précisé que la situation allait bientôt se clarifier.

Après le départ d'Amelio, l'une des priorités de Jobs fut de reprendre contact avec Bill Gates :

> Je lui ai dit que je voulais déposer les armes. Bill a toujours eu un faible pour Apple. C'est nous qui lui avons mis le pied à l'étrier dans le développement d'applications. Les premiers logiciels de Microsoft furent Word et Excel pour Mac. Alors je lui ai dit : Bill, j'ai besoin d'aide. Microsoft copiait toujours les brevets d'Apple. Si nous continuons les poursuites, dans quelques années tu pourrais être condamné à nous verser un milliard de dollars de dommages et intérêts. Tu le sais aussi bien que moi. Mais Apple sera mort d'ici là, si nous ne mettons pas fin à la guerre. Ça aussi, c'est une évidence. Alors trouvons le moyen de sortir de ce bourbier. Tout ce que je demande, c'est que Microsoft s'engage à continuer à développer pour le Mac et investisse dans Apple pour qu'il soit intéressé financièrement à notre succès.

Gates me confirma la version de Jobs : « Beaucoup de gens chez nous adoraient travailler sur le Mac. On aimait bien cette machine. » Gates négociait depuis six mois avec Amelio, mais la discussion devenait de plus en plus compliquée. « Et Steve est arrivé et m'a dit : "Cet accord est une vraie usine à gaz ! Ce que je veux est beaucoup plus simple. Je réclame juste un engagement et un investissement." Et en quatre semaines, on avait couché ça sur le papier. »

Bill Gates et Greg Maffei, son directeur financier, firent le voyage à Palo Alto pour poser les grandes lignes de l'accord, puis Maffei revint tout seul le dimanche suivant afin de peaufiner les détails. Quand il arriva chez Jobs, ce dernier sortit deux bouteilles d'eau du réfrigérateur et emmena Maffei faire une promenade à pied. Les deux hommes étaient en bermuda et Jobs allait pieds nus. Ils s'assirent sur un banc devant une église baptiste. « Ce sont ces deux points auxquels nous tenons : un engagement de votre part à faire des logiciels pour le Mac et un investissement financier. »

Bien que la négociation fût globalement rapide, les derniers détails ne furent réglés que quelques heures avant la Macworld Expo de Boston. Jobs répétait son intervention dans la salle du Park Plaza Hotel quand son téléphone sonna. « Salut, Bill », dit-il tandis que sa voix amplifiée résonnait dans toute la salle. Il s'éloigna vers un coin de la scène et parla à voix basse. L'appel dura une heure. Finalement, tout fut calé. « Merci pour ton concours, Bill, conclut Jobs en se grattant l'entrejambe. Le monde s'en portera mieux. »

Durant sa présentation, Jobs détailla l'accord avec Microsoft. Au début il y eut quelques huées dans la salle. Les fidèles furent plus choqués encore lorsqu'ils apprirent que le navigateur par défaut sur le Mac serait Internet Explorer. Les « hou ! » fusèrent de toutes parts. Mais Jobs s'empressa d'ajouter : « Mais puisque, chez Apple, nous croyons au choix, nous inclurons également d'autres navigateurs. L'utilisateur aura la liberté de se servir du logiciel qu'il voudra. » Il y eut quelques rires, puis une salve d'applaudissements. L'assistance finalement fut totalement convaincue du bien-fondé de ce partenariat quand elle apprit que Microsoft allait investir cent cinquante millions de dollars dans la société, sans bénéficier du moindre droit de vote.

Mais l'osmose entre l'orateur et son public fut rompue quand Jobs commit l'une de ses rares erreurs de *showman*. « Il se trouve que nous avons, par liaison satellite, un invité spécial ce soir. » Et soudain apparut sur l'écran géant, au-dessus de la scène et de Jobs, le visage de Bill Gates. Gates avait un petit sourire aux lèvres, presque sardonique. Le public hoqueta d'horreur et se mit à huer. Comment ne pas penser au Big Brother de « 1984 » ? Où était la sportive avec sa masse pour pulvériser ce visage de l'oppression ?

Mais on était dans la réalité et Gates – n'ayant pas le retour de la salle – commença à s'adresser au public depuis son QG de Seattle : « Travailler avec Steve sur le Macintosh est l'un des meilleurs souvenirs de ma carrière », commença-t-il de sa voix aiguë. Quand il se mit à décrire le Microsoft Office qui allait être développé pour le Macintosh, l'assistance se calma, et lentement accepta cet ordre nouveau. Gates parvint même à s'attirer quelques applaudissements quand il précisa que les nouvelles versions Mac de Word et Excel seraient, à bien des égards, plus avancées que celles réalisées pour la plateforme Windows.

Jobs s'aperçut que cette image de Gates dominant toute la salle était d'un effet catastrophique. « Je voulais qu'il vienne à Boston, m'expliquera Jobs. Cela a été la prestation la plus mauvaise de toute mon existence. C'était une énorme gaffe, parce que cela me rendait tout petit par rapport à lui, comme si Apple était à lui et qu'il tirait les ficelles en coulisses. » Bill Gates aussi fut embarrassé quand il visionna l'enregistrement vidéo. « Je ne savais pas qu'ils allaient agrandir l'image à ce point ! »

Jobs tenta de rassurer l'assistance par un sermon improvisé : « Si nous voulons avancer et voir Apple renaître de ses cendres, nous devons lâcher du lest. Nous devons abandonner cette idée comme quoi Microsoft pour gagner aurait besoin qu'Apple soit perdant... Si nous désirons avoir Microsoft Office sur le Mac, nous devons montrer plus d'égards pour cette société et lui témoigner un peu de gratitude. »

L'annonce du partenariat avec Microsoft, associé au retour effectif de Jobs aux commandes, donna un coup d'élan salvateur. À la fin de la journée, l'action avait gagné six dollars cinquante-six cents – soit une augmentation de 33 pour cent – pour culminer à la clôture de la Bourse à vingt-six dollars et trente et un cents – deux fois le prix auquel se négociait le titre le jour où Amelio avait démissionné. En une seule journée, Apple avait gagné huit cent trente millions de dollars. Apple sortait de sa tombe.

CHAPITRE VINGT-QUATRE

THINK DIFFERENT

Jobs, iPDG

Picasso appelé à la rescousse.

Voici les fous...

Lee Clow, le directeur du service création de l'agence Chiat\Day qui avait signé un coup de maître avec la publicité « 1984 », était au volant de sa voiture quand son téléphone sonna. On était début juillet 1997.

— Salut Lee, c'est Steve. Tu sais quoi ? Amelio vient de démissionner. Tu peux passer me voir ?

Apple avait testé plusieurs agences, mais Jobs n'était pas convaincu. Il voulait Clow et son agence qui s'appelait désormais TBWA\Chiat\Day – pour se démarquer de la concurrence. « Il faut montrer au monde qu'Apple est toujours vivant, et qu'on a toujours quelque chose de plus que les autres. »

Clow répondit qu'il ne viendrait pas faire le VRP devant le conseil d'administration. « Tu connais notre travail. » Mais Jobs le supplia. Ce serait difficile d'imposer « son vieux compère » quand toutes les autres agences se déplaçaient, dont BBDO et Arnold Worlwide. Clow accepta donc de venir à Cupertino avec quelque chose à montrer. En me racontant la scène, Jobs en avait encore les larmes aux yeux :

> J'étais sans voix. Lee aimait tellement Apple. Et ce prince de la pub était là. Il ne s'était jamais déplacé en dix ans, mais il était venu. Pour Apple. Et il faisait sa présentation avec tant d'enthousiasme. Et il était arrivé avec ce slogan magnifique : « Think Different[1] ». C'était mille fois mieux que tout ce que les autres agences avaient pu me proposer. J'en avais le souffle coupé. D'abord parce que Lee était venu, et puis parce que c'était une idée de génie. « Think Different » ! Il arrive dans l'existence des instants miraculeux, des moments où l'on se retrouve en présence de la pureté absolue – la pureté de l'esprit et de l'amour. Et dans ces cas-là, je me mets à pleurer comme une madeleine. Ça m'a submergé d'un coup. Je n'oublierai jamais ce moment de grâce.

Pour Jobs et Clow, Apple était l'une des grandes marques mondiales – sans doute dans le quinté de tête pour ce qui est de son capital sympathie, mais il fallait rappeler aux gens ce qui la rendait si particulière, si attachante. Les deux hommes souhaitaient donc une campagne plus sur la marque que sur les produits. Il fallait célébrer non pas les ordinateurs, mais les gens créatifs qui les utilisaient : « On ne voulait pas parler vitesse de processeurs ou capacité mémoire, m'expliqua Jobs, mais créativité. » Cette campagne ne s'adressait pas seulement aux clients potentiels, mais aussi aux forces vives de la maison. « À Apple, nous nous étions perdus en chemin. Pour se rappeler qui nous étions, il fallait se souvenir de nos héros. C'était là l'essence de cette campagne. »

Clow et son équipe avaient exploré divers moyens de louer « les fous » qui pensent « différent ». Ils avaient réalisé un film accompagné de la chanson de Seal « Crazy » (« *We're never gonna survive*

---

1. « Penser différent ». *(N.d.T.)*

unless we get a little crazy[1] ») mais ils n'avaient pu obtenir les droits. Alors ils essayèrent avec un enregistrement de Robert Frost lisant « The Road Not Taken[2] » ou avec un extrait du laïus de Robin Williams dans *Le Cercle des poètes disparus*. Finalement, ils décidèrent d'écrire eux-mêmes le texte, qui commencerait par « Voici les fous... »

Jobs était plus exigeant que jamais. Quand un jeune rédacteur de l'agence prit l'avion pour lui présenter le texte, Jobs piqua une colère : « C'est de la merde ! De la soupe de publicitaires ! » C'était la première fois que le jeune rédacteur rencontrait Jobs et il en resta pétrifié. Il ne revint jamais. Mais ceux qui pouvaient tenir tête au P-DG d'Apple, tels que Clow et ses équipiers Ken Segall et Craig Tanimoto, parvinrent à rédiger avec lui un message aux accents de poème symphonique. Il durait, dans sa version originale, soixante secondes[3] :

> Les fous, les marginaux, les rebelles, les anticonformistes, les dissidents... Tous ceux qui voient les choses différemment, qui ne respectent pas les règles. Vous pouvez les admirer ou les désapprouver, les glorifier ou les dénigrer. Mais vous ne pouvez pas les ignorer. Car ils changent les choses. Ils inventent, ils imaginent, ils explorent. Ils créent, ils inspirent. Ils font avancer l'humanité. Là où certains ne voient que folie, nous voyons du génie. Car seuls ceux qui sont assez fous pour penser qu'ils peuvent changer le monde y parviennent.

Jobs écrivit certains passages lui-même dont : « Ils font avancer l'humanité. » Juste avant la Macworld Expo de août, à Boston, ils avaient une première ébauche. Elle n'était pas assez aboutie pour la présenter, mais Jobs utilisa le concept « Penser différent » dans son discours. « C'est le germe d'une grande idée, déclara-t-il à l'époque. Apple, ce sont des gens qui sont hors du système, qui veulent que les ordinateurs les aident à changer le monde. »

Ils discutèrent de grammaire. Si le mot « différent » était censé nuancer le verbe « penser », peut-être fallait-il utiliser un adverbe,

---

1. « On ne survivra jamais si on n'est pas un peu fous. » *(N.d.T.)*

2. « La route non prise. » *(N.d.T.)*

3. Nous donnons ici le texte de la version française de la publicité. La VO commence effectivement par : « Voici les fous... » *(N.d.T.)*

« Penser différemment » ? Mais Jobs voulait garder « différent » comme dans les locutions « penser victoire », ou « penser positif ». Jobs m'expliqua son raisonnement : « Nous nous sommes demandé si c'était correct grammaticalement. Ça l'était si on considère le sens du message. On dit : il ne faut pas penser *pareil*, il faut penser *différent*. "Penser différemment" n'aurait pas eu le même sens pour moi. »

Pour évoquer l'esprit du *Cercle des poètes disparus*, Clow et Jobs voulaient que Robin Williams lise le texte. Mais son agent déclara qu'il ne faisait jamais de publicité, alors Jobs tenta de joindre directement l'acteur. Ce fut sa femme qui répondit au téléphone ; mais elle ne lui passa pas son mari, connaissant le pouvoir de persuasion du P-DG d'Apple. Ils songèrent également à Maya Angelou et à Tom Hanks. En automne, lors d'un dîner de bienfaisance donné sous le patronage de Bill Clinton, Jobs attira le président à l'écart et le pria de bien vouloir appeler Tom Hanks pour appuyer sa demande, mais celui-ci refusa. Ils se rabattirent donc sur Richard Dreyfuss, qui était un fan d'Apple de la première heure.

En plus des spots TV, la Pomme lança une campagne d'affiche particulièrement marquante. Il s'agissait de portraits en noir et blanc de personnages historiques, avec juste le logo d'Apple et le slogan « Think Different » dans un coin. L'idée de génie, c'était que les clichés étaient présentés sans légende. Certains personnages étaient facilement identifiables : Einstein, Gandhi, Lennon, Dylan, Picasso, Chaplin, Martin Luther King, la Callas. Mais d'autres l'étaient moins et suscitaient des discussions : Martha Graham, Thomas Edison, Ansel Adams, Richard Feynman, Frank Lloyd Wright, James Watson, Amelia Earhart.

C'étaient, pour la plupart, des héros de Jobs. Des gens créatifs, qui avaient pris des risques, et emprunté des chemins de traverse. Il s'agissait d'avoir, pour chacune de ces icônes, la parfaite image emblématique. « Ce n'est pas la bonne photo de Gandhi ! » s'emporta un jour Jobs. Clow lui expliqua que la célèbre photo de Margaret Bourke-White, où l'on voyait Gandhi en train de lire à côté d'un rouet, appartenait à *Time-Life* et n'était pas disponible à des fins commerciales. Jobs appela alors Norman Pearlstine, le rédacteur en chef du magazine, pour le convaincre de faire une exception. Il joignit également Eunice Shriver pour convaincre sa famille de céder les droits de la photo de son frère Bob Kennedy pendant sa campagne dans les Appalaches, il s'adressa aussi aux enfants de Jim Henson pour avoir la bonne photo du marionnettiste.

Il appela Yoko Ono pour avoir une photo de John Lennon, son mari défunt. Elle lui en envoya une, mais ce n'était pas sa préférée. « Peu avant le lancement de la campagne, j'étais à New York, et je suis allé dans ce petit restaurant japonais que j'aime tant. J'ai fait savoir à Yoko que j'étais là. » Quand Yoko Ono arriva, elle s'approcha de sa table et lui tendit une enveloppe : « Celle-là est meilleure. Je me suis dit que vous seriez encore là, alors je l'ai apportée avec moi. » C'était une photo de Yoko et John assis sur leur lit, une fleur à la main. Ce fut ce cliché qui fut retenu pour la campagne. « On comprenait tout de suite pourquoi Lennon était tombé amoureux d'elle ! » me confia Jobs.

La voix off de Richard Dreyfuss fonctionnait très bien. Mais Lee Clow avait eu une autre idée. Et si Jobs disait lui-même le texte ? « Ce serait génial. Tu devrais essayer. » Alors Jobs s'installa dans un studio, et en quelques prises enregistra une voix off irréprochable. S'ils choisissaient la voix de Jobs sur le film publicitaire, l'identité du narrateur ne serait pas indiquée. Mais les gens finiraient par savoir qu'il s'agissait du patron en personne. « Le message du spot sera encore plus puissant, insistait Clow. Ce serait une façon d'officialiser ton retour. »

Jobs hésitait. Finalement, vint le jour fatidique où il fallut envoyer le film. La publicité devait passer – et ce n'était pas un hasard – lors de la première diffusion télé de *Toy Story*. Jobs détestait devoir prendre des décisions dans l'urgence. Il demanda à Clow d'envoyer les deux versions, en expliquant qu'il déciderait le lendemain matin. Le lendemain, donc, il appela Clow. Il choisissait la version avec Richard Dreyfuss.

— Si on utilise ma voix, les gens vont se dire que le texte parle de moi. Il ne faut pas. Il s'agit d'Apple.

Depuis son séjour, dans sa jeunesse, à la ferme communautaire de Friedland, Jobs se définissait comme un enfant de la contre-culture. Avec « Think Different » et « 1984 », il positionnait Apple dans le camp des rebelles, même si la Pomme avait permis à ses fondateurs, et à d'autres enfants du Baby Boom, de faire fortune. « Dès le début, me raconte Clow, alors qu'il avait vingt ans, Steve avait une vision extrêmement claire de l'image que devait avoir sa société. »

Très peu d'entreprises – pour ne pas dire aucune – avaient eu l'audace de s'associer à des icônes telles que Gandhi, Einstein, Picasso, Martin Luther King ou le Dalaï Lama. Jobs incitait les gens à revendiquer leur personnalité créative, contestataire, anticonformiste, en choisissant simplement l'ordinateur avec lequel ils allaient travailler. « Steve a créé l'unique marque du secteur technologie à forte charge affective, explique Ellison. On peut être fier de conduire telle ou telle voiture – une Porsche, une Ferrari, ou une Toyota Prius – parce qu'elle révèle quelle personne on est. L'alchimie est la même avec les produits Apple. »

Depuis l'élaboration de la campagne « Think Different », Jobs avait pris l'habitude d'organiser une grande réunion, tous les mercredis, avec l'agence de publicité, son équipe de communication et son service marketing. « Il était le seul P-DG de la planète à suivre d'aussi près la communication de sa société, précise Clow. Il voulait approuver chaque film, chaque affiche, chaque encart publicitaire. » À la fin de la séance, il emmenait souvent Clow et ses collègues – Duncan Miller et James Vincent – voir les projets top secret dans une aile protégée du bâtiment. « Et chaque fois, l'émotion et l'enthousiasme le gagnaient. En partageant sa passion pour les produits Apple avec ses gourous du marketing, Jobs s'assurait qu'un peu de cette flamme transpirerait dans les publicités. »

L'iPDG

Tandis qu'il travaillait sur la campagne « Think Different », Jobs lui aussi se mit à « penser différent ». Il décida de prendre officiellement les rênes de la société, du moins temporairement. *De facto*, il était le chef depuis le départ d'Amelio dix semaines plus tôt. Le 16 septembre 1997, Jobs annonça donc qu'il voulait prendre le fauteuil de Fred Anderson, et être le nouveau P-DG par intérim – l'iP-DG comme on disait chez Apple. Financièrement, sa candidature était tentante pour le conseil d'administration. Il ne demandait aucun salaire, ni quelque contrat d'engagement. Mais l'homme pouvait être inquiétant. Le consensus n'était pas son fort.

Cette semaine-là, Jobs rassembla tous les cadres dans l'auditorium du siège social pour s'assurer de leur soutien, et les convia ensuite

à un pique-nique avec bière et nourriture végétarienne au programme, pour fêter son nouveau rôle au sein de la société. Il était
pieds nus, en bermuda, et arborait une barbe de trois jours.

— Cela fait trois mois que je suis revenu et je n'ai pas ménagé ma
peine, annonça-t-il paraissant fatigué mais déterminé. Ce que nous
visons n'est pas du grand délire. Il s'agit simplement de revenir aux
fondamentaux – de bons produits, un bon marketing et une bonne
distribution. Apple s'est complètement égaré ces dernières années.

Pendant quelques semaines encore, Jobs et le conseil d'administration cherchèrent un P-DG permanent. Plusieurs noms sortirent
du panier – George M.C. Fisher de Kodak, Sam Palmisano d'IBM,
Ed Zander de Sun Microsystems – mais tous déclinèrent l'offre.
On les comprend. Le *San Francisco Chronicle* rapportait que Zander
n'avait aucune envie d'avoir Jobs derrière le dos, contestant toutes
ses décisions. Un jour, Jobs et Ellison firent une blague à un consultant en informatique qui s'était proposé pour le poste. Ils lui envoyèrent un e-mail pour lui dire qu'il avait été sélectionné. L'affaire
s'ébruita et causa autant de rires que de gêne quand on apprit dans
les journaux qu'ils s'étaient moqués de l'impudent.

En décembre, il devint clair que, pour Jobs, le « i » de iP-DG ne
signifiait plus « intérim » mais « indéfiniment ». Peu à peu, le conseil
abandonna ses recherches. « Pendant quatre mois, j'ai loué les services
d'une agence de recrutement pour dénicher un P-DG, me raconta
Jobs, mais ils n'ont trouvé personne de valable. C'est comme ça que
je suis resté. Apple, en l'état, ne pouvait attirer personne. »

Mais diriger deux sociétés en même temps était un exercice
éprouvant. Avec le recul, Jobs dit que c'est à ce moment-là qu'ont
commencé ses ennuis de santé.

C'était vraiment exténuant. Jamais, je n'avais été aussi épuisé. J'avais
une jeune famille. J'avais Pixar. Je partais au travail à 7 heures du
matin et je rentrais à 21 heures, et les enfants étaient déjà couchés.
J'étais incapable d'articuler un mot, au sens propre. Même parler à
Laurene était au-dessus de mes forces. Je restais hébété devant la télé,
un vrai légume. Tout ça a failli me tuer. Je faisais la navette dans
une Porsche décapotable entre Pixar et Apple quand j'ai eu des calculs
rénaux. Je passais régulièrement à l'hôpital pour qu'ils m'injectent un
antalgique en attendant que je les expulse.

Malgré son emploi du temps impossible, Jobs prenait peu à peu conscience qu'il ne partirait plus d'Apple. Quand, lors d'un salon informatique en octobre 1997, on demanda à Michael Dell ce qu'il ferait à la place de Steve Jobs, il répondit : « Je mettrais la clé sous la porte et je rendrais l'argent aux actionnaires. » Jobs lui envoya un e-mail acerbe : « Les P-DG sont censés avoir de la classe, mais visiblement ce n'est pas votre credo. » Jobs aimait se trouver des ennemis pour motiver ses troupes – comme il l'avait fait, en son temps, avec IBM et Microsoft. Le nouveau méchant, cette fois, serait Dell. Quand il rassembla ses chefs de service pour annoncer la mise en place d'un système de production à flux tendus, il avait placé derrière lui une photo de Michael Dell et fait peindre une cible sur sa trombine. « On va te rattraper, mon pote ! » lança-t-il pour doper son équipe.

Bâtir une société pérenne lui tenait vraiment à cœur. À treize ans, quand Jobs avait travaillé un été chez Hewlett-Packard, il avait appris qu'une entreprise bien dirigée pouvait se montrer beaucoup plus innovante qu'un seul individu, aussi inventif soit-il. « La plus belle réussite, parfois, c'est la société en elle-même, la façon dont on la gère. C'est une aventure fascinante. Quand j'ai eu la chance de revenir chez Apple, je me suis aperçu que j'étais incomplet sans cette société. C'est pour cela que je me suis attaché à la faire renaître de ses cendres. »

La guerre des clones

Il y avait un grand débat : Fallait-il vendre la licence du Mac OS à grande échelle, comme l'avait fait Microsoft avec son Windows ? Wozniak, de tout temps, avait été de cet avis : « Nous avions le plus beau système d'exploitation de la planète, mais pour l'utiliser il fallait acheter notre matériel qui coûtait deux fois plus cher que les PC. C'était une erreur. Nous aurions dû facturer à un prix raisonnable notre logiciel aux autres constructeurs. » Alan Kay, la figure de proue du Xerox PARC, qui devint « Apple Fellow » en 1984, avait défendu avec acharnement cette stratégie : « Les développeurs sont toujours pour le multiplateforme, parce qu'ils veulent que leur programme puisse tourner partout. Ce fut une bataille épique, sans doute la plus grande que j'ai menée… et je l'ai perdue. »

Microsoft avait pressé Apple de suivre son exemple en 1985, après l'éviction de Jobs. Même si la société de Cupertino risquait de lui prendre quelques utilisateurs de Windows, Gates pensait l'opération rentable puisqu'il vendrait des applications, telles que Word et Excel, pour le Macintosh et ses clones. « J'ai tout fait pour les convaincre. » Il envoya une lettre officielle à Sculley. « Il est désormais impossible pour Apple de lancer sa propre norme pour ses produits innovants sans l'aide – et donc la crédibilité – des autres fabricants d'ordinateurs. Apple doit céder la licence d'exploitation à quelques fabricants pour qu'ils puissent sortir des "compatibles Mac". » Gates, ne recevant aucune réponse, envoya une seconde lettre donnant les noms de sociétés susceptibles d'assembler de bons clones, en précisant : « Je ferai tout mon possible pour vous soutenir dans cette démarche. Tenez-moi au courant, s'il vous plaît. »

Apple résista jusqu'en 1994, puis Michael Spindler, le P-DG de l'époque, accorda la licence du système d'exploitation du Mac à deux petits fabricants : Power Computing et Radius. Quand Gil Amelio prit la direction en 1996, il ajouta Motorola à la liste. Cette stratégie se révéla désastreuse. Apple facturait quatre-vingts dollars la licence de son logiciel pour chaque ordinateur vendu, mais au lieu de développer le marché, les clones dévorèrent les ventes d'Apple, et pour chaque Mac invendu, la Pomme perdait cinq cents dollars de bénéfice.

Les raisons pour lesquelles Jobs était opposé au clonage du Mac OS n'étaient pas seulement d'ordre économique. Il avait une aversion viscérale pour ce procédé. L'un de ses principes managériaux, c'était l'association intime du matériel et du logiciel. Il aimait avoir la maîtrise de toute la chaîne de production et la seule formule qui lui permettait d'accéder à cette exigence, c'était l'ordinateur « tout en un ». Il pouvait ainsi gérer l'expérience de l'utilisateur de bout en bout.

Alors, pour son retour à Apple, l'extermination des clones devint sa priorité. Lorsqu'une nouvelle version du système d'exploitation[1] sortit en juillet 1997, Jobs interdit aux cloneurs d'y avoir accès.

---

1. Le Mac OS 8, successeur du Système 7. *(N.d.T.)*

Stephen « King » Kahng, le P-DG de Power Computing, organisa « la révolte des clones » lorsque Jobs apparut à la Macworld Expo de Boston, en disant que le Mac OS était mort si Jobs refusait d'ouvrir les droits d'exploitation. « Si la plateforme joue cavalier seul, c'est fini, prédit publiquement Kahng. C'est l'apocalypse. Fermer la licence, c'était se donner le baiser de la mort. »

Jobs n'était pas de cet avis. Il téléphona à Woolard pour annoncer qu'Apple n'accorderait plus de licence. Le conseil d'administration le soutint et, en septembre, il versa à Power Computing cent millions de dollars pour reprendre ses droits d'exploitation et récupérer son fichier clients. Il coupa les vivres également aux autres cloneurs de Mac. Comme Jobs me l'expliqua : « Il était suicidaire de laisser des entreprises fabriquer des copies merdiques de votre ordinateur et vous souffler des parts de marché. »

Repenser les produits

L'une des grandes forces de Jobs, c'était sa capacité à se concentrer sur l'essentiel. « Décider ce qu'on ne doit plus faire est aussi important que de décider quoi faire, disait-il. C'est vrai pour le management des sociétés, c'est vrai aussi pour les produits. »

Jobs mit ce principe à exécution dès son retour à Cupertino. Un jour, en passant dans un couloir, il heurta un jeune diplômé de la Wharton School, la célèbre école de commerce. C'était l'ancien assistant d'Amelio. « Tiens, tu tombes bien, toi. J'ai besoin de quelqu'un pour faire un truc chiant. » Sa nouvelle fonction fut de prendre des notes quand Jobs lança une grande évaluation des produits, où il demandait à chaque équipe de défendre ses projets.

Jobs recruta également Phil Schiller, un ancien d'Apple qui avait fondé Macromedia, une société de conception de logiciels graphiques, pour le seconder. « Steve convoquait toutes les équipes dans la salle du conseil d'administration qui pouvait accueillir vingt personnes, raconte Schiller. On s'y entassait à plus de trente. Les gars venaient tous avec leur présentation PowerPoint, mais Jobs ne voulait pas en entendre parler. » La première mesure qu'il prit, pour ces réunions, fut d'interdire ce genre d'assistance. « Je déteste ces gens qui projettent des diapos avec de jolis titres plutôt que de réfléchir. Je voulais qu'ils mouillent leur chemise, qu'ils s'investissent, qu'ils déballent leurs tripes sur la table, plutôt que de nous montrer de jolies illustrations. Les gens qui maîtrisent leur sujet n'ont pas besoin de PowerPoint. »

Ces réunions d'évaluation révélèrent à quel point Apple s'était égaré. La société sortait de multiples versions d'un même produit pour suivre la mode du moment dans les bureaux ou faire plaisir aux revendeurs. « C'était de la folie, raconte Schiller. On avait des tas de produits, merdiques pour la plupart, conçus par des équipes totalement abandonnées à leur sort. » Il existait une dizaine de Macintosh, avec des numéros impossibles s'étalant du 1400 au 9600. Jobs était effaré : « Pendant trois semaines, les gars ont tenté de me détailler la gamme, mais je n'y comprenais rien. » Finalement, il leur posa une question toute simple : « Si j'ai un ami qui veut un Mac, quel modèle dois-je lui conseiller d'acheter ? »

N'obtenant aucune réponse claire, Jobs tailla dans le vif. Il jeta à la poubelle 70 pour cent des modèles. « Vous êtes des gens brillants, expliqua-t-il un jour à une équipe. C'est une honte de vous voir perdre du temps sur des produits aussi mauvais. » Beaucoup de développeurs détestèrent cette politique au bulldozer et vécurent mal leurs mises à pied forcées. Mais le nouveau patron soutenait que les bons éléments, même parmi ceux dont le programme avait été arrêté, appréciaient ce ravalement. « Les gars sont dans les starting-blocks, annonça Jobs lors d'une réunion de direction en septembre 1997. Je sors d'un entretien avec des gens dont on a stoppé le programme et ils sautent de joie, parce qu'ils savaient qu'on allait droit dans le mur. »

Au bout de quelques semaines, la coupe fut pleine. « Stop ! s'écria Jobs, lors d'une grande réunion de synthèse. On marche sur la tête ! » Il prit un feutre, marcha vers le tableau blanc et dessina un carré à quatre cases. « Voilà ce dont nous avons besoin… » Il écrivit au-dessus de la première colonne « consommateur » et au-dessus de la seconde « pro », et en regard des deux rangées ; « bureau » et « portable ». Ils avaient à présent quatre produits à fabriquer, un dans chaque case. Il y eut un grand silence dans la salle.

Il y eut le même silence quand Jobs présenta son projet en septembre devant le conseil d'administration. « Gil nous demandait de voter la fabrication de nouveaux produits à chaque réunion, raconte

Woolard. Il soutenait que c'était essentiel. Et Steve débarque avec son carré à quatre cases en nous disant que c'était là-dessus qu'on devait se recentrer ! » Au début, le conseil fit grise mine. « C'est risqué, convint Jobs, mais je vais m'arranger pour que ça marche. » Les administrateurs ne votèrent jamais la nouvelle stratégie. Mais Jobs était aux commandes et rien ne l'arrêtait.

Soudain, les ingénieurs Apple purent porter leurs efforts sur seulement quatre produits. Pour l'ordinateur de bureau de la case « pro », ils partirent sur le Power Macintosh G3. Pour le portable pro, ce serait le PowerBook G3. Pour l'ordinateur de bureau du consommateur, leurs travaux allaient déboucher sur l'iMac. Et pour le portable consommateur, ils allaient donner naissance à l'iBook.

Il fallait donc abandonner les productions annexes, telles que les imprimantes et les serveurs. En 1997, Apple commercialisait la StyleWriter, qui n'était rien d'autre qu'une DeskJet Hewlett-Packard avec un autre habillage. Et c'est HP qui en tirait les plus gros bénéfices, avec ses cartouches d'encre. « Je ne comprends pas, s'exclama Jobs lors d'une autre évaluation produit. Vous comptez en produire un million d'unités pour récolter quoi ? Des clopinettes ? C'est stupide ! » Jobs sortit de la pièce et appela aussitôt la direction d'HP. « On oublie notre accord, déclara-t-il. Vous reprenez vos billes et on vous laisse le marché. » Il annonça ensuite au conseil qu'Apple abandonnait la production d'imprimantes. « Steve avait analysé la situation et arrêtait la casse », raconte Schiller.

La décision la plus spectaculaire de Jobs, ce fut d'en terminer, une fois pour toutes, avec le Newton, l'assistant personnel à reconnaissance d'écriture. Le nouveau P-DG voulait sa peau pour plusieurs raisons : c'était un projet initié par Sculley ; l'appareil ne fonctionnait pas bien ; et il fallait se servir d'un stylet ! Il avait déjà tenté de convaincre Amelio de cesser la production au début 1997, mais celui-ci s'était contenté de démanteler l'équipe chargée de son développement. Vers la fin de l'année, lorsque Jobs reprit en main la gamme des produits, le Newton était toujours au catalogue. Il m'expliqua ainsi sa décision :

> Si Apple s'était trouvé dans une situation moins critique, j'aurais tenté de sauver le Newton. Mais je n'avais pas confiance dans l'équipe qui avait initié ce projet. Il y avait de bonnes idées, mais tout était

sapé par un mauvais management. En arrêtant la production, j'ai libéré de bons ingénieurs qui ont pu alors travailler sur la nouvelle technologie mobile. Et l'avenir m'a donné raison, puisque c'est ainsi que nous avons pu sortir l'iPhone et l'iPad.

Ce talent de Jobs pour prendre les problèmes à bras-le-corps sauva Apple. Durant sa première année d'exercice, il limogea plus de trois mille personnes, ce qui permit à la société de sortir de la zone rouge. Pendant l'année 1997, qui s'était terminée par la nomination de Jobs comme P-DG par intérim, Apple avait perdu plus d'un milliard de dollars. « Nous étions à trois mois de la faillite », m'expliqua-t-il. En janvier 1998, lors de la nouvelle Macworld Expo de San Francisco, Jobs monta sur la scène où Amelio s'était ridiculisé l'année précédente et exposa la nouvelle stratégie de la société. Et, pour la première fois, il termina sa présentation par une phrase qui devint sa patte... « Ah... encore une petite chose. » Et cette fois la « petite chose » ce fut : « Penser profits. » Quand il prononça ces mots, la foule lui fit une ovation. Après deux ans de pertes abyssales, Apple venait de faire un bon trimestre et d'engranger quarante-cinq millions de bénéfices. Pour l'année 1998, la société gagnera trois cent neuf millions de dollars. Jobs était de retour, et avec lui, Apple.

CHAPITRE VINGT-CINQ

PRINCIPES DE DESIGN

Le duo Jobs et Ive

Avec Jony Ive et le Mac « Tournesol », en 2002.

Jony Ive

Quand Jobs, en septembre 1997, juste après avoir été nommé iP-DG, rassembla ses troupes pour leur redonner du cœur à l'ouvrage, un Britannique de trente ans, Jonathan Ive, chef de l'équipe design d'Apple, se trouvait dans la salle. En homme sensible et passionné, il s'apprêtait à donner sa démission. Il en avait assez que la société se soucie davantage des profits que de ses produits. Le discours de Jobs l'incita à ajourner sa décision. « Steve avait annoncé clairement que notre but n'était pas seulement de gagner de l'argent mais de fabriquer de grands produits. Cela changeait totalement la philosophie de la maison. » Ive et Jobs allaient bientôt fonder une paire qui allait révolutionner le design industriel de l'époque.

Ive avait grandi à Chingford, une ville au nord-est de Londres. Son père était orfèvre et donnait des cours à l'université de la région. « C'était un artisan exceptionnel, raconte Ive. Comme cadeau de Noël, il m'a offert une journée complète avec lui dans son atelier de l'école. C'était les vacances et j'avais tout le matériel rien que pour moi. Il allait m'aider à réaliser la pièce que je voulais. » Seule condition : le jeune Jonathan devait dessiner son projet. « J'avais toujours été attiré par les objets fabriqués à la main. J'ai compris plus tard que c'était ça l'important, le soin et l'attention que l'on portait à la pièce. Rien ne me hérissait plus qu'un produit bâclé. »

Ive étudia le design industriel à la Northumbria University et travailla durant les congés scolaires dans un cabinet de consultant en design. Il créa, à l'époque, un stylo dont le bouton poussoir était surmonté d'une petite boule. Ça permettait à l'utilisateur de jouer avec et de créer un lien ludique avec le produit. Pour sa thèse, il conçut un écouteur avec microphone – moulé dans un magnifique plastique blanc – pour communiquer avec des enfants malentendants. Son appartement était une caverne d'Ali-Baba, encombrée de maquettes et de modèles qui lui avaient servi à trouver la forme parfaite pour son écouteur. Il avait aussi dessiné un distributeur de billets et un téléphone qui avaient, tous deux, remporté le prix de la Royal Society of Arts. À l'inverse de certains designers, Ive ne se contentait pas de faire de beaux croquis. Il s'intéressait au processus de fabrication et au fonctionnement des composants internes. Quand, à l'université, il eut l'occasion d'utiliser un Macintosh pour élaborer ses projets de design, ce fut une révélation. « Je me suis senti tout de suite très proche des gens qui avaient conçu cette merveille. J'ai compris ce que pouvait – ou devait – apporter une société en matière de design. »

Après avoir décroché son diplôme, Ive participa à la création d'un cabinet de design, nommé Tangerine, qui décrocha un contrat avec Apple. En 1992, il émigra à Cupertino, pour intégrer l'équipe. Il devint le chef du service en 1996, l'année du retour de Jobs aux commandes – mais il n'était pas heureux dans son travail. Amelio n'avait aucune considération pour le design. « On n'accordait aucune attention aux produits, parce que tout ce qui comptait c'était d'augmenter les marges. Tout ce qu'on nous demandait, à nous designers, c'était de dessiner une boîte et puis les ingénieurs s'arrangeaient pour la fabriquer à moindre coût. Je voulais donc partir. »

Après le discours de Jobs, Ive décida de rester. Mais d'abord Jobs chercha, à l'extérieur, des designers de renommée mondiale. Il s'entretint avec Richard Sapper, qui avait dessiné le ThinkPad d'IBM, et avec Georgio Giugiaro, qui avait conçu la Ferrari 250 et la Maserati Ghibli. Mais quand il visita le bureau d'études de design maison, il fut conquis par l'enthousiasme et le sérieux du chef de service. « On a discuté formes et matériaux, raconte Ive. On était sur la même longueur d'onde, Steve et moi. Et j'ai soudain compris pourquoi j'aimais tant cette boîte. »

Ive, du moins au début, devait rendre des comptes à Jon Rubinstein, que Jobs avait nommé à la tête du département matériel mais, avec le temps, le designer et Jobs tissèrent une relation privilégiée. Ils déjeunaient souvent ensemble, et à la fin de la journée, le patron passait toujours au bureau d'études pour jeter un coup d'œil sur les projets en cours. « Jony avait un statut particulier, relate Laurene. Il venait souvent dîner à la maison et nos deux familles se sont liées d'amitié. Steve n'a jamais voulu le blesser. Pour Steve, bon nombre de personnes sont interchangeables. Mais pas Jony. »

Le respect de Jobs pour Ive était évident. Voici en quels termes il me parla du designer :

> Ce que Jony a apporté, non seulement à Apple mais au monde entier, est gigantesque. C'est une personne brillante dans tous les domaines. Il comprend la finance, le marketing. Il saisit tout en un clin d'œil. Il connaît, mieux que quiconque, l'âme d'Apple. Si la société avait besoin d'un guide spirituel, ce serait Jony. Le plus souvent, on conçoit ensemble les produits ; après on les présente aux autres et on leur demande : « Alors, qu'est-ce que vous en pensez ? » Jony sait prendre de la hauteur, comme scruter le détail. Et il sait qu'Apple est avant tout un fabricant. Ce n'est pas un cabinet de design. C'est pourquoi il traite directement avec moi. Il a plus de pouvoir décisionnel que tous les autres cadres de l'entreprise. Personne ne peut lui dire ce qu'il doit faire ou pas. Je voulais qu'il ait cette liberté.

Comme la plupart des designers, Ive aimait analyser la démarche philosophique qui préfigurait à la naissance d'un produit, décrire pas à pas le processus de pensée qui conduisait à l'émergence de telle ou telle esthétique. Pour Jobs, la démarche était plus intuitive. Il désignait les modèles ou les esquisses qu'il aimait, rejetait les autres. Et Ive, avec le temps, avait saisi les goûts du patron.

Jony Ive était un fan du designer allemand Dieter Rams, qui travaillait pour Braun. Le credo de Rams : « Le moins est le mieux » – *Weniger aber besser*. Et Jobs et Ive s'attachaient toujours à simplifier leur projet. Depuis sa première brochure où il était écrit : « La simplicité est la sophistication suprême », Jobs avait toujours tenté d'extraire la simplicité par la maîtrise de la complexité – non en l'ignorant. « Cela demande beaucoup de travail de relever tous les défis et de trouver des solutions élégantes. »

En Ive, Jobs trouva son âme sœur, dans sa quête d'une simplicité qui soit en profondeur, et pas seulement une illusion. Ive, dans son bureau, me décrivit ainsi cette philosophie :

> Pourquoi disons-nous que la simplicité est une bonne chose ? Parce qu'on se doit de dominer nos produits. Apporter de l'ordre dans la complexité, c'est une manière d'être plus fort que le produit. La simplicité n'est pas seulement un effet visuel. Il ne s'agit pas de minimalisme ou d'une réduction de l'encombrement. Il s'agit d'aller jusqu'au cœur de la complexité. Pour trouver la vraie simplicité, il faut creuser profond. Par exemple, pour ne pas avoir de vis apparentes, on peut finir par avoir un produit totalement contourné et complexe. La solution, c'est de s'enfoncer jusqu'à l'essence même du produit avec, pour objectif, l'épure à tous les niveaux. Il faut repenser tout l'objet, ainsi que la façon dont on va le fabriquer. C'est par ce voyage jusqu'au centre du produit qu'on peut se débarrasser du superflu.

C'était la philosophie commune du duo. Le design n'était pas qu'un travail de surface. Il devait refléter l'essence du produit. « Pour la plupart des gens, le design est synonyme d'habillage, expliquait Jobs dans *Fortune*, peu après avoir repris les rênes d'Apple. Mais pour moi, rien n'est plus fondamental que le design. Il est l'âme d'un produit qui s'exprime du cœur jusqu'à l'enveloppe extérieure, couche par couche. »

L'esthétique était donc intégrée au processus de conception et de fabrication. C'est ce qui s'était passé pour l'élaboration du PowerMac. « On voulait se débarrasser de tout ce qui n'était pas essentiel, raconte

Ive. Pour y parvenir, il a fallu une collaboration étroite entre les designers, les développeurs, les ingénieurs et l'équipe de fabrication. On n'arrêtait pas de tout démonter pour repartir de zéro. Avait-on vraiment besoin de cette partie ? Remplissait-elle de façon optimale sa fonction tant sur le plan du design que de l'électronique ? »

Jobs et Ive jugeaient qu'il devait y avoir une osmose parfaite entre l'esthétique d'un produit, sa fonction et sa fabrication. Ils en firent la démonstration frappante lors d'un voyage en Europe. Les deux hommes furetaient dans le salon d'exposition d'un cuisiniste. Ive repéra un magnifique couteau ; il le prit pour l'admirer, puis le reposa, d'un air chagrin. Jobs fit de même. « Il y avait une petite coulure de colle entre la lame et le manche », m'expliqua Ive. La ligne du couteau était somptueuse, mais tout était gâché par une finition bâclée. « Personne n'aime qu'on lui rappelle que son couteau préféré est assemblé avec de la vulgaire colle. Steve et moi, nous nous souciions de ce genre de détails qui ruinait la perfection d'un instrument, pervertissait son essence. Tous les deux nous voulions que nos produits soient purs et sans bavures d'aucune sorte. »

Dans la plupart des sociétés, l'ingénierie imposait ses lois au design. Les constructeurs donnaient les spécifications techniques du produit, et les designers dessinaient des boîtes pour le mettre dedans. Pour Jobs, la démarche était inverse. Il avait, par exemple, validé le design du Macintosh avant même que la machine ne soit construite, et les ingénieurs avaient dû se débrouiller pour y loger leurs circuits.

Après son éviction, la nouvelle direction s'était empressée de revenir à la démarche classique, comme le précisait Phil Schiller : « Avant le retour de Steve, les ingénieurs disaient : "Voilà les entrailles de la bête – carte mère, disque dur…" – et les designers devaient se débrouiller pour faire tenir tout ça dans une boîte. Quand on procède ainsi, il ne faut pas s'étonner d'avoir en bout de chaîne des produits hideux. » Mais Jobs et Ive avaient rétabli l'équilibre. « Steve nous répétait que le design était la clé de notre réussite. Il devait être à l'origine de la conception, et non l'inverse. »

Il y eut parfois des retours de flamme. Par exemple quand Jobs et Ive voulurent à tout prix utiliser un cadre en aluminium brossé pour le pourtour de l'iPhone 4, et n'écoutèrent pas les électroniciens qui disaient que cela risquait de parasiter le fonctionnement de l'antenne (voir chapitre 38). Mais le plus souvent, l'originalité du design – pour l'iMac, l'iPod, l'iPhone et l'iPad – plaça Apple au-dessus du lot et lui ouvrit la voie du succès.

Dans l'antre de Jony Ive

Le bureau d'études où règne Ive, au rez-de-chaussée du 2 Infinite Loop au QG d'Apple, est protégé par des vitres teintées et une lourde porte. Juste à l'entrée, dans leur guérite, deux assistants montent la garde. La plupart des employés d'Apple n'ont pas le droit d'entrer dans cette aile du bâtiment. La majorité de mes entretiens avec Jony Ives ont eu lieu à l'extérieur de ce sanctuaire. Mais un beau jour, en 2010, j'ai eu droit à une visite des lieux pendant que Ive m'expliquait sa collaboration avec Jobs.

Sur la gauche en entrant, il y a un espace de bureaux ouverts avec de jeunes designers ; sur la droite, une grande pièce avec des tables en acier où trônent les produits en développement. Plus loin, on trouve la salle de CAO et, derrière encore, l'atelier avec ses machines à mouler pour façonner des maquettes en mousse. Il y a aussi une cabine de peinture automatisée pour rendre les modèles plus réalistes encore. On se croirait dans une usine, avec son mobilier gris. Les arbres au-dehors projetaient ce jour-là leurs ombres mouvantes sur le sol. De la musique jazz et techno jouait en sourdine.

Presque tous les jours, quand Jobs était en forme, il déjeunait avec Ive, puis il passait au bureau d'études. En entrant, il pouvait examiner les projets en cours disposés sur les tables et ainsi juger s'ils s'intégraient avec harmonie dans la ligne des produits Apple. Ils inspectaient avec les doigts toutes les versions successives d'un même modèle. D'ordinaire les deux hommes étaient seuls ; les autres designers jetaient des regards en coin mais se tenaient à distance. Si Jobs avait une question particulière à poser, il pouvait appeler le responsable du design mécanique ou un autre adjoint de Ive. Parfois, si une idée l'intéressait particulièrement ou lui ouvrait de nouvelles pistes dans la stratégie de la société, il demandait à Tim Cook, le directeur des opérations, ou Phil Schiller, le directeur du marketing, de les rejoindre. Ive me décrivit ainsi le rituel :

Cette grande pièce est le seul endroit où sont regroupés tous les projets en cours. D'un seul coup d'œil, on peut les voir dans leur ensemble. Quand Steve vient, il s'assoit à l'une de ces tables. Si on travaille sur un nouvel iPhone, par exemple, il prend un tabouret et manipule toutes les versions, pour les sentir dans sa main, pour juger quel est le modèle qu'il préfère. Puis il passe aux autres tables, juste lui et moi, pour voir quelle direction prennent les autres produits. Ici, il a toute l'activité de l'entreprise sous les yeux, l'iPhone, l'iPad, l'iMac, les portables, toute notre production. Cela l'aide à voir sur quoi se porte l'énergie de la société, et comment chaque produit s'inscrit dans un tout cohérent. Il s'interroge beaucoup : « Est-ce que sortir, ça a un sens ? Cela ne risque-t-il pas de déséquilibrer le reste de la production ? » Des questions comme ça. Ici, il voit chaque produit en relation avec les autres, ce qui est rare dans une grande société. En regardant ces maquettes sur les tables, il a sous les yeux le futur d'Apple pour les trois ans à venir.

Ici, concevoir un design, c'est avant tout une conversation pendant que l'on passe de table en table, qu'on tripote les maquettes. Steve n'aime pas les planches ou les plans ; il préfère voir la maquette, la sentir avec ses mains. Il a raison. C'est toujours surprenant comme un projet peut paraître parfait sur le papier et, une fois réalisé, se révéler bon à jeter à la poubelle. Même si on a fait des simulations en 3D avec les ordinateurs.

Steve aime venir ici, parce que l'ambiance y est calme et douce. C'est un paradis pour un visuel comme lui. Il n'y a pas de réunion, donc pas de grandes décisions à prendre dans l'urgence. Chez nous, le processus de création est fluide ; puisque tous les jours nous sortons une nouvelle version, et ne faisons jamais de présentations officielles, nous sommes rarement en désaccord, Steve et moi.

Ce jour-là, Ive supervisait la création d'une nouvelle alimentation pour le marché européen. Il y avait des dizaines de modèles alignés sur les tables, chacun avec des différences mineures, prêts pour l'inspection. Cela pouvait sembler curieux que le directeur du design d'Apple s'occupe de tels détails, mais Jobs s'y intéressait tout autant. Depuis qu'il avait fait fabriquer une alimentation spéciale pour l'Apple II, Jobs veillait de près non seulement à la conception de tels accessoires, mais également à leur apparence. Il avait fait breveter l'alimentation du MacBook en forme de petit pavé blanc, ainsi que son connecteur magnétique qui s'enclenchait dans la prise avec un petit « clic » agréable à l'oreille. En fait, il avait déposé, à son nom, plus de deux cent douze brevets au début de l'année 2011.

Ive et Jobs veillaient à avoir la propriété non seulement des produits, mais de leur emballage. Le brevet D558572, par exemple, correspondait à la boîte de l'iPod nano, accompagné de quatre plans montrant comment le baladeur y était joliment lové quand le couvercle était retiré. Le brevet D596485, déposé le 21 juillet 2009, correspondait à la boîte de l'iPhone, avec son couvercle rigide et son petit plateau de plastique à l'intérieur.

Jobs se souvenait des paroles de Mike Markkula : les gens jugeaient un livre à sa couverture. Il fallait donc que tous les emballages d'Apple soient de magnifiques écrins annonçant le diamant de technologie qui se trouvait à l'intérieur. Qu'il s'agisse d'un iPod mini ou d'un MacBook Pro, tout consommateur Apple connaît cette émotion particulière quand il ouvre le paquet et découvre l'appareil à l'intérieur, présenté telle une œuvre d'art. « Steve et moi passions beaucoup de temps sur la présentation. Il y a une émotion particulière quand on déballe un produit qu'on vient d'acheter. Il faut créer un rituel, pour que ce moment soit inoubliable. La présentation, l'emballage, c'est du théâtre, c'est écrire une histoire. »

Ive avait la sensibilité d'un artiste, et il était vexé quand, parfois, Jobs tirait la couverture à lui – une fâcheuse habitude qui avait déjà agacé nombre de ses anciens collaborateurs. Ive estimait tellement le patron d'Apple que l'affront n'en était que plus douloureux. « C'est toujours le même manège : quand je lui présente quelque chose, il dit "c'est nul", puis "ce n'est pas si mal", et enfin "oui, ça j'aime", et plus tard, en public, il fait comme si l'idée est de lui. J'accorde un soin maniaque à noter toutes mes inventions, alors je sais bien quand c'est moi l'auteur. » Ive était aussi agacé que les journalistes présentent Jobs comme le seul « Monsieur Idée » d'Apple. « Cela fragilise la société », m'expliqua-t-il d'un ton solennel. Mais après un silence, il reconnut l'influence de Jobs : « Dans nombre de grandes sociétés, les innovations et les designs ambitieux se perdent en route. Les idées qui venaient de moi et de mon équipe n'auraient jamais été concrétisées si Steve n'avait pas été là pour nous pousser à les creuser et pour les porter à bout de bras jusqu'au produit fini. »

CHAPITRE VINGT-SIX

L'iMAC

Hello *(again)*

Retour vers le futur

La première grande réussite du tandem Jobs-Ive en matière de design fut l'iMac, un ordinateur de bureau destiné aux particuliers, mis en vente en 1998. Le patron d'Apple avait imposé certaines spécifications. Ce serait un produit tout-en-un, avec un clavier, un moniteur et un ordinateur intégrés dans une seule unité. Le tout prêt à l'utilisation à peine sorti de son emballage. Son coût ? Pas plus de mille deux cents dollars. (À l'époque, Apple ne vendait aucun ordinateur à moins de deux mille dollars.) « Steve souhaitait revenir aux origines du Macintosh de 1984, raconte Schiller. Le design et l'ingénierie devaient fonctionner de pair. »

Le plan initial était de concocter un « ordinateur de réseau », concept lancé par Larry Ellison. Il s'agissait d'un terminal peu oné-

reux, sans disque dur, dont le but était principalement de se connecter, entre autres, à Internet. Mais le directeur financier d'Apple,
Fred Anderson, suggéra d'en ajouter un, afin de proposer un ordinateur de bureau à part entière. Jobs donna finalement son accord.

Rubinstein, responsable du département matériel, adapta le
microprocesseur et les entrailles du Power Mac G3 – l'ordinateur
professionnel haut de gamme d'Apple – au nouveau prototype. Il
serait équipé d'un disque dur et d'un plateau pour les CD, mais
Jobs et Rubinstein, misant sur l'avenir, décidèrent de ne pas inclure
le traditionnel lecteur de disquette. Le P-DG invoqua la maxime
de Wayne Gretzky, la star de hockey : « Je patine à l'endroit où le
palet va être, et non là où il a été. » Une idée en avance sur son
temps, mais qui fit son chemin, puisqu'au final, plus aucun ordinateur ne serait équipé de lecteur de disquette.

Ive et son adjoint, Danny Coster, imaginèrent des designs futu-
ristes. Le patron rejeta avec brusquerie la première douzaine de
maquettes, mais le designer savait comment l'amadouer. Certes,
aucune n'était parfaite, mais toutes étaient prometteuses. Le produit
s'annonçait tout en courbes, ludique, bien loin du traditionnel bloc
enraciné à une table. Ive sut trouver les mots pour convaincre Jobs :
« On a l'impression qu'il vient de se poser sur le bureau et qu'il
s'apprête à rebondir ! »

Lors de la présentation suivante, le designer avait affiné le prototype. Cette fois, le patron d'Apple, fidèle à sa vision binaire du
monde, déclara qu'il était génial. La maquette sous le bras, il fit le
tour du QG pour la montrer à ses fidèles lieutenants et aux membres
de son conseil d'administration. Dans ses publicités, Apple prônait
« Think Different ». Pourtant, jusqu'à présent, l'entreprise n'avait
rien proposé de véritablement novateur, comparé aux ordinateurs
existants. Jobs tenait enfin un concept prometteur.

Le boîtier de plastique imaginé par Ive et Coster était d'un bleu
turquoise – appelé plus tard bleu bondi, d'après la couleur de l'eau
d'une plage d'Australie – si transparent qu'on pouvait voir l'intérieur
de la machine. « Nous voulions véhiculer l'impression que l'ordinateur pouvait s'adapter à vos besoins, tel un caméléon, précise le chef
designer. Voilà pourquoi nous aimions la transparence. »

D'un point de vue littéral comme métaphorique, la transparence
liait l'ingénierie interne au design externe. Jobs avait insisté pour

que les rangées de puces sur les circuits imprimés soient soigneusement alignées, même si elles ne se voyaient pas. À présent, elles étaient visibles. Le boîtier ferait apparaître le soin tout particulier avec lequel composants et ordinateur s'imbriquaient. Le design ludique conférait une impression de simplicité tout en révélant les profondeurs de cette apparente sobriété.

La coquille de plastique elle-même recelait une grande complexité. Ive et son équipe avaient travaillé avec des Coréens pour perfectionner le processus de fabrication des boîtiers. Ils s'étaient même rendus dans une usine de dragibus – ces petits bonbons ovales de toutes les couleurs – pour réfléchir au moyen de rendre les couleurs translucides plus alléchantes encore. Un boîtier coûtait plus de soixante dollars l'unité, un prix trois fois supérieur à la normale. D'autres entreprises auraient réalisé des études pour mesurer la pertinence de ces coûts additionnels en matière de ventes. Le P-DG d'Apple n'en réclama aucune.

Cerise sur le gâteau : une poignée positionnée sur le dessus du Mac. Un gadget plus symbolique que fonctionnel. Comme il s'agissait d'un ordinateur de bureau, peu de gens allaient se balader avec. Mais comme Ive me l'expliqua :

> À l'époque, les gens n'étaient pas à l'aise avec la technologie. Si quelque chose vous fait peur, vous n'en approchez pas. Voilà pourquoi j'ai imaginé cette poignée, symbole du lien entre l'utilisateur et la machine, qui devient alors accessible. Intuitive. Elle vous donne la permission de la toucher. Un peu comme si elle s'inclinait devant vous. Malheureusement, fabriquer une poignée intégrée coûte cher. Dans l'ancien Apple, ça ne serait pas passé. Mais là, Steve l'a regardée et a adoré mon idée. C'est ça qui était génial avec lui. Pas besoin d'explications supplémentaires. Il savait que cette poignée reflétait le caractère chaleureux et ludique de l'iMac.

Le patron d'Apple dut balayer les objections des spécialistes de la fabrication, Rubinstein en tête, qui opposaient des considérations pratiques et financières aux choix esthétiques. Mais Jobs ne s'en laissait pas conter : « Les gars de la fab' m'ont sorti trente-six raisons pour me prouver que c'était impossible à réaliser. »

— On va le faire quand même !

— Mais comment ?

— C'est votre problème. Je suis le P-DG et moi je pense que c'est faisable.

Ils n'étaient pas contents, pourtant ils trouvèrent une solution.

Jobs demanda à Lee Clow, Ken Segall et plusieurs autres membres de l'agence TBWA\Chiat\Day, de sauter dans un avion pour venir admirer son projet en cours. Il les emmena au bureau d'études, un espace sous haute surveillance, et leur dévoila avec un sens du drame consommé le boîtier en forme de goutte translucide imaginé par Ive. On aurait dit un objet tout droit sorti des *Jetson*, la série télévisée d'animation des années 1980, qui mettait en scène une famille américaine dans le futur. Au début, les publicitaires furent pris de court. « On était consternés, mais personne n'osait le dire, se rappelle Ken Segall. Pour nous, ils étaient tombés sur la tête ! C'était tellement radical ! » Jobs leur demanda de proposer des noms. Ken Segall lui fit cinq propositions, dont « iMac ». Comme le patron d'Apple n'en aimait aucune, le publicitaire revint une semaine plus tard avec une autre liste, en précisant que l'agence continuait à préférer « iMac ». Le P-DG d'Apple le détestait moins, sans pour autant l'apprécier. Il le fit imprimer sur quelques prototypes, et le nom commença à faire sens en lui. Ainsi naquit l'iMac.

La date butoir du lancement de l'iMac approchant, le tempérament légendaire de Jobs fit parler de lui, surtout quand il fut confronté à des problèmes de fabrication. Lors d'une réunion de l'équipe, il se rendit compte que le retard s'aggravait. « On a assisté à l'une de ses fameuses colères, raconte Jony Ive. Une vraie furie. » Le patron fit le tour de la table et se mit à agresser tout le monde, à commencer par Rubinstein : « Tu sais qu'on essaie de sauver cette boîte ! Et toi et tes gars, vous merdez complètement ! »

Comme à l'époque de l'inauguration du premier Macintosh, l'équipe de l'iMac se surpassa pour tenir les délais. Mais avant le jour J, le patron d'Apple fit un dernier scandale. Pour la présentation, Rubinstein avait réussi à bricoler deux prototypes en état de marche. Personne n'avait encore vu le produit fini – pas même Jobs – et quand le patron d'Apple l'examina de près sur la scène, il repéra un bouton sous l'écran. Il appuya dessus et le plateau d'insertion des CD coulissa. « Bordel ! C'est quoi ce truc ? » Il entra alors dans une colère noire. « Aucun de nous n'a pipé mot, se rappelle Schiller, parce qu'il était évident qu'il savait ce que c'était. Un simple plateau d'insertion de CD. » Jobs était fou de rage : l'ordinateur était censé être équipé d'une fente, comme dans les autoradios des voitures haut de gamme. Il était si furieux qu'il demanda à Schiller d'aller chercher Rubinstein.

— Steve, c'est le lecteur que je t'ai montré quand nous avons discuté des composants.

— Non, il n'y a jamais eu de plateau ! Juste une fente.

Rubinstein ne répliqua pas. L'ire de son interlocuteur ne faisait que croître. « J'ai failli en pleurer, parce qu'il était trop tard pour modifier le système », raconta Jobs bien plus tard.

Ils interrompirent les répétitions et, l'espace de quelques minutes, le P-DG d'Apple sembla sur le point d'annuler le lancement. Schiller se souvenait de la réaction de Rubinstein, qui s'était demandé tout haut s'il était en train de devenir fou. « C'était mon premier lancement avec Steve, et aussi la première fois que j'assistais à l'un de ses fameux accès de colère. »

Finalement, ils tombèrent d'accord pour remplacer le plateau d'insertion par une fente dans la prochaine version de l'iMac. « Je veux bien faire ce lancement, si vous me promettez de modifier le système dès que possible », avait dit Steve, les larmes aux yeux.

La vidéo prévue pour la présentation posait également problème. On y voyait Jony Ive décrire son prototype et se demander : « Quel ordinateur les Jetson auraient-ils acheté ? Quel serait le futur d'hier ? » À cet instant, un bref extrait de la série montrait Jane Jetson devant un écran vidéo, puis dans une autre séquence, les membres de la famille riaient devant un sapin de Noël. Pendant la répétition, un assistant de production déclara qu'il fallait supprimer les deux extraits, car Hanna-Barbera ne leur avait pas donné l'autorisation de les exploiter. « On les garde ! » aboya Jobs pour toute réponse. L'assistant expliqua alors que c'était contraire à la loi. « Je m'en moque, on les garde ! » Une réponse sans appel. Le clip demeura inchangé.

Lee Clow envoya à Jobs les épreuves des publicités destinées aux magazines, ce qui lui valut un appel courroucé du patron d'Apple. Le bleu des publicités était selon lui différent de celui des photographies de l'iMac qu'ils avaient sélectionnées ensemble. « Vous faites n'importe quoi ! Je vais mettre quelqu'un d'autre sur ces pubs ! C'est complètement raté ! » Le publicitaire lui avait alors demandé de comparer les bleus. Mais Jobs n'en démordait pas. Finalement, Lee Clow l'obligea à s'asseoir à une table pour étudier les photographies originales. Il réussit à lui prouver que les bleus étaient identiques. Quelques années plus tard, dans un forum de discussion sur le site Gawker, un employé d'un magasin Whole Foods, à quelques rues de la maison de Jobs, à Palo Alto, livra le récit suivant : « Un après-midi, j'ai vu une Mercedes grise se garer sur un emplacement réservé aux handicapés. À l'intérieur, Steve Jobs hurlait dans son téléphone. C'était un peu avant la sortie du nouvel iMac et je suis pratiquement certain qu'il disait : "Non ! Bleu ! Putain ! Bleu !" »

Comme toujours, le patron d'Apple était compulsif pour tout ce qui touchait à la préparation du grand événement. Après l'arrêt brutal de la première répétition, pour cause de lecteur CD inapproprié, il avait orchestré plusieurs autres séances, pour peaufiner le spectacle. Il ne cessait de répéter le moment épique où il traversait la scène et lançait : « Dites bonjour au nouvel iMac ! » Il exigeait un éclairage parfait, pour que la transparence de la coque soit éclatante. Hélas, après plusieurs galops d'essai, il n'était toujours pas satisfait, écho de son obsession de l'éclairage, dont John Sculley avait été témoin lors des répétitions pour le lancement du Macintosh en 1984. Jobs voulait des lumières plus fortes, plus tôt, mais cela ne suffisait pas. Il finit par s'asseoir au beau milieu de l'auditorium, les pieds posés sur le siège devant lui. « Allez, on recommence jusqu'à ce que ce soit irréprochable ! » Ils firent une nouvelle tentative infructueuse. Non, cela n'allait pas du tout. Ou les lumières n'étaient pas assez brillantes, ou elles apparaissaient trop tard. Las, le patron d'Apple perdait patience, quand enfin, l'iMac apparut dans toute sa splendeur. « Oui ! C'est ça ! On ne touche plus à rien ! »

Un an auparavant, Jobs avait renvoyé Mike Markkula du conseil d'administration. Mais il était tellement fier de son nouvel iMac – à ses yeux, le digne descendant du premier Macintosh ! – qu'il invita son ancien partenaire à Cupertino pour une présentation privée. Markkula fut impressionné. Sa seule objection avait trait à la souris conçue par Ive. Elle ressemblait à un palet de hockey et, d'après lui, les gens ne l'aimeraient pas. Jobs n'était pas d'accord, pourtant il s'avéra que son mentor avait vu juste. En dehors de ce détail, l'ordinateur, comme son aïeul, fut un succès phénoménal.

Le lancement : 6 mai 1998

Avec le lancement du premier Macintosh en 1984, Jobs avait créé une nouvelle forme de spectacle : la mise sur le marché d'un produit devenait un événement historique, quasi mystique. Les cieux s'ouvraient pour projeter sur le nouveau-né un faisceau de lumière incandescent, accompagné par le chant des anges et des chœurs célestes. Pour l'inauguration magistrale de l'ordinateur qui allait sauver Apple et bouleverser une nouvelle fois le monde de l'informatique, Jobs avait symboliquement choisi l'auditorium du College De Anza de Cupertino, comme pour le Macintosh en 1984. Tout était mis en œuvre pour dissiper les doutes, rassembler les troupes, s'attirer les grâces des développeurs de logiciels et booster la commercialisation de la nouvelle machine. Mais Jobs adorait aussi jouer les metteurs en scène. Réaliser un grand *show* le faisait autant vibrer que lancer un nouveau produit.

Un brin sentimental, le patron d'Apple commença par mettre en avant trois personnes assises au premier rang. Trois hommes qu'il s'était aliénés et qu'il voulait à présent sur scène à ses côtés. « J'ai lancé cette compagnie avec Steve Wozniak dans le garage de mes parents, et Steve est ici aujourd'hui, dit-il en le désignant du doigt et en encourageant l'auditoire à l'applaudir. Nous avons été rejoints par Mike Markkula, puis peu après par notre premier président, Mike Scott. Tous deux sont parmi nous aujourd'hui. Et personne ne serait ici aujourd'hui sans ces deux hommes… » Ses yeux se voilèrent un instant sous les applaudissements nourris. Parmi les spectateurs se trouvait également Andy Hertzfeld, ainsi que la majorité de l'équipe des pirates. Jobs leur sourit. Ils allaient être fiers de leur ancien capitaine.

Après avoir dévoilé la nouvelle stratégie d'Apple et passé quelques diapositives pour exposer les performances de sa nouvelle machine, Jobs était prêt à livrer au monde son nouvel enfant chéri. « Voilà à quoi ressemblent les ordinateurs d'aujourd'hui, fit-il tandis qu'une ribambelle d'unités centrales et de moniteurs beiges étaient projetés sur l'écran géant derrière lui. J'ai, aujourd'hui, l'immense privilège de vous montrer à quoi ils ressembleront désormais… » Il souleva le tissu qui recouvrait la table au centre de la scène et révéla le nouvel iMac, étincelant sous les lumières des projecteurs, dans un timing parfait. Il pressa la souris, et comme lors du lancement du Macintosh de 1984, apparut une succession d'images présentant toutes les formidables capacités de la machine. Après quoi, le mot « Hello » s'afficha sur le moniteur, de la même écriture facétieuse qu'en 1984, avec cette fois le terme « *again* » (« encore ») entre parenthèses. Un tonnerre d'applaudissements retentit. Jobs recula d'un pas et regarda son œuvre avec fierté. « On dirait qu'il vient d'une autre planète, dit-il, déclenchant les rires de son auditoire. Une planète habitée par les meilleurs designers de l'univers. »

Une fois encore, Jobs avait créé un produit emblématique, augure d'un nouveau millénaire. Il remplissait la promesse « Think Different ». Au lieu de boîtiers et de moniteurs d'un beige terne, encombrés d'un enchevêtrement de câbles et au montage compliqué, voilà un appareil sympathique, original, lisse au toucher et aussi agréable à la vue qu'un œuf de rouge-gorge. On pouvait saisir sa charmante petite poignée et le soulever de son élégante boîte blanche pour le brancher directement à une prise murale. Les gens qui avaient peur des ordinateurs en voulaient maintenant un, dans une pièce où leurs proches pourraient l'admirer, et même le leur envier. « Voilà un appareil qui mêle le frisson de la science-fiction au clin d'œil kitsch d'un parapluie de cocktail, écrivit à son propos Steven Levy dans *Newsweek*. Non seulement c'est l'ordinateur au look le plus cool inventé depuis des années, mais aussi la preuve formelle que la société incarnant le rêve originel de la Silicon Valley est sortie de sa torpeur. » Pour *Forbes*, l'iMac serait « un succès au fort impact sur l'industrie informatique ». Même John Sculley sortit de son mutisme : « Steve Jobs a repris la stratégie qui a fait la gloire d'Apple il y a quinze ans : fabriquer un produit original et le promouvoir avec un marketing détonant. »

Une seule voix fut discordante dans ce concert de louanges... du côté de Seattle. Pendant que l'iMac récoltait ses lauriers, Bill Gates expliquait à un groupe d'analystes financiers en visite chez Microsoft qu'il s'agissait d'une mode passagère. « Apple ne détient aujourd'hui que le leadership des couleurs, affirma-t-il en leur montrant un PC qu'il avait fait peindre en rouge par jeu. Il ne nous faudra pas long-temps pour obtenir le même résultat. » Furieux, Jobs déclara à un journaliste que le patron de Microsoft, qu'il avait déjà publiquement décrié pour son manque de goût, n'avait pas saisi ce qui rendait l'iMac unique. « Contrairement à ce que pensent nos concurrents, ce n'est pas une question de mode. Ni d'une question de look... Ils croient qu'il suffit de colorer leurs ordinateurs pour obtenir le même succès, mais ils se trompent. »

L'iMac fut mis en vente en août 1998 pour mille deux cent quatre-vingt-dix-neuf dollars. Deux cent soixante-dix-huit mille unités s'écoulèrent au cours des six premières semaines, huit cent mille avant la fin de l'année, ce qui constitue la vente d'ordinateurs la plus spectaculaire de l'histoire d'Apple. Fait particulièrement notable, 32 pour cent des acheteurs acquéraient leur premier ordinateur, et parmi eux, 12 pour cent étaient d'anciens utilisateurs de PC, donc de Windows.

Ive créa peu après quatre nouvelles couleurs éclatantes, en plus du fameux bleu bondi. Proposer le même ordinateur en cinq couleurs représentait un défi de taille pour la fabrication, le catalogue et la distribution. Dans n'importe quelle autre entreprise, y compris l'Apple « avant-Jobs », bon nombre d'études et de réunions auraient été nécessaires pour analyser les coûts et les bénéfices potentiels d'une telle initiative. Mais quand Jobs vit les nouvelles couleurs, il convoqua immédiatement tout le comité de direction au département de design et déclara : « Nous allons fabriquer toutes ces couleurs ! »

Après le départ du groupe, Ive se tourna vers son équipe avec incrédulité : « Dans la plupart des sociétés, il aurait fallu des mois pour prendre une décision pareille. Avec Steve, une demi-heure avait suffi. »

Jobs exigeait une autre amélioration pour l'iMac : se débarrasser du plateau d'insertion de CD tant exécré. « J'ai vu une fente de lecture de disques dans un appareil Sony haut de gamme. Je suis donc allé trouver les concepteurs de lecteurs CD et leur ai demandé de créer le même type de système pour l'iMac. » Rubinstein était contre cette modification. D'après lui, les nouveaux lecteurs à venir pourraient graver des CD, en plus de les lire, mais seraient adaptés aux plateaux de chargement, avant de l'être pour le système de fente. Ainsi, Apple aurait un train de retard sur la technologie.

« Je m'en moque, c'est ce que je veux ! » Rubinstein et Jobs déjeunaient alors dans un restaurant de sushis de San Francisco, et le patron d'Apple insista pour qu'ils poursuivent cette conversation en marchant. « Je te le demande comme une faveur personnelle. » Rubinstein finit par accepter, bien entendu, même si l'avenir lui donna raison. Panasonic sortit un lecteur capable de lire et graver des CD, mais seulement pour les ordinateurs équipés des anciens systèmes de chargement. Cette décision eut des conséquences à long terme : Apple ne pourrait pas répondre immédiatement à la demande des utilisateurs désireux de graver leur propre musique. Cela dit, cet obstacle forcerait Apple à se montrer imaginatif et audacieux pour trouver un moyen de surpasser ses concurrents, et Jobs aurait alors l'intuition géniale qu'il devait s'implanter sur le marché de la musique.

CHAPITRE VINGT-SEPT

JOBS P-DG

Toujours aussi fou malgré les années

Tim Cook et Steve Jobs, en 2007.

Tim Cook

Dès la première année du retour de Jobs à Cupertino, il lança la campagne « Think Different » et l'iMac, confirmant ce que beaucoup de gens savaient déjà – l'homme était à la fois un créatif et un visionnaire. Il l'avait prouvé durant son premier passage chez Apple. Demeurait une question plus épineuse : était-il capable de diriger une entreprise ? La première fois, cela avait été un échec.

Jobs s'était jeté à corps perdu dans son travail avec un pragmatisme étonnant, lui qui d'ordinaire se comportait comme si les règles de l'univers ne s'appliquaient pas à sa personne. « Il est devenu un vrai dirigeant, ce qui est très différent d'un inventeur ou d'un visionnaire », commente avec une pointe d'admiration Ed Woolard, le président du conseil d'administration.

Son mantra était : « Pas de dispersion. » Ainsi, il élimina les produits superflus du catalogue et les gadgets inutiles du nouveau système d'exploitation. Il renonça à son désir de tout contrôler en délocalisant toute la production, de la fabrication des circuits imprimés à l'assemblage des machines. Enfin, il imposa aux fournisseurs de la Pomme une discipline de fer. Lorsqu'il prit le contrôle de la compagnie, Apple disposait de plus de deux mois de stock dans ses entrepôts, bien plus que toute autre société du secteur technologie. Comme les produits frais, les ordinateurs avaient une courte durée de vie en rayon, de sorte que cela constituait un manque à gagner de cinq cents millions de dollars. Au début de l'année 1998, Jobs avait réduit le stock de moitié.

La diplomatie de velours ne faisait cependant toujours pas partie de son répertoire, et le succès avait un prix. Estimant qu'un sous-traitant pour l'Airborne Express ne livrait pas les pièces de rechange assez vite, il ordonna à son directeur commercial de résilier le contrat. Quand celui-ci lui rétorqua qu'ils risquaient des poursuites judiciaires, Jobs se contenta de répondre : « Dis-leur que, s'ils s'avisent de faire ça, ils ne feront plus jamais d'affaires avec nous. Jamais ! » Le directeur donna sa démission, le fournisseur intenta un procès, et il fallut un an pour régler la situation. « Mes stock-options auraient valu dix millions de dollars si j'étais resté, dit le directeur, mais je ne supportais plus ces pratiques. J'aurais fini par être viré de toute façon. » Le nouveau distributeur d'Apple reçut pour consigne de réduire les stocks de 75 pour cent, ce qu'il fit. « Sous la houlette de Jobs, il y a une tolérance zéro pour la sous-performance », précise le P-DG de la société. Un jour, VSLI Technology eut des difficultés à livrer des puces dans les délais, déclenchant l'ire du patron d'Apple, qui avait déboulé chez eux comme une furie et les avait copieusement insultés. La société avait finalement réussi à livrer les composants en temps et en heure, non sans laisser un goût amer à ses dirigeants.

Après trois mois sous les ordres de Jobs, le chef des opérations de la Pomme se déclara incapable de supporter une telle pression, et donna sa démission. Pendant près d'un an, Jobs dirigea lui-même la branche opérationnelle, tous les candidats interrogés lui paraissant « de la vieille école ». Il voulait un homme capable de maintenir les usines à flux tendu, comme Michael Dell l'avait fait. C'est alors qu'en 1998 il rencontra Tim Cook, responsable de l'approvisionnement et de la logistique chez Compaq Computers. Celui-ci allait devenir son directeur des opérations, puis au fil du temps un collaborateur de l'ombre, indispensable à Apple. Jobs se rappelait ses premières impressions :

> Tim venait du secteur de l'approvisionnement, exactement ce qu'il nous fallait. J'ai vite compris qu'on avait la même vision des choses. J'avais visité un grand nombre d'usines à flux tendu au Japon et j'avais repris ce type de gestion pour le Mac et le NeXT. Tim et moi avions les mêmes objectifs. On a donc commencé à travailler ensemble et, rapidement, je lui ai fait entièrement confiance. Il prenait des décisions au plus haut niveau, ce qui me déchargeait de tout un tas de problèmes.

Fils d'un ouvrier de chantier naval, Timothy Cook grandit à Robertsdale, en Alabama, une petite ville entre Mobile et Pensacola, à une demi-heure de la côte. Il se spécialisa en ingénierie industrielle à la faculté d'Auburn et obtint un diplôme de commerce à l'université de Duke. Puis il travailla durant les douze années suivantes pour IBM dans le technopôle Research Triangle, en Caroline du Nord. Quand Jobs le reçut en entretien, Cook venait de débuter chez Compaq. Dans sa logique, Compaq était à l'époque un choix de carrière plus judicieux, mais il ne résista pas à l'aura de son futur patron. « Après cinq minutes de discussion avec Steve, j'étais prêt à envoyer toute prudence par-dessus bord et à rejoindre l'équipe de Cupertino. Mon intuition me soufflait qu'entrer dans les rangs d'Apple était une opportunité unique, celle de travailler avec un génie. » Sa décision était prise. « Un ingénieur est censé faire des choix rationnels, de façon analytique, mais à certains moments dans la vie, l'intuition ou l'audace sont préférables. »

Chez Apple, son rôle était de mettre en œuvre les idées de son patron, ce qu'il accomplit avec efficacité. Jamais marié, Cook se consacrait corps et âme à son travail. Il se levait à 4 h 30, envoyait ses e-mails, faisait une heure de gym, et arrivait au bureau vers 6 heures. Tous les dimanches soir, il organisait une conférence téléphonique pour préparer la semaine à venir. Dans une société dont le P-DG était sujet à des accès de colère et à des sautes d'humeur, Cook réglait les crises avec son calme olympien, son accent traînant de l'Alabama et son regard fixe. « Même s'il est capable de pleurer et de rire, Cook a habituellement les sourcils froncés, le regard torve et l'humeur maussade, écrivit Adam Lashinsky dans *Fortune*. En réunion, il est connu pour ses pauses interminables, ses silences gênants, seulement troublés par le bruissement de l'emballage des barres énergétiques qu'il mange à longueur de journée. »

Lors d'une réunion, peu de temps après ses prises de fonction, Cook avait été confronté à un problème avec un fournisseur chinois. « Ça ne va pas du tout ! Quelqu'un devrait aller immédiatement là-bas régler le problème. » Trente minutes plus tard, il avait fusillé du regard l'un de ses adjoints assis à la table : « Vous êtes encore là ? » L'homme s'était levé sans un mot et s'était rendu directement à l'aéroport de San Francisco – sans passer chez lui pour faire ses bagages – et avait pris un vol pour la Chine. Par la suite, il était devenu l'un des plus proches collaborateurs de Cook.

Cook réduisit le nombre de fournisseurs clés d'Apple de cent à vingt-quatre. Puis il les obligea à leur proposer de meilleurs tarifs pour rester dans la boucle, en persuada un grand nombre de venir s'implanter près des usines d'Apple et ferma dix des dix-neuf entrepôts de la compagnie. En minimisant l'espace réservé au stock, il diminua le stock lui-même. Au début de l'année 1998, Apple était passé de deux mois à un mois de stock. En septembre de la même année, Cook avait restreint ce délai à six jours. Un an après, Apple n'avait plus que deux jours de stock – un exploit – qui finit par se réduire à quinze heures à peine. Enfin, le nouveau responsable optimisa le processus de production afin de sortir un iMac en deux mois au lieu de quatre. Tous ces accomplissements économisaient de l'argent, tout en permettant d'équiper chaque nouvel ordinateur avec les derniers composants sur le marché.

Cols roulés et travail d'équipe

Lors d'un séjour au Japon au début des années 1980, Jobs demanda au P-DG de Sony, Akio Morita, pourquoi tous ses employés portaient un uniforme. « Il a eu l'air honteux et m'a expliqué qu'après la guerre, les gens n'avaient plus de quoi se vêtir, alors les entreprises comme Sony ont fourni à leurs employés une tenue de travail. Au fil des ans, les uniformes ont développé leur propre style, surtout dans des grandes sociétés comme Sony, pour qu'ils symbolisent le lien entre les travailleurs et leur compagnie. » Jobs eut immédiatement envie d'importer l'idée chez Apple.

Sony avait fait appel au célèbre styliste Issey Miyake pour créer leur uniforme. Une veste de nylon solide aux manches zippées, de sorte qu'on pouvait les enlever pour obtenir un gilet. « J'ai appelé Issey et lui ai demandé de dessiner une veste pour Apple. Je suis revenu avec quelques échantillons et j'ai dit à tout le monde que ce serait formidable si nous portions tous la même veste. Ils m'ont envoyé sur les roses ! Ils détestaient mon idée. »

Dans le même temps, Jobs avait sympathisé avec le styliste japonais et lui rendait régulièrement visite. Il avait même fini par prendre le parti d'avoir son propre uniforme, à la fois pour son confort quotidien et parce qu'il reflétait le style d'Apple. « J'ai demandé à Issey de me fabriquer quelques-uns de ces pulls noirs à col roulé que j'aimais tant, et il m'en a confectionné une centaine ! » Devant mon incrédulité, Steve me montra les pulls empilés dans son placard. « Ce sont mes vêtements de tous les jours. J'en ai assez pour le restant de ma vie. »

En dépit de sa nature autocratique – Jobs ne se prosternait jamais devant l'autel du consensus –, le patron d'Apple s'était efforcé de forger un esprit de collaboration chez Apple. Maintes entreprises se félicitaient de ne pas sombrer dans la réunionite. Jobs, au contraire, en organisait à foison : réunion des cadres dirigeants tous les lundis, réunion de stratégie marketing tous les mercredis après-midi, et d'interminables réunions de suivi de production. Allergique aux PowerPoint et aux présentations formelles, il insistait pour que ses collaborateurs exposent leurs problèmes sous divers points de vue et selon les perspectives des différents départements.

Convaincu que la force d'Apple était sa capacité à imbriquer les parties dans un tout cohérent – du matériel au logiciel, en passant par le design et le contenu –, il voulait que tous les départements de la société travaillent de concert. Il employait des expressions telles que « étroite collaboration » et « ingénierie concurrentielle ». Au lieu d'un processus de développement où un produit passerait séquentiellement de l'ingénierie au design, et de la fabrication au marketing puis à la distribution, ces services collaboreraient simultanément. « Notre credo est de développer des produits tout en un, une approche qui nécessite une collaboration imbriquée. »

Cette intrication s'appliquait également au recrutement du personnel. Jobs insistait pour que les candidats rencontrent tous les principaux directeurs – Cook, Tevanian, Schiller, Rubinstein, Ive – et pas seulement les responsables du département où ils postulaient. « Ensuite, nous nous réunissions pour parler du candidat et de son potentiel d'intégration », m'expliqua Jobs. Son but était d'éviter « la propagation des nuls » :

En général, l'écart entre le meilleur et le moyen est de 30 pour cent. Le meilleur vol aérien, le meilleur repas, peuvent être 30 pour cent au-dessus de la moyenne. Chez Woz, j'ai vu un homme cinquante fois plus performant que l'électronicien moyen. Il pouvait mener des réunions entières dans sa propre tête. Mon équipe de pirates était entièrement composée de ce genre de profil. Des gars au top niveau. Les gens disent souvent qu'ils n'aiment pas travailler ensemble. Mais la vérité, c'est que les bons n'aiment pas travailler avec des mauvais. Chez Pixar, il n'y avait que la crème de la crème. À mon retour chez Apple, j'ai décidé d'appliquer ce même principe. Il était essentiel de mettre en place un système de recrutement collégial. Un candidat au marketing doit être reçu par les responsables du design et du développement. J'ai appliqué le même mode de recrutement que Oppenheimer quand il a constitué son équipe pour construire la bombe atomique. J'étais loin d'être aussi efficace que lui, mais il était un modèle de management pour moi.

Ce procédé pouvait se révéler intimidant, mais Jobs avait le don de repérer les talents. Un jour, il voulut recruter une équipe pour travailler sur l'interface graphique du nouveau Mac OS. Jobs avait reçu un jeune homme, mais l'entretien ne s'était pas très bien déroulé. Le candidat était nerveux. Plus tard ce jour-là, Jobs tomba sur le jeune homme, complètement abattu, assis dans le hall, qui insista pour lui montrer l'une de ses idées. Jobs visionna une petite démo, utilisant Adobe Director, sur la manière d'aligner les icônes en bas de l'écran. Quand le curseur passait sur une icône, il se muait en une loupe qui faisait apparaître les vignettes en grand. Le patron d'Apple fut tellement impressionné qu'il engagea le jeune homme sur-le-champ. Cet effet de loupe devint l'une des caractéristiques du Mac OS X. Le concepteur continua à inventer d'ingénieux effets, comme le défilement avec inertie (cet effet sympathique qui fait que l'écran continue de glisser encore un moment après la fin du balayage).

L'expérience de Jobs chez NeXT l'avait fait mûrir, sans pour autant l'attendrir. Il n'avait toujours pas de plaque d'immatriculation sur sa Mercedes et se garait systématiquement sur les emplacements réservés aux personnes handicapées, tout près de l'entrée du siège social, monopolisant parfois même deux places. C'était devenu un sujet de plaisanterie récurrent dans l'entreprise. Des employés avaient notamment bricolé une pancarte indiquant « park different[1] » et l'un d'eux avait transformé le symbole de la chaise de handicapé en logo Mercedes.

À la fin de chaque réunion, Jobs annonçait ses décisions, à sa manière très personnelle. « J'ai eu une idée géniale ! » lançait-il parfois à partir de quelque chose proposé par quelqu'un d'autre peu avant. Ou alors : « C'est nul, je n'en veux pas. » Ou encore, il ne disait rien du tout, préférant oblitérer totalement le problème soulevé.

Les employés d'Apple étaient autorisés, voire invités, à le contredire, à le mettre au défi, ce qui parfois leur valait le respect du patron. Mais ils devaient aussi s'attendre à une contre-attaque nourrie. « On ne peut pas remporter une bataille contre lui dans l'instant, raconte James Vincent, le jeune créatif de l'agence de Lee Clow. Mais parfois, avec de la patience, on y arrive. Quand on lui propose une idée, il répond qu'elle est stupide. Puis il revient vous voir et reprend votre idée à son compte. Vous avez envie de lui dire que c'était votre propre suggestion il y a deux semaines, mais c'est impossible, alors vous lui répondez que c'est une idée géniale. »

Les membres de la société devaient aussi parfois s'accommoder des assertions irrationnelles ou erronées de leur dirigeant. À ses collègues comme à ses proches, Jobs était capable d'affirmer avec fermeté tel ou tel fait scientifique ou historique qui n'avait guère de rapport avec la réalité. « Il a une telle force de conviction qu'il est

---

1. Park : se garer. *(N.d.T.)*

capable de persuader son auditoire qu'il sait de quoi il parle », m'a
confié Ive, qui trouvait ce trait de sa personnalité attachant. Clow
se rappelait avoir montré un jour à Jobs une publicité modifiée selon
ses instructions, qui avait suscité une réaction véhémente. Le patron
d'Apple lui avait reproché d'un ton péremptoire d'avoir totalement
gâché la pub. Clow avait dû lui rapporter les versions antérieures
pour lui prouver qu'il avait raison. Cela dit, grâce à son œil expert,
Jobs captait parfois de minuscules détails que personne n'avait repé-
rés. « Une fois, il a vu que nous avions supprimé deux images dans
le montage d'une pub TV, un détail si infime qu'il était presque
impossible à déceler. Mais il voulait s'assurer que l'image s'accorderait parfaitement au rythme de la musique, et il avait raison. »

Metteur en scène

Après le succès de l'iMac, Jobs commença à chorégraphier la naissance de ses produits de façon théâtrale, à raison de quatre ou cinq
présentations par an. Il était passé maître dans cet art et, étonnam-
ment, aucun grand dirigeant ne tenta de le concurrencer dans ce
domaine. « Une présentation orchestrée par Jobs libère une poussée
d'adrénaline dans les cerveaux de ses auditeurs », écrivit Carmine
Gallo dans *Secrets de présentation de Jobs*.

Son goût du spectacle renforçait son obsession du secret, surtout
à l'approche des grandes annonces publiques. Apple intenta ainsi
une action en justice contre le sympathique blogueur de *Think Secret*,
un étudiant de Harvard fan de Mac du nom de Nicholas Ciarelli,
qui avait publié des hypothèses et des scoops à propos des futurs
produits Apple. Une action mal perçue (tout comme la bataille
menée par Apple en 2010 contre le blogueur du site *Gizmodo*, qui
s'était procuré un iPhone 4 avant sa sortie), mais qui ne faisait
qu'accroître les attentes du public pour les révélations de Jobs, créant
parfois une sorte de fièvre frénétique chez les fans.

Les représentations du patron d'Apple étaient minutieusement
préparées. Le grand gourou montait sur scène vêtu de son incontournable jean et col roulé noir, une bouteille d'eau à la main. Dans
l'auditorium plein à craquer, l'événement ressemblait davantage à
une cérémonie religieuse qu'à la présentation d'un produit techno-

logique inédit. Les journalistes étaient regroupés au centre de la salle. Jobs écrivait et réécrivait ses discours, peaufinait chaque illustration, qu'il dévoilait au préalable à des amis et collègues tout en leur faisant part de ses inquiétudes. « Il faisait cinq ou six versions de chaque diapo, m'a confié sa femme, Laurene. La veille d'une présentation, je veillais toute la nuit à ses côtés pendant qu'il revoyait soigneusement chaque illustration. » Au final, il montrait à sa femme trois versions de chaque et lui demandait de choisir la meilleure. « Il était très fébrile. Il relisait son allocution, modifiait un ou deux mots, puis la relisait de nouveau. »

Ces grandes messes reflétaient la sobriété et l'élégance des produits Apple – scène minimaliste, minimum d'accessoires –, doublées d'une savante sophistication. Mike Evangelist, ingénieur produit chez Apple, avait travaillé sur le logiciel iDVD et aidé Jobs à en préparer la démonstration. Plusieurs semaines avant le spectacle, il avait passé des centaines d'heures avec son équipe à dénicher des images, de la musique et des photos que Jobs pourrait graver sur un DVD sur scène. « Nous avons appelé tous les gens d'Apple pour leur demander de nous soumettre leurs meilleures photos et vidéos personnelles, explique Evangelist. En perfectionniste absolu, Steve les a presque toutes rejetées. » L'ingénieur pensait que son patron était trop exigeant, mais son acharnement avait finalement permis de sélectionner les meilleurs extraits.

L'année suivante, Jobs lui demanda de venir sur scène faire la démonstration de Final Cut Pro, le logiciel de montage vidéo. Durant les répétitions, l'homme fort d'Apple s'assit au centre de l'auditorium, ce qui rendit Evangelist très nerveux. Le patron d'Apple n'était pas bon public ! Il l'arrêta au bout d'une minute à peine et lui dit avec impatience : « On va devoir reprendre ça tous les deux, ou je vire ta démo du show ! » Schiller prit le malheureux à part et lui donna quelques astuces pour paraître plus décontracté. L'ingénieur réussit la répétition suivante, ainsi que la présentation publique. Au bout du compte, son patron le complimenta pour sa prestation. Evangelist en gardait un souvenir ému : « Il m'a obligé à travailler plus dur, à me surpasser, et au final j'ai donné le meilleur de moi-même. C'était ça, l'effet magique de Steve. Il n'a aucune patience et exige l'excellence de tous ses employés comme de lui-même. »

De *iPDG* à *PDG*

Ed Woolard, son mentor au conseil d'administration, le pressait depuis plus de deux ans d'abandonner le terme *intérim* accolé à son titre de P-DG. Non seulement Jobs refusait de s'engager, mais il déroutait tout le monde avec son salaire d'un dollar par an sans stock-options. « Je touche cinquante cents pour ma présence, plaisantait-il, et cinquante cents pour mes performances. » Depuis son retour en 1997, l'action était passée d'un peu moins de quatorze dollars à un peu plus de cent deux dollars, au plus fort de la bulle Internet, au début des années 2000. Woolard l'avait supplié d'accepter au moins un petit portefeuille d'actions en 1997, mais Jobs avait décliné son offre, au motif qu'il ne voulait pas que les gens pensent qu'il était revenu chez Apple pour s'enrichir. S'il avait accepté ce simple bas de laine, celui-ci aurait eu une valeur de quatre cents millions de dollars en 2000. Au lieu de quoi, il ne gagna que deux dollars cinquante durant cette période.

S'il tenait tant à ce titre d'intérim, c'était à cause du sentiment d'incertitude qui pesait sur l'avenir d'Apple. Mais à l'approche de l'année 2000, il était clair que la Pomme avait rebondi, et ce grâce à lui. Au cours d'une promenade, il avait longuement discuté avec sa femme de ce sujet qui paraissait une simple formalité pour tout le monde, mais qui chez Jobs ouvrait des questionnements abyssaux. S'il abandonnait la mention *intérim*, Apple pourrait effectivement devenir le terreau de ses grands projets d'avenir, notamment le développement de produits au-delà du secteur de l'informatique... Sa décision était prise.

Ravi, Ed Woolard lui annonça que le conseil d'administration voulait lui donner une importante compensation sous forme de stock-options. « Je vais être franc avec toi, Ed. Je préférerais un jet. Je viens d'avoir un troisième enfant et je n'aime pas les vols commerciaux. J'aimerais emmener ma famille à Hawaii. De plus, quand je vole vers la côte Est, je préfère connaître les pilotes. » On imaginait mal le patron d'Apple se montrer gracieux et patient à bord d'un avion commercial ou dans un aéroport, même avant l'avènement de la TSA[1]. Larry Ellison,

---

1. Transportation Security Administration, l'agence nationale américaine de sécurité dans les transports. *(N.d.T.)*

membre du conseil, qui prêtait de temps à autre son avion à Jobs (Apple avait versé cent deux mille dollars à Ellison en 1999 en remboursement des frais occasionnés pour cette utilisation), n'y voyait évidemment aucune objection : « Après ce qu'il a accompli, on pourrait lui en donner cinq ! » C'était la moindre des choses, me dit-il, pour le remercier d'avoir sauvé Apple sans rien réclamer en retour.

Ed Woolard réalisa donc avec joie le vœu de Jobs – un Gulfstream V – et lui offrit de surcroît quatorze millions de stock-options. Mais Jobs lui donna une réponse inattendue : il en voulait plus ! Vingt millions. Une demande qui laissa Ed Woolard sans voix. Le conseil d'administration avait autorité des actionnaires pour l'octroi d'un maximum de quatorze millions de stock-options.

— Tu disais que tu n'en voulais pas, alors nous t'avons donné un avion, selon tes désirs. Et maintenant tu en exiges vingt millions ?

— Je n'ai jamais demandé à en avoir. Mais tu as suggéré que je pourrais obtenir jusqu'à 5 pour cent de la société en stock-options et maintenant, c'est ce que je réclame.

C'était une étrange querelle en cette période faste. Finalement, ils mirent en place une solution complexe (rendue plus compliquée encore par le fractionnement des actions Apple en juin 2000) lui octroyant dix millions de parts en janvier 2000 évaluées au prix actuel, mais comme si l'attribution datait de 1997, à laquelle vint s'ajouter une autre compensation en 2001.

Malheureusement, le cours de l'action s'effondra lors de l'éclatement de la bulle Internet et Jobs n'exerça jamais ses options. À la fin de l'année 2001, il demanda à les échanger contre un nouveau portefeuille au prix d'exercice inférieur. Cette querelle autour des stock-options reviendrait bientôt hanter la société.

S'il ne put retirer aucun profit des stock-options, Jobs était ravi de son jet privé. Évidemment, il supervisa le design de l'intérieur. Cela lui prit un an. Se servant de l'avion d'Ellison comme modèle, il embaucha un décorateur, qu'il fit rapidement tourner en bourrique. Le Gulfstream V d'Ellison comportait notamment une porte entre les cabines dotée de deux boutons, un pour l'ouverture et un pour la fermeture. Jobs insista pour avoir un commutateur à la place. Il n'aimait pas l'acier inoxydable des boutons et les fit remplacer par des modèles en métal brossé. Finalement, il obtint l'avion qu'il désirait et en fut enchanté. « J'ai comparé son avion

au mien, et toutes ses modifications étaient des améliorations »,
avoue Ellison.

En janvier 2000, à la Macworld Expo de San Francisco, Jobs présenta le nouveau système d'exploitation de Macintosh, OS X, qui
reprenait des parties du logiciel de NeXT rachetées par Apple trois
ans auparavant. Fait opportun – et ce n'était sans doute pas totalement
une coïncidence –, Jobs était revenu aux commandes d'Apple au
moment même où le système d'exploitation de NeXT était incorporé
aux Mac. Avie Tevanian avait pris le noyau Mach de type UNIX du
NeXTSTEP, l'avait adapté au Mac et en avait fait le noyau de l'OS
X. Darwin – c'était son petit nom – comportait une mémoire protégée, une gestion réseau avancée et un caractère multitâche préemptif.
Des fonctions qui répondaient parfaitement aux besoins du Macintosh
et seraient dorénavant la base du Mac OS. Certains critiques, comme
Bill Gates, lui reprochaient de ne pas exploiter toutes les capacités
de NeXTSTEP. Une remarque en partie juste, étant donné qu'Apple
avait décidé non pas d'adopter un système totalement innovant, mais
de faire évoluer un système préexistant. Les logiciels d'applications
écrits pour l'ancien Mac OS étaient globalement compatibles ou
faciles à importer sur l'OS X, de sorte qu'un utilisateur Mac qui passait
au système supérieur découvrait maintes caractéristiques inédites sans
être confronté à une nouvelle interface.

Les fans à la MacWorld Expo accueillirent la nouvelle avec
enthousiasme et applaudirent chaleureusement en découvrant l'interface graphique, avec les icônes grossies par l'effet loupe désormais
célèbre. Mais les applaudissements redoublèrent à l'annonce qui suivit son traditionnel « Ah... encore une petite chose... ». Il évoqua
ses responsabilités chez Pixar et Apple et leur expliqua qu'une
double direction pouvait fonctionner. « Donc, je suis heureux de
vous annoncer aujourd'hui que je vais abandonner l'intérim de ma
fonction. » La foule se leva et l'acclama, comme si les Beatles
s'étaient reformés. Jobs se mordit la lèvre, ajusta ses lunettes et fit
montre d'une gracieuse humilité. « Votre réaction me fait tout drôle.
J'ai la chance de travailler tous les jours avec les gens les plus talentueux de la planète, chez Apple et chez Pixar. Mais il s'agit de
sports d'équipe. Alors j'accepte vos remerciements au nom de tous
les employés d'Apple. »

CHAPITRE VINGT-HUIT

LES APPLE STORE

Genius Bar et grès de Florence

L'Apple Store de la 5ᵉ Avenue à New York.

L'expérience client

Jobs détestait céder le contrôle de quoi que ce soit, en particulier quand cela touchait à l'expérience du consommateur. Un problème se posait néanmoins. Une partie du processus échappait à sa sphère d'influence : l'achat d'un produit Apple dans un magasin.

L'ère des Byte Shop, ces magasins dédiés à l'informatique, était révolue. L'évolution des lieux de vente était passée des boutiques locales spécialisées à des chaînes gigantesques, où les employés n'avaient ni la connaissance ni l'instinct nécessaires à la compréhension de la spécificité des produits Apple. « Tout ce qui intéresse ces vendeurs, c'est leur prime de cinquante dollars », maugréait Jobs. Les autres ordinateurs étaient relativement génériques, seul Apple proposait des caractéristiques innovantes, ainsi qu'un prix élevé. Il ne voulait donc pas que l'iMac figure sur un rayon entre un Dell et un Compaq et qu'un employé mal informé récite la liste des fonctionnalités de chacun sans les comprendre. « Si nous ne trouvons pas un moyen de transmettre notre message à nos consommateurs, nous sommes fichus... »

En grand secret, Jobs, en 1999, chercha dans le secteur de la grande distribution des hommes capables de développer une chaîne de magasins Apple. L'un des candidats avait une passion pour le design et l'enthousiasme enfantin d'un commercial-né : Ron Johnson. Vice-président du merchandising de Target, il avait lancé avec succès des produits marginaux, comme la théière dessinée par le designer américain Michael Graves. « Steve était très accessible, déclara Ron Johnson en évoquant leur première rencontre. Soudain, j'ai vu débouler un gars en jean déchiré et col roulé qui m'explique qu'il a besoin de monter sa propre chaîne de magasins. D'après lui, pour qu'Apple réussisse, il doit s'imposer sur le plan de l'innovation. Or on ne peut pas être les meilleurs dans ce domaine sans communiquer avec ses clients. »

Quand Ron Johnson passa son second entretien en janvier 2000, Jobs lui proposa une balade. À 8 h 30, ils se rendirent au gigantesque centre commercial Stanford Shopping, avec ses cent quarante boutiques. Comme les magasins n'étaient pas encore ouverts, ils parcoururent le centre commercial d'un bout à l'autre en discutant de son agencement, du rôle des grands centres commerciaux et des raisons du succès de telle ou telle enseigne.

À l'ouverture des portes à 10 heures, ils pénétrèrent chez Eddie Bauer, une marque de vêtements. Le magasin comportait une entrée qui donnait sur le centre commercial et une autre sur le parking. Jobs ne voulait qu'une seule entrée pour ses magasins, afin de mieux contrôler les flux. Et tous deux étaient d'accord : l'espace Eddie Bauer était trop allongé et trop exigu. Il était important que les clients comprennent l'agencement des lieux au premier coup d'œil.

Il n'y avait aucun magasin dédié à la technologie dans le centre commercial. Ron Johnson expliqua à son futur employeur que, selon la sagesse populaire, un consommateur désireux de faire un achat inhabituel et important – comme celui d'un ordinateur – se rendait volontiers dans un lieu moins accessible, où les loyers étaient plus modérés. Jobs n'était pas d'accord avec cette stratégie. Les Apple Store devaient se situer dans des centres commerciaux ou sur de grandes avenues, dans des quartiers très fréquentés, peu importait le loyer. « Nous n'arriverons peut-être pas à leur faire parcourir dix kilomètres en voiture pour acheter nos produits, mais nous réussirons à attirer les passants dans nos murs. » Surtout, il voulait piéger les amateurs de Windows. « S'ils voient nos produits, leur curiosité sera éveillée, et si nous parvenons à créer un espace suffisamment attractif pour les appâter, un lieu où nos produits sont bien exposés, nous aurons gagné ! »

Johnson fit remarquer que la taille du magasin reflétait l'importance de la marque. « Apple est-elle une enseigne aussi importante que Gap ? » Quand Jobs lui répondit que Apple était bien plus important que Gap, Johnson déclara que ses magasins devraient en conséquence être plus grands. Le patron d'Apple reprit à son compte le principe de Mike Markkula : une bonne entreprise devait véhiculer ses valeurs et son image à tous les niveaux de son activité, du packaging au marketing. Johnson adorait l'idée, qui selon lui s'appliquait parfaitement aux magasins d'une société : « Le magasin sera l'expression physique de la puissance de la marque. » Il raconta que, dans sa jeunesse, il était entré dans le fameux magasin que Ralph Lauren avait ouvert à Manhattan, au croisement de la 72e Rue et de Madison : une demeure aux allures de manoir et aux murs lambrissés, remplie d'objets d'art. « Chaque fois que j'achète un polo, je pense à cet endroit, expression physique des idéaux de Ralph Lauren. Mickey Drexler a fait la même chose avec Gap. Il est impossible de penser à un produit Gap sans se remémorer l'espace impeccable, les parquets brillants et les murs blancs de leurs magasins. » Leur tour d'horizon terminé, les deux hommes regagnèrent les bureaux de Cupertino et s'installèrent dans une salle de réunion pour manipuler les différents produits Apple. Il n'y en avait pas suffisamment pour remplir les rayons d'un magasin traditionnel, mais cela constituait en réalité un avantage. L'espace Apple gagnerait à présenter un petit nombre d'articles. Un espace minimaliste, sobre, aéré, où les clients auraient tout le loisir de tester les produits. « La plupart des gens ne connaissent pas la gamme Apple, expliqua Johnson. Apple est une marque culte. Pour la transformer en une enseigne populaire, il faut créer un magnifique magasin où les clients auront accès aux produits. » Les boutiques refléteront l'essence des produits Apple : ludiques, pratiques, branchés, créatifs.

Le magasin témoin

Le conseil d'administration, à qui Jobs finit par présenter son projet, était loin d'être emballé. La société informatique Gateway avait fait faillite après l'ouverture de magasins en banlieue et l'argument de Jobs – les Apple Store feraient mieux car ils seraient implantés dans des centres commerciaux haut de gamme – n'était guère convaincant à leurs yeux. Le mantra « Think Different », avec « les fous, les marginaux, les rebelles… » était bon pour les slogans publicitaires, mais le conseil était trop frileux pour l'appliquer à sa stratégie commerciale. « Je me grattais la tête en me disant que c'était de la folie, se souvient Art Levinson, le P-DG de Genentech, à qui Jobs avait demandé de rejoindre le conseil en 2000. Nous sommes une petite société, marginale. Je lui ai dit que je n'étais pas certain de pouvoir soutenir un tel projet. » Ed Woolard était tout aussi dubitatif : « Gateway a essayé et a échoué, pendant que Dell, qui vend ses produits uniquement par correspondance, remporte un franc succès. » Jobs n'appréciait guère les réticences du conseil. La dernière fois qu'il s'était heurté à un refus, il avait remplacé la majorité des membres. Cette fois, pour des raisons personnelles, et parce qu'il était las des conflits avec Jobs, Ed Woolard décida qu'il était temps pour lui de se retirer. Mais avant cela, le conseil d'administration accepta d'ouvrir quatre Apple Store, en guise de galop d'essai.

Le patron d'Apple avait tout de même un partisan parmi les administrateurs. Il avait recruté en 1999 Millard « Mickey » Dexler, roi du commerce de détail originaire du Bronx, qui en tant que P-DG de Gap avait transformé une chaîne de magasins poussiéreuse en une icône de la culture américaine branchée. C'était l'une des rares personnes au monde à être aussi expérimentées et intuitives que lui en matière de design, d'image et d'attentes des consommateurs. De plus, l'homme militait lui aussi pour un contrôle de la chaîne de bout en bout : les magasins Gap ne vendaient que des produits Gap et les produits Gap étaient vendus exclusivement dans les magasins Gap. « J'ai quitté le business de la vente en magasin, car je ne supportais pas l'idée de ne pas contrôler mes propres produits, de la fabrication à la mise en vente. Steve et moi avons la même vision des choses. C'est sans doute pour cette raison qu'il m'a recruté. »

Mickey Drexler donna un précieux conseil à Jobs : créer en secret un prototype de magasin près du campus Apple, le meubler entièrement, puis s'y rendre de temps à autre jusqu'à s'y sentir parfaitement à l'aise. Ainsi, les deux complices louèrent un entrepôt vacant à Cupertino. Tous les jeudis, pendant six mois, ils organisèrent un brainstorming matinal, afin d'affiner leur philosophie de vente tout en déambulant dans le nouvel espace. C'était l'équivalent commercial du bureau d'études de Jony Ive, un havre de paix où Jobs, avec son approche visuelle, avait des idées inédites chaque fois qu'il voyait et touchait les nouvelles installations. « J'adore me promener seul dans cet endroit. »

Parfois, il faisait venir Mickey Drexler et Larry Ellison, ainsi que quelques vieux amis, pour qu'ils jettent un coup d'œil. « Souvent, le week-end, quand Steve ne me demandait pas de visionner de nouvelles scènes de *Toy Story*, il m'emmenait dans l'entrepôt et étudiait les maquettes du magasin. Il était obsédé par le moindre détail, de l'esthétique au service offert. Un jour, je lui ai dit que je ne viendrais plus le voir si c'était encore pour me traîner dans son magasin témoin. »

La société d'Ellison, Oracle, développait un logiciel pour un terminal de paiement électronique, afin d'éviter le passage en caisse dans les Apple Store. À chacune de ses visites, Jobs pressait Ellison de simplifier le processus et d'éliminer les étapes inutiles, comme tendre sa carte de crédit ou recevoir un ticket de caisse. « Quand on regarde bien les magasins et les produits Apple, m'expliqua Ellison, on sent l'obsession de Steve pour la beauté et la sobriété – ce temple de l'esthétisme et du minimalisme – qui s'applique à chaque étape du processus de vente, jusqu'au paiement. Steve voulait le moins de manipulations possible ; il nous a donné un cahier des charges plus qu'explicite quant au fonctionnement de ce nouveau dispositif de règlement. »

Quand Drexler vint voir le magasin témoin pratiquement achevé, il émit quelques réserves. « Je trouvais que l'endroit était trop morcelé et trop encombré. Les nombreux détails décoratifs et les couleurs multiples étaient autant de distractions. » Selon lui, en entrant dans une boutique, un client devait être capable, d'un seul regard, d'en embrasser l'essence. Jobs était d'accord : la sobriété et l'absence de distractions visuelles étaient les clés de la réussite, pour un magasin comme pour un produit. « Enfin, il avait compris, dit Drexler. Sa vision était complète et il avait le contrôle total de son produit, de sa conception à sa mise en vente. »

En octobre 2000, alors que le projet touchait à sa fin, Johnson se réveilla au milieu de la nuit, saisi d'angoisse : ils s'étaient trompés sur un principe fondamental. Ils avaient organisé le magasin en fonction des principales gammes de produits d'Apple, avec des espaces différents pour le Power Mac, l'iMac, l'iBook et le Power-Book. Or Jobs avait commencé à développer un nouveau concept : l'ordinateur en tant que noyau de toutes les activités technologiques. Autrement dit, votre ordinateur pouvait héberger vos vidéos comme vos photos – et peut-être aussi un jour votre musique, vos livres ou vos magazines. L'intuition nocturne de Johnson était que les Apple Store ne devraient pas s'agencer en fonction des quatre gammes d'ordinateurs, mais des désirs et des besoins des clients. « Par exemple, il devrait y avoir une vitrine vidéo avec divers Mac et PowerBook affichant iMovie, pour montrer à l'utilisateur comment importer des vidéos et les éditer. »

Johnson arriva au bureau très tôt le lendemain matin, et raconta à son patron la brusque révélation qu'il avait eue, à savoir qu'il fallait reconfigurer entièrement le magasin. Il avait eu vent des rumeurs concernant le tempérament tempétueux du patron, mais n'en avait jamais fait l'expérience – du moins jusque-là. Car Jobs explosa : « Tu te rends compte de l'énormité de ce changement ? Je me tue à la tâche depuis six mois pour ce magasin et maintenant tu veux tout changer ? » Puis il se calma brusquement. « Je suis fatigué. Je ne sais pas si je peux recréer un magasin du tout au tout. »

Johnson était pétrifié. Au moment de partir pour la réunion prévue le jour même au magasin témoin, Jobs lui demanda de garder le silence – pas un mot, ni à lui ni à aucun autre membre de l'équipe. Le trajet en voiture de sept minutes se déroula donc dans un silence de plomb. Une fois à destination, le patron d'Apple avait terminé le traitement des nouvelles données. À la grande surprise de Johnson, il ouvrit la séance par le discours suivant : « Ron pense que nous allons dans la mauvaise direction. Le magasin devrait être agencé non pas autour des produits, mais des centres d'intérêt des clients. » Après une pause, il reprit : « Et vous savez quoi ? Il a raison. » Il leur annonça qu'ils allaient reprendre tout l'agencement, même si cela devait repousser l'ouverture de la boutique de trois ou quatre mois. « Nous n'aurons qu'une seule chance de réussir », conclut-il.

Jobs aimait à dire – comme l'illustrait cette anecdote – que tout projet réussi nécessitait, à un moment donné, de faire machine arrière. Pour chaque réalisation, il avait dû retravailler un élément qui s'était révélé imparfait. C'était arrivé avec *Toy Story*, quand le personnage de Woody était devenu antipathique, et à plusieurs occasions avec le Macintosh d'origine. « Si quelque chose ne fonctionne pas, on ne peut pas se contenter de l'ignorer en se disant qu'on réglera le problème par la suite. Ça, c'est ce que fait la concurrence. »

Quand le magasin témoin revisité fut enfin achevé en janvier 2001, Jobs permit au conseil d'administration de le voir pour la première fois. Il leur expliqua la théorie qui présidait à sa conception, à l'appui de dessins sur son fameux tableau blanc, puis les invita à grimper dans un van pour parcourir les trois kilomètres de trajet jusqu'au site. Quand les membres du conseil découvrirent l'œuvre des deux hommes, ils leur donnèrent unanimement leur aval pour continuer. Les Apple Store, s'accordait à penser le conseil, sublimaient le lien entre image de marque et vente comme jamais auparavant. Assurément, les consommateurs ne verraient plus les ordinateurs Apple comme un simple produit, à l'instar d'un Dell ou d'un Compaq.

Plusieurs experts extérieurs étaient loin d'être aussi enthousiastes. « Il est peut-être temps que le patron de la Pomme cesse de penser aussi "différent", écrivit le *Business Week* dans un article intitulé : Désolé, Steve, mais l'Apple Store ne marchera pas... » L'ancien directeur financier d'Apple, Joseph Graziano, fut cité : « Le problème de cette société, c'est qu'elle croit toujours que, pour se développer, elle doit servir du caviar à des consommateurs qui se contentent parfaitement de fromage sur des crackers. » David Goldstein, consultant commercial, s'amusa à jouer les devins : « Je leur donne deux ans avant d'ouvrir les yeux sur cette douloureuse et fort coûteuse erreur. »

Bois, pierre, acier, verre

Le 19 mai 2001, le premier Apple Store ouvrit ses portes à Tysons Corner, en Virginie, avec ses comptoirs d'un blanc éclatant, ses parquets polis et un immense poster de John Lennon et Yoko Ono au lit, avec la mention « Think Different ». Les sceptiques se trompaient. Les magasins Gateway avaient une moyenne de deux cent cinquante visiteurs par semaine. En 2004, les Apple Store en comptaient cinq mille quatre cents. Cette année-là, ils réalisèrent un milliard deux cent mille dollars de revenus, établissant un record dans l'industrie de la vente de détail pour avoir dépassé le palier du milliard de dollars. Les ventes de chaque magasin étaient enregistrées toutes les quatre minutes grâce au logiciel de Larry Ellison, fournissant à l'entreprise des informations instantanées, précieuses pour le réapprovisionnement.

Tandis que les magasins prospéraient, Jobs continuait de superviser les moindres détails. « Lors d'une réunion marketing, Steve nous a fait plancher une demi-heure sur la teinte de gris idéale pour le sigle des toilettes », se rappelle Lee Clow. Le cabinet d'architectes Bohlin Cywinski Jackson avait dessiné les plans, mais Steve prenait toutes les décisions majeures.

Le patron de la Pomme était particulièrement obsédé par les escaliers, qui lui rappelaient ceux qu'il avait conçus chez NeXT. Quand il visitait un magasin en chantier, il suggérait invariablement des modifications. Son nom est répertorié comme celui du principal inventeur de deux brevets concernant les escaliers – un pour l'apparence transparente des marches et des supports de verre mêlé de titane, l'autre pour le système de fabrication utilisant une unité monolithique composée de plusieurs strates de verre laminé pour supporter des charges.

En 1985, après avoir été évincé d'Apple, Jobs avait visité l'Italie et été passablement impressionné par la pierre grise des trottoirs de Florence. En 2002, quand il en vint à la conclusion que les parquets de bois clair des Apple Store ressemblaient à des espaces piétonniers – une inquiétude qu'on imaginait mal hanter les nuits de Steve Ballmer, le P-DG de Microsoft –, il décida de remplacer le bois par la pierre de Florence. Ses collaborateurs le poussèrent à reproduire sa couleur et sa texture à l'aide de béton, ce qui serait dix fois moins onéreux, mais Jobs voulait de l'authentique. Le grès gris-bleu de Pietra Serena, au grain particulièrement fin, provenait d'une carrière familiale, Il Casone, située à Firenzuola, dans les environs de Florence. « Nous n'avons sélectionné que 3 pour cent de la production de la montagne, car la pierre devait avoir la teinte, la texture et la pureté requises, raconte Johnson. Steve voulait la couleur parfaite et un matériau de la meilleure qualité. » Ainsi, les architectes se rendirent à Florence où ils choisirent les veines avec soin, supervisèrent la découpe des carreaux et s'assurèrent que chaque dalle était convenablement étiquetée afin d'être apposée à sa jumelle. « Comme c'était la pierre utilisée pour les trottoirs de Florence, nous savions qu'elle résisterait à l'épreuve du temps », conclut Johnson.

Autre caractéristique originale des Apple Store : le Genius Bar. Ron Johnson eut l'idée d'envoyer son équipe en repérage extérieur. Il avait demandé à chacun d'entre eux où il avait trouvé le meilleur service hôtelier. Presque tous évoquèrent leur agréable expérience au Four Season ou au Ritz-Carlton. Johnson envoya donc les cinq directeurs des premiers Apple Store en stage de formation au Ritz-Carlton. Ils revinrent avec un concept d'accueil du client à mi-chemin entre une réception et un bar d'hôtel.

— Et si nous placions derrière le comptoir les membres les plus brillants de l'équipe Mac ? On pourrait l'appeler le *Genius Bar*[1].

Jobs trouvait l'idée saugrenue. Même le nom ne lui convenait pas.

— Ce ne sont pas des génies. Ce sont des geeks. Ils n'ont pas les compétences pour gérer un « Genius Bar ».

Johnson pensait avoir perdu la partie, mais le lendemain, il rencontra le conseiller juridique d'Apple, qui lui apprit que Steve Jobs venait de lui demander de déposer le nom *Genius Bar*.

La plupart des passions de Jobs étaient incarnées par l'Apple Store de la 5ᵉ Avenue, à Manhattan, inauguré en 2006 : un cube, du verre, un escalier sur mesure, et le minimalisme dans sa plus belle expression. « C'était vraiment le magasin de Steve », me confia Johnson. Ouvert vingt-quatre heures sur vingt-quatre, sept jours sur sept, il valida la stratégie du patron d'Apple en attirant cinquante mille visiteurs par semaine la première année (rappelez-vous que Gateway

---

1. « Le bar des génies ». *(N.d.T.)*

n'en dénombrait que deux cent cinquante !). « Ce magasin compte plus de clients au mètre carré que n'importe quel autre magasin au monde, déclara fièrement Jobs en 2010. Il rapporte aussi plus d'argent que n'importe quel autre magasin de New York. Y compris Saks et Bloomingdales. »

Avec son flair légendaire, Jobs avait su susciter pour l'inauguration des Apple Store le même engouement que pour le lancement de ses nouveaux produits. Les gens se mirent à parcourir de longues distances pour assister aux ouvertures des Apple Store, certains passant même la nuit devant les portes pour figurer parmi les premiers visiteurs. « Mon fils de quatorze ans m'a suggéré de veiller pour l'ouverture de l'Apple Store de Palo Alto, et l'expérience s'est transformée en un événement social très intéressant, écrivit Gary Allen, fondateur d'un site dédié aux fans des boutiques de la Pomme. Mon fils et moi avons passé ainsi plusieurs nuits blanches, notamment dans cinq autres pays, et nous avons rencontré une foule de gens passionnants. »

En 2011, une décennie après l'inauguration des premiers magasins, on comptait trois cent dix-sept Apple Store. Le plus grand se trouvait à Covent Garden, à Londres, le plus haut dans le quartier de Ginza, à Tokyo. Le nombre moyen de visiteurs par magasin et par semaine était de dix-sept mille six cents, le revenu moyen par magasin de trente-quatre millions de dollars, et le total des ventes nettes en 2010 atteignit neuf milliards huit cent mille dollars. Mais les magasins avaient un autre impact. S'ils ne représentaient que 15 pour cent des revenus d'Apple, en simples termes de *buzz*, de publicité, d'image de marque, ils dopaient la société tout entière.

Alors même qu'il luttait contre le cancer en 2010, Jobs réfléchissait à l'avenir de ses magasins. Un après-midi, il me montra une photo de l'Apple Store de la 5ᵉ Avenue, avec ses dix-huit panneaux de verre sur les quatre faces du cube. « En matière de panneau de verre, c'était la technologie la plus pointue à l'époque. Nous avons dû réaliser nos propres autoclaves pour le fabriquer. » Puis il me montra un croquis où les dix-huit pans vitrés étaient remplacés par quatre panneaux gigantesques. Voilà ce qu'il souhaitait réaliser par la suite. De nouveau, un défi au croisement entre esthétique et technologie. « Si nous voulions le faire avec les moyens techniques actuels, il faudrait construire un cube trente centimètres plus petit.

Mais ce n'est pas ce que je veux. Alors il va falloir encore une fois fabriquer nos propres autoclaves en Chine. »

Johnson n'était guère emballé par cette idée. Il trouvait que dix-huit panneaux de verre faisaient plus d'effet que quatre. « Les proportions du cube actuel s'harmonisent parfaitement avec les colonnades du gratte-ciel de General Motors. Il brille comme une boîte à bijoux. Si le verre devient trop transparent, ce sera moins réussi. » Il fit part de ses objections – en vain. « Si la technologie permettait de nouvelles prouesses, Steve ne voulait pas rater le coche, expliquait Johnson. Il voulait toujours aller vers plus de minimalisme et de simplicité. Si on pouvait construire un cube de verre avec moins d'éléments, autant le faire – c'était mieux, plus épuré, et à la pointe de la technologie. Cela a toujours été son credo, pour ses produits comme pour ses magasins. »

CHAPITRE VINGT-NEUF

LE FOYER NUMÉRIQUE

De l'iTunes à l'iPod

Le premier iPod, en 2001.

Relier les points

Une fois par an, Jobs emmenait ses meilleurs employés – le Top 100 – en séminaire. Ils étaient sélectionnés selon un principe très simple : qui emmèneriez-vous dans un canot de sauvetage de cent places maximum, pour voguer vers votre prochaine entreprise ? À la fin de chaque session, le patron de la Pomme se postait devant un tableau blanc (il adorait les tableaux blancs, qui lui conféraient une impression de contrôle total de la situation et lui assuraient la concentration de ses auditeurs) et demandait à son auditoire : « Quels sont les dix projets que nous allons lancer maintenant ? » Les employés se battaient pour inscrire leurs suggestions sur la liste.

Jobs les notait, puis barrait celles qu'il considérait comme stupides. Après un âpre débat, le groupe définissait une nouvelle liste de dix idées. C'est alors que Jobs rayait les sept dernières et déclarait : « On ne peut en réaliser que trois. »

En 2001, Apple avait redynamisé son offre en matière d'ordinateurs. Il était temps de « penser différent ». Cette année-là, une série de projets inédits apparut en tête de liste sur le tableau blanc.

À l'époque, un drap mortuaire s'était abattu sur le royaume numérique. La bulle Internet avait explosé, le NASDAQ avait chuté de plus de 50 pour cent. Seules trois sociétés du secteur technologie avaient pu s'offrir des pubs au Super Bowl de janvier 2001, contre dix-sept l'année précédente. Mais la morosité était plus profonde encore. Depuis la création d'Apple par Jobs et Wozniak, vingt-cinq ans auparavant, l'ordinateur personnel était la pièce centrale de la révolution numérique. À présent, les experts prédisaient que ce rôle clé touchait à sa fin. Le micro-ordinateur s'était transformé en « un objet ennuyeux », écrivit Walt Mossberg dans le *Wall Street Journal*. Jeff Weitzen, P-DG de Gateway, était du même avis.

C'est à ce moment-là que Jobs lança une nouvelle grande stratégie qui allait révolutionner Apple – et l'industrie technologique tout entière. L'ordinateur personnel, au lieu de s'éloigner du centre de la vie des gens, allait devenir le « foyer numérique[1] » qui coordonnerait tous les appareils électroniques – lecteurs de musique, graveurs, caméras. On allait pouvoir synchroniser tous ces appareils grâce à l'ordinateur et ainsi gérer musique, photos, vidéos, et données personnelles, soit tous les aspects de notre « mode de vie numérique », selon l'expression de Jobs. Apple ne serait plus une entreprise uniquement dédiée aux ordinateurs (Apple Computer s'appellerait désormais simplement Apple) et le Macintosh verrait ses ventes dopées, pendant au moins une décennie, en devenant la station d'accueil d'une incroyable gamme de nouveaux appareils – incluant l'iPod, l'iPhone et l'iPad.

Au moment de fêter ses trente ans, Jobs avait employé la métaphore de l'aiguille coincée dans le sillon d'un disque vinyle pour évoquer le manque d'imagination des trentenaires ; selon lui, passé trente ans, on était trop conformiste et de moins en moins innovant.

---

1. « *Digital hub* ». *(N.d.T.)*

« Bien sûr, il y a des gens curieux de nature, qui restent des enfants toute leur vie, mais ils sont rares. » À l'âge de quarante-cinq ans, Jobs, lui, était prêt à sortir des sentiers battus.

Plusieurs facteurs expliquaient sa capacité à imaginer cette nouvelle ère de la révolution numérique et à en être son champion.

Comme toujours, il se tenait à la croisée des sciences humaines et de la technologie. Il adorait la musique, la photographie, la vidéo. Et il aimait aussi passionnément les ordinateurs. Jobs passait désormais la même diapositive à la fin de chaque présentation de produit : un panneau de signalisation indiquant l'intersection entre les rues « Art » et « Technologie ». C'était là sa place, et cela expliquait pourquoi il avait été capable de concevoir le foyer numérique avant tout le monde.

Perfectionniste, il s'ingéniait à intégrer tous les aspects d'un produit, du matériel au logiciel en passant par le marketing. Au royaume de l'ordinateur de bureau, cette stratégie ne l'emportait pas sur l'approche d'IBM-Microsoft, où le secteur matériel d'une société était ouvert au secteur logiciel d'une autre et vice versa. Mais dans le cas des produits du foyer numérique, ce serait un avantage pour une entreprise comme Apple, qui intégrait ordinateurs, appareils électroniques et logiciels. Ainsi, le contenu d'un appareil portable pourrait être facilement géré par un ordinateur associé.

Jobs avait l'instinct de la simplicité. Avant 2001, d'autres avaient créé des lecteurs de musique portables, des logiciels de traitement vidéo et autres produits inhérents à notre « mode de vie numérique ». Mais tous étaient très compliqués et leurs interfaces encore plus rébarbatives que les commandes antédiluviennes des magnétoscopes. Ils ne ressemblaient en rien aux futurs iPod ou iTunes.

Le patron d'Apple était prêt à « parier sa chemise » — pour reprendre l'une de ses expressions préférées — sur le succès de cette nouvelle vision. L'éclatement de la bulle Internet avait forcé d'autres sociétés technologiques à réduire leurs dépenses en matière d'innovation : « Alors que tout le monde coupait les crédits, nous avons décidé d'investir au cœur du déclin. On allait dépenser de l'argent pour la recherche et le développement, inventer un tas de nouveaux trucs, pour qu'au moment de la reprise, on soit en tête de la course. » Débuta alors la plus grande décennie d'innovations d'une société des temps modernes.

Le FireWire

L'idée de faire de l'ordinateur un foyer numérique s'appuyait sur une technologie appelée FireWire, développée par Apple au début des années 1990. Il s'agissait d'un port à très haut débit permettant de transférer des données, telles que des images vidéo, d'un appareil à un autre. Les fabricants de caméscopes japonais l'avaient adopté et Jobs décida de l'inclure dans le nouvel iMac, sorti en octobre 1999. Le FireWire ferait partie du système qui transférerait les données d'une caméra à un ordinateur, où elles seraient traitées.

Pour ce faire, l'iMac devait être équipé d'un logiciel vidéo performant. Le patron d'Apple rendit donc visite à ses vieux amis d'Adobe – la société de graphisme numérique qu'il avait aidé à lancer – et leur demanda de créer une nouvelle version d'Adobe Premiere pour Mac, un logiciel prisé par les utilisateurs de Windows. À sa stupéfaction, les dirigeants d'Adobe rejetèrent platement sa requête. Le Macintosh, arguaient-ils, comptait trop peu d'adeptes : cela n'en valait pas la peine. Jobs était furieux : « J'ai mis Adobe sur les rails et ils m'ont lâché. » Adobe aggrava la situation en refusant de traduire ses autres programmes en vogue, comme Photoshop, pour le Mac OS X, alors que Macintosh était populaire parmi les graphistes et autres créatifs qui se servaient de ces applications.

Jobs ne pardonna jamais cette trahison à Adobe et, une décennie plus tard, il lui déclara publiquement la guerre en refusant d'installer Adobe Flash sur l'iPad. Ce dur revers ne faisait que renforcer sa conviction première : la nécessité de contrôler toute la chaîne d'un même système. « Quand Adobe nous a plantés en 1999, j'ai su qu'il fallait maîtriser, pour tous nos produits futurs, les secteurs matériel et logiciel, sans quoi on allait dans le mur. »

Ainsi, Apple se mit à développer en 1999 pour le Mac des applications à la croisée de l'art et la technologie. Final Cut Pro pour le montage vidéo ; iMovie, une version simplifiée pour les particuliers ; iDVD pour graver des vidéos ou de la musique sur des disques ; iPhoto pour débouter Adobe Photoshop ; GarageBand pour créer et mixer de la musique ; iTunes pour gérer une audiothèque numérique ; et l'iTunes Store pour acheter des chansons.

Le concept du foyer numérique devint bientôt une évidence. « Je l'ai compris d'abord avec le caméscope, m'a raconté Steve. Utiliser iMovie rendait le caméscope dix fois plus intéressant. » Au lieu d'avoir des centaines d'heures d'enregistrement impossibles à visionner, on pouvait les monter sur son ordinateur, couper les passages inintéressants, ajouter de la musique de fond et créer des génériques où le client s'arrogeait le titre de « producteur ». Cela donnait l'opportunité aux gens de se montrer créatifs, de s'exprimer, de générer de l'émotion. « C'est là que j'ai brusquement compris que le micro-ordinateur allait se muer en quelque chose d'autre. »

Jobs avait une autre intuition : si l'ordinateur servait de foyer numérique, les appareils portables deviendraient encore plus simples d'utilisation. Nombre de fonctions de ces appareils, comme gérer des vidéos ou des images, étaient mal remplies, car les écrans trop petits n'étaient pas adaptés aux longs menus déroulants. Les ordinateurs accompliraient ces tâches bien plus efficacement.

Ah… et encore une petite chose… Jobs comprit que ces parties – appareil électronique, ordinateur, logiciel, applications, FireWire – fonctionneraient d'autant mieux qu'elles seraient soigneusement imbriquées les unes aux autres. « C'était encore une fois la confirmation qu'il fallait maîtriser toute la chaîne. »

La beauté de ce projet, c'était qu'une seule entreprise était parfaitement positionnée pour fournir cette approche intégrée. Microsoft écrivait des logiciels, Dell et Compaq créaient du matériel, Sony produisait divers appareils électroniques, Adobe développait une foule d'applications. Mais seul Apple était capable de remplir toutes ces fonctions : matériel, logiciel et systèmes d'exploitation. « Nous assumons l'entière responsabilité de l'expérience de l'utilisateur, déclara Jobs au magazine *Time*. Nous pouvons leur offrir plus que les autres. »

Le premier coup de pioche d'Apple pour bâtir le foyer numérique fut la vidéo. Avec le FireWire, on pouvait transférer ses vidéos sur son Mac, puis les monter avec iMovie pour réaliser son « film génial ». Et ensuite ? Pourquoi pas graver un DVD et le regarder avec ses amis sur un écran de télévision ? « Nous avons passé beaucoup de temps avec les fabricants pour fournir aux consommateurs un lecteur capable de graver un DVD. Nous étions les premiers à nous engager dans cette voie. » Comme toujours, Jobs se concentrait sur le produit le plus simple possible pour l'utilisateur, clé de son succès. Mike Evangelist, qui travaillait chez Apple sur le graphisme des logiciels, se rappelle sa première démonstration de l'interface devant son patron. Après avoir vu une série de vignettes sur l'écran, Jobs avait bondi de son siège, pris un feutre et dessiné un simple rectangle sur un écran blanc : « Voilà l'application que je veux. Une seule fenêtre. Tu importes la vidéo dans la fenêtre, tu cliques sur un bouton où c'est écrit *graver*. Et le tour est joué. Et c'est ce que nous allons faire. » Mike Evangelist était éberlué, mais ce concept simpliste donnera naissance à iDVD. Jobs participa même à la conception de l'icône « graver ».

Jobs savait aussi que la photographie numérique était un secteur sur le point d'exploser, aussi Apple développa-t-il des outils pour faire de l'ordinateur une photothèque. Mais pendant au moins un an, le patron de la Pomme négligea une énorme opportunité. HP et quelques autres sociétés étaient en train de développer un lecteur capable de graver de la musique sur CD. Pourtant, il insistait pour qu'Apple se concentre sur la vidéo plutôt que sur la musique. De plus, son obsession à vouloir remplacer le plateau d'insertion de CD par un système plus élégant ne lui permit pas d'intégrer les premiers graveurs de CD, uniquement adaptés au format plateau. « On avait en quelque sorte raté le train… Et on devait rapidement raccrocher les wagons. »

La marque d'une société innovante n'était pas seulement sa capacité à être la première à avoir de nouvelles idées. Elle devait aussi être capable de rattraper son retard et de damer le pion de ses concurrents.

iTunes

Il ne fallut pas longtemps au patron d'Apple pour comprendre que le phénomène de la musique numérique allait prendre des proportions gigantesques. Les gens importaient la musique de leurs CD sur leur ordinateur, la téléchargeaient depuis des sites de partage de dossiers comme Napster, ou encore gravaient des morceaux sur des disques vierges avec une frénésie jamais vue depuis l'an 2000. Cette année-là, le nombre de CD R et RW vendus aux États-Unis atteignit les trois cent vingt millions. Le pays ne comptait que deux cent quatre-vingt-un millions d'habitants. Cela signifiait que les gens gravaient vraiment beaucoup, or Apple ne pouvait répondre à leur demande. « Je me sentais floué, avoua Jobs au magazine *Fortune*. Je me disais que nous avions raté le coche. On devait travailler dur pour reprendre le dessus. »

Jobs ajouta un graveur de CD à l'iMac, mais cela ne suffisait pas. Son objectif était d'importer facilement la musique d'un CD, de la gérer sur ordinateur, puis de graver des listes de lecture. D'autres sociétés proposaient déjà des applications de gestion musicale, mais elles étaient toutes lentes et alambiquées. L'un des talents de Jobs était son habileté à s'imposer sur des marchés déjà saturés de produits de second ordre. Il étudia les applications musicales disponibles – Real Jukebox, Windows Media Player ou celle fournie par HP avec ses graveurs – et en arriva à la conclusion qu'elles étaient « si compliquées qu'il fallait être un génie pour exploiter la moitié de leurs fonctions ».

C'est alors que Bill Kinkaid entra dans la partie. Cet ancien développeur d'Apple se rendait sur le circuit de Willows en Californie, pour faire une course avec sa Formula Ford, quand il entendit un reportage à propos d'un lecteur de musique portable appelé Rio, qui jouait des morceaux numériques dans un format dit « MP3 ». Il sursauta quand le journaliste ajouta : « Ne vous emballez pas, utilisateurs de Mac, car il ne fonctionnera pas sur les Macintosh ! » Kinkaid se dit aussitôt qu'il pouvait régler ce problème.

Pour l'aider à écrire un logiciel Rio compatible avec le Mac, il appela ses camarades Jeff Robbin et Dave Heller, eux aussi anciens développeurs chez Apple. Le produit imaginé par les trois compères, Soundjam, proposait une interface aux utilisateurs Mac pour le Rio avec une fonction jukebox capable de gérer leur musique sur leur ordinateur. De plus, un ballet psychédélique lumineux dansait sur l'écran au moment du passage de la chanson. En juillet 2000, comme Jobs poussait son équipe à créer un logiciel de traitement musical, Apple se jeta sur l'occasion et acheta Soundjam, ramenant ses créateurs dans le giron de la firme. (Tous trois restèrent dans la société. Jeff Robbin prit la direction de l'équipe de développement des logiciels musicaux durant la décennie suivante. Il était si précieux aux yeux de Jobs que celui-ci autorisa un journaliste du *Time* à l'interviewer, à condition que le nom de famille de son employé ne soit pas cité.)

Jobs s'investit personnellement pour transformer Soundjam en un produit Apple. L'appareil était encombré d'une foule de fonctions inutiles et d'écrans compliqués. Son équipe devait à tout prix le rendre plus simple d'utilisation et plus ludique. Au lieu d'une interface vous demandant de préciser si vous cherchiez un artiste, un morceau ou un album, Jobs voulait un simple espace libre où vous pouviez inscrire ce que bon vous semblait. L'équipe adopta l'élégante apparence métallique d'iMovie et s'inspira de son nom pour le baptiser iTunes.

Jobs présenta l'application en janvier 2001 à la Macworld Expo, comme faisant partie intégrante de la stratégie du foyer numérique. Il serait gratuit pour les utilisateurs de Mac. Sa conclusion – « Rejoignez la révolution musicale avec iTunes et rendez vos appareils musicaux encore plus précieux » – lui valut un tonnerre d'applaudissements. Comme son slogan publicitaire le dirait plus tard : « Rip, mix, burn[1]. »

Cet après-midi-là, Jobs rencontrait justement John Markoff, du *New York Times*. L'interview fut tendue, mais à la fin Jobs s'assit devant son Mac et montra l'iTunes au journaliste. « Cela me rappelle ma jeunesse », dit-il à Markoff en regardant les motifs psychédéliques danser sur l'écran. Réminiscence des soirées sous acide. Prendre du LSD avait été l'une des deux ou trois expériences les plus importantes de sa vie, lui confia-t-il. Les gens qui n'en avaient jamais pris ne pouvaient pas vraiment le comprendre.

L'iPod

L'étape suivante de la stratégie du foyer numérique était de créer un lecteur de musique portatif. Jobs avait compris qu'Apple avait l'opportunité de concevoir un appareil capable de fonctionner de pair avec le logiciel iTunes, facilitant ainsi son utilisation. Les tâches complexes seraient prises en charge par l'ordinateur, les plus simples par l'appareil électronique. Ainsi naquit l'iPod, l'appareil qui, au

---

1. « Récupérez, mixez, gravez ». *(N.d.T.)*

cours des dix années à venir, ferait passer Apple d'un simple fabricant d'ordinateurs à l'une des sociétés technologiques les plus puissantes du monde.

Le patron de la Pomme nourrissait une véritable passion pour ce projet car il adorait la musique. D'après lui, les lecteurs de MP3 déjà présents sur le marché étaient « nuls ». Schiller, Rubinstein et le reste de l'équipe étaient d'accord avec lui. Pour concevoir iTunes, ils avaient passé du temps à manipuler le Rio et les autres appareils, et tous avaient eu envie de les jeter aux oubliettes. « Ils étaient vraiment pourris, se rappelle Schiller. Ils contenaient seize malheureux morceaux et on ne savait pas comment s'en servir. »

Jobs voulut se lancer dans l'aventure musicale à l'automne 2000, mais Rubinstein lui répondit que les composants nécessaires n'étaient pas encore disponibles. Il lui demanda d'attendre. Après quelques mois, l'ingénieur réussit à assembler un petit écran LCD avec une batterie au lithium polymère rechargeable. Mais le défi le plus ardu était de trouver un disque dur de petite taille, doté d'une mémoire suffisante pour créer un formidable lecteur de musique. Or, en février 2001, après une réunion de routine avec Toshiba, les ingénieurs mentionnèrent un nouveau produit de leur laboratoire qui serait finalisé en juin. Un minuscule lecteur de 4,5 centimètres (la taille d'une pièce d'un dollar) d'une capacité de stockage de cinq gigaoctets (environ un millier de morceaux) dont ils ne savaient pas vraiment quoi faire. Quand les employés de Toshiba le montrèrent à Rubinstein, celui-ci sut immédiatement que c'était là la pièce manquante. Mille morceaux dans sa poche ! Parfait. Mais il conserva un visage de marbre. Comme Jobs était lui aussi au Japon pour faire le discours de la Macworld Expo de Tokyo, ils se réunirent ce soir-là à l'hôtel Okura, où le P-DG était descendu. « J'ai déniché la dernière pièce du puzzle, lui dit Rubinstein. Il me faut juste un chèque de dix millions de dollars. » Son patron lui donna aussitôt son accord. Il commença alors les négociations avec Toshiba pour obtenir les droits exclusifs sur tous les disques qu'ils fabriqueraient, après quoi il se mit en quête de l'homme capable de diriger l'équipe de développement.

Tony Fadell était un programmeur entreprenant et effronté, au look cyberpunk et au sourire affable, qui avait lancé trois sociétés alors qu'il était encore étudiant à l'université du Michigan. Après un passage chez le fabricant d'appareils électroniques portables General Magic (où il avait rencontré les réfugiés d'Apple Andy Hertzfeld et Bill Atkinson), il avait vécu un séjour douloureux chez Philips Electronics, où ses cheveux blanchis et son style rebelle ne s'accordaient guère au style conformiste de la société. Il avait déjà plusieurs idées de création d'un lecteur de musique plus performant, qu'il avait en vain tenté de vendre à RealNetworks, Sony et Philips. Un jour, il skiait avec son oncle à Vail, dans le Colorado, quand son téléphone sonna sur le remonte-pente. C'était Rubinstein qui lui annonçait qu'Apple cherchait quelqu'un capable de travailler sur un « petit appareil électronique ». Loin de manquer de confiance en lui, le jeune homme répondit qu'il était un magicien en la matière. Rubinstein l'invita à lui rendre visite à Cupertino.

Fadell pensait qu'il serait embauché pour travailler sur un assistant personnel numérique, une sorte de successeur du Newton. Mais quand il rencontra Rubinstein, le sujet se porta rapidement sur iTunes, sorti depuis trois mois. « Nous avons essayé d'associer les lecteurs MP3 existants à l'iTunes, mais ils sont nuls. Il n'y en a pas un pour rattraper l'autre. Nous pensons qu'il faut créer notre propre version. »

Le jeune informaticien était tout excité. « J'étais passionné de musique. J'avais déjà eu l'idée de fabriquer un appareil de ce genre pour Real Networks et un lecteur MP3 pour Palm. » Il accepta de rejoindre le navire, mais en tant que consultant. Au bout de quelques semaines, Rubinstein lui dit que, s'il voulait prendre la direction de l'équipe, il devait être un employé d'Apple à part entière. Mais le jeune homme résistait. Il tenait à sa liberté. Le directeur considérait ces réticences comme des enfantillages. « C'est le genre d'opportunité qui ne se présente qu'une fois dans une vie, lui dit-il. Tu ne le regretteras pas. »

Décidé à forcer la main de son poulain, Rubinstein réunit la vingtaine de personnes assignées au projet. Quand Fadell entra dans la salle, il lui demanda :

— Tony, tu ne peux pas faire partie de ce projet si tu ne signes pas à plein temps. Tu es avec nous, oui ou non ? Tu dois te décider maintenant.

Le jeune homme regarda son recruteur dans les yeux, puis se tourna vers les autres employés :

— Alors c'est comme ça qu'on oblige les gens à signer chez Apple ?

Après une pause, il finit par accepter l'offre, et serra la main de Rubinstein à contrecœur. « Cette histoire a laissé un goût amer entre Jon et moi pendant de nombreuses années », dirait-il plus tard. Rubinstein était d'accord : « Je crois bien qu'il ne me l'a jamais pardonné. »

Les deux hommes étaient voués à se quereller, car tous deux revendiquaient la paternité de l'iPod. Rubinstein disait avoir été missionné par Jobs des mois auparavant. Il avait trouvé le lecteur Toshiba, l'écran, la batterie, ainsi que les autres composants clés. Puis il avait déniché l'homme de la situation et assemblé toutes les pièces du puzzle. Mais Fadell ne l'entendait pas ainsi. L'informaticien avait des idées de lecteurs MP3 bien avant de venir chez Apple et avait même proposé ses services à d'autres sociétés. La question épineuse de la paternité et du mérite de l'iPod ferait l'objet d'interviews, d'articles, de pages web durant des années. Et même d'une entrée Wikipédia !

Mais au cours des mois suivants, les deux hommes furent bien trop occupés pour se battre. Jobs voulait sortir l'iPod pour Noël, donc le présenter en octobre. Ils se mirent donc en quête, parmi les entreprises qui fabriquaient des MP3, de celle qui pourrait servir de socle au projet d'Apple et arrêtèrent leur choix sur une petite société du nom de PortalPlayer. Tony Fadell expliqua à l'équipe en place : « Ce projet va entièrement remodeler le visage d'Apple et dans dix ans, ce sera une boîte dédiée à la musique, pas à l'informatique. » Il les persuada de signer un contrat exclusif, puis son équipe se mit à gommer les défauts de PortalPlayer, tels que ses interfaces complexes, la durée de vie trop courte de sa batterie et son incapacité à créer une liste de lecture de plus de dix morceaux.

C'est ça !

Certaines réunions étaient mémorables car elles constituaient un moment historique ou bien mettaient en lumière le mode opératoire d'un leader. Ce fut le cas d'une en particulier, qui se déroula en avril 2001 dans la salle du quatrième étage, où Jobs décida des orientations fondamentales de l'iPod. Rubinstein, Schiller, Ive, Robbin et le directeur marketing Stan Ng étaient là pour écouter les propositions de Fadell.

Le jeune concepteur avait rencontré Jobs à une fête d'anniversaire chez Hertzfeld un an auparavant et il avait entendu une foule d'histoires à son sujet, la plupart à vous faire frémir. L'idée d'avoir affaire directement au patron l'intimidait – on le comprenait ! « Quand il est entré dans la salle de conférences, je me suis mis au garde-à-vous en songeant : "Waouh ! C'est Steve !" J'étais vraiment sur mes gardes, après tout ce qu'on m'avait raconté, notamment sur sa rudesse. »

La réunion débuta par une présentation du marché potentiel et des produits des autres compagnies. Fidèle à lui-même, Jobs perdit rapidement patience. « Il ne regardait jamais le graphique plus d'une minute, se souvient Fadell. Quand un document présentait un appareil concurrent, il le balayait d'un geste de la main en disant : "On s'en fout de Sony, on sait ce qu'on fait. Eux non." » Après quoi, Jobs mitrailla le groupe de questions. Fadell avait compris la leçon : « Steve préfère vivre l'instant, prendre les choses en main. Une fois, il m'a dit que si j'avais besoin de diapositives, ça prouvait que je ne connaissais pas mon sujet. »

En effet, Jobs préférait voir les objets physiques, les sentir, les examiner, les manipuler. Fadell apporta donc trois modèles différents dans la salle de conférences et Rubinstein lui montra comment avancer ses idées graduellement, de façon à dévoiler le meilleur en dernier. Ils cachèrent le modèle clé sous un bol de bois au centre de la table.

Le jeune informaticien commença sa démonstration en sortant les différents composants un à un d'une boîte et en les disposant sur la table. Le disque de 1,8 pouce, l'écran LCD, la batterie, tous étiquetés avec leur prix et leur poids. Ils tentèrent d'évaluer quelles seraient la réduction des coûts et des dimensions pour l'année à venir. Certaines pièces pouvaient être assemblées, à la manière de Lego, pour présenter les différentes options possibles.

Ensuite, Fadell dévoila ses maquettes lestées de plomb, pour imiter le poids réel de l'appareil. La première était équipée d'une carte mémoire amovible pour la musique. Jobs écarta ce système, jugé trop complexe. La deuxième disposait d'une mémoire RAM dynamique, moins chère, mais qui perdait tous ses morceaux si la batterie était morte. Cela ne plaisait pas non plus au grand manitou. Fadell assembla alors plusieurs autres pièces de Lego pour lui montrer un appareil équipé d'un disque dur miniature. Jobs parut intrigué. Le jeune homme sortit le grand jeu en soulevant le bol de bois, révélant un modèle entièrement assemblé. « J'espérais continuer à jouer avec mes Lego, mais Steve s'est jeté sur l'option avec disque dur telle que nous l'avions modélisée. » Fadell était passablement surpris : « Chez Philips, prendre une décision nécessitait pléthore de réunions, d'interminables présentations PowerPoint, et toujours plus d'études. »

Ensuite, ce fut au tour de Phil Schiller d'intervenir. Il quitta la salle et revint avec une série de modèles d'iPod, tous avec la molette aujourd'hui célèbre du menu déroulant. « J'ai réfléchi au moyen de passer en revue les listes de lecture. On ne peut pas appuyer cent fois sur un bouton. Alors pourquoi pas une molette ? » En la tournant à l'aide du pouce, on faisait défiler les morceaux. Plus on la tournait, plus la vitesse de défilement augmentait, de sorte qu'on pouvait passer rapidement plusieurs centaines de morceaux. « C'est ça ! » s'écria Jobs, qui pressa aussitôt Fadell et son équipe de plancher sur ce système.

Une fois le projet lancé, Jobs intervint quotidiennement. Sa principale exigence était : « Simplifiez ! » Il allait sur chaque écran de l'interface utilisateur et lui faisait passer un test drastique : n'importe quelle chanson ou fonction devait être obtenue en trois clics. Et ces mouvements devaient être intuitifs. S'il ne comprenait pas comment naviguer dans telle ou telle application ou qu'il lui fallait plus de trois clics, il se montrait implacable. « Parfois, se rappelle Fadell, on se triturait le cerveau sur un problème d'interface pendant des heures, on pensait avoir envisagé toutes les options, puis il arrivait et nous demandait : "Vous avez pensé à cela ?" Et alors on se disait tous : "Bon sang ! Bien sûr !" Il avait redéfini le problème selon une perspective inédite et la solution était apparue d'elle-même. »

Chaque soir, Jobs téléphonait à ses acolytes avec de nouvelles idées en tête. Fadell et toute l'équipe – y compris Rubinstein – complotaient pour surveiller le patron quand il faisait part d'une de ses visions à l'un d'entre eux. Ils s'appelaient, discutaient de l'idée proposée, puis conspiraient pour l'amener là où ils le souhaitaient, un stratagème qui fonctionnait une fois sur deux. « Tous les jours, Steve pensait à un détail. Une commande ici, la couleur d'un bouton là, ou encore une stratégie de prix, précise le jeune informaticien. Face à un tel comportement, on devait rester soudés, surveiller nos arrières. »

L'une des intuitions clés de Jobs fut de décider que les multiples fonctions de l'iPod devraient être gérées par l'ordinateur, et non par le petit appareil.

Pour rendre l'iPod vraiment simple d'utilisation – un point qui a fait l'objet de nombreux débats –, il fallait limiter les possibilités de l'appareil lui-même. Ses principales fonctionnalités seraient l'apanage d'iTunes, sur l'ordinateur. Par exemple, des listes de lecture seraient réalisées sur iTunes, puis synchronisées sur l'iPod. Une idée controversée. Pourtant, le Rio et les autres baladeurs MP3 étaient de vrais casse-tête justement parce qu'ils étaient trop compliqués. Ils devaient réaliser des tâches complexes comme créer des listes de lecture, car elles n'étaient pas intégrées au lecteur de l'ordinateur. Donc, en possédant le logiciel iTunes et le baladeur iPod, on pouvait faire fonctionner les deux de pair, les rendre complémentaires, et ainsi supprimer la complexité inutile.

L'une des simplifications les plus surprenantes exigées par Jobs, qui éberlua plus d'un collaborateur, était de supprimer le bouton *on-off*. Ce principe se généralisa parmi les produits Apple. Un bouton était à ses yeux inutile et discordant, d'un point de vue tant esthétique que philosophique. Les appareils Apple se mettraient en veille quand ils ne seraient pas actifs et reviendraient à la vie quand l'utilisateur appuierait sur une touche, n'importe laquelle.

Soudain, toutes les pièces du puzzle se mettaient en place. Un micro-disque capable de stocker mille morceaux. Une interface graphique et un menu déroulant actionné par une molette capable de faire défiler les titres. La connexion FireWire permettant de télécharger mille morceaux en moins de dix minutes. Et une batterie à la durée suffisamment longue pour écouter les mille chansons. Jobs touchait au but : « On s'est regardés en se disant : Ça va être génial ! On en était sûrs, car on rêvait tous d'en posséder un exactement comme ça ! Le concept était merveilleusement beau : mille chansons dans votre poche. » L'un des rédacteurs suggéra de l'appeler Pod. C'est Jobs qui, en référence à l'iMac et l'iTunes, proposa le nom iPod.

D'où viendraient ces mille morceaux ? Jobs savait que certains les récupéreraient de leurs CD, mais bien d'autres les téléchargeraient illégalement. D'un point de vue purement commercial, le patron d'Apple aurait eu intérêt à encourager le téléchargement illégal. Ses clients auraient rempli leurs iPod à bas coût. Mais il respectait la propriété intellectuelle et pensait que les artistes devaient retirer des bénéfices des ventes de leurs albums. Donc, alors que le processus de développement touchait à sa fin, il décréta que la synchronisation serait à sens unique. Les utilisateurs pourraient déplacer de la musique de leur ordinateur vers leur iPod, mais pas de leur iPod vers un autre ordinateur. Cela les empêcherait de remplir leur baladeur de morceaux copiés illégalement, puis de les transférer à tous leurs amis. Jobs décida que l'emballage en plastique transparent de l'iPod porterait un message simple : « Ne volez pas la musique. »

La baleine blanche

Un matin, Ive jouait avec la maquette de l'iPod en se demandant à quoi pourrait bien ressembler le produit fini, quand une idée lui vint durant son trajet entre San Francisco et Cupertino. La face avant serait d'un blanc pur, dit-il à son collègue dans la voiture, et l'arrière en acier inoxydable noir, sans jonction ni soudure apparentes. « La plupart des petits appareils ressemblent à des gadgets jetables. Ils ne véhiculent pas l'idée que la culture est importante. Ce dont je suis le plus fier au sujet de l'iPod, c'est que d'une certaine manière, il paraît luxueux et sérieux. »

Le blanc ne serait pas un simple blanc, mais un blanc pur. « Non seulement l'appareil, mais les écouteurs, les fils et le transformateur, tout est blanc. » Certains plaidaient que les écouteurs, bien entendu, devaient être noirs, comme tous les autres. Mais Steve comprit immédiatement le concept et embrassa l'idée du blanc. L'objet véhiculerait une impression de pureté. Le mouvement sinueux des fils des écouteurs blancs a contribué à la construction du mythe de l'iPod. Comme le dit Ive :

L'appareil a de la noblesse ; il annonce sa valeur tout en dégageant une impression de sérénité, de retenue. Il n'agite pas sa queue sous votre nez. Mesuré, et fou en même temps, avec ses écouteurs qui flottent au vent. Voilà pourquoi le blanc ! Le blanc n'est pas une couleur neutre. Il est pur et silencieux. Voyant et discret en même temps.

L'équipe publicitaire de Lee Clow chez TBWA\Chiat\Day voulait célébrer la nature emblématique de l'iPod et sa blancheur, plutôt que de montrer ses caractéristiques, comme dans toutes les publicités de produits inédits. James Vincent, un jeune Britannique efflanqué qui avait joué dans un groupe et travaillé un temps comme DJ, venait de rejoindre l'agence. Il paraissait naturel de lui confier la création de la publicité qui consacrerait la génération du millénaire des fous de la musique, plutôt que celle de la génération hippie rebelle. Avec l'aide de la directrice artistique Susan Alinsangan, ils créèrent une série d'affiches pour l'iPod, qu'ils disposèrent sur la table de la salle de réunion à l'intention du P-DG.

À l'extrême droite, ils placèrent les propositions traditionnelles, avec des photos de l'iPod sur un fond blanc. À gauche, les traitements plus graphiques et emblématiques, à savoir une simple silhouette de danseur en train d'écouter un iPod, ses écouteurs blancs ondulant au rythme de la musique. « Cette publicité exprimait notre lien émotionnel et intimement personnel avec la musique », explique James Vincent. Le jeune homme suggéra à Duncan Milner, le directeur créatif, de poster toute l'équipe du côté gauche de la salle, pour attirer Jobs dans cette zone. Quand le patron d'Apple pénétra dans la pièce, il se dirigea immédiatement vers l'extrémité droite de la table et étudia les images du produit nu. « Celles-ci me semblent bien. Parlons-en un peu. » James Vincent, Duncan Milner et Lee Clow n'avaient pas bougé. Enfin, Jobs jeta un coup d'œil aux autres propositions.

— Je suppose que ce sont vos préférées ? Mais elles ne montrent pas le produit. On ne sait pas ce que c'est.

Vincent défendit son idée.

— On pourrait ajouter le slogan : « 1 000 chansons dans votre poche. » Cela dirait tout !

Jobs se retourna pour observer les autres publicités, puis finit par se ranger à son idée. Comme on pouvait s'y attendre, il déclara plus tard qu'il avait tout de suite voté pour cette option. Il y avait des sceptiques, qui se demandaient comment cette affiche purement graphique pourrait vendre le produit. Dans ces moments-là, Jobs se félicitait d'être P-DG et de pouvoir imposer ses vues.

Il comprit bientôt qu'Apple tirerait un autre avantage de sa stratégie de système intégré. Les ventes de l'iPod allaient en effet dynamiser celles de l'iMac. Pour cela, il devrait imputer une part du budget publicité consacré à l'iMac à la communication pour l'iPod, faisant ainsi d'une pierre deux coups. Ou plutôt trois coups, car ces publicités redonneraient brillance et jeunesse à la marque elle-même.

J'étais persuadé qu'en faisant de la pub pour l'iPod, on allait doper les ventes de l'iMac. Tout le monde me prenait pour un fou ! Et puis l'iPod positionnerait Apple comme une marque branchée et innovante. Alors j'ai consacré soixante-quinze millions au budget publicitaire de l'iPod, même si ce secteur des lecteurs MP3 n'en méritait pas le centième. Cela signifiait que nous allions entièrement dominer le marché des baladeurs de musique. Et nos ventes sur ce segment seront cent fois supérieures à celles de nos concurrents, toutes marques confondues !

Les publicités télévisées montraient des silhouettes en ombres chinoises dansant sur des chansons choisies par Jobs et l'agence. « Trouver les morceaux devint notre petit plaisir, pendant nos réunions marketing hebdomadaires, se rappelle Clow. On passait des musiques branchées, que Steve détestait. James intervenait alors pour le faire changer d'avis. » Les pubs popularisèrent de nombreux nouveaux groupes, l'exemple le plus notable étant les Black Eyed Peas. Celle avec « Hey Mama » est devenue un classique du genre. Mais au moment où une pub devait partir en production, Jobs avait souvent des réticences et menaçait de tout annuler. Paniqué, Vincent faisait tout pour balayer ses doutes. Au final, Jobs se laissait convaincre, et une fois la publicité réalisée, il l'adorait.

Jobs dévoila l'iPod le 23 octobre 2001, lors de l'une de ses fameuses grandes messes dont il avait le secret. « Indice : ce n'est pas un Mac », disait le carton d'invitation. Au moment de révéler le produit, après en avoir décrit les capacités techniques, le patron d'Apple n'utilisa pas son stratagème habituel, à savoir ôter le drap de velours qui masquait le produit au milieu de la scène. Cette fois-ci, il innova : « Je l'ai là, dans ma poche, dit-il en extirpant l'iPod d'un blanc brillant. Cet extraordinaire petit appareil peut contenir mille chansons et se glisse tout simplement dans la poche d'un jean. » Sur ces mots, l'iPod réintégra sa place dans le pantalon sous un tonnerre d'applaudissements.

À l'origine, il y avait un certain nombre de sceptiques parmi les geeks, en particulier au sujet du prix : trois cent quatre-vingt-dix-neuf dollars. Dans la blogosphère, on avait trouvé un acronyme sarcastique pour iPod : « Idiots Price Our Device[1]. » Pourtant, les consommateurs en firent très vite un succès phénoménal. De plus, l'iPod incarnait l'essence des valeurs défendues par Apple : la poésie alliée à l'ingénierie, l'art et la créativité au croisement de la technologie, l'élégance et la sobriété du design. Sans oublier son maniement simple, grâce au système entièrement intégré, de l'ordinateur au FireWire, en passant par le logiciel et la gestion du contenu. Quand vous sortiez un iPod de sa boîte, il était si beau et si brillant qu'on avait l'impression soudaine que tous les autres baladeurs MP3 avaient été fabriqués en Ouzbékistan.

C'était la première fois depuis le Mac originel que la vision d'un produit propulsait ainsi une société dans l'avenir. « Si vous vous demandez pourquoi Apple est sur Terre, je dirais que ceci en est un bon exemple », déclara Jobs à Steven Levy, de *Newsweek*. Longtemps sceptique à propos des systèmes intégrés, Steve Wozniak révisait peu à peu sa philosophie. « Houah ! s'exclama-t-il en le découvrant. Ça ne m'étonne pas qu'Apple ait été le premier à l'inventer. Après tout, toute l'histoire d'Apple est de fabriquer à la fois le matériel et le logiciel, et de faire fonctionner les deux ensemble. »

Le jour de la conférence de presse sur l'iPod, Steven Levy se retrouva par hasard le soir même à un dîner avec Bill Gates. Le journaliste lui montra la petite merveille et lui demanda s'il avait déjà vu une chose pareille. Sa réaction était éloquente : « Gates est entré en mode "télé-analyse", comme dans ces films de science-fiction où un extraterrestre, confronté à un objet inconnu, crée une sorte de champ de force entre lui et ledit objet pour que son cerveau puisse en pirater toutes les informations possibles. » Gates joua avec la molette et appuya sur les boutons, les yeux rivés sur l'écran. « Ça a l'air génial », articula-t-il. Puis il marqua une pause et parut frappé d'une révélation : « Ça ne marche qu'avec Macintosh ? »

---

1. « Les idiots payent notre marque ». *(N.d.T.)*

CHAPITRE TRENTE

L'iTUNES STORE

Je suis le joueur de flûte

La Warner en musique

Au début de l'année 2002, Apple dut relever un défi. La connexion fluide entre l'iPod, le logiciel iTunes et l'ordinateur permettait de gérer facilement sa bibliothèque musicale. Mais pour obtenir de nouveaux morceaux, il fallait s'aventurer hors de cet environnement douillet et acheter un CD ou télécharger des albums en ligne. Cette dernière solution obligeait le consommateur à louvoyer entre les territoires sinistres des partages de fichiers et les sites de piratage. Aussi Jobs voulut-il proposer aux utilisateurs de l'iPod un moyen de télécharger de la musique de manière simple, sécurisée et légale.

L'industrie de la musique avait elle aussi fort à faire. Elle était contaminée par tout un bestiaire de services de piratage – Napster, Grokster, Gnutella, Kazaa – qui encourageaient les gens à obtenir de la musique gratuitement. En partie à cause de cela, les ventes de CD avaient chuté de 9 pour cent en 2002.

Les dirigeants des maisons de disques tentaient désespérément, avec l'élégance et la frénésie d'une bande de policiers comiques dans un film muet, de s'accorder sur un ensemble de règles de protection de la musique numérique. Paul Vidich, de la Warner Music, et son collègue Bill Raduchel, d'AOL Time Warner, travaillaient de concert avec Sony pour atteindre cet objectif, et espéraient faire entrer Apple dans leur consortium. Ainsi, en janvier 2002, un groupe de représentants prit l'avion pour Cupertino afin de rencontrer Jobs.

La réunion ne fut pas un exemple de convivialité. Paul Vidich avait attrapé froid et était presque aphone. Aussi son assistant débuta-t-il la présentation. Assis en bout de table, Jobs s'agitait sur son siège, l'air passablement agacé. Après quatre diapositives Power-Point, il agita la main.

— En bref, vous l'avez dans le cul !

Tout le monde se tourna vers Paul Vidich, qui luttait pour retrouver sa voix.

— Vous avez raison. On ne sait pas quoi faire. On a besoin de votre aide.

Le patron d'Apple se rappela plus tard avoir été un peu pris de court, avant d'accepter de travailler avec l'équipe Warner-Sony.

Si les maisons de disques s'étaient mises d'accord sur un codec standardisé de protection des fichiers musicaux, de multiples magasins en ligne auraient proliféré. Jobs aurait alors eu plus de difficultés à créer un iTunes Store permettant à Apple de contrôler ses ventes en ligne. Sony donna une opportunité au patron d'Apple en décidant, après la réunion de janvier 2002 à Cupertino, de se retirer des débats, pour développer sa propre application sur laquelle Sony toucherait des royalties.

« Vous connaissez Steve, il a son propre agenda, dit le P-DG de Sony, Nobuyuki Idei, au rédacteur en chef de *Red Herring*, Tony Perkins. Même si c'est un génie, il ne partage pas tout avec vous. C'est compliqué de travailler avec lui quand vous êtes une grosse société… Cela peut même devenir un cauchemar. » Howard Stringer, alors à la tête de Sony North America, ajouta à son propos : « Essayer de trouver un accord avec lui aurait été une perte de temps. »

Au lieu de quoi, Sony conclut un partenariat avec Universal pour créer un service de souscription appelé Pressplay. Pendant ce temps, AOL Time Warner, Bertelsmann et EMI, trois géants de l'industrie du disque, firent équipe avec RealNetworks pour créer MusicNet. Aucun des deux groupes ne voulait partager ses artistes avec le service concurrent ; chaque site n'offrait donc que la moitié de la musique disponible. Les deux applications proposaient un système d'abonnements permettant aux consommateurs d'écouter des morceaux en diffusion de flux – le streaming – mais pas de les conserver, de sorte qu'on n'avait plus accès à ces titres une fois l'abonnement résilié. Des restrictions compliquées et des interfaces alambiquées leur valurent la distinction douteuse d'être classés au neuvième rang de la liste des « 25 pires produits technologiques de tous les temps », publiée par *PCWorld*. Le magazine s'en expliquait : « Les caractéristiques incompréhensibles de leurs services prouvent qu'ils sont à côté de la plaque. »

À ce moment-là, Jobs aurait pu tout simplement se tourner vers le piratage. De la musique en accès libre aurait rendu l'iPod encore plus attractif. Mais parce qu'il aimait vraiment la musique – et les artistes –, il était contre ce qu'il considérait comme un pillage de la création. Comme il me l'expliqua :

> À mes débuts chez Apple, j'ai compris qu'on prospérait en créant de la propriété intellectuelle. Si les gens copiaient ou volaient nos logiciels, on allait couler. Si la propriété intellectuelle n'était pas protégée, on n'aurait aucune opportunité de créer des programmes et des designs innovants. Si elle disparaissait, les sociétés créatives disparaîtraient progressivement elles aussi, et ne renaîtraient jamais. Mais il y a une raison plus simple encore : voler est mal. Vous faites du mal aux autres. Et vous vous faites du mal à vous-mêmes.

Le patron d'Apple savait que le meilleur moyen de lutter contre le piratage – le seul moyen, en réalité – était d'offrir une alternative plus alléchante que les services compliqués des maisons de disques. « Nous pensons que 80 pour cent des gens qui commettent ces vols le font à contrecœur. Simplement, ils n'ont pas d'alternative légale, expliqua Jobs à Andy Langer, d'*Esquire*. Alors on s'est dit qu'il fallait leur donner le choix. Ainsi, tout le monde est gagnant : les maisons de disques, les artistes, Apple. Et l'utilisateur, qui obtient un bien meilleur service et n'a plus à être un voleur. »

Ainsi, il lança le développement d'un iTunes Store et persuada les cinq plus grandes maisons de disques d'autoriser la vente des versions numériques des chansons dont elles détenaient les droits. « Je n'ai jamais passé autant de temps à convaincre les gens de faire ce qui est le mieux pour eux ! » Comme les compagnies s'inquiétaient du modèle de tarification et de la déstructuration des albums,

Jobs affirma que son nouveau service ne serait disponible que sur Macintosh, soit 5 pour cent du marché seulement. Elles pouvaient se permettre de prendre ce petit risque. « Nous tirons avantage de notre petite part de marché en affirmant que si l'iTunes Store est un échec, il n'entraînera pas tout le monde dans sa chute. »

La proposition du patron d'Apple était de vendre une chanson numérique quatre-vingt-dix-neuf cents. Les maisons de disques en récolteraient soixante-dix cents. Cette offre lui semblait plus alléchante que leur système d'abonnement mensuel. Il pensait (avec justesse) que les gens nourrissaient un lien émotionnel avec leurs chansons préférées. Les consommateurs voulaient posséder « Sympathy for the Devil » et « Shelter From the Storm », pour simplement pouvoir les écouter à la demande. Comme Jobs l'avait dit à Jeff Goodell, du magazine *Rolling Stone*, à l'époque : « À mon sens, si l'album *Second Coming* était disponible sous forme d'abonnement, cela ne marcherait pas. »

Jobs insistait également pour vendre sur l'iTunes Store des chansons à l'unité, et non des albums entiers. Ce point fut au final la pierre d'achoppement pour les maisons de disques, qui gagnaient de l'argent en ne mettant que deux ou trois bonnes chansons par album, au milieu d'une douzaine d'autres, pour le remplissage. Pour acquérir leurs morceaux préférés, les consommateurs devaient acheter l'album entier. « Les chansons d'un album se répondent les unes aux autres pour former un tout cohérent, dit Trent Reznor, fondateur du groupe de métal Nine Inch Nails. Voilà comment j'aime faire de la musique. » Mais ces objections étaient discutables. « Le piratage et les téléchargements en ligne ont déjà déstructuré l'album, plaidait Jobs. On ne peut pas lutter contre les pirates à moins de vendre des chansons à l'unité. »

Au cœur du problème, l'abîme entre les amoureux de la technologie et les adeptes de l'art. Jobs aimait les deux, comme il l'avait démontré chez Pixar et Apple, et de ce fait s'était positionné de façon à combler ce fossé.

Quand je suis allé chez Pixar, j'ai pris conscience d'un grand dilemme. Les sociétés technologiques ne comprennent pas la créativité. Elles n'apprécient pas la pensée intuitive, telle que le flair du responsable d'un label de musique pour choisir sur une centaine d'artistes les cinq susceptibles d'avoir du succès. Elles pensent que les artistes sont une bande de joyeux lurons affalés toute la journée sur des canapés, parce qu'elles n'ont pas vu combien les créatifs dans des endroits comme Pixar sont encadrés et disciplinés. D'un autre côté, les maisons de disques n'entendent rien à la technologie. Elles croient qu'il suffit d'engager quelques techniciens pour faire le boulot. Mais chacun son rôle. Si Apple se lançait dans la musique, on aurait des gars médiocres pour choisir les artistes, et inversement, les maisons de disques écoperaient de mauvais techniciens. Je suis l'une des rares personnes à savoir que la technologie requiert intuition et créativité et que produire quelque chose d'artistique nécessite une réelle discipline.

Jobs, qui connaissait depuis longtemps Barry Schuler, le P-DG de la branche AOL de Time Warner, lui demanda comment d'après lui il pouvait attirer les grands labels dans l'iTunes Store. « Le piratage fait peur à tout le monde, lui répondit Barry Schuler. Dis-leur qu'avec un service intégré de bout en bout, de l'iPod à la vente, tu protégeras mieux l'utilisation de leur musique. » Un jour de mars 2002, le patron d'AOL reçut un appel du patron d'Apple et décida de mettre Paul Vidich en ligne. Jobs proposa à Vidich de venir à Cupertino avec le grand patron de la Warner Music, Roger Ames. Cette fois, le P-DG de la firme à la Pomme se montra charmant. Roger Ames était un Britannique spirituel, drôle et intelligent – un genre que Jobs appréciait (à l'instar de Vincent et Ive). Aussi se présenta-t-il sous son meilleur jour. À un moment donné, il joua même le rôle inhabituel de diplomate : Eddy Cue, responsable d'iTunes pour Apple, et Roger Ames se querellèrent à propos des radios : l'un soutenant que les stations américaines étaient meilleures que les anglaises. Jobs intervint alors : « On s'y connaît en technologie, mais beaucoup moins en musique, alors laissons là ce débat. »

Roger Ames débuta la réunion en suggérant au patron d'Apple de promouvoir un nouveau format de CD avec un système de protection encodé contre la copie. Jobs accepta aussitôt, puis aborda le sujet qui l'intéressait : la Warner Music, dit-il, devait aider Apple à créer un iTunes Store en ligne. Ensuite, la Pomme convaincrait le reste de l'industrie du disque d'en faire partie.

Le responsable de la Warner Music venait de perdre une bataille au sein de son conseil d'administration pour que la division AOL améliore son propre service de téléchargement, tout récent. « Quand j'effectue un téléchargement numérique avec AOL, je ne retrouve jamais mon morceau sur mon ordinateur », tempêtait-il. Aussi, lorsque Jobs lui fit une démonstration du prototype de l'iTunes Store, Ames ne cacha pas son enthousiasme : « Oui, oui, c'est exactement ce que nous recherchons ! » Il était d'accord pour faire signer la Warner Music et proposa à son interlocuteur de l'aider à lister les autres maisons de disques à convaincre en priorité.

Un défi de taille

Le joueur clé à enrôler dans la partie était Doug Morris, dirigeant d'Universal Music Group. Son domaine incluait des artistes incontournables tels que U2, Eminem et Mariah Carey, ainsi que des labels puissants comme la Motown et l'Interscope-Geffen-A&M. Doug Morris était impatient de rencontrer Steve Jobs. Plus que tout autre grand patron, il ne supportait pas le piratage et en avait assez du désert technologique qui régnait dans les maisons de disques. « On se serait cru de retour au Far West, se rappelle Morris. Personne ne vendait de musique numérique et les hors-la-loi régnaient en maîtres. Toutes nos tentatives s'étaient soldées par un échec. Il y avait un abîme entre le monde de la musique et celui de la haute technologie. »

Ames accompagna Jobs dans les bureaux de Morris, sur Broadway, et le briefa sur ce qu'il devait dire. Cela fonctionna à merveille. Le patron d'Universal Music était fasciné par le concept abouti de l'iTunes Store, qui facilitait la tâche des consommateurs et donnait des gages de sécurité aux maisons de disques : « Apple proposait un système complet : l'iTunes Store, le logiciel de gestion de la musique, l'iPod lui-même. Un concept cohérent. Idéal. »

L'homme était convaincu que le mentor d'Apple avait la vision technique qui faisait défaut aux maisons de disques. « Bien sûr, nous allons devoir nous fier à Jobs pour ce projet, dit-il à son vice-président technique, parce que chez Universal, nous n'avons aucun spécialiste en technologie. » Les ingénieurs d'Universal n'étaient guère enchantés à l'idée de travailler avec Jobs, aussi leur patron leur ordonna-t-il de garder leurs objections pour eux-mêmes et de trouver rapidement un terrain d'entente avec Apple. Ceux-ci ajoutèrent quelques restrictions à FairPlay – le système Apple de gestion des droits numériques – afin que les chansons achetées ne puissent être transférées sur un trop grand nombre de supports. Mais dans l'ensemble, ils adoptèrent le concept de l'iTunes Store que Jobs avait mis au point avec Ames et ses collègues de la Warner.

Morris était si fasciné par Jobs qu'il appela Jimmy Iovine, le responsable effronté et volubile d'Interscope-Geffen-A & M, un label détenu par Universal. Iovine et Morris étaient d'excellents amis, qui se parlaient quotidiennement depuis trente ans. « Quand j'ai rencontré Steve, raconte Morris, j'ai vu en lui notre sauveur. Alors j'ai tout de suite fait venir Jimmy pour avoir son avis. »

Jobs pouvait se montrer absolument charmant quand il le voulait et il accueillit chaleureusement Jimmy Iovine, qui avait pris un vol pour Cupertino pour assister à une démonstration. « Vous voyez comme c'est simple ? dit-il au nouveau venu. Vos techniciens ne pourraient jamais faire un truc pareil. Les maisons de disques n'ont pas les ressources pour fabriquer un système aussi fluide. »

Iovine appela aussitôt son ami de la Warner. « Ce type est unique ! Tu as raison. Il a la solution. » Tous deux se plaignaient de travailler depuis deux ans avec Sony, car cette collaboration ne menait nulle part. Ils se mirent d'accord pour rompre leur contrat avec la société nippone et conclure un partenariat avec Apple. « Sony a totalement manqué le coche, c'est incroyable ! conclut Iovine. Steve aurait viré des tas de gens si ses services ne s'entendaient pas. Or chez Sony, ils se tirent dans les pattes depuis des années. »

En effet, Sony incarnait le parfait contre-exemple d'Apple. La société disposait d'un département technologie qui fabriquait des produits élégants et d'un département musique avec des artistes de renom (notamment Bob Dylan). Mais comme chaque branche protégeait ses propres intérêts, l'entreprise dans son ensemble était incapable d'offrir un service global à ses clients.

Andy Lack, le nouveau responsable de la branche musicale de Sony, écopa de la tâche peu enviable de négocier avec Jobs la vente de la musique détenue par Sony dans l'iTunes Store. Malin et exubérant, Andy Lack avait déjà une belle carrière dans le journalisme télévisé derrière lui – producteur chez CBS News, président de NBC. Sa force était de savoir jauger les gens et conserver son sens de l'humour en toutes circonstances. Il comprit que pour Sony, vendre sa musique sur l'iTunes Store était à la fois insensé et nécessaire, comme c'était le cas de beaucoup de décisions dans l'industrie de la musique. Apple détenait le rôle du bandit qui remporte tout le butin : non seulement il ferait des bénéfices sur les ventes de morceaux, mais en plus les ventes de l'iPod se verraient décuplées. L'homme se disait que, puisque les maisons de disques étaient en partie responsables du succès de l'iPod, elles devraient logiquement toucher des royalties sur chaque appareil vendu.

Jobs était d'accord avec son interlocuteur sur bien des points et affirmait qu'il cherchait un vrai partenariat avec les maisons de disques. « Steve, tu m'auras si tu me donnes "quelque chose" pour chaque appareil vendu, lui annonça son interlocuteur de sa voix enjôleuse. C'est un magnifique objet. Mais notre musique t'aide à le vendre. Voilà ce que signifie un "vrai" partenariat pour moi. » Le patron d'Apple disait oui à tout.

Mais ensuite, il allait se plaindre auprès de Morris et Ames, leur disant d'un air de conspirateur que Lack ne comprenait rien, qu'il n'avait ni leur sens des affaires, ni leur intelligence. « Comme à son habitude, Steve Jobs feignait d'accepter l'idée sur le principe, puis s'arrangeait pour qu'elle ne soit jamais mise en application, conclut le représentant de Sony. Il vous piège et ensuite quitte la partie. C'est pathologique chez lui, mais très utile dans les négociations. Et en la matière, c'est un expert. »

Lack savait qu'il constituait le dernier obstacle dans la stratégie de Jobs et qu'il ne pourrait emporter la partie sans le soutien des autres maisons de disques. Mais la flagornerie de Jobs et le marketing alléchant d'Apple avaient eu raison des autres concurrents en lice. « Si nous étions restés soudés, nous aurions obtenu un pourcentage sur les ventes des baladeurs, ce qui nous aurait donné ce supplément de revenus dont nous avions si désespérément besoin. C'était grâce à nous qu'Apple vendait son iPod, cela aurait donc été équitable. » Telle était la beauté de la stratégie de Jobs : les ventes de musique sur iTunes dynamisaient les ventes d'iPod qui à leur tour dopaient les ventes de Macintosh. Ce qui agaçait encore plus Lack, c'était que Sony aurait pu faire exactement la même chose, si les départements matériel et logiciel avaient été capables de travailler de concert.

Jobs s'évertua à séduire le responsable de Sony. Lors d'un séjour à New York, il l'invita dans sa suite au dernier étage du Four Seasons. Le patron d'Apple avait déjà commandé un petit déjeuner – flocons d'avoine et fruits pour deux – et s'était montré « très convaincant ». Mais Lack avait flairé le piège : « Heureusement, Jack Welch m'avait prévenu de ne pas tomber sous le charme de Jobs. Morris et Ames ont été littéralement ensorcelés. Ils pensent que c'est une fatalité : personne ne résiste à Jobs. Sauf moi. Voilà comment je me suis retrouvé isolé dans l'industrie du disque. »

Même après que Sony eut accepté de vendre sa musique via l'iTunes Store, les relations entre les deux hommes restèrent tendues. Toute mise à jour ou évolution du système engendrait une épreuve de force. « Avec Andy, le problème c'était son ego, affirmait le patron d'Apple. Il n'a jamais vraiment compris le business de la musique et parfois, c'était vraiment un emmerdeur. » Quand je rapportai ces propos à l'intéressé, il me répondit : « Je me battais pour Sony et l'industrie du disque. Alors bien sûr que je passais pour un emmerdeur ! »

Faire entrer les labels de musique dans iTunes n'était néanmoins pas suffisant. Nombre d'artistes disposaient de clauses spéciales leur permettant de contrôler la distribution numérique de leur musique ou d'interdire la fragmentation de leurs albums. Jobs devait donc cajoler plusieurs musiciens de renom, une tâche à première vue agréable, mais qui se révéla plus difficile que prévu.

Avant le lancement d'iTunes, Jobs avait rencontré une vingtaine d'artistes phare, dont Bono, Mick Jagger et Sheryl Crow. « Steve m'appelait chez moi sans vergogne à 22 heures, pour me dire qu'il devait encore convaincre Led Zeppelin ou Madonna, raconte Ames. Il était incroyablement déterminé et je crois que personne d'autre n'aurait pu persuader ces artistes. »

Sa rencontre la plus insolite fut avec Dr Dre, qui vint lui rendre visite dans les bureaux d'Apple. Jobs adorait les Beatles et Dylan, mais il admettait que l'intérêt du rap lui échappait. Cela dit, il avait besoin d'avoir Eminem, ainsi que d'autres rappeurs, dans sa manche, et Dr Dre était le mentor d'Eminem. Après lui avoir montré le fonctionnement d'iTunes avec l'iPod, Dr Dre déclara : « Mec, on dirait que quelqu'un a enfin pigé le truc ! »

À l'autre extrémité du spectre musical se situait le trompettiste Wynton Marsalis. Lors de sa tournée sur la côte Ouest pour récolter des fonds pour la promotion du jazz au Lincoln Center de New

York, il rencontra Jobs et son épouse. Le P-DG d'Apple insista pour qu'il vienne dans sa maison de Palo Alto et lui fit une démonstration d'iTunes.

— Qu'aimeriez-vous écouter ?

— Beethoven.

— Regardez comme c'est facile !

Jobs rappelait à l'ordre le musicien chaque fois que son attention s'égarait. Plus tard, le trompettiste relata son entrevue : « Je ne m'intéressais guère aux ordinateurs et je n'ai cessé de le lui dire, mais Steve a continué sa démo pendant deux heures. Cet homme est possédé. Au bout d'un moment, je me suis mis à l'observer lui, et non l'ordinateur, tant sa passion était fascinante. »

Jobs dévoila l'iTunes Store le 28 avril 2003, lors d'une grande représentation au Moscone Center de San Francisco. Avec ses cheveux courts, son front dégarni et son look mal rasé savamment étudié, il déambulait sur la scène en racontant sa petite histoire : « Napster a prouvé qu'Internet était fait pour délivrer de la musique. » Ses concurrents, comme Kazaa, proposaient de la musique gratuite. Comment lutter contre cela ? Pour répondre à cette question, il décrivit les défauts de ces services gratuits. Les téléchargements n'étaient pas fiables et la qualité souvent mauvaise. « Beaucoup de morceaux sont encodés par des gamins qui ne font pas du bon boulot. » De plus, il n'y avait ni pochette ni texte de présentation.

Dès lors, pourquoi le piratage s'était-il développé ? Parce que les consommateurs n'avaient pas d'alternative, d'après lui. Il fustigea les services d'abonnement, comme Pressplay et MusicNet : « Ils vous traitent comme des criminels », continua-t-il tandis que s'affichait l'image d'un prisonnier en tenue de bagnard. Puis une photo de Bob Dylan se matérialisa sur l'écran : « Les gens veulent posséder la musique qu'ils aiment. »

Après d'âpres négociations avec les maisons de disques, dit-il, « elles ont accepté de s'associer avec nous pour changer le monde ». L'iTunes Store débuterait avec deux cent mille morceaux, un nombre qui augmenterait de jour en jour. En utilisant ce service, vous pouviez posséder vos propres chansons, les écouter avant de les acheter, les graver sur un CD… Vous étiez assurés de la qualité du téléchargement et ensuite, vous pouviez utiliser iMovie ou iDVD pour « créer la bande originale de votre vie ». Le prix à l'unité ? Seulement quatre-vingt-dix-neuf cents ! Moins du tiers d'un caffè latte chez Starbucks. Pourquoi cela en valait-il la peine ? Parce qu'obtenir le morceau souhaité sur Kazaa vous prenait environ quinze minutes, alors qu'une minute suffisait avec l'iTunes Store. Il avait fait un petit calcul : « En consacrant une heure de votre temps pour économiser environ quatre dollars, vous travaillez pour moins que le salaire minimum ! »

Ah... encore une petite chose...

« Avec iTunes, vous ne volez plus la musique. Et c'est bon pour le karma. »

Les applaudissements les plus fervents venaient des premiers rangs, où étaient assis tous les dirigeants des maisons de disques, y compris Doug Morris au côté de Jimmy Iovine, avec son habituelle casquette de base-ball, ainsi que toute la bande de la Warner Music. Eddy Cue, le responsable du magasin en ligne, avait prédit qu'Apple vendrait un million de morceaux en six mois. En réalité, l'iTunes Store en écoula un million en six jours. « Cela restera un tournant dans l'histoire de l'industrie du disque », dira par la suite Jobs.

Microsoft

« On s'est fait avoir. »

Tel fut l'e-mail envoyé à 17 heures par Jim Allchin, responsable chez Microsoft du développement de Windows, à quatre collègues, le jour du lancement de l'iTunes Store. Il n'avait ajouté qu'un seul commentaire : « Comment ont-ils réussi à convaincre les maisons de disque de marcher avec eux ? »

Plus tard dans la soirée, il reçut une réponse de David Cole, chargé du commerce en ligne de Microsoft : « Et quand Apple le proposera à Windows (je suppose qu'ils ne feront pas l'erreur de ne pas nous le soumettre), on se sera fait avoir deux fois. » Selon lui, Microsoft devrait proposer ce même type de solution. Même si la société de Seattle avait son propre service Internet (MSN), il n'était pas conçu pour fournir un service de A à Z comme Apple.

Gates lui-même entra dans la danse à 22 h 46 ce soir-là. L'objet de son message – « Encore le Jobs d'Apple ! » » – et son jeu de mot facile, trahissait sa frustration. « La capacité de Steve à se focaliser sur l'essentiel, à s'entourer des bonnes personnes et faire de produits de consommation de masse des objets révolutionnaires est absolument fascinante. » Lui non plus n'en revenait pas que la Pomme ait réussi à convaincre les maisons de disques de signer avec l'iTunes Store. « C'est vraiment dingue ! Elles ne proposent pas le service adéquat à leurs clients et laissent à Apple l'opportunité de le faire. »

Le patron de Microsoft ne comprenait pas pourquoi personne n'avait créé de service de vente de musique en ligne, plutôt que de proposer des abonnements mensuels. « Je ne dis pas que cette lacune signifie que nous avons échoué... Enfin, si nous avons échoué, Real, Pressplay, MusicNet et les autres n'ont pas fait mieux. À présent que Steve l'a fait, nous devons réagir vite, même si nous avons déjà une longueur de retard. »

En effet, Apple poursuivit sa progression comme David Cole l'avait prédit : en proposant le logiciel iTunes et le catalogue en ligne à Windows. Mais cette décision fut le résultat d'une douloureuse querelle interne. D'abord, Jobs et son équipe devaient décider s'ils voulaient que l'iPod fonctionne avec les ordinateurs équipés de Windows. Au départ, le patron de la Pomme était contre : « Consacrer l'iPod exclusivement au Mac favorisait les ventes de Mac. » Mais quatre de ses fidèles lieutenants s'élevèrent contre lui : Schiller, Rubinstein, Robbin et Fadell. Ce désaccord concernait l'avenir d'Apple. « Nous avions le sentiment qu'il fallait se positionner dans l'industrie de la musique, pas uniquement celle des ordinateurs », se rappelle Schiller.

Jobs avait toujours voulu bâtir sa propre utopie, un jardin magique, entouré de hauts murs, où matériel, logiciel et appareils périphériques fonctionnaient de pair pour créer une grande expérience, et où le succès d'un produit dynamisait les ventes de tous les autres. À présent, il devait faire face à l'insistance de ses bras droits, qui l'incitaient à rendre son produit phare compatible avec Windows. C'était contre sa nature : « La tempête a duré des mois. Moi contre le reste du monde. » Il déclara même que si les utilisateurs de Windows voulaient se servir de l'iPod, ils devraient lui passer sur le corps. Mais son équipe ne lâchait pas le morceau. « Il faut l'adapter au PC, c'est incontournable », répétait sans relâche Fadell.

« À moins que vous ne me prouviez par A plus B que cela a un sens d'un point de vue commercial, je refuse de m'engager dans cette voie. » C'était une manière pour le mentor d'Apple de botter en touche. Émotion et dogme mis à part, il était facile de prouver que rendre l'iPod accessible aux utilisateurs de Windows serait financièrement rentable. Apple fit appel à des experts, développa des scénarios de vente, et tout le monde en conclut que cette stratégie générerait davantage de bénéfices. « Quel que soit le scénario, les ventes de l'iPod ne cannibaliseront jamais celles des Mac », lui expliqua Phil Schiller. Jobs était prêt à se rendre, en dépit de sa réputation, mais il n'était pas bon perdant : « Allez tous vous faire voir ! cria-t-il lors d'une réunion où ses acolytes lui montraient les analyses. J'en ai ma claque de vos conneries. Faites ce que vous voulez, bande de connards ! »

Une question restait en suspens : si Apple rendait l'iPod compatible avec les machines Windows, devait-il aussi créer une version d'iTunes destinée à la gestion de l'audiothèque sous Windows ? Jobs, bien entendu, croyait à l'imbrication du matériel et du logiciel. Selon lui, l'expérience de l'utilisateur dépendait de la synchronisation entre l'iPod et le logiciel iTunes sur l'ordinateur. Mais Schiller était contre cette idée : « Je pensais que c'était une folie, parce que nous ne savions pas faire des logiciels pour Windows. Mais Steve n'en démordait pas. "Si nous devons le faire, faisons-le entièrement !" disait-il. »

Schiller rendit les armes le premier. Apple tenta de rendre l'iPod compatible avec Windows par le biais d'un logiciel de MusicMatch, une société externe. Mais le logiciel était tellement poussif que cela donna raison à Jobs, et Apple se décida à relever le défi de produire une version d'iTunes pour Windows. Jobs m'en fit l'historique :

Pour que l'iPod fonctionne sur les PC, on a d'abord tenté un partenariat avec une société qui avait développé un lecteur. On leur a donné le secret de la potion magique pour connecter l'iPod et ils ont fait n'importe quoi. C'était pire que tout, car cette société contrôlait une part importante de l'expérience de l'utilisateur. On a quand même supporté cet atroce juke-box pendant environ six mois, puis on a décidé de réécrire iTunes pour Windows. C'était l'évidence ; il ne faut pas qu'une tierce personne contrôle une partie de l'aventure. Tout le monde ne sera peut-être pas de mon avis, mais moi, j'en suis absolument convaincu.

Rendre iTunes compatible avec Windows obligeait Apple à rené-gocier avec toutes les maisons de disque, qui avaient signé avec Apple à condition que leur musique ne sorte pas du petit univers clos de Macintosh. Sony se montra particulièrement réticent. Lack pensait que c'était un autre exemple de la façon dont Jobs changeait les termes du contrat après sa signature. Il avait raison. Mais à l'époque, les autres labels étaient ravis du succès de l'iTunes Store et voulurent poursuivre l'aventure. Sony finit donc par s'incliner.

Jobs annonça le lancement d'iTunes pour Windows en octobre 2003, lors d'une présentation à San Francisco. « Voici une application qu'on n'aurait jamais pu imaginer avant de la voir », annonça-t-il en agitant la main vers l'écran géant derrière lui. Le spectacle incluait les iChats avec des vidéos de Mick Jagger, Dr Dre et Bono. « C'est vraiment cool pour les musiciens et la musique, déclara Bono à propos de l'iPod et d'iTunes. Voilà pourquoi j'ai accepté de lécher les bottes d'une grosse boîte. Je ne fais pas ça avec n'importe qui. »

Jobs aimait les grandes déclarations. Sous les acclamations de l'auditoire, il conclut : « iTunes pour Windows est sans doute la meilleure application que nous ayons jamais écrite. »

Microsoft était loin d'être enthousiaste. « Ils poursuivent la même stratégie que dans le domaine de l'informatique : contrôler à la fois le matériel et le logiciel, confia Gates à *Business Week*. Nous n'avons pas la même vision des choses en termes de choix pour le consom-mateur. » Ce n'est que trois ans plus tard, en novembre 2006, que Microsoft sortit enfin sa propre réponse à l'iPod : Zune. L'appareil ressemblait à l'iPod, en plus massif. Mais au bout de deux ans, il obtenait à peine 5 pour cent des parts de marché. Des années plus tard, Jobs analysa l'échec de Zune avec sa rudesse habituelle :

Avec l'âge, je perçois de mieux en mieux les motivations des gens. Zune était nul parce que les gens de Microsoft n'aiment pas vraiment la musique ou l'art, à l'inverse de nous. On a gagné parce qu'on aime sincèrement la musique. On a créé l'iPod pour nous-mêmes, et quand on fait quelque chose pour soi, sa famille ou ses amis, on le fait bien. Si vous n'aimez pas une chose, vous n'allez pas vous donner à fond ni passer vos week-ends dessus.

Mr Tambourine Man

La première réunion annuelle à laquelle assista Lack chez Sony se déroula en avril 2003, la semaine même du lancement de l'iTunes Store. Il avait été nommé responsable du département musique quatre mois auparavant et avait passé le plus clair de son temps à négocier avec Jobs. Il arriva à Tokyo directement de Cupertino, avec la dernière version de l'iPod et une description de l'iTunes Store. Devant une assemblée de deux cents responsables, il sortit l'iPod de sa poche. « Voilà, dit-il au P-DG Nobuyuki Idei et au responsable de Sony North America, Howard Stringer, quand ils levèrent les yeux. Voilà le walkman-tueur. Il n'a rien de mystérieux. Si vous avez créé un département musique, c'est justement parce que Sony est l'une des rares sociétés capables de fabriquer un appareil comme celui-là. Vous pouvez même faire mieux. »

Non, Sony ne pouvait pas faire mieux. Elle avait été pionnière dans le domaine du baladeur avec le walkman. C'était une grande maison de disques, qui avait créé par le passé de superbes appareils électroniques. Sony avait toutes les cartes en main pour concurrencer la stratégie d'intégration de Jobs. Alors pourquoi avait-elle échoué ? En partie parce que c'était une entreprise, comme AOL Time Warner, morcelée en départements, qui avaient chacun leurs propres objectifs. Atteindre une synergie en forçant plusieurs services à œuvrer ensemble relevait souvent de l'utopie.

Jobs n'avait pas organisé Apple en services semi-autonomes. Il contrôlait ses équipes de très près et les incitait à travailler avec cohésion et flexibilité. « Aucun de nos départements n'a son propre compte de pertes et profits, précise Tim Cook. Nous n'avons qu'un seul compte pour toute la boîte. »

De plus, comme nombre de sociétés, Sony craignait la cannibalisation. S'il fabriquait un lecteur de musique et proposait un service simple permettant aux consommateurs de partager leur musique numérique, cela risquait de nuire aux ventes de leur département disque. L'une des règles d'or de Jobs était de ne pas avoir peur de se cannibaliser soi-même : « Si vous ne le faites pas, quelqu'un d'autre le fera à votre place ! » Ainsi, même si l'iPhone risquait de nuire au succès de l'iPod, ou que l'iPad fasse baisser les ventes des Mac portables, cela ne l'arrêtait pas.

En juillet de cette année-là, Sony mandata un vétéran de l'industrie de la musique, Jay Samit, pour créer son propre service de type iTunes, appelé Sony Connect, afin de vendre en ligne des chansons que les gens pourraient écouter sur des baladeurs portables Sony. « Cette initiative a immédiatement été perçue comme une tentative d'unifier les divers départements, parfois en conflit, de la société nippone, commenta le *New York Times*. Cette lutte intestine est considérée par beaucoup comme la principale raison pour laquelle Sony, inventeur du walkman et principal acteur du marché de la musique portable, s'est fait évincer par Apple. » Sony Connect fut lancé en mai 2004, mais à peine trois ans plus tard Sony le retirait du marché.

Microsoft était prêt à accorder des licences d'utilisation pour son logiciel Windows Media et ses droits numériques, comme il l'avait fait pour son système d'exploitation dans les années 1980. À l'inverse, Jobs refusait de partager le logiciel FairPlay d'Apple avec d'autres fabricants. Il ne fonctionnerait qu'avec l'iPod, décréta-t-il. De la même façon, il n'autoriserait aucun autre magasin en ligne à vendre des musiques destinées à l'iPod. De nombreux experts estimaient que cela ferait perdre une importante part de marché à Apple, comme lors de la guerre des ordinateurs dans les années 1980. « Si Apple continue à défendre son architecture propriétaire, expliqua le professeur en économie de Harvard Clayton Christensen au magazine *Wired*, l'iPod finira par devenir une niche en terme de marché. » (Clayton Christensen était l'un des analystes économiques les plus inspirés et visionnaires du monde, et Jobs avait été fortement influencé par son ouvrage *The Innovator's Dilemma*.) Gates défendait le même point de vue : « Il n'y a rien d'unique à propos de la musique. Ce scénario s'est déjà joué avec le PC et va se répéter. »

Rob Glaser, le fondateur de RealNetworks, tenta de contourner les restrictions d'Apple en juillet 2004 grâce à un service appelé Harmony. Il avait essayé de convaincre Jobs d'adapter le logiciel FairPlay à Harmony, sans succès. Dès lors, Rob Glaser changea de stratégie : il modifia son format pour que les morceaux vendus par Harmony puissent être écoutés sur n'importe quel appareil électronique, iPod,

Zune et Rio compris. Puis il lança une campagne marketing dont le slogan était : « La liberté du choix. » Furieux, le P-DG d'Apple rétorqua qu'il était « abasourdi que RealNetworks ait adopté les tactiques d'un hacker pour s'infiltrer dans l'iPod ». RealNetworks répondit en lançant une pétition Internet qui scandait : « Hé Apple ! Ne casse pas mon iPod ! » Jobs resta silencieux durant quelques mois, puis, en octobre, il sortit une nouvelle version du logiciel du lecteur qui rendait illisibles les chansons achetées par le biais d'Harmony. « Steve est un type unique en son genre, affirme Rob Glaser. Vous vous en rendez compte quand vous voulez faire affaire avec lui. »

Dans le même temps, Jobs et sa garde rapprochée – Rubinstein, Fadell, Robbin et Ive – sortirent de nouvelles versions de l'iPod qui eurent un succès immédiat et renforcèrent la position de leader d'Apple. La première révision majeure, annoncée en janvier 2004, était l'iPod mini – de la taille d'une carte de visite – qui disposait d'une capacité moindre sans être réellement meilleur marché. À un moment donné, Jobs voulut renoncer à ce projet, ne voyant pas pourquoi les gens paieraient la même chose pour avoir moins. « Il ne fait pas de sport, donc il ne comprend pas combien cet appareil est génial pour courir ou faire de la gym », m'a confié Tony Fadell. Finalement, c'est le modèle mini qui assura la domination de l'iPod sur le marché, en éliminant de la compétition des lecteurs plus petits, équipés d'une mémoire flash. Au cours des dix-huit mois suivant son lancement, les parts de marché d'Apple en matière de lecteurs MP3 passèrent de 31 pour cent à 74 pour cent.

L'iPod Shuffle, introduit en janvier 2005, fut encore plus révolutionnaire. Jobs avait remarqué que la fonction *shuffle* sur l'iPod, qui passe vos chansons de manière aléatoire, était très populaire. Les gens aimaient être surpris et se montraient parfois trop paresseux pour entretenir et étoffer leurs listes de lecture. Certains utilisateurs étaient si fascinés par cette fonction qu'ils se demandaient si la sélection des morceaux était véritablement aléatoire et, si oui, pourquoi leur iPod revenait invariablement, disons, aux Neville Brothers ?

Cette fonction donna naissance à l'iPod Shuffle. Alors que Fadell et Rubinstein travaillaient à la création d'un lecteur à mémoire flash petit et peu onéreux, ils cherchaient aussi à progresser sur d'autres plans, comme la réduction de la taille de l'écran. C'est alors que Jobs leur fit une folle suggestion :

— Et si on se débarrassait de l'écran ?

— Quoi ? s'exclama Fadell.

— Il faut qu'on s'en débarrasse, je t'assure.

— Mais comment les utilisateurs choisiront leurs chansons ?

L'intuition du patron d'Apple était qu'ils n'en auraient pas besoin. Les morceaux passeraient au hasard. Après tout, c'est vous qui les aviez tous choisis ! Donc, il vous suffisait d'un bouton pour passer d'une chanson à l'autre selon votre humeur du moment. « Laissez une chance au hasard », scandaient les publicités.

Tandis que leurs concurrents continuaient de piétiner et Apple d'innover, la musique devenait une part de plus en plus prépondérante de l'activité d'Apple. En janvier 2007, les ventes d'iPod constituaient la moitié des revenus de la société. Elles étendaient aussi le rayonnement de la marque. Mais l'iTunes Store fut un succès plus grand encore. Fort d'un million de titres vendus dans les six jours suivant son lancement en avril 2003, le magasin écoula soixante-dix millions de morceaux la première année. En février 2006, il atteignit un milliard de chansons vendues quand Alex Ostrovsky, un habitant du Michigan âgé de seize ans, acheta *Speed of Sound*, de Coldplay. L'heureux gagnant reçut un appel de félicitations de Jobs, et se vit offrir dix iPods, un iMac et un bon d'achat de dix mille dollars de musique. La chanson marquant la barre des dix milliards de ventes fut acquise en février 2010 par Louie Sulcer, soixante et onze ans, natif de Woodstock, en Géorgie, qui avait téléchargé *Guess Things Happen That Way*, de Johnny Cash.

L'iTunes Store eut d'autres répercussions avantageuses, plus subtiles. En 2011, une nouvelle industrie majeure avait émergé : un service en qui les gens avaient suffisamment confiance pour opérer un achat sécurisé en ligne. Apple – avec Amazon, Visa, PayPal, American Express et quelques autres – avait établi des bases de données de clients qui leur avaient fourni en toute confiance leur adresse électronique et leurs coordonnées bancaires. Cela permettait par exemple à Apple de vendre des abonnements à des magazines par le biais de son magasin en ligne, tout en conservant la relation avec l'abonné, à la place du magazine. Grâce à la vente de vidéos, d'applications et d'abonnements, Apple possédait en juin 2011 une base de données de deux cent vingt-cinq millions d'utilisateurs actifs, faisant d'Apple un acteur clé de l'ère naissante du commerce électronique.

CHAPITRE TRENTE ET UN

MUSIC MAN

La bande-son de sa vie

De gauche à droite : Jimmy Iovine, Bono et The Edge, en 2004.

Sur son iPod

Avec le phénomène grandissant de l'iPod, une question était devenue rituelle : « Qu'est-ce qu'il y a sur ton iPod ? » Elle était posée aux candidats à la présidence, aux célébrités, à la reine d'Angleterre, bref à tous ceux qui se baladaient avec des écouteurs blancs. Ce jeu de société prit une ampleur considérable quand Elisabeth Bumiller écrivit en 2005 dans le *New York Times* un article où elle disséquait la réponse du président George W. Bush. « L'iPod de Bush est rempli de chanteurs country. Il a des sélections de Van Morrison, "Brown Eyed Girl" étant sa chanson préférée, et de John Fogerty, avec l'inévitable "Centerfield". » Lorsqu'elle demanda à Joe Levy, journaliste du magazine *Rolling Stone*, de commenter la réponse du président américain, celui-ci répondit avec ironie : « Ce qui est intéressant, c'est que le président aime des artistes qui ne l'apprécient pas. »

« Confiez votre iPod à un ami, à votre amoureuse ou à un parfait étranger assis à côté de vous dans l'avion et il lira en vous à livre ouvert, écrivit Steven Levy dans *The Perfect Thing*. Il suffit que quelqu'un passe en revue votre audiothèque à l'aide de la molette et, musicalement parlant, vous vous retrouvez mis à nu. Ce n'est pas seulement ce que vous aimez, c'est ce que vous êtes. » Ainsi, un jour, alors que nous étions dans le salon de Steve, en train d'écouter de la musique, je lui demandai de me laisser voir son iPod. Il m'en montra un qu'il avait rempli de musique en 2004.

Sans surprise, il y avait les six volumes des *bootlegs series*, ces enregistrements pirates de Bob Dylan, qu'il vénérait déjà quand il les écoutait avec Steve Wozniak sur son magnétophone à bandes, des années avant leur sortie officielle. On trouvait aussi quinze autres albums du chanteur, de son tout premier, *Bob Dylan* (1962), à *Oh Mercy* (1989). Le patron d'Apple s'était maintes fois querellé avec Andy Hertzfeld et bien d'autres à propos des albums suivants du musicien – en fait tous ceux qui avaient succédé à *Blood on the Tracks* (1975) – qui, selon lui, n'étaient pas aussi réussis que les autres. À l'exception de « Things Have Changed », un morceau extrait du film datant de l'an 2000, *Wonder Boys*. Fait notable, son iPod ne contenait pas *Empire Burlesque* (1985), l'album qu'Andy Hertzfeld avait apporté le week-end où Jobs avait été chassé d'Apple.

Autre groupe crucial sur son iPod : les Beatles. Il contenait des chansons extraites de sept albums : *A Hard Day's Night*, *Abbey Road*, *Help !*, *Let It Be*, *Magical Mystery Tour*, *Meet the Beatles !* et *Sgt. Pepper's Lonely Hearts Club Band*. Les albums solo étaient absents. Ensuite venaient les Rolling Stones, avec six albums : *Emotional Rescue*, *Flashpoint*, *Jump Back*, *Some Girls*, *Sticky Fingers* et *Tattoo You*. En ce qui concernait Bob Dylan et les Beatles, la plupart des albums étaient complets. Mais, conformément à son idée que des albums pouvaient être fractionnés, ceux des Stones et de bien d'autres artistes sur son iPod ne comportaient que deux ou trois titres. Sa fiancée d'antan, Joan Baez, était largement représentée par des chansons extraites de quatre albums, dont deux versions de *Love is Just a Four Letter Word*.

Les sélections de son iPod étaient celles d'un enfant des années 1970 dont le cœur appartenait aux années 1960. Il écoutait Aretha Franklin,

B.B. King, Buddy Holly, Buffalo Springfield, Don McLean, Donovan, The Doors, Janis Joplin, Jefferson Airplane, Jimi Hendrix, Johnny Cash, John Mellencamp, Simon & Garfunkel, et même The Monkees (« I'm a Believer ») et Sam the Sham (« Wooly Bully »). Seul un quart des chansons était d'artistes contemporains, comme 10000 Maniacs, Alicia Keys, Black Eyed Peas, Coldplay, Dido, Green Day, Seal, les Talking Heads ainsi que John Mayer, Moby, Bono et U2 (tous trois étant des amis de Jobs). En matière de musique classique, il possédait quelques enregistrements de Bach, dont les concertos brandebourgeois, ainsi que trois albums du violoncelliste Yo-Yo Ma.

Jobs dit à Sheryl Crow, en mai 2003, qu'il avait téléchargé quelques titres d'Eminem et que cela commençait à l'« interpeller ». Vincent en profita pour l'emmener à un concert de l'artiste. Malgré tout, même après le concert, le rappeur n'intégra pas les listes de lecture du P-DG d'Apple. Comme il me l'a confié par la suite : « Je respecte Eminem en tant qu'artiste, mais je n'ai pas envie d'écouter sa musique et je ne peux pas m'approprier ses valeurs comme je le fais avec Dylan. » Donc, ses listes de lecture de 2004 n'étaient pas très branchées. Mais les natifs des années 1950 pouvaient comprendre qu'il s'agissait de la bande-son de sa vie.

Ses morceaux préférés n'avaient pas changé en sept ans. Quand l'iPad 2 sortit en mars 2011, il y transféra ses morceaux favoris. Un après-midi, dans son salon, il faisait défiler ses listes de lecture sur son nouvel iPad, quand il fut pris de nostalgie et voulut écouter quelques morceaux en particulier.

Nous écoutâmes les Dylan et Beatles habituels, puis Steve prit un air plus grave et il cliqua sur un chant grégorien – *Spiritus Domini* – entonné par des moines bénédictins. Durant environ une minute, il se laissa aller, presque en transe. « C'est vraiment très beau », murmura-t-il. Suivit le second concerto brandebourgeois, puis une fugue du *Clavier bien tempéré*. Bach, déclara-t-il, était son compositeur classique préféré. Il appréciait particulièrement le contraste entre les deux versions des *Variations Goldberg* enregistrées par Glenn Gould – la première en 1955 par le pianiste peu connu de vingt-deux ans qu'il était, la seconde en 1981, un an avant sa mort. « Elles sont comme le jour et la nuit, me dit un jour Steve après les avoir passées l'une après l'autre. La première est une œuvre exubérante, jeune, brillante, jouée si vite que c'en est une révélation.

La seconde est plus économe, plus austère. On décèle une âme profonde, au vécu douloureux. Une version plus intime, plus sage. » Jobs en était à son troisième arrêt maladie quand il écouta les deux versions. Je lui demandai quelle était sa préférée. « Gould préférait la dernière version. Autrefois, je préférais la première, l'exubérante. Mais maintenant, je comprends mieux ce qu'il voulait dire. »

Puis il passa du sublime aux années 1960 : Donovan, « Catch the Wind ». Quand il vit mon regard soupçonneux, il protesta : « Donovan a fait quelques bonnes choses, vraiment. » Il mit « Mellow Yellow », puis reconnut que ce n'était peut-être pas le meilleur exemple. « Cela sonnait mieux quand j'étais jeune. »

Je lui demandai quelle musique de notre enfance avait survécu à l'épreuve du temps. Il passa en revue la liste de son iPad et fit appel à une chanson des Grateful Dead de 1969, « Uncle John's Band ». Il hochait la tête au fil des paroles : « *When life looks like Easy Street, there is danger at your door*[1]... » L'espace d'un instant, nous étions revenus à l'époque tumultueuse où la douceur des années 1960 se termina dans la discorde.

Puis il passa à Joni Mitchell. « Elle a eu un enfant qu'elle a fait adopter. Cette chanson parle de sa petite fille. » Nous écoutâmes « Little Green », sa mélodie et ses paroles aux accents torturés : « *So you sign all the papers in the family name/ You're sad and you're sorry, but you're not ashamed/ Little Green, have a happy ending*[2]. » Je lui ai alors demandé s'il pensait souvent à sa propre adoption. « Non, pas trop. Pas trop souvent. »

Ces derniers temps, il songeait davantage à sa vieillesse qu'à sa naissance. Il passa alors la plus belle chanson de Joni Mitchell, « Both Sides Now », qui parlait justement de la maturité et de la sagesse : « *I've looked at life both sides now/From win and lose, and still somehow,/ It's life's illusion I recall,/ I really don't know life at all*[3]. » Comme Glenn

---

1. « Quand la vie ressemble à la rue du Sans-souci, le danger est à votre porte... » *(N.d.T.)*

2. « Alors tu signes tous les documents au nom de la famille/Tu es triste et désolée, mais tu n'as pas honte/Little Green, aie une fin heureuse. » *(N.d.T.)*

3. « J'ai observé la vie des deux côtés à présent/Du côté des vainqueurs et du côté des perdants, et pourtant/Ce sont les illusions de la vie/Je ne connais vraiment pas la vie. » *(N.d.T.)*

Gould l'avait fait avec les *Variations Goldberg* de Bach, Joni Mitchell avait enregistré « Both Sides Now » à plusieurs années d'intervalle, une première fois en 1969, une seconde fois en 2000, dans une version désespérément lente. Il passa la plus récente. « C'est drôle comme les gens vieillissent », commenta-t-il.

Certaines personnes vieillissaient mal, disait-il, même si elles étaient jeunes. Qu'entendait-il par là ? « John Mayer est l'un des meilleurs joueurs de guitare qui aient jamais existé, mais j'ai peur qu'il fiche tout en l'air avec le temps. Sa vie est totalement hors de contrôle. » Le patron d'Apple appréciait beaucoup John Mayer et l'invitait parfois à dîner à Palo Alto. Le musicien, alors âgé de vingt-sept ans, fit une apparition à la Macworld Expo de janvier 2004, pour la présentation de GarageBand, puis devint un habitué de l'événement. Jobs passa alors son tube « Gravity ». La chanson raconte l'histoire d'un type au cœur plein d'amour qui, inexplicablement, rêve de tout abandonner : « *Gravity is working against me,/ And gravity wants to bring me down*[1]. » Jobs secoua la tête et commenta : « Je suis sûr que c'est un chouette gamin au fond de lui, il est juste incontrôlable. »

À la fin de la session d'écoute, je lui posai la question éculée : Beatles ou Rolling Stones ? « Si la maison était en feu et que je ne pouvais sauver qu'un seul enregistrement, je prendrais les Beatles. Ce serait plus dur de choisir entre les Beatles et Dylan. On peut copier les Stones. Mais pas Dylan ou les Beatles. » Tandis qu'il s'émerveillait d'avoir eu la chance d'être entouré par de tels artistes durant son enfance, son fils âgé de dix-huit ans entra dans la pièce. « Reed ne comprend pas », se plaignit-il. Ou peut-être que si. L'adolescent portait un tee-shirt de Joan Baez avec les mots « Forever Young[2] » inscrits dessus.

Bob Dylan

La seule fois où Jobs se rappelait avoir été sans voix, ce fut devant Bob Dylan. L'artiste se produisait près de Palo Alto en octobre 2004,

---

1. « La gravité joue contre moi/Et la gravité veut m'écraser. » *(N.d.T.)*

2. « Jeune à jamais. » *(N.d.T.)*

alors que Jobs se remettait de sa première opération chirurgicale, quelques mois après le diagnostic de son cancer. Dylan n'était pas un homme particulièrement sociable, ce n'était ni Bono ni Bowie. Il ne serait jamais l'ami de Jobs, cela ne l'intéressait pas. Pourtant, il invita le patron d'Apple à venir lui rendre visite à son hôtel avant son concert.

> On s'est assis dans le patio et on a parlé pendant deux heures. J'étais vraiment nerveux, parce qu'il incarnait l'un de mes héros. J'avais aussi peur de me retrouver face à un type moins alerte, une caricature de lui-même, comme cela arrive à tant de gens. Bien au contraire ! Il était aussi intelligent que spirituel. Exactement comme je l'espérais. Il m'a simplement parlé de sa vie, de l'écriture de ses chansons : « Elles me venaient toutes seules. Ce n'est pas comme si j'avais dû les composer. Cela ne m'arrive plus maintenant. Je ne peux plus écrire comme ça. » Il fit une pause et ajouta de sa voix râpeuse, avec un petit sourire : « Mais je peux encore les chanter. »

Quand Dylan revint se produire dans la région, il proposa à Jobs de monter un moment dans le bus de la tournée, un peu avant le concert. Le musicien lui demanda quelle était sa chanson favorite, et Jobs mentionna « One Too Many Mornings ». Aussi Dylan la chanta-t-il ce soir-là. Après le spectacle, alors que Jobs faisait les cent pas derrière la salle, le bus s'arrêta à sa hauteur et la porte s'ouvrit : « Alors tu as entendu la chanson que j'ai chantée pour toi ? » demanda-t-il de sa voix rocailleuse. Puis le bus redémarra. En me racontant cette anecdote, il fit une imitation plutôt réussie de la voix du musicien. « C'est l'un des héros de ma vie. Mon admiration pour lui n'a cessé de grandir au fil des années. »

Quelques mois après l'avoir vu en concert, Jobs eut une grande idée. L'iTunes Store devrait proposer un « coffret » numérique de toutes les chansons de Bob Dylan sans exception, soit plus de sept cents au total, pour la somme de cent quatre-vingt-dix-neuf dollars. Jobs serait le dépositaire de Dylan pour l'ère numérique. Mais Andy Lack, chez Sony, qui détenait le label du musicien, n'était pas d'humeur à conclure un contrat sans de sérieuses concessions de la part d'iTunes. De plus, il avait le sentiment que le prix avantageux de cent quatre-vingt-dix-neuf dollars dépréciait Dylan. « Bob est un trésor national. Le prix auquel Steve veut le vendre sur iTunes le banalise. » On était au cœur du problème auquel Lack et les autres responsables du secteur du disque étaient confrontés : Jobs était prêt à baisser ses prix, pas eux. Aussi Lack refusa-t-il.

« Très bien, alors je vais appeler Bob directement », décréta le patron d'Apple. Mais ce n'était pas le genre de choses dont le musicien s'occupait. Ce fut donc à son agent, Jeff Rosen, de trouver un arrangement.

« C'est vraiment une mauvaise idée, confia Lack à Rosen en lui montrant les chiffres. Bob est le héros de Steve. Il va tout faire pour que vous acceptiez. » Lack avait des raisons à la fois personnelles et professionnelles de s'opposer au patron d'Apple, voire de lui faire ronger son frein. Aussi fit-il une offre à Jeff Rosen : « Je vous signe un chèque d'un million de dollars demain si vous différez votre réponse. » Comme il l'expliqua par la suite, c'était une avance sur les futures royalties de l'artiste, l'un de ces « acomptes que les maisons de disques accordent de temps à autre ». Jeff Rosen rappela quarante-cinq minutes plus tard pour lui donner son accord : « Andy nous a finalement convaincus de ne pas signer. »

Mais en 2006, Andy Lack quitta son poste de P-DG de Sony BMG, et Jobs reprit les négociations. Il envoya à Bob Dylan un iPod avec toutes ses chansons, puis montra à Jeff Rosen le type de campagne marketing qu'Apple était capable de faire. En août, il annonça un grand partenariat. Apple vendrait un coffret numérique de toutes les chansons jamais enregistrées par Bob Dylan au prix de cent quatre-vingt-dix-neuf dollars, ainsi que le droit exclusif d'offrir le nouvel album du chanteur, *Modern Times*, en avant-première. « Bob Dylan est l'un des poètes-musiciens les plus respectés de notre époque. C'est aussi l'un de mes héros personnels, annonça Jobs lors de son discours de présentation. Les sept cent soixante-treize chansons incluent quarante-deux raretés, comme l'enregistrement de "Wade in the Water", réalisé en 1961 dans un hôtel du Minnesota, ou encore une version de 1962 de "Handsome Molly", lors d'un concert au Gaslight Café de Greenwich Village, ou encore une incroyable interprétation de "Mr Tambourine Man", enregistrée pendant le festival de Newport Folk de 1964 (le préféré de Jobs), ainsi qu'une version acoustique de "Outlaw Blues" de 1965. »

Il était prévu dans le contrat que Bob Dylan apparaîtrait dans une publicité télévisée pour l'iPod, sur la musique de son nouvel album, *Modern Times*. C'était un cas spectaculaire de retournement de situation car, par le passé, s'assurer la présence d'une célébrité dans une publicité coûtait extrêmement cher. Mais en 2006, les règles avaient changé. La plupart des artistes voulaient s'afficher avec l'iPod. Cette exposition leur garantissait un succès immédiat. Vincent avait prédit ce phénomène quelques années auparavant. Jobs lui avait dit qu'il avait de nombreux musiciens dans son carnet d'adresses et qu'il pouvait leur proposer de l'argent pour figurer dans les publicités Apple. « Non, avait répliqué Vincent. Tout a changé aujourd'hui. Apple est une marque différente, une marque à laquelle les artistes veulent être associés. Nous allons dépenser environ dix millions en budget de diffusion pour chaque pub où figurera un groupe. Nous devrions leur parler de l'opportunité que nous leur offrons au lieu de les payer. »

Lee Clow se rappelait que la jeune garde d'Apple et de l'agence publicitaire avait fait montre d'une certaine réticence à l'idée de mettre en avant Bob Dylan. « Ils se demandaient s'il était encore assez moderne », dit Clow. Jobs ne voulait pas entendre ce genre d'objections. Il était enthousiaste à l'idée d'avoir son héros dans ses rangs.

Le patron d'Apple devint rapidement obsédé par les moindres détails de la publicité de son idole. Jeff Rosen prit un vol pour Cupertino et ensemble ils passèrent les chansons de l'album en revue pour en choisir une, à savoir « Someday Baby ». Jobs approuva un essai vidéo que Clow avait réalisé à l'aide d'une doublure de Dylan, qui fut ensuite réellement tourné avec le chanteur à Nashville. Mais quand Jobs visionna la version finale, il la détesta. Le film n'était pas assez original. Il voulait un style nouveau. Clow dut embaucher un nouveau réalisateur et Jeff Rosen réussit à convaincre Dylan de refaire entièrement la publicité. Cette fois, elle fut réalisée avec la fameuse silhouette d'un Dylan aux allures de cow-boy assis sur une chaise, stetson vissé sur la tête, en contre-jour, en train de gratter sa guitare et de chanter, pendant qu'une jeune femme branchée coiffée d'un béret dansait avec son iPod. Jobs l'adopta sur-le-champ.

Cette publicité montra l'ampleur de l'aura du marketing de l'iPod. Elle permit au chanteur de séduire un public plus jeune, comme l'iPod l'avait fait avec les ordinateurs Apple. Grâce à ce spot, l'album de Dylan fut numéro un du magazine *Billboard* dès sa première semaine, dépassant les albums de Christina Aguilera et du groupe Outkast. C'était la première fois que le chanteur occupait le haut du tableau depuis son album *Desire*, en 1976, trente ans auparavant. Le magazine *Ad Age* mit en lumière le rôle d'Apple dans la promotion du célèbre musicien : « Le spot d'iTunes n'était pas le résultat d'un contrat banal où une grande marque signe un gros chèque pour avoir une star. C'est la formule inverse : la toute-puissante marque Apple avait donné à M. Dylan accès à un public plus jeune et dynamisé ses ventes dans des lieux où il n'avait plus accès depuis l'administration Gerald Ford. »

Les Beatles

Parmi les CD préférés de Jobs, un enregistrement pirate contenant une douzaine de versions studio de « Strawberry Fields Forever ». C'était devenu l'équivalent musical de sa philosophie du perfectionnisme. Andy Hertzfeld avait déniché le fameux CD et en avait fait une copie pour Jobs en 1986, même si le patron d'Apple racontait parfois qu'il l'avait reçue des mains de Yoko Ono en personne. Un jour, nous étions assis dans son salon de Palo Alto, quand il se mit à fouiller ses étagères vitrées pour le retrouver. Puis il le passa et m'expliqua quels enseignements il en avait tirés.

C'est une chanson complexe, au fascinant processus créatif. Ils n'ont cessé de la retravailler pendant des mois. Lennon a toujours été mon Beatle favori. (Il rit quand Lennon s'arrêta au beau milieu de la première prise et demanda au groupe de revenir en arrière pour corriger un accord.) Vous avez entendu le petit détour qu'ils ont pris ? Cela ne marchait pas, alors ils ont recommencé à partir de là. C'est une version brute. À ce stade, ils ont un peu plus l'air de simples mortels. Ça pourrait être n'importe qui dans ce studio. Peut-être pas dans l'écriture ou la composition, mais dans l'interprétation. Seulement, ils ne s'arrêtent pas là. Ce sont de tels perfectionnistes qu'ils la reprennent, encore et encore. Quand j'avais une trentaine d'années, ils avaient une grande influence sur moi.

(En écoutant le troisième enregistrement, il m'a fait remarquer que la partie instrumentale était bien plus complexe.) Chez Apple, on élabore les produits de la même manière. Il suffit de voir le nombre de modèles de notebook et d'iPod qu'on a conçus. On commence avec une version, puis on la perfectionne inlassablement, grâce à des maquettes détaillées du design, d'un bouton, d'une fonction. C'est beaucoup de travail, mais au bout du compte, cela en vaut la peine, car les gens finissent par dire : « Waouh ! Comment ils ont fait ce truc ? Où sont les vis ? »

Bien évidemment, il était impensable pour Jobs de ne pas avoir les Beatles sur iTunes.

Sa bataille contre Apple Corps, la compagnie gestionnaire des affaires du groupe, durait déjà depuis trois décennies, ce qui avait amené un trop grand nombre de journalistes à qualifier de « long chemin sinueux » leur interminable querelle. Tout commença en 1978, quand Apple Computers, peu après son lancement, fut poursuivie en justice par Apple Corps pour infraction à la loi sur les droits d'auteur, au motif que l'ancien label d'enregistrement des Beatles s'intitulait Apple. Le litige se termina trois ans après, quand Apple Computers versa à Apple Corps la somme de quatre-vingt mille dollars. Le règlement comportait une clause qui semblait à l'époque anodine : les Beatles s'engageaient à ne produire aucun ordinateur et Apple aucune musique.

Les Beatles remplirent leur part du marché. Aucun d'eux n'inventa jamais aucun ordinateur. En revanche, Apple finit par s'aventurer dans l'univers musical. La société fut de nouveau poursuivie en 1991, quand le Mac intégra la fonctionnalité d'écoute de fichiers musicaux, puis en 2003, quand l'iTunes Store fut inauguré. Un avocat de longue date des Beatles fit remarquer que Jobs avait l'habitude de n'en faire qu'à sa tête et de se dire que les lois ne s'appliquaient pas à lui. La bataille juridique fut finalement résolue en 2007, quand Apple versa à Apple Corps cinq cents millions de dollars en échange de tous les droits liés au nom Apple, et accepta de rendre aux Beatles le droit d'utiliser le nom Apple Corps pour leurs enregistrements et intérêts commerciaux.

Malheureusement, cela ne réglait pas le problème des Beatles dans iTunes. Pour cela, les Beatles et EMI Music, qui détenaient les droits de la majorité de leurs tubes, devaient négocier leurs propres règles pour la gestion des droits numériques. « Les Beatles voulaient tous être sur iTunes, dit Jobs, mais EMI et eux étaient comme un vieux couple : ils se détestaient, mais ne pouvaient divorcer. Le fait que mon groupe préféré soit le dernier grand défi d'iTunes me donnait très envie de le relever de mon vivant. » Comme l'avenir le prouva, Jobs atteignit son objectif.

Bono

Bono, le chanteur et leader du groupe U2, appréciait particulièrement l'approche marketing d'Apple. Son groupe de Dublin était le plus célèbre du monde, mais en 2004, après près de trente ans de vie commune, il essayait de redorer son image. Il avait produit un nouvel album génial avec une chanson que le guitariste phare du groupe, The Edge, considérait comme « la mère de tous les morceaux de rock ». Conscient que son groupe devait trouver un second souffle, Bono s'adressa à Jobs.

« Je voulais un coup de pouce d'Apple. On avait une chanson intitulée "Vertigo" avec un super riff de guitare qui allait faire un malheur s'il passait souvent sur les ondes. » Il se disait avec inquiétude que l'ère de la promotion radiophonique était terminée. Aussi rendit-il visite au patron d'Apple à Palo Alto. Il fit le tour du jardin et lui tint un discours inhabituel. Au fil des années, U2 avait refusé des offres à hauteur de vingt-trois millions de dollars pour passer dans des publicités. À présent, il voulait que Jobs exploite son groupe gratuitement — ou du moins pour leur bénéfice mutuel. « Ils n'avaient jamais tourné dans une pub avant, expliqua Jobs par la suite. Mais ils étaient pillés par les téléchargements gratuits, ils aimaient notre système d'iTunes et pensaient que nous pouvions rajeunir leurs fans. »

Bono voulait que tout le groupe joue dans le spot. Tout autre P-DG aurait sauté sur l'occasion pour avoir U2, mais Jobs formula quelques réserves. Apple n'avait jamais mis en avant aucune personnalité dans ses publicités, seulement des silhouettes. (Le clip de Dylan n'avait pas encore été tourné.) « Vous avez des silhouettes de fans, avait répondu Bono, alors l'étape suivante pourrait être des silhouettes d'artistes ? » Le patron d'Apple trouvait l'idée intéressante. Bono lui avait laissé un exemplaire de son album, *How to Dismantle an Atomic Bomb*, qui n'était pas encore sorti. Il était le seul en dehors du groupe à en avoir un, avait précisé le chanteur.

Une série de réunions s'ensuivit. Jobs rendit visite à Jimmy Iovine (Interscope distribuait U2) dans sa maison de Holmby Hills, à Los Angeles. The Edge était présent, ainsi que le manager de U2, Paul McGuinness. Une autre réunion eut lieu dans la cuisine de Jobs : McGuinness inscrivit les détails de leur partenariat au dos de son agenda. U2 apparaîtrait dans le spot publicitaire et Apple ferait la promotion de l'album sur tous les supports, des affiches publicitaires à la page d'accueil d'iTunes. Le groupe ne toucherait aucune rémunération directe, mais obtiendrait des royalties des ventes d'une version de l'iPod spécialement conçue pour lui. Bono pensait, comme Andy Lack, que les musiciens devaient toucher des dividendes sur chaque appareil vendu. Il tenta donc de faire accepter ce principe de manière limitée pour son groupe. « Bono et moi avons demandé à Steve d'en fabriquer un noir, raconte Iovine. Nous ne voulions pas conclure un simple partenariat commercial, mais un accord mutuel entre deux marques. »

« On voulait notre propre iPod, se souvient Bono, différent des appareils blancs classiques. On en voulait un noir, mais Steve nous a répondu qu'il avait fait des essais avec d'autres coloris et que cela ne fonctionnait pas. Pourtant, la fois suivante, il nous a montré un iPod noir et le groupe l'a trouvé génial. »

Le spot alternait de brèves apparitions des silhouettes du groupe avec l'icône habituelle d'une femme, en ombre chinoise, en train de danser avec ses écouteurs blancs. Cependant, alors que le tournage avait commencé à Londres, l'accord avec Apple n'était pas finalisé. Jobs était mal à l'aise à l'idée d'un iPod noir ; de plus, les royalties comme le budget promotionnel n'avaient pas été fixés. Il appela Vincent, qui supervisait le spot pour l'agence publicitaire, et lui ordonna de tout arrêter. « Je crois qu'on ne va pas le faire, lui dit le patron d'Apple. Ils ne se rendent pas compte de la valeur du cadeau qu'on leur fait. On marche la tête à l'envers. Trouvons une autre publicité. » Grand fan de U2, Vincent était convaincu que le spot serait un immense succès, à la fois pour Apple et pour le groupe. Il supplia Jobs de lui donner une chance d'arranger les choses en appelant

Bono. Jobs lui donna son numéro de portable et le jeune homme joignit le chanteur, qui se trouvait dans sa cuisine de Dublin.

— Ça ne va pas marcher, dit Bono au représentant d'Apple. Le groupe a des réticences.

— Quel est le problème ?

— Quand on était ados à Dublin, on s'était promis de ne jamais faire ce genre de trucs.

— Je ne comprends pas.

— Faire des pubs pour de l'argent. On est tout pour nos fans. En faisant cette pub, on a l'impression de les laisser tomber, de les trahir. Ce n'est pas bien. Désolé de vous avoir fait perdre votre temps.

— Qu'est-ce qu'Apple pourrait faire pour que ça fonctionne ?

— On vous offre ce qu'on a de plus précieux, notre musique. Et qu'est-ce que vous nous donnez en échange ? De la pub ! Voilà ce que nos fans vont penser de nous. Il nous faut quelque chose de plus.

Vincent ne savait pas où en étaient les discussions sur l'iPod noir et les royalties, aussi remit-il le sujet sur le tapis.

— C'est ce que nous avons de plus précieux à vous proposer.

Bono rêvait de cet iPod depuis sa première entrevue avec Jobs. Il s'engouffra donc dans la brèche.

— C'est une idée de génie, mais je dois savoir si c'est vraiment réalisable.

Vincent appela immédiatement Ive, autre grand fan de U2 (il les avait vus pour la première fois en concert en 1983), et lui exposa la situation. Le designer répondit qu'il avait déjà maquetté un iPod noir avec une molette rouge, selon la requête de Bono, pour qu'il soit assorti aux couleurs de la couverture de l'album *How to Dismantle an Atomic Bomb*. Vincent téléphona ensuite à son patron et lui suggéra d'envoyer Ive à Dublin pour qu'il montre au leader de U2 à quoi ressemblerait l'iPod noir et rouge. Comme Jobs était d'accord, il rappela Bono pour lui annoncer la nouvelle et savoir s'il connaissait Jony Ive, ignorant que les deux hommes s'étaient déjà rencontrés et s'admiraient mutuellement.

— Jony ? s'exclama Bono en riant. J'adore ce type. Je boirais même l'eau de son bain.

— Je ne vous en demande pas tant. Mais que diriez-vous s'il vous rendait visite pour vous montrer combien votre iPod va être cool ?

— J'irai le chercher moi-même en Maserati. Il logera à la maison, on sortira ensemble et il finira complètement ivre.

Le lendemain, pendant qu'Ive se rendait à Dublin, Vincent dut affronter Jobs, qui avait toujours des doutes : « Je ne suis pas sûr de faire le bon choix. On ne ferait ça pour personne d'autre. » Le P-DG craignait de créer un précédent en accordant au groupe culte des royalties sur chaque iPod vendu. Vincent lui assura que ce contrat avec U2 serait exceptionnel.

« Quand Jony est arrivé à Dublin, raconta Bono, je l'ai installé dans la maison des invités, un lieu tranquille, avec vue sur l'océan. Il m'a montré ce magnifique iPod avec sa molette rouge et je lui ai dit : "OK, on va le faire." » Ils se rendirent ensuite dans un pub du coin, révisèrent quelques points de détail, puis appelèrent Jobs à Cupertino pour obtenir son aval. Le patron d'Apple pinailla sur chaque détail du contrat, ainsi que du design, ce qui impressionna le chanteur. « C'est dingue qu'un P-DG se préoccupe de choses aussi insignifiantes ! » Une fois l'accord conclu, les deux compères entreprirent de boire sérieusement. Tous deux étaient à l'aise dans les pubs. Après quelques pintes, ils décidèrent de téléphoner à Vincent en Californie. Comme il n'était pas chez lui, Bono lui laissa un message, que le jeune homme se promit de ne jamais effacer. « Je suis dans la ville trépidante de Dublin avec votre ami Jony. On est tous les deux un peu ivres, mais on est heureux avec cet iPod que j'ai dans la main, si beau qu'on se demande s'il existe. Merci ! »

Jobs loua un théâtre classique à San Jose pour la présentation du spot publicitaire de l'iPod U2. Bono et The Edge le rejoignirent sur scène. L'album se vendit à huit cent quarante mille exemplaires la première semaine et fut classé numéro un par le *Billboard*. Bono expliqua par la suite à la presse qu'il avait réalisé cette publicité gratuitement parce que « U2 en retirerait autant de bénéfices qu'Apple ». Iovine ajouta qu'il permettrait au groupe de séduire un public plus jeune.

Fait remarquable, s'associer avec une société informatique était désormais le meilleur moyen pour un groupe de musique de paraître jeune et branché. Bono considérait en effet que les sponsorings n'étaient pas tous des alliances avec le diable. « Regardez, dit-il à Greg Kot, le critique musical du *Chicago Tribune*. Le "diable" ici est une bande d'esprits créatifs, plus doués que bien des musiciens des groupes de rock. Leur leader s'appelle Steve Jobs. Ces hommes ont conçu le plus bel objet d'art de la culture musicale depuis la guitare électrique. C'est l'iPod. Le boulot de l'art est de chasser la laideur. »

Bono persuada Jobs de conclure un nouveau partenariat avec lui en 2006, cette fois pour la campagne *Product Red* dont le but était de lever des fonds et de sensibiliser les esprits pour la lutte contre le sida en Afrique. Jobs ne s'était jamais beaucoup intéressé à la philanthropie. Pourtant, il accepta de créer un iPod rouge spécial pour la campagne de Bono. Ce n'était pas de bon cœur. En effet, il refusait d'appliquer à Apple la signature de la campagne, qui consistait à mettre le nom de la société entre parenthèses avec le terme RED en exposant, comme dans $(APPLE)^{RED}$.

— Je ne veux pas voir Apple entre parenthèses, maugréa-t-il.

— Mais Steve, c'est comme ça que nous montrons notre unité pour cette cause, répondit le chanteur de U2.

La conversation s'envenima, au point d'en venir aux insultes, jusqu'à ce que les deux hommes décident de dormir dessus. Finalement, Jobs accepta une forme de compromis. Bono ferait ce qu'il voulait dans ses publicités, mais Apple n'apparaîtrait entre parenthèses ni sur ses produits ni dans ses magasins. L'iPod fut finalement signé $(PRODUCT)^{RED}$ et non $(APPLE)^{RED}$.

« Steve pouvait se montrer colérique, se rappelle Bono, mais ces moments nous ont rapprochés, car on ne croise pas beaucoup de gens dans une vie avec qui on peut avoir des conversations musclées. Steve a des opinions bien arrêtées. Quand je discute avec lui après l'un de nos concerts, il a toujours son mot à dire. » Le patron d'Apple et sa famille rendaient parfois visite à Bono, sa femme et leurs quatre enfants dans leur maison de Nice. Lors d'un séjour en 2008, Jobs avait loué un bateau et l'avait amarré non loin de chez eux. Ils déjeunaient ensemble et Bono lui faisait écouter les chansons que U2 et lui préparaient pour leur futur album, *No Line on the Horizon*. Pourtant, en dépit de leur amitié, Jobs demeurait un féroce négociateur. Ils tentèrent de passer un contrat pour une autre publicité et la sortie spéciale de « Get On Your Boots », mais ils ne parvinrent pas à s'entendre sur les termes. Quand Bono se blessa au dos en 2010 et dut annuler sa tournée, Laurene Jobs lui envoya un panier avec un DVD du duo de comiques *Flight of the Conchords*, le livre *Mozart's Brain and the Fighter Pilot*, du miel de son jardin et de la pommade contre la douleur. Jobs ajouta un mot : « La pommade contre la douleur – j'adore ce truc. »

Yo-Yo Ma

Un joueur de musique classique en particulier faisait l'admiration de Jobs, en tant que personne et en tant qu'artiste : Yo-Yo Ma, le virtuose aux talents multiples, aussi doux et profond que les accents de son violoncelle. Ils s'étaient rencontrés en 1981, alors que le patron d'Apple assistait à l'Aspen Design Conference et Yo-Yo Ma au festival de musique d'Aspen. Jobs était profondément touché par les artistes capables d'atteindre une forme de pureté. Il devint un grand fan du violoncelliste, qu'il invita à jouer à son mariage. Malheureusement, celui-ci était à ce moment-là en tournée. Quelques années plus tard, Yo-Yo Ma lui rendit visite chez lui, s'assit dans son salon, prit son Stradivarius de 1733 et joua du Bach.

— Voilà ce que j'aurais joué à votre mariage.

— Votre jeu est le meilleur argument qu'on puisse donner quant à l'existence de Dieu, car j'ai du mal à croire qu'un humain seul ait pu créer une telle merveille.

Lors d'une autre visite, il permit à sa fille, Erin, de tenir son violoncelle pendant qu'ils étaient assis à la table de la cuisine. Steve, déjà atteint d'un cancer, fit promettre à Yo-Yo Ma de jouer lors de ses funérailles.

CHAPITRE TRENTE-DEUX

LES AMIS DE PIXAR

... et ses ennemis

1001 pattes

Quand Apple développa l'iMac, Jobs emmena Ive chez Pixar pour montrer aux employés leur création. Il avait le sentiment que la forte personnalité de son nouvel ordinateur plairait aux créateurs de Buzz l'Éclair et Woody, et il adorait l'idée que Jony Ive et John Lasseter aient le même talent pour allier art et technologie de manière ludique.

Pixar était un havre de paix où le patron d'Apple pouvait échapper à la frénésie de Cupertino. Chez Apple, les responsables étaient souvent agités et fatigués, Jobs lui-même tendait à être d'humeur changeante, et les gens se sentaient nerveux en sa présence. Chez Pixar, les scénaristes et illustrateurs semblaient plus sereins et détendus, aussi bien entre eux qu'avec leur patron. Autrement dit, le ton de chaque lieu était donné par leur mentor – Jobs chez Apple, Lasseter chez Pixar.

Jobs se délectait du caractère à la fois ludique et sérieux de la création d'un film. Il s'émerveillait des algorithmes à l'origine de la magie qui permettait à des gouttes générées par ordinateur de refléter les rayons du soleil ou à des brins d'herbe d'onduler sous la brise. Malgré tout, il s'efforçait de ne pas chercher à contrôler tout le processus de création. C'était chez Pixar qu'il avait appris à laisser les créateurs exprimer leur talent et prendre le pouvoir. En grande partie parce qu'il adorait Lasseter, un artiste charmant qui, comme Ive, avait su tirer le meilleur de lui.

Son rôle principal chez Pixar était de conclure des contrats, un domaine où son charisme naturel était un atout. Peu après la sortie de *Toy Story*, il s'était querellé avec Jeffrey Katzenberg, qui avait quitté Disney l'été 1994 pour rejoindre Steven Spielberg et David Geffen, et fonder DreamWorks SKG. Jobs était convaincu que le dissident avait entendu parler du sujet de leur seconde production, *1001 pattes*, et leur avait volé l'idée d'un film avec des insectes pour héros en produisant *Fourmiz* chez DreamWorks. « Quand Jeffrey dirigeait l'animation de Disney, on lui a donné le pitch de *1001 pattes*, se lamentait Jobs. En soixante ans d'histoire de l'animation, personne n'avait jamais eu l'idée de faire un film sur des insectes, avant John. C'était l'une de ses idées de génie. Et on veut me faire croire que Jeffrey, une fois chez DreamWorks, s'est écrié, pris d'une illumination subite : "Hé les gars, vous savez quoi ?... on va faire un film avec des insectes !" Il prétend ne jamais avoir été au courant de notre projet. Mais il ment. Il ment comme un arracheur de dents. »

En fait, non. La vérité est bien plus intéressante. Katzenberg n'avait pas entendu parler de *1001 pattes* quand il était encore chez Disney. Mais après son arrivée chez DreamWorks, il avait gardé contact avec Lasseter et lui passait de temps à autre un coup de fil pour prendre des nouvelles. Un jour, comme Lasseter se trouvait dans un entrepôt des studios Universal, où DreamWorks avait aussi ses bureaux, il avait rendu visite à Katzenberg avec quelques collègues. Le représentant de DreamWorks interrogea alors la bande de Pixar sur ses futurs projets. « Nous lui avons décrit l'histoire de *1001 pattes*, raconte Lasseter. Le personnage principal était une fourmi qui organise les autres fourmis et enrôle une troupe de cirque pour combattre les sauterelles... J'aurais dû me méfier, ajouta-t-il, Jeffrey n'a pas arrêté de poser des questions sur la date de sortie prévue. »

Le réalisateur commença à s'inquiéter quand, au début de l'année 1996, il entendit des rumeurs à propos d'un film d'animation sur des fourmis en préparation chez DreamWorks. Il appela aussitôt son confrère et lui posa la question de but en blanc. Katzenberg tourna autour du pot, changea de sujet et finit par lui demander où il avait entendu une chose pareille. Comme Lasseter insistait, il finit par avouer que c'était la vérité.

— Comment as-tu pu me faire ça ? cria le concepteur de Pixar, qui haussait rarement le ton.

— Nous avons cette idée en tête depuis longtemps, répondit son interlocuteur, qui lui expliqua que le projet lui avait été présenté par un directeur du développement chez DreamWorks.

— Je ne te crois pas !

Katzenberg concéda qu'il avait accéléré la réalisation de *Fourmiz* afin de contrecarrer les plans de ses anciens collègues de Disney. Le premier grand film de DreamWorks, *Le Prince d'Égypte*, serait sur les écrans pour Noël 1998, or Disney projetait de sortir *1001 pattes* le même week-end. Invraisemblable ! Ainsi, Katzenberg avait accéléré la production de *Fourmiz* pour forcer Disney à modifier la date de sortie de *1001 pattes*.

— Tu n'es qu'un salopard ! lâcha Lasseter, qui n'usait habituellement pas d'un tel langage.

Il ne reparla plus à son homologue pendant treize ans.

Jobs lui aussi était furieux, or il avait plus l'habitude de donner libre cours à ses émotions que Lasseter. Il appela le responsable de l'animation de DreamWorks et se mit à l'insulter. Son interlocuteur lui fit alors une offre : il retarderait la production de *Fourmiz* si Jobs et Disney décalaient la sortie de *1001 pattes*, afin de ne pas concurrencer *Le Prince d'Égypte*. « C'était une odieuse tentative d'extorsion et il n'était pas question que je cède à ce chantage », s'étrangla le patron de Pixar. Il lui répondit qu'il n'avait pas le pouvoir d'obliger Disney à changer la date de sortie d'un film.

« Bien sûr que si ! rétorqua Katzenberg. Tu peux déplacer des montagnes. C'est toi qui me l'as appris. » Il ajouta que, lorsque Pixar était menacé de faire faillite, il était venu au secours de Jobs avec le contrat de *Toy Story*. « J'étais là pour couvrir tes arrières à l'époque, et maintenant tu les laisses t'utiliser pour me faire couler. » Il était persuadé que, si Jobs le voulait vraiment, il pouvait ralentir la production de *1001 pattes* sans le dire à Disney. Dès lors, il mettrait *Fourmiz* en attente. « Jamais ! » martela le patron d'Apple.

Les récriminations du responsable de DreamWorks étaient justifiées. Il était clair que Michael Eisner et Disney utilisaient le film de Pixar pour se venger de son départ et de la création d'un studio d'animation rival. « *Le Prince d'Égypte* était notre première production et ils ont programmé la sortie de leur film le jour de notre propre lancement, par pure hostilité. Ils nous faisaient le coup du lion : j'ai l'air gentil comme ça, mais si tu passes la main dans ma cage, je te bouffe ! »

Aucune des parties ne fit machine arrière et la rivalité des deux films sur les fourmis engendra une véritable frénésie médiatique. Disney tenta de museler Jobs, arguant qu'une telle rivalité servirait les intérêts de leur concurrent, mais il n'était pas homme à se taire aussi facilement. « Les méchants gagnent rarement », déclara-t-il au *Los Angeles Times*. En réponse, l'expert marketing de DreamWorks, Terry Press, suggéra à Jobs de « prendre des calmants ».

Fourmiz sortit sur les écrans en octobre 1998. Ce n'était pas un mauvais film. Woody Allen prêta sa voix à la fourmi névrosée qui vivait dans une société conformiste et brûlait d'exprimer son individualité. « C'est le type de comédie que Woody Allen ne réaliserait plus aujourd'hui », écrivit le *Times*. Il engrangea la somme respectable de quatre-vingt-onze millions de dollars aux États-Unis et cent soixante-douze millions de dollars dans le monde entier.

1001 pattes sortit six semaines plus tard, comme prévu. Son intrigue était plus épique, avec la fable inversée de *La sauterelle et la fourmi*, d'Ésope, et faisait montre d'une plus grande virtuosité technique ainsi que d'un luxe de détails. Le magazine *Time* se révéla nettement plus enthousiaste : « C'est une telle prouesse visuelle – un Éden géant de feuillages et de labyrinthes peuplés de douzaines de charmantes petites bestioles grouillantes – qu'on a l'impression que le film de DreamWorks, en comparaison, date de la Préhistoire », écrivit le critique Richard Corliss. Le film engrangea deux fois plus d'entrées au box-office que *Fourmiz*, générant cent soixante-trois millions de dollars aux États-Unis et trois cent soixante-trois dans le monde. (Il surpassa aussi *Le Prince d'Égypte*.)

Quelques années plus tard, Katzenberg tomba par hasard sur Jobs et tenta d'apaiser la situation. Il répéta avec insistance qu'il n'avait jamais entendu parler de *1001 pattes* à l'époque où il était encore chez Disney. Si cela avait été le cas, il aurait négocié avec Disney pour récolter une part des bénéfices, ce qui n'était pas le cas. Le patron d'Apple lui rit au nez. « Je t'ai demandé de repousser la date de sortie, mais tu as refusé, plaida Katzenberg. Tu ne peux donc pas m'en vouloir d'avoir voulu protéger mon enfant. » Il se rappelait que Jobs s'était soudain montré « très calme, très zen », et lui avait dit qu'il le comprenait. Pourtant, le patron d'Apple ne lui avait jamais réellement pardonné son acte :

> Notre film a laminé le sien au box-office. Est-ce que ça m'a fait du bien ? Non, je me sentais affreusement mal, parce que les gens disaient que tout le monde à Hollywood faisait des films sur les insectes. Il a volé l'idée brillante et originale de John, ce que l'on ne pourra jamais lui rendre. Ce n'était pas professionnel. Je ne pouvais plus lui faire confiance, même s'il avait fait amende honorable. Il est revenu me voir après le succès de *Shrek* et m'a dit : « Je suis un homme nouveau, je suis enfin en paix avec moi-même » et bla bla bla. Allez ! Arrête tes salades, Jeffrey. Il bosse dur, mais je n'aimerais pas voir son éthique pourrie gagner notre société. Les gens d'Hollywood mentent énormément. C'est bizarre. Ils mentent parce qu'ils sont dans une industrie où il n'y a pas de responsabilité pour les résultats. Zéro. Donc, ils s'en sortent.

Plus important que battre *Fourmiz* – même si c'était un défi plutôt stimulant –, Pixar devait prouver qu'il ne s'arrêterait pas en si bon chemin. *1001 pattes* fit aussi bien que *Toy Story*, démontrant que leur premier succès n'avait pas été un coup de chance. « L'un des écueils classiques dans le monde des affaires est le syndrome du deuxième produit, expliqua Jobs. Cela arrive quand on ne comprend pas la recette du succès de son premier produit. J'étais déjà passé par là chez Apple. Là, je savais que si on réussissait le deuxième film, c'était dans la poche. »

Le film de Steve

Toy Story II, qui apparut sur les écrans en novembre 1999, fit encore plus fort, avec une recette de deux cent quarante-six millions de dollars aux États-Unis et quatre cent quatre-vingt-cinq millions au niveau mondial. À présent que le succès de Pixar était assuré, il était temps de lui construire des bureaux dignes de ce nom. Jobs et le service de l'équipement de Pixar dénichèrent une fabrique de conserves de fruits abandonnée à Emeryville, une banlieue industrielle entre Berkeley et Oakland, juste après le Bay Bridge de San Francisco. Ils la démolirent, puis Jobs donna pour mission à Peter Bohlin, l'architecte des Apple Store, de concevoir un nouveau bâtiment sur le terrain de six hectares et demi.

Le patron d'Apple supervisa les moindres aspects du nouveau bâtiment, depuis le concept global jusqu'au plus infime détail concernant les matériaux et la construction. « Steve croit dur comme fer que la beauté du siège social est essentielle au développement de la culture d'entreprise », déclara le président de Pixar, Ed Catmull. Jobs dirigea donc toutes les étapes de la création du bâtiment comme autant de scènes d'un film. « L'immeuble de Pixar est le film de Steve », commente Lasseter.

À l'origine, Lasseter voulait un studio hollywoodien traditionnel, avec des bâtiments séparés pour les différents projets et des espaces dévolus à chaque équipe de développement. Mais les gens de Disney se plaignaient de leur nouveau campus, où les équipes se sentaient isolées, et Jobs était d'accord avec ce constat. C'est pourquoi il développa le concept inverse, soit un immense bâtiment bâti autour d'un atrium central, pour encourager les rencontres.

Lui qui appartenait au monde numérique ne connaissait que trop bien les risques d'isolement, aussi croyait-il à l'importance des face-à-face. « À l'ère numérique, on est tenté de croire que les idées peuvent se développer au moyen d'e-mails ou de chats. C'est idiot ! La créativité émane de réunions spontanées, de discussions anecdotiques. Vous croisez quelqu'un, vous demandez aux uns et aux autres ce qu'ils font, vous êtes interloqué et, bientôt, vous concoctez une flopée de nouveaux projets. »

Ainsi, Jobs créa le bâtiment de Pixar de manière à promouvoir les rencontres et les collaborations imprévues. « Si une structure ne favorise pas cela, vous passez à côté de nombreuses innovations, et vous perdez toute la magie des heureux hasards. Nous avons construit cet immeuble pour obliger les gens à sortir de leur bureau et à se promener dans l'atrium central, pour susciter des rencontres improbables. » Les portes d'entrée et les escaliers principaux menaient tous à l'atrium, où se trouvaient le café et les boîtes aux lettres. Les fenêtres des salles de réunion donnaient sur l'espace central, l'auditorium de six cents places et les deux autres petites salles équipées d'écrans ouvraient également dessus. « La théorie de Steve s'est vérifiée dès le prèmier jour, se rappelle Lasseter. Je n'arrêtais pas de tomber sur des gens que je n'avais pas croisés depuis des mois. Je n'avais jamais vu une structure favoriser ainsi la productivité et la collaboration. »

Jobs alla encore plus loin en décrétant qu'il n'y aurait que deux immenses espaces sanitaires dans le bâtiment, un pour chaque sexe, reliés à l'atrium. « C'était très important pour lui, explique Pam Kerwin, le manager général de Pixar. Certains pensaient qu'il allait trop loin. Une femme enceinte a déclaré qu'elle ne devrait pas être forcée à marcher dix minutes simplement pour aller aux toilettes. Et c'est devenu un sujet de discorde. » Ce fut l'une des rares fois où Lasseter ne fut pas d'accord avec son mentor. Ils parvinrent néanmoins à un compromis : il y aurait deux séries de sanitaires de chaque côté de l'atrium à chaque étage.

Comme les poutres métalliques de l'immeuble seraient apparentes, Jobs étudia de près les échantillons de différents fabricants à travers le pays, afin de trouver la couleur et la texture parfaites. Il choisit une usine dans l'Arkansas et leur demanda de donner au métal une couleur pure, puis s'assura que les camionneurs prendraient bien soin de la cargaison. Il insista également pour que les poutres soient boulonnées ensemble et non soudées.

La pièce la plus farfelue, conçue un peu par hasard, était le *Love Lounge*. En s'installant dans son nouveau bureau, un animateur découvrit une porte dérobée dans le mur du fond. Elle ouvrait sur un corridor au plafond bas où on pouvait se couler pour gagner une pièce aux parois de métal, donnant accès au système d'air conditionné. Ses collègues et lui réquisitionnèrent la pièce secrète, la décorèrent de lumières de Noël et de lampes fluo. Puis ils l'aménagèrent à leur guise : des banquettes aux imprimés animaliers, des oreillers à volants, une table à cocktail pliante, des bouteilles d'alcool fort, sans oublier le nécessaire de bar et les serviettes estampillées *The Love Lounge*. Une caméra vidéo installée dans le couloir permettait de savoir qui s'approchait.

Lasseter et Jobs y emmenèrent d'importants visiteurs, à qui ils demandèrent de dédicacer le mur. On y trouve notamment les signatures de Michael Eisner, Roy Disney, Tim Allen et Randy Newman. Jobs adorait cet endroit, mais comme il ne buvait pas, il l'appelait la « salle de méditation ». Elle lui rappelait celle qu'il avait créée avec Daniel Kottke à Reed, mais sans l'acide.

Le divorce

Dans son témoignage face à une commission parlementaire en février 2002, Michael Eisner critiqua ouvertement les publicités que Jobs avait créées pour iTunes. « Certaines sociétés informatiques ont des pleines pages et des affiches qui disent : "Récupérez, mixez, gravez." Autrement dit, ils raflent le butin et le partagent avec tous leurs amis, à condition qu'ils achètent leur ordinateur. »

Une critique peu judicieuse. Eisner se méprenait sur le sens de « récupérer », qui pour lui signifiait « voler », au lieu de vouloir simplement dire importer des fichiers d'un CD à un ordinateur. Surtout, il avait rendu le patron d'Apple furieux, ce dont il devait se douter. Ce qui n'était guère plus intelligent. Pixar venait de sortir un quatrième film en partenariat avec Disney, *Monstres & Cie*, qui se révéla être son plus grand succès, avec cinq cent vingt-cinq millions de dollars de recettes dans le monde. Le contrat entre Pixar et Disney arrivait à son terme et devait être renégocié, or Eisner avait envenimé la situation en poignardant son partenaire publiquement dans le dos. Jobs était tellement incrédule qu'il avait appelé un responsable chez Disney : « Est-ce que tu es au courant de ce que Michael m'a fait ? »

Les deux hommes venaient de milieux différents et de côtes opposées des États-Unis. Pourtant, ils avaient la même volonté féroce et la même aversion pour les compromis. Animés d'une grande passion, ils s'acharnaient à fabriquer des produits de qualité, ce qui les amenait souvent à superviser les moindres détails de leur conception et à traiter leurs équipes sans ménagement. Eisner faisait des tours et des tours sur le train Wildlife Express de l'Animal Kingdom, le parc à thème animalier de Disney World, en quête d'idées pour améliorer l'aventure du visiteur. Cette démarche faisait écho à la manie de Jobs de jouer avec l'interface de l'iPod pour trouver des moyens de le simplifier à l'extrême. En revanche, leur façon de diriger leurs équipes était beaucoup moins exemplaire.

Tous deux étaient plus doués pour pousser leurs troupes à se dépasser que pour encaisser les critiques, ce qui créait une déplaisante atmosphère quand ils s'affrontaient. Chaque fois qu'ils se querellaient, ils s'accusaient mutuellement de mensonges. De plus, aucun des deux hommes ne pensait pouvoir apprendre quoi que ce soit de son alter ego. Et ni l'un ni l'autre n'avait la déférence de faire semblant de le croire. Jobs rejetait toute la responsabilité sur le patron de Disney :

> Le pire, à mon sens, c'est que Pixar a remis Disney sur les rails, en sortant de grands films coup sur coup, pendant que partout ailleurs Disney engrangeait les échecs. On pourrait penser que le P-DG de Disney aurait été curieux de savoir comment Pixar procédait. Mais en vingt ans de collaboration, il n'est venu chez Pixar en tout et pour tout que deux heures et demie, et ce uniquement pour prononcer des discours de félicitations. Il n'a aucune curiosité. Cela me dépasse. La curiosité est essentielle.

C'était exagéré. Eisner avait tout de même passé plus de temps chez Pixar, et parfois même en l'absence de Jobs. Mais il est vrai qu'il n'avait pas fait montre d'un grand intérêt concernant le fonctionnement artistique et technologique du studio. De la même manière, Jobs ne s'était guère intéressé au management de Disney.

La guerre ouverte entre les deux hommes débuta durant l'été 2002. Jobs avait toujours admiré l'esprit créatif du grand Walt Disney, qui avait bâti une industrie transcendant les générations. Il considérait le neveu de Walt, Roy Disney, comme l'incarnation de cet héritage historique et de cet esprit. Roy faisait toujours partie du conseil d'administration de Disney, en dépit d'une prise de distance grandissante avec Eisner. Jobs lui fit savoir qu'il ne renouvellerait pas le contrat Pixar-Disney tant qu'Eisner en serait le P-DG.

Roy Disney et Stanley Gold, son plus proche associé au sein du conseil, avertirent les autres administrateurs du problème Pixar. Cela poussa le patron de Disney à envoyer un e-mail exagérément confiant à la fin du mois d'août 2002. Il était persuadé que Pixar finirait par renouveler son contrat, en partie parce que Disney possédait les droits de tous les films et tous les personnages créés jusqu'alors par Pixar. De plus, plaidait-il, Disney serait en position de force pour négocier après la sortie du *Monde de Nemo*. « Hier, nous avons visionné pour la deuxième fois le film de Pixar, *Le Monde de Nemo*, qui sortira en mai prochain. Ce n'est pas mal, mais c'est loin d'être aussi bien que leurs précédents longs métrages. Eux, bien sûr, le trouvent génial. » Ce message électronique posait deux problèmes majeurs : le *Los Angeles Times* avait réussi à se le procurer, ce qui avait provoqué la fureur de Jobs, et surtout, Eisner était loin, très loin de la vérité.

Le Monde de Nemo fut le plus grand succès de Pixar (et de Disney). Il surpassa facilement *Le Roi Lion* pour devenir, à ce jour, le film d'animation le plus réussi de l'histoire. Il engrangea trois cent quarante millions de dollars aux États-Unis et huit cent soixante-huit millions dans le monde. Il fut également, jusqu'en 2010, le DVD le plus populaire de tous les temps, avec quarante millions d'exemplaires vendus, sans oublier qu'il donna naissance à l'une des attractions les plus prisées des parcs Disney. En outre, ce fut l'une de leurs plus belles réalisations, qui remporta l'Oscar du meilleur film d'animation. « J'aime ce film car il prouve qu'il est crucial de prendre des risques et qu'il faut soutenir ceux qui sont prêts à le faire », plaida Jobs. Ce succès augmenta les liquidités de Pixar de cent quatre-vingt-trois millions de dollars, portant son trésor de guerre à cinq cent vingt et un millions avant son épreuve de force finale avec Disney.

Peu après *Le Monde de Nemo*, Jobs fit à Eisner une offre si unilatérale que ce dernier ne pouvait que la refuser. Au lieu de partager les revenus à cinquante-cinquante, comme dans le contrat préexistant, Jobs proposa un nouvel arrangement où Pixar posséderait ses films et ses personnages, et verserait à Disney seulement 7,5 pour cent de ses revenus pour la distribution. De plus, les deux derniers films en cours de réalisation – *Les Indestructibles* et *Cars* – passeraient sous le contrat suivant.

Eisner avait pourtant une importante carte dans sa manche. Même si Pixar ne renouvelait pas son contrat, Disney avait le droit d'inventer les suites de *Toy Story* et des autres films créés par Pixar, et détenait tous les personnages, de Woody à Nemo, au même titre que Mickey Mouse et Donald Duck. Le patron de Disney prévoyait déjà – ou menaçait déjà – de commander à ses propres studios de Burbank la réalisation de *Toy Story III*, puisque Pixar avait refusé de le faire. « Quand on voyait ce que cette boîte avait fait avec *Cendrillon II*, il y avait de quoi s'inquiéter ! » commenta Jobs.

Eisner réussit à évincer Roy Disney du conseil d'administration en novembre 2003, mais cela ne suffit pas à apaiser les tensions intra-muros. Roy Disney publia une lettre ouverte cinglante : « La société a perdu son sens, son énergie créatrice et son héritage. » Sa diatribe épinglait les failles d'Eisner, incapable selon lui de bâtir une relation constructive avec Pixar. À partir de ce moment-là, Jobs décida qu'il ne travaillerait plus avec Eisner. Donc, en janvier 2004, il annonça publiquement la rupture des négociations avec Disney.

Le patron d'Apple n'avait pas l'habitude de rendre publiques les opinions tranchées qu'il partageait avec ses amis dans sa cuisine de Palo Alto. Mais, cette fois, il ne recula pas. Au cours d'une conférence téléphonique avec des journalistes, il déclara que, pendant que Pixar accumulait les succès, « Disney enchaînait les flops cuisants ». Il se moqua d'Eisner, qui prétendait que Disney avait apporté à Pixar une contribution sur le plan créatif. « La vérité, c'est qu'il n'y a presque plus de collaborations entre les deux studios depuis des années. Vous pouvez comparer la qualité artistique de nos films avec les trois dernières productions de Burbank et juger par vous-même de leurs qualités artistiques. » En sus de former une équipe créative solide, Jobs avait réussi l'exploit de bâtir une marque désormais aussi déterminante que celle de Disney aux yeux des cinéphiles : « Pixar est aujourd'hui la marque la plus puissante de l'industrie du film d'animation. » Lorsque Jobs appela Roy Disney pour lui donner les dernières nouvelles, celui-ci répondit, faisant référence au *Magicien d'Oz* : « Quand la méchante sorcière de l'Ouest sera morte, on sera de nouveau ensemble. »

Lasseter était paniqué à l'idée de se séparer de Disney. « J'avais peur pour mes enfants. Peur de ce qu'ils feraient des personnages que j'avais créés. C'était comme si on me plantait un poignard dans le cœur. » Quand il annonça la nouvelle aux principaux responsables de Pixar dans la salle de conférences, il se mit à pleurer, et sanglota de nouveau devant les huit cents employés de la compagnie rassemblés dans l'atrium. « C'est comme si vous deviez abandonner ces enfants que vous aimez tant et les confier à des tortionnaires. » Jobs intervint pour tenter de dédramatiser les choses. Il expliqua aux employés que cette rupture était nécessaire, et leur assura que Pixar en tant qu'institution devait continuer à aller de l'avant pour prospérer. « Il avait cette capacité de vous donner la foi, me confia Oren Jacob, un technicien de longue date du studio. Soudain, nous étions tous persuadés que, quoi qu'il arrive, Pixar s'en sortirait. »

Bob Iger, le directeur général de Disney, entra à son tour dans la partie pour essayer de réparer les dégâts. Il était aussi sage et prudent que ses collègues étaient vindicatifs. Issu du monde de la télévision, il dirigeait la chaîne ABC Network quand elle avait été acquise par Disney en 1996. Armé d'une solide culture d'entreprise, habile meneur d'hommes, il avait l'art de dénicher les talents, ainsi qu'une grande facilité à comprendre ses semblables. Son flair était si sûr qu'il restait discret. Contrairement à Eisner et Jobs, il faisait montre de sérénité et de discipline, ce qui lui permettait de négocier avec des gens à l'ego puissant. « Steve avait dramatisé en annonçant qu'il cessait toute discussion avec nous, se rappelle-t-il. Nous étions passés en mode crise et j'avais rapidement trouvé des arguments pour apaiser les tensions. »

Eisner avait dirigé Disney pendant dix ans, pendant que Frank Wells occupait le poste de directeur général. Wells avait libéré son patron de plusieurs fonctions directoriales pour qu'il puisse faire des suggestions, souvent brillantes, sur tel projet de film, telle attraction d'un parc à thème, tel pilote pour la télévision, etc. Mais après le décès brutal de Wells dans un crash d'hélicoptère en 1994, Eisner ne réussit pas à retrouver le bras droit idéal. Katzenberg réclama le poste du défunt, ce qui lui valut d'être évincé. Michael Ovitz devint à son tour directeur général en 1995, mais il ne resta à ce poste que deux ans. Jobs décrivait ainsi cette période mouvementée :

> Durant ses premières années en tant que P-DG, Eisner a vraiment fait du bon boulot. Tout a changé à la mort de Frank Wells. Eisner est un bon créatif, avec de bonnes intuitions. Alors quand Frank dirigeait les opérations, il pouvait jouer les abeilles butinant d'un projet à l'autre. Mais quand il a dû prendre le contrôle de la boîte tout seul, il s'est révélé un dirigeant déplorable. Personne n'aimait travailler avec lui. Notamment à cause de son manque d'autorité. Il avait créé un groupe stratégique dictatorial : impossible de dépenser le moindre centime sans son aval. Même après notre contentieux, je respectais les réalisations de ses dix premières années. J'appréciais même certains traits de caractère chez lui : Eisner est un type drôle, intelligent, spirituel, avec qui on peut passer du bon temps. Mais il a un côté obscur. Son ego a étouffé le bien en lui. Il s'est montré juste et raisonnable avec moi au début, mais après dix ans de négociations, j'ai découvert son côté obscur.

Le plus grand problème du P-DG de Disney en 2004 était qu'il ne comprenait pas à quel point son département animation avait déraillé. Ses deux dernières productions, *La Planète au trésor* et *Frère des ours*, ne firent pas honneur au legs de Disney, pas plus qu'à son bilan comptable. Ses films d'animation étaient l'âme de la société. Ils donnaient naissance aux attractions des parcs, aux jouets, aux émissions télévisées. *Toy Story* avait généré un deuxième épisode, un spectacle sur glace (*Disney on Ice*), un *Toy Story Musical* sur les bateaux Disney, un film sorti tout de suite en vidéo avec Buzz l'Éclair, un livre d'histoires numériques, deux jeux vidéo, une douzaine de jouets (vendus à vingt-cinq millions d'exemplaires), une ligne de vêtements et neuf attractions différentes dans les parcs Disney. Rien de tout cela pour *La Planète au trésor*.

« Michael ne comprenait pas la gravité des problèmes de Disney, expliqua par la suite Iger. Cela se voyait dans ses négociations avec Pixar. Il ne s'est jamais rendu compte à quel point il avait besoin d'eux. » De plus, Eisner adorait négocier mais détestait les compromis, ce qui n'était pas la meilleure combinaison quand il s'agissait de traiter avec Jobs, qui était de la même trempe. « Toute négociation doit se résoudre par un compromis, commente Iger. Or aucun des deux n'est très doué en la matière. »

L'impasse se termina un samedi soir de mars 2005, quand Bob Iger reçut un appel de l'ancien sénateur George Mitchell et des autres membres du conseil d'administration de Disney. Ils lui annoncèrent que, dans quelques mois, il remplacerait Eisner au poste de P-DG de Disney. Lorsque Iger se leva le lendemain matin, il joignit d'abord ses filles, puis Jobs et Lasseter. Il expliqua très simplement aux deux hommes qu'il avait évalué Pixar et souhaitait conclure un accord avec eux. Jobs était enchanté. Il appréciait son nouvel interlocuteur et s'amusait du lien ténu qui existait déjà entre eux : son ex-petite amie, Jennifer Egan, avait partagé la même chambre que la femme d'Iger pendant leurs études à l'université de Pennsylvanie.

Cet été-là, avant qu'Iger ne prenne officiellement ses fonctions, il entama une série de discussions avec Jobs. Apple planifiait de sortir un iPod qui diffuserait des vidéos comme de la musique. Jobs avait besoin de programmes TV, mais ne voulait pas rendre les négociations publiques, toujours dans un souci de garder son produit inédit secret jusqu'au grand jour. Les deux séries les plus en vogue, *Desperate Housewives* et *Lost*, appartenaient toutes deux à ABC, qu'Iger chapeautait chez Disney. Le patron de Disney, qui possédait plusieurs iPod – dont il se servait de 5 heures du matin jusque tard dans la soirée –, avait saisi l'intérêt de diffuser des séries télévisées sur un tel support. Ainsi, il proposa immédiatement à Jobs de mettre sur l'appareil les programmes les plus populaires d'ABC. « Nous avons conclu le contrat dans la semaine, même si c'était compliqué. Il était important pour moi de montrer à Steve ma façon de fonctionner, et de lui prouver que tout le monde chez Disney pouvait travailler avec lui. »

Pour l'annonce de l'iPod vidéo, Jobs avait loué un cinéma à San José, et il invita Iger à monter sur scène. « Je n'étais jamais allé à l'une de ses présentations, je n'avais donc aucune idée de leur importance. C'était une réelle avancée dans nos relations. Il comprit que j'étais en faveur de la technologie et prêt à prendre des risques. » Jobs réalisa son habituelle performance en dévoilant les diverses caractéristiques du nouvel iPod, « l'une des plus belles choses qu'on ait jamais conçues ». Il expliqua ensuite que l'iTunes Store vendrait des vidéos ainsi que des courts-métrages. Puis, comme à son habitude, il termina par « Ah... encore une petite chose... ». L'iPod proposerait aussi des séries TV. Nouvelle qui fut accueillie par une salve d'applaudissements. Les deux séries les plus populaires de l'époque passaient sur ABC. « Et qui possède ABC ? Disney. Or, comme vous le savez, Disney, je connais ! »

Sur scène, Bob Iger parut aussi à l'aise que son alter ego. « L'une des choses que Steve et moi avons en commun, c'est notre incroyable enthousiasme pour la fusion entre un contenu de qualité et la technologie de pointe. Je suis heureux d'être ici pour annoncer la poursuite de nos relations avec Apple. » Puis, après une courte pause, il ajouta : « Pas avec Pixar, mais avec Apple. »

Mais il était clair, à voir leur chaleureuse étreinte, qu'une entente Pixar-Disney était de nouveau possible. « C'était ma façon de lui montrer mon mode opératoire : l'amour, pas la guerre. Nous étions en conflit avec Roy Disney, Comcast, Apple, et Pixar. Je voulais arranger tout cela, surtout avec Pixar. »

Iger revenait de l'inauguration d'un nouveau Disneyland à Hong Kong, avec Eisner pour sa dernière grande prestation en tant que

P-DG. Les cérémonies incluaient la traditionnelle parade sur Main Street. Le futur patron de Disney se rendit soudain compte que tous les personnages de la parade créés ces dix dernières années étaient ceux de Pixar : « J'ai eu une révélation. Michael était à mes côtés, mais j'ai gardé mes réflexions pour moi, car cela mettait en lumière sa mauvaise gestion de l'animation durant cette période. Après la décennie du *Roi Lion*, *La Belle et la Bête* et *Aladdin*, il y a eu un vide de dix ans. »

Iger retourna à Burbank et commanda plusieurs études financières. Il découvrit que Disney avait en réalité perdu de l'argent dans le secteur de l'animation durant la dernière décennie. Lors de sa première réunion en tant que P-DG, il présenta les analyses au conseil d'administration. Les membres étaient furieux de n'avoir jamais été en possession de ces données. « La santé de l'animation reflète celle de notre entreprise, commenta Iger. Un succès crée une immense vague dont les répercussions affectent tous les domaines de notre société : les personnages de la grande parade, la musique, les parcs d'attractions, les jeux vidéo, la télévision, Internet, les produits dérivés. » Il leur donna plusieurs choix. S'en tenir au mode de management actuel du secteur animation – qui d'après lui ne fonctionnait pas. Se débarrasser du responsable et en trouver un autre – mais qui ferait l'affaire ? Sa dernière option était d'acheter Pixar. « Le problème, c'est que je ne sais pas si Pixar est à vendre et que cela risque de nous coûter un gros paquet d'argent. » Le conseil l'autorisa à étudier cette solution.

Iger s'y prit de façon tout à fait inhabituelle. Quand il se retrouva en tête à tête avec Jobs, il lui fit part de la révélation qu'il avait eue à Hong Kong et lui avoua que Disney avait désespérément besoin de Pixar. « Voilà pourquoi j'ai immédiatement adoré Bob, se rappelait Jobs. Il m'a dit les choses de but en blanc. C'était sans doute la pire manière de débuter des négociations, si l'on s'en tient aux règles de l'art. Il a simplement mis cartes sur table et a dit : "On est fichus." Il m'a plu tout de suite, parce que je fonctionnais exactement comme lui. Jouons franc jeu et voyons où cela nous mène. » (En réalité, ce n'était pas tout à fait le mode opératoire de Jobs, qui commençait généralement par descendre en flammes tout ce que faisait son interlocuteur.)

Les deux hommes firent plusieurs promenades – autour du campus d'Apple, à Palo Alto, lors du séminaire Allen & Co à Sun Valley. Au début, ils imaginèrent un nouveau partenariat : Pixar récupérerait tous les droits des films et personnages qu'il avait créés en échange d'une participation équitable, et paierait à Disney un simple cachet pour la distribution de ses futurs films. Mais Iger craignait qu'un tel accord ne fasse de Pixar un redoutable concurrent de Disney, ce qui serait catastrophique, même si Disney en retirait des bénéfices substantiels.

Aussi insinua-t-il à son interlocuteur qu'ils devaient aller plus loin : « C'est plutôt osé comme idée, j'en conviens... », commença-t-il, et bientôt, ils en vinrent à discuter de l'acquisition de Pixar par Disney.

Cependant, avant toute négociation, le patron d'Apple avait besoin de la bénédiction de Lasseter et Catmull. Aussi les pria-t-il de venir chez lui, puis il alla droit au but : « Nous devons apprendre à connaître Bob. Nous pourrions nous allier à lui et l'aider à rebâtir Disney. C'est un type bien. »

Ses acolytes étaient sceptiques. « Nous étions plutôt sous le choc », se rappelle Lasseter. « Si vous ne voulez pas aller dans ce sens, je le comprendrai, mais je veux que vous rencontriez Bob avant de vous décider. Moi aussi, j'étais réticent au début, mais j'ai appris à apprécier l'homme. » Il leur expliqua combien il avait été facile de parvenir à un accord pour mettre des émissions d'ABC dans l'iPod et ajouta : « C'est le jour et la nuit avec Eisner. Bob Iger est franc et droit et avec lui, pas de drame. » Pendant un bon moment, Lasseter et Catmull ne surent que répondre.

Iger prit alors un vol de Los Angeles pour aller dîner chez Lasseter avec sa femme et ses enfants. Ils discutèrent jusqu'à minuit passé. Il invita ensuite Catmull à manger, puis visita les studios Pixar, seul, sans Jobs. « J'ai rencontré tous les responsables de projets, qui m'ont décrit l'un après l'autre leurs idées de films. » Ils avaient passablement impressionné le nouvel homme fort de Disney, à la grande joie de Lasseter : « Jamais je n'ai été aussi fier de Pixar que ce jour-là. Toutes les équipes et les projets étaient fantastiques. Bob n'en est pas revenu. »

En effet, après avoir eu un aperçu des films à venir – *Cars*, *Ratatouille*, *WALL-E* –, Iger retourna chez Disney et déclara au directeur financier : « Oh, mon Dieu ! Ils ont des idées incroyables. Nous devons absolument conclure ce rachat. C'est l'avenir de notre entreprise. » Il avoua même n'avoir aucune confiance dans les projets de films d'animation « maison ».

L'accord statuait que Disney achetait Pixar pour sept milliards quatre cent mille dollars. Jobs devenant ainsi l'actionnaire principal de Disney, avec environ 7 pour cent des actions de la compagnie, contre le 1,7 pour cent d'Eisner et le 1 pour cent de Roy Disney. Disney Animation serait sous la houlette de Pixar, avec Lasseter et Catmull aux commandes de l'unité combinée. Pixar conserverait son identité indépendante, avec ses studios et ses bureaux d'Emeryville, ainsi que ses propres adresses électroniques.

Un dimanche matin, Iger demanda à Jobs de faire venir Lasseter et Catmull à une réunion secrète du conseil d'administration de Disney à Century City, à Los Angeles. L'objectif était de mettre tout le monde à l'aise face à cet accord à la fois radical et extrêmement onéreux. Avant de gagner la salle de conférences, Lasseter dit à son patron : « Si je commence à m'emporter ou que je parle trop, touche-moi la jambe. » Jobs dut le faire une fois, mais pour le reste, Lasseter présenta un argumentaire commercial parfait. « Je leur ai expliqué notre façon de fabriquer des films, notre philosophie, je leur ai parlé de notre honnêteté les uns vis-à-vis des autres et de la façon dont nous faisions grandir les talents. » Le conseil posa une foule de questions, auxquelles les deux hommes répondirent de leur mieux. Jobs évoqua leur enthousiasme pour l'alliance de l'art et la technologie : « C'est l'essence même de notre culture, exactement comme chez Apple. » Iger se rappelait que tout le monde avait été très impressionné par leur « caractère passionné ».

Malheureusement, avant que le conseil d'administration de Disney ait eu une chance d'approuver la fusion, Eisner se mit en travers de leur route et tenta de faire capoter le projet. Il appela Iger pour lui dire que Pixar était bien trop cher.

— Tu peux relancer toi-même l'animation, Bob !

— Comment ?

— Je sais que tu en es capable.

— Michael, comment pourrais-je réussir là où toi tu as échoué ?

Même s'il ne faisait plus partie du conseil d'administration, Eisner insista pour venir à l'une de leurs réunions discuter du projet d'acquisition. Iger tenta de s'y opposer, mais l'ancien P-DG de Disney appela Warren Buffet, un important actionnaire, et George Mitchell, le président du conseil. L'ancien sénateur réussit à convaincre Iger de laisser Eisner s'exprimer. Eisner profita de l'aubaine : « J'ai expliqué au conseil qu'il n'avait pas besoin d'acheter Pixar, parce qu'il possédait déjà 85 pour cent de leurs films. » Disney touchait en effet un pourcentage sur les recettes des films, et avait le droit de créer des suites comme d'exploiter leurs personnages. « Je leur ai montré à quoi correspondaient exactement les 15 pour cent de Pixar que Disney ne détenait pas encore. En gros, je leur disais : profitez de ce que vous avez. Ces 15 pour cent n'ont d'intérêt que si Pixar enchaîne les succès. C'est juste un pari sur l'avenir. » Il reconnaissait que Pixar avait eu son heure de gloire, mais affirmait que cela ne durerait pas : « Je leur ai retracé l'histoire des producteurs qui avaient réalisé plusieurs grands succès coup sur coup, puis s'étaient effondrés. C'est arrivé aux meilleurs : Spielberg, Walt Disney, et tant d'autres. » Pour que ce rachat soit rentable, il avait calculé que chaque nouveau film de Pixar devrait engranger un milliard trois cent mille dollars de recettes. Plus tard, il ajouta : « Jobs était furieux que j'aie compris cela. »

Après le départ d'Eisner, Iger réfuta ses arguments point par point. « Laissez-moi vous expliquer ce qui ne va pas dans son raisonnement… » À la fin de la réunion, le conseil se rangea à l'avis du nouveau P-DG et donna son aval à la fusion.

Iger prit un vol pour Emeryville pour annoncer la nouvelle à Jobs. Puis tous deux décidèrent d'en informer ensemble les employés de Pixar. Au préalable, le patron de Pixar discuta avec Lasseter et Catmull en privé. « Si l'un de vous a des doutes, je leur dirai simplement non merci et la fusion n'aura pas lieu. » Il n'était pas vraiment sincère, car il aurait été impossible de faire machine arrière à ce stade des négociations. C'était néanmoins un beau geste. « Ça me va », répondit Lasseter, bientôt rejoint par Catmull. Sur ces mots, ils s'étreignirent et Jobs pleura.

Tous les membres de la société furent ensuite invités à se rassembler dans l'atrium. « Disney achète Pixar », annonça Jobs. Certains se mirent à sangloter, mais quand leur P-DG explicita l'accord entre les deux parties, les employés comprirent que c'était en quelque sorte une acquisition inversée. Catmull serait à la tête du département animation de Disney et Lasseter en serait le directeur artistique. À la fin du discours de leur patron, tous se congratulèrent. Resté à l'écart, Bob Iger fut invité à rejoindre le centre de la scène. Il évoqua la culture toute particulière de Pixar et le besoin vital de Disney de s'en nourrir et s'en imprégner. Sur ces mots, toute la salle applaudit.

« Mon objectif a toujours été de fabriquer non seulement des produits de qualité, mais aussi de bâtir d'importantes compagnies, déclara Jobs par la suite. Grâce à cette fusion, Pixar resterait une grande entreprise et aiderait Disney à conserver ses lettres de noblesse. »

CHAPITRE TRENTE-TROIS

LES MAC DU XXIᵉ SIÈCLE

Apple se démarque

Avec l'iBook, en 1999.

Palourdes, glaçons et tournesols

Depuis l'introduction de l'iMac en 1998, Jobs et Ive avaient créé des designs époustouflants, véritables marques de fabrique des produits Apple. Un ordinateur portable aux allures de palourde couleur mandarine et un ordinateur de bureau en forme de glaçon zen ! Bien sûr, comme ces pantalons pattes d'éléphant qui terminent au fond de votre placard, certains modèles paraissaient plus rutilants à l'époque qu'aujourd'hui, et trahissaient un amour du design parfois un peu trop exubérant. Cela dit, ils démarquaient Apple et lui donnaient l'éclat publicitaire dont il avait besoin pour survivre dans un univers dominé par Windows.

Le Power Mac G4 Cube, sorti en 2000, était tellement novateur que l'un d'eux fut exposé au Museum of Modern Art de New York. Un cube parfait de vingt centimètres, la taille d'une boîte de Kleenex, pure expression de l'esthétique de Jobs. Une sophistication mêlée de minimalisme. Aucun bouton ne gâtait sa surface. Pas de plateau d'insertion de disque, seulement une fente discrète. « Quand vous voyez un objet aussi ingénieux à l'extérieur, vous vous dites qu'il doit l'être tout autant à l'intérieur, déclara-t-il au magazine *Newsweek*. Nous avons fait de grands progrès en éliminant certains détails superflus. »

Le G4 Cube était ostentatoire dans son absence d'ostentation. Et c'était une machine puissante. Mais il n'obtint pas le succès escompté. Il avait été conçu à l'origine comme un ordinateur de bureau haut de gamme, puis Jobs avait voulu le transformer, comme la majorité de ses créations, en un produit grand public. Le Cube finit par ne s'adapter à aucun des deux marchés. Les professionnels ne recherchaient pas une sculpture pour leurs bureaux et les particuliers n'étaient guère enclins à dépenser deux fois le prix d'un ordinateur basique.

Le patron d'Apple espérait en vendre deux cent mille par trimestre. Le premier trimestre, il en vendit moitié moins. Le second, seulement trente mille unités s'écoulèrent. Par la suite, il reconnut que le Cube avait un design trop futuriste et un prix trop élevé, comme pour NeXT. Mais, peu à peu, il apprenait sa leçon. En créant des bijoux comme l'iPod, il contrôlerait les coûts et lancerait son produit au moment opportun et au prix adéquat.

En partie à cause des ventes médiocres du Cube, Apple afficha des revenus décevants en septembre 2000. C'était au moment même de l'éclatement de la bulle technologique et du déclin du marché. Le prix de l'action Apple, qui avait dépassé les soixante dollars, perdit 50 pour cent en une journée et, début décembre, passa sous la barre des quinze dollars.

Malgré ces événements, Jobs continua à créer des designs inventifs et surprenants. Quand les écrans plats furent commercialement viables, il se dit qu'il était temps de remplacer l'iMac, l'ordinateur de bureau translucide qui semblait tout droit sorti d'un dessin animé des Jetson. Ive lui présenta un nouveau modèle plutôt conventionnel, avec les entrailles de la machine fixées au dos de l'écran. Le patron ne l'aimait pas. Comme à son habitude, chez Apple comme chez Pixar, il donna un grand coup de frein et décida de repenser tout le concept. Le design manquait selon lui de pureté. « Quel est l'intérêt d'un écran plat si on lui colle cette grosse masse dans le dos ? »

Ce jour-là, il rentra tôt pour réfléchir au problème, puis demanda à son chef designer de le rejoindre chez lui. Dans le jardin, Steve et sa femme avaient planté une profusion de tournesols. « Chaque année, on crée quelque chose de délirant dans le jardin, raconte Laurene. Cette fois, on a planté un carré de tournesols et on a confectionné une cabane à l'intérieur pour les enfants. Jony et Steve réfléchissaient à leur problème de design, quand Jony s'est exclamé : "Et si on séparait l'écran de la base, comme un tournesol ?" » L'idée l'enthousiasmait tellement qu'il se mit aussitôt au travail. D'après lui, les designs devaient raconter une histoire et, dans son esprit, la forme du tournesol véhiculait l'idée que l'écran plat était suffisamment libre et fluide pour se tourner vers le soleil.

Dans le nouveau concept d'Ive, l'écran du Mac était fixé à un support de métal articulé, de sorte qu'il évoquait à la fois un tournesol et le personnage rigolo de Luxo Jr, la petite lampe facétieuse du premier court-métrage réalisé par Lasseter pour Pixar. Apple breveta plusieurs modèles, la plupart au crédit du designer, mais Jobs s'adjugea tout de même la paternité de l'idée d'un « ordinateur composé d'une partie mobile reliée à un écran plan ».

Certains designs d'Apple pouvaient paraître, rétrospectivement, un peu trop léchés. Mais les autres fabricants d'ordinateurs avaient adopté un parti pris diamétralement opposé. Cette industrie censée être à la pointe de l'innovation était dominée par des boîtiers génériques, ternes et bon marché. Après quelques tentatives de couleurs et de formes décalées, les compagnies comme Dell, Compaq et HP avaient délocalisé la fabrication de leurs boîtiers, augmentant ainsi leur compétitivité en termes de prix. Avec ses designs audacieux et ses applications inédites, comme iTunes et iMovie, Apple était la seule entreprise réellement innovante du secteur.

L'arrivée d'Intel

Les innovations d'Apple étaient loin d'être de simples modifications de surface. Depuis 1994, l'entreprise utilisait un microprocesseur appelé PowerPC, fabriqué en partenariat avec IBM et

Motorola. Durant plusieurs années, il fut plus rapide que les puces
d'Intel, un avantage dont Apple s'était vanté dans ses publicités.
Néanmoins, au moment du retour de Jobs en 1997, Motorola avait
échoué à produire de nouvelles versions de la puce. Cela déclencha
une querelle entre le patron d'Apple et le P-DG de Motorola, Chris
Galvin. Quand Jobs décida en 1997 de cesser d'accorder aux fabricants de clones la licence du système d'exploitation de Macintosh,
il dit à Galvin qu'il envisageait de faire une exception pour le clone
de Motorola, le StarMax compatible Mac, mais seulement si Motorola accélérait le développement des nouvelles puces PowerPC pour
ordinateurs portables. La conversation s'envenima. L'homme fort
d'Apple finit par déclarer que les puces de Motorola étaient
médiocres. Galvin, qui avait lui aussi un tempérament bien trempé,
lui tint tête. Résultat, le Motorola StarMax fut annulé et Jobs pla-
nifia en secret de ne plus utiliser la puce PowerPC de Motorola/
IBM pour les Mac et d'adopter à la place celle d'Intel. Ce ne serait
pas chose facile, car il faudrait réécrire tout le système d'exploitation.

Jobs ne donnait aucun pouvoir réel à son conseil d'administration,
mais il se servait de ses réunions pour tester ses idées et réfléchir
à ses stratégies avec ses hommes de confiance. Debout devant son
tableau blanc, il orientait les discussions. Pendant dix-huit mois, les
directeurs avaient débattu pour savoir s'il fallait adopter une architecture Intel. « Nous nous sommes posé un millier de questions et
nous avons finalement décidé de le faire », se rappelle Art Levinson.

Paul Otellini, alors directeur général (et futur P-DG) d'Intel, se
mit à comploter avec le patron d'Apple. Ils avaient fait connaissance
à l'époque où Jobs luttait pour maintenir NeXT en vie et, comme
le disait Otellini, « son arrogance s'était temporairement apaisée ».
Le patron d'Intel avait de l'humour et de la distance par rapport
au genre humain. Cela l'avait amusé de voir qu'au moment des
négociations début 2000, Steve Jobs « avait retrouvé son tempérament colérique et perdu, à nouveau, toute humilité ». Intel avait des
partenariats avec d'autres fabricants d'ordinateurs, mais Jobs voulait
obtenir de meilleurs prix que ses concurrents. « Nous avons dû trouver des moyens originaux pour nous entendre sur le plan financier »,
raconte Otellini. La plupart de leurs discussions avaient lieu lors de
ces longues promenades que Jobs aimait tant, parfois sur les sentiers
qui menaient au radiotélescope surplombant le campus de Stanford.

Le patron d'Apple débutait la balade en racontant une histoire et en exposant sa vision de l'évolution de l'informatique. À la fin, il parlait chiffres.

« Intel a la réputation d'être un partenaire coriace, depuis l'époque où il était dirigé par Andy Grove et Craig Barrett, m'expliqua Otellini. Je voulais lui prouver qu'Intel était une entreprise avec qui on pouvait collaborer. » Ainsi, une équipe de spécialistes d'Intel travailla avec Apple et, ensemble, ils réussirent à opérer la conversion en six mois. Jobs convia son homologue d'Intel au séminaire du Top 100 des employés d'Apple, où son invité d'honneur lui offrit l'une des fameuses tenues stériles d'Intel – celles à mi-chemin entre une combinaison d'astronaute et un costume de lapin. Puis les deux hommes s'étreignirent. Lors de l'annonce publique en 2005, le patron d'Intel, habituellement si réservé, serra de nouveau Jobs dans ses bras tandis que s'affichait sur l'écran : « Apple et Intel, enfin ensemble. »

Gates n'en revenait pas. La conception de boîtiers multicolores ne l'impressionnait guère. En revanche, la réalisation d'un programme secret pour reconfigurer le cœur du système d'exploitation d'un ordinateur, sans heurts ni retard, tenait de l'exploit. « Si vous m'aviez dit que vous alliez modifier le microprocesseur de votre ordinateur sans créer le moindre dysfonctionnement, je vous aurais dit que c'est impossible, m'avoua-t-il plusieurs années après, quand je l'interrogeai sur les accomplissements de Jobs. Pourtant, lui l'a fait. »

Actions

Parmi les bizarreries du patron d'Apple, son attitude envers l'argent est devenue notoire. À son retour chez Apple en 1997, il se décrivit comme un homme qui s'était attribué un dollar de salaire par an, au motif qu'il œuvrait pour l'entreprise et non pour lui-même. Néanmoins, il accepta l'idée de se voir gratifié d'un énorme paquet de stock-options – lui permettant d'acheter des actions Apple à un prix prédéterminé – non assujetties aux critères de performance habituels du conseil d'administration.

Lorsqu'il abandonna l'« intérim » de son titre et devint officiellement P-DG, Woolard et le conseil lui offrirent (en plus de son jet privé) un nombre astronomique de stock-options au début de l'année

2000. Défiant l'image d'homme non intéressé qu'il cultivait depuis lors, Jobs estomaqua Woolard en en réclamant davantage. Mais peu après avoir obtenu gain de cause, il se retrouva sans rien. Le cours de l'action d'Apple dégringola en septembre 2000, en raison des ventes médiocres du Cube et de l'éclatement de la bulle Internet, rendant ses stock-options sans valeur, puisque le prix d'attribution était supérieur au cours du moment.

Pour aggraver la situation, le magazine *Fortune* publia en juin 2001 une enquête sur les compensations indécentes accordées aux P-DG. Un Jobs au sourire suffisant faisait la couverture. Même si les stock-options ne valaient plus rien, la méthode d'évaluation de l'époque (connue comme le modèle Black-Scholes) leur conférait une valeur de huit cent soixante-douze millions de dollars. Le magazine proclamait qu'il s'agissait « de loin » de la plus importante compensation sous forme de stock-options jamais accordée à un P-DG. Le monde s'écroulait. Alors que Jobs n'avait pratiquement pas gagné un sou en quatre années de dur labeur pour redresser Apple, il était devenu l'emblème de ces dirigeants avides, hypocrites et manipulateurs. Il écrivit une lettre cinglante au rédacteur en chef, déclarant que la valeur de ses stock-options était en réalité pratiquement nulle et proposant à *Fortune* de les lui racheter pour la moitié de la valeur supposée de huit cent soixante-douze millions rapportée par le magazine.

Dans le même temps, il demanda au conseil d'administration de lui donner une autre brassée de stock-options, les siennes étant sans valeur. « Ce n'était pas tant une question d'argent, déclara-t-il devant la SEC (Security Exchange Commission), le régulateur des opérations boursières outre-Atlantique. Tout le monde aime être reconnu par ses pairs... Or je n'avais pas l'impression d'avoir été récompensé par le conseil d'administration. » Ses stock-options n'ayant plus aucune valeur, il aurait apprécié que le conseil lui en offre d'autres, mais sans avoir à le lui demander. « J'avais l'impression de faire du bon travail et ce geste m'aurait fait du bien à l'époque. » Son conseil trié sur le volet le vénérait. Aussi décida-t-il de lui octroyer un autre important portefeuille de stock-options en août 2001, alors que le cours de l'action était tout juste en dessous de dix-huit dollars. Seulement, Jobs s'inquiétait de son image, en particulier après la publication de l'article de *Fortune*. Pas question pour lui d'accepter cette nouvelle compensation tant que le conseil n'aurait pas annulé l'ancienne. Mais cette procédure aurait des implications comptables défavorables, car cela entraînerait la révision du prix des anciennes options et des frais sur les gains actuels. Le seul moyen d'éviter ce problème de « variations comptables » était d'annuler les anciennes options au moins six mois après la dotation des nouvelles. Ainsi, Jobs se mit à tergiverser avec le conseil pour savoir s'il serait rapidement gratifié des nouvelles stock-options.

Ce n'est donc qu'à la mi-décembre 2001 que le patron d'Apple accepta de prendre sa nouvelle compensation et d'attendre six mois l'annulation de la précédente. Mais à l'époque, le cours de l'action (s'ajustant à la division du cours) avait augmenté de trois dollars, atteignant presque vingt et un dollars. Si le prix d'exercice était fixé à ce nouveau niveau, chaque option exercée lui rapporterait trois dollars de moins. Ainsi, la conseillère juridique d'Apple, Nancy Heinen, étudia les cours récents de l'action et détermina une date fictive en octobre, où l'action valait dix-huit dollars trente. Elle signa également une série de procès-verbaux statuant que le conseil avait bel et bien fixé la valeur des stock-options à cette date. Cet antidatage donnait une plus-value potentielle de vingt millions de dollars à Jobs.

De nouveau, le patron d'Apple finirait par récolter une mauvaise publicité sans toucher un centime. Le cours de l'action Apple ne cessait de chuter, et en mars 2003, les nouvelles options s'étaient tellement dépréciées qu'il les échangea contre un portefeuille d'actions d'une valeur de soixante-quinze millions de dollars, soit l'équivalent de huit millions trois cent mille dollars pour chaque année travaillée depuis son retour en 1997, jusqu'à la fin de l'investissement en 2006.

Rien de tout cela n'aurait eu de répercussions si le *Wall Street Journal* n'avait révélé une série de fraudes en 2006 liées à l'antidatage de stock-options. Apple n'était pas mentionné, mais son conseil d'administration délégua un comité de trois membres – Al Gore, Eric Schmidt, de Google, et Jerry York, ancien d'IBM et de Chrysler – pour enquêter sur ses propres pratiques. « Nous avons décidé dès le début que si Steve était en tort, nous irions jusqu'au bout, peu importe les conséquences », se rappelait Al Gore. Le comité découvrit des irrégularités dans les compensations de leur patron, ainsi que de plusieurs directeurs importants, et transmit aussitôt ces découvertes à la SEC. Jobs était au courant de l'antidatage, spécifiait le rapport, mais au final, il n'en avait retiré aucun bénéfice, d'un point de vue financier. (Un comité de Disney révéla le même type d'irrégularités chez Pixar, à l'époque où Jobs en était le dirigeant.)

Les lois sur ces pratiques étaient obscures, en particulier dans la mesure où personne chez Apple n'avait tiré profit de ces plans au datage douteux. La SEC mit huit mois pour mener sa propre enquête et, en avril 2007, annonça qu'elle n'intenterait aucune action contre Apple, « étant donné sa collaboration incroyablement diligente et efficace dans l'investigation de la commission ». Même si la SEC avait déterminé que Jobs était parfaitement au courant de la manœuvre, elle le lava de toute mauvaise conduite, au motif qu'il n'avait « pas conscience des implications comptables ».

En revanche, la commission porta plainte contre l'ancien directeur financier Fred Anderson, qui faisait partie du conseil d'administration, et la directrice juridique Nancy Heinen. Fred Anderson, capitaine de l'Air Force à la retraite, un homme à la mâchoire carrée et doté d'une solide intégrité, était connu pour sa capacité à maîtriser les humeurs de Jobs. Il écopa d'une citation de la SEC pour « négligence » concernant les documents administratifs d'une série de compensations (celles accordées à Jobs n'en faisaient pas partie) et fut néanmoins autorisé à continuer à siéger dans les conseils d'administration. Pourtant, il finit par démissionner du conseil d'Apple. Jobs et Anderson avaient été excusés de la réunion du conseil quand le comité d'Al Gore avait débattu de leurs découvertes ; le directeur financier s'était retrouvé en tête à tête avec son patron dans son bureau. Ce fut leur toute dernière conversation.

Fred Anderson avait le sentiment d'avoir servi de bouc émissaire. Quand il se retrouva face à la SEC, son avocat fit une déclaration qui rejetait une partie de la faute sur Jobs. Il affirmait avoir « prévenu M. Jobs que les stock-options de l'équipe dirigeante devraient être indexées à la date de leur attribution, sans quoi il risquait d'y avoir des problèmes de comptabilité ». Ce à quoi Jobs avait d'après lui répondu : « Le conseil a donné son accord préalable. »

Nancy Heinen, qui avait initialement réfuté les charges retenues contre elle, régla finalement le contentieux en payant une amende. De la même manière, l'entreprise mit fin aux poursuites en acceptant de verser quatorze millions de dollars de dommages.

Le problème des compensations faisait écho au comportement étrange de Jobs. Il refusait d'avoir une place de parking avec la mention « Réservé au P-DG », mais s'octroyait le droit de se garer sur les emplacements dévolus aux personnes handicapées. De même, il voulait être vu (par les autres comme par lui-même) comme un homme désireux de travailler pour un dollar par an, tout en trouvant normal de se voir offrir d'énormes portefeuilles de stock-options. Son attitude reflétait les contradictions d'un rebelle devenu un homme d'affaires, qui voulait croire qu'il avait trouvé « l'harmonie, l'ouverture, le détachement » sans se vendre ni se trahir.

CHAPITRE TRENTE-QUATRE

PREMIER ROUND

Memento mori

Steve Jobs (au centre) pour ses cinquante ans, avec Laurene Powell tenant Eve, Eddy Cue, John Lasseter (avec l'appareil photo) et Lee Clow (en chemise blanche).

Cancer

Plus tard, Jobs se dirait que son cancer avait été causé par les années éreintantes où, à partir de 1997, il avait dirigé conjointement Apple et Pixar. À force de se déplacer en voiture d'une société à l'autre, il avait développé des calculs rénaux ainsi que d'autres maladies, et rentrait à la maison si épuisé qu'il pouvait à peine parler. « C'est probablement à cette époque que mon cancer s'est développé, parce que mon système immunitaire était trop faible. »

Rien ne prouve qu'une grande fatigue ou un système immunitaire fragile soient des causes de cancer. Néanmoins, son problème rénal avait indirectement conduit au dépistage de son cancer. En octobre 2003, l'urologue qui l'avait soigné lui demanda de passer un scanner des reins et de l'uretère. Cinq années s'étaient écoulées depuis son dernier scanner. Le nouvel examen ne détecta aucune anomalie au niveau des reins, mais révéla une ombre sur son pancréas, aussi son médecin lui demanda-t-il de programmer un nouveau scanner. Ce qu'il ne fit pas. Jobs était en effet très doué pour ignorer les informations désagréables. Mais son médecin insista : « Steve, c'est vraiment important. Vous devez passer cet examen. » Le ton de sa voix était si pressant qu'il finit par céder. Il subit l'examen un matin et, après l'analyse du scanner, les médecins le convoquèrent pour lui annoncer la mauvaise nouvelle : l'ombre était une tumeur. L'un d'eux lui suggéra même de mettre ses affaires en ordre, une façon polie de lui dire qu'il n'avait plus que quelques mois à vivre. Ce soir-là, ils réalisèrent une biopsie en faisant descendre un endoscope dans sa gorge jusqu'à ses intestins, de manière à pouvoir introduire une aiguille dans son pancréas et prélever quelques cellules de la tumeur. Laurene Jobs se rappelait la joie des médecins : il s'agissait en fait d'une tumeur neuroendocrine du pancréas, une affection rare, mais au développement lent et donc souvent soignée avec succès. Par chance, la tumeur avait été détectée très tôt et pouvait donc être retirée par voie chirurgicale avant de se répandre.

L'un des premiers appels de Jobs fut pour Larry Brilliant, qu'il avait rencontré en Inde : « Vous croyez en Dieu ? » Comme son interlocuteur répondait par l'affirmative, ils discutèrent des nombreuses voies menant à Dieu que leur gourou hindou Neem Karoli Baba leur avait enseignées. Puis Larry Brilliant lui demanda ce qui n'allait pas. « J'ai un cancer », annonça Jobs.

Art Levinson, l'un des membres du conseil d'administration d'Apple, présidait le conseil de sa propre société, Genentech, quand son téléphone portable sonna, l'écran affichant le nom de Jobs. Dès qu'il put se ménager une pause, il rappela le patron d'Apple, qui lui apprit la mauvaise nouvelle. Lui-même avait reçu une formation en oncologie, et sa société produisait des traitements anti-tumoraux, aussi devint-il l'un de ses conseillers. Tout comme Andy Grove, d'Intel, qui avait combattu et vaincu un cancer de la prostate. Quand Jobs le contacta un dimanche, il se rendit aussitôt chez lui et les deux hommes discutèrent pendant deux heures.

Au grand désespoir de sa femme et ses amis, Jobs refusa l'opération chirurgicale de l'ablation de la tumeur, qui était pourtant la seule approche médicalement acceptable. « Je ne supportais pas l'idée qu'on m'ouvre le corps, alors j'ai décidé d'essayer d'autres méthodes », commenta-t-il quelques années plus tard avec une pointe de regret. En particulier, il s'imposa un régime végétarien strict, à base de grandes quantités de carottes crues et de jus de fruits frais. À cette alimentation, il ajouta des séances d'acupuncture, divers remèdes à base de plantes, et de temps à autre quelques traitements dénichés sur Internet ou conseillés par des gens de tous horizons, dont un médium. Pendant un temps, il fut sous l'emprise d'un naturopathe qui dirigeait une clinique de soins en Californie du Sud. Cet établissement promouvait l'ingestion d'herbes organiques, de jus de fruits et de légumes, de lavements fréquents du côlon, l'hydrothérapie, sans oublier l'expulsion de tous les sentiments négatifs.

« Le problème, se rappelle Laurene, c'est que Steve ne voulait vraiment pas qu'on l'opère. C'est difficile de forcer quelqu'un à cela. » Pourtant, elle fit son possible pour le convaincre. « Le corps est là pour servir l'esprit », argumentait-elle. Ses amis le pressaient aussi d'accepter l'opération et la chimiothérapie. « Steve est venu me trouver quand il tentait de se soigner en mangeant des racines de pissenlit, et je lui ai dit qu'il était cinglé », se rappelle Andy Grove. Levinson le travaillait au corps tous les jours. « Il ne voulait rien savoir. Je n'en pouvais plus. C'était si frustrant ! » Leur mésentente faillit briser leur amitié. « Le cancer se contrefout de tes jus de fruits ! insistait-il quand Jobs lui parlait de ses traitements diététiques. Tu ne peux pas t'en débarrasser sans la chirurgie et une bonne dose de produits chimiques. » Même le diététicien Dean Ornish, pionnier des méthodes alternatives et nutritionnelles pour le traitement des maladies, fit une longue promenade en sa compagnie et tenta de le persuader que, parfois, les méthodes traditionnelles étaient la seule solution. « Vous avez vraiment besoin de la chirurgie », conclut-il.

L'obstination de Jobs dura neuf mois après son diagnostic, établi en octobre 2003. Elle était en partie due à sa vision distordue de la réalité, son côté obscur. « Je pense que Steve désire si férocement que le monde fonctionne d'une certaine manière qu'il croit pouvoir le plier à sa volonté, se disait Levinson. Parfois, ça ne marche pas. La réalité ne pardonne pas. » Le revers de cette incroyable aptitude à se concentrer sur un objectif était sa redoutable volonté de faire abstraction des choses indésirables. Ce mode de fonctionnement lui avait permis de faire de grands progrès, mais ce n'était pas sans contre-partie. « Il a cette capacité à ignorer les problèmes qu'il refuse d'affron-ter, me confia sa femme. Il est comme ça. » Quand il s'agissait de sujets personnels liés à sa famille ou son mariage, de ses difficultés ou défis professionnels, ou encore de ses problèmes de santé et de son cancer, Jobs refusait parfois tout bonnement de s'impliquer.

Par le passé, « sa pensée magique » comme l'appelait sa femme – l'idée qu'il pouvait plier le monde à sa volonté – avait porté ses fruits. Mais elle serait impuissante contre le cancer. Laurene supplia les proches de son mari, y compris sa sœur, Mona Simpson, de le convaincre d'accepter l'opération. Enfin, en juillet 2004, le scanner montra que la tumeur avait grossi et sans doute produit des méta-stases. Cette donnée l'obligea à affronter la réalité.

Jobs fut opéré le samedi 31 juillet 2004 au Stanford University Medical Center. Il ne subit pas une « opération de Whipple » com-plète, correspondant à l'ablation d'une grande partie de l'estomac, des intestins et du pancréas. Les médecins envisagèrent cette solu-tion, puis décidèrent d'adopter une approche moins radicale, moins invasive, consistant à ne retirer qu'une partie du pancréas.

Le patron d'Apple envoya un e-mail à ses employés le lendemain – avec son PowerBook relié à un AirPort Express dans sa chambre d'hôpital – pour les informer de l'intervention qu'il avait subie. Il leur assura que son type de cancer ne représentait qu'1 pour cent des cas de cancer pancréatique traités chaque année et qu'il pouvait être guéri grâce à une ablation chirurgicale s'il était diagnostiqué suffisamment tôt (ce qui était son cas). Il ajouta qu'il n'aurait pas besoin de chimiothérapie ni de radiothérapie et qu'il prévoyait de reprendre le travail en septembre. « En mon absence, j'ai demandé à Tim Cook de superviser l'ensemble des opérations, donc tout devrait bien se passer. Je suis certain que je harcèlerai de nouveau certains d'entre vous dès le mois d'août par téléphone et j'ai hâte de vous revoir tous en septembre. »

L'un des effets indirects de l'opération devint un véritable pro-blème pour Jobs, à cause de ses régimes obsessionnels et des étranges habitudes de lavements et de jeûnes qu'il avait depuis l'adolescence. Comme le pancréas sécrète les enzymes nécessaires à l'estomac pour digérer la nourriture et absorber les nutriments, l'ablation d'une partie de cet organe nécessite une plus grande absorption de protéines. On conseille donc aux patients de prendre des repas fréquents et de suivre un régime alimentaire riche, avec différentes sortes de protéines de viande et de poisson, ainsi que des produits au lait entier.

Après un séjour de deux semaines à l'hôpital, Jobs eut bien du mal à recouvrer ses forces. « Je me rappelle être rentré chez moi et m'être assis dans ce fauteuil à bascule. Je n'avais même pas la force de marcher. Il m'a fallu une semaine avant de pouvoir faire le tour du quartier, et six mois pour retrouver pleinement mon énergie. »

Malheureusement, le cancer s'était étendu. Pendant l'opération, les médecins avaient découvert trois métastases au foie. Si les médecins l'avaient opéré neuf mois auparavant, ils auraient peut-être pu empêcher la maladie de progresser, mais cela n'était pas une certitude. Jobs débuta la chimiothérapie, qui ne fit que compliquer davantage ses habitudes alimentaires insolites.

La remise des diplômes de Stanford

Steve Jobs poursuivit sa lutte contre le cancer en secret – il avait annoncé à tout le monde qu'il était « guéri » – tout comme il avait gardé pour lui le diagnostic de son cancer en octobre 2003. Cette obsession du secret n'était guère étonnante. C'était dans sa nature. Plus surprenante fut sa décision de parler publiquement et intimement de sa santé. Peu adepte des discours, en dehors de ses présentations rituelles, il accepta néanmoins l'invitation de Stanford pour prononcer le discours de remise des diplômes de l'université en juin 2005. Sa maladie et l'approche de la cinquantaine le rendaient d'humeur pensive.

Pour l'aider à écrire son discours, il appela le brillant scénariste Aaron Sorkin (*Des hommes d'honneur*, la série *À la Maison Blanche*). L'homme accepta de l'aider, aussi Jobs lui envoya-t-il quelques idées. « C'était en février, mais comme rien ne venait, je l'ai relancé en avril. Il me répondit qu'il ne m'oubliait pas, mais au début du mois de juin, je n'avais toujours aucune nouvelle. »

Jobs paniqua. Il avait toujours écrit ses propres présentations, mais n'avait jamais prononcé un discours de remise des diplômes. Un soir, il s'installa à son bureau et se mit à pied d'œuvre, avec pour toute aide quelques idées de sa femme. Résultat, ce fut un discours simple, intime, au ton dépouillé et personnel, à l'image de ses créations.

Alex Haley lui avait dit un jour que le meilleur moyen de commencer un discours était de dire : « Laissez-moi vous raconter une histoire... » Personne n'aime les conférences, en revanche, les gens adorent les histoires. C'est l'approche qu'adopta le P-DG d'Apple : « Aujourd'hui, je vais vous raconter les trois histoires de ma vie. C'est tout. Rien d'autre. Juste trois histoires. »

La première racontait l'abandon de ses études au College Reed. « J'ai décidé de laisser tomber les cours qui me semblaient inutiles, et j'ai commencé à suivre ceux qui paraissaient plus intéressants. » Dans le second récit, il expliqua que son éviction d'Apple avait finalement été une bonne chose. « Le poids du succès avait été remplacé par la légèreté d'un nouveau départ, avec moins de certitudes sur le monde. » Les étudiants étaient particulièrement attentifs, en dépit de l'avion qui décrivait des cercles au-dessus de leurs têtes, avec une banderole les pressant de « recycler tout i-gaspillage ». Mais ce fut sa troisième histoire qui fascina réellement l'auditoire. Le récit du diagnostic de son cancer et de la prise de conscience qu'il avait entraînée.

> Me rappeler que je serai bientôt mort a été un moteur essentiel pour m'aider à prendre les plus grandes décisions de ma vie. Parce que presque tout – les attentes, la fierté, la peur de l'embarras ou de l'échec –, tout cela s'évanouit face à la mort... Et qu'il ne reste que ce qui compte vraiment. Se rappeler qu'on va mourir est le meilleur moyen d'éviter le piège qui consiste à croire qu'on a quelque chose à perdre. On est déjà nu. Alors pourquoi ne pas écouter son cœur ?

Le minimalisme et la sincérité de son discours lui conféraient simplicité, charme et pureté. Cherchez où vous voudrez, des anthologies à YouTube, vous ne trouverez pas un aussi beau discours de remise des diplômes. D'autres ont eu une plus grande dimension historique, comme celui de George Marshall à Harvard en 1947, pour annoncer son plan de reconstruction de l'Europe, mais aucun ne fut empreint d'une telle grâce.

Un lion de cinquante ans

Jobs avait célébré son trentième et son quarantième anniversaire avec les stars de la Silicon Valley et d'autres célébrités du même acabit. Mais pour ses cinquante ans en 2005, après son opération, sa femme organisa une fête surprise avec seulement ses plus proches amis et quelques-uns de ses collègues. L'événement eut lieu dans la demeure confortable d'amis ; le grand chef Alice Waters prépara du saumon d'Écosse avec du couscous et une grande variété de légumes de saison. « C'était merveilleusement chaleureux et intime, d'autant que tous les invités, y compris les enfants, tenaient assis dans une seule pièce », se rappelle Alice Waters. En guise de divertissement, une improvisation des comédiens de l'émission théâtrale *C'est ma réplique après tout*[1] ? Son ami, Mike Slade, était présent, ainsi que des collègues d'Apple et de Pixar, dont Lasseter, Cook, Schiller, Clow, Rubinstein et Tevanian.

Cook avait fait du bon boulot à la tête de la compagnie en l'absence du patron. Il avait maintenu le niveau de performance des pirates susceptibles et irascibles d'Apple, sans pour autant se mettre en avant. Jobs aimait les fortes personnalités, mais il n'avait jamais propulsé un collaborateur sous les feux des projecteurs ni partagé le devant de la scène. Être sous ses ordres n'était pas chose aisée. Gare à vous si vous brillez trop ! Gare à vous si vous ne brillez pas ! Cook avait réussi à éviter ces deux écueils. Calme et ferme aux commandes du navire, il ne recherchait ni distinctions ni louanges : « Certains reprochent à Steve de se mettre en avant, moi je m'en moque éperdument. Franchement, je préfère que mon nom ne soit cité nulle part. »

Quand le patron d'Apple revint de son congé maladie, Tim Cook reprit son rôle de cheville ouvrière de la Pomme, permettant aux parties mobiles de la machine de s'emboîter étroitement, tout en restant insensible aux sautes d'humeur du pilote. « Souvent, les gens prennent les remarques de Steve comme une volonté d'humiliation, alors que ce n'est que la manifestation de sa passion. Du moins, c'est ainsi que je le vois, et je ne me sens personnellement jamais

---

1. Titre original *Whose Line Is It Anyway ?* Émission d'improvisation. *(N.d.T.)*

en cause. » Par bien des aspects, Cook était le reflet inverse du patron : imperturbable, placide et (comme le thesaurus de NeXT l'aurait noté) saturnien plutôt que mercurien. « Je suis un bon négociateur, mais Tim est probablement meilleur que moi, commenta Jobs, parce que c'est un consommateur avisé. » Après quelques compliments supplémentaires, il émit une réserve, sérieuse, mais rarement énoncée : « Mais Tim n'est pas un créateur de produits, en soi. »

À l'automne 2005, Jobs nomma Cook directeur général. Ils avaient pris un vol ensemble pour le Japon et le patron d'Apple se tourna vers lui pour lui annoncer la nouvelle, sans vraiment lui demander son avis.

À peu près à la même époque, ses vieux amis Rubinstein et Tevanian – les lieutenants matériel et logiciel recrutés durant la restauration de 1997 – décidèrent de tirer leur révérence. Pour sa part, Tevanian avait gagné beaucoup d'argent et était mûr pour la retraite. « Avie est un type charmant et brillant, bien plus stable que Ruby et sans ego surdimensionné, confia Jobs. Son départ fut une grande perte pour nous. C'était un personnage – un génie. »

Le cas de Rubinstein était plus délicat. L'ingénieur était agacé par l'ascension de Cook, et épuisé par neuf années passées sous la houlette de Jobs. Les querelles entre les deux lieutenants devenaient de plus en plus fréquentes. De plus, Rubinstein s'opposait régulièrement à Ive, qui autrefois travaillait sous ses ordres et rendait désormais des comptes directement à Jobs. Ive inventait des designs toujours plus innovants et improbables, particulièrement difficiles à réaliser d'un point de vue technique. Responsable du secteur matériel, Rubinstein avait une approche pratique du produit, et se heurtait de ce fait souvent à son homologue créatif. De plus, il était prudent de nature.

L'histoire des vis des poignées du Power Mac G4 est un bon exemple de ces querelles intestines. Ive avait décrété qu'elles auraient une certaine forme et un vernis spécifique. Mais Rubinstein pressentait que cela engendrerait un coût « astronomique » et retarderait le projet de plusieurs semaines, aussi mit-il son veto à cette idée. Son boulot était de livrer des produits, ce qui signifiait faire des choix et des compromis. Ive trouvait cette vision des choses contraire à tout esprit d'innovation et passait outre ses objections pour s'adresser directement aux ingénieurs, sans même consulter Jobs au préalable : « Ruby va encore dire que c'est impossible, que ça va nous faire perdre du temps, mais moi je suis persuadé que nous pouvons le faire dans les délais. » Et chaque fois que Jobs apprenait que Ive avait négocié avec les équipes dans le dos de Rubinstein, il soutenait son artiste « maison ».

Plus d'une fois, les disputes entre les deux hommes s'envenimèrent, à tel point que Jony Ive finit par dire au patron : « C'est lui ou moi. » Jobs choisit son designer. Dès lors, Rubinstein était prêt à se retirer. Avec son épouse, il avait acheté un terrain au Mexique et avait besoin de temps pour y construire une maison. Il décida finalement de travailler pour Palm, qui tentait de concurrencer l'iPhone d'Apple. Jobs fut si furieux que Palm embauche l'un de ses anciens acolytes qu'il s'en plaignit à Bono, cofondateur d'une société de capital-investissement dirigée par Fred Anderson, ancien directeur financier d'Apple et actionnaire majoritaire chez Palm. Bono envoya un message à son ami : « Steve, tu devrais laisser tomber. Ça me rappelle les Beatles, qui s'étaient mis en colère quand le groupe Herman's Hermits avait piqué un gars de leur équipe. » Jobs reconnut après coup que sa réaction avait été disproportionnée.

Le P-DG de la Pomme réussit à former une nouvelle direction moins querelleuse et plus discrète. Ses principaux acteurs, en plus de Cook et Ive, étaient Scott Forstall, responsable logiciel de l'iPhone, Phil Schiller, en charge du marketing, Bob Mansfield, responsable matériel du Mac, Eddy Cue, pour les services Internet, et Peter Oppenheimer, au poste de directeur financier. Malgré l'apparente similitude des membres de cette équipe de choc – composée d'hommes blancs d'âge mûr –, elle affichait une grande variété de styles. Ive était bouillant et extraverti, Cook froid comme un poisson. Tous savaient qu'ils devaient allégeance à leur patron, tout en étant capables de critiquer ses idées – un équilibre subtil, que chacun d'eux réussissait à maintenir. « J'ai compris très vite que, si je ne faisais pas valoir mon opinion, Steve m'épinglerait, explique Cook. Il prend des positions controversées pour stimuler les débats et obtient ainsi de meilleurs résultats. Donc, si vous n'osez pas le contredire, vous êtes fichu. »

Le moment clé de ces conversations libres était la réunion du comité de direction du lundi matin, qui débutait à 9 heures et durait trois ou quatre heures. Cook exposait pendant dix minutes les résultats de l'entreprise, à l'appui de quelques graphiques, puis s'ensuivaient des discussions à propos des produits. L'objectif était toujours l'avenir : quel serait le prochain produit ? Quelles nouvelles idées développer ? Jobs se servait de ces réunions pour renforcer l'esprit d'équipe chez Apple, insuffler à chacun l'idée qu'ils étaient tous investis d'une même mission. Ce contrôle centralisé était à l'image des produits Apple, dont toute la conception était maîtrisée de A à Z, et évitait ces luttes intestines entre services qui gangrenaient d'ordinaire les grandes entreprises.

Jobs profitait également de ces moments pour rassembler les forces vives de la société sur un objectif précis. Dans la ferme communautaire de Robert Friedland, son boulot était de tailler les pommiers pour qu'ils soient plus productifs – il appliquait le même principe d'élagage chez Apple. Au lieu d'encourager chaque groupe à faire proliférer les gammes de produits à partir de considérations marketing, ou de laisser un millier d'idées fleurir, Jobs insistait pour qu'Apple se concentre sur deux ou trois priorités tout au plus. « Il n'a pas son pareil pour étouffer les bruits parasites autour de lui, commente Cook. Cela lui permet de se focaliser sur l'essentiel. »

Dans la Rome antique, quand un général victorieux paradait dans les rues, la légende voulait qu'il soit suivi d'un serviteur dont le rôle était de lui répéter « *memento mori* » – « rappelle-toi que tu es mortel ». Cet avertissement aidait le héros à garder les pieds sur terre, à faire preuve d'humilité. Le *memento mori* de Jobs lui avait été délivré par ses médecins, sans pour autant lui inculquer le sens de l'humilité. En effet, après sa convalescence, il reprit ses affaires avec plus de passion encore, comme s'il ne lui restait que peu de temps pour accomplir son œuvre. Comme il l'avait dit dans son discours émouvant de Stanford, la maladie lui rappelait qu'il n'avait rien à perdre, aussi devait-il aller de l'avant. « Il est revenu investi d'une mission, explique Cook. Même s'il dirige désormais une grande entreprise, il continue à faire des choix audacieux, qu'à mon sens personne d'autre n'aurait osé faire. »

Pendant un temps, on aurait pu croire, ou du moins espérer, que son caractère tempétueux se serait adouci, qu'affronter un cancer et approcher la cinquantaine l'auraient rendu un peu moins brutal quand il était sous le coup de l'émotion. « Juste après son retour, Steve humiliait moins son entourage, se rappelle Tevanian. Quand il était mécontent, il pouvait crier, s'énerver, et jurer, mais il ne cherchait pas à anéantir totalement sa victime. C'était juste sa façon de pousser une personne à donner le meilleur d'elle-même. » Sur ces mots, Tevanian réfléchit un moment, puis ajouta : « Sauf s'il pensait qu'un type était vraiment nul et qu'il fallait le virer, ce qui arrivait de temps à autre. »

Finalement, son mauvais caractère reprit le dessus. Comme la plupart de ses collègues étaient habitués à ses sautes d'humeur, ils s'en accommodaient. Ce qui les mettait mal à l'aise, c'était quand sa fureur se déversait sur des étrangers. « Une fois, on est allés dans un magasin bio chercher des smoothies, se rappelle Ive. Pendant que la vieille vendeuse les préparait, Jobs l'a engueulée, prétendant qu'elle s'y prenait comme un pied. Mais plus tard, il a regretté son énervement : "C'est qu'une pauvre vieille qui n'aime pas son boulot." Mais il ne l'a pas compris tout de suite. »

Lors d'un séjour à Londres avec Jobs, Ive eut la tâche ingrate de choisir l'hôtel. Il sélectionna le Hempel, un hôtel cinq étoiles tranquille, au décor raffiné et minimaliste, qui selon lui plairait à son patron. Mais à peine étaient-ils arrivés que son téléphone sonna. « Je déteste ma chambre. Elle est infâme. On s'en va. » Ive récupéra donc ses bagages et descendit à l'accueil, où son patron disait vertement à l'employé abasourdi sa façon de penser. Il se rendit compte que la plupart des gens, lui compris, n'osaient pas exprimer leur mécontentement avec franchise par peur d'être détesté, ce qui était, en fait, assez pitoyable. Jobs, en tout cas, n'avait pas cette coquetterie.

Ive était profondément gentil, aussi ne comprenait-il pas pourquoi son patron, qu'il aimait sincèrement, pouvait se montrer aussi cruel. Un soir, dans un bar de San Francisco, il réfléchit et tenta une analyse :

> Steve est un homme extrêmement sensible. Voilà pourquoi son comportement asocial, sa rudesse, sont si incompréhensibles. Je comprends pourquoi les types à la peau dure sont rudes, mais pas les gens sensibles. Un jour, je lui ai demandé pourquoi il s'emportait aussi facilement. Il m'a répondu qu'il n'était jamais en colère très longtemps.

Il avait cette capacité enfantine à se fâcher pour un rien, mais cela ne durait pas. Parfois, je pense sincèrement que quand il est blessé, faire du mal à autrui est pour lui une forme de catharsis. Je crois qu'il pense avoir la liberté et le droit d'agir ainsi. Les règles sociales conventionnelles, dans son esprit, ne s'appliquent pas à lui. Comme il est très intuitif, il sait parfaitement comment blesser les gens. Et il le fait au besoin.

De temps à autre, un collègue avisé prenait son patron à part et tentait de le calmer. Lee Clow était passé maître en la matière. « Steve, je peux te parler ? » lui disait-il doucement quand le patron de la Pomme avait rabaissé quelqu'un en public. Il se rendait ensuite dans son bureau et lui expliquait combien tout le monde travaillait dur. « Quand tu humilies tes employés, cela les déstabilise au lieu de les stimuler. » Jobs s'excusait généralement et répondait qu'il comprenait. Puis, il ajoutait : « Que veux-tu ? C'est dans ma nature. »

Un trait de caractère s'adoucissait néanmoins chez lui : son attitude envers Bill Gates. Microsoft avait rempli sa part du marché passé en 1997 en continuant à développer de formidables logiciels pour Macintosh. De plus, il était devenu un concurrent moins agressif, ayant échoué jusqu'ici à reproduire la stratégie du foyer numérique d'Apple. Les deux hommes avaient des approches très différentes des produits et de l'innovation, mais leur rivalité avait permis à chacun d'assumer et de revendiquer sa différence.

À l'occasion du séminaire *All Thing Digital* de mai 2007, les chroniqueurs du *Wall Street Journal* Walt Mossberg et Kara Swisher voulurent organiser une double interview. Walt Mossberg invita d'abord Jobs, qui n'était guère friand de ce genre d'événement, et apprit avec surprise que le patron d'Apple s'y rendrait si Gates était présent lui aussi. En apprenant cela, Gates accepta à son tour. Le plan faillit dérailler quand Steven Levy, journaliste de *Newsweek*, interrogea Gates à propos des publicités télévisées Mac contre PC[1], qui faisaient passer les utilisateurs de Windows

---

1. Les pubs hilarantes, avec deux personnages représentant chacun un ordinateur, qui commençaient par : « Bonjour, je suis un Mac ! Bonjour je suis un PC ! » *(N.d.T.)*

pour des ringards dépassés et présentaient le Mac comme un produit branché et innovant. Le sujet mit Gates en colère : « Je ne sais pas pourquoi ils prennent ces grands airs. L'honnêteté n'a donc plus aucune importance ? De nos jours, n'importe qui ment quand ça lui chante. » Le journaliste mit de l'huile sur le feu en lui demandant si son nouveau système d'exploitation, Vista, copiait de nombreuses caractéristiques du Mac. « Vous devriez vous demander qui a inventé en premier toutes ces fonctionnalités, si vous vous intéressez vraiment aux faits. Mais si vous tenez à dire que Jobs a tout inventé, puis que le reste du monde a suivi, allez-y, ne vous gênez pas ! »

Jobs appela Walt Mossberg et lui déclara, à la lumière des propos de son concurrent dans *Newsweek*, qu'une confrontation ne serait pas productive. Le journaliste voulait créer ce soir-là une conversation cordiale, non un débat, or la remarque du patron d'Apple lors d'une interview plus tôt dans la journée l'inquiétait. Interrogé sur la popularité du logiciel iTunes pour le système Windows, Jobs répondit en plaisantant : « C'est comme donner un verre d'eau fraîche à un type en enfer ! »

Aussi, au moment où les deux hommes s'installèrent dans le salon en coulisses, avant de monter sur scène, Walt Mossberg était inquiet. Gates arriva le premier avec son assistant Larry Cohen, qui l'avait briefé sur le commentaire du patron d'Apple un peu plus tôt. Quand Jobs fit son entrée quelques minutes plus tard, il prit une bouteille d'eau dans le seau de glace et s'assit. Après un moment de silence, Gates lança : « Alors, je suppose que je suis le représentant de l'enfer. » Il ne souriait pas. Jobs marqua une pause, esquissa un sourire espiègle, puis lui tendit l'eau glacée. Le patron de Microsoft se dérida et la tension entre les deux hommes se dissipa.

S'ensuivit un fascinant duo devant un public conquis, où chacun des deux enfants prodiges de l'ère numérique parla de son interlocuteur, d'abord avec méfiance, puis plus chaleureusement. Plus mémorable encore, ils répondirent avec candeur à la question de Lise Buyer, spécialiste des stratégies technologiques présente dans la salle : « Qu'avaient-ils appris l'un de l'autre ? »

« Eh bien, je donnerais beaucoup pour avoir le bon goût de Steve… » Quelques rires nerveux s'élevèrent dans le public. Il était en effet de notoriété publique que le patron d'Apple avait lancé, dix ans auparavant, que le problème de Microsoft était sa totale absence de sens artistique. Mais Gates était sérieux : « Steve a une intuition naturelle concernant les produits comme les gens. » Il se rappelait qu'un jour, ils avaient tous les deux testé le logiciel que Microsoft élaborait pour Macintosh. « J'ai vu Steve prendre des décisions fondées sur son instinct... Un instinct que, voyez-vous, j'ai beaucoup de mal à m'expliquer. Son mode opératoire est unique et, en un sens, magique. Et dans ces moments-là, je me dis *Waouh !* »

Jobs avait gardé le regard baissé. Plus tard, il m'avouerait qu'il avait été touché par la sincérité et la gentillesse de son interlocuteur. Lui aussi s'était montré sincère, quoiqu'un peu moins chaleureux ; il avait décrit le fossé entre la politique Apple du « tout-en-un » et celle d'ouverture de Microsoft avec ses logiciels sous licence. Sur le marché de la musique, l'approche intégrée – dont le pack iPod-iTunes est le meilleur exemple – était un succès, mais l'approche segmentée de Microsoft était bien plus pertinente en ce qui concernait le marché de l'ordinateur individuel. Une question restait en suspens : quelle approche serait la plus efficace sur le marché des téléphones portables ? Puis il conclut par une remarque pour le moins surprenante connaissant le personnage : « Quand nous avons lancé cette société, Woz et moi, on concevait tout de A à Z. Du coup, nous n'étions guère enclins à nous associer à d'autres personnes. Je pense que si Apple avait eu un peu plus l'esprit de coopération dans ses gènes, cela nous aurait été très profitable. »

CHAPITRE TRENTE-CINQ

L'iPHONE

Trois produits révolutionnaires en un

Un iPod qui passe des appels

En 2005, les ventes d'Apple atteignirent des chiffres astronomiques. Vingt millions d'unités avaient été vendues cette année-là, soit quatre fois plus que l'année précédente. L'iPod était devenu le produit phare de l'entreprise, soit 45 pour cent des revenus de l'année 2005, et véhiculait une image branchée qui dynamisait les ventes de Mac.

Mais Jobs s'inquiétait. « Il se demandait ce qui pouvait nous faire tomber de notre piédestal », raconte Levinson. Et il en était venu à cette conclusion : « Le seul appareil qui puisse nous piquer notre place, c'est le téléphone portable. » Comme le patron de la Pomme l'expliqua au conseil d'administration, le marché de l'appareil photo numérique était mis à mal par les mobiles équipés d'appareil photo. Il pouvait arriver la même chose à l'iPod, si les fabricants de téléphone commençaient à les équiper de lecteurs MP3. « Comme tout le monde a un mobile, en un rien de temps l'iPod peut devenir inutile. »

Sa première stratégie fut d'avoir une initiative contre nature : s'associer à une autre entreprise. Il était ami avec Ed Zander, le nouveau P-DG de Motorola. Aussi lui proposa-t-il de fabriquer une nouvelle version du RAZR, un téléphone portable doté d'un appareil photo, auquel serait intégré un iPod. Ainsi naquit le ROKR.

Malheureusement, le nouveau venu n'avait ni le minimalisme fascinant d'un iPod ni la finesse appréciable d'un RAZR. Laid, lourd, son téléchargement était poussif et sa mémoire se limitait à cent morceaux. L'hybride avait toutes les caractéristiques d'un mouton à cinq pattes, ce qui allait à l'encontre de l'éthique de Jobs. Au lieu d'être contrôlées par une seule entreprise, les parties matérielle, logicielle et contenu avaient été conçues par Motorola, Apple et l'opérateur de téléphonie mobile Cingular. « Vous appelez ça le "téléphone du futur" ? » raillait le magazine *Wired* sur sa couverture de novembre 2005.

Jobs était furieux : « J'en ai assez de traiter avec des entreprises stupides comme Motorola ! dit-il à Fadell lors d'une réunion produit sur l'iPod. Fabriquons-le nous-mêmes ! » Il avait remarqué une chose étrange à propos des mobiles sur le marché : aucun n'était valable, exactement comme les lecteurs de musique auparavant. « On s'est assis autour d'une table et on a râlé contre nos portables. Trop compliqués, ils avaient des fonctions que personne ne savait utiliser, y compris le répertoire. C'était vraiment le Moyen Âge ! » L'avocat George Riley se rappelait qu'au cours d'une réunion où ils discutaient de sujets juridiques, leur patron, qui s'ennuyait ferme, s'était emparé de son mobile et leur avait démontré point par point qu'il avait l'impression d'avoir dans les mains une « grenouille décérébrée ». Ainsi, Jobs et son équipe étaient tout excités à l'idée de créer un téléphone qu'on aurait plaisir à utiliser. « C'était la meilleure des motivations », m'a-t-il confié par la suite.

Autre moteur puissant : le marché potentiel. Plus de huit cent vingt-cinq millions de téléphones portables avaient été vendus à travers le monde en 2005, séduisant tous les publics, des écoliers à leurs grands-mères. Comme aucun ne faisait l'affaire, il y avait de la place pour un produit élégant et branché, comme pour l'iPod en son temps. Au début, Jobs confia le projet à l'équipe d'Apple responsable de la station Airport sans fil, puisqu'il s'agissait d'un produit sans fil. Mais il se rendit compte que c'était avant tout un appareil destiné au grand public, comme l'iPod, et le remit finalement entre les mains de Tony Fadell et ses collaborateurs.

Leur approche initiale fut de modifier l'iPod. Ils tentèrent de se servir de la molette pour faire défiler les options du téléphone – sans clavier – et entrer des chiffres. Mais la manœuvre n'était pas naturelle. En revanche, cela fonctionnait à merveille pour trouver un numéro dans le répertoire. L'équipe de Fadell voulut se convaincre que les gens appelaient toujours les mêmes numéros, mais au fond, il était évident que cela ne fonctionnerait pas.

À l'époque, Apple travaillait en secret sur un second projet : créer une tablette électronique. En 2005, l'idée de la tablette se greffa sur le projet du téléphone. Autrement dit, le concept de l'iPad fut imaginé avant la naissance de l'iPhone et influa sur son développement.

Le multi-touch

L'un des ingénieurs qui travaillaient sur la tablette PC de Microsoft était marié à une amie de Laurene et Steve Jobs, et à l'occasion de son cinquantième anniversaire, il donna un dîner où le couple fut invité, ainsi que Bill et Melinda Gates. Le patron d'Apple s'y rendit sans grand enthousiasme. « Steve s'est montré amical envers moi durant ce dîner, se rappelle Gates, mais il n'était pas particulièrement affable avec le principal intéressé. »

Le patron de Microsoft était agacé par les révélations de son ingénieur à propos de la tablette PC. « Il s'agissait de notre propriété intellectuelle ! » Et Gates avait raison de craindre le pire. Car Jobs, lui aussi, fut piqué au vif dans son orgueil :

> Ce type me rabâchait que Microsoft allait changer la face du monde avec son logiciel de tablette et éliminer tous les notebooks, les ordinateurs portables ultralégers ! Il prétendait même qu'Apple aurait besoin de la licence du logiciel Microsoft. Mais il se trompait dans son approche de l'objet. Il avait équipé son machin d'un stylet. Grossière erreur ! Si vous avez recours à un stylet, vous êtes fichu. C'était au moins la dixième fois qu'il me rebattait les oreilles avec son projet. J'étais tellement exaspéré qu'une fois de retour à la maison, je me suis dit : « On va montrer à ces tocards ce qu'est une tablette digne de ce nom ! »

Le lendemain, à son arrivée au bureau, Jobs rassembla son équipe et leur annonça : « Je veux réaliser une tablette électronique. Sans clavier ni stylet. » Les utilisateurs s'en serviraient simplement en touchant l'écran avec leurs doigts. L'écran devrait donc avoir une caractéristique dite « multi-tactile » (*multi-touch*), soit la capacité à reconnaître plusieurs points de contacts simultanés. « Alors, vous pouvez réaliser ça pour moi ? » Il fallut six mois pour fabriquer un prototype, mais en état de fonctionnement. Jobs le confia alors à une équipe d'ingénieurs spécialisés dans les interfaces utilisateurs, qui revinrent un mois plus tard avec l'idée d'un « défilement à inertie », permettant au consommateur de balayer l'écran et de déplacer l'image comme s'il s'agissait d'un objet physique. « J'étais sidéré quand ils m'ont montré ça », me confia Jobs.

Ive avait une version différente de la naissance du principe multitactile. D'après lui, son équipe de design travaillait déjà sur ce concept pour le pavé tactile[1] du MacBook Pro, et expérimentait plusieurs façons de transférer cette fonctionnalité à un écran d'ordinateur. « Cette invention va tout changer », avait-il déclaré à son équipe. Mais il se montrait prudent quand il s'agissait de présenter de nouvelles idées au patron, d'autant que son équipe avait fait avancer ce projet durant son temps libre. « Steve a des avis tranchés et ne mâche pas ses mots. Voilà pourquoi je préférais lui présenter le concept en privé. Il pouvait le trouver nul et le jeter aux oubliettes en une seconde. Les idées sont toujours fragiles quand elles sont en cours de développement. S'il la rejetait, ce serait terrible, parce que j'étais certain que nous tenions quelque chose d'essentiel. »

Le chef designer lui fit une démonstration dans la salle de réunion, conscient que son patron serait moins abrupt en l'absence de public. Par chance, il fut totalement emballé : « C'est l'avenir ! »

En fait, l'idée était tellement bonne que Jobs se dit qu'elle pourrait régler son problème d'interface pour le téléphone portable. Ce projet étant prioritaire, il mit le développement de la tablette en suspens pendant que l'interface multi-tactile était adaptée à la taille d'un écran téléphonique. « Si ça marche sur un téléphone, ça marchera sur une tablette. »

Jobs convoqua Fadell, Rubinstein et Schiller à une réunion secrète dans le studio du design pour qu'Ive leur fasse une démonstration de la fonctionnalité multi-tactile. Fadell fut impressionné. Tous ado-

---

1. Le « trackpad ». *(N.d.T.)*

raient le concept, mais ils n'étaient pas sûrs que cela fonctionnerait avec un mobile. Ils décidèrent de lancer deux projets parallèles : P1 serait le nom de code du téléphone développé avec une molette d'iPod, P2 l'alternative avec l'écran multi-tactile.

Une petite société du Delaware, FingerWorks, fabriquait déjà des pavés multi-tactiles. Fondée par deux universitaires de l'université du Delaware, John Elias et Wayne Westerman, FingerWorks avait développé quelques tablettes *multi-touch* et déposé des brevets pour le pilotage de certaines fonctions de l'interface, tels le balayage ou le zoom, par de simples mouvements de doigts sur l'écran. Début 2005, Apple acquit discrètement la société, tous ses brevets, ainsi que les services de ses deux fondateurs. FingerWorks cessa de vendre ses produits à d'autres entreprises et déposa de nouveaux brevets au nom d'Apple.

Après six mois de travail sur les deux projets, Jobs réunit sa garde rapprochée pour prendre une décision. Fadell avait travaillé dur pour développer le modèle équipé d'une molette, mais il reconnaissait n'avoir trouvé aucune solution simple pour entrer un numéro de téléphone. L'approche multi-tactile était plus risquée, ne sachant pas si elle était techniquement réalisable, mais semblait plus prometteuse. « On sait tous que c'est ça qu'il nous faut, lança Jobs en pointant l'écran tactile. Alors faisons en sorte que ça marche. » C'était le genre de pari qu'il aimait prendre : la récompense était à la hauteur du risque.

Plusieurs membres de l'équipe militaient pour un clavier physique, étant donné la popularité du BlackBerry, mais Jobs mit son veto à cette idée. Un clavier mangerait une partie de l'espace dévolu à l'écran et ne serait pas aussi flexible qu'un clavier tactile. « Pensez à toutes les innovations qu'on pourrait intégrer à un clavier tactile équipé d'un bon logiciel. Parions là-dessus et trouvons un moyen de le réaliser. » Il en résulta un appareil qui affichait un clavier numérique pour entrer un numéro de téléphone, un clavier alphabétique pour écrire, et toutes les touches nécessaires à telle ou telle activité. Tout disparaissait pour le visionnage d'une vidéo. En remplaçant de la mécanique par de la programmation, du « physique » par du « virtuel », l'interface était devenue fluide et flexible.

Jobs passa les six mois suivants à affiner l'affichage. « Jamais je n'avais pris autant de plaisir à réfléchir à des détails aussi complexes.

C'était comme si je travaillais moi-même sur le mixage de *Sgt. Pepper's.* » Certaines caractéristiques apparemment simples étaient le résultat de brainstormings intenses. Par exemple, l'équipe se demandait comment empêcher l'appareil de jouer de la musique ou de passer accidentellement un appel quand il dansait dans la poche de l'utilisateur. Jobs était contre les boutons on/off, jugés inélégants. La solution était de « balayer l'écran pour l'allumer », un geste simple et ludique qui sortirait l'appareil de son mode veille. Autre innovation importante : un capteur qui percevait quand le téléphone était collé à l'oreille, afin de ne pas activer une fonction par erreur. Bien entendu, toutes les icônes auraient « la patte Apple », à l'instar de celles que Bill Atkinson avait dessinées pour le premier Macintosh : des rectangles aux coins arrondis.

Séance après séance, les membres de l'équipe œuvrèrent à la simplification de l'appareil. Ils ajoutèrent une grande barre pour permettre à l'utilisateur de mettre les appels en attente ou de passer en mode conférence. Ils imaginèrent aussi des moyens commodes de naviguer dans la boîte électronique, et créèrent des icônes au défilement horizontal pour aller d'une application à l'autre – autant de choix simplifiés par la visualisation sur l'écran au lieu de l'emploi du clavier.

Le verre Gorilla

Jobs s'était entiché de certains matériaux, de la même façon qu'il adorait certains aliments. Lorsqu'il revint chez Apple en 1997 et commença à travailler sur l'iMac, il opta pour un plastique transparent et coloré. La phase suivante fut le métal. Ive et lui avaient remplacé le plastique aux formes courbes du Power-Book G3 par le titane brillant du PowerBook G4, qu'ils redessinèrent deux ans plus tard en aluminium, comme pour prouver leur amour des différents métaux. Puis ils fabriquèrent un iMac et un iPod nano en aluminium anodisé – le métal avait été plongé dans un bain d'acide et électrifié de façon à oxyder sa surface. Quand le patron d'Apple découvrit qu'on ne pouvait pas en fabriquer les quantités nécessaires, il fit construire une usine en Chine pour y remédier. Ive se rendit sur place en pleine épidémie de

SRAS[1] pour superviser le processus. « Je suis resté trois mois dans un dortoir. Ruby et les autres disaient que c'était impossible, mais je voulais le faire parce qu'avec Steve, nous pensions que l'aluminium anodisé était une amélioration essentielle. »

Ensuite, le verre. « Après nos réalisations en métal, j'ai regardé Jony et je lui ai dit qu'on devait maintenant maîtriser le verre. » Pour les Apple Store, ils avaient créé d'immenses panneaux et des escaliers de verre. Pour l'iPhone, le plan initial était de le doter d'un écran de plastique, comme l'iPod. Mais Jobs se dit qu'un écran en verre – matériau plus élégant et plus noble – s'imposait. Il se mit donc en quête d'un verre solide et inrayable.

Il était naturel de le chercher en Asie, où était fabriqué le verre des Apple Store. Mais son ami John Seely Brown, membre du conseil d'administration de Corning Glass, une société basée au nord de l'État de New York, lui conseilla de s'adresser à Wendell Weeks, son jeune et dynamique P-DG. Le patron de la Pomme appela donc le standard de la société, se présenta et demanda à parler à Weeks. Un assistant lui proposa de prendre un message. « Non, je suis Steve Jobs. Passez-le-moi. » L'assistant refusa. Le patron d'Apple appela Brown pour se plaindre d'avoir été victime d'« idioties typiques de la côte Est ». Quand Weeks apprit cela, il appela à son tour le standard d'Apple et demanda à parler au grand patron. On l'invita à mettre sa requête par écrit et à l'envoyer par fax. Amusé par cette anecdote, Jobs invita le jeune Weeks chez lui, à Cupertino.

C'est là qu'il lui décrivit le type de verre qu'Apple voulait pour son iPhone. Son invité lui expliqua que Corning avait développé dans les années 1960 un processus chimique qui avait donné naissance au « verre Gorilla ». Un matériau incroyablement résistant, mais qui n'avait jamais trouvé son marché. Aussi la société avait-elle cessé de le fabriquer. Jobs doutait qu'il soit assez solide et entreprit d'expliquer à son interlocuteur comment était fabriqué le verre. Une fatuité qui amusa beaucoup Weeks, bien plus calé en la matière ! « Quand tu voudras bien la fermer, Steve, l'interrompit-il, je pourrai t'apprendre quelques trucs… » Pris de court, le patron d'Apple se tut. Weeks alla au tableau et lui donna un cours de chimie, détaillant le procédé d'échange ionique qui engendre une

---

1. « Syndrome respiratoire aigu sévère. » *(N.d.T.)*

compression de surface augmentant la résistance du verre. L'exposé enthousiasma tellement Jobs qu'il voulut autant de verre Gorilla que possible avant six mois.

— Nous n'avons pas les outils de production. Aucune de nos usines ne fabrique ce verre actuellement.

— Ce n'est pas un problème.

Cette réponse dérouta le patron de Corning, un homme confiant et jovial, peu coutumier du champ de distorsion de la réalité de Jobs. Il tenta de lui expliquer que nier l'évidence n'effacerait pas le problème technique, mais Jobs, comme il l'avait maintes fois prouvé, était insensible à ce genre d'argument. Jobs fixa son interlocuteur et lui répondit avec aplomb : « Si, on peut le faire. Réfléchis. Tu vas trouver la solution. »

En se remémorant cette conversation, Weeks secoua la tête. Il n'en revenait toujours pas : « Nous l'avons fabriqué en moins de six mois ! Nous avons produit un verre totalement inédit. » L'usine de Corning à Harrodsburg, dans le Kentucky, qui produisait des écrans LCD, fut convertie en une nuit pour fabriquer du verre Gorilla à plein temps. « Nous avons mis nos meilleurs scientifiques et ingénieurs sur le coup, et nous avons réussi. » Dans son spacieux bureau, Weeks n'avait qu'un seul document encadré. Un message de Jobs, le jour de la sortie de l'iPhone : « On n'aurait jamais pu le faire sans toi. »

Le patron de Corning se lia d'amitié avec Jony Ive, qui lui rendait parfois visite dans sa maison de campagne située au bord d'un lac, au nord de l'État de New York. « J'ai donné à Jony plusieurs morceaux de verre semblables et rien qu'au toucher, il a réussi à les différencier. Seul mon directeur de recherches est capable d'un truc pareil. Steve aime ou déteste instinctivement un objet, alors que Jony joue avec, l'étudie, évalue son potentiel. » En 2010, Ive emmena les responsables de son équipe à Corning pour assister à la fabrication du verre avec leurs spécialistes. Cette année-là, la société travaillait sur un verre encore plus solide, le Godzilla, et espérait être un jour capable de rendre le verre et la céramique assez résistants pour que l'iPhone n'ait plus besoin d'une armature en métal. « Steve et Apple nous ont poussés à nous dépasser, m'a confié Weeks. Nous sommes tous devenus des fans de nos propres produits. »

Le design

Au cours de la plupart de ses réalisations, de *Toy Story* à l'Apple Store, Jobs appuyait à un moment donné sur le bouton pause et décidait de changements majeurs. Le design de l'iPhone ne fit pas exception à la règle. Dans le projet initial, l'écran de verre était niché dans un boîtier d'aluminium. Un lundi matin, Jobs alla trouver Ive : « Je n'ai pas dormi cette nuit, parce que je me suis rendu compte que je ne l'aimais pas. » C'était le produit le plus important depuis le premier Macintosh et il n'était pas au point. Dans l'instant, le designer s'aperçut que le patron avait raison : « Je m'en voulais tellement d'avoir laissé passer ça. »

Dans l'iPhone, l'affichage devait être mis en avant, or sur le modèle actuel, le boîtier faisait de l'ombre à l'écran. L'ensemble paraissait trop masculin, trop sérieux. Jobs rassembla son équipe : « Les gars, vous vous êtes tués à la tâche pour ce design ces neuf derniers mois, mais on va devoir tout reprendre. On va bosser nuit et jour et les week-ends, alors si vous n'êtes pas d'accord, allez chercher des flingues et faites-nous la peau ! » Au lieu de se rebeller, toute l'équipe accepta. « J'ai rarement été aussi fier d'eux qu'à ce moment-là. »

Le nouveau design comportait une fine armature en acier inoxydable afin de mettre pleinement en avant l'écran de verre Gorilla. Chaque partie de l'appareil semblait dévolue à l'affichage. Une nouvelle apparence austère, mais chaleureuse. On avait envie de le caresser. Pour le réaliser, il fallait refaire les circuits imprimés, l'antenne, et modifier l'emplacement du processeur. Autant d'obstacles qui ne faisaient pas peur à Jobs. « D'autres entreprises auraient renoncé, commente Fadell, mais nous avons appuyé sur la touche *reset* et tout recommencé. »

L'appareil était entièrement scellé, un aspect du design qui reflétait à la fois le perfectionnisme de Jobs et son désir de tout contrôler. Impossible d'ouvrir le boîtier, même pour changer la batterie. Comme pour le Macintosh de 1984, le patron d'Apple ne voulait voir personne fouiner dans ses entrailles. En fait, quand Apple découvrit en 2011 que des magasins de réparation ouvraient et trituraient l'iPhone 4, il remplaça ses minuscules vis par une vis de sécurité pentalobe, qui rendait l'ouverture impossible, faute de pouvoir trouver le tournevis adéquat sur le marché. Comme la batterie n'était pas remplaçable, il était possible de rendre l'iPhone encore plus fin, ce que le patron d'Apple approuva. À ses yeux, plus un produit était fin, plus il était beau. « Cette conception de l'esthétique se retrouve dans tous nos produits, m'a expliqué Tim Cook. Nous avons le smartphone le plus fin et nous fabriquons l'iPad le plus fin possible. »

Le lancement

Au moment du lancement de l'iPhone, Jobs décida, comme toujours, d'accorder à un magazine une interview spéciale. Il appela John Huey, le directeur de Time Inc, et se lança dans une grande tirade. « C'est notre plus belle réalisation ! Je voulais que le *Time* ait l'exclusivité, mais personne chez vous n'est assez intelligent pour l'écrire, alors je vais donner l'exclu à quelqu'un d'autre. » Huey lui présenta Lev Grossman, auteur sagace et littéraire du *Time*. Dans son article, le journaliste nota avec justesse que l'iPhone ne comportait aucune caractéristique réellement innovante, mais rendait ces fonctionnalités plus faciles d'utilisation. « Mais c'est très important. Quand nos outils ne fonctionnent pas, nous avons tendance à nous reprocher d'être trop bêtes, d'avoir mal lu la notice ou d'avoir des doigts gourds... Quand nos outils sont brisés, nous nous sentons brisés nous aussi... Et lorsque quelqu'un les répare, c'est comme si on nous rendait une partie de notre corps. »

Pour le grand lancement, lors de la Macworld Expo de janvier 2007 à San Francisco, Jobs invita Andy Hertzfeld, Bill Atkinson, Steve Wozniak, ainsi que l'équipe Macintosh de 1984, comme il l'avait fait pour le lancement de l'iMac. De toutes les présentations de produits, ce fut sans doute sa meilleure. « De temps à autre, un produit révolutionnaire naît et change la face du monde... » Il se référa à deux exemples précédents : le premier Macintosh qui avait « révolutionné l'industrie informatique tout entière » et le premier iPod, qui avait « révolutionné l'industrie de la musique ». Puis il avança une à une les pièces maîtresses de son nouveau bébé. « Aujourd'hui, nous vous présentons trois produits révolutionnaires. Le premier est un iPod équipé d'un grand écran multi-tactile. Le deuxième est un téléphone portable hors pair. Et le troisième est un appareil de communication Internet totalement inédit. » Il énuméra à nouveau cette liste avec son sens inné de la mise en scène, puis demanda à son auditoire : « Vous avez compris ? Il ne s'agit pas de trois appareils différents, mais d'un appareil unique… et nous l'appelons l'iPhone. »

Quand l'iPhone entra sur le marché cinq mois plus tard, le 19 juin 2007, Jobs et sa femme se rendirent à l'Apple Store de Palo Alto pour s'imprégner de l'euphorie générale. Comme le patron avait pris l'habitude de venir à chaque sortie d'un produit, les fans l'attendaient. La foule l'accueillit tel Moïse venant acheter la Bible. Parmi les fidèles, Andy Hertzfeld et Bill Atkinson.

— Bill a fait la queue toute la nuit, lui dit Hertzfeld.

— Je lui en ai envoyé un, répondit Jobs en riant.

— Oui, mais il lui en faut six !

L'iPhone fut rapidement surnommé « le téléphone de Jésus » par les blogueurs. Les concurrents d'Apple prédirent que, au prix exorbitant de cinq cents dollars, l'iPhone serait un échec. « C'est le téléphone le plus cher du monde ! déclara Steve Ballmer, de Microsoft, lors d'une interview pour la chaîne CNBC. Et il ne plaira pas aux gens… il n'a pas de clavier. » Une fois encore, Microsoft avait sous-estimé son adversaire. Fin 2010, Apple avait vendu quatre-vingt-dix millions d'iPhone, raflant, en chiffre d'affaires, la moitié du marché du mobile.

« Steve comprend les désirs des gens », dit Alan Kay, l'ancien du Xerox PARC qui avait imaginé une tablette électronique « Dynabook » quarante ans auparavant. Kay était doué pour les prophéties, aussi Jobs lui avait-il demandé son avis sur l'iPhone. « Fabrique un écran de vingt centimètres sur treize, et tu seras le roi du monde. » Il ne savait pas que l'iPhone s'inspirait d'une tablette électronique en cours de développement qui incarnerait bientôt – et surpasserait – la vision de Kay et de son Dynabook.

CHAPITRE TRENTE-SIX

DEUXIÈME ROUND

La récidive

Les batailles de 2008

Début 2008, il était clair, pour Jobs et ses médecins, que son cancer se propageait. Quand ils avaient fait l'ablation de sa tumeur pancréatique en 2004, le génome du cancer avait été partiellement séquencé. Cela avait permis à ses médecins de déterminer quelles voies étaient endommagées et de le traiter avec des thérapies ciblées, censées être plus efficaces.

Il était aussi soigné pour la douleur, généralement à l'aide d'analgésiques à base de morphine. Un jour de février 2008, alors que Kathryn Smith, la grande amie de Laurene, séjournait chez eux à Palo Alto, elle fit une promenade avec Jobs : « Il m'a dit que quand il se sentait vraiment mal, il se concentrait sur la douleur, tentait de se l'approprier, et qu'ainsi elle semblait se dissiper. » Cela n'était pas tout à fait vrai. Quand Jobs souffrait, il le faisait savoir à tout le monde.

Une autre affection devint malheureusement très problématique, une affection sur laquelle la recherche médicale ne s'était pas autant penchée que sur le cancer ou la douleur. Jobs souffrait de graves désordres alimentaires et perdait du poids. Notamment parce qu'on lui avait ôté une partie de son pancréas, qui produisait les enzymes nécessaires à la digestion des protéines et d'autres nutriments. Mais aussi à cause de la morphine, qui réduisait son appétit. Sans oublier la dimension psychologique, que les médecins savaient à peine nommer, encore moins traiter. Depuis l'adolescence, Jobs avait développé une étrange obsession pour les régimes extrêmes et les jeûnes.

Même après son mariage et la naissance de ses enfants, il avait conservé ses curieuses habitudes. Des semaines durant, il pouvait manger la même chose – salade de carottes au citron, ou seulement des pommes – puis dédaignait brusquement toute nourriture et décrétait qu'il ne mangeait plus. Il jeûnait, comme pendant son adolescence, et faisait la leçon à ses convives sur les vertus de ses régimes. Laurene Jobs était végétalienne depuis leur mariage, mais après l'opération de son mari, elle commença à diversifier les repas familiaux en les agrémentant de poisson et autres aliments protéinés. Leur fils Reed, simple végétarien, devint un « joyeux omnivore ». Ils savaient qu'il était important que son père ingère diverses sources de protéines.

La famille engagea un charmant cuisinier, Bryar Brown, qui travaillait autrefois pour le chef Alice Waters dans le restaurant Chez Panisse. Tous les après-midi, il préparait un assortiment de plats sains pour le dîner, avec les légumes et les herbes que Laurene Jobs faisait pousser dans leur jardin. Au moindre caprice de Jobs – salade de carottes, pâtes au basilic, soupe à la citronnelle – Brown trouvait un moyen de le lui préparer avec patience et sérénité. Jobs avait toujours été extrêmement difficile et avait des goûts bien arrêtés – c'était soit infect, soit délicieux. Il pouvait manger deux avocats absolument identiques et déclarer au premier coup de fourchette que l'un d'eux était exquis et l'autre bon à mettre à la poubelle.

Début 2008, les problèmes d'alimentation de Jobs s'aggravèrent. Certains soirs, il fixait le sol, ignorant les mets disposés sur la longue table de la cuisine. Parfois, il se levait au beau milieu du repas et s'en allait sans un mot. C'était très éprouvant pour sa famille. Ils le virent perdre dix-huit kilos au cours du printemps 2008.

Son état de santé fut rendu public en mars 2008, quand *Fortune* publia un article intitulé « Les problèmes de Steve Jobs ». Il révélait qu'il avait essayé de traiter son cancer à l'aide de régimes pendant neuf mois et enquêtait sur son implication dans l'anti-datage des stock-options Apple. Pendant la préparation de l'article, Jobs invita – ou plutôt convoqua – Andy Serwer, le directeur de publication de *Fortune*, à Cupertino pour le convaincre de ne pas le sortir. Il se pencha vers le journaliste : « Donc, vous avez découvert que j'étais un sale con. Quel scoop ! » Jobs utilisa le même argument avec le patron de Serwer, John Huey, chez Time Inc., quand il l'appela avec le téléphone satellite qu'il avait emporté à Kona Village, à Hawaii. Il lui proposa de réunir un panel de P-DG de sa connaissance et de prendre part à un débat sur l'intérêt de la divulgation des problèmes de santé des grands dirigeants, mais à condition que *Fortune* ne publie pas l'article le concernant. Le magazine refusa son offre.

Lorsque Jobs inaugura l'iPhone 3G en juin 2008, il était si maigre que son apparence prit le pas sur la présentation du produit. Dans *Esquire*, Tom Junod décrivit la silhouette « parcheminée » qui déambulait sur scène, « décharnée comme le spectre d'un pirate, vêtue de ce qui était autrefois son habit d'invulnérabilité ». Apple fit alors une déclaration – mensongère : sa perte de poids était due à une « petite infection ». Le mois suivant, comme le doute persistait, la société décréta publiquement que la santé du P-DG d'Apple était une « affaire privée ».

Joe Nocera, du *New York Times*, critiqua, dans sa chronique, la gestion des problèmes de santé de Jobs. « On ne peut pas faire confiance à Apple pour nous dire la vérité à propos de son dirigeant, écrivit-il à la fin du mois de juillet. Sous la houlette de Steve Jobs, Apple a façonné une culture du secret qui l'a avantagé dans bien des domaines – les spéculations autour des produits Apple à l'approche des Macworld Expo sont l'un des meilleurs outils marketing de l'entreprise. Mais cette même culture empoisonne sa gouvernance. » Pendant la rédaction de son article, il n'avait obtenu du standard d'Apple qu'une seule réponse : « Affaire privée. » Mais il reçut un appel inattendu du P-DG en personne : « Steve Jobs à l'appareil. Vous pensez que je suis un connard arrogant qui se croit au-dessus des lois et moi je pense que vous êtes un fouille-merde qui déforme les faits. » Après cette mise en bouche plus qu'acide, Jobs lui proposa de lui donner quelques informations sur sa santé, à condition qu'elles restent confidentielles. Nocera honora sa promesse, mais rapporta tout de même que, si les problèmes de santé du patron d'Apple n'étaient pas dus à une simple infection, « ils ne menaçaient pas sa vie et le cancer n'était pas revenu ». Jobs avait donné plus d'informations à Nocera qu'aux membres de son propre conseil d'administration, mais c'était loin d'être la stricte vérité.

En partie à cause des inquiétudes qui pesaient sur la perte de poids de Jobs, le cours de l'action Apple chuta de cent quatre-vingt-huit dollars début juin à cent cinquante-six dollars fin juillet. La situation empira quand l'agence de presse financière Bloomberg publia par erreur la nécrologie déjà prête de Jobs, que se procura le site Gawker. Jobs reprit la célèbre boutade de Mark Twain, victime du même incident : « La nouvelle de ma mort est très exagérée », dit-il à l'occasion de la présentation de la nouvelle ligne d'iPod lors du « Special Music Event » annuel de la société. Mais son apparence fantomatique n'était pas rassurante. Début octobre, l'action avait dégringolé à quatre-vingt-dix-sept euros.

Ce mois-là, Doug Morris, d'Universal Music, avait rendez-vous avec Jobs chez Apple. Mais le P-DG l'invita chez lui. Morris fut surpris de le voir aussi malade et mal en point. Il était l'invité d'honneur du gala de charité City of Hope, à Los Angeles, qui levait des fonds pour la lutte contre le cancer, et voulait que Jobs soit présent. Les événements caritatifs n'étaient pas sa tasse de thé, pourtant Jobs décida de s'y rendre, à la fois pour Morris et pour la cause défendue. Durant la soirée, organisée dans une immense tente sur la plage de Santa Monica, Morris déclara aux deux mille invités que Jobs avait donné à l'industrie de la musique un nouveau souffle. Les concerts – de Stevie Nicks, Lionel Richie, Erykah Badu et Akon – se poursuivirent jusqu'après minuit. Mais Jobs eut terriblement froid. Si froid que Jimmy Iovine lui donna un sweat-shirt qu'il garda toute la soirée, avec la capuche vissée sur la tête. « Il était si malade, si frigorifié, si maigre », se rappelle Morris.

Un vétéran de *Fortune*, Brent Schlender, spécialiste en technologie, devait quitter le magazine en décembre, et voulait que son chant du cygne soit une interview conjointe de Steve Jobs, Bill Gates, Andy Grove et Michael Dell. Un événement qui avait été difficile à organiser, or quelques jours avant l'interview, Jobs se désista. « S'ils veulent savoir pourquoi, dites-leur que je suis un sale con. » Gates était agacé, puis il découvrit l'état de santé de son rival. « Évidemment, il avait une très bonne excuse, seulement il ne voulait pas la donner. » Ses problèmes devinrent plus apparents quand Apple annonça le 16 décembre que Jobs annulait sa venue à la Macworld

Expo de janvier, l'événement où il avait lancé tous ses produits phare ces onze dernières années.

La blogosphère s'agita, s'interrogeant sur son état de santé, la plupart des commentaires ayant un odieux parfum de vérité. Jobs était furieux et se sentait violé dans sa vie privée. Il regrettait la mollesse des démentis d'Apple. Alors, le 5 janvier 2009, il publia une lettre ouverte expliquant qu'il n'avait pas assisté à la Macworld Expo dans le but de passer plus de temps avec sa famille. « Comme beaucoup d'entre vous le savent, j'ai perdu beaucoup de poids en 2008. Mes médecins pensent avoir trouvé la cause de ce désordre – un déséquilibre hormonal qui me prive des protéines dont mon corps a besoin pour être en bonne santé. Des tests sanguins élaborés ont confirmé ce diagnostic. Le remède à ce problème nutritionnel est relativement simple. »

Ce récit comportait quelques bribes de vérité. Mais seulement quelques bribes. L'une des hormones sécrétées par le pancréas est le glucagon, aux propriétés inverses de l'insuline. Le glucagon incite le foie à libérer du sucre dans le sang. La tumeur de Jobs s'était métastasée dans son foie et faisait des ravages. En effet, son corps se dévorait lui-même, aussi devait-il prendre des médicaments pour faire baisser son taux de glucagon. Son déséquilibre hormonal était réel, mais il était dû à la propagation de son cancer au foie. Il était dans le déni à ce sujet, et voulait aussi un déni public. Malheureusement, cela posait des problèmes légaux, car il dirigeait une entreprise cotée en Bourse. Mais Jobs était furieux de la manière dont la blogosphère le traitait et souhaitait contre-attaquer.

À ce moment-là, il était très affecté et souffrait énormément, en dépit de ses déclarations. Après une autre chimiothérapie, il subit des effets secondaires exténuants. Sa peau commença à s'assécher et à se craqueler. Dans sa quête d'approches alternatives, il prit un vol pour Bâle, en Suisse, pour tenter une radiothérapie expérimentale à base d'hormones. Il suivit également un traitement expérimental développé à Rotterdam et appelé thérapie par radionucléides.

Après une semaine à subir des conseils juridiques de plus en plus insistants, Jobs accepta finalement de prendre un congé maladie. Le 4 janvier 2009, il fit une annonce par le biais d'une autre lettre ouverte aux employés d'Apple. Au début, il imputa cette décision à la pression des blogueurs et de la presse. « Hélas, cette curiosité pour ma santé constitue une distraction non seulement pour moi et ma famille, mais pour tout le monde chez Apple. » Après quoi, il reconnut que son « déséquilibre hormonal » était plus compliqué à soigner que prévu. Tim Cook continuerait à gérer les opérations au quotidien, mais Jobs conserverait son poste de P-DG et prendrait toujours les décisions majeures. Et il serait de retour en juin. Jobs consultait régulièrement Bill Campbell et Art Levinson, qui jonglaient tous deux avec le double rôle de conseiller personnel et de codirecteur de la société. Mais les autres membres du conseil d'administration n'étaient pas au courant de tout et les actionnaires avaient initialement été mal informés. Cela soulevait des problèmes juridiques et la SEC ouvrit une enquête pour déterminer si l'entreprise avait caché des informations sensibles aux actionnaires. Si la société avait permis la divulgation de fausses informations ou retenu des données essentielles pour les perspectives financières de l'entreprise, cela constituerait une fraude. Comme Jobs et son aura magique incarnaient le renouveau d'Apple, sa santé semblait entrer dans cette catégorie. C'était cependant une zone floue de la loi, les droits liés à la vie privée du P-DG devant être pris en compte. Le cas de Jobs était particulièrement délicat, car l'homme défendait jalousement sa vie privée tout en personnifiant sa société plus que tout autre P-DG. Lui-même ne leur facilita pas la tâche. Il était très émotif, cédant de temps à autre à des crises de larmes ou pestant contre quiconque lui suggérait de se montrer moins secret.

Campbell tenait à son amitié avec Jobs et ne voulait pas que son devoir fiduciaire l'oblige à violer la vie privée de son ami, aussi proposa-t-il de renoncer à son titre de directeur. « La vie privée est essentielle à mes yeux. Steve est mon ami depuis un million d'années. » Les avocats conclurent finalement que Campbell n'avait pas besoin de se retirer du conseil d'administration, mais qu'il devait en revanche ne plus exercer la fonction de codirecteur. Il fut remplacé dans ce rôle par Andrea Jung, de la société Avon. En fin de compte, l'enquête de la SEC n'aboutit nulle part et le conseil opta pour la politique du silence, afin de protéger son mentor des appels incessants des journalistes, avides de scoops. « La presse voulait des détails sur sa vie personnelle, se rappelle Al Gore. C'était à Steve de décider du comportement à adopter, mais il était catégorique sur le fait que la presse n'avait pas à envahir sa sphère privée. Son souhait devait être respecté. » Quand j'ai demandé à Gore si le conseil aurait dû communiquer davantage début 2009, quand les problèmes de santé de Jobs se sont révélés plus graves que ne le pensaient les actionnaires, il m'a répondu : « Nous avons embauché un cabinet juridique indépendant pour qu'il nous dise ce qu'exigeait la loi. Et nous avons suivi ses instructions à la lettre. Je ne vois pas ce qu'on pouvait faire de mieux ! Pardonnez mon agacement, mais toutes ces critiques me rendent furieux. »

Un membre du conseil n'était néanmoins pas d'accord. Jerry York, l'ancien directeur financier de Chrysler et de IBM, ne fit aucune déclaration publique, mais il déclara à un journaliste du *Wall Street Journal*, en confidence, qu'il avait été « écœuré » d'apprendre que la société avait caché les problèmes de santé de Jobs fin 2008. « Franchement, je regrette de ne pas avoir démissionné. » Après le décès de York en 2010, le *Wall Street Journal* publia ses commentaires. York avait aussi fait des aveux à *Fortune*, que le magazine sortit quand Jobs prit son troisième congé maladie en 2011.

Certains chez Apple ne croyaient pas aux propos attribués à York, celui-ci n'ayant soulevé aucune objection officielle à l'époque. Mais pour Bill Campbell, ces allégations sonnaient juste, car York s'était plaint à lui début 2009. « Un soir, Jerry avait bu un peu trop de vin blanc et m'avait appelé à 2 ou 3 heures du matin pour me dire : "Putain de merde, Bill, je ne crois pas une seconde à ces conneries ! Il faut que Steve nous dise exactement ce qu'il a !" Je l'ai appelé le lendemain matin et il m'a dit que ce n'était rien. Mais lors d'une autre soirée un peu trop arrosée comme celle-là, la moutarde avait pu encore lui monter au nez ; et je le voyais très bien appeler les journalistes pour passer ses nerfs. »

Memphis

Le chef du service d'oncologie de Stanford était George Fisher, un éminent chercheur spécialisé dans les cancers gastro-intestinaux et colorectaux. Il pressait Jobs depuis des mois d'envisager une greffe du foie, mais c'était le type d'information que le P-DG refusait de traiter. Laurene Jobs était heureuse que Fisher n'ait pas abandonné cette idée, car elle savait que des encouragements répétés seraient nécessaires pour amener son mari à accepter cette idée.

Le patron d'Apple se laissa enfin convaincre en janvier 2009, juste après avoir affirmé que son « déséquilibre hormonal » pouvait être facilement traité. Mais il y avait un problème. Il avait été placé sur la liste d'attente des transplantations du foie en Californie, et il fut rapidement évident qu'il n'en bénéficierait jamais à temps. Le nombre de donneurs potentiels avec ce type de groupe sanguin était faible. De plus, la politique en vigueur pour la transplantation d'organe favorisait les patients atteints de cirrhoses et d'hépatites, plutôt que de cancer.

Il n'existait aucun moyen légal pour un patient, même aussi fortuné que Jobs, de déroger à la règle. Les receveurs étaient déterminés en fonction de leur score MELD[1] fondé sur des mesures de niveaux d'hormones pour déterminer l'urgence de la nécessité d'une greffe et sur le temps d'attente des patients. Chaque don était scrupuleusement évalué et toutes les données étaient accessibles au public sur des sites (optn.transplant.hrsa.gov/), où vous pouviez vérifier votre position sur la liste d'attente à tout moment.

Laurene Jobs est devenue totalement obsédée par les sites de donneurs d'organes, qu'elle parcourait tous les soirs pour savoir combien de malades étaient sur liste d'attente, quel était leur score MELD et depuis combien de temps ils patientaient. « N'importe qui pouvait faire le calcul, ce que j'ai fait, et j'ai vite compris qu'il n'aurait jamais de greffe avant le mois de juin en Californie. Or ses médecins disaient que son foie allait lâcher en avril. » Elle se mit donc à se renseigner et découvrit qu'il était permis de s'inscrire sur les listes de deux États différents en même temps, ce que ne faisaient que 3 pour cent des receveurs potentiels. La multiplication des listes n'était pas contraire à l'éthique, même si les critiques disaient qu'elle avantageait les gens riches, même si elle n'était pas simple à mettre en œuvre. Deux critères majeurs étaient requis : le receveur potentiel devait être en mesure de gagner l'hôpital choisi dans les huit heures – ce que Jobs pouvait faire grâce à son jet – et les médecins de cet hôpital devaient évaluer le patient en personne avant de le mettre sur la liste.

---

1. « Model for End-Stage Liver Disease ». Modèle pour les maladies hépatiques en phase terminale. *(N.d.T.)*

George Riley, l'avocat de San Francisco qui avait souvent servi de conseiller externe à Apple, charmant gentleman du Tennessee, était devenu un proche de Jobs. Ses parents étaient tous deux d'anciens médecins du Methodist University Hospital de Memphis, où lui-même était né, et il était ami avec James Eason, le responsable du service des transplantations. L'unité d'Eason était l'une des meilleures et des plus actives au monde. En 2008, son équipe et lui avaient réalisé cent vingt et une greffes de foie. « Il ne s'agit pas de détourner le système. Mais les gens doivent pouvoir choisir où ils veulent être soignés. Certains quittent le Tennessee pour la Californie ou un autre État, en quête d'un traitement. Aujourd'hui, des gens viennent de Californie pour être soignés chez nous. » Riley organisa le voyage d'Eason à Palo Alto pour qu'il puisse mener l'évaluation de Jobs sur place.

Fin février 2009, Jobs figurait aussi sur la liste de receveurs du Tennessee (en plus de celle de la Californie) et la douloureuse attente commença. La première semaine de mars, Jobs déclina rapidement, or le temps d'attente était encore estimé à vingt et un jours. « C'était terrible, se rappelle Laurene Jobs. On avait l'impression que ce serait trop tard. » Chaque jour, la situation devenait un peu plus critique. Jobs passa à la troisième place mi-mars, puis à la seconde, et enfin à la première. Mais les jours s'égrenaient. L'atroce réalité, c'était que la fête de la Saint-Patrick et le tournoi de basket-ball March Madness à venir (Memphis participait cette année-là au tournoi) étaient des opportunités d'avoir un donneur, car le taux élevé d'alcoolémie provoquait un pic d'accidents de voiture.

En effet, le week-end du 21 mars 2009, un jeune homme d'environ vingt-cinq ans fut tué dans un accident de la route et ses organes rendus disponibles. Jobs et sa femme s'envolèrent pour Memphis, où ils atterrirent un peu avant 4 heures du matin et furent accueillis par Eason. Une voiture les attendait sur le tarmac et les documents d'admission étaient prêts lorsqu'ils déboulèrent à l'hôpital.

La greffe fut un succès, sans pour autant être rassurante. Quand les médecins retirèrent son foie, ils découvrirent des taches sur le péritoine, la fine membrane qui entoure les organes internes. En outre, il y avait des tumeurs partout dans le foie, ce qui signifiait que le cancer avait sans doute migré ailleurs. Apparemment, il avait muté et crû rapidement. Les médecins prélevèrent des échantillons et établirent d'autres cartes génétiques.

Quelques jours plus tard, ils lui firent subir une nouvelle intervention chirurgicale. Jobs avait insisté pour qu'ils ne vident pas son estomac et, quand ils l'anesthésièrent, il aspira une partie de son contenu dans ses poumons et développa une pneumonie. À ce moment-là, les médecins le pensaient perdu.

J'ai failli mourir au cours de cette intervention de routine parce qu'ils se sont plantés. Laurene était là et les médecins ont fait venir mes enfants en avion, parce qu'ils croyaient que je ne passerais pas la nuit. Reed visitait des universités avec l'un des frères de Laurene. Un avion privé l'a récupéré près de Dartmouth et on lui a dit ce qui se passait. Un avion a aussi fait venir les filles. Ils pensaient que c'était peut-être leur dernière chance de me voir conscient. Mais je m'en suis sorti.

Laurene Jobs, qui avait décidé de superviser le traitement, restait à l'hôpital toute la journée et surveillait attentivement chaque moniteur. « Laurene était une vraie mère lionne », se rappelle Jony Ive, qui accourut dès que Jobs put recevoir de la visite. Sa mère et ses trois frères passèrent plusieurs fois pour lui tenir compagnie. Sa sœur, Mona Simpson, le couvait aussi de ses attentions. George Riley et elle étaient les seuls autorisés à remplacer sa femme à son chevet. « La famille de Laurene nous a aidés à prendre soin des enfants – sa mère et ses frères ont été super, commenta Jobs par la suite. J'étais très fragile et guère coopératif. Mais une expérience comme celle-là renforce vos liens. »

Laurene venait tous les matins à 7 heures et rassemblait les données importantes, qu'elle entrait dans un tableur. « C'était très compliqué parce qu'il se passait plusieurs choses en même temps. » Quand James Eason et son équipe arrivaient à 9 heures, elle s'entretenait avec lui pour coordonner tous les aspects du traitement de son mari. À 21 heures, avant de partir, elle préparait un rapport sur les tendances de chacun des signes vitaux et autres mesures, et notait une série de questions auxquelles elle voulait une réponse le lendemain. « Cela me permettait de faire travailler mon cerveau et de rester concentrée », se rappelle-t-elle.

Eason fit ce que personne n'avait mis en œuvre à Stanford : prendre en charge tous les aspects du traitement médical. Comme il dirigeait le centre, il pouvait coordonner les soins après la greffe, les tests pour évaluer la propagation du cancer, les traitements contre la douleur, l'alimentation, la rééducation. Il s'arrêtait même à l'épicerie du coin pour acheter à son patient ses boissons énergétiques préférées.

Deux infirmières originaires de petites villes du Mississippi avaient la préférence du malade. De solides mères de famille qui ne se laissaient pas intimider. Eason s'arrangea pour les assigner exclusivement au chevet de Jobs. « Pour gérer Steve, il faut se montrer très persévérant, commente Tim Cook. Eason l'a pris sous son aile et l'a forcé à faire des choses importantes pour sa santé, mais pas toujours plaisantes. »

En dépit de toutes ces attentions, Jobs devenait par moments pratiquement fou. Il ne supportait pas de ne plus être aux commandes et, parfois, il avait des hallucinations et se mettait en colère. Même quand il était à peine conscient, sa forte personnalité refaisait surface. Un jour, le pneumologue tenta de lui poser un masque à oxygène sur le visage alors qu'il était sous sédatif. Jobs l'arracha et maugréa qu'il détestait son design et refusait de le porter. Alors qu'il pouvait à peine parler, le P-DG d'Apple lui ordonna de lui en apporter cinq modèles différents pour qu'il puisse choisir le plus esthétique. Les médecins regardèrent Laurene, éberlués. Finalement, elle réussit à le distraire de sorte que les médecins parvinrent à lui mettre le masque. Il détestait aussi l'oxymètre qu'ils avaient branché à son doigt. Un appareil selon lui hideux et trop compliqué. Il leur suggéra des moyens de simplifier sa conception. « Steve s'attachait à la moindre nuance de son environnement et des objets autour de lui », se rappelle Laurene.

Un jour, alors qu'il flottait encore dans l'inconscience, l'amie de Laurene, Kathryn Smith, lui rendit visite. Sa relation avec Jobs n'avait pas toujours été rose, mais Laurene avait insisté pour qu'elle vienne à son chevet. Jobs la fit approcher, lui montra un calepin et un stylo, et écrivit : « Apporte-moi mon iPhone. » Kathryn Smith alla le lui chercher sur le meuble. Prenant la main de sa visiteuse, il lui montra comment balayer l'écran pour l'allumer et la fit jouer avec les menus.

Ses relations avec sa fille aînée Lisa s'étaient délitées. Diplômée d'Harvard, la jeune femme avait emménagé à New York et communiquait rarement avec son père. Pourtant, elle prit deux fois l'avion pour aller à Memphis, geste qu'il apprécia particulièrement : « Sa venue m'a beaucoup touché. » Malheureusement, il ne lui fit pas cette confidence à l'époque. La plupart des proches de Jobs trouvèrent Lisa aussi exigeante que son père, mais Laurene l'accueillit chaleureusement et tenta de l'impliquer dans le processus. Elle cherchait à restaurer leur relation.

Comme Jobs allait mieux, sa fougueuse personnalité reprit en partie le dessus. Il avait toujours ses canaux biliaires. « Quand il a commencé à reprendre des forces, il a rapidement passé la phase de gratitude pour retrouver son mode grincheux et autoritaire, se souvient Kathryn Smith. Nous nous demandions tous s'il allait adopter une perspective plus douce, mais cela n'a pas été le cas. »

Jobs se montrait toujours aussi tatillon en matière d'alimentation, ce qui était plus problématique que jamais. Il ne consommait que des smoothies – des jus de fruits frais – et exigeait sept ou huit variétés différentes alignées devant lui pour pouvoir faire son choix. Il portait à peine la cuillère à sa bouche et rendait son verdict : « Celui-là est infâme. Celui-là également. » Au bout d'un moment, Eason lui fit la leçon : « Vous savez, ce n'est pas une question de goût. Cessez de voir cela comme de la nourriture. Dites-vous plutôt que c'est un médicament. »

L'humeur de Jobs s'améliora quand il reçut les premières visites de ses collaborateurs d'Apple. Tim Cook venait régulièrement et lui détaillait les derniers progrès des nouveaux produits. « On le voyait s'animer chaque fois que la conversation se portait sur Apple, raconte Cook. Comme si on avait allumé la lumière. » Jobs aimait profondément sa société et semblait vivre dans l'attente d'y retourner. Des détails lui redonnaient du tonus. Quand Cook lui décrivit un nouveau modèle de l'iPhone, Jobs passa l'heure suivante à discuter de son nom – ils tombèrent d'accord sur l'iPhone 3GS – ainsi que de la police de caractère du « GS », se demandant si les lettres devaient être en capitale (oui) et en italique (non).

Un jour, Riley lui organisa une visite surprise au Sun Studio, le lieu mythique où Elvis, Johnny Cash, B.B. King et bien d'autres pionniers du rock'n'roll avaient enregistré leurs chansons. Ils eurent droit à une visite privée par l'un des jeunes employés, qui s'assit un moment avec Jobs sur le banc balafré de brûlures de cigarettes utilisé par Jerry Lee Lewis. Jobs était sans doute la personne la plus influente de l'industrie de la musique à l'époque, mais le jeune homme ne le reconnut pas, avec cette apparence émaciée. En partant, Jobs confia à Riley : « Ce gamin est vraiment intelligent. On devrait l'embaucher pour iTunes. » Ainsi, Riley appela Eddy Cue, qui fit venir le jeune homme en avion à Cupertino pour passer un entretien. Voilà comment il fut engagé pour participer à la conception des sections R&B et rock'n'roll d'iTunes. Quand Riley retrouva ses amis plus tard au Sun Studio, ceux-ci lui dirent que cette anecdote prouvait que, comme le clamait le slogan, vos rêves peuvent encore devenir réalité au Sun Studio.

Le retour

À la fin du mois de mai 2009, Jobs revint en jet à Palo Alto avec sa femme et sa sœur. Ils furent accueillis sur le terrain d'aviation de San Jose par Tim Cook et Jony Ive, qui grimpèrent à bord de l'avion dès son atterrissage. « On lisait dans ses yeux son excitation à l'idée de son retour, se rappelle Cook. Il était tellement impatient ! » Laurene Jobs brandit une bouteille de cidre pétillant et porta un toast en l'honneur de son mari, et tout le monde s'étreignit.

Ive était émotionnellement épuisé. Il ramena Jobs chez lui en voiture et lui dit combien il avait été difficile de maintenir le navire à flot en son absence. Il se plaignit aussi des rumeurs selon lesquelles l'innovation d'Apple dépendait de Jobs et disparaîtrait s'il ne revenait pas. Il lui avoua que cette idée l'avait « blessé » et qu'il se sentait à la fois « anéanti » et sous-estimé.

L'état mental de Jobs était sombre après son retour à Palo Alto. Il devait se faire à l'idée qu'il pourrait ne pas être indispensable à la société. L'action Apple s'était bien portée en son absence, passant de quatre-vingt-deux dollars en janvier 2009, au moment de l'annonce de son congé maladie, à cent quarante dollars fin mai, époque de son retour. Au cours d'une conférence téléphonique avec les analystes, peu après le départ de Jobs en congé, Cook s'était départi de son style imperturbable habituel pour faire une déclaration enthousiaste sur les raisons de la prospérité d'Apple en l'absence de son mentor :

Nous pensons que nous sommes sur cette terre pour fabriquer de grands produits et cela ne va pas changer. L'innovation est notre credo. Nous croyons à la simplicité, pas à la complexité. Nous pensons qu'il est nécessaire de posséder et contrôler les technologies de nos produits et que nous ne devons nous implanter que sur les marchés auxquels nous pouvons apporter une contribution significative. Nous rejetons des milliers de projets pour pouvoir nous concentrer sur quelques-uns qui nous semblent vraiment porteurs de sens. Nous croyons à la collaboration étroite et à la pollinisation croisée de nos groupes, grâce auxquelles nous innovons plus que quiconque. Enfin, nous exigeons l'excellence de la part de tous nos départements et nous avons l'honnêteté de reconnaître nos erreurs et le courage de changer. Et je crois que, quelles que soient les personnes en poste, ces valeurs sont si profondément ancrées dans notre société qu'Apple s'en sortira très bien.

Ce discours aurait pu être prononcé par Jobs en personne, mais la presse le surnomma « la doctrine Cook ». Ces paroles affectèrent profondément le P-DG d'Apple, en particulier la dernière phrase. Si c'était vrai, devait-il en être fier ou blessé ? Des rumeurs insinuaient qu'il allait s'effacer et renoncer à son poste de P-DG pour n'être plus que président. Cela le motivait encore plus pour se lever de son lit, surmonter sa souffrance et reprendre ses longues marches réparatrices.

Le conseil d'administration se réunit quelques jours après son retour, et Jobs surprit tout le monde en faisant une apparition. Il prit place parmi eux et réussit à assister à presque toute la séance. Début juin, il organisa des réunions matinales chez lui et, à la fin du mois, il reprenait le chemin du bureau.

Après avoir bravé la mort, son caractère se serait-il adouci ? Ses collègues eurent bientôt la réponse. Dès le premier jour, au grand dam de ses bras droits, il piqua plusieurs colères. Il sermonna des gens qu'il n'avait pas vus depuis six mois, descendit en flammes plusieurs plans marketing et passa un savon à quelques employés jugés incompétents. Mais le plus révélateur, ce fut la déclaration qu'il fit à quelques amis plus tard dans l'après-midi : « J'ai vécu une merveilleuse journée aujourd'hui. Je n'arrive pas à croire combien je me sens créatif ni combien l'équipe est formidable. » Tim Cook ne sourcilla pas. « Steve n'était pas du genre à cacher ce qu'il pensait, me confia-t-il par la suite. Mais cela faisait plaisir à entendre. »

Des amis remarquèrent que Jobs n'avait rien perdu de son mordant. Pendant sa convalescence, il s'abonna à Comcast, un service de chaînes câblées en haute définition, et un jour, il appela Brian Roberts, le responsable de la société. « Je croyais qu'il voulait me faire des compliments sur notre service, au lieu de quoi, il m'a dit qu'il était nul ! » Andy Hertzfeld nota néanmoins que, malgré ce comportement bourru, Jobs était devenu plus honnête. « Avant, quand vous demandiez une faveur à Steve, il pouvait faire exactement l'inverse, commente Hertzfeld. C'était la perversité de sa nature. Maintenant, il se montre plus accommodant. »

Son retour public eut lieu le 9 septembre, lors du « Special Music Event » de la société. Il monta sur scène et reçut une standing ovation de près d'une minute, puis il entama son discours par une déclaration personnelle inhabituelle, mentionnant qu'il avait bénéficié d'un don d'organe. « Je ne serais pas là sans une telle générosité. Alors j'espère que chacun d'entre nous sera assez généreux pour devenir donneur d'organe. » Après un moment d'exaltation − « Je suis debout, je suis de retour chez Apple et je chéris chaque jour qui passe » −, il dévoila la nouvelle ligne des iPod nano, équipés de caméras vidéo, en neuf couleurs différentes et aluminium anodisé.

Début 2010, il avait recouvré presque toutes ses forces et s'était replongé avec ardeur dans le travail pour ce qui serait l'une des années les plus productives − pour lui comme pour Apple. Il avait réussi deux tours de force depuis le lancement de la stratégie du foyer numérique : l'iPod et l'iPhone. À présent, il était sur le point d'en réaliser un troisième.

CHAPITRE TRENTE-SEPT

L'iPAD

L'ère post-PC

« You Say You Want a Revolution[1] »

Jobs avait été particulièrement agacé, en 2002, par l'ingénieur qui pérorait à propos du logiciel de tablette électronique en cours de développement chez Microsoft. Les utilisateurs entreraient des données sur l'écran à l'aide d'un stylo ou d'un stylet. Quelques fabricants sortirent cette année-là une tablette PC équipée de ce logiciel, mais elle ne changea en rien le cours de l'univers. Jobs était impatient de montrer la tablette idéale – sans stylet ! – mais quand il avait compris ce que la technologie multi-tactile pouvait apporter à Apple, il avait décidé de créer d'abord l'iPhone.

---

1. « Vous dites que vous voulez une révolution », extrait de « Revolution », une chanson des Beatles. (*N.d.T.*)

Cependant, l'idée de la tablette commençait à se répandre dans le groupe Macintosh. « On ne prévoit absolument pas de fabriquer une tablette ! dit le patron d'Apple à Walt Mossberg au cours d'une interview en mai 2003. Il est clair que les gens veulent un clavier. Les tablettes plaisent aux gens riches, déjà équipés d'une foule de PC et autres gadgets électroniques. » Tout comme sa déclaration sur son « déséquilibre hormonal », c'était totalement faux. La tablette figurait parmi les futurs projets évoqués pendant les séminaires annuels du Top 100. « Nous avons présenté et creusé l'idée plusieurs fois, car Steve voulait toujours fabriquer une tablette », se souvient Phil Schiller.

Le projet fut relancé en 2007, quand Jobs réfléchit à l'idée d'un netbook, un mini-ordinateur portable, à bas prix. Au cours d'une réunion du comité de direction du lundi matin, Ive remit en cause l'intérêt du clavier, jugé coûteux et encombrant : « Et si on faisait plutôt apparaître un clavier à l'aide d'une interface multi-tactile ? » Jobs était d'accord. Toutes les équipes furent donc orientées vers la conception d'une tablette plutôt que d'un netbook.

La première étape était de trouver la taille idéale de l'écran. Ive fit fabriquer vingt modèles rectangulaires – tous avec des coins arrondis bien sûr – aux dimensions et aux ratios légèrement différents. Le chef designer les fit installer sur une table dans le bureau d'études. Puis Jobs et Ive soulevèrent un à un les tissus de velours qui les recouvraient pour les manipuler, les étudier, les ressentir. « Voilà comment on a choisi la taille de l'écran. »

Comme d'habitude, le patron d'Apple encensait le modèle le plus simple et le plus épuré possible. Au préalable, il fallait déterminer l'essence même de cet appareil. Réponse : son affichage. Donc, tout devait être pensé en fonction de cet élément central. « Comment éviter que des boutons et autres fonctionnalités ne détournent l'attention de l'écran ? » s'inquiétait Ive. À chaque étape du processus, Jobs exigeait un minimalisme toujours plus poussé.

À un moment donné, le patron d'Apple décréta que le modèle présenté n'était pas totalement satisfaisant. Son apparence devait être chaleureuse, cool, son maniement souple et naturel. Il avait mis le doigt sur le problème, pour ainsi dire : il fallait donner l'impression qu'on pouvait saisir la tablette d'une seule main, sur une impulsion, et non devoir la soulever délicatement.

Parmi les brevets déposés par Apple (le D504889 de mars 2004), apparaît le dessin d'une tablette électronique rectangulaire aux coins arrondis – très proche de l'iPad – avec un homme qui le tient nonchalamment de la main gauche, pendant qu'il pianote sur l'écran de sa main droite. Parmi les inventeurs cités : Jony Ive et Steve Jobs.

Comme les ordinateurs Macintosh utilisaient désormais des microprocesseurs Intel, Jobs avait initialement prévu d'équiper l'iPad de la puce à bas voltage Atom, développée par Intel. Son P-DG, Paul Otellini, était très désireux de travailler sur ce projet et Jobs avait envie de lui faire confiance. Son entreprise fabriquait les microprocesseurs les plus rapides du monde. Mais ces composants étaient destinés à des machines qui se branchaient à une prise murale, non à des appareils dotés de batteries. Aussi Fadell militait-il pour le choix d'un processeur basé sur l'architecture ARM, plus simple et moins consommatrice d'énergie. Apple travaillait depuis longtemps avec ARM et l'iPhone était équipé de puces dotées de cette architecture. Grâce au soutien de plusieurs ingénieurs, Fadell comptait bien persuader le patron de se ranger à son avis. « Tu dois m'écouter ! Je sais que j'ai raison ! » cria-t-il au cours d'une réunion où Jobs répétait qu'il valait mieux faire confiance à Intel pour fabriquer la puce adéquate. L'informaticien jeta carrément son badge Apple sur la table, menaçant de démissionner.

Finalement, le P-DG céda : « Je t'ai entendu, Tony. Je ne vais pas m'opposer à mes meilleurs éléments. » En fait, il adopta la position opposée. Apple acquit la licence de l'architecture ARM, mais acheta aussi une usine de microprocesseurs de cent cinquante personnes à Palo Alto, du nom de P.A. Semi, et créa sa propre puce personnalisée, appelée A4, fondée sur l'architecture ARM et fabriquée en Corée du Sud par Samsung. Jobs faisait le bilan suivant :

En termes de performances, Intel est le meilleur. Ils font les puces les plus rapides du marché, si on se fiche de la consommation électrique et des coûts de fabrication. Mais leur puce n'a que le processeur, alors qu'il nous faut plusieurs autres éléments. Notre A4 contient le processeur ARM, le processeur graphique, le système d'exploitation et le contrôle de la mémoire – tout cela sur une seule puce ! On a essayé d'aider Intel, mais ils ne nous ont guère écoutés. On leur dit depuis des années que leurs processeurs graphiques sont mauvais.

Chaque trimestre, on organisait une réunion de notre top trois avec Paul Otellini. Au début, on faisait des choses fantastiques ensemble. Intel voulait s'associer à nous pour fabriquer les puces du futur iPhone. Deux choses nous ont arrêtés. D'abord, ils étaient trop lents. Un peu comme un paquebot, peu flexibles. Ensuite, on ne voulait pas leur dire tous nos secrets, de crainte qu'ils aillent les révéler à nos concurrents.

Pour Otellini, il était logique d'équiper l'iPad des puces Intel. Mais Intel et Apple ne s'entendaient pas sur les coûts. « C'est surtout à cause du volet financier que ça n'a pas marché. » C'était aussi un nouvel exemple du besoin compulsif du patron d'Apple de tout contrôler.

Le lancement, janvier 2010

L'excitation que Jobs avait su générer pour ses précédents lancements n'était rien en comparaison de la frénésie qui entoura celui de l'iPad, le 27 janvier 2010, à San Francisco. L'hebdomadaire *The Economist* fit figurer Jobs en couverture, vêtu d'une robe et entouré d'un halo lumineux, tenant à la main l'iPad, surnommé « la tablette de Jésus », avec pour titre « le Livre de Jobs ». Le *Wall Street Journal* l'encensa dans le même registre : « La dernière fois que les hommes ont montré autant de fascination pour une tablette, des commandements étaient gravés dessus. »

Comme pour souligner la nature historique du lancement, Jobs invita nombre de ses partenaires de la première heure. Plus émouvant, James Eason, le chirurgien qui avait réalisé sa greffe du foie l'année précédente, et Jeffrey Norton, qui l'avait opéré du pancréas en 2004, étaient présents dans la salle, aux côtés de sa femme, son fils et sa sœur, Mona Simpson.

Là encore, Jobs avait intelligemment montré comment sa nouvelle invention s'insérait au sein de la ligne des produits Apple, comme il l'avait fait avec l'iPhone trois ans plus tôt. Cette fois, l'écran géant derrière lui affichait un iPhone et un ordinateur portable avec cette question entre les deux : « Y a-t-il de la place pour quelque chose au milieu ? » Ce « quelque chose » serait capable de surfer sur le net, gérer des e-mails, des vidéos, de la musique, des jeux et des livres électroniques. Il s'empressa d'épingler la concurrence : « Comme vous le savez, les netbooks ne savent pas faire grand-chose ! » Les invités et les employés l'applaudirent chaleureusement. « Mais nous, nous avons un appareil qui sait tout faire… et nous l'appelons l'iPad. »

Pour souligner la nature décontractée de l'iPad, Jobs se cala dans un fauteuil de cuir confortable, à côté d'une table basse (en l'occurrence, étant donné ses goûts, un fauteuil Le Corbusier et une table Eero Saarinen) pour le manipuler : « C'est bien plus intime qu'un ordinateur portable. » Il naviga ensuite sur le site du *New York Times*, envoya un e-mail à Scott Forstall et Phil Schiller (« Waouh ! on lance vraiment l'iPad ! »), feuilleta un album photo, se servit du calendrier, zooma sur la tour Eiffel sur Google Maps, regarda quelques extraits vidéo (*Star Trek* et *Là-haut*, film d'animation de Pixar), afficha une étagère de livres électroniques et passa une chanson (« Like A Rolling Stone », de Bob Dylan, déjà jouée lors du lancement de l'iPhone). « N'est-ce pas incroyable ? »

Sur sa dernière diapositive, Jobs reprenait l'un de ses thèmes de prédilection, que l'iPad incarnait parfaitement : un panneau indicateur désignait le croisement entre deux voies, la rue de la Technologie et la rue des Arts. « Si Apple crée de tels produits, c'est parce que notre credo se situe exactement à cette intersection. » L'iPad était la réincarnation numérique du *Whole Earth Catalogue*, le catalogue de contre-culture où l'outil technique devait servir la créativité de l'individu.

Pour une fois, la réaction initiale du public ne fut pas un chœur d'alléluias. L'iPad n'était pas encore en vente (pas avant avril) et certains parmi ceux qui avaient assisté à la démonstration ne voyaient pas très bien à quoi ils avaient affaire. Un iPhone dopé aux stéroïdes ? « La dernière fois que j'ai été déçu à ce point, c'est quand j'ai appris que Snooki avait eu une liaison avec Michael Sorrentino[1] », railla Daniel Lyons dans *Newsweek*. (Il était l'auteur d'un blog parodique sous le pseudonyme Fake Steve Jobs.) Le blogueur Gizmodo publia un article intitulé : « Huit raisons de détester l'iPad. » (Pas de capacité multitâche, pas d'appareil photo, pas de Flash…) Même son nom fut

---

1. Deux protagonistes de l'émission de télé-réalité *Jersey Shore*. *(N.d.T.)*

ridiculisé dans la blogosphère, avec des comparaisons sournoises avec les serviettes hygiéniques féminines[1]. « iTampon » fut le troisième sujet le plus populaire sur Twitter sur jour-là.

Sans oublier la subtile critique de Bill Gates. « Je continue à penser qu'un mix entre la voix, le stylo et le clavier – autrement dit un netbook – sera le choix du grand public, confia-t-il à Brent Schlender. Avec l'iPad, je n'ai pas eu la même impression qu'avec l'iPhone, quand on s'est dit : "Nom de Dieu, pourquoi n'y a-t-on pas pensé !" Là, quand je regarde l'iPad, aucune de ses fonctionnalités ne me donne l'impression que Microsoft a raté le coche. » Il affirma ensuite qu'il était persuadé qu'une tablette avec stylet serait plus efficace.

Le lendemain soir de la présentation, Jobs se sentait agacé et abattu. Nous étions rassemblés dans sa cuisine pendant qu'il faisait les cent pas en passant en revue ses e-mails sur son iPhone.

> J'ai reçu près de huit cents e-mails durant les dernières vingt-quatre heures ! La plupart sont des plaintes. Où est le port USB ? Il n'y a pas ceci, il n'y a pas cela. Il y a même des insultes ! Des trucs comme : « Connard, comment tu peux nous faire ça ? » D'autres n'aiment pas le nom iPad. Et j'en passe. C'est vraiment dur à encaisser.

Il reçut ce jour-là un appel de félicitations du chef de cabinet d'Obama, Rahm Emanuel. Mais il fit remarquer au cours du dîner que le président ne l'avait pas appelé depuis sa prise de fonctions.

Les critiques publiques s'atténuèrent quand l'iPad fut mis en vente en avril et que les gens l'eurent en main. *Time* et *Newsweek* le mirent tous deux en couverture. « Le problème, quand on écrit un article sur Apple, c'est que ses produits sont toujours accompagnés d'un grand battage médiatique, nota Lev Grossman dans *Time*. Cela dit, tout ce battage est parfois justifié. » Il émit néanmoins une réserve importante : « Certes, c'est un bel appareil pour consommer des contenus, mais il ne fait rien pour stimuler la création. » Les ordinateurs, en particulier les Macintosh, étaient devenus des outils permettant aux gens de créer de la musique, des vidéos, des sites

---

1. *Maxi-pad.* (*N.d.T.*)

Internet et des blogs, susceptibles d'être publiés pour que le monde entier les voie. « Au lieu de créer du contenu, l'iPad se contente de l'absorber et de le manipuler. Il vous réduit au silence, vous transforme en consommateur passif des œuvres d'art créées par d'autres. » Cette critique frappa Jobs en plein cœur. Il décida que la version suivante de l'iPad encenserait la création artistique.

En couverture, *Newsweek* clamait : « Qu'est-ce que l'iPad a de si génial ? Tout ! » Daniel Lyons, si sévère avec son commentaire lors du lancement, changea d'avis : « Au début, en voyant la démonstration de Steve Jobs, je me suis dit que l'iPad n'avait rien d'extraordinaire. Ce n'est qu'une version plus grande de l'iPod Touch, n'est-ce pas ? Puis, quand j'ai eu l'opportunité d'en manipuler un, j'ai été emballé et je me suis dit : j'en veux un ! » Lyons, comme bien d'autres, comprit que c'était l'enfant chéri de Jobs et qu'il incarnait toutes les valeurs défendues par le P-DG : « Jobs a cette incroyable capacité à inventer des gadgets dont on n'a pas besoin et sans lesquels, brusquement, on ne peut plus vivre. Un système clos est le seul moyen de délivrer cette expérience techno-zen qui fait aujourd'hui la notoriété d'Apple. »

La majorité des débats sur l'iPad étaient centrés sur une problématique clé : le tout-en-un et la fermeture du système Apple étaient-ils une bonne ou une mauvaise chose ? Google commençait à jouer un rôle similaire à celui de Microsoft dans les années 1980 en proposant un système d'exploitation de téléphones portables open-source, Android, qui pouvait être utilisé par tous les fabricants de matériel. Le magazine *Fortune* lança un débat sur le sujet dans ses propres colonnes. « Il n'y a aucune excuse à être fermé », écrivit Michael Copeland. Son collègue Jon Fortt contre-attaqua : « Les systèmes fermés sont injustement mis au pilori, car ils fonctionnent magnifiquement, au bénéfice des utilisateurs. Dans la technologie, personne ne l'a mieux démontré que Steve Jobs. En alliant matériel, logiciel et services et en les contrôlant de près, Apple a réussi à surpasser ses rivaux et à proposer des produits impeccables. » Tous deux s'accordaient à dire que l'iPad serait le test le plus parlant depuis le premier Macintosh. « Apple a poussé son obsession du contrôle à un niveau supérieur avec la puce A4, écrivit Jon Fortt. Cupertino a désormais la mainmise sur tout le processus : puce, appareil, système d'exploitation et système de paiement. »

Jobs se rendit à l'Apple Store de Palo Alto peu avant midi le 5 avril, jour de la mise en vente de l'iPad. Daniel Kottke, son compagnon du College Reed et partenaire des premières heures d'Apple, ne lui en voulait plus de ne pas avoir reçu de stock-options, au même titre que les fondateurs, et n'aurait manqué l'événement pour rien au monde. « Après quinze ans, je voulais le revoir, raconte Kottke. Je l'ai alpagué et je lui ai dit que j'allais utiliser l'iPad pour écrire les paroles de mes chansons. Il était de bonne humeur et nous avons passé un agréable moment à discuter. » Laurene et leur benjamine, Eve, observaient la scène depuis un coin du magasin.

Steve Wozniak, fervent défenseur de l'opensource, voyait à présent les choses différemment. Comme à son habitude, il veilla toute la nuit avec la foule des fans enthousiastes qui attendaient l'ouverture du magasin. Il patientait au centre commercial de Valley Fair, à San Jose, juché sur un Segway, quand un journaliste l'interrogea sur la nature fermée de l'écosystème de la firme à la Pomme. « Apple vous fait entrer dans son univers et vous y garde, mais cela comporte certains avantages… J'aime les systèmes ouverts, mais je suis un hacker ! La majorité des gens ont besoin de machines faciles d'utilisation. Le génie de Steve est sa capacité à simplifier les choses, ce qui requiert parfois de tout contrôler. »

La question rituelle : « Qu'y a-t-il sur votre iPod » se mua en « Qu'y a-t-il sur votre iPad ? ». Même le président Barack Obama, qui considérait l'iPad comme un symbole de technologie avancée, joua le jeu. Le conseiller économique Larry Summer avait sur son iPad l'application Bloomberg, pour les informations financières, le Scrabble et *The Federalist Papers*, une série d'articles et d'essais sur la constitution américaine. Le chef de cabinet Rahm Emanuel avait une brassée de journaux, et le conseiller en communication Bill Burton avait *Vanity Fair* ainsi que des saisons entières de la série télévisée *Lost*. Quant au conseiller politique David Axelrod, il avait dans ses signets les sites de la Ligue majeure de baseball et de la NPR[1].

Jobs fut ému par une histoire que lui relata Michael Noer, de *Forbes.com*. Noer lisait un roman de science-fiction sur son iPad pendant son séjour dans une laiterie, au cœur d'une région rurale au nord de Bogota, en Colombie, quand un gamin pauvre âgé de six

---

1. La *National Public Radio*. (N.d.T.)

ans chargé de nettoyer les étables s'approcha de lui. Curieux, l'homme lui tendit la tablette. Le garçon, qui n'avait jamais vu d'ordinateur, l'utilisa intuitivement. Il se mit à balayer l'écran, lancer des applications, et même jouer à un jeu. « Jobs a conçu un ordinateur si puissant qu'un enfant illettré de six ans peut le manipuler sans aucune indication, écrivit Noer. Si ce n'est pas de la magie, ça ? ! »

En moins d'un mois, Apple vendit un million d'iPad. Deux fois plus que l'iPhone au moment de sa sortie. En mars 2011, neuf mois après son lancement, quinze millions d'unités s'étaient écoulées. Finalement, ce fut le lancement d'un bien de consommation le plus réussi de l'histoire.

Publicité

Jobs n'était pas satisfait des premières publicités pour l'iPad. Comme toujours, il s'impliqua personnellement dans le marketing et travailla de pair avec James Vincent et Duncan Milner de l'agence de publicité (à présent appelée TBWA/Media Arts Lab), avec Lee Clow comme conseiller externe. Le premier spot réalisé représentait une charmante scène où un type vêtu en jean délavé et sweat-shirt installé dans un fauteuil consultait sa boîte mail, un album photo, le *New York Times*, quelques livres, une vidéo, sur l'iPad posé sur ses genoux. Pas de voix off, simplement les notes de « There Goes My Love » de Blue Van en musique de fond. « Après l'avoir approuvé, Jobs décréta finalement qu'il le détestait, se rappelle Vincent. Ça lui faisait penser à une publicité pour le magasin d'ameublement Pottery Barn. » Comme Jobs me le dit par la suite :

> C'était facile d'expliquer l'iPod : un millier de chansons dans votre poche ! Du coup, j'ai rapidement adopté le traitement emblématique des publicités, avec les fameuses silhouettes. Mais comment expliquer l'iPad ? On ne voulait pas le présenter comme un ordinateur, ni le réduire à un bel écran. En réalisant la première série de publicités, on ne savait pas du tout ce qu'on faisait.

Vincent n'avait pas pris de congés depuis des mois. Aussi, quand l'iPad sortit enfin et que les publicités passaient sur les ondes, il se rendit avec sa famille au Coachella Music Festival de Palm Springs, où se produisaient plusieurs de ses groupes préférés, dont Muse, Faith No More et Devo. Peu après son arrivée, Jobs l'appela :

— Tes pubs sont nulles. L'iPad révolutionne le monde : il nous faut un truc qui détone ! Et toi, tu me sors une merdouille.

— Eh bien, dis-moi ce que tu veux ! Tu n'as pas été fichu de me le dire !

— Je ne sais pas. Apporte-moi quelque chose de nouveau. Pour l'instant, ce n'est pas ça. On en est même très loin.

Jobs était furieux, or Vincent pouvait lui aussi monter sur ses grands chevaux. Le ton est vite monté entre les deux hommes.

— Dis-moi ce que tu veux, bon sang !

— Tu n'as qu'à me montrer quelque chose et je le saurai quand je le verrai !

— Ah, super comme piste ! Ça va vachement aider mon équipe : « Je le saurai quand je le verrai » !

Le publicitaire était tellement en colère qu'il donna un coup de poing dans le mur de sa maison de location, éraflant le crépi. Quand il retourna enfin auprès des membres de sa famille, rassemblés au bord de la piscine, sa femme lui demanda avec inquiétude ce qui n'allait pas.

Il fallut deux semaines à Vincent et son équipe pour développer une flopée de nouvelles propositions, qu'il demanda à présenter à Jobs chez lui, espérant ainsi profiter d'une atmosphère plus décontractée. Milner étala sur la table basse les story-boards correspondant à douze approches différentes. L'une était inspirée et émouvante. Une autre humoristique, avec Michael Cera, l'acteur comique de *Juno*, qui se baladait dans une maison factice en faisant des commentaires drôles sur la façon dont les gens pouvaient utiliser leur iPad. D'autres représentaient un iPad avec des célébrités, un iPad brillant sur un fond blanc, ou encore en vedette d'une historiette. La dernière faisait une démonstration du produit de but en blanc.

Après avoir passé en revue les diverses options, Jobs comprit ce qu'il voulait. Ni humour, ni célébrité, ni démonstration. « Il faut faire une déclaration. Un manifeste. On tient un truc important. » Il avait annoncé que l'iPad allait changer le monde et la campagne devait soutenir cette déclaration. D'autres entreprises copieraient bientôt leur tablette, dans un an ou deux, et il voulait que les gens se rappellent que l'iPad était le produit originel. « On doit se lever et dire au monde entier ce qu'on a réalisé ! »

Sur ces mots, il se leva de son siège, un peu chancelant, mais le sourire aux lèvres. « Je vais devoir y aller... un massage m'attend. Allez, au boulot ! »

Ainsi, Vincent et Milner planchèrent sur le fameux « manifeste », avec l'aide du rédacteur publicitaire Eric Grunbaum. Le spot serait rythmé, avec des images vibrantes, et proclamerait que l'iPad était révolutionnaire. Pour la musique, Karen O chanterait le refrain de « Gold Lion », une chanson des Yeah Yeah Yeahs. Pendant qu'on présentait les merveilleuses aptitudes de l'iPad, une voix forte déclarait : « Qu'est-ce que l'iPad ? L'iPad est fin. L'iPad est beau [...] C'est incroyablement puissant, c'est magique, vous savez déjà l'utiliser [...] des vidéos, des photos, de la musique pour toute une vie. C'est déjà une révolution, et cela ne fait que commencer[1]. »

Une fois les publicités du manifeste lancées, l'équipe retenta une approche plus douce, sous forme de tranches de vie documentaires proposées par la jeune réalisatrice Jessica Sanders. Jobs les apprécia... au début. Puis il les rejeta, au même motif que la première série : leur style trop « Pottery Barn ».

Il exigeait des publicités différentes, inédites, mais au final, il se rendit compte qu'il voulait rester proche de ce qu'il considérait comme la « voix d'Apple ». Une voix aux qualités distinctives : simplicité, clarté, sobriété. « Nous voulions aller vers une approche de vie quotidienne, qui semblait plaire à Steve. Mais soudain, il a déclaré qu'il détestait cette idée et que ce n'était pas Apple, raconte Lee Clow. Il nous a demandé de revenir à la voix d'Apple, simple, sincère. » Ainsi, ils optèrent pour un fond blanc pur, avec un simple gros plan montrant tout ce que « l'iPad est... » et peut faire.

Apps

Les publicités de l'iPad ne se centraient pas sur l'appareil lui-même, mais sur ses aptitudes. En effet, son succès ne venait pas seulement de la beauté de l'objet mais de ses applications, les

---

1. Nous donnons ici la version française de la publicité. *(N.d.T.)*

fameuses « apps », qui vous permettent de vous plonger avec délices dans une foule de merveilleuses activités. L'iPad en proposait des milliers – et bientôt des centaines de milliers – que l'on pouvait télécharger gratuitement ou pour quelques dollars seulement. Vous pouviez catapulter des oiseaux furieux d'un geste du doigt dans le jeu vidéo Angry Birds, regarder des films, lire des livres et des magazines, jeter un coup d'œil aux infos, jouer à des jeux… bref perdre son temps avec délectation. Mais les applications étaient aussi une forme d'ouverture, certes contrôlée, permettant à des développeurs externes de créer des logiciels et du contenu – comme dans un jardin soigneusement entretenu et clos, fermé par un joli portail.

Le phénomène des apps avait débuté avec l'iPhone. Lors de sa sortie début 2007, vous ne pouviez acheter aucune apps à des développeurs externes à la firme à la Pomme, car Jobs y était opposé. Pas question que des étrangers créent des applications susceptibles de polluer l'iPhone, notamment avec des virus, ou d'entacher son intégrité.

Art Levinson était parmi ceux qui militaient pour l'ouverture des apps de l'iPhone. « Je l'ai appelé une douzaine de fois pour lui vanter le potentiel des apps. » Si Apple ne les autorisait pas – et même s'il ne les encourageait pas – un autre fabricant de smartphone malin le ferait, ce qui lui donnerait un sérieux avantage. Le directeur marketing Phil Schiller était d'accord : « Je n'arrivais pas à croire qu'on ait créé un produit aussi puissant que l'iPhone et qu'on ne donne pas aux développeurs de tous horizons l'opportunité de créer une foule d'apps. Je savais que les consommateurs allaient les adorer. » De l'extérieur, l'investisseur en capital risque John Doerr pensait que l'ouverture des apps engendrerait une profusion de nouveaux entrepreneurs qui créeraient de nouveaux services.

Au début, Jobs balaya toute discussion, en partie parce qu'il avait le sentiment que son équipe n'était pas capable d'appréhender toute la complexité de cette politique d'ouverture.

« Il refusait catégoriquement d'en parler », commente Schiller. Après le lancement de l'iPhone, il accepta d'écouter les débats. « À chaque discussion, Steve se montrait un peu plus réceptif », se rappelle Levinson. Quatre réunions du conseil se portèrent naturellement sur ce sujet.

Jobs découvrit le moyen de tirer le meilleur parti des deux mondes. Il permettrait aux outsiders d'écrire des apps, à condition

que celles-ci obéissent à des règles strictes, soient testées et approuvées par Apple, et vendues sur l'iTunes Store. C'était une manière
de tirer avantage de milliers de développeurs de logiciel en maintenant un contrôle suffisant pour protéger l'intégrité de l'iPhone et
la simplicité de l'expérience du consommateur. « C'était une solution
magique qui permettait d'atteindre le juste équilibre, dit Levinson.
On avait le bénéfice de l'ouverture tout en conservant le contrôle
global. »

L'App Store pour l'iPhone ouvrit ses portes sur iTunes en
juillet 2008. Neuf mois plus tard, un milliard d'apps avaient été téléchargées ! Quand l'iPad arriva sur le marché en avril 2010, cent
quatre-vingt-cinq mille apps pour iPhone étaient disponibles. La
plupart pouvaient être utilisées sur l'iPad, même si elles ne tiraient
aucun avantage d'un écran plus grand. Mais en moins de cinq mois,
les développeurs avaient écrit vingt-cinq mille nouvelles apps spécialement configurées pour l'iPad. En juin 2011, on en dénombrait
quatre cent vingt-cinq mille pour les deux appareils, qui totalisaient
quatorze milliards de téléchargements.

L'App Store était à l'origine d'une nouvelle industrie. Dans les
chambres universitaires, les garages et dans les grands médias, des
entrepreneurs inventaient de nouvelles applications. Le cabinet
d'investissement John Doerr créa un iFund de deux cents millions
de dollars pour offrir un financement par actions aux meilleures
idées. Les magazines et les journaux classiques qui livraient gratuitement leur contenu sur le net laissèrent passer leur dernière chance
de sauver leurs billes. Des éditeurs innovants créaient de nouveaux
magazines, livres, ainsi que des supports d'apprentissage rien que
pour l'iPad. Ainsi, la prestigieuse maison d'édition Callaway, qui
publiait aussi bien des ouvrages comme *SEX*, de Madonna et *Miss
Spider's Tea Party*, décida de « couler le navire » et d'abandonner
l'impression papier pour se concentrer sur la publication de livres
sous forme d'applications interactives. En juin 2011, Apple avait
reversé deux milliards cinq cent mille dollars aux développeurs
d'apps.

L'iPad et autres appareils numériques fondés sur les apps annonçaient un changement fondamental dans l'univers numérique. Au
début, dans les années 1980, surfer sur le Net vous obligeait à passer
par un service comme AOL, CompuServe ou Prodigy, pour avoir

accès à un jardin clos et étroitement surveillé, avec quelques portes de sortie que seuls les plus téméraires osaient emprunter pour aller sur toute la Toile. La seconde phase, lancée au début des années 1990, fut l'avènement des navigateurs qui permettaient à tout un chacun de surfer librement sur le Net grâce aux protocoles de transfert hypertexte du World Wide Web, qui relient des milliards de sites. Des moteurs de recherche tels que Yahoo et Google virent le jour pour aider les gens à trouver facilement les sites qui les intéressaient. La naissance de l'iPad initiait un nouveau modèle. Les apps ressemblaient aux jardins clos à l'ancienne. Les créateurs pouvaient offrir plus de fonctions aux utilisateurs qui les téléchargeaient. Mais la multiplication des applications impliquait aussi le sacrifice de la nature ouverte et ramifiée du Net. Les apps n'étaient pas faciles à relier ou à rechercher. Comme l'iPad permettait à la fois l'utilisation des apps et la navigation sur le Net, il n'était pas en guerre avec le modèle en réseau. Mais il proposait une alternative, pour les consommateurs comme pour les créateurs de contenu.

Édition et journalisme

Avec l'iPod, Jobs avait bouleversé le monde de la musique. Avec l'iPad et son App Store, il commença à transformer tous les médias, de l'édition au journalisme en passant par la télévision et le cinéma.

Les livres étaient une cible évidente, depuis qu'Amazon avait prouvé l'existence d'une demande pour les livres électroniques. Ainsi, Apple créa l'iBooks Store, qui vendait des livres numériques de la même façon qu'iTunes proposait des morceaux de musique. Cependant, le modèle économique n'était pas tout à fait le même. Dans l'iTunes Store, Jobs avait insisté pour que toutes les chansons soient vendues à petit prix, soit quatre-vingt-dix-neuf cents. Jeff Bezos, d'Amazon, avait tenté d'adopter une approche similaire avec les livres électroniques, en insistant pour les vendre à neuf dollars quatre-vingt-dix-neuf au maximum. Le patron d'Apple entra dans la partie et offrit aux éditeurs ce qu'il avait refusé aux maisons de disques : appliquer le prix qu'ils souhaitaient à leur stock dans l'iBook Store, avec 30 pour cent pour Apple. Cela signifiait que les prix seraient plus élevés que sur Amazon. Pourquoi les gens paieraient-ils les livres d'Apple plus cher ? « Ce ne sera pas le cas, répondit Jobs quand Walt Mossberg lui posa la question à l'inauguration de l'iPad. Le prix sera le même partout. » Il avait raison. Les éditeurs retirèrent progressivement leurs livres d'Amazon tant que celui-ci ne leur offrirait pas le même arrangement qu'Apple.

Le lendemain, pendant une promenade, Steve me confia sa vision des livres :

> Amazon s'est planté. Il a payé le prix fort pour certains livres et s'est mis à les vendre moins cher, à neuf dollars quatre-vingt-dix-neuf. Les éditeurs détestaient cette pratique : ils se disent que cela ruine leurs chances de vendre leurs éditions reliées à vingt-huit dollars. Donc, avant l'entrée en scène d'Apple, certains éditeurs avaient déjà commencé à retirer leurs livres d'Amazon. Alors nous leur avons dit de fixer leurs propres prix et de nous en donner 30 pour cent. Oui, le consommateur paierait un peu plus, mais c'est ce qu'ils voulaient de toute façon. Mais on leur a aussi demandé des garanties : si n'importe qui d'autre vendait le même livre moins cher, on était en droit de s'aligner. Alors ils sont allés chez Amazon et ont exigé le même contrat, sinon ils ne faisaient plus affaire avec eux.

Jobs reconnaissait qu'il appliquait deux poids deux mesures aux industries de la musique et des livres. Il n'avait pas demandé aux maisons de disques de fixer leurs prix. Pourquoi ? Parce que ce n'était pas nécessaire, contrairement aux livres : « On n'était pas les premiers sur le marché du livre. Étant donné la situation, le mieux pour nous était d'agir vite et de trouver le bon levier pour rafler la mise. »

Peu après le lancement de l'iPad, Jobs se rendit à New York en février 2010 pour rencontrer les dirigeants des grands journaux. En deux jours, il vit Rupert Murdoch, son fils James, et la direction de leur *Wall Street Journal* ; Arthur Sulzberger Jr. et les responsables du *New York Times*, ainsi que ceux de *Time*, *Fortune* et des autres magazines de Time Inc. « J'étais heureux à l'idée de promouvoir un journalisme de qualité, me confia-t-il plus tard. On ne peut pas compter sur les blogueurs pour nous informer. On a plus que jamais besoin d'analyse et de recul critique. Alors j'aimerais trouver un moyen d'aider les gens à créer des produits numériques et à gagner de l'argent. » Comme il avait réussi à faire payer les consommateurs pour la musique numérique, il espérait faire de même avec le journalisme.

Néanmoins, sa proposition rendait les éditeurs méfiants. Ils seraient obligés de verser 30 pour cent de leurs revenus à Apple, ce qui était déjà en soi un problème de taille. Plus grave, ils craignaient de ne plus avoir de relation directe avec leurs souscripteurs. Plus d'adresse électronique pour communiquer avec eux, de numéro de carte de crédit pour effectuer une facturation. Plus de moyen de leur soumettre de nouveaux produits. Apple posséderait leurs clients, les facturerait et conserverait leurs informations personnelles dans sa banque de données. Étant donné sa politique de confidentialité, Apple ne partagerait aucune de ces informations sans l'autorisation explicite de ses clients.

Jobs avait très envie de conclure un accord avec le *New York Times*, un grand journal selon lui menacé de déclin s'il ne trouvait pas un moyen de retirer des bénéfices de ses contenus numériques. « L'un de mes projets personnels, cette année, est d'aider – qu'il le veuille ou non – le *Times*. Je pense que c'est important pour notre pays », me dit-il début 2010.

Durant son séjour à New York, Jobs prit un repas avec les cinquante hauts cadres du *Times* dans une salle privée du Pranna, un restaurant asiatique (il commanda un jus de mangue fraîche et des simples nouilles, aucun des deux n'étant sur la carte). Puis il leur montra son iPad et leur expliqua qu'il était crucial de déterminer pour le contenu numérique un prix bas que les consommateurs seraient prêts à accepter. Il dessina un graphique des prix et volumes possibles. Combien de lecteurs auraient-ils si le *Times* était gratuit ? Ils avaient déjà la réponse, car le contenu était accessible sur le site et dénombrait environ vingt millions de visiteurs. Et si, à l'extrême inverse, le contenu était très cher ? Ils avaient aussi des données sur cette question : un million d'abonnés déboursaient trois cents dollars par an pour recevoir le journal papier. Il fallait trouver un juste milieu, ce qui correspondait à environ dix millions d'abonnés numériques. « Cela veut dire que vos abonnements doivent être simples et bon marché : un clic et cinq dollars par mois maximum. »

Quand l'un des dirigeants du *Times* insista pour que le journal conserve l'adresse électronique et les données bancaires de tous ses abonnés, même s'ils souscrivaient à l'App Store, Jobs campa sur ses positions et refusa. Une réaction qui agaça le responsable. Il était impensable, selon lui, que le *Times* n'ait pas ces informations. « Eh bien, vous pouvez toujours les demander à vos clients, mais s'ils ne vous les donnent pas spontanément, ce n'est pas moi qui suis à blâmer. Si ce principe ne vous convient pas, ne nous utilisez pas. Ce n'est pas moi qui vous ai mis dans ce pétrin. C'est vous qui avez laissé passer cinq années sans vous occuper de votre journal électronique et sans collecter les données de vos lecteurs. »

Jobs rencontra aussi Arthur Sulzberger Jr. en privé. « C'est un type sympa. Il est vraiment fier de son nouveau bâtiment et il a bien raison ! Je lui ai dit ce qu'il devrait faire, selon moi, mais il ne s'est rien passé. » Une année plus tard, en avril 2011, le *Times* mit en ligne une édition électronique payante et vendit des abonnements par le biais d'Apple, en respectant la politique mise en place par la firme technologique. Cependant, le prix des abonnements était quatre fois plus élevé que les cinq dollars mensuels préconisés par Jobs.

Au Time-Life Building, le bâtiment vitré de quarante-huit étages abritant le magazine *Time*, Jobs fut reçu par Richard Stengel, le directeur de rédaction. Il appréciait l'homme qui avait assigné une équipe talentueuse, menée par Josh Quittner, pour réaliser chaque semaine une version solide du magazine pour l'iPad. En revanche, la présence d'Andy Serwer, de *Fortune*, l'indisposait. Il expliqua à Serwer qu'il était encore furieux à cause de l'article que *Fortune* avait publié sur lui deux ans plus tôt, révélant des détails sur sa santé, ainsi que l'affaire des stock-options.

Le problème majeur de Time Inc. était le même que celui du *New York Times* : le groupe de presse ne voulait pas perdre ses abonnés au profit d'Apple, encore moins sa relation directe avec eux. Time Inc. voulait créer des apps qui redirigeraient ses lecteurs désireux de s'abonner vers son propre site. Apple refusa le marché. Quand le *Time* et les autres magazines du groupe lancèrent leurs propres applications, mettant leurs menaces à exécutions, ils se virent dénier le droit de figurer dans l'App Store.

Jobs tenta de négocier personnellement avec le P-DG de Time Warner, Jeff Bewkes, un homme pragmatique et intelligent qui allait droit au but. Ils avaient fait affaire ensemble quelques années plus tôt à propos des droits vidéo de l'iPod Touch. Même si le patron d'Apple n'avait pas réussi à le convaincre de passer un accord comprenant les droits exclusifs de la chaîne HBO pour diffuser des films peu après leur sortie, il admirait le style direct et ferme de l'homme. De son côté, Jeff Bewkes respectait Jobs pour sa capacité à être à la fois un fin stratège et un orfèvre méticuleux, maîtrisant le moindre détail.

Jobs l'appela pour lui parler d'un partenariat entre les magazines de Time Inc. et l'iPad, mais il commença par lui dire que ses éditions papier n'avaient aucun intérêt, que personne ne lisait vraiment ses magazines et qu'Apple leur offrait une incroyable opportunité. « Seulement, vos gars ne comprennent rien. » Bewkes n'était pas d'accord avec lui sur cet état de fait, mais il lui répondit qu'il serait ravi qu'Apple vende des abonnements numériques pour Time Inc. :

— Et c'est d'accord, si vous vendez un abonnement pour nous, vous pouvez avoir vos 30 pour cent.

— Au moins les choses avancent avec vous !

— Je n'ai qu'une question : si vous vendez des abonnements pour mon magazine, et que je vous donne 30 pour cent, qui a l'abonnement, vous ou moi ?

— Je ne peux pas vous donner toutes les informations concernant les abonnés, à cause de la politique de confidentialité d'Apple.

— Alors ça ne va pas être possible, parce que je ne veux pas que toute ma base de données d'abonnés devienne la vôtre, que vous n'aurez plus qu'à insérer dans l'Apple Store. Et quand vous détiendrez le monopole, je ne voudrais pas que vous reveniez me voir pour me dire que notre magazine devrait être vendu à un dollar au lieu de quatre. Si une personne s'abonne à notre revue, on a besoin de savoir qui elle est, on a besoin de créer avec nos lecteurs une communauté en ligne et d'avoir la possibilité de les contacter directement pour un renouvellement.

Jobs eut beaucoup moins de mal à négocier avec Rupert Murdoch, dont le groupe News Corporation possédait entre autres le *Wall Street Journal*, le *New York Post*, divers journaux à travers le monde, *Fox Television Studios* et la chaîne de télévision *Fox News Channel*. Quand Jobs rencontra Murdoch et son équipe, ceux-ci insistèrent là encore pour partager la base de données des abonnés. Comme le patron d'Apple n'était pas d'accord, le magnat de la presse eut une intéressante réaction : « On aurait préféré garder nos abonnés et on a essayé de négocier… Mais Steve n'aurait jamais conclu le marché dans ces conditions, alors j'ai accepté sa proposition. Je ne voyais aucune raison de faire des histoires. Il ne céderait pas, et j'aurais fait la même chose à sa place. »

Murdoch lança même un quotidien entièrement numérique – *The Daily* – spécialement conçu pour l'iPad. Il serait vendu dans l'App Store, selon les termes dictés par Jobs, à quatre-vingt-dix-neuf cents par semaine. Le patron de News Corporation emmena son équipe à Cupertino pour montrer à son homologue les premières maquettes. Évidemment, Jobs les détesta. Puis il proposa de mettre sa propre équipe sur le coup, ce que Murdoch accepta. « Les créatifs d'Apple se sont mis au boulot, tout comme notre équipe, et dix jours plus tard, on avait le choix entre deux propositions. Steve a préféré notre version. On n'en est pas revenus ! »

The Daily – qui n'était ni un tabloïd ni un journal trop sérieux, plutôt un produit intermédiaire, à l'instar de l'*USA Today* – ne remporta guère de succès. Mais il permit de forger un lien entre l'étrange couple Jobs-Murdoch. Quand le patron de News Corporation demanda à son alter ego de la Pomme de s'exprimer lors du séminaire annuel des cadres de sa société en juin 2010, Jobs accepta l'invitation – c'était exceptionnel car Jobs avait pour règle de ne jamais se montrer aux cérémonies organisées par d'autres entreprises. Après le dîner, le fils du magnat, James Murdoch, l'entraîna dans un débat qui dura près de deux heures. « Il n'a pas mâché ses mots au sujet de la presse et s'est révélé très critique sur la façon dont les journaux s'adaptent aux nouvelles technologies, se rappelle James Murdoch. Il disait que nous n'arriverions jamais à faire les choses bien, car nous étions à New York, alors que toutes les innovations technologiques avaient lieu dans la Silicon Valley. » Ce discours ne plut guère au directeur du *Wall Street Journal Digital Network*, Gordon McLeod. À la fin de la soirée, il alla trouver le patron d'Apple et lui dit : « Merci, j'ai passé une merveilleuse soirée, même si elle m'a sans doute coûté mon poste ! » James Murdoch eut un rire amer en me racontant cette anecdote : « Il s'est avéré qu'il avait raison ! Moins de trois mois plus tard, McLeod était limogé. »

En contrepartie de son intervention, Rupert Murdoch accepta d'écouter la vision que Jobs avait de *Fox News*, une chaîne que le

P-DG d'Apple considérait comme destructrice pour la nation et dangereuse pour la réputation de son patron. « Vous vous plantez avec *Fox News*, lui dit-il au cours du dîner. Il n'y a plus d'un côté les libéraux et de l'autre les conservateurs, la ligne de partage dans le pays, c'est entre ceux qui sont constructifs et les destructeurs, et vous avez soutenu à l'antenne assez de personnes destructrices comme ça. La Fox est devenue une force noire dans notre société. Il faut redresser la barre, car si vous n'y prenez pas garde, ce sera votre seul legs aux générations futures. » Jobs était persuadé que Murdoch lui-même n'était pas satisfait de la direction prise par la Fox. « Rupert est un bâtisseur, pas un destructeur. J'ai eu quelques discussions avec James, et je pense qu'il est d'accord avec moi. »

Rupert Murdoch m'a raconté par la suite qu'il avait l'habitude des récriminations de ce genre au sujet de *Fox News*. « Steve a une sorte de vision "gauchisante" de tout cela. » Jobs lui demanda d'enregistrer pendant une semaine les émissions de Sean Hannity et Glenn Beck – qui, aux yeux du patron d'Apple, étaient encore plus destructrices que celle de Bill O'Reilly – et qu'il serait convaincu de leur effet toxique pour le pays. Jobs me confia plus tard qu'il avait demandé à l'équipe de Jon Stewart de faire un tel montage pour le montrer à Murdoch. « J'aurais été heureux de voir ça, m'expliqua Murdoch, mais Steve ne m'en a jamais parlé. »

En fait, les deux hommes s'entendaient si bien que Murdoch alla dîner deux fois à Palo Alto l'année suivante. À ces occasions, Jobs disait en plaisantant qu'il devait cacher les couteaux de cuisine, de peur que sa femme n'éviscère Murdoch à son arrivée. De son côté, le patron de News Corporation aurait prononcé une réplique d'anthologie à propos des plats végétaliens généralement servis à la table de ses hôtes : « Dîner chez Steve est très agréable, à condition de partir avant la fermeture des restaurants du coin. » Une repartie hélas niée par le principal intéressé.

Le 24 février 2011, Rupert Murdoch était de passage à Palo Alto, aussi appela-t-il son confrère d'Apple. Jobs l'invita à dîner sans lui préciser qu'il s'agissait de son cinquante-sixième anniversaire. « Laurene ne pouvait pas mettre son veto à sa venue, plaisanta-t-il. Comme c'était mon anniversaire, elle ne pouvait pas m'empêcher d'inviter Rupert. » Erin et Eve étaient présentes, et Reed les rejoignit en petites foulées depuis l'université de Stanford toute proche, pour le dessert. Jobs montra à ses invités les plans de son futur bateau, que le magnat de la presse trouva superbe à l'intérieur, mais un peu « simple » à l'extérieur. « Il parlait tellement de son bateau... cela prouvait qu'il était optimiste concernant sa santé », commenta-t-il par la suite.

Au cours du dîner, ils évoquèrent l'importance d'insuffler une véritable culture d'entreprise à une société. Sony avait échoué à atteindre cet objectif, d'après Murdoch. Jobs était d'accord : « Autrefois, je pensais qu'une très grosse boîte ne pouvait pas le faire. Aujourd'hui, j'ai changé d'avis. Rupert l'a fait. Et je crois l'avoir fait avec Apple. »

Une grande partie de la conversation tourna autour de l'enseignement. Murdoch venait d'embaucher Joel Klein, l'ancien recteur des écoles de New York, pour ouvrir un service de manuels scolaires numériques. D'après ses souvenirs, le patron d'Apple ne croyait guère que la technologie puisse transformer l'enseignement. En revanche, il était d'accord avec lui pour dire que l'édition de manuels scolaires serait bientôt décimée par les supports d'apprentissage électroniques.

En fait, le secteur des manuels scolaires était le prochain grand domaine que Jobs voulait transformer. Il pensait que cette industrie d'une valeur de huit milliards de dollars était mûre pour la révolution numérique. À ses yeux, il était incroyable que tant d'écoles ne disposent pas de casiers, pour des raisons de sécurité, de sorte que les écoliers traînaient de lourds cartables toute la journée. « L'iPad va résoudre ce problème. » Son idée était d'embaucher de grands auteurs de manuels scolaires pour en créer des versions numériques, qui deviendraient l'une des fonctionnalités de l'iPad. De plus, il avait rencontré plusieurs représentants de grandes maisons d'édition, comme Pearson Education, pour envisager un partenariat avec Apple. « Le procédé de certification des manuels scolaires est corrompu, dit-il. Mais si on rend les manuels scolaires gratuits et qu'ils sont livrés avec l'iPad, ils n'auront plus besoin d'être certifiés. L'économie délétère au niveau de l'État durera une décennie, et on leur offre la possibilité de sortir de ce processus et d'économiser de l'argent. »

CHAPITRE TRENTE-HUIT

NOUVELLES BATAILLES

Un écho des anciennes

Google : Ouverture contre Fermeture

Quelques jours après l'inauguration de l'iPad en janvier 2010, Jobs organisa une grande réunion « publique » avec ses employés sur le campus d'Apple. Au lieu de se féliciter de la sortie de leur nouveau produit révolutionnaire, Jobs fulminait contre Google, qui avait décidé de les concurrencer sur le marché du téléphone avec Android. « On ne s'est pas aventurés sur le marché des moteurs de recherche, mais Google ne se gêne pas pour marcher sur nos plates-bandes. Ne vous y trompez pas. Ils veulent tuer l'iPhone. Mais on ne les laissera pas faire ! » Quelques minutes plus tard, alors que la conversation était passée à un autre sujet, Jobs reprit sa tirade pour descendre en flammes le fameux slogan de Google : Ne soyez pas malveillants (« Don't be Evil ») : « Ce mantra est de l'arnaque ! »

Le patron d'Apple se sentait personnellement trahi. Le P-DG de Google, Eric Schmidt, siégeait au conseil d'administration d'Apple au moment du développement de l'iPhone et de l'iPad, et les fondateurs de Google, Larry Page et Sergey Brin, disaient que Jobs était un exemple pour eux. C'était de la haute trahison : l'interface de l'écran tactile d'Android reprenait de plus en plus de caractéristiques créées par Apple – le multi-tactile, le balayage, les icônes et la présentation des apps.

Jobs essaya de dissuader Google de développer Android. En 2008, il s'était rendu au siège de Google, près de Palo Alto, pour confronter Page, Brin, ainsi que le responsable de l'équipe du développement d'Android, Andy Rubin. (Comme Eric Schmidt appartenait à l'époque au conseil d'administration d'Apple, il s'abstenait d'assister aux réunions concernant l'iPhone.) « Je leur ai dit que, si tout se passait bien, nous garantirions l'accès de Google à l'iPhone, avec une ou deux icônes sur l'écran d'accueil », se rappelait le P-DG d'Apple. D'un autre côté, il menaçait Google de poursuites judiciaires, si jamais l'entreprise continuait de développer Android et d'utiliser des caractéristiques de l'iPhone comme le multi-tactile. Au début, Android évita de copier certains paramètres, mais en janvier 2010, HTC présenta un téléphone Android qui affichait un écran multi-tactile, ainsi que bien d'autres aspects de l'apparence et de la convivialité de l'iPhone. C'est dans ce contexte que Jobs vilipenda le mantra « Ne soyez pas malveillants » de Google.

Ainsi, Apple engagea des poursuites contre HTC (et par extension Android) pour avoir copié vingt caractéristiques brevetées par Apple. Parmi elles, les mouvements multi-tactiles, le balayage pour allumer l'appareil, le double tapotement pour zoomer et les capteurs qui déterminent la façon dont l'appareil est tenu. La semaine des poursuites judiciaires, dans sa maison de Palo Alto, il fulminait comme jamais encore auparavant :

> Google pille notre iPhone ! C'est du vol manifeste. De la rapine de brigands ! Je donnerai mon dernier souffle s'il le faut, et je dépenserai jusqu'au dernier penny des quarante milliards que nous avons en banque, pour avoir gain de cause. Je détruirai Android, parce que c'est un produit volé. Je vais lancer une guerre thermonucléaire ! Ils vont avoir la peur de leur vie, parce qu'ils savent qu'ils sont coupables. En dehors de son moteur de recherche, les produits Google – Android, Google Docs – sont nuls.

Quelques jours après cette diatribe, Jobs reçut un appel de Schmidt, qui avait démissionné du conseil d'administration d'Apple l'été précédent. Celui-ci lui proposa d'aller prendre un café et ils se retrouvèrent au centre commercial de Palo Alto. « Nous avons passé la moitié du temps à discuter d'affaires personnelles et l'autre moitié

du fait que Google, selon Steve, avait volé l'interface d'Apple. » Sur
ce sujet, Jobs monopolisa la parole. Oui, Google l'avait arnaqué,
volé, plagié, répétait-il dans un langage coloré. « Vous avez les mains
sales. Je ne suis pas intéressé par un arrangement. Je ne veux pas
de votre argent. Si vous m'offriez cinq milliards de dollars, je n'en
voudrais pas ! Merci, j'en ai largement assez. Ce que je veux, c'est
que vous cessiez de piquer nos idées pour Android. » Malheureusement, ils étaient dans une impasse.

Cette querelle n'était que la partie émergée d'une problématique
fondamentale, aux résonances historiques. Google avait présenté
Android comme une plateforme « ouverte ». Son code était disponible aux fabricants de matériel qui pouvaient l'utiliser sur leurs téléphones ou leurs tablettes. Bien entendu, Jobs avait la croyance
dogmatique qu'Apple devait conserver des systèmes d'exploitation
soigneusement intégrés et protégés. Dans les années 1980, Apple
avait refusé de délivrer la licence de son système d'exploitation.
Microsoft avait fini par dominer le marché en vendant ses licences
à de multiples fabricants de matériel et, dans l'esprit de Jobs, en
plagiant Apple.

La comparaison entre la prise de pouvoir de Microsoft dans les
années 1980 et les manœuvres de Google n'était pas tout à fait
justifiée, mais les similitudes étaient dérangeantes… et il y avait de
quoi voir rouge. C'était l'exemple même du grand débat de l'ère
numérique : fermeture contre ouverture, ou comme Jobs l'avait baptisé, intégration contre fragmentation. Était-il préférable, comme en
était intimement convaincu le P-DG, d'imbriquer soigneusement
logiciel, matériel et contenu dans un système clos qui assurait au
consommateur une qualité optimale ? Ou de donner aux utilisateurs
et aux fabricants plusieurs choix, ouvrant ainsi la voie de l'innovation
en créant des logiciels susceptibles d'être modifiés et utilisés par différents appareils ? « Steve a une vision claire et précise de la gestion
d'Apple, une vision inchangée depuis vingt ans, qui a fait de sa
société la championne des systèmes fermés, me confia Schmidt par
la suite. Il ne veut pas d'intrus dans sa plateforme. Personne ne
doit y pénétrer sans autorisation. Le bénéfice d'une plateforme fermée est le contrôle. Google pense que l'ouverture est la meilleure
approche, parce qu'elle donne plus de solutions au consommateur
et ouvre la voie de la concurrence. »

Que pouvait bien penser Bill Gates de son concurrent, adepte de la stratégie de fermeture, en assistant à cette bataille entre Apple et Google, écho de la guerre contre Microsoft vingt ans plus tôt ? « La fermeture a ses avantages, c'est sûr. Le contrôle de l'expérience utilisateur, par exemple. » Mais refuser de délivrer la licence de l'OS d'Apple donnait à des concurrents comme Android l'opportunité de gagner du terrain. De plus, la compétition entre les appareils électroniques et les fabricants était source de plus de choix et d'innovation. « Ces sociétés ne bâtissent pas des pyramides près de Central Park, railla-t-il, faisant référence à l'Apple Store de la 5ᵉ Avenue, mais elles créent des nouveautés stimulées par l'attrait du marché. » La plupart des améliorations des PC, fit remarquer Gates, ont été possibles parce que les consommateurs avaient tout un éventail de solutions, et la même chose se produirait un jour avec les téléphones portables. « Au bout du compte, je pense que l'ouverture triomphera – mais c'est de là que je viens. À long terme, le principe de cohérence interne est intenable. »

Au contraire, Jobs croyait dur comme fer à ce principe. Sa foi en un environnement clos et contrôlé demeurait inébranlable, même si Android gagnait des parts de marché. « Google dit que nous exerçons un contrôle coercitif, qu'eux, ils sont ouverts et nous fermés ! maugréa-t-il quand je lui rapportai les propos de Schmidt. Eh bien, regardez le résultat : Android est un ratage. Il existe une foule de versions et de tailles d'écran. » Même si l'approche Google risquait au final de dominer le marché, Jobs était écœuré : « Je suis heureux de superviser l'ensemble de l'expérience utilisateur. On ne le fait pas pour l'argent. On le fait parce qu'on veut créer de grands produits, pas des gadgets ratés comme Android. »

Flash, App Store ou la question du pouvoir

L'obsession de Jobs pour le contrôle total se manifestait dans d'autres batailles. Au grand rassemblement public où il dénigra Google, il s'en prit également à Flash, le logiciel multimédia d'Adobe. Flash, jugeait-il, était un bricolage rempli de bugs, conçu par des tâcherons. Un produit indigne de l'iPod et l'iPhone. « Flash, au niveau de la technologie, est une pelote de spaghetti infâme aux performances lamentables, avec de gros problèmes de sécurité. »

Il bannit même les apps donnant accès au programme d'Adobe capable de traduire le code de Flash pour le rendre compatible avec l'OS de Mac. Le patron d'Apple dédaignait les programmes qui permettaient à des développeurs d'écrire leurs propres produits et de les importer dans de multiples systèmes d'exploitation. « Autoriser Flash à être importé sur toutes les plateformes revenait à tout réduire au plus petit dénominateur commun. On a bossé dur pour améliorer notre plateforme et les développeurs n'en tireront aucun avantage si Adobe ne fonctionne qu'avec des fonctions que possèdent toutes les plateformes. On veut qu'ils profitent de nos meilleurs aspects et que leurs apps fonctionnent mieux chez nous que chez les autres. » Sur ce point, Jobs avait raison. Perdre la capacité de différencier les plateformes d'Apple – les laisser devenir aussi communes que celles des machines HP ou Dell – signerait en effet la mort de la société.

À cela, il fallait ajouter une raison plus personnelle. Apple avait investi chez Adobe en 1985, et ensemble les deux sociétés avaient lancé la révolution de la PAO. « J'ai aidé Adobe à se mettre sur les rails », se rappelait Jobs. En 1999, après son retour chez Apple, il avait demandé à Adobe de travailler sur le logiciel d'édition vidéo pour l'iMac et son nouveau système d'exploitation, mais Adobe avait refusé, prétextant qu'il se focalisait sur la fabrication de produits pour Windows. Peu après, son fondateur, John Warnock, partit à la retraite. « L'âme d'Adobe a disparu avec le départ de Warnock, déplora Jobs. C'était un inventeur, une personne avec qui j'avais créé des liens. Ensuite, se sont succédé une flopée de technocrates et l'entreprise a dépéri. »

Quand les évangélistes d'Abode et autres supporters de Flash de la blogosphère reprochèrent au patron d'Apple son obsession du contrôle, il décida de riposter en postant une lettre ouverte. Bill Campbell, son ami et membre du conseil d'administration, vint chez lui pour lui prodiguer des conseils.

— Est-ce que je donne l'impression de me venger d'Adobe ?

— Non, ce ne sont que des faits. Il faut t'en tenir aux faits.

Une grande partie de la lettre traitait des défauts techniques de Flash. Cependant, malgré les conseils de son partenaire, Jobs ne put résister à l'envie de parler à la fin de la lettre du passif historique entre les deux sociétés : « Adobe a été le dernier grand développeur externe à adopter pleinement Mac OS X. »

Quelques mois plus tard, Apple leva certaines restrictions liées à la programmation entre plateformes, permettant à Adobe de sortir un outil Flash qui tirait avantage des caractéristiques clés de l'iOS d'Apple. Une amère défaite, même si Jobs avait eu le dernier mot. Après tout, il avait forcé Adobe et les autres développeurs de programmes à faire une meilleure utilisation de l'iPhone, de l'iPad et de leurs aspects spécifiques.

Le patron d'Apple dut faire face à des controverses bien plus ardues au sujet de son contrôle strict des applications téléchargées sur l'iPhone et l'iPad. Refuser l'accès d'applications porteuses de virus ou portant atteinte à la vie privée des utilisateurs faisait sens. De même, se prémunir d'applications qui aidaient les utilisateurs à naviguer sur d'autres sites pour acheter des abonnements du même type que ceux de l'iTunes Store était commercialement défendable. Mais Jobs et son équipe allèrent plus loin. Ils décidèrent que toute application diffamatoire, politiquement incorrecte ou pornographique, serait interdite par les censeurs d'Apple.

Ce comportement paternaliste devint flagrant quand Apple rejeta une application qui diffusait les dessins animés à caractère politique de Mark Fiore, au motif que ses attaques contre la politique de l'administration Bush sur la torture violaient leurs restrictions en matière de diffamation. Une décision publique tournée en ridicule quand Mark Fiore remporta le prix Pulitzer 2010 du dessin de presse en avril. Contraint de faire machine arrière, Jobs fit des excuses publiques : « Nous sommes coupables de faire des erreurs. Nous faisons de notre mieux, nous apprenons aussi vite que possible, mais nous pensions sincèrement que cette règle avait un sens. »

C'était plus qu'une simple erreur. Cette anecdote fit naître le spectre d'un Apple cherchant à contrôler tout ce que regardaient ou lisaient les gens, du moins ceux qui possédaient un iPad ou un iPhone. Jobs risquait de devenir le Big Brother qu'il avait détruit avec jubilation dans la publicité « 1984 » du Macintosh. Il prit le problème très au sérieux et appela un chroniqueur du *New York Times*, Tom Friedman, pour réfléchir au moyen d'établir des règles sans passer pour un censeur. Le journaliste pouvait-il diriger un groupe de conseil pour l'aider à avancer dans cette voie ? Malheureusement, le chroniqueur refusa, craignant un conflit d'intérêts.

La censure de la pornographie lui causa aussi bien des problèmes. « Nous pensons qu'il est de notre responsabilité d'interdire la pornographie sur l'iPhone, déclara le patron d'Apple dans un e-mail à un client. Les gens qui veulent voir du porno n'ont qu'à acheter un Android ! »

Cette boutade entraîna aussitôt un échange de courriers électroniques avec Ryan Tate, le rédacteur en chef du site Walleywag, friand des potins du monde technologique. Un soir, tout en sirotant un cocktail, Tate envoya un e-mail à sjobs@apple.com pour critiquer la mainmise d'Apple sur les fameuses apps. « Si Dylan avait vingt ans aujourd'hui, que penserait-il de votre entreprise ? Se dirait-il que l'iPad est le plus beau symbole de la "révolution" ? Les révolutions sont éprises de liberté. »

À sa grande surprise, Jobs lui répondit quelques heures plus tard, après minuit. « Oui, la liberté de programmes qui volent vos données personnelles. Qui détruisent vos batteries. La liberté de la pornographie. Oui, la liberté. "The Times are a Changin'." Et les nostalgiques des PC ont l'impression que leur monde leur échappe. C'est le cas. »

Dans sa réponse, le rédacteur en chef livra quelques idées sur Flash et d'autres sujets, puis revint à la censure.

« Et vous savez quoi ? Je ne veux pas de la "liberté de la pornographie". Vive la pornographie ! Et je crois que ma femme serait d'accord. »

« Vous vous inquiéterez peut-être plus de la pornographie quand vous aurez des enfants. Il ne s'agit pas là de liberté, il s'agit de la volonté d'Apple de faire au mieux pour ses utilisateurs. » Il termina par un trait d'esprit : « Au fait, qu'avez-vous fait de si formidable, vous ? Avez-vous créé quelque chose ? Ou bien vous contentez-vous de critiquer le travail des autres et de saper leur motivation ? »

Tate admit qu'il était impressionné. « Rares sont les P-DG qui gaspillent leur temps dans des échanges avec des blogueurs. Jobs a le mérite de briser l'image du grand dirigeant américain, et pas seulement parce que son entreprise crée des produits hautement supérieurs aux autres. Lui ne cesse de bâtir et rebâtir sa société autour de principes solides sur la vie numérique, qu'il est prêt à défendre en public. Vigoureusement. Frontalement. À 2 heures du matin un week-end. » Nombre d'adeptes de la blogosphère étaient d'accord et envoyèrent au patron d'Apple des courriers louant sa passion. Fier de sa réaction, Jobs transféra cet échange à quelques-uns de ses proches, moi compris.

Cependant, il était déconcertant pour les acquéreurs des produits Apple de se voir interdire l'accès à des dessins animés satiriques ou, sujet délicat, à des films à caractère pornographique. Le site humoristique eSarcasm lança une campagne électronique intitulée « Oui, Steve, je veux du porno ! ». « Nous sommes de gros cochons obsédés qui voulons des films de cul 24 heures sur 24. Ou bien nous défendons simplement l'idée d'une société non censurée, ouverte, où un techno-dictateur ne décide pas de ce que nous pouvons et ne pouvons pas voir. »

À l'époque, Jobs et Apple s'étaient lancés dans une bataille contre le site affilié à Valleywag, Gizmodo, qui avait récupéré une version test de l'Iphone 4 – pas encore sur le marché – oublié dans un bar par un ingénieur Apple négligent. Quand la police, suite à la plainte d'Apple, perquisitionna la maison du journaliste, on s'interrogea sur la dérive du contrôle outrancier, doublé de l'arrogance de la firme à la Pomme.

Le présentateur Jon Stewart était un ami de Jobs et un fan d'Apple. Jobs lui avait rendu visite en février, lors de son séjour à New York pour rencontrer des grands dirigeants de médias. Cela n'empêcha pas l'animateur de le critiquer dans son émission *The Daily Show* : « Cela ne devait pas se passer ainsi ! C'est Microsoft qui était censé être le diable ! lança-t-il en plaisantant à moitié. C'est vous normalement les rebelles, les pirates. Et maintenant ? Vous vous rappelez cette publicité incroyable pour le premier Macintosh en 1984, où vous détruisez Big Brother ? Regardez-vous dans le miroir, les gars ! »

À la fin du printemps, le problème était devenu un sujet de discussion parmi les membres du conseil d'administration. « Oui, on ne peut nier qu'il y a une certaine arrogance chez Apple, m'a confié Art Levinson au cours d'un déjeuner, juste après une réunion. C'est lié à la personnalité de Steve. Il réagit de façon viscérale et exprime ses convictions de la manière forte. » Tant qu'Apple était l'outsider, ce comportement n'était pas gênant. Mais à présent, il domine le marché de la téléphonie mobile. « Nous devons gérer la transition qui nous a vus devenir une grande entreprise, et régler ce problème d'orgueil. » Al Gore aborda à son tour le sujet lors d'une réunion du conseil d'administration. « Le contexte change drastiquement pour Apple. Il n'est plus celui qui lance le marteau contre Big Brother. Aujourd'hui, Apple est devenu une importante entreprise que les gens considèrent comme despotique. » Quand on souleva le problème devant Jobs, il se mit immédiatement sur la défensive. Gore était cependant confiant : « Il doit simplement ajuster son comportement. Il est plus facile d'être l'outsider querelleur que le géant pétri d'humilité. »

Le patron d'Apple n'avait guère de patience sur le sujet. Bien sûr, Apple était sous les feux de la critique. « Les sociétés comme Google et Adobe répandent des mensonges sur nous parce qu'elles veulent nous voir couler. » Apple, une société arrogante ? « Je ne m'inquiète pas pour ça, parce que c'est totalement faux. »

L'Antennagate : designer contre ingénieur

Dans la plupart des entreprises fabriquant des produits de consommation, il existe une tension entre les concepteurs, qui désirent le plus beau produit possible, et les ingénieurs, qui veulent s'assurer que le produit remplit toutes les fonctions requises. Chez Apple, où le P-DG poussait les deux départements à se dépasser, la tension était plus forte encore.

Quand Jobs et son chef designer Jony Ive formèrent une paire inséparable en 1997, ils avaient tendance à considérer la moindre opposition des ingénieurs comme une manifestation du mantra : « C'est impossible à réaliser ! » Leur foi dans les œuvres extraordinaires, capables de générer des exploits technologiques surhumains, était renforcée par les succès de l'iMac et de l'iPod. Si les ingénieurs prétendaient que telle ou telle chose était irréalisable, les deux hommes les poussaient à tenter l'expérience et, souvent, ils réussissaient. Parfois, de petites difficultés survenaient. L'iPod Nano, par exemple, pouvait être rayé, car Ive craignait que le revêtement antirayures n'entame la pureté du design. Un défaut qui ne généra cependant pas de crise.

Au moment de la conception de l'iPhone, les désirs du chef designer se heurtèrent cette fois aux lois fondamentales de la physique, impossibles à modifier, même avec un champ de distorsion de la réalité réglé à pleine puissance ! Le métal n'était pas le matériau idéal à proximité d'une antenne. Comme Faraday l'a démontré, les ondes électromagnétiques glissent sur la surface d'un métal, sans passer à travers. Donc, une coque de métal autour d'un téléphone pouvait créer l'équivalent de la fameuse cage de Faraday, diminuant le signal entrant ou sortant. L'iPhone avait été conçu à l'origine avec une bande plastique, mais le chef designer trouvait que cela nuisait au design, aussi choisit-il d'ajouter un cerclage en aluminium tout autour. Comme le système fonctionnait, il remplaça l'aluminium par de l'acier sur l'iPhone 4. Le métal serait l'ossature de l'appareil, lisse et élégant, et servirait également de composant actif à l'antenne du téléphone.

Un défi de taille. Pour faire office d'antenne, le cerclage métallique devait être percé d'un minuscule trou. Mais si quelqu'un couvrait cet orifice avec un doigt ou une paume, le signal risquait d'être perdu. Les ingénieurs suggérèrent d'ajouter un revêtement sur le métal pour éviter cet écueil, mais de nouveau, Ive craignit de ternir l'apparence lisse du métal brossé. Le problème fut exposé au patron d'Apple lors de diverses réunions, mais Jobs eut le sentiment que les ingénieurs criaient au loup. « Débrouillez-vous pour que ça marche ! » Et ils s'exécutèrent.

Le système fonctionnait presque parfaitement. Mais pas totalement. Lorsque l'iPhone 4 sortit en juin 2010, il était fabuleux, mais comportait un défaut évident : si vous teniez le téléphone d'une certaine manière, en particulier de la main gauche, et que votre paume bouchait le petit orifice, le signal était coupé. Cela se produisait pour environ un appel sur cent. Comme Jobs insistait toujours pour ménager le plus grand secret autour de ses nouveaux produits (même le téléphone récupéré par Gizmodo avait un boîtier factice), l'iPhone 4 ne passait pas de test public préalable, comme la plupart des autres appareils électroniques. Ainsi, son défaut n'apparut qu'après avoir inondé le marché. « On peut se demander si cette double politique – faire passer le design avant l'ingénierie et le secret à tout crin –

est une bonne chose pour Apple, se demanda Tony Fadell par la suite. Dans l'ensemble, oui, mais le pouvoir sans garde-fou est dangereux et nous en avons été victimes. »

Si cela n'avait pas été l'iPhone 4 – un produit qui fascinait les foules –, les quelques appels ratés n'auraient pas fait la une des journaux. Mais l'affaire fut surnommée « l'Antennagate » et atteignit un point critique au début du mois de juillet, quand le magazine *Consumer Reports*, après des tests rigoureux, déclara qu'il « ne pouvait recommander » l'iPhone 4 à cause d'un problème d'antenne.

Jobs se trouvait à Kona Village, à Hawaii, avec sa famille quand la polémique éclata. Au début, il resta sur la défensive. Art Levinson était en contact téléphonique permanent avec lui et Jobs était persuadé qu'il s'agissait d'une machination montée de toutes pièces par Google et Motorola. « Ils veulent couler Apple, voilà tout ! »

Levinson le pressait de faire preuve d'humilité : « Essayons de déterminer s'il n'y a pas un vrai problème. » Quand il mentionna de nouveau l'arrogance supposée d'Apple, le patron n'apprécia guère le commentaire. Cela allait à l'encontre de sa vision dichotomique du monde, noir ou blanc, bien ou mal. Apple était une société de principes. Si les gens ne s'en rendaient pas compte, ce n'était pas leur faute et Apple n'avait aucune raison de faire preuve d'humilité.

Sa colère passée, Jobs éprouva de la peine. Ces critiques l'affectaient personnellement et l'angoisse l'envahit. « Au fond de lui, il refusait de faire ce qui lui semblait mal, contrairement aux gens purement pragmatiques dans notre métier, explique Levinson. Aussi, quand il pense avoir raison, il fonce sans réfléchir au lieu de s'interroger. » Malgré le soutien de Levinson, le patron d'Apple se laissa aller à la déprime. Heureusement, Tim Cook réussit à le sortir de sa léthargie. Il cita une personne qui avait dit qu'Apple devenait le nouveau Microsoft, à savoir arrogant et suffisant. Le lendemain, Jobs changea entièrement d'attitude : « Il est temps de régler cette affaire ! »

Une fois les données relatives aux appels interrompus rassemblées par AT&T, le patron d'Apple comprit qu'il y avait réellement un problème, même s'il avait été très exagéré par les médias. Aussi quitta-t-il Hawaii, après avoir passé plusieurs coups de téléphone cruciaux. Il était temps de rassembler quelques personnes de confiance, de vieux amis qui étaient à ses côtés au moment de la naissance du premier Macintosh, trente ans auparavant.

Son premier appel fut pour Regis McKenna, le gourou des relations publiques. « Je rentre d'Hawaii pour régler cette histoire d'antenne et je vais avoir besoin de tes conseils. » Regis était d'accord. Ils convinrent de se retrouver à Cupertino, dans la salle de réunion d'Apple, à 13 h 30 le lendemain. Son second appel fut pour Lee Clow. Le publicitaire avait essayé de prendre ses distances avec Apple, mais Jobs aimait l'avoir à ses côtés. Son collègue James Vincent fut convié lui aussi.

Jobs décida également de rentrer avec son fils Reed, alors en dernière année de lycée. « Je vais probablement passer les deux prochains jours en réunion 24 heures sur 24 et je veux que tu n'en perdes pas une miette. Tu en apprendras plus dans cette pièce en deux jours qu'en deux ans dans une école de commerce. Tu vas te retrouver avec les meilleurs dans leur domaine ; et on va devoir prendre de grandes décisions. Tu vas voir comment ça se déroule réellement. » L'émotion le gagna quand il se remémora cette scène. « Je revivrais entièrement cette expérience rien que pour lui donner l'opportunité de me voir à l'œuvre. Il était temps qu'il sache ce que faisait son père. »

Ils furent rejoints par Katie Cotton, l'implacable responsable des relations publiques d'Apple, ainsi que par sept autres directeurs. La séance de travail dura tout l'après-midi. « C'est l'une des réunions les plus mémorables de ma vie », me confia Jobs par la suite. Il avait commencé par exposer les données recueillies, après quoi il lança : « Voilà les éléments. Alors, qu'est-ce qu'on fait ? »

McKenna était l'intervenant le plus calme et le plus direct : « Dis simplement la vérité, chiffres à l'appui. N'aie pas l'air arrogant, mais ferme et confiant. » D'autres, dont James Vincent, poussèrent leur mentor à présenter un visage contrit, mais le spécialiste des relations publiques y était opposé : « Ne va pas à cette conférence de presse la queue entre les jambes. Tu n'as qu'à dire : les téléphones ne sont pas parfaits, et nous ne sommes pas parfaits non plus. Nous sommes humains et nous faisons de notre mieux, et voilà les chiffres. » Cette stratégie fut adoptée. Quant au problème de l'arrogance perçue par le grand public, McKenna lui dit de ne pas trop s'en inquiéter. « Je pensais que donner à Steve un air humble ne marcherait pas, m'a-t-il expliqué par la suite. Inutile de jouer la comédie. Avec Steve, c'est comme avec les Mac : c'est du WYSIWYG ! »

Lors de la conférence de presse, ce vendredi-là, qui se tenait dans l'auditorium d'Apple, Jobs suivit les directives de son conseiller. Il ne courba pas l'échine ni ne s'excusa, pourtant il parvint à désamorcer la crise en déclarant qu'Apple comprenait le problème et ferait tout pour le régler. Puis il détourna la discussion en stipulant que tous les téléphones portables avaient des défauts. Plus tard, il m'a confié qu'il avait l'air un peu « trop contrit » pendant son discours, alors qu'il avait réussi à adopter un ton à la fois ferme et direct. Il subjugua son auditoire en quatre phrases : « Nous ne sommes pas parfaits. Les téléphones ne sont pas parfaits. Nous le savons tous. Mais nous voulons le bonheur de nos clients. »

Les insatisfaits pouvaient retourner le téléphone (le taux de retour fut finalement de 1,7 pour cent, soit moins d'un tiers du taux de retour de l'iPhone 3GS et de la plupart des autres téléphones) ou bien recevoir un bumper, une bande de caoutchouc anti-choc qui réglait le problème de réception. Il montra ensuite des données qui statuaient que d'autres téléphones portables présentaient des problèmes similaires. Cela n'était pas tout à fait exact. La conception de l'antenne d'Apple la rendait bien moins fonctionnelle que celles de la plupart des autres mobiles, y compris les versions précédentes de l'iPhone. Mais il était vrai aussi que la frénésie médiatique générée par l'iPhone 4 avait monté l'affaire en épingle. « Cette histoire a pris des proportions incroyables », commenta-t-il. Et au lieu de s'indigner que Jobs n'ait pas formulé d'excuses ni proposé de retirer l'appareil de la vente, les consommateurs se dirent qu'il avait raison.

La liste d'attente pour le téléphone, déjà en rupture de stock, passa de deux à trois semaines. L'iPhone 4 restait à ce jour le produit qui s'est vendu le plus rapidement de toute l'histoire d'Apple. Le débat médiatique se reporta dès lors sur la problématique des smartphones en général : avaient-ils tous le même problème d'antenne ? Même si la réponse était non, il n'était plus question de l'iPhone 4 défaillant.

Certains observateurs étaient stupéfaits. « Dans une impressionnante démonstration d'illusionnisme, d'indignation et d'honnêteté blessée, Jobs a réussi à nier le problème, balayer les critiques et rejeter la faute sur les autres fabricants de smartphones, écrivit Michael Wolff sur *newser.com*. Face à un tel niveau de marketing moderne, d'entrepreneuriat collectif et de gestion de crise, on est obligé de se demander avec un mélange de stupeur et d'incrédulité : Comment s'en sont-ils sortis ? Ou plutôt : Comment s'en est-il sorti ? » Le journaliste attribuait cet effet hypnotique à « la dernière figure charismatique de l'industrie ». D'autres P-DG auraient présenté d'abjectes excuses et avalé des retours massifs, mais pas le patron d'Apple. « Son apparence sévère et squelettique, son absolutisme, son port hiératique, sa relation avec le sacré, lui donnaient le privilège de décider avec superbe ce qui avait du sens et ce qui était trivial. »

Scott Adams, le créateur des strips *Dilbert*, était tout aussi incrédule, mais bien plus admiratif. Il écrivit sur un blog quelques jours plus tard (que Steve transféra fièrement à ses proches) qu'il était émerveillé par les « grandes manœuvres » de Jobs, qui seraient un jour étudiées comme les nouveaux standards en matière de relations publiques. « La réaction d'Apple au problème de l'iPhone 4 n'a rien à voir avec ce qu'on apprend dans les écoles de communication ; car Jobs a inventé ses propres règles. Si vous voulez savoir à quoi ressemble le génie, étudiez les paroles de Jobs. » En proclamant en public que les téléphones n'étaient pas parfaits, le patron d'Apple avait transformé une argumentation en affirmation indiscutable. « Si Jobs n'avait pas déplacé le débat de l'iPhone 4 aux smartphones en général, j'aurais pu créer une bande dessinée hilarante sur un produit défaillant qui ne marchait plus dès qu'il entrait en contact avec une main humaine. Mais dès qu'il s'agit d'une problématique généraliste sur les téléphones, l'humour ne prend plus. Rien n'étouffe mieux l'humour qu'une vérité générale et ennuyeuse. »

« *Here Comes the Sun* »

Pour que la carrière de Jobs soit complète, un certain nombre d'éléments devaient être réglés. Parmi eux, mettre fin à la guerre de trente ans avec son groupe tant aimé, les Beatles. Apple trouva une solution en 2007 à sa bataille mémorable avec Apple Corps, la société gestionnaire des affaires des Beatles, qui l'avait poursuivi en justice pour avoir utilisé son nom en 1978. Mais les Beatles n'étaient toujours pas dans l'iTunes Store. Le groupe était le dernier grand réfractaire, principalement à cause de sa mésentente avec EMI Music, qui possédait la majorité de ses chansons, pour la gestion des droits numériques.

À l'été 2010, les Beatles et EMI réglèrent leur contentieux et une réunion au sommet put avoir lieu dans la salle de réunion de Cupertino. Jobs et son vice-président pour l'iTunes Store, Eddy Cue, recevaient Jeff Jones, défenseur des intérêts des Beatles, et Roger Faxon, président d'EMI Music. À présent que les Beatles étaient prêts à passer au numérique, que pourrait leur offrir Apple de spécial ? Jobs attendait ce moment depuis longtemps. En fait, avec son équipe publicitaire – Lee Clow et James Vincent –, ils avaient réalisé des maquettes de spots trois ans auparavant, à l'époque où ils réfléchissaient au moyen d'attirer les Beatles dans leur giron.

« Steve et moi pensions avoir fait tout notre possible », se rappelle Cue. À savoir reprendre la page d'accueil de l'iTunes Store, acheter des affiches des meilleures photos du groupe et tourner une série de publicités télévisées dans le style classique d'Apple. Sans oublier un coffret au prix de cent quarante-neuf dollars incluant les treize albums en studio des Beatles, les deux volumes de la compilation « Past Masters » et une vidéo du concert mythique du Washington Coliseum de 1964.

Une fois l'accord de principe conclu, Jobs s'impliqua personnellement dans la sélection des photographies pour les publicités. Leur choix s'arrêta sur un cliché en noir et blanc de Paul McCartney et John Lennon, jeunes et souriants, dans un studio d'enregistrement, le regard baissé sur une partition. Un clin d'œil à la photographie où Jobs et Steve Wozniak regardaient ensemble un circuit imprimé. « Avoir les Beatles sur iTunes a été le point d'orgue de notre investissement dans l'industrie de la musique », affirme Cue.

CHAPITRE TRENTE-NEUF

VERS L'INFINI

Le nuage, le vaisseau spatial, et au-delà

L'iPad 2

Avant même la mise en vente de l'iPad, Jobs réfléchissait déjà à l'iPad 2. Il devait être équipé de deux caméras, une sur le devant et une au dos – tout le monde savait que c'était l'avenir – et tenait absolument à le rendre encore plus fin. Un problème secondaire – que personne n'avait particulièrement remarqué – le perturbait : les étuis utilisés par les consommateurs recouvraient les lignes épurées de l'iPad et entachaient l'intégrité de l'écran. Ils épaississaient l'iPad au lieu de l'affiner, brisant en quelque sorte sa magie.

À peu près à cette époque, le P-DG lut un article sur les aimants, le découpa et le fit lire à Ive. Les aimants ont une force d'attraction qui peut être ciblée avec précision. Peut-être pourraient-ils en utiliser pour créer une housse amovible. Celle-ci pourrait simplement se clipper sur le devant de l'iPad sans recouvrir l'ensemble de l'appareil. Un des membres de l'équipe d'Ive s'ingénia à fabriquer une housse amovible qui se connecterait grâce à des charnières magnétiques. En soulevant à peine la housse, l'écran reviendrait à la vie comme le visage d'un enfant qu'on chatouille, puis se replierait en trois de manière à faire office de pupitre.

Ce n'était pas de la haute technologie, simplement de la mécanique. Un mécanisme enchanteur. C'était aussi un nouvel exemple du désir de Jobs de créer une intégration de bout en bout. La housse et l'iPad avaient été conçus ensemble, de manière à ce que les aimants et les charnières se connectent de façon fluide. L'iPad comportait plusieurs améliorations, mais cette ingénieuse invention, qui n'avait retenu l'attention d'aucun autre P-DG, obtint un franc succès.

Comme Jobs était en congé maladie, personne ne l'attendait à l'inauguration de l'iPad 2, prévue le 2 mars 2011 au centre Yerba Buena de San Francisco. Mais au moment de l'envoi des invitations, il me conseilla de tout faire pour m'y rendre. Ce fut la grande messe habituelle : les dirigeants d'Apple au premier rang – Tim Cook mangeant ses barres énergétiques –, et en musique de fond, les chansons appropriées des Beatles : « Revolution » (dont la première phrase est : « Vous dites que vous voulez une révolution ») et « Here Comes the Sun ». Reed Jobs arriva à la dernière minute avec deux compagnons de fac à l'air éberlué.

« Nous travaillons sur ce produit depuis si longtemps que je ne voulais pas rater ça », commença Jobs en s'avançant sur la scène, le visage décharné et le sourire désinvolte. La foule se leva pour l'applaudir longuement.

Il débuta l'inauguration de l'iPad 2 en exhibant la nouvelle housse. « Cette fois, la housse et le produit ont été conçus ensemble. » Puis il en vint à une problématique qui lui était chère : on avait reproché à l'iPad originel d'être un objet de pure consommation, qui n'encourageait pas la création. Apple avait donc adapté ses deux applications les plus créatives – GarageBand et iMovie – pour l'iPad. Jobs démontra comme il était facile de composer et de mixer une chanson, ou d'ajouter de la musique ou des effets spéciaux à des vidéos, puis de poster et partager ces créations par le biais de l'iPad.

Une fois encore, il termina sa présentation avec le fameux panneau indiquant l'intersection entre l'art et la technologie. Il avait de nouveau donné l'une des plus claires expressions de son credo, à savoir que la créativité et la simplicité vraies découlaient d'un ensemble soigneusement intégré, et non de produits ouverts et fragmentés comme avec Windows en son temps et avec Android aujourd'hui.

Il est inscrit dans les gènes d'Apple que la technologie à elle seule ne suffit pas. Nous pensons que c'est le mariage entre la technologie et les arts, la technologie et les sciences humaines, qui donne naissance à des produits capables de faire chanter notre cœur. Les appareils électroniques de l'ère post-PC en sont l'illustration parfaite. Toutes les entreprises se ruent sur le marché de la tablette, comme s'il s'agissait du prochain PC, persuadées que matériel et logiciel seront fabriqués par des sociétés différentes. Notre expérience, et chaque parcelle de notre corps, nous crie que ce n'est pas la bonne approche. Cet appareil post-PC doit être plus intuitif et plus facile à utiliser qu'un PC, et toutes ses composantes doivent s'imbriquer mieux que dans un PC. Nous pensons avoir la bonne architecture, pas seulement en silicium, mais au cœur même de notre société, pour bâtir ce type de produits.

Cette architecture était à l'œuvre non seulement dans l'organisation qu'il avait édifiée, mais aussi dans son âme.

Après l'inauguration, Jobs se sentit requinqué. Il revint au Four Seasons où nous l'attendions – sa femme, son fils Reed avec ses deux camarades de Stanford, et moi – pour déjeuner avec lui. Pour une fois, il mangea, non sans provoquer quelques petits esclandres, comme à son habitude. Il commanda un jus de fruits pressés – renvoyé trois fois au motif qu'il n'était pas frais – et des pâtes *primavera* – jugées immangeables et jetées directement à la poubelle. Après quoi, il dévora la moitié de ma salade de crabe et en commanda une autre pour lui, suivie d'un bol de crème glacée. Le personnel attentionné de l'hôtel réussit même à lui servir un jus de fruits à son goût.

Le lendemain, chez lui, il était encore très en forme. Il projetait de se rendre le jour suivant au Kona Village, seul dans son jet privé. Je lui demandai ce qu'il avait mis sur son iPad 2 pour le voyage. Trois films : *Chinatown*, *La Vengeance dans la peau* et *Toy Story 3*. Plus révélateur, le seul livre qu'il avait téléchargé : *Autobiographie d'un Yogi*, un guide de la méditation et de la spiritualité qu'il avait lu une première fois quand il était adolescent, puis relu en Inde, et relu une fois encore un an environ auparavant.

Au milieu de la matinée, il voulut manger un morceau. Comme il était trop faible pour conduire, je l'emmenai dans un café du centre commercial. L'établissement était fermé, mais le propriétaire, habitué à voir Jobs frapper à sa porte à des heures indues, l'accueillit chaleureusement. « Il s'est donné pour mission de m'engraisser », plaisanta le patron d'Apple. Ses médecins l'encourageaient à manger des aliments riches en protéines, aussi commanda-t-il une omelette. « Vivre avec une telle maladie, et tant de souffrances, vous rappelle constamment votre condition de mortel, ce qui peut avoir d'étranges effets sur votre cerveau, si vous n'y prenez pas garde. On ne fait plus de projets au-delà d'une année, et c'est dommage. Je me force donc à faire des plans d'avenir comme si j'allais vivre très longtemps. »

Illustration de ce mode de pensée magique : son projet de construction d'un luxueux yacht. Avant sa greffe du foie, Jobs louait parfois un bateau avec sa famille pour les vacances, et voguait dans le golfe du Mexique, le Pacifique Sud ou la Méditerranée. Pendant ces croisières, Jobs pouvait s'ennuyer ou détester le design du bateau, à tel point qu'il lui était arrivé d'écourter leur voyage et de prendre un vol pour le Kona Village. Parfois, néanmoins, la traversée se passait bien. « Mes meilleures vacances sont celles où nous avons longé la côte italienne, avant de gagner Athènes – un cloaque crasseux, hormis le Parthénon qui est une merveille – puis Éphèse, en Turquie, où l'on trouve ces anciennes toilettes publiques en marbre avec un espace dédié aux musiciens au milieu, pour qu'ils jouent la sérénade. » Ensuite, ils avaient atteint Istanbul, où ils avaient engagé un professeur d'histoire pour leur servir de guide. À la fin du séjour, ils s'étaient rendus dans des bains turcs, et le récit du professeur donna à Jobs matière à réfléchir sur l'uniformisation de la jeunesse.

J'ai eu une révélation. On était tous en robes de chambre et on nous a préparé du café. Le professeur a expliqué que le café concocté ici était très particulier et je me suis dit soudain : « Et alors ? Les gamins en Turquie se contrefichent totalement du café turc ! » Toute la journée, j'ai vu des jeunes à Istanbul. Ils buvaient la même chose que tous les jeunes du monde, portaient les mêmes fringues achetées chez Gap et utilisaient des téléphones portables. Ils ressemblaient à tous les autres gamins de la planète. Nos produits n'ont pas besoin de s'adapter à un public en particulier. On ne fabrique pas un téléphone ou un lecteur MP3 « spécial Turquie » ! Toute la jeunesse veut la même chose, quel que soit le pays. Car nous ne formons plus qu'un seul monde à présent.

Après cette plaisante croisière, Jobs s'amusa à dessiner, puis redessiner, le bateau qu'il rêvait de se construire un jour. Quand il retomba malade en 2009, il faillit annuler son projet. « Je me disais que je ne serais plus là quand il serait terminé. Mais cette idée me rendait très triste et j'ai décidé que travailler sur le design serait amusant et que j'avais une chance de le voir achevé. Si j'abandonnais ce projet et vivais encore deux ans, je serais vraiment énervé d'avoir raté ça. Donc, j'ai continué. » Même après son arrêt maladie en 2011, Jobs s'était accroché à son projet de bateau. Pour aménager l'intérieur, il embaucha Philippe Starck, le designer français, qui venait régulièrement à Palo Alto pour travailler sur les plans.

Après avoir mangé nos omelettes, nous sommes retournés chez lui et il m'a montré tous les modèles et les croquis du navire. Comme on pouvait s'y attendre, le yacht était minimaliste. Les ponts en teck parfaitement lisses et vierges de tout attirail. À l'image d'un Apple Store, les fenêtres de la cabine étaient de grands panneaux courant presque du sol au plafond, et le salon principal avait été conçu avec des murs de verre de douze mètres sur trois. À cet effet, Jobs avait demandé à l'ingénieur en chef des Apple Store de concevoir un verre spécial susceptible de résister aux contraintes.

Alors que le bateau était en cours de réalisation chez le constructeur hollandais Feadship, Jobs réfléchissait encore aux détails de l'architecture. « Il est possible que je meure en laissant à Laurene un bateau à moitié construit, je le sais. Mais je dois continuer. Arrêter, ce serait admettre que je suis sur le point de mourir. »

Laurene et lui célébreraient leur vingtième anniversaire de mariage le 18 mars et il admit que, par moments, il n'avait pas apprécié son épouse à sa juste valeur. « J'ai beaucoup de chance, parce que quand on se marie, on ne sait pas très bien où on met les pieds. On a l'intuition de prendre la bonne décision. Je n'aurais pas pu mieux tomber : non seulement Laurene est belle et intelligente, mais c'est aussi une femme au grand cœur. » Un moment, il fondit en larmes. Il me parla de ses autres compagnes, en particulier de Tina Redse, puis répéta qu'il avait fait le bon choix. Il reconnut qu'il pouvait se montrer exigeant et égoïste. « Laurene a dû supporter mes défauts, tout comme ma maladie. Je sais que vivre avec moi n'est pas une partie de plaisir. »

Parmi ses manifestations égoïstes, il avait tendance à ne pas se rappeler les dates d'anniversaire. Mais cette fois, pour leur anniversaire de mariage, il décida de préparer une surprise. Comme ils s'étaient mariés à l'hôtel Ahwahnee, dans le parc national du Yosemite, il projeta d'y emmener Laurene pour leur vingtième anniversaire. L'hôtel avait été fermé pour rénovation et était censé rouvrir ses portes la veille de leur anniversaire. Mais quand Jobs voulut faire la réservation, l'hôtel était déjà complet. Il parvint néanmoins à contacter les gens qui avaient réservé la suite où Laurene et lui avaient séjourné à l'époque. « Je leur ai proposé de leur offrir un autre week-end. L'homme a été charmant et m'a répondu : "Vingt ans, je vous en prie, la suite est à vous." »

Jobs retrouva les photographies du mariage prises par un ami et fit faire des agrandissements qu'il emballa dans une jolie boîte. Fouillant son iPhone, il retrouva la note qu'il avait écrite pour accompagner la boîte et la lut à haute voix :

> Nous ne nous connaissions pas vraiment il y a vingt ans. Nous étions guidés par notre intuition. Tu m'as transporté sur un petit nuage. Il neigeait quand nous nous sommes mariés à Ahwahnee. Les années ont passé, les enfants sont arrivés. Il y a eu de bons moments, des moments difficiles, jamais de mauvais moments. Notre amour a duré et a grandi. Nous avons traversé tant d'épreuves ensemble et nous voilà revenus où nous étions il y a vingt ans – plus vieux, plus sages – avec des rides sur nos visages et dans nos cœurs. Nous en savons aujourd'hui un peu plus sur les joies de l'existence, ses souffrances, ses secrets, ses merveilles… et nous sommes toujours ensemble. Je n'ai jamais retouché terre.

À la fin de sa lecture, il pleurait, incapable de se contrôler. Quand il reprit contenance, il me dit qu'il avait aussi préparé une série de photographies pour chacun de ses enfants. « J'ai pensé qu'ils aimeraient voir à quoi je ressemblais quand j'étais jeune. »

L'iCloud

En 2001, Jobs avait fait une prophétie : nos ordinateurs personnels serviraient de « foyer numérique » à toutes sortes d'appareils du quotidien – lecteurs de musique, caméras vidéo, téléphones et tablettes électroniques. La force d'Apple était d'avoir réussi à créer des produits tout-en-un faciles d'utilisation. La Pomme, petite société occupant une niche économique, était devenue la plus grande multinationale du secteur technologique.

En 2008, le patron d'Apple avait eu une nouvelle vision pour la prochaine évolution de l'ère informatique. À l'avenir, l'ordinateur de bureau ne serait plus le réceptacle des contenus numériques. Ils seraient bientôt déplacés vers le Cloud – « le nuage ». Autrement dit, vos données seraient stockées sur des serveurs distants gérés par une société de confiance et accessibles par le biais de n'importe quel appareil électronique, n'importe où. Trois ans plus tard, sa vision prenait corps.

Cette révolution, néanmoins, commença par un faux pas. À l'été 2008, il lança un produit appelé MobileMe, disponible sous forme d'abonnement annuel, au prix élevé de quatre-vingt-dix-neuf dollars par an. Ce service vous permettait de stocker votre carnet d'adresses, vos documents, vos photos, vos vidéos, vos e-mails et votre calendrier dans la sphère lointaine du nuage et de les synchroniser avec n'importe quel appareil. En théorie, vous pouviez avoir accès à tous les aspects de votre vie numérique depuis votre iPhone ou de n'importe quel ordinateur. Malheureusement, ce service était nul, pour parler comme Jobs. Il était compliqué, les appareils ne se synchronisaient pas bien et les courriers électroniques se perdaient dans l'éther. « Le MobileMe d'Apple est bien trop défaillant pour être fiable », titra une chronique de Walt Mossberg, dans le *Wall Street Journal*.

Jobs était furieux. Il rassembla l'équipe de MobileMe dans l'auditorium d'Apple, se campa sur scène, et demanda : « Quelqu'un peut-il me dire ce que MobileMe est censé faire ? » Après avoir écouté les réponses de ses employés, il aboya : « Alors pourquoi ne le fait-il pas ? » Durant la demi-heure suivante, il poursuivit ses remontrances : « Vous avez sali la réputation d'Apple. Vous devriez vous détester d'avoir laissé tomber vos collègues. Notre ami Mossberg n'écrit plus de louanges sur nous. » Devant toute la salle, il renvoya le chef de l'équipe de MobileMe et le remplaça par Eddy Cue, qui supervisait le contenu Internet d'Apple. Comme Adam Lashinsky, de *Fortune*, le dit à propos de la culture d'entreprise d'Apple : « Chacun doit assumer ses responsabilités. »

En 2010, il était clair que Google, Amazon, Microsoft et les autres jouaient des coudes pour être la société qui stockerait toutes les données du consommateur dans le nuage et synchroniserait tous ses appareils. Jobs redoubla donc d'efforts, comme il me l'expliqua cet automne-là :

C'est à nous d'entretenir votre relation avec le nuage – gérer votre musique et vos vidéos, stocker vos photos et vos documents, peut-être même vos données personnelles. Apple a été le premier à imaginer le foyer numérique. Nous avons écrit toutes ces applications – iPhoto, iMovie, iTunes – et relié tous nos appareils – l'iPod, l'iPhone et l'iPad – avec succès. Mais dans les années à venir, le foyer va se déplacer de l'ordinateur vers le nuage. La même stratégie s'impose ; c'est juste l'endroit où se trouve le foyer numérique qui diffère. Il est donc impératif que le consommateur puisse avoir accès à tout moment à ses données sans avoir besoin de synchroniser ses appareils.

Apple doit opérer cette transformation, pour ne pas être victime du « dilemme de l'innovateur », comme l'appelle Clayton Christensen, à savoir que ceux qui inventent un concept ne sont pas toujours les premiers à le mettre en œuvre. Or nous n'avons pas l'intention d'être laissés pour compte. Je vais rendre MobileMe gratuit et simplifier la synchronisation. Nous fabriquons actuellement une ferme de serveurs en Caroline du Nord. Pour moins de cinq dollars par an, nous vous fournissons toutes les synchronisations dont vous avez besoin et de cette manière, nous pourrons séduire et garder nos clients.

Jobs discuta de cette vision lors des réunions du comité de direction du lundi matin, et affina progressivement sa stratégie. « J'ai envoyé des e-mails à des tas de gens à 2 heures du matin pour avoir leur avis sur la question. On en parle beaucoup parce qu'il ne s'agit pas seulement d'activité commerciale, c'est notre vie qui est en jeu. »

Si plusieurs membres du conseil, comme Al Gore, s'interrogeaient sur la pertinence de la gratuité de MobileMe, aucun ne remettait le projet en cause. C'était l'unique manière de maintenir les consommateurs dans l'orbite d'Apple durant la prochaine décennie.

Jobs dévoila le nouveau service – iCloud – au cours du congrès mondial des développeurs d'Apple en juin 2011. Il était alors en arrêt maladie et avait été hospitalisé quelques jours en mai, pour des infections et des douleurs. Des proches le supplièrent de ne pas faire cette présentation, qui impliquait beaucoup de préparation et de répétitions. Mais la perspective d'initier un nouveau mouvement tectonique dans l'ère numérique semblait lui redonner de l'énergie.

Quand Jobs monta sur la scène, il portait un pull de cachemire noir Vonrosen par-dessus son habituel pull à col roulé Issey Miyake, ainsi qu'un collant sous son jean. Mais avec ses cinquante kilos, il avait l'air plus spectral que jamais. Toute la salle, debout, l'applaudit longuement. « Ça aide, j'apprécie », dit-il, mais en quelques minutes, le cours de l'action Apple avait chuté de quatre dollars, passant à trois cent quarante dollars. Malgré ses efforts héroïques, il paraissait faible.

Jobs passa le relais à Phil Schiller et Scott Forstall pour la démonstration du nouveau système d'exploitation des Mac et des appareils portables, puis il revint pour présenter lui-même iCloud. « Il y a environ dix ans, nous avons eu une vision essentielle. L'ordinateur allait devenir le foyer de votre vie numérique. Vos vidéos, vos photos, votre musique. Mais tout a volé en éclats ces dernières années. Pourquoi ? » Il parla alors de la difficulté à synchroniser tous les contenus avec les différents appareils. Si vous aviez une chanson téléchargée sur votre iPad, une photo prise avec votre iPhone et une vidéo stockée sur votre ordinateur, vous aviez le sentiment d'être un standardiste du début du siècle dernier à force de devoir brancher et débrancher tous ces câbles USB pour partager les différentes données. « Synchroniser ces appareils nous rend dingue ! déclara-t-il sous les rires de l'assistance. Alors on a trouvé une solution. C'est notre nouvelle grande vision pour l'avenir. Nous allons reléguer le PC et le Mac à de simples ordinateurs et déplacer le foyer numérique dans le nuage. »

Jobs était parfaitement conscient que cette « grande vision » n'était pas nouvelle. En effet, il plaisanta à propos de la première tentative d'Apple : « Vous devez vous dire : pourquoi les croire ? Ce sont eux qui m'ont vendu MobileMe. » Quelques rires nerveux s'élevèrent dans le public. Mais lorsque Jobs fit la démonstration d'iCloud, il était évident que le système fonctionnait mieux. Courriers électroniques, contacts et entrées calendaires se synchronisèrent instantanément. Tout comme les applications, les photos, les livres et les documents. Plus impressionnant encore, Jobs et Eddy Cue avaient passé des accords avec les maisons de disques (contrairement à Google et Amazon). Apple disposerait de dix-huit millions de chansons dans ses serveurs du « nuage ». Si vous en aviez un titre sur vos appareils et ordinateurs – obtenu légalement ou non –, Apple vous autoriserait à accéder à une version de grande qualité sur tous vos appareils sans perdre de temps ni d'énergie à faire remonter d'abord votre fichier vers le nuage. « Ce sera aussi simple que ça », conclut-il.

Ce simple concept – un fonctionnement fluide – était comme toujours l'un des grands avantages d'Apple. Microsoft vantait son « Cloud Power » dans ses publicités depuis plus d'un an et son développeur, le légendaire Ray Ozzie, trois années plus tôt, avait lancé sa profession de foi devant toute la société : « Nous voulons que les particuliers n'aient à obtenir la licence de leurs médias qu'une seule fois, pour qu'ils puissent ensuite y avoir accès quand bon leur semble à partir de n'importe lequel de leurs appareils électroniques. » Mais Ozzie avait quitté Microsoft fin 2010, et les progrès de leur service virtuel n'étaient guère visibles pour les consommateurs. Amazon et Google avaient tous deux proposé des services similaires en 2011, mais ils étaient incapables d'intégrer le matériel, le logiciel et le contenu des divers appareils. Apple, lui, contrôlait chaque maillon de la chaîne et avait conçu le système comme un tout cohérent – appareils, ordinateurs, systèmes d'exploitation et logiciels d'application, sans oublier la mise en vente et le stockage des données.

Bien sûr, cela ne fonctionnait parfaitement que si vous utilisiez des produits Apple et restiez confiné dans le jardin clos de la firme à la pomme. Ce qui engendrait un autre avantage pour Apple : la fidélité du consommateur. Une fois lié à iCloud, il était difficile de vous servir d'un Kindle ou d'un Android. Votre musique et autres données ne se synchroniseraient pas avec – voire ne seraient pas même lisibles. C'était la consécration après trois décennies de résistance au principe d'ouverture des systèmes. « On s'est demandé si on devait rendre notre musique accessible aux utilisateurs d'Android, me dit Jobs un jour, au petit déjeuner. On a adapté iTunes à Windows pour vendre plus d'iPod. Mais je ne vois pas l'intérêt de mettre nos applications musicales sur Android, sauf si on veut rendre les adeptes d'Android heureux. Or je ne veux pas les rendre heureux. »

Un nouveau campus

Quand Jobs avait treize ans, il avait cherché le numéro de téléphone de Bill Hewlett dans l'annuaire et l'avait appelé pour lui demander des composants nécessaires au fréquencemètre qu'il fabriquait. Résultat : il obtint un stage d'été chez Hewlett-Packard. La même année, HP acheta des terrains à Cupertino pour étendre son département calculatrices. C'est sur ce site que Wozniak conçut l'Apple I et l'Apple II durant ses nuits blanches.

Quand HP décida en 2010 d'abandonner ses locaux de Cupertino, à un kilomètre et demi à l'est de l'Infinite Loop – la rue circulaire entourant le siège d'Apple –, Jobs s'arrangea pour l'acheter, ainsi que la propriété adjacente. Il admirait Hewlett et Packard pour avoir bâti une entreprise pérenne et était fier d'avoir fait de même avec Apple. À présent, il voulait un siège social faisant office de vitrine, de symbole – une première pour une société technologique de la côte Ouest. Il avait accumulé soixante hectares, pour la plupart des champs d'abricots quand il était enfant, et se jeta à corps perdu dans ce qui deviendrait son legs, mêlant sa passion pour le design à son désir de créer une entreprise durable. « Je veux laisser un lieu emblématique incarnant les valeurs de la société pour les générations à venir. »

Il embaucha le cabinet d'architectes qu'il considérait comme le meilleur du monde : celui de Sir Norman Foster, concepteur de bâtiments d'exception tels que le nouveau Reichstag de Berlin ou le 30 Street Mary Axe de Londres[1]. Évidemment, Jobs s'impliqua tellement – tant pour la vision d'ensemble que les détails – qu'il fut impossible d'arrêter un concept définitif. Ce serait son dernier édi-

---

1. Gratte-ciel de la City que les Londoniens surnomment le Gherkin (le cornichon). *(N.d.T.)*

fice, donc pas question de faire d'impair. Le cabinet de Foster assigna cinquante architectes au projet et toutes les trois semaines, durant l'année 2010, ils soumirent les modèles révisés et les différentes options au P-DG. Jobs avait sans cesse de nouvelles idées, remodelait parfois des pans entiers du bâtiment, obligeant le cabinet à lui soumettre de nouvelles solutions.

La première fois qu'il me montra les plans dans son salon, l'édifice avait la forme d'une grande piste sinueuse constituée de trois demi-cercles joints autour d'une immense cour centrale. Des murs de verre du sol au plafond et à l'intérieur, des rangées de cubes de bureaux transparents laissant pénétrer le soleil : « Cela crée des espaces de rencontres inespérés et fluides. Et tout le monde peut profiter de la lumière du soleil. »

Un mois après, dans la grande salle de conférences d'Apple, Jobs me présenta une nouvelle version. Il avait effectué un changement majeur. Les bureaux avaient été éloignés des fenêtres, de sorte que de longs couloirs étaient baignés de soleil. Des couloirs qui serviraient aussi d'espaces de convivialité. Un débat s'engagea entre certains architectes, qui voulaient permettre l'ouverture des fenêtres. Jobs n'avait jamais aimé l'idée de laisser les gens ouvrir quoi que ce soit. « Ça va surtout leur donner l'opportunité de ruiner toute l'esthétique du bâtiment. » Sur ce point, comme sur d'autres détails, il eut le dernier mot.

Quand Jobs rentra chez lui ce soir-là, il montra les dessins à sa famille au dîner, et Reed dit en plaisantant que la vue aérienne lui rappelait les organes génitaux masculins. Son père ignora la remarque, reflet selon lui de la mentalité d'un adolescent. Mais le lendemain, il mentionna le commentaire aux architectes : « Malheureusement, maintenant que je vous ai dit cela, vous n'allez plus pouvoir vous sortir cette image de la tête. » Lors de ma visite suivante, la forme du bâtiment s'était transformée en un simple cercle.

Le nouveau design signifiait qu'il n'y aurait aucune pièce de verre droite dans le bâtiment. Toutes les pièces seraient courbes et impeccablement jointes. Jobs avait toujours été fasciné par le verre et, étant donné son succès avec les panneaux des Apple Store, il ne doutait pas qu'on puisse fabriquer ces immenses pièces de verre incurvées en quantité suffisante. La cour centrale ferait deux cent quarante-trois mètres de long (soit près de trois terrains de football) ; la place

Saint-Pierre de Rome aurait pu y tenir ! L'un de ses souvenirs les plus entêtants était les vergers qui dominaient autrefois la zone. Ainsi, il engagea un arboriculteur de Stanford et décida que 80 pour cent de la propriété serait agencé de manière naturelle, avec six mille arbres. « Je lui ai demandé de ne pas oublier d'inclure une nouvelle série d'abricotiers. Autrefois, on en voyait partout et ils font partie intégrante de l'héritage de cette vallée. »

En juin 2011, les plans du bâtiment de quatre étages couvrant vingt-sept hectares qui abriterait douze mille employés étaient prêts. Le P-DG les dévoila au cours d'une présentation discrète, sans publicité, devant le conseil municipal de Cupertino, le lendemain de l'annonce de l'iCloud au congrès des développeurs.

Malgré son peu d'énergie, il avait un emploi du temps très chargé ce jour-là. Ron Johnson, qui avait développé et dirigé les Apple Store pendant plus d'une décennie, avait décidé d'accepter de prendre la fonction de P-DG de J.C. Penney, une chaîne de grande distribution, et était venu voir le patron d'Apple chez lui ce matin-là pour discuter de son départ. Ensuite, nous sommes allés au *Fraiche*, un café de Palo Alto servant des yaourts bio, où il me parla avec animation des futurs produits d'Apple. Plus tard, on le conduisit à Santa Clara pour la réunion trimestrielle avec les grands dirigeants d'Intel, où serait discutée la possibilité d'utiliser les puces Intel dans les futurs appareils portables. Le soir même, U2 donnait un concert à l'Oakland Coliseum, ce qui le tentait beaucoup. Mais il préféra consacrer cette soirée à dévoiler ses plans au conseil municipal de Cupertino.

Arrivé sans entourage ni fanfare, l'air détendu dans son pull noir du congrès de la veille, il prit la parole, télécommande en main, et passa vingt minutes à montrer les diapositives de ses plans aux membres du conseil municipal. Lorsque l'image lisse, futuriste et parfaitement circulaire du bâtiment apparut sur l'écran, il marqua une pause et sourit : « On dirait un vaisseau spatial qui vient d'atterrir. » Quelques instants plus tard, il ajouta : « Il se pourrait qu'on ait construit le plus bel immeuble de bureaux du monde. »

Le vendredi suivant, Jobs envoya un e-mail à une ancienne collègue, Ann Bowers, la veuve du cofondateur d'Intel Bob Noyce. Elle avait été la directrice des ressources humaines d'Apple au début des années 1980, chargée de réprimander Jobs après ses colères et de panser les blessures de ses collaborateurs. Jobs lui demanda si elle voulait passer le voir le lendemain. Comme elle se trouvait à New York, elle lui rendit visite à son retour, le dimanche. Ce jour-là, Jobs souffrait beaucoup et n'avait guère d'énergie, mais il était impatient de lui montrer son projet.

— Tu peux être fière d'Apple, lui dit-il. Tu peux être fière de ce que nous avons bâti.

Puis il la regarda et lui posa une question qui faillit la laisser sans voix :

— Dis-moi, de quoi j'avais l'air, étant jeune ?

Ann Bowers s'efforça de lui donner une réponse sincère.

— Tu étais très impétueux et très difficile à vivre. Mais ta vision était fascinante. Tu nous disais : « La récompense, c'est le voyage. » Il s'avère que tu avais raison.

— Oui, j'ai appris certaines choses en chemin.

Puis, quelques minutes plus tard, il répéta, comme pour rassurer Bowers et lui-même :

— Oui, j'ai appris certaines choses en chemin. Vraiment.

CHAPITRE QUARANTE

TROISIÈME ROUND

Dernier combat au crépuscule

Liens familiaux

« Quand j'ai appris mon cancer, m'expliqua Jobs, j'ai passé un accord avec Dieu, le ciel, ou je ne sais quoi : je voulais assister à la remise de diplôme de mon fils. C'est ce qui m'a aidé à tenir le coup durant toute l'année 2009. » En juin 2010, lors de sa dernière année au lycée, Reed ressemblait étrangement à son père au même âge, avec son sourire entendu, légèrement rebelle, et sa tignasse de cheveux noirs. De sa mère, il avait hérité la douceur, la sensibilité, ainsi qu'une réelle empathie, autant de qualités qui faisaient défaut à son père. Démonstratif et affectueux, le jeune homme faisait tout pour plaire. Chaque fois que son père était avachi sur la table de la cuisine, l'air maussade, le regard rivé sur le sol, ce qui arrivait régulièrement depuis qu'il était malade, la seule chose qui le ramenait à la vie était l'apparition de son fils.

Reed adorait son père. Quand j'ai commencé à travailler sur ce livre, il est venu me trouver dans ma chambre et m'a proposé de faire une promenade, comme le faisait souvent son père. Il m'a alors dit avec un regard d'une sincérité poignante que son père n'était pas un homme d'affaires froid et avide, que ses seules motivations étaient l'amour de son travail et la fierté qu'il retirait de ses réalisations.

Après le diagnostic du cancer de son père, Reed commença à travailler l'été dans un laboratoire de cancérologie de Stanford, où il effectuait des séquençages d'ADN dans le but d'identifier les marqueurs génétiques du cancer du côlon. « L'un des rares bons côtés de ma maladie est que Reed a choisi de passer du temps à étudier avec d'excellents médecins, déclara Jobs. Son enthousiasme me rappelle ma propre ferveur à son âge. Les plus grandes innovations du XXIe siècle seront selon moi au carrefour de la biologie et de la technologie. Une nouvelle ère commence, comme l'ère numérique débutait dans ma jeunesse. »

Reed se fonda sur ses recherches sur le cancer pour le mémoire de fin d'année qu'il présenta devant sa classe au Crystal Springs Uplands School. Pendant qu'il décrivait le fonctionnement des centrifugeuses et des colorants pour séquencer l'ADN des tumeurs, son père, dans l'assistance, rayonnait de fierté, tout comme le reste de sa famille. « J'imaginais Reed acheter une maison ici, à Palo Alto, avec sa famille et enfourcher son vélo pour travailler comme médecin à Stanford », me confia Jobs par la suite.

Reed avait beaucoup mûri en 2009, l'année où son père avait bravé la mort. Pendant que ses parents étaient à Memphis, il prit soin de ses jeunes sœurs et développa une sorte d'instinct paternel protecteur. Mais quand la santé de son père se stabilisa au printemps 2010, il retrouva sa personnalité enjouée et taquine. Un soir, au cours du dîner, il discuta avec sa famille du restaurant où il pourrait emmener sa petite amie. Son père suggéra le Fornaio, un établissement chic à Palo Alto, mais Reed se plaignit de la difficulté d'obtenir une réservation.

— Tu veux que j'essaie ? proposa son père.

— Non merci, je veux me débrouiller seul.

La timide Erin, seconde de la fratrie, lui proposa de construire un tipi dans leur jardin et de lui servir un dîner romantique avec l'aide de sa sœur cadette, Eve. Reed se leva et la serra dans ses bras. Promis, ils organiseraient cela une prochaine fois.

Un samedi, Reed figurait parmi les quatre participants du Quiz Kids de son école, qui s'affrontaient sur une chaîne de télévision locale. La famille – seule Eve était absente, accaparée par son spectacle d'équitation – vint l'encourager. Quand l'équipe de télévision demanda aux participants s'ils étaient prêts, Jobs tenta de masquer son impatience et de se fondre dans la foule des parents assis sur les rangées de chaises. Mais il était facilement reconnaissable, avec son fameux jean et son col roulé noir. Une femme approcha même sa chaise de la sienne pour le prendre en photo. Sans lui jeter un regard, Jobs se leva et alla s'asseoir à l'extrémité de la rangée. Quand Reed apparut à l'écran, sa plaque indiquait « Reed Powell ». L'animateur demanda aux étudiants ce qu'ils voulaient faire plus tard. « Chercheur en cancérologie », répondit Reed.

Jobs emmena Reed dans son roadster Mercedes SL55, tandis que sa femme le suivait dans sa propre voiture avec Erin. Sur le chemin du retour, elle demanda à sa fille pourquoi d'après elle son père refusait de mettre une plaque d'immatriculation sur sa voiture. « Pour être un rebelle », répondit-elle. Plus tard, j'ai posé cette même question au principal intéressé. « Parce que les gens me suivent parfois et que si j'avais une plaque, ils me traqueraient jusque chez moi. Mais ce système un peu obsolète maintenant avec Google Maps. Alors j'imagine que c'est juste parce que je n'en veux pas. »

Lors de la cérémonie de remise des diplômes de Reed, son père m'envoya un e-mail de son iPhone : « Aujourd'hui, c'est l'un des plus beaux jours de ma vie. Reed reçoit le diplôme de son lycée. En ce moment même. Et contre toute attente, je suis là. » Ce soir-là, ils organisèrent une fête chez eux avec des amis proches et la famille. Reed dansa avec tous les membres de sa famille, y compris son père. Plus tard, Jobs emmena son fils dans la remise aux allures de grange et lui offrit l'une de ses deux bicyclettes – qu'il n'utiliserait plus. Reed plaisanta en disant que le modèle italien faisait trop homo, alors Jobs lui suggéra de choisir le solide modèle à huit vitesses. Quand Reed lui dit qu'il aurait alors une dette envers lui, Jobs répliqua : « Tu ne me dois rien, tu as déjà mon ADN. » Quelques jours plus tard, *Toy Story 3* sortit sur les écrans. Jobs avait suivi la trilogie de Pixar depuis le début et le dernier épisode jouait sur l'émotion qui entourait le départ d'Andy pour l'université. « J'aimerais rester toujours avec toi », lui dit sa mère. « Tu seras toujours avec moi », répondit Andy.

Les relations de Jobs avec ses deux plus jeunes filles étaient plus distantes. Il témoignait moins d'attention à Erin, une adolescente calme et renfermée, qui semblait ne jamais savoir comment prendre son père, sans doute impressionnée par ses manières bourrues. C'était une jeune fille posée et attirante, qui savait, mieux que son père, contenir ses émotions. Ayant un sens certain du design, elle voulait devenir architecte, peut-être à cause de l'intérêt de son père pour ce domaine. Mais quand Jobs avait montré à Reed les plans du nouveau campus d'Apple, elle était restée assise à l'autre bout de la cuisine et son père n'avait pas eu l'idée de l'inviter à regarder elle aussi. Son plus grand espoir était qu'au printemps 2010, son père l'emmène à la cérémonie des Oscars. Elle adorait le cinéma. Plus encore, elle rêvait de faire le voyage en jet privé avec son père et de fouler le tapis rouge à son bras. Laurene Jobs, qui ne tenait pas particulièrement à cet événement, proposa à son mari d'emmener Erin à sa place. Mais il rejeta cette idée.

Alors que je finissais ce livre, Erin me proposa de l'interviewer. Jamais je n'aurais osé le lui demander – elle venait tout juste d'avoir seize ans –, mais j'ai accepté. L'adolescente insista beaucoup sur le fait qu'elle comprenait pourquoi son père n'était pas toujours attentif, chose qu'elle acceptait. « Il fait de son mieux pour être à la fois un père et un P-DG, et il jongle plutôt bien avec les deux. Parfois, je regrette qu'il ne soit pas un peu plus présent, mais je sais que son travail est très important et je trouve ça cool. Alors tout va bien. Je n'ai pas vraiment besoin de plus d'attention. »

Jobs avait promis à ses enfants de les emmener chacun à leur tour dans l'endroit de leur choix quand ils seraient adolescents. Reed choisit Kyoto, conscient de la fascination de son père pour le zen et la beauté de la ville. Logiquement, quand Erin fêta ses treize ans en 2008, elle choisit également Kyoto. La maladie obligea son père à annuler le voyage, mais il promit de l'emmener en 2010, quand il irait mieux. Malheureusement, en juin, il changea d'avis. Erin était dévastée, mais ne protesta pas. Au lieu de quoi, sa mère l'emmena en France chez des amis, et le voyage fut repoussé au mois de juillet.

Laurene Jobs craignait que son mari n'annule de nouveau le projet, aussi fut-elle enchantée que Jobs décide de partir avec toute la famille début juillet au Kona Village, car c'était à mi-chemin du Japon. Hélas, à Hawaii, Jobs développa un terrible mal de dent, qu'il s'efforça d'ignorer, comme s'il pouvait s'en débarrasser du fait de sa simple volonté. La dent tomba et dut être soignée. Éclata alors la polémique sur l'antenne de l'iPhone 4, l'obligeant à retourner dare-dare à Cupertino avec Reed. Erin Jobs resta à Hawaii avec sa mère en espérant que son père reviendrait et l'emmènerait comme prévu à Kyoto.

Au grand soulagement de tous, Jobs revint bel et bien à Hawaii après sa conférence de presse, et tous trois embarquèrent pour le Japon. « C'est un miracle », confia Laurene Jobs à un ami. Pendant que Reed s'occupait d'Eve à Palo Alto, Erin et ses parents descendirent au Tawaraya Ryokan, un hôtel d'une sublime simplicité que Jobs adorait. « C'était fantastique », commente Erin.

Vingt ans auparavant, Jobs avait emmené au Japon la demi-sœur d'Erin, Lisa Brennan-Jobs, au même âge. Parmi les souvenirs les plus marquants de Lisa, les délicieux repas qu'elle avait partagés avec son père : voir cet être si difficile avec la nourriture savourer des *unagi* et autres délices faisait chaud au cœur. En le voyant manger avec tant de plaisir, Lisa s'était sentie à l'aise avec lui pour la première fois. Erin se rappelait une expérience similaire : « Chaque jour, papa savait où il voulait manger. Il m'a emmenée dans un incroyable établissement spécialisé dans les nouilles *soba*. C'était si bon que je crois que je n'en mangerai plus jamais, car aucun autre endroit ne peut servir quelque chose d'approchant. » Ils dénichèrent aussi un minuscule restaurant de sushis que Jobs étiqueta sur son iPhone comme le « meilleur du monde ». Sa fille était d'accord.

Ensuite, ils visitèrent plusieurs célèbres temples bouddhistes zen. Erin préféra le Saihō-ji, dit « le temple des mousses », en référence à son Étang d'Or entouré de jardins abritant plus d'une centaine de variétés de mousses. « Erin était vraiment heureuse de ce voyage gratifiant, qui a permis d'améliorer ses relations avec son père, se rappelle Laurene Jobs. Elle le méritait ! »

Avec Eve, la benjamine, c'était une tout autre histoire. Téméraire et assurée, Eve n'était nullement intimidée par son père. Sa passion était l'équitation, une discipline qu'elle avait l'intention de pratiquer jusqu'aux jeux Olympiques ! Quand son entraîneur lui expliqua que cela réclamerait d'énormes efforts, elle lui répondit simplement : « Dites-moi exactement ce que je dois faire et je le ferai. » Il lui donna alors un programme qu'elle suivit scrupuleusement.

Eve était une experte quand il s'agissait de mettre son père au pied du mur. Souvent, elle appelait directement son assistant au bureau pour s'assurer que tel ou tel événement était bien inscrit sur son agenda. C'était aussi une fine négociatrice. Un week-end de 2010, alors que la famille planifiait un voyage, Erin voulut différer leur départ d'une demi-journée, mais elle craignait d'en parler à son père. Eve, alors âgée de douze ans, se porta volontaire pour cette délicate mission. Au dîner, elle présenta la problématique à son père tel un avocat devant la Cour Suprême. Jobs l'interrompit : « Non, je ne veux pas », mais il était clair que l'intervention de sa fille l'avait amusé et non agacé. Plus tard dans la soirée, Eve s'assit au côté de sa mère et décortiqua les différentes approches qu'elle aurait pu adopter pour remporter la mise.

Jobs appréciait son esprit d'initiative – et se retrouvait beaucoup en elle : « C'est une battante ! Jamais je n'ai vu une volonté aussi affirmée chez un enfant. » Il comprenait parfaitement sa personnalité, sans doute parce qu'elle ressemblait fort à la sienne : « Eve est plus sensible que les gens ne le pensent. Elle est si intelligente qu'elle peut embobiner les gens, au risque de les braquer et de se retrouver seule. Elle est en train d'apprendre comment être elle-même, tout en tempérant son caractère pour s'entourer des amis dont elle a besoin. »

Les relations de Jobs avec sa femme étaient parfois compliquées, mais toujours loyales. Laurene Powell était une femme pleine de bon sens et de compassion, à l'influence rassurante. Comme toutes les personnes dont Jobs aimait s'entourer, elle était dotée d'une forte volonté et d'une grande intelligence. Elle gérait les difficultés professionnelles avec sérénité, les inquiétudes familiales avec fermeté et les problèmes médicaux avec férocité. Peu de temps après leur mariage, elle avait participé à la fondation du College Track, un programme périscolaire national dont le but était d'aider les enfants défavorisés à réussir leur examen de fin de lycée et à entrer à l'université. Depuis lors, elle était devenue une haute figure du mouvement pour la réforme de l'éducation. Jobs admirait le travail de son épouse : « Ce qu'elle a fait avec le College Track m'a vraiment impressionné. » Cela dit, il ne s'intéressait guère aux œuvres caritatives et n'avait jamais visité ses centres de soutien scolaire.

En février 2010, Jobs célébra son cinquante-cinquième anniversaire entouré de sa seule famille. La cuisine était décorée de serpentins et de ballons, et ses enfants l'avaient affublé d'une couronne de velours rouge, qu'il accepta de porter. À présent qu'il s'était remis d'une douloureuse année du point de vue médical, Laurene Jobs espérait qu'il se montrerait plus attentif envers ses proches. « Cette période a été dure pour la famille, en particulier pour les filles. Après deux ans de maladie, Steve allait enfin un peu mieux, et elles espéraient le voir plus attentionné, mais ce ne fut pas le cas. » Elle voulait être sûre, me dit-elle, que les deux versants de sa personnalité apparaîtraient bien dans ce livre et seraient remis dans leur contexte. « Comme beaucoup de grands hommes aux dons extraordinaires, Steve n'est pas extraordinaire dans chacun des royaumes. Il manque de sociabilité et a du mal à se mettre à la place des autres, mais il s'applique de tout son cœur à faire avancer l'humanité et à lui mettre les bons instruments entre les mains. »

Le président Obama

Lors d'un séjour à Washington au début de l'automne 2010, Laurene apprit par des amis travaillant à la Maison Blanche que le président Obama se rendrait dans la Silicon Valley en octobre prochain. Elle leur suggéra qu'il pourrait peut-être rencontrer son mari. L'entourage d'Obama trouvait l'idée intéressante. Cela correspondait à l'intérêt nouveau du président pour la compétitivité. De plus, John Doerr, l'investisseur devenu un proche de Jobs, avait parlé lors d'une réunion de l'Economic Recovery Advisory Board[1] de l'analyse du patron d'Apple concernant le déclin des États-Unis au sein de la communauté internationale. Lui aussi était pour une rencontre entre les deux hommes. Ainsi, une demi-heure dans l'agenda du président fut réservée à une entrevue avec le P-DG de la Pomme au Westin San Francisco Airport.

Seul problème : quand Laurene Jobs apprit la nouvelle à son mari, celui-ci rétorqua qu'il ne voulait pas y aller. Il était agacé que ces dispositions aient été prises dans son dos.

— Je ne veux pas être inséré dans son agenda pour une réunion symbolique, simplement pour qu'il puisse se dire qu'il a bien rencontré un P-DG.

— Obama est réellement enchanté à l'idée de te voir, insista sa femme.

Dans ce cas, rétorqua-t-il, Obama aurait dû l'appeler et lui proposer personnellement ce rendez-vous. L'impasse dura cinq jours. Laurene joignit Reed, qui se trouvait à Stanford, et lui demanda

---

1. Comité consultatif pour la relance économique. *(N.d.T.)*

de venir dîner à la maison pour tenter de convaincre son père. Au bout du compte, Jobs céda.

L'entrevue dura en fait quarante-cinq minutes, et Jobs ne mâcha pas ses mots : « Si vous continuez comme ça, vous êtes parti pour une présidence à un seul mandat. Si vous voulez changer ça, lui dit-il, le gouvernement devrait davantage favoriser la création d'entreprises. » Il lui expliqua combien il était facile de construire une usine en Chine, alors que c'était pratiquement impossible de le faire aux États-Unis, en grande partie à cause des règlements et des coûts inutiles.

Jobs s'en prit ensuite au système éducatif américain, qu'il trouvait désespérément obsolète et paralysé par les syndicats. Tant que les syndicats d'enseignants ne seraient pas brisés, il n'y avait pratiquement aucune chance de réformer l'éducation. Les professeurs devraient être traités comme des cadres, plaidait-il, et non comme des OS d'une chaîne de montage. Les proviseurs devraient être autorisés à les renvoyer en cas de mauvaises performances. L'école devrait rester ouverte jusqu'à au moins 18 heures et l'année scolaire s'étendre sur onze mois de l'année. Il était absurde, ajouta-t-il, que le système éducatif américain repose encore sur le modèle suranné de professeurs debout devant leur tableau noir avec à la main leurs manuels scolaires. Tous les livres, les supports d'apprentissage et les évaluations auraient désormais intérêt à être numériques, interactifs, et adaptés à chaque élève pour lui fournir un retour en temps réel.

Le patron d'Apple proposa au président de former un groupe de six ou sept P-DG afin de lui expliquer les défis que l'Amérique devait relever concernant l'innovation, ce que le président accepta. Ainsi, Jobs dressa une liste de noms en vue d'une réunion à Washington en décembre. Malheureusement, Valerie Jarrett et d'autres conseillers du président ajoutèrent des noms, de sorte que la liste comptait désormais vingt participants, avec pour maître d'œuvre Jeffrey Immelt, de General Electric. Jobs envoya un e-mail à Jarrett pour lui dire que cette liste était inappropriée et qu'il n'avait plus l'intention de participer au projet. En réalité, ses problèmes de santé s'étaient aggravés, à tel point qu'il n'aurait de toute façon pas pu se rendre à la réunion, comme Doerr l'expliqua en privé au président.

En février 2011, John Doerr se mit en tête d'organiser chez lui un petit dîner pour le président Obama dans la Silicon Valley. Jobs et lui, ainsi que leurs femmes, allèrent dîner chez Evvia, un restaurant grec de Palo Alto, pour dresser une liste d'invités triés sur le volet. La douzaine d'élus incluaient des titans comme Eric Schmidt de Google, Carol Bartz de Yahoo, Mark Zuckerberg de Facebook, John Chambers de Cisco, Larry Ellison d'Oracle, Art Levinson de Genentech et Reed Hastings de Netflix. Jobs s'attacha aux moindres détails du dîner, jusqu'à la composition du repas. Quand Doerr lui envoya le menu, il lui objecta que certains plats proposés par le traiteur – crevettes, cabillaud, salade de lentille – étaient trop sophistiqués et n'avaient pas la simplicité et la convivialité de son hôte. En particulier, il ne voulait pas du dessert prévu – une tarte à la crème et aux truffes en chocolat – mais le personnel de la Maison Blanche rétorqua que le président adorait ce dessert. Comme Jobs avait perdu beaucoup de poids et frissonnait facilement, Doerr maintint une température élevée, ce qui fit suer abondamment Zuckerberg. Assis à côté du président, Jobs donna le coup d'envoi : « Quelles que soient nos convictions politiques, je veux que vous sachiez que nous sommes ici pour vous aider à sortir notre pays de cette crise. » Malgré cette belle déclaration, le dîner débuta par une litanie de suggestions pour favoriser les affaires des convives. Chambers, par exemple, proposa une exonération fiscale de rapatriement afin d'éviter aux grandes entreprises de payer une taxe sur les profits réalisés à l'étranger, s'ils les investissaient aux États-Unis durant une période donnée. Le président était contrarié, tout comme Zuckerberg, qui se tourna vers Valerie Jarrett et lui murmura : « On devrait discuter de ce qui est important pour notre pays, n'est-ce pas ? Pourquoi alors ne parle-t-il que de ce qui compte pour lui ? »

Doerr parvint à recentrer les débats et demanda à chaque convive de proposer une liste d'actions à entreprendre. Quand ce fut son tour, Jobs insista sur le besoin de former des ingénieurs et suggéra d'accorder un visa permanent aux étudiants étrangers qui obtenaient un diplôme d'ingénieur aux États-Unis. Obama répondit que cela ne serait possible que dans le contexte du Dream Act – un projet de régularisation des étrangers clandestins arrivés mineurs sur le sol américain et ayant terminé le lycée –, que les Républicains avaient bloqué. Aux yeux du patron d'Apple, c'était un exemple flagrant de la façon dont la politique engendrait la paralysie. « Le président est très intelligent, mais il ne cesse de nous expliquer pourquoi telle ou telle chose est impossible. C'est frustrant. »

Jobs rappela qu'il était urgent de trouver un moyen de former plus d'ingénieurs américains. Apple employait sept cent mille personnes dans ses usines en Chine, parce qu'il avait besoin de trente mille ingénieurs sur site pour les superviser. « On pourrait en engager autant aux États-Unis. Ces ingénieurs d'usine n'ont pas besoin d'un doctorat ni d'être des génies, simplement de posséder les compétences d'ingénierie basiques. Les Community College[1], les écoles techniques ou de commerce pourraient les former. Si on pouvait relever ce défi, alors on pourrait faire revenir nos usines ici. » Cette argumentation fit forte impression sur le président. Le mois suivant, il déclara plusieurs fois à ses conseillers : « Nous devons trouver un moyen de former ces trente mille ingénieurs dont Jobs nous a parlé. »

Le patron d'Apple se réjouissait d'avoir retenu l'attention d'Obama, avec qui il parla plusieurs fois au téléphone suite à cette réunion. Il lui proposa de participer à sa campagne publicitaire pour les élections de 2012. (Il lui avait fait la même offre en 2008, mais avait été agacé par l'arrogance de David Axelrod, le conseiller en stratégie d'Obama.) « Je trouve la publicité politique atroce. J'adorerais tirer Lee Clow de sa retraite et créer une grande campagne pour le président », me confia Jobs plusieurs semaines après ce dîner. Il avait combattu la douleur toute la semaine, mais ces discussions politiques lui avaient redonné de l'énergie. « De temps à autre, un vrai pro de la publicité est sollicité, comme Hal Riney pour la campagne de réélection de Reagan, *It's morning again in America*[2] en 1984. Voilà ce que j'aimerais faire pour Obama. »

Troisième congé maladie, 2011

Le cancer envoyait toujours des signaux au moment de sa réapparition. Jobs le savait. Depuis quelque temps, il avait perdu l'appétit et ressentait des douleurs dans tout le corps. Ses médecins firent une batterie de tests, mais ne trouvèrent aucune anomalie et lui

---

1. Établissements d'enseignement supérieur qui délivrent des diplômes équivalents à nos BTS et DUT. *(N.d.T.)*

2. « Le jour se lève de nouveau sur l'Amérique. » *(N.d.T.)*

dirent que tout semblait normal. Mais Jobs n'était pas dupe. Le cancer savait se rappeler à vous et, quelques semaines après ces signaux, les médecins découvrirent qu'il n'était en effet plus en rémission.

Une nouvelle douloureuse période débuta en novembre 2010. Jobs souffrait, cessa de manger et dut être nourri par intraveineuse avec l'aide d'une infirmière à domicile. N'ayant détecté aucune nouvelle tumeur, les médecins supposèrent qu'il s'agissait seulement d'un de ses cycles périodiques où Jobs combattait les infections et les maladies digestives. Comme il n'avait jamais supporté stoïquement la douleur, ses médecins et sa famille étaient en quelque sorte immunisés contre ses plaintes.

Jobs et sa famille se rendirent au Kona Village pour Thanksgiving, mais ses problèmes d'alimentation empirèrent. Les autres convives dans la salle du restaurant firent semblant de ne pas remarquer les gémissements et le balancement d'un Steve Jobs émacié, qui ne touchait pas à la nourriture. Par respect pour lui, ni la direction de l'hôtel, ni les clients ne parlèrent à la presse de son état de santé. À son retour à Palo Alto, il devint extrêmement émotif et morose. Il pensait qu'il allait mourir, dit-il à ses enfants, et il était bouleversé à l'idée de ne pas assister à leurs prochains anniversaires.

À Noël, il pesait moins de cinquante-deux kilos, soit vingt-deux kilos de moins que son poids normal. Mona Simpson vint à Palo Alto pour les vacances avec son ex-mari, l'auteur de comédies télévisées Richard Appel, et leurs enfants. Son humeur s'améliora un peu. Les familles jouèrent à des jeux comme Novel, où les concurrents devaient essayer de se duper les uns les autres en tentant d'écrire la phrase d'ouverture de livre la plus convaincante. La vie reprit son cours pendant un temps. Jobs réussit même à dîner au restaurant avec sa femme quelques jours après Noël. Les enfants partirent au ski pour le Nouvel An, Laurene et Mona Simpson se relayant à la maison pour prendre soin du malade.

Début 2011, hélas, ses médecins comprirent que le problème était plus sérieux. Ils trouvèrent des signes de nouvelles tumeurs, expliquant sa perte d'appétit. Le défi était de trouver un traitement que son corps déjà amaigri et fragilisé pourrait supporter. C'était comme si la moindre portion de sa chair avait été rouée de coups, avoua-t-il à des amis.

C'était un cercle vicieux. Le réveil du cancer provoquait des douleurs. La morphine et autres antidouleurs lui faisaient perdre l'appétit. Son pancréas avait été en partie enlevé et son foie remplacé, de sorte que son système digestif défaillant peinait à absorber les protéines. Sa perte de poids l'empêchait de subir des traitements médicamenteux agressifs. Sa condition frêle le rendait plus sensible aux infections, tout comme les immunosuppresseurs qu'il prenait parfois pour empêcher son corps de rejeter la greffe. La perte de poids avait également réduit la couche de graisse entourant ses récepteurs de la douleur, lui causant des souffrances accrues. Et il était sujet à de brutales sautes d'humeur, marquées par des périodes prolongées de colère suivies de phases de dépression, ce qui réduisait encore son appétit.

Les désordres alimentaires de Jobs étaient exacerbés par des années de rejet psychologique de la nourriture. Quand il était au lycée, il avait découvert qu'il pouvait atteindre l'euphorie et l'extase par le biais du jeûne. Donc, même s'il savait qu'il devait manger – ses médecins le suppliaient de consommer des aliments à haute teneur en protéines – tout au fond de son inconscient, son instinct lui soufflait de jeûner et de suivre des régimes comme celui à base de fruits préconisé par Arnold Ehret, qu'il avait adopté adolescent. Laurene avait beau lui dire que c'était une folie, qu'Ehret était mort à cinquante-six ans en faisant une mauvaise chute sur un trottoir, cette idée le hantait tellement qu'à table, il se contentait de fixer ses genoux. « Je voulais le forcer à manger et l'atmosphère est devenue très tendue à la maison. » Bryar Brown, leur cuisinier à temps partiel, venait encore l'après-midi et préparait un éventail de mets sains, mais Jobs y goûtait du bout des lèvres et les déclarait immangeables. Un soir, il annonça qu'il mangerait volontiers une petite tarte à la citrouille. Brown, au tempérament toujours égal, créa une magnifique tourte à partir de presque rien en une heure. Jobs n'en mangea qu'une bouchée, mais le cuisinier était content.

Laurene Jobs parla des désordres alimentaires de son mari à des spécialistes et des psychiatres, mais Jobs refusait de prendre le moindre médicament pour sa dépression. « Quand on ressent de la tristesse ou de la peur, à cause du cancer ou d'une situation critique, les cacher crée une vie artificielle. » En réalité, Jobs tomba dans l'extrême inverse. Il devint morose, éploré et se lamentait partout qu'il allait bientôt mourir. La dépression était devenue une partie du cercle vicieux en lui ôtant toute envie de s'alimenter.

Des images et des vidéos d'un Steve Jobs amaigri commencèrent à circuler sur le Net, ainsi que des rumeurs sur la gravité de sa maladie. Le problème, se disait Laurene, c'était que ces rumeurs étaient fondées et qu'elles n'étaient pas près de s'apaiser. Jobs s'était résolu à prendre un congé maladie deux ans plus tôt, uniquement lorsque son foie avait lâché ; cette fois encore, il ne voulait pas abdiquer. Quand il accepta enfin l'inévitable, en janvier 2011, les membres du conseil d'administration s'attendaient à son appel. La conférence téléphonique au cours de laquelle il leur annonça qu'il avait besoin d'un nouveau congé ne dura que trois minutes. À plusieurs reprises, il leur avait déjà exposé ses vues sur les personnes les plus à même de reprendre les rênes de la société, leur proposant diverses solutions à court terme et à long terme. Mais dans la situation présente, il était évident que Tim Cook se chargerait à nouveau des affaires courantes.

Le samedi après-midi suivant, Jobs autorisa sa femme à organiser une réunion avec ses médecins. Il réalisa qu'il faisait face au type de problème qu'il avait toujours combattu chez Apple. Son traitement était fragmenté et non intégré. Ses maladies aux formes diverses étaient traitées par des spécialistes différents – cancérologues, spécialistes de la douleur, nutritionnistes, hépatologues, hématologues – qui ne s'étaient pas coordonnés pour adopter une approche cohérente, à la manière de James Eason à Memphis. « L'un des problèmes majeurs de notre système de soins est le manque de personnel pour faire le lien entre chaque équipe », commente Laurene Jobs. C'était particulièrement vrai à Stanford, où personne ne semblait chercher à coordonner les efforts entre les problèmes de nutrition, le traitement de la douleur et le cancer. Laurene Jobs organisa donc chez eux une réunion avec ses divers spécialistes, ainsi que des médecins externes, ayant une approche clinique plus dirigiste et synthétique, tels que David Agus, de l'université de Californie du Sud. Ils tombèrent d'accord sur un nouveau protocole pour lutter contre la douleur et harmoniser l'ensemble des traitements.

Grâce à des sciences pionnières, l'équipe de médecins réussit à conserver une longueur d'avance sur le cancer de Jobs. Il était l'une des vingt premières personnes au monde dont les gènes de la tumeur, ainsi que ceux de son ADN, avaient tous été séquencés. Un procédé qui, à l'époque, coûtait plus de cent mille dollars. Le séquençage et l'analyse génétiques avaient été réalisés par le travail conjoint des équipes de Stanford, Johns Hopkins et du Broad Institute du MIT et d'Harvard. Grâce à la connaissance de la signature génétique et moléculaire unique des tumeurs de Jobs, ses médecins pouvaient déterminer les médicaments ciblant précisément les dysfonctionnements biochimiques, responsables de la croissance anormale des cellules cancéreuses. Cette approche, connue sous le nom de thérapie moléculaire ciblée, était plus efficace que la chimiothérapie traditionnelle, qui attaquait le processus de division de toutes les cellules du corps, cancéreuses ou non. Cette thérapie ciblée n'était pas une solution infaillible, mais durant un temps, elle en eut l'apparence : elle permit aux médecins de Jobs de rechercher parmi un grand nombre de médicaments – communs ou non, déjà sur le marché ou en cours de développement – les trois ou quatre susceptibles d'être les plus efficaces. Chaque fois que son cancer mutait ou résistait à l'un des traitements, les médecins en avaient un autre en attente.

Si Laurene Jobs surveillait de près les soins de son mari, c'était lui qui prenait les décisions finales concernant chaque nouvelle procédure. La réunion de mai 2011, rassemblant George Fisher et ses collègues de Stanford, les analystes du séquençage génétique du Broad Institute, et son consultant externe David Angus, était un exemple typique de son implication. Ils s'étaient installés autour d'une table dans une suite de l'hôtel Four Seasons de Palo Alto. Laurene Jobs n'était pas de la partie, mais son fils Reed était présent. Durant trois heures, les chercheurs de Stanford et du Broad Institute présentèrent les nouvelles informations apprises sur les signatures génétiques de son cancer. Jobs était particulièrement en verve ce jour-là. À un moment donné, il interrompit l'analyste du Broad Institute qui avait fait l'erreur de se servir de PowerPoint. Le patron d'Apple le sermonna et lui expliqua en quoi Keynote, le logiciel de présentation d'Apple, était plus performant. Il lui proposa même de lui apprendre à l'utiliser. À la fin de la réunion, Jobs et son équipe avaient passé en revue toutes les données moléculaires, étudié la logique de chaque thérapie potentielle et dressé une liste de tests pour les aider à mieux déterminer les priorités.

L'un de ses médecins lui dit qu'il y avait un espoir que son cancer, comme d'autres, soit bientôt considéré comme une maladie chronique gérable, que l'on pourrait tenir à distance jusqu'à ce qu'il décède d'autre chose. « Soit je serai l'un des premiers à réussir à éloigner un cancer comme celui-là, soit je serai l'un des derniers à en mourir, me dit Jobs juste après une entrevue avec ses médecins. Le premier à atteindre la rive, ou le dernier à se noyer en chemin. »

Les visites au malade

Quand, en 2011, son congé maladie fut rendu public, la situation était si désastreuse que Lisa Brennan-Jobs reprit contact après plus d'un an de brouille et programma de venir de New York la semaine suivante. Ses relations avec son père s'étaient bâties sur du ressentiment. Elle conservait les cicatrices d'avoir été pratiquement abandonnée par son père pendant ses dix premières années. Pour ne rien arranger, elle avait hérité de son caractère irascible et, d'après Jobs, de la mentalité de victime de sa mère. « Je lui ai dit souvent que j'aurais aimé être un meilleur père quand elle avait cinq ans, mais aujourd'hui elle devrait passer à autre chose plutôt que de ruminer cette histoire à longueur de temps », me disait-il avant l'arrivée de Lisa.

La visite se passa bien. Jobs commençait à se sentir mieux et était d'humeur à la réconciliation et à l'expression de son affection pour son entourage. Âgée de trente-deux ans, Lisa vivait l'une des premières relations vraiment sérieuses de sa vie. Son petit ami était un jeune réalisateur de Californie plein d'ambition et Jobs alla jusqu'à suggérer à sa fille d'emménager à Palo Alto s'ils se mariaient. « Écoute, je ne sais pas combien de temps je vais encore être de ce monde. Les médecins ne peuvent pas vraiment se prononcer. Si tu veux en savoir plus sur moi, tu vas devoir venir ici. Pourquoi ne pas y réfléchir ? » Lisa ne déménagea pas sur la côte Ouest, mais Jobs était heureux de leur réconciliation. « Je n'étais pas sûr de vouloir qu'elle vienne, parce que j'étais malade et que je ne voulais pas d'autres complications dans ma vie. Mais j'ai été enchanté de sa venue. Cela m'a permis de régler beaucoup de choses avec moi-même. »

Ce mois-là, Jobs reçut une autre visite d'une personne tout aussi encline à la réconciliation. Le cofondateur de Google, Larry Page, qui habitait à trois rues de là, venait d'annoncer un plan pour reprendre les rênes de la compagnie à Eric Schmidt. Il savait comment flatter Jobs : il lui demanda s'il pouvait passer le voir et recevoir quelques conseils sur la façon d'être un bon P-DG. Jobs en voulait encore beaucoup à Google. « Ma première pensée a été de l'envoyer au diable. Mais j'ai réfléchi et je me suis dit que tout le monde m'avait aidé quand j'étais jeune, de Bill Hewlett à l'ingénieur dans ma rue qui bossait chez HP. Alors je l'ai rappelé pour l'inviter à venir. » Page s'est assis dans le salon des Jobs et a écouté ses idées pour élaborer de grands produits et des sociétés durables.

On a beaucoup parlé de l'importance de rester concentré sur ses objectifs. Et du choix des gens. Comment savoir en qui avoir confiance et comment former une équipe de lieutenants fiables. Je lui ai décrit les difficultés et les écueils qu'il devrait éviter pour que sa société ne mollisse ni ne soit gangrénée par des joueurs de seconde catégorie. Encore une fois, le plus important était de rester concentré. Réfléchir à ce que Google voulait devenir en s'agrandissant. Quels étaient les cinq produits phare sur lesquels il souhaitait porter ses efforts ? Il devait se débarrasser de tout le reste ! Car les projets secondaires vous tirent vers le bas. Et en un rien de temps, on se transforme en Microsoft ! On sort des produits corrects, mais pas extraordinaires. J'ai essayé de l'aider de mon mieux. Je continuerai à le faire aussi avec des gens comme Mark Zuckerberg. Voilà comment je vais occuper le temps qui me reste. Je peux aider les générations suivantes à se rappeler comment naissent les grandes entreprises et à perpétuer la tradition. La Vallée m'a beaucoup soutenu. Je ferai de mon mieux pour lui rendre la pareille.

L'annonce du congé de Jobs en 2011 incita d'autres personnages à faire un pèlerinage à Palo Alto. Bill Clinton, notamment, lui rendit visite. Ensemble, ils abordèrent une foule de sujets, du Moyen-Orient à la politique américaine. Mais la visite la plus poignante fut celle de l'autre prodige de l'informatique, né en 1955, l'homme qui, pendant plus de trois décennies, avait été à la fois le rival et le partenaire de Jobs dans l'avènement de l'ère des micro-ordinateurs.

Bill Gates n'avait jamais perdu sa fascination pour Jobs. Au printemps 2011, je l'avais rencontré lors d'un dîner à Washington ; tandis qu'il me parlait des efforts de sa fondation pour la santé dans le monde, il m'avait confié qu'il était admiratif de l'iPad et de la façon dont Jobs, même malade, cherchait encore à l'améliorer. « Je suis là, occupé à tenter de sauver le monde de la malaria ou ce genre de choses, pendant que Steve continue de sortir de fabuleux produits, dit-il avec nostalgie. Peut-être aurais-je dû rester dans la partie. » Il m'avait lancé un sourire pour me montrer qu'il plaisantait, au moins à moitié.

Par le biais de leur ami commun Mike Slade, Gates s'arrangea pour rendre visite à Jobs en mai. La veille de cette rencontre, l'assistant de Jobs l'appela pour lui dire qu'il ne se sentait pas assez bien. La visite fut reprogrammée et, un après-midi, Gates arriva chez Jobs, entra par le portail de derrière et s'arrêta sur le seuil de la cuisine ouverte, où il vit Eve en train d'étudier à table. « Steve est dans le coin ? » Pour toute réponse, Eve pointa le salon du doigt.

Ils passèrent plus de trois heures rien que tous les deux, à ressasser leurs souvenirs. « On aurait dit deux vieux loups de mer en train de faire défiler leur vie, me raconta Jobs. Je ne l'avais jamais vu aussi heureux et je n'arrêtais pas de me dire qu'il avait l'air en pleine santé. » Gates était tout aussi frappé par le fait que Jobs, malgré son apparence spectrale, avait bien plus d'énergie qu'on aurait pu s'y attendre. Il parlait ouvertement de ses problèmes de santé et, au moins ce jour-là, se sentait optimiste. Ses régimes séquentiels de traitements ciblés, expliqua-t-il à Gates, le faisaient « sauter comme une grenouille de nénuphar en nénuphar », pour tenter d'échapper au cancer lancé à ses trousses.

Jobs aborda le sujet de l'enseignement et Gates lui dépeignit sa vision des écoles du futur, avec des élèves qui visionneraient des cours et des leçons vidéo par eux-mêmes tandis que le temps de classe serait consacré aux débats et aux résolutions des problèmes. Tous deux s'accordaient à penser que les ordinateurs n'avaient eu jusqu'ici que très peu d'impact sur les écoles – bien moins que sur d'autres champs de la société comme les médias, la médecine ou les administrations. Pour changer cela, dit Gates, les ordinateurs et les appareils portables devaient proposer aux écoliers des leçons personnalisées et être des outils stimulant la curiosité et la motivation.

Ils évoquèrent aussi longuement les joies de la famille, notamment leur chance d'avoir eu de si bons enfants et d'être mariés à la bonne personne. « On a ri en se disant que sa rencontre providentielle avec Laurene lui avait évité de devenir à moitié fou, tout comme moi grâce à Melinda, se rappelle Gates. On a aussi parlé de la difficulté pour nos enfants de nous avoir pour père et des moyens d'y remédier. C'était une discussion très intime. » À un moment, Eve, qui avait participé à des concours d'équitation avec la fille de Gates, Jennifer, entra dans le salon, et l'homme fort de Microsoft lui posa quelques questions sur le saut d'obstacle.

Comme leur entrevue touchait à sa fin, Gates complimenta Jobs pour les « trucs incroyables » qu'il avait créés et pour avoir été capable, à la fin des années 1990, de sauver Apple des incompétents qui menaçaient de le détruire. Il lui fit même une intéressante confession. Au cours de leurs carrières, ils avaient adhéré à des philosophies concurrentes sur la plus fondamentale des problématiques numériques : matériel et logiciel doivent-ils être soigneusement intégrés ou ouverts ? « Je croyais autrefois que le modèle ouvert, horizontal l'emporterait, lui dit Gates. Mais tu as prouvé que le modèle intégré, vertical pouvait aussi être une réussite. » Jobs répondit par son propre aveu : « Ton modèle marche aussi. »

Tous deux avaient raison. Chaque modèle avait fonctionné au royaume des ordinateurs personnels, où Macintosh coexistait avec pléthore de machines Windows, et cela serait vraisemblablement aussi le cas pour les appareils portables. Mais après m'avoir rapporté cette discussion, Gates ajouta une mise en garde : « L'approche intégrée fonctionne quand Steve est aux commandes du navire. Mais cela ne veut pas dire qu'elle gagnera d'autres batailles à l'avenir. » De la même façon, Jobs fit une objection après son entrevue avec Gates : « Bien sûr, son modèle fragmenté marche, mais il ne crée pas de grands produits. C'est le problème. Le gros problème. Du moins pour l'instant. »

« Ce jour est arrivé »

Jobs avait bien d'autres idées et projets en tête qu'il espérait développer. Il voulait bouleverser l'industrie du manuel scolaire et sauver les colonnes vertébrales des jeunes élèves croulant sous leurs lourds cartables en créant des textes et des programmes d'études électroniques pour l'iPad. Il travaillait également avec Bill Atkinson, son ami de l'équipe du Macintosh d'origine, sur des technologies numériques à un niveau de pixels permettant aux gens de prendre des photos avec leurs iPhone dans des lieux peu éclairés. Il désirait aussi fortement mettre en œuvre pour la télévision ce qu'il avait fait pour les ordinateurs, les lecteurs de musique et les téléphones : proposer des appareils simples et élégants. « J'aimerais créer un service de télévision intégré au fonctionnement aisé. Il se synchroniserait avec tous vos appareils et avec iCloud. » Les utilisateurs ne se battraient plus avec des télécommandes compliquées pour lire leur lecteur DVD ou obtenir les chaînes du câble. « Il aurait l'interface la plus simple imaginable. Je résoudrai enfin ce problème. »

Mais en juillet 2011, son cancer s'était étendu à ses os et d'autres parties de son corps, et ses médecins avaient bien du mal à trouver des traitements ciblés pour le repousser. Il souffrait énormément, avait peu d'énergie et cessa d'aller au bureau. Laurene et lui avaient réservé un voilier pour faire une croisière en famille à la fin du mois, mais ils durent annuler leurs plans. À cette époque, il ne consommait presque aucune nourriture solide et passait la plus grande partie de ses journées dans sa chambre à regarder la télévision.

En août, il m'envoya un message pour me demander de venir le voir. Quand j'arrivai chez lui, un samedi en milieu de matinée, il dormait encore. Je m'installai donc avec sa femme et ses enfants dans le jardin, rempli d'une profusion de roses jaunes et de multiples variétés de pâquerettes, jusqu'à ce qu'il soit en état de me recevoir. Je le trouvai roulé en boule dans son lit, vêtu d'un short kaki et d'un col roulé blanc. Ses jambes étaient maigres comme des bâtons, mais il avait le sourire facile et l'esprit vif. « On ferait bien de se dépêcher, je n'ai pas beaucoup d'énergie. »

Il voulait me montrer des photos personnelles et me permettre d'en choisir quelques-unes pour le livre. Comme il était trop faible pour se lever, il pointa du doigt plusieurs tiroirs dans la pièce et je lui apportai précautionneusement les photos à l'intérieur. Assis au bord du lit, je les levai une par une pour qu'il puisse les voir. Certaines avaient une histoire, d'autres lui arrachaient à peine un grognement ou un sourire. Je n'avais jamais vu de photo de son père,

Paul Jobs, et je fus surpris de tomber sur un cliché datant des années 1950 d'un papa élégant avec un petit enfant dans les bras. « Oui, c'est lui. Vous pouvez l'utiliser. » Il désigna ensuite une boîte près de la fenêtre avec une photo de son père en train de le regarder d'un air attendri, le jour de son mariage. « C'était un grand homme », dit doucement Jobs. Je murmurai quelque chose comme : « Il serait fier de vous », mais il me corrigea : « Il était fier de moi. »

Un temps, les photos parurent l'animer. Nous avons évoqué le passé, parlé des gens qui avaient marqué sa vie, de Tina Redse à Mike Markkula et Bill Gates. Je lui rapportai les propos de Gates après sa dernière visite, à savoir qu'Apple avait démontré que l'approche intégrée pouvait marcher, mais seulement « si Steve était aux commandes ». Jobs pensait qu'il était idiot : « N'importe qui pourrait faire de meilleurs produits de cette façon, pas seulement moi. » Dans ce cas, pouvait-il nommer une autre entreprise capable de fabriquer des produits aussi géniaux en assurant une intégration de bout en bout ? Il réfléchit un moment, à la recherche d'un exemple. « Les compagnies automobiles, dit-il enfin, avant d'ajouter : Enfin, autrefois du moins. »

Quand notre conversation se porta sur l'état catastrophique de l'économie et de la politique américaines, il déplora le manque cruel de bons dirigeants au sein de la communauté internationale : « Je suis déçu par Obama. Il a des difficultés parce qu'il a peur de blesser et de fâcher les gens. » Il lut dans mes pensées et ajouta avec un petit sourire : « Oui, je sais, je n'ai jamais eu ce problème. »

Au bout de deux heures, il devint silencieux. Je me levai et fis mine de m'en aller.

— Attendez…, souffla-t-il en me faisant signe de me rasseoir. J'avais beaucoup d'inquiétudes concernant ce projet, faisant référence à sa décision de participer à l'élaboration de ce livre. J'étais vraiment inquiet.

— Pourquoi l'avoir fait alors ?

— Je voulais que mes enfants sachent qui je suis. Je n'ai pas toujours été là pour eux. Je voulais qu'ils comprennent pourquoi et qu'ils voient ce que j'ai accompli. Quand je suis tombé malade, j'ai compris que d'autres gens allaient écrire des livres sur moi à ma mort, des gens qui ne sauraient rien de moi. Et qui écriraient n'importe quoi. Alors j'ai voulu m'assurer que quelqu'un entendrait ce que j'avais à dire.

Jamais, en deux ans, il ne m'avait demandé ce que j'écrivais ni les conclusions que j'avais tirées. Mais à présent, il me regardait et dit : « Je sais qu'il y a un tas de choses dans votre livre que je ne vais pas aimer. » C'était plus une question qu'une affirmation, et comme il me fixait, en attente d'une réponse, je hochai la tête, souris et lui dis qu'il avait sans doute raison. « Tant mieux. Comme ça, on ne dira pas que c'est un livre complaisant. Je ne le lirai pas tout de suite, parce que je ne veux pas me mettre en colère. Peut-être que je le lirai dans un an. Si je suis encore dans le coin. » À présent, ses yeux étaient clos et son énergie envolée, aussi m'éclipsai-je discrètement.

Comme sa santé s'était détériorée durant l'été, Jobs commença à affronter l'inévitable : il ne reprendrait pas son poste de P-DG chez Apple. L'heure était venue pour lui de tirer sa révérence. Il réfléchit à cette décision durant des semaines, en discuta avec sa femme, Bill Campbell, Jony Ive et George Riley. « L'une des choses que je voulais faire pour Apple, c'était montrer l'exemple en matière de transmission de pouvoir. » Il évoqua les douloureuses transitions qui s'étaient produites dans la société ces trente-cinq dernières années. « À chaque fois, c'était un drame. L'un de mes objectifs était de faire d'Apple l'une des meilleures entreprises du monde, et la fluidité des transitions en est la clé. »

Le moment le plus opportun pour opérer ce changement était selon lui la réunion du conseil d'administration habituellement prévue le 24 août. Jobs était décidé à leur annoncer la nouvelle en personne, plutôt que d'envoyer une simple lettre ou de passer un coup de téléphone. Aussi se força-t-il à manger pour regagner un peu de forces. La veille de la réunion, il se dit qu'il y arriverait, mais il avait besoin d'un fauteuil roulant. Des arrangements furent pris pour le conduire au siège et pousser son fauteuil jusqu'à la salle de conférences aussi discrètement que possible.

Il arriva un peu avant 11 heures, au moment où les membres du conseil d'administration terminaient leurs rapports et autres affaires de routine. La plupart étaient au courant de ce qui allait se passer. Mais au lieu d'aborder le sujet que tout le monde avait à l'esprit, Tim Cook et Peter Oppenheimer, le directeur financier, passèrent en revue les résultats du trimestre et les projections pour l'année à venir. Puis Jobs murmura qu'il avait quelque chose à dire. Cook lui demanda si lui et les autres cadres d'Apple devaient partir. Jobs réfléchit pendant près de trente secondes avant de décider que oui, ce serait mieux. Quand il ne resta plus que les six administrateurs, il commença à lire la lettre qu'il avait dictée et corrigée ces dernières semaines. « J'ai toujours dit que si un jour je ne pouvais plus remplir mes devoirs et mes fonctions en tant que P-DG d'Apple, je serais le premier à vous le faire savoir. Malheureusement, ce jour est arrivé. »

La lettre, composée de huit phrases seulement, était simple et directe. Jobs suggérait que Cook le remplace et offrait ses services en tant que président du conseil d'administration. « Je crois que les jours les plus brillants et les plus innovants d'Apple sont devant lui. J'aimerais continuer à veiller et à contribuer à son succès dans un nouveau rôle. »

Un long silence accueillit cette déclaration. Al Gore fut le premier à prendre la parole pour faire l'inventaire des accomplissements de l'ancien P-DG. Mickey Drexler ajouta que voir Jobs transformer Apple était « la chose la plus incroyable qu'il ait vue dans sa carrière ». Art Levinson salua le zèle de Jobs et l'assura que la transition se ferait en douceur. Campbell ne dit pas un mot, mais ses yeux étaient remplis de larmes quand les documents officiels de transmission de pouvoirs passèrent de main en main.

À l'heure du déjeuner, Scott Forstall et Phil Schiller entrèrent dans la salle pour montrer les maquettes de produits qu'Apple avait en développement. Jobs les mitrailla de questions, leur rappelant les fonctionnalités que les réseaux des mobiles de la quatrième génération devaient offrir, ainsi que les caractéristiques que devaient posséder les futurs téléphones portables. À un moment, Forstall fit la démo d'une application de reconnaissance vocale. Comme c'était à craindre, Jobs s'empara du téléphone au beau milieu de la démo et tenta de le prendre en défaut. « Quel temps fait-il à Palo Alto ? » L'application répondit sans faillir. Après quelques autres questions plus ou moins pièges, Jobs sortit la grosse artillerie pour coincer le programme : « Êtes-vous une femme ou un homme ? » Incroyable mais vrai, le programme répondit de sa voix de synthèse : « Ils ne m'ont pas attribué de sexe. » Cet épisode égaya temporairement l'atmosphère.

Quand le débat se reporta sur la tablette électronique, certains exultèrent que HP ait brusquement abandonné la partie, incapable de concurrencer l'iPad. Le visage de Jobs s'assombrit aussitôt et il déclara que c'était une triste époque. « Hewlett et Packard ont bâti une grande entreprise, et ils pensaient l'avoir mise entre de bonnes mains. Mais aujourd'hui, elle est démantelée et détruite. C'est tragique. J'espère avoir laissé un héritage plus solide, pour que cela n'arrive jamais à Apple. » Comme il s'apprêtait à partir, les membres du conseil se rassemblèrent autour de lui et l'étreignirent.

Après avoir annoncé la nouvelle à son équipe de direction, Jobs se fit ramener chez lui par George Riley. Laurene Jobs était dans le jardin, occupée à récolter du miel de leurs ruches, avec l'aide d'Eve. Elles ôtèrent leurs casques de protection et apportèrent les pots de miel dans la cuisine, où se trouvaient Reed et Erin. Jobs prit une cuillère de miel et le déclara merveilleusement sucré.

Ce soir-là, il m'avoua que son espoir était de rester aussi actif que sa santé le lui permettrait. « Je vais travailler sur les nouveaux produits, le marketing et tout ce que j'aime. » Mais quand je lui demandai quel effet cela lui faisait d'avoir à renoncer au contrôle de la société, son ton devint mélancolique et il se mit à parler au passé : « J'ai eu une carrière très chanceuse, une vie très heureuse. J'ai été comblé. »

CHAPITRE QUARANTE ET UN

HÉRITAGE

« Jusqu'au ciel le plus brillant de l'invention »

Lors de la Macworld Expo de 2006, devant
la photo de Jobs et Wozniak trente ans plus tôt.

FireWire

La personnalité de Jobs se reflétait dans ses produits. Le cœur
de la philosophie d'Apple, depuis le Macintosh originel à l'iPad,
une génération plus tard, à savoir l'intégration de bout en bout du
matériel et du logiciel, se retrouvait chez Steve Jobs lui-même : sa
personnalité, ses passions, son perfectionnisme, ses démons, ses
désirs, son talent artistique, sa diablerie et son obsession du contrôle

étaient intimement mêlés à son approche des affaires et à la conception de ses produits révolutionnaires.

Le champ de la théorie unifiée qui liait la personnalité de Jobs à ses produits débutait avec son trait de caractère le plus saillant : son intensité. Ses silences pouvaient être aussi tranchants que ses diatribes. Il avait appris à fixer les gens sans cligner des yeux. Parfois, cette intensité avait cette touche d'innocence du geek passionné, comme lorsqu'il expliquait la profondeur de la musique de Bob Dylan ou la raison pour laquelle son nouveau produit était la création la plus incroyable qu'Apple ait jamais réalisée. D'autres fois, elle pouvait être terrifiante, par exemple lorsqu'il fulminait contre Google ou Microsoft et les accusait de vouloir détruire Apple.

Cette intensité favorisait sa vision binaire du monde. Ses collègues connaissaient sa dichotomie héros/vilains. Vous pouviez être l'un ou l'autre, parfois les deux dans une même journée. Une partition identique était appliquée aux produits, aux idées, et même à la nourriture. Un aliment était décrété « le meilleur du monde » ou rejeté comme immangeable, écœurant, dégoûtant. Résultat, la moindre faille pouvait donner lieu à un sermon. La finition d'une pièce de métal, la courbure d'une tête de vis, la teinte du bleu d'un boîtier, le mode de navigation sur un écran étaient d'abord considérés comme « totalement nuls » jusqu'à ce que le patron les déclare « absolument parfaits ». Il se voyait comme un artiste – à juste titre – et en avait adopté le tempérament ombrageux.

Sa quête de perfection avait engendré un besoin obsessionnel de contrôler toute la chaîne de fabrication. Il avait de l'urticaire, quand il voyait les superbes logiciels d'Apple équiper le matériel médiocre d'autres fabricants. Il était tout aussi allergique à l'idée que des applications ou des contenus non validés entachent la perfection d'un produit Apple. Pour intégrer logiciel, matériel et contenu dans un système unifié, un seul maître mot : la simplicité. L'astronome Johannes Kepler déclarait : « La nature aime la simplicité et l'unité. » Tout comme Jobs.

Cet instinct pour les architectures intégrées l'avait clairement positionné d'un côté de la ligne de partage du monde numérique : systèmes ouverts/ systèmes fermés. Les hackers, en dignes représentants de la philosophie du Homebrew Computer Club, étaient des ardents partisans des plateformes ouvertes, où le contrôle était quasi inexistant, où les gens pouvaient modifier le matériel et les programmes à leur gré, partager du code, écrire pour des standards *opensource*, contourner les logiciels propriétaires et avoir des applications compatibles avec toutes sortes d'appareils et de systèmes d'exploitation. Le jeune Wozniak appartenait à ce camp : l'Apple II qu'il avait conçu était facile à ouvrir et comportait de nombreux logements pour cartes d'extension pour connecter ce que bon vous semblait. Avec le Macintosh, Jobs était devenu le père fondateur de l'autre camp. Le Macintosh serait un appareil au matériel et au logiciel intimement liés et fermé à toute modification. Le plaisir du hacker était sacrifié dans le but de créer une expérience simple et fluide pour l'utilisateur.

Ce cheval de bataille incita Jobs à décréter que l'OS du Macintosh ne serait accessible à aucune autre société de matériel. Microsoft adopta la position inverse, ouvrant la licence de Windows à tout vent. Une stratégie qui ne donna pas naissance aux ordinateurs les plus élégants, mais qui permit à Microsoft de dominer l'univers des systèmes d'exploitation. Pendant que les parts de marché d'Apple chutaient à moins de 5 pour cent, l'approche de Microsoft était le grand vainqueur du secteur de l'informatique personnelle.

À long terme, cependant, le modèle d'Apple présentait indéniablement des avantages. Même avec une part de marché restreinte, la Pomme maintenait d'importantes marges, tandis que les autres fabricants perdaient toute identité. En 2010, par exemple, Apple ne représentait que 7 pour cent des revenus du marché de l'ordinateur personnel, mais récoltait 35 pour cent des bénéfices.

Plus significatif, au début des années 2000, l'insistance de Jobs pour l'intégration globale conduisit la firme de Cupertino à développer sa stratégie de foyer numérique, permettant de connecter facilement votre ordinateur de bureau à une foule d'appareils portables. L'iPod, notamment, faisait partie d'un système clos et soigneusement intégré. Pour s'en servir, il fallait utiliser le logiciel d'Apple iTunes et télécharger des contenus de l'iTunes Store. Résultat, l'iPod, comme l'iPhone et l'iPad qui suivraient, était merveilleusement élégant, comparé aux produits concurrents grossiers, loin d'offrir une convivialité optimale à l'utilisateur.

La stratégie fut payante. En mai 2000, la valeur d'Apple sur le marché correspondait à un vingtième de celle de Microsoft. En mai 2010, Apple surpassait Microsoft, devenant la société la plus rentable du secteur technologie, et en septembre 2011, elle valait 70 pour cent de plus que le Goliath de Seattle. Au premier trimestre 2011, le marché des PC Windows avait chuté de 1 pour cent, pendant que celui des Mac augmentait de 28 pour cent.

La bataille faisait alors rage dans l'univers des appareils portables. Google adopta l'approche ouverte, rendant son Android accessible à n'importe quel fabricant de tablettes ou de mobiles. En 2011, sa part de marché concurrençait celle d'Apple. L'inconvénient de l'ouverture d'Android était la fragmentation induite. De multiples fabricants de combinés et tablettes modifièrent Android et créèrent une douzaine de variantes, rendant difficiles le maintien de l'intégrité des applications ainsi que l'utilisation pleine et entière de leurs caractéristiques. Les deux approches avaient leurs avantages. Certains appréciaient la liberté des systèmes ouverts et du choix du matériel. D'autres préféraient l'intégration et le contrôle minutieux d'Apple, qui leur offraient des produits aux interfaces simples, avec des batteries à la durée de vie plus longue, une grande convivialité et une gestion aisée des contenus.

Revers de l'approche de Jobs : dans son désir de plaire à l'utilisateur, il avait réduit son champ d'action. Parmi les plus farouches défenseurs de l'environnement ouvert, Jonathan Zittrain, d'Harvard. Il débutait son livre *The Futur of the Internet – And How to Stop It*[1] avec la scène de présentation de l'iPhone par Jobs, et avertissait ses lecteurs des dangers du remplacement de l'ordinateur personnel par des « applications stériles soumises à un réseau de contrôle ». Plus fervent encore, Cory Doctorow, auteur d'un manifeste intitulé « Pourquoi je n'achèterai pas un iPad » pour le blog *BoingBoing*. « On ressent beaucoup de réflexion et d'intelligence dans le design, mais aussi un mépris palpable pour l'utilisateur. Acheter un iPad à vos enfants n'est pas le meilleur moyen pour eux de découvrir qu'ils peuvent refaire le monde. C'est plutôt une manière de dire à votre progéniture que même le changement de la batterie doit être laissé aux professionnels. »

Pour Jobs, croire à l'approche intégrée était une question de droiture. « Nous ne faisons pas cela parce que nous sommes des obsédés du pouvoir. Nous le faisons parce que nous voulons créer de grands

---

1. « L'avenir d'Internet – et comment l'arrêter. » *(N.d.T.)*

produits, que nous nous soucions de l'utilisateur, et que nous assumons la responsabilité de l'ensemble de l'expérience, au lieu de fabriquer des appareils médiocres comme les autres. » Il pensait aussi rendre service aux consommateurs : « Les gens sont occupés à donner le meilleur d'eux-mêmes dans leur domaine de compétence, et ils attendent qu'on fasse de même. Ils n'ont pas de temps à perdre. Ils ont autre chose à faire que se préoccuper de la connexion entre leur ordinateur et leurs appareils. »

Cette approche allait parfois à l'encontre des intérêts d'Apple à court terme. Mais dans un monde rempli d'appareils massifs, de logiciels poussifs, incrustés de messages d'erreur et d'interfaces ennuyeuses, Jobs avait créé d'extraordinaires produits et magnifié l'expérience utilisateur. Manier un produit Apple pouvait se révéler aussi sublime qu'arpenter l'un de ces jardins zen de Kyoto que Jobs aimait tant, deux expériences qui n'étaient pas nées sur l'autel de l'ouverture ni issues de l'épanouissement anarchique de milliers de fleurs. Parfois, il est agréable d'être entre les mains d'un maniaque du contrôle.

L'intensité de Jobs était tout aussi apparente dans sa capacité à se concentrer. Il établissait les priorités, rivait son attention aiguisée dessus, et évacuait toute distraction. Si un sujet l'intéressait – l'interface utilisateur du Macintosh originel, le design de l'iPod ou de l'iPhone, l'intégration des maisons de disques dans l'iTunes Store – il s'y consacrait corps et âme. Mais tout ce qui risquait de perturber sa concentration – un problème juridique, une difficulté professionnelle, le diagnostic de son cancer, un ennui familial –, il l'ignorait résolument. Cette faculté de discernement lui permettait de faire des choix radicaux et de dire non au superflu. Il avait remis Apple sur les rails en balayant tout, excepté quelques produits clés. Il créa des appareils plus simples en éliminant des boutons, des logiciels plus fluides en réduisant des caractéristiques et des interfaces plus minimalistes en supprimant des options.

Ce discernement et son amour de la simplicité provenaient selon lui de son apprentissage zen. Cette expérience avait affûté son intuition, lui avait appris à se débarrasser de toute distraction ou élément inutile, et fait naître en lui un sens esthétique fondé sur le minimalisme.

Malheureusement, cet apprentissage de la sagesse orientale n'avait généré ni attitude zen ni sérénité intérieure. Jobs demeurait colérique et impatient, deux traits de caractère qu'il ne faisait aucun effort pour cacher. La plupart des gens disposaient d'un régulateur entre l'esprit et la parole, afin de moduler leurs émotions brutes et leurs impulsions agressives. Pas Jobs. Il se faisait un devoir d'afficher une honnêteté tranchante. « Mon boulot est de dire quand quelque chose est nul, au lieu de minimiser le problème. » Une attitude qui faisait de lui un être charismatique et brillant, mais aussi parfois, pour utiliser ses propres termes, « un sale con ».

Andy Herzfeld m'a confié un jour : « Il y a une question à laquelle j'aimerais vraiment que Steve réponde : pourquoi es-tu parfois si malveillant ? » Même les membres de sa famille se demandaient si cela provenait d'une absence de filtre pour l'empêcher de dire tout ce qui lui passait par la tête ou d'une volonté affichée. Jobs prétendait que la première explication était la bonne. « Je suis comme ça. Inutile de me demander d'être ce que je ne suis pas », répondit-il quand je l'interrogeai sur le sujet. Mais je pense qu'il aurait pu se maîtriser s'il l'avait voulu. Quand il blessait les gens, ce n'était pas par manque de « finesse psychologique ». Plutôt le contraire : il jaugeait facilement les personnes, devinait leurs pensées profondes et savait comment les toucher, les cajoler, les blesser si nécessaire.

Cette facette sombre de sa personnalité n'était pas indispensable. Elle le desservait plus qu'autre chose. Même si, dans certains cas, elle lui avait permis d'atteindre ses objectifs. Les dirigeants polis et doucereux, qui évitent de vexer les gens, ne sont généralement pas doués pour imposer de grands changements. Des dizaines d'employés victimes des foudres de Jobs terminaient leur litanie d'horribles histoires en déclarant qu'il les avait poussés à accomplir des prouesses qui défiaient leur propre imagination.

La saga de Steve Jobs incarne le mythe de la Silicon Valley : le lancement d'une petite société dans le garage proverbial pour aboutir à l'édification d'un empire technologique. Jobs n'était pas un inventeur au sens strict, mais un maître pour mêler idées, art et technologie et ainsi « inventer » le futur. Il avait conçu le Mac parce qu'il avait compris le potentiel des interfaces graphiques – ce que Xerox avait été incapable de faire – et il avait créé l'iPod, parce qu'il avait envie d'avoir mille chansons dans sa poche – ce que Sony, malgré tous ses atouts et son héritage, n'avait pu accomplir. Certains entrepreneurs innovent parce qu'ils ont une vision globale, d'autres parce qu'ils maîtrisent les détails. Jobs faisait les deux, sans discontinuer. Résultat, il lança une série de produits durant ces trois dernières décennies, qui ont révolutionné des industries entières :

• L'Apple II, avec le circuit imprimé de Wozniak, qui devint le premier ordinateur personnel de grande consommation, et non une machine destinée aux passionnés d'informatique.

• Le Macintosh, qui initia la révolution du micro-ordinateur et popularisa les interfaces graphiques.

• *Toy Story* et les autres grands succès de Pixar, qui donnèrent naissance au miracle de l'image numérique.

• Les Apple Store, qui réinventèrent le rôle des magasins dans l'identité d'une marque.

• L'iTunes Store, qui donna un nouveau souffle à l'industrie de la musique.

• L'iPhone, qui transforma les téléphones portables en appareils multi-fonctions – baladeur de musique, appareil photo, caméra, boîte à lettres électronique et navigateur Internet.

• L'App Store, qui créa, à lui seul, un nouveau secteur économique : celui de la création d'applications.

• L'iPad, qui lança la tablette électronique et offrit une plateforme aux journaux, magazines, livres et vidéos numériques.

• L'iCloud, qui priva l'ordinateur de son rôle central en gérant à distance les contenus de l'utilisateur et en permettant à ses divers appareils de se synchroniser de façon fluide.

• Et Apple lui-même, que Jobs considérait comme sa plus belle création. Un lieu où l'imagination était nourrie, cultivée, et mise en application de façon si créative que la Pomme était devenue l'une des sociétés les plus prospères de la planète.

Steve Jobs était-il plus intelligent que le commun des mortels ? Non, en tout cas pas notablement. Mais il était un génie. Son imagination était instinctive, imprévisible et, par moments, fulgurante. Jobs était un « génie magicien », pour reprendre les termes du mathématicien Mark Kac, un homme dont les visions venaient de nulle part et découlaient de l'intuition plutôt que d'un processus mental. Tel un pisteur, il absorbait les informations, humait le sens du vent et trouvait le chemin de l'avenir.

Ainsi, Steve Jobs est le chef d'entreprise de notre époque qui aura le plus de chance de rester dans les mémoires d'ici un siècle. L'histoire le placera au panthéon, juste à côté d'Edison et Ford. Plus que n'importe qui à son époque, il a créé des produits totalement innovants, mêlant la puissance de la poésie et des processeurs. Avec une férocité qui pouvait rendre les collaborations avec lui aussi destructrices que passionnantes, il a bâti l'entreprise la plus créative du monde. Et il a réussi à distiller en son cœur la sensibilité artistique, le perfectionnisme et l'imagination qui feraient sans doute de la Pomme, même d'ici plusieurs décennies, l'entreprise la plus prospère, au carrefour des arts et de la technologie.

Ah... encore une petite chose...

Les biographes sont censés avoir le dernier mot. Mais il s'agit de la biographie de Steve Jobs. Même s'il n'avait pas imposé son désir légendaire de contrôle à ce projet, je pressentais que je ne lui rendrais pas justice – lui qui avait le don de se mettre sur le devant de la scène en toute occasion – si je le reléguais au rang d'un simple protagoniste de l'histoire, sans lui laisser dire quelques mots.

Au cours de nos conversations, il me parlait souvent de son espoir quant à l'héritage qu'il laisserait. Voici quelques-unes de ses réflexions, avec ses propres mots :

Ma passion a été de bâtir une entreprise pérenne, où les gens étaient motivés pour fabriquer de formidables produits. Tout le reste était secondaire. Bien sûr, c'était génial de réaliser des profits, parce que cela nous permettait de créer de bons produits. Mais la motivation est le produit, non le profit. John Sculley avait inversé ces priorités, se donnant pour objectif de gagner de l'argent. La différence est subtile, mais au final elle est cruciale, car elle définit tout : les gens qu'on embauche, ceux qu'on promeut, les sujets abordés en réunion.

Certains disent : « Donnez au client ce qu'il souhaite. » Ce n'est pas mon approche. Notre rôle est de devancer leurs désirs. Je crois qu'Henry Ford a dit un jour : « Si j'avais demandé à mes clients ce qu'ils désiraient, ils m'auraient répondu : "Un cheval plus rapide !" » Les gens ne savent pas ce qu'ils veulent tant qu'ils ne l'ont pas sous les yeux. Voilà pourquoi je ne m'appuie jamais sur les études de marché. Notre tâche est de lire ce qui n'est pas encore écrit sur la page.

Edwin Land, l'inventeur du Polaroid, parlait de l'intersection entre les arts et les sciences. J'aime ce point de jonction. Il a une aura magique. De nombreuses personnes créent des innovations – ce n'est donc pas ce qu'il y a de plus marquant dans ma carrière. Si Apple interpelle les gens, c'est parce que notre innovation recèle une grande part d'humanité. Je pense que les grands artistes et les grands ingénieurs se ressemblent : tous deux ont le désir de s'exprimer. En fait, parmi les meilleurs éléments de l'équipe du premier Macintosh, certains étaient aussi des poètes ou des musiciens. Dans les années 1970, les ordinateurs sont devenus un moyen pour les gens d'exprimer leur créativité. D'immenses artistes tels que Léonard de Vinci ou Michel-Ange étaient aussi de grands scientifiques. Michel-Ange savait tailler des pierres, pas seulement les sculpter.

Les gens nous paient pour intégrer des éléments à leur place, car ils n'ont pas le temps de penser à ce genre de choses. Si vous êtes passionnés par la réalisation de fabuleux appareils, vous vous sentez obligés de prôner l'intégration, de connecter matériel, logiciel et gestion de contenus. Si vous ouvrez vos produits à d'autres matériels et logiciels, vous devez abandonner une partie de votre vision.

À différentes époques par le passé, des sociétés ont personnifié la Silicon Valley. Hewlett-Packard, pendant longtemps. Puis, dans le domaine des semi-conducteurs, Fairchild et Intel. Je pense qu'Apple a joué ce rôle durant un temps, puis cela n'a plus été le cas. Et aujourd'hui, je pense que c'est Apple et Google – un peu plus Apple je dirais. Selon moi, on a su résister à l'épreuve du temps. On existe depuis un bon moment et on est toujours à la pointe du progrès.

Il est facile de jeter la pierre à Microsoft. Ils ont clairement perdu leur domination. Pourtant, je mesure leurs accomplissements et les difficultés qu'ils ont traversées. Ils étaient très doués en matière de marketing, mais concernant leurs produits, ils ont été moins ambitieux qu'ils auraient dû. Bill aime se définir comme un homme de produits, mais c'est faux. Bill est un homme d'affaires. Gagner des parts de marché était plus important pour lui que réaliser des chefs-d'œuvre.

Au final, il est devenu l'homme le plus riche du monde, et si tel était son objectif, il l'a atteint. Personnellement, cela n'a jamais été mon but, et je me demande si c'était vraiment le sien. Je l'admire d'avoir bâti cette compagnie – c'est impressionnant – et j'ai apprécié de travailler avec lui. C'est un type brillant, qui a beaucoup d'humour. Mais l'humanité et l'art ne sont pas inscrits dans les gènes de Microsoft. Même le Mac, ils n'ont pas su le copier correctement. Ils sont passés complètement à côté.

J'ai ma propre théorie pour expliquer le déclin de sociétés telles qu'IBM ou Microsoft. L'entreprise fait du bon boulot, innove et en arrive au monopole ou presque dans certains domaines. C'est alors que la qualité du produit perd de son importance. La société encense les bons commerciaux, car ce sont eux qui peuvent augmenter significativement les revenus, pas les ingénieurs ni les designers. Ainsi, les commerciaux ont fini par prendre le contrôle de la boîte. John Akers, chez IBM, était un commercial intelligent, éloquent, fantastique, mais il ne connaissait rien aux produits. La même chose est arrivée chez Xerox. Quand les commerciaux dirigent la boîte, les types des produits ne s'investissent plus autant et une grande partie d'entre eux abandonnent carrément la partie. C'est ce qui est arrivé quand Sculley a pris les rênes d'Apple – par ma faute – et le même scénario s'est produit lorsque Ballmer a pris le pouvoir chez Microsoft. Apple a eu de la chance et a rebondi, mais je pense que rien ne changera chez Microsoft tant que Ballmer sera aux commandes.

Je déteste les gens qui se disent « entrepreneurs », quand leur unique objectif est de monter une start-up pour la revendre ou la passer en Bourse, afin d'engranger de l'argent puis passer à autre chose. Ils n'ont pas la volonté de bâtir une véritable société, ce qui est la tâche la plus ardue dans notre domaine. Voilà comment on apporte une vraie contribution et que l'on perpétue l'héritage de nos prédécesseurs. En créant une entreprise qui comptera dans une génération ou deux. C'est ce que Walt Disney a fait, ainsi que Hewlett et Packard, ou encore les gens d'Intel. Ils ont créé une entreprise destinée à durer, pas seulement à gagner de l'argent. Voilà ce que je souhaite pour Apple.

Je ne crois pas être trop dur envers les gens. Mais si leur travail est nul, je le leur dis en face. Mon rôle est d'être honnête. Je sais de quoi je parle et souvent, il s'avère que j'ai raison. Voilà la culture que je me suis efforcé d'imposer. Chez Apple, nous cultivons l'honnêteté brute : n'importe qui peut me dire que je fais n'importe quoi et vice versa. Et si on en vient à se jeter des arguments à la figure et à se hurler dessus, tant mieux ! J'adore ces moments-là. Je me sens tout à fait à l'aise pour dire : « Ron, ce magasin est nul à chier » devant tout le monde. Ou « Nom de Dieu, on a complètement merdé sur ce coup-là », face à la personne responsable. C'est une qualité indispensable pour être de la partie : il faut être capable de dire le fond de sa pensée. Peut-être qu'il y a l'art et la manière de l'exprimer, un club de gentlemen en costume-cravate qui parlent cette langue de Brahmane, avec des mots de velours, mais ce n'est pas mon style. Parce que je viens de la classe moyenne californienne.

J'ai été dur avec certaines personnes, sans doute plus que nécessaire. Je me rappelle la fois où j'étais rentré chez moi – Reed avait six ans – et que je venais juste de renvoyer un type. J'imaginais combien ce serait difficile pour lui d'annoncer à sa famille et à son jeune fils qu'il avait perdu son job. C'était rude. Mais quelqu'un devait faire le sale boulot. C'était mon rôle de m'assurer que l'équipe soit excellente, car personne d'autre ne l'aurait fait à ma place.

Il ne faut jamais cesser d'innover. Bob Dylan aurait pu chanter des chansons engagées éternellement et certainement gagner beaucoup d'argent, mais il ne l'a pas fait. Il a continué à évoluer et, quand il a adopté la guitare électrique en 1965, il s'est mis à dos un tas de gens. Sa tournée en Europe de 1966 était fantastique. Il est monté sur scène et a joué un set avec sa guitare acoustique, que le public a adoré. Puis avec les musiciens du futur The Band, ils ont joué un set de pure guitare électrique qui leur a valu de se faire parfois huer. Un soir, il s'apprêtait à chanter « Like A Rolling Stone », quand quelqu'un dans le public s'est écrié : « Judas ! » Dylan a alors dit à ses musiciens : « On envoie à fond ! » Et le groupe s'était lâché. Les Beatles avaient le même tempérament. Toujours en train de faire évoluer leur art, de le déplacer, de l'affiner. Moi aussi, c'est ce que je me suis efforcé de faire – toujours aller de l'avant. Sinon, comme le dit Dylan, si vous n'êtes pas en train de naître, vous êtes en train de mourir.

Quelles étaient mes motivations ? Je pense que la plupart des gens créatifs veulent remercier leurs prédécesseurs de l'héritage qu'ils leur ont laissé. Je n'ai pas inventé le langage ou les mathématiques dont je me sers. Je ne produis que très peu de ma nourriture et ne fabrique aucun de mes vêtements. Tout ce que je fais dépend d'autres membres de notre espèce. Beaucoup d'entre nous se sentent redevables de leurs semblables et veulent ajouter leur pierre à l'édifice de l'humanité. Chacun tente de s'exprimer avec ses propres moyens – parce que nous ne pouvons pas tous écrire les chansons de Bob Dylan ou les pièces de Tom Stoppard. Nous nous efforçons d'exploiter nos talents pour exprimer nos sentiments profonds, pour remercier nos prédécesseurs de leurs contributions et pour apporter notre obole au flux du monde.

Le final

Par un après-midi ensoleillé, Jobs, qui ne se sentait pas bien, s'installa dans le jardin et réfléchit à la mort. Il parla de ses expériences en Inde environ quatre décennies auparavant, de son étude du bouddhisme, de sa vision de la réincarnation et de la transcendance spirituelle. « Je crois en Dieu à cinquante-cinquante. Durant la majeure partie de ma vie, j'ai toujours eu le sentiment qu'il existait un versant caché à notre existence. »

Il reconnut que, au moment de braver la mort, il avait sans doute surestimé les chances de l'existence d'un au-delà, mû par un désir ardent de croire à une vie après la mort. « J'aime à croire que quelque chose survit après notre trépas. Il est étrange d'accumuler toute cette expérience, et un peu de cette sagesse, pour que tout s'évanouisse brutalement. Alors j'ai vraiment envie de croire que quelque chose perdure, peut-être notre conscience. »

Il demeura silencieux un long moment. « Mais d'un autre côté, peut-être que c'est comme un interrupteur on/off. *Clic* et plus rien ! »

Il marqua une nouvelle pause et esquissa un sourire. « C'est sûrement pour cela que je n'ai jamais aimé les interrupteurs on/off sur les produits Apple. »

SOURCES

Interviews
(menées entre 2009 et 2011)

Al Alcorn, Roger Ames, Fred Anderson, Bill Atkinson, Joan Baez, Marjorie Powell Barden, Jeff Bewkes, Bono, Ann Bowers, Stewart Brand, Chrisann Brennan, Larry Brilliant, John Seeley Brown, Tim Brown, Nolan Bushnell, Greg Calhoun, Bill Campbell, Berry Cash, Ed Catmull, Ray Cave, Lee Clow, Debi Coleman, Tim Cook, Katie Cotton, Eddy Cue, Andrea Cunningham, John Doerr, Millard Drexler, Jennifer Egan, Al Eisenstat, Michael Eisner, Larry Ellison, Philip Elmer-DeWitt, Gerard Errera, Tony Fadell, Jean-Louis Gassée, Bill Gates, Adele Goldberg, Craig Good, Austan Goolsbee, Al Gore, Andy Grove, Bill Hambrecht, Michael Hawley, Andy Hertzfeld, Joanna Hoffman, Elizabeth Holmes, Bruce Horn, John Huey, Jimmy Iovine, Jony Ive, Oren Jacob, Erin Jobs, Reed Jobs, Steve Jobs, Ron Johnson, Mitch Kapor, Susan Kare (e-mail), Jeffrey Katzenberg, Pam Kerwin, Kristina Kiehl, Joel Klein, Daniel Kottke, Andy Lack, John Lasseter, Art Levinson, Steven Levy, Dan'l Lewin, Maya Lin, Yo-Yo Ma, Mike Markkula, John Markoff, Wynton Marsalis, Regis McKenna, Mike Merin, Bob Metcalfe, Doug Morris, Walt Mossberg, Rupert Murdoch, Mike Murray, Nicholas Negroponte, Dean Ornish, Paul Otellini, Norman Pearlstine, Laurene Powell, Josh Quittner, Tina Redse, George Riley, Brian Roberts, Arthur Rock, Jeff Rosen, Alain Rossmann, Jon Rubinstein, Phil Schiller, Eric Schmidt, Barry Schuler, Mike Scott, John Sculley, Andy Serwer, Mona Simpson, Mike Slade, Alvy Ray Smith, Gina Smith, Kathryn Smith, Rick Stengel, Larry Tesler,

Avie Tevanian, Guy « Bud » Tribble, Don Valentine, Paul Vidich, James Vincent, Alice Waters, Ron Wayne, Wendell Weeks, Ed Woolard, Stephen Wozniak, Del Yocam, Jerry York.

Bibliographie

Amelio, Gil, *On the Fire Line*, HarperBusiness, 1998.

Berlin, Leslie, *The Man behind the Microship*, Oxford, 2005.

Butcher, Lee, *The Accidental Millionaire*, Paragon House, 1988.

Carlton, Jim, *Apple*, Random House, 1997.

Cringely, Robert X, *Bâtisseurs d'empires par accident : origines et dessous de la Silicon Valley*, Addison-Wesley France, 1993.

Deutschman, Alan, *The Second Coming of Steve Jobs*, Broadway Books, 2000.

Elliot, Jay, et William Simon, *The Steve Jobs Way*, Vanguard, 2011.

Freiberger, Paul, et Michael Swaine, *Silicon Valley*, Ediscience international, 1984.

Garr, Doug, *Woz*, Avon, 1984.

Hertzfeld, Andy, *Revolution in the Valley*, O'Reilly, 2005 (voir aussi son site Internet : folklore.org)

Hiltzik, Michael, *Dealers of Lightning*, HarperBusiness, 1999.

Jobs, Steve, interview par Daniel Morrow au Smithsonian Institute.

Jobs, Steve, discours de remise des diplômes de Stanford, 12 juin 2005.

Kahney, Leander : *Inside Steve's Brain*, Portfolio, 2008 (voir aussi son site cultofmac.com)

Kawasaki, Guy, *The Macintosh Way*, Scott, Foresman, 1989.

Knopper, Steve, *Appetite for Self-Destruction*, Free Press, 2009.

Kot, Greg, *Ripped*, Scribner, 2009.

Kunkel, Paul, *AppleDesign*, Graphis Inc., 1997.

Levy, Steven, *Hackers*, Doubleday, 1984.

Levy, Steven, *La Saga Macintosh : enquête sur l'ordinateur qui a changé le monde*, Arléa, 1994.

Levy, Steven, *The Perfect Thing*, Simon & Schuster, 2006.

Linzmayer, Owen, *Apple Confidential 2.0*, No Starch Press, 2004.

Malone, Michael, *Infinite Loop*, Doubleday, 1999.

Markoff, John, *What the Dormouse Said*, Viking Penguin, 2005.

McNish, Jacquie, *The Big Score*, Doubleday Canada, 1998.

Moritz, Michael, *Le Jeu de la pomme : la grande aventure d'Apple computer*, Denoël, 1987 (en cours de réimpression).

Nocera, Joe, *Good Guys and Bad Guys*, Portfolio, 2008.

Paik, Karen, *To Infinity and Beyond !* Chronicle Books, 2007.

Price, David, *The Pixar Touch*, Knopf, 2008.

Rose, Frank, *West of Eden*, Viking, 1989.

Sculley, John, *De Pepsi à Apple : un génie du marketing raconte son odyssée*, Hachette Livre, 1988.

Sheff, David, « Playboy Interview : Steve Jobs », *Playboy*, février 1985.

Simpson, Mona, *N'importe où sauf ici*, Flammarion, 1989.

Simpson, Mona, *A Regular Guy*, Knopf, 1996.

Smith, Douglas, et Robert Alexander : *Fumbling the Future*, Morrow, 1988.

Stross, Randall, *Steve Jobs and the NeXT Big Thing*, Atheneum, 1993.

Triumph of the Nerds, documentaire réalisé par Robert X. Cringely, PBS Television, 1996.

Wozniak, Steve, avec Gina Smith, *iWoz*, École des loisirs, 2011.

Young, Jeffrey, *Steve Jobs, cofondateur d'Apple Inc : un destin fulgurant – les dessous de la révolution informatique*, Micro application, 1989.

Young, Jeffrey, et William Simon, *iCon*, John Wiley, 2005.

NOTES

---

1. L'ENFANCE : ABANDONNÉ PUIS CHOISI

L'adoption : Interviews de Steve Jobs, Laurene Powell, Mona Simpson, Del Yocam, Greg Calhoun, Chrisann Brennan, Andy Hertzfeld. Moritz, 44-45 ; Young, 16-17 ; Jobs, interview au Smithsonian Institute ; Jobs, discours de remise des diplômes de Stanford ; Andy Behrendt, « Apple Computer Mogul's Roots Tied to Green Bay », (Green Bay) *Press Gazette*, 4 décembre 2005 ; Georgina Dickinson, « Dad Waits for Jobs to iPhone », *New York Post* et *The Sun* (Londres), 27 août 2011 ; Mohannad Al-Haj Ali, « Steve Jobs Has Roots in Syria », *Al Hayat*, 16 janvier 2011 ; Ulf Froitzheim, « Porträt Steve Jobs », *Unternehmen*, 26 novembre 2007.

La Silicon Valley : Interviews de Steve Jobs, Laurene Powell. Jobs, interview au Smithsonian Institute ; Moritz, 46 ; Berlin, 155-177 ; Malone, 21-22.

L'école : Interview de Steve Jobs. Jobs, interview au Smithsonian Institute ; Sculley, 166 ; Malone, 11, 28, 72 ; Young, 25, 34-35 ; Young et Simon, 18 ; Moritz, 48, 73-74. L'adresse de Steve Jobs était au départ 11161 Crist Drive, avant que son quartier ne fasse partie intégrante de la ville. Des sources expliquent que Jobs a travaillé chez Haltek et dans une autre boutique portant un nom semblable, Halted. Lorsqu'on lui pose la question, Jobs dit se souvenir uniquement de son emploi à Haltek.

2. UN COUPLE IMPROBABLE : LES DEUX STEVE

Woz : Interviews de Steve Wozniak, Steve Jobs. Wozniak, 12-16, 22, 50-61, 86-91 ; Levy, *Hackers*, 245 ; Moritz, 62-64 ; Young, 28 ; Jobs, discours à la Macworld, 17 janvier 2007.

La Blue Box : Interviews de Steve Jobs, Steve Wozniak, Ron Rosenbaum, « Secrets of the Little Blue Box », *Esquire*, octobre 1971. Réponse de Wozniak, woz.org/letters/general/03.html ; Wozniak, 98-115. Pour des versions quelque peu différentes, voir Markoff, 272 ; Moritz, 78-86 ; Young, 42-45 ; Malone, 30-35.

3. TOUT LÂCHER : HARMONIE, OUVERTURE, DÉTACHEMENT...

Chrisann Brennan : Interviews de Chrisann Brennan, Steve Jobs, Steve Wozniak, Tim Brown. Moritz, 75-77 ; Young, 41 ; Malone, 39.

College Reed : Interviews de Steve Jobs, Daniel Kottke, Elizabeth Holmes. Freiberger et Swaine, 208 ; Moritz, 94-100 ; Young, 55 ; « The Updated Book of Jobs », *Time*, 3 janvier 1983.

Robert Friedland : Interviews de Steve Jobs, Daniel Kottke, Elizabeth Holmes. J'ai rencontré Friedland à New York en septembre 2010 pour discuter de sa relation et de son passé avec Steve Jobs, mais il a refusé d'être cité dans mes notes. McNish, 11-17 ; Jennifer Wells, « Canada's Next Billionaire », *Maclean's*, 3 juin 1996 ; Richard Read, « Financier's Saga of Risk », *Mines and Communities* magazine, 16 octobre 2005 ; Jennifer Hunter, « But What Would His Guru Say ? » (Toronto) *Globe and Mail*, 18 mars 1988 ; Moritz, 96, 109 ; Young, 56.

Exit Reed : Interviews de Steve Jobs, Steve Wozniak ; Jobs, discours de remise des diplômes de Stanford, Moritz, 97.

4. ATARI ET L'INDE : DU ZEN ET DE L'ART DE CONCEVOIR DES JEUX

Atari : Interviews de Steve Jobs, Al Alcorn, Nolan Bushnell, Ron Wayne. Moritz, 103-104.

L'Inde : Interviews de Daniel Kottke, Steve Jobs, Al Alcorn, Larry Brilliant.

La quête : Interviews de Steve Jobs, Daniel Kottke, Elizabeth Holmes, Greg Calhoun. Young, 72 ; Young et Simon, 31-32 ; Moritz, 107.

Le premier défi : Interviews de Nolan Bushnell, Al Alcorn, Steve Wozniak, Ron Wayne, Andy Hertzfeld. Wozniak, 144-149 ; Young, 88 ; Linzmayer, 4.

5. L'APPLE I : ALLUMAGE, DÉMARRAGE, CONNEXION

Des machines bienveillantes : Interviews de Steve Jobs, Bono, Stewart Brand. Markoff, xii ; Stewart Brand, « We Owe It All to the Hippies », *Time*, 1ᵉʳ mars 1995 ; Jobs, discours de remise des diplômes de Stanford ; Fred Turner, *From Counterculture to Cyberculture* (Chicago, 2006).

Le Homebrew Computer Club : Interviews de Steve Jobs, Steve Wozniak. Wozniak, 152-172 ; Freiberger et Swaine, 99 ; Linzmayer, 5 ; Moritz, 144 ; Steve Wozniak, « Homebrew and How Apple Came to Be », www.atariarchives.org ; Bill Gates, « Open Letter to Hobbyists », 3 février 1976.

Apple est né : Interviews de Steve Jobs, Steve Wozniak, Mike Markkula, Ron Wayne. Steve Jobs, discours à la Design Conference d'Aspen, 15 juin 1983, enregistrement aux archives de l'Aspen Institute ; Apple Computer Partnership Agreement, comté de Santa Clara, 1ᵉʳ avril 1976, et Amendment to Agreement, 12 avril 1976 ; Bruce Newman, « Apple's Lost Founder », *San Jose Mercury News*, 2 juin 2010 ; Wozniak, 86, 176-177 ; Moritz, 149-151 ; Freiberger et Swaine, 212-213 ; Ashlee Vance, « A Haven for Spare Parts Lives on in Silicon Valley », *New York Times*, 4 février 2009 ; interview de Paul Terrell, 1ᵉʳ août 2008, mac-history.net.

Le « Garage Band » : Interviews de Steve Wozniak, Elizabeth Holmes, Daniel Kottke, Steve Jobs. Wozniak, 179-189 ; Moritz, 152-163 ; Young, 95-111 ; R. S. Jones, « Comparing Apples and Oranges », *Interface*, juillet 1976.

6. L'APPLE II : L'AUBE D'UNE ÈRE NOUVELLE

Tout en un ! : Interviews de Steve Jobs, Steve Wozniak, Al Alcorn, Ron Wayne. Wozniak, 165, 190-195 ; Young, 126 ; Moritz, 169-170, 194-197 ; Malone, v, 103.

Mike Markkula : Interviews de Regis McKenna, Don Valentine, Steve Jobs, Steve Wozniak, Mike Markkula, Arthur Rock. Nolan Bushnell, présentation à la ScrewAttack Gaming Convention, Dallas, 5 juillet 2009 ; Steve Jobs, intervention à l'International Design Conference d'Aspen, 15 juin 1983 ; Mike Markkula, « The Apple Marketing Philosophy », (avec l'aimable autorisation de Markkula), décembre 1979 ; Wozniak, 196-199. Voir aussi Moritz, 182-183 ; Malone, 110-111.

Regis McKenna : Interviews de Regis McKenna, John Doerr, Steve Jobs. Ivan Raszl, « Interview with Rob Janoff », Creative-bits.org, 3 août 2009.

Le premier grand lancement : Interviews de Steve Wozniak, Steve Jobs. Wozniak, 201-206 ; Moritz, 199-201 ; Young, 139.

Mike Scott : Interviews de Mike Scott, Mike Markkula, Steve Jobs, Steve Wozniak, Arthur Rock. Young, 135 ; Freiberger et Swaine, 219, 222 ; Moritz, 213 ; Elliot, 4.

7. CHRISANN ET LISA : CELUI QUI A ABANDONNÉ

Interviews de Chrisann Brennan, Steve Jobs, Elizabeth Holmes, Greg Calhoun, Daniel Kottke, Arthur Rock. Moritz, 285 ; « The Updated Book of Jobs », *Time*, 3 janvier 1983 ; « Striking It Rich », *Time*, 15 février 1982.

8. XEROX ET LISA : LES INTERFACES GRAPHIQUES

Un nouveau bébé : Interviews d'Andrea Cunningham, Andy Hertzfeld, Steve Jobs, Bill Atkinson. Wozniak, 226 ; Levy, *La Saga Macintosh*, 124 ; Young, 168-170 ; Bill Atkinson, entretiens, Computer History Museum, Mountain View, Californie ; Jef Raskin, « Holes in the Histories », *Interactions*, juillet 1994 ; Jef Raskin, « Hubris of a Heavyweight », *IEEE Spectrum*, juillet 1994 ; Jef Raskin, entretiens, 13 avril 2000, Stanford Library Department of Special Collections ; Linzmayer, 74, 85-89.

Le Xerox PARC : Interviews de Steve Jobs, John Seeley Brown, Adele Goldberg, Larry Tesler, Bill Atkinson. Freiberger et Swaine, 239 ; Levy, *La Saga Macintosh*, 66-80 ; Hiltzik, 330-341 ; Linzmayer, 74-75 ; Young, 170-172 ; Rose, 45-47 ; *Triumph of the Nerds*, PBS, troisième partie.

Prendre aux meilleurs : Interviews de Steve Jobs, Larry Tesler, Bill Atkinson. Levy, *La Saga Macintosh*, 77, 87-90 ; *Triumph of the Nerds*, PBS, troisième partie ; Bruce Horn, « Where It All Began » (1966), www.mackido.com ; Hiltzik, 343, 367-370 ; Malcolm Gladwell, « Creation Myth », *New Yorker*, 16 mai 2011 ; Young, 178-182.

9. PASSER EN BOURSE : VERS LA GLOIRE ET LA FORTUNE

Actions et stock-options : Interviews de Daniel Kottke, Steve Jobs, Steve Wozniak, Andy Hertzfeld, Mike Markkula, Bill Hambrecht. « Sale of Apple Stock Barred », *Boston Globe*, 11 décembre 1980.

Chéri, tu es riche ! : Interviews de Larry Brilliant, Steve Jobs. Steve Ditlea, « An Apple on Every Desk », *Inc.*, 1ᵉʳ octobre 1981 ; « Striking It Rich », *Time*, 15 février, 1982 ; « The Seeds of Success », *Time*, 15 février 1982 ; Moritz, 292-295 ; Sheff.

10. LE MAC EST NÉ : VOUS VOULIEZ UNE RÉVOLUTION...

Le bébé de Jef Raskin : Interviews de Bill Atkinson, Steve Jobs, Andy Hertzfeld, Mike Markkula. Jef Raskin, « Recollections of the Macintosh Project », « Holes in the Histories », « The Genesis and History of the Macintosh Project », « Reply to Jobs, and Personal Motivation », « Design Considerations for an Anthropophilic Computer », et « Computers by the Millions », articles de Raskin, Stanford University Library ; Jef Raskin, « A Conversation », *Ubiquity*, 23 juin 2003 ; Levy, *La Saga Macintosh*, 107-121 ; Hertzfeld, 19 ; « Macintosh's Other Designers », *Byte*, août 1984 ; Young, 202, 208-214 ; « Apple Launches a Mac Attack », *Time*, 30 janvier 1984 ; Malone, 255-258.

Les tours Texaco : Interviews d'Andrea Cunningham, Bruce Horn, Andy Hertzfeld, Mike Scott, Mike Markkula. Hertzfeld, 19-20, 26-27 ; Wozniak, 241-242.

11. LE CHAMP DE DISTORSION DE LA RÉALITÉ : IMPOSER SES PROPRES RÈGLES DU JEU

Interviews de Bill Atkinson, Steve Wozniak, Debi Coleman, Andy Hertzfeld, Bruce Horn, Joanna Hoffman, Al Eisenstat, Ann Bowers, Steve Jobs. Certains de ces récits proposent des versions différentes. Voir Hertzfeld, 24, 68, 161.

12. LE DESIGN : LES VRAIS ARTISTES SIMPLIFIENT

L'esthétique du Bauhaus : Interviews de Dan'l Lewin, Steve Jobs, Maya Lin, Debi Coleman. Steve Jobs en conversation avec Charles Hampden-Turner, International Design Conference à Aspen, 15 juin 1983. (Les enregistrements audio de la Design Conference sont conservés à l'Aspen Institute. Je tiens à remercier Deborah Murphy de les avoir recherchés.)

Comme une Porsche : Interviews de Bill Atkinson, Alain Rossmann, Mike Markkula, Steve Jobs. « The Macintosh Design Team », *Byte*, février 1984 ; Hertzfeld, 29-31, 41, 46, 63, 68 ; Sculley, 157 ; Jerry Manock, « Invasion of Texaco Towers », Folklore.org ; Kunkel, 26-30 ; Jobs, discours de remise des diplômes de Stanford ; e-mail de Susan Kare ; Susan Kare, « World Class Cities », Hertzfeld, 165 ; Laurence Zuckerman, « The Designer Who Made the Mac Smile », *New York Times*, 26 août 1996 ; interview de Susan Kare, 8 septembre 2000, Stanford University Library, Special Collections ; Levy, *La Saga Macintosh*, 156 ; Hartmut Esslinger, *A Fine Line* (Jossey-Bass, 2009), 7-9 ; David Einstein, « Where Success Is by Design », *San Francisco Chronicle*, 6 octobre 1995 ; Sheff.

13. FABRIQUER LE MAC : LE VOYAGE
   EST LA RÉCOMPENSE

La compétition : Interview de Steve Jobs. Levy, *La Saga Macintosh*, 125 ; Sheff ; Hertzfeld, 71-73 ; publicité dans le *Wall Street Journal*, 24 août 1981.

Tout maîtriser de A à Z : Interview de Berry Cash. Kahney, 241 ; Dan Farber, « Steve Jobs, the iPhone and Open Platforms », ZDNet.com, 13 janvier 2007 ; Tim Wu, *The Master Switch* (Knopf, 2010), 254-276 ; Mike Murray, « Mac Memo » à Steve Jobs, 19 mai 1982 (avec l'aimable autorisation de Mike Murray).

« La machine de l'année » : Interviews de Daniel Kottke, Steve Jobs, Ray Cave. « The Computer Moves In », *Time*, 3 janvier 1983 ; « The Updated Book of Jobs », *Time*, 3 janvier 1983 ; Moritz, 11 ; Young, 293 ; Rose, 9-11 ; Peter McNulty, « Apple's Bid to Stay in the Big Time », *Fortune*, 7 février 1983 ; « The Year of the Mouse », *Time*, 31 janvier 1983.

Pirates ! : Interviews d'Ann Bowers, Andy Hertzfeld, Bill Atkinson, Arthur Rock, Mike Markkula, Steve Jobs, Debi Coleman ; e-mail de Susan Kare. Hertzfeld, 76, 135-138, 158, 160, 166 ; Moritz, 21-28 ; Young, 295-297, 301-303 ; interview de Susan Kare, 8 septembre 2000, Stanford University Library ; Jeff Goodell, « The Rise and Fall of Apple Computer », *Rolling Stone*, 4 avril 1996 ; Rose, 59-69, 93.

14. ENTRÉE EN SCÈNE DE SCULLEY : LE DÉFI PEPSI

La cour : Interviews de John Sculley, Andy Hertzfeld, Steve Jobs. Rose, 18, 74-75 ; Sculley, 58-90, 107 ; Elliot, 90-93 ; Mike Murray, « Special Mac Sneak » note à l'équipe, 3 mars 1983 (avec l'aimable autorisation de Mike Murray) ; Hertzfeld, 149-150.

La lune de miel : Interviews de Steve Jobs, John Sculley, Joanna Hoffman. Sculley, 127-130, 154-155, 168, 179 ; Hertzfeld, 195.

15. LE LANCEMENT : CHANGER LE MONDE

Les vrais artistes finissent leurs œuvres : Interviews d'Andy Hertzfeld, Steve Jobs. Vidéo du congrès Apple, octobre 1983 ; « Personal Computers : And the Winner Is… IBM », *Business Week*, 3 octobre 1983 ; Hertzfeld, 208-210 ; Rose, 147-153 ; Levy, *La Saga Macintosh*, 178-180 ; Young, 327-328.

La pub « 1984 » : Interviews de Lee Clow, John Sculley, Mike Markkula, Bill Campbell, Steve Jobs. Interview de Steve Hayden, *Weekend Edition*, NPR, 1er février 2004 ; Linzmayer, 109-114 ; Sculley, 176.

Le coup de pub : Hertzfeld, 226-227 ; Michael Rogers, « It's the Apple of His Eye », *Newsweek*, 30 janvier 1984 ; Levy, *La Saga Macintosh*, 17-27.

Le lancement : 24 janvier 1984 : Interviews de John Sculley, Steve Jobs, Andy Hertzfeld. Vidéo de l'assemblée générale des actionnaires, janvier 1984 ; Hertzfeld, 213-223 ; Sculley, 179-181 ; William Hawkins, « Jobs' Revolutionary New Computer », *Popular Science*, janvier 1989.

16. GATES ET JOBS : QUAND DEUX ORBITES SE CROISENT

Le partenariat : Interviews de Bill Gates, Steve Jobs, Bruce Horn. Hertzfeld, 52-54 ; Steve Lohr, « Creating Jobs », *New York Times*,

12 janvier 1997 ; *Triumph of the Nerds*, PBS, troisième partie ; Rusty Weston, « Partners and Adversaries », *MacWeek*, 14 mars 1989 ; Walt Mossberg et Kara Swisher, interview de Bill Gates et Steve Jobs, *All Things Digital*, 31 mai 2007 ; Young, 319-320 ; Carlton, 28 ; Brent Schlender, « How Steve Jobs Linked Up with IBM », *Fortune*, 9 octobre 1989 ; Steven Levy, « A Big Brother ? », *Newsweek*, 18 août 1997.

La bataille de l'interface graphique : Interviews de Bill Gates, Steve Jobs. Hertzfeld, 191-193 ; Michael Schrage, « IBM Compatibility Grows », *Washington Post*, 29 novembre 1983 ; *Triumph of the Nerds*, PBS, troisième partie.

17. ICARE : À MONTER TROP HAUT...

L'ascension : Interviews de Steve Jobs, Debi Coleman, Bill Atkinson, Andy Hertzfeld, Alain Rossmann, Joanna Hoffman, Jean-Louis Gassée, Nicholas Negroponte, Arthur Rock, John Sculley. Sheff ; Hertzfeld, 206-207, 230 ; Sculley, 197-199 ; Young, 308-309 ; George Gendron et Bo Burlingham, « Entrepreneur of the Decade », *Inc.*, 1ᵉʳ avril 1989.

La chute : Interviews de Joanna Hoffman, John Sculley, Lee Clow, Debi Coleman, Andrea Cunningham, Steve Jobs. Sculley, 201, 212-215 ; Levy, *La Saga Macintosh*, 186-192 ; Michael Rogers, « It's the Apple of His Eye », *Newsweek*, 30 janvier 1984 ; Rose, 207, 233 ; Felix Kessler, « Apple Pitch », *Fortune*, 15 avril 1985 ; Linzmayer, 145.

Déjà trente ans : Interviews de Mallory Walker, Andy Hertzfeld, Debi Coleman, Elizabeth Holmes, Steve Wozniak, Don Valentine. Sheff.

L'exode : Interviews d'Andy Hertzfeld, Steve Wozniak, Bruce Horn. Hertzfeld, 253, 263-264 ; Young, 372-376 ; Wozniak, 265-266 ; Rose, 248-249 ; Bob Davis, « Apple's Head, Jobs, Denies Ex-Partner Use of Design Firm », *Wall Street Journal*, 22 mars 1985.

Printemps 1985, rien ne va plus ! : Interviews de Steve Jobs, Al Alcorn, John Sculley, Mike Murray. Elliot, 15 ; Sculley, 205-206, 227, 238-244 ; Young, 367-379 ; Rose, 238, 242, 254-255 ; Mike Murray, « Let's Wake Up and Die Right », note à des destinataires confidentiels, 7 mars 1985 (avec l'aimable autorisation de Mike Murray).

Le putsch : Interviews de Steve Jobs, John Sculley. Rose, 266-275 ; Sculley, ix-x, 245-246 ; Young, 388-396 ; Elliot, 112.

Sept jours en mai 1985 : Interviews de Jean-Louis Gassée, Steve Jobs, Bill Campbell, Al Eisenstat, John Sculley, Mike Murray, Mike Markkula, Debi Coleman. Bro Uttal, « Behind the Fall of Steve Jobs », *Fortune*, 5 août 1985 ; Sculley, 249-260 ; Rose, 275-290 ; Young, 396-404.

L'effet boule de neige : Interviews de Mike Murray, Mike Markkula, Steve Jobs, John Sculley, Bob Metcalfe, George Riley, Andy Hertzfeld, Tina Redse, Mike Merin, Al Eisenstat, Arthur Rock. E-mail de Tina Redse à Steve Jobs, 20 juillet 2010 ; « No Job for Jobs », AP, 26 juillet 1985 ; « Jobs Talks about His Rise and Fall », *Newsweek*, 30 septembre 1985 ; Hertzfeld, 269-271 ; Young, 387, 403-405 ; Young et Simon, 116 ; Rose, 288-292 ; Sculley, 242-245, 286-287 ; lettre d'Al Eisenstat à Arthur Hartman, 23 juillet 1985 (avec l'aimable autorisation d'Al Eisenstat).

18. NeXT : PROMÉTHÉE DÉLIVRÉ

Les pirates abandonnent le navire : Interviews de Dan'l Lewin, Steve Jobs, Bill Campbell, Arthur Rock, Mike Markkula, John Sculley, Andrea Cunningham, Joanna Hoffman. Patricia Bellew Gray et Michael Miller, « Apple Chairman Jobs Resigns », *Wall Street Journal*, 18 septembre 1985 ; Gerald Lubenow et Michael Rogers, « Jobs Talks about His Rise and Fall », *Newsweek*, 30 septembre 1985 ; Bro Uttal, « The Adventures of Steve Jobs », *Fortune*, 14 octobre 1985 ; Susan Kerr, « Jobs Resigns », *Computer Systems News*, 23 septembre 1985 ; « Shaken to the Very Core », *Time*, 30 septembre 1985 ; John Eckhouse, « Apple Board Fuming at Steve Jobs », *San Francisco Chronicle*, 17 septembre 1985 ; Hertzfeld, 132-133 ; Sculley, 313-317 ; Young, 415-416 ; Young et Simon, 127 ; Rose, 307-319 ; Stross, 73 ; Deutschman, 36 ; Plainte pour manquement aux obligations fiduciaires, Apple Computer contre Steven P. Jobs et Richard A. Page, Cour supérieure de Californie, comté de Santa Clara, 23 septembre 1985 ; Patricia Bellew Gray, « Jobs Asserts Apple Undermined Efforts to Settle Dispute », *Wall Street Journal*, 25 septembre 1985.

Être seul à la barre : Interviews d'Arthur Rock, Susan Kare, Steve Jobs, Al Eisenstat. « Logo for Jobs' New Firm », *San Francisco Chronicle*, 19 juin 1986 ; Phil Patton, « Steve Jobs : Out for Revenge », *New York Times*, 6 août 1989 ; Paul Rand, présentation du logo de

NeXT, 1985 ; Doug Evans et Allan Pottasch, interview vidéo de Steve Jobs parlant de Paul Rand, 1993 ; Steve Jobs à Al Eisenstat, 4 novembre 1985 ; Eisenstat à Jobs, 8 novembre 1985 ; Accord à l'amiable entre Apple Computer Inc. et Steven P. Jobs, demande d'abandon des poursuites sans préjudice, déposée auprès de la Cour supérieure de Californie, comté de Santa Clara, 17 janvier 1986 ; Deutschman, 47, 43 ; Stross, 76, 118-120, 245 ; Kunkel, 58-63 ; « Can He Do It Again », *Business Week*, 24 octobre 1988 ; Joe Nocera, « The Second Coming of Steve Jobs », *Esquire*, décembre 1986, réimprimé dans *Good Guys and Bad Guys* (Portfolio, 2008), 49 ; Brenton Schlender, « How Steve Jobs Linked Up with IBM », *Fortune*, 9 octobre 1989.

L'ordinateur : Interviews de Mitch Kapor, Michael Hawley, Steve Jobs. Peter Denning et Karen Frenkle, « A Conversation with Steve Jobs », *Communications of the Association for Computer Machinery*, 1ᵉʳ avril 1989 ; John Eckhouse, « Steve Jobs Shows off Ultra-Robotic Assembly Line », *San Francisco Chronicle*, 13 juin 1989 ; Stross, 122-125 ; Deutschman, 60-63 ; Young, 425 ; Katie Hafner, « Can He Do It Again ? », *Business Week*, 24 octobre 1988 ; *The Entrepreneurs*, PBS, 5 novembre 1986, réalisé par John Nathan.

Perot à la rescousse ! : Stross, 102-112 ; « Perot and Jobs », *Newsweek*, 9 février 1987 ; Andrew Pollack, « Can Steve Jobs Do It Again ? », *New York Times*, 8 novembre 1987 ; Katie Hafner, « Can He Do It Again ? », *Business Week*, 24 octobre 1988 ; Pat Steger, « A Gem of an Evening with King Juan Carlos », *San Francisco Chronicle*, 5 octobre 1987 ; David Remnick, « How a Texas Playboy Became a Billionaire », *Washington Post*, 20 mai 1987.

Gates et NeXT : Interviews de Bill Gates, Adele Goldberg, Steve Jobs. Brit Hume, « Steve Jobs Pulls Ahead », *Washington Post*, 31 octobre 1988 ; Brent Schlender, « How Steve Jobs Linked Up with IBM », *Fortune*, 9 octobre 1989 ; Stross, 14 ; Linzmayer, 209 ; « William Gates Talks », *Washington Post*, 30 décembre 1990 ; Katie Hafner, « Can He Do It Again ? », *Business Week*, 24 octobre 1988 ; John Thompson, « Gates, Jobs Swap Barbs », *Computer System News*, 27 novembre 1989.

IBM : Brent Schlender, « How Steve Jobs Linked Up with IBM », *Fortune*, 9 octobre 1989 ; Phil Patton, « Out for Revenge », *New York Times*, 6 août 1989 ; Stross, 140-142 ; Deutschman, 133.

Le lancement, octobre 1988 : Stross, 166-186 ; Wes Smith, « Jobs Has Returned », *Chicago Tribune*, 13 novembre 1988 ; Andrew Pollack, « NeXT Produces a Gala », *New York Times*, 10 octobre 1988 ; Brenton Schlender, « Next Project », *Wall Street Journal*, 13 octobre 1988 ; Katie Hafner, « Can He Do It Again ? », *Business Week*, 24 octobre 1988 ; Deutschman, 128 ; « Steve Jobs Comes back », *Newsweek*, 24 octobre 1988 ; « The NeXT Generation », *San Jose Mercury News*, 10 octobre 1988.

19. PIXAR : QUAND LA TECHNOLOGIE RENCONTRE L'ART

Le département informatique de Lucasfilm : Interviews d'Ed Catmull, Alvy Ray Smith, Steve Jobs, Pam Kerwin, Michael Eisner. Price, 71-74, 89-101 ; Paik, 53-57, 226 ; Young et Simon, 169 ; Deutschman, 115.

L'animation : Interviews de John Lasseter, Steve Jobs. Paik, 28-44 ; Price, 45-56.

« Tin Toy » : Interviews de Pam Kerwin, Alvy Ray Smith, John Lasseter, Ed Catmull, Steve Jobs, Jeffrey Katzenberg, Michael Eisner, Andy Grove. E-mail de Steve Jobs à Alberty Yu, 23 septembre 1995 ; d'Albert Yu à Steve Jobs, 25 septembre 1995 ; Steve Jobs à Andy Grove, 25 septembre 1995 ; Andy Grove à Steve Jobs, 26 septembre 1995 ; Steve Jobs à Andy Grove, 1er octobre 1995 ; Price, 104-114 ; Young et Simon, 166.

20. UN HOMME COMME LES AUTRES : LOVE IS A FOUR LETTER WORD

Joan Baez : Interviews de Joan Baez, Steve Jobs, Joanna Hoffman, Debi Coleman, Andy Hertzfeld. Joan Baez, *And a Voice to Sing With* (Summit, 1989), 144, 380.

Recherche Joanne et Mona désespérément : Interviews de Steve Jobs, Mona Simpson.

À l'ombre du Père : Interviews de Steve Jobs, Laurene Powell, Mona Simpson, Ken Auletta, Nick Pileggi.

Lisa : Interviews de Chrisann Brennan, Avie Tevanian, Joanna Hoffman, Andy Hertzfeld. Lisa Brennan-Jobs, « Confessions of a Lapsed Vegetarian », *Southwest Review*, 2008 ; Young, 224 ; Deutschman, 76.

Le Romantique : Interviews de Jennifer Egan, Tina Redse, Steve Jobs, Andy Hertzfeld, Joanna Hoffman. Deutschman, 73, 138. Pour son roman *A Regular Guy*, Mona Simpson s'est librement inspirée des relations de Jobs avec Lisa et Chrisann Brennan, et avec Tina Redse, que l'on retrouve sous les traits du personnage d'Olivia.

Laurene Powell : Interviews avec Laurene Powell, Steve Jobs, Kathryn Smith, Avie Tevanian, Andy Hertzfeld, Marjorie Powell Barden.

18 mars 1991, le mariage : Interviews de Steve Jobs, Laurene Powell, Andy Hertzfeld, Joanna Hoffman, Avie Tevanian, Mona Simpson. Simpson, *A Regular Guy*, 357.

Une maison pour la famille : Interviews de Steve Jobs, Laurene Powell, Andy Hertzfeld. David Weinstein, « Taking Whimsy Seriously », *San Francisco Chronicle*, 13 septembre 2003 ; Gary Wolfe, « Steve Jobs », *Wired*, février 1996 ; « Former Apple Designer Charged with Harassing Steve Jobs », AP, 8 juin 1993.

Lisa emménage : Interviews de Steve Jobs, Laurene Powell, Mona Simpson, Andy Hertzfeld. Lisa Brennan-Jobs, « Driving Jane », *Harvard Advocate*, Spring 1999 ; Simpson, *A Regular Guy*, 251 ; e-mail de Chrisann Brennan, 19 janvier 2011 ; Bill Workman, « Palo Alto High School's Student Scoop », *San Francisco Chronicle*, 16 mars 1996 ; Lisa Brennan-Jobs, « Waterloo », *Massachusetts Review*, printemps 2006 ; Deutschman, 258 ; site Internet de Chrisann Brennan, chrysanthemum.com ; Steve Lohr, « Creating Jobs », *New York Times*, 12 janvier 1997.

Les enfants : Interviews de Steve Jobs, Laurene Powell.

21. TOY STORY : BUZZ ET WOODY À LA RESCOUSSE

Jeffrey Katzenberg : Interviews de John Lasseter, Ed Catmull, Jeffrey Katzenberg, Alvy Ray Smith, Steve Jobs. Price, 84-85, 119-124 ; Paik, 71, 90 ; Robert Murphy, « John Cooley Looks at Pixar's Creative Process », *Silicon Prairie News*, 6 octobre 2010.

Coupez ! : Interviews de Steve Jobs, Jeffrey Katzenberg, Ed Catmull, Larry Ellison. Paik, 90 ; Deutschman, 194-198 ; « Toy Story : The Inside Buzz », *Entertainment Weekly*, 8 décembre 1995.

Vers l'infini ! : Interviews de Steve Jobs, Michael Eisner. Janet Maslin, « There's a New Toy in the House. Uh-Oh », *New York Times*, 22 novembre 1995 ; « A Conversation with Steve Jobs and

John Lasseter », *Charlie Rose*, PBS, 30 octobre 1996 ; John Markoff, « Apple Computer Co-Founder Strikes Gold », *New York Times*, 30 novembre 1995.

22. LA SECONDE VENUE :
LE LOUP DANS LA BERGERIE

Le château s'écroule : Interview de Jean-Louis Gassée. Bart Ziegler, « Industry Has Next to No Patience with Jobs' NeXT », AP ; 19 août 1990 ; Stross, 226-228 ; Gary Wolf, « The Next Insanely Great Thing », *Wired*, février 1996 ; Anthony Perkins, « Jobs' Story », *Red Herring*, 1er janvier 1996.

La chute de la Pomme : Interviews de Steve Jobs, John Sculley, Larry Ellison. Sculley, 248, 273 ; Deutschman, 236 ; Steve Lohr, « Creating Jobs », *New York Times*, 12 janvier 1997 ; Amelio, 190 et préface de l'édition broché ; Young et Simon, 213-214 ; Linzmayer, 273-279 ; Guy Kawasaki, « Steve Jobs to Return as Apple CEO », *Macworld*, 1er novembre 1994.

D'un pas nonchalant, vers Cupertino : Interviews de Jon Rubinstein, Steve Jobs, Larry Ellison, Avie Tevanian, Fred Anderson, Larry Tesler, Bill Gates, John Lasseter. John Markoff, « Why Apple Sees Next as a Match Made in Heaven », *New York Times*, 23 décembre 1996 ; Steve Lohr, « Creating Jobs », *New York Times*, 12 janvier 1997 ; Rajiv Chandrasekaran, « Steve Jobs Returning to Apple », *Washington Post*, 21 décembre 1996 ; Louise Kehoe, « Apple's Prodigal Son Returns », *Financial Times*, 23 décembre 1996 ; Amelio, 189-201, 238 ; Carlton, 409 ; Linzmayer, 277 ; Deutschman, 240.

23. LA RESTAURATION :
CAR LE PERDANT D'AUJOURD'HUI
SERA LE GAGNANT DE DEMAIN

Attendre en coulisses : Interviews de Steve Jobs, Avie Tevanian, Jon Rubinstein, Ed Woolard, Larry Ellison, Fred Anderson, e-mail de Gina Smith. Sheff ; Brent Schlender, « Something's Rotten in Cupertino », *Fortune*, 3 mars 1997 ; Dan Gillmore, « Apple's Prospects Better Than Its CEO's Speech », *San Jose Mercury News*, 13 janvier 1997 ; Carlton, 414-416, 425 ; Malone, 531 ; Deutschman, 241-245 ; Amelio, 219, 238-247, 261 ; Linzmayer, 201 ; Kaitlin Quistgaard, « Apple Spins Off Newton », *Wired.com*, 22 mai 1997 ; Louise Kehoe, « Doubts

Grow about Leadership at Apple », *Financial Times*, 25 février 1997 ; Dan Gillmore, « Ellison Mulls Apple Bid », *San Jose Mercury News*, 27 mars 1997 ; Lawrence Fischer, « Oracle Seeks Public Views on Possible Bid for Apple », *New York Times*, 28 mars 1997 ; Mike Barnicle, « Roadkill on the Info Highway », *Boston Globe*, 5 août 1997.

Exit Amelio : Interviews d'Ed Woolard, Steve Jobs, Mike Markkula, Steve Wozniak, Fred Anderson, Larry Ellison, Bill Campbell. Édition privée des mémoires familiales d'Ed Woolard (avec l'aimable autorisation de Woolard) ; Amelio, 247, 261, 267 ; Gary Wolf, « The World According to Woz », *Wired*, septembre 1998 ; Peter Burrows et Ronald Grover, « Steve Jobs' Magic Kingdom », *Business Week*, 6 février 2006 ; Peter Elkind, « The Trouble with Steve Jobs », *Fortune*, 5 mars 2008 ; Arthur Levitt, *Take on the Street* (Pantheon, 2002), 204-206.

La Macworld Expo de Boston, août 1997 : Steve Jobs, discours à la Macworld Expo de Boston, 6 août 1997.

Le pacte de non-agression : Interviews de Joel Klein, Bill Gates, Steve Jobs. Cathy Booth, « Steve's Job », *Time*, 18 août 1997 ; Steven Levy, « A Big Brother ? », *Newsweek*, 18 août 1997. La photographe du *Time* Diana Walker immortalisa l'appel téléphonique de Gates reçu par Jobs. Son cliché, le montrant accroupi sur scène, fit la une du magazine et apparaît dans ce livre.

24. THINK DIFFERENT : JOBS, iPDG

Voici les fous… : Interviews de Steve Jobs, Lee Clow, James Vincent, Norm Pearlstine. Cathy Booth, « Steve's Job », *Time*, 18 août 1997 ; John Heilemann, « Steve Jobs in a Box », *New York*, 17 juin 2007.

L'iPDG : Interviews de Steve Jobs, Fred Anderson. Vidéo de la réunion de direction, septembre 1997 (avec l'aimable autorisation de Lee Clow) ; « Jobs Hints That He May Want to Stay at Apple », *New York Times*, 10 octobre 1997 ; Jon Swartz, « No CEO in Sight for Apple », *San Francisco Chronicle*, 12 décembre 1997 ; Carlton, 437.

La guerre des clones : Interviews de Bill Gates, Steve Jobs, Ed Woolard. Steve Wozniak, « How We Failed Apple », *Newsweek*, 19 février 1996 ; Linzmayer, 245-247, 255 ; Bill Gates, « Licensing of Mac Technology », une note adressée à John Sculley, 25 juin 1985 ; Tom Abate, « How Jobs Killed Mac Clone Makers », *San Francisco Chronicle*, 6 septembre 1997.

Repenser les produits : Interviews de Phil Schiller, Ed Woolard, Steve Jobs. Deutschman, 248 ; Steve Jobs, discours prononcé lors du lancement de l'iMac, 6 mai 1998 ; vidéo d'une réunion du personnel, septembre 1997.

25. PRINCIPES DE DESIGN : LE DUO JOBS ET IVE

Jony Ive : Interviews de Jony Ive, Steve Jobs, Phil Schiller. John Arlidge, « Father of Invention », *Observer* (London), 21 décembre 2003 ; Peter Burrows, « Who Is Jonathan Ive ? », *Business Week*, 25 septembre 2006 ; « Apple's One-Dollar-a-Year Man », *Fortune*, 24 janvier 2000 ; Rob Walker, « The Guts of a New Machine », *New York Times*, 30 novembre 2003 ; Leander Kahney, « Design According to Ive », *Wired.com*, 25 juin 2003.

Dans l'antre de Jony Ive : Interview de Jony Ive. U.S. Patent and Trademark Office, base de données en ligne, patft.uspto.gov ; Leander Kahney, « Jobs Awarded Patent for iPhone Packaging », *Cult of Mac*, 22 juillet 2009 ; Harry McCracken, « Patents of Steve Jobs », *Technologizer.com*, 28 mai 2009.

26. L'iMAC : HELLO (*AGAIN*)

Retour vers le futur : Interviews de Phil Schiller, Avie Tevanian, Jon Rubinstein, Steve Jobs, Fred Anderson, Mike Markkula, Jony Ive, Lee Clow. Thomas Hormby, « Birth of the iMac », *Mac Observer*, 25 mai 2007 ; Peter Burrows, « Who Is Jonathan Ive ? », *Business Week*, 25 septembre 2006 ; Lev Grossman, « How Apple Does It », *Time*, 16 octobre 2005 ; Leander Kahney, « The Man Who Named the iMac and Wrote Think Different », *Cult of Mac*, 3 novembre 2009 ; Levy, *The Perfect Thing*, 198 ; gawker.com/comment/21123257/ ; « Steve's Two Jobs », *Time*, 18 octobre 1999.

Le lancement : 6 mai 1998 : Interviews de Jony Ive, Steve Jobs, Phil Schiller, Jon Rubinstein. Steven Levy, « Hello Again », *Newsweek*, 18 mai 1998 ; Jon Swartz, « Resurgence of an American Icon », *Forbes*, 14 avril 2000 ; Levy, *The Perfect Thing*, 95.

27. JOBS P-DG : TOUJOURS AUSSI FOU
MALGRÉ LES ANNÉES

Tim Cook : Interviews de Tim Cook, Steve Jobs, Jon Rubinstein. Peter Burrows, « Yes, Steve, You Fixed It. Congratulations. Now What ? », *Business Week*, 31 juillet 2000 ; Tim Cook, remise des diplômes à Auburn, 14 mai 2010 ; Adam Lashinsky, « The Genius behind Steve », *Fortune*, 10 novembre 2008 ; Nick Wingfield, « Apple's No. 2 Has Low Profile », *Wall Street Journal*, 16 octobre 2006.

Cols roulés et travail d'équipe : Interviews de Steve Jobs, James Vincent, Jony Ive, Lee Clow, Avie Tevanian, Jon Rubinstein. Lev Grossman, « How Apple Does It », *Time*, 16 octobre 2005 ; Leander Kahney, « How Apple Got Everything Right by Doing Everything Wrong », *Wired*, 18 mars 2008.

De iPDG à PDG : Interviews d'Ed Woolard, Larry Ellison, Steve Jobs. Circulaire d'Apple, 12 mars 2001.

28. LES APPLE STORE :
GENIUS BAR ET GRÈS DE FLORENCE

L'expérience client : Interviews de Steve Jobs, Ron Johnson. Jerry Useem, « America's Best Retailer », *Fortune*, 19 mars 2007 ; Gary Allen, « Apple Stores », ifoAppleStore.com.

Le magasin témoin : Interviews de Art Levinson, Ed Woolard, Millard « Mickey » Drexler, Larry Ellison, Ron Johnson, Steve Jobs, Art Levinson. Cliff Edwards, « Sorry, Steve... », *Business Week*, 21 mai 2001.

Bois, pierre, acier, verre : Interviews de Ron Johnson, Steve Jobs. U.S. Patent Office, D478999, 26 août 2003, US2004/0006939, 15 janvier 2004 ; Gary Allen, « About Me », ifoapplestore.com.

29. LE FOYER NUMÉRIQUE : DE L'iTUNES À L'iPOD

Relier les points : Interviews de Lee Clow, Jony Ive, Steve Jobs. Sheff ; Steve Jobs, présentation à la Macworld, 9 janvier 2001.

Le FireWire : Interviews de Steve Jobs, Phil Schiller, Jon Rubinstein. Steve Jobs, présentation à la Macworld, 9 janvier 2001 ; Joshua Quittner, « Apple's New Core », *Time*, 14 janvier 2002 ; Mike Evangelist, « Steve Jobs, the Genuine Article », *Writer's Block Live*, 7 octobre 2005 ; Farhad Manjoo, « Invincible Apple », *Fast Company*, 1er juillet 2010 ; e-mail de Phil Schiller.

iTunes : Interviews de Steve Jobs, Phil Schiller, Jon Rubinstein, Tony Fadell. Brent Schlender, « How Big Can Apple Get », *Fortune*, 21 février 2005 ; Bill Kincaid, « The True Story of SoundJam », http://panic.com/extras/audiostory/popup-sjstory.html ; Levy, *The Perfect Thing*, 49-60 ; Knopper, 167 ; Lev Grossman, « How Apple Does It », *Time*, 17 octobre 2005 ; Markoff, xix.

L'iPod : Interviews de Steve Jobs, Phil Schiller, Jon Rubinstein, Tony Fadell. Steve Jobs, annonce de la sortie de l'iPod, 23 octobre 2001 ; communiqués de presse de Toshiba, PR Newswire, 10 mai 2000 et 4 juin 2001 ; Tekla Perry, « From Podfather to Palm's Pilot », *IEEE Spectrum*, septembre 2008 ; Leander Kahney, « Inside Look at Birth of the iPod », *Wired*, 21 juillet 2004 ; Tom Hormby et Dan Knight, « History of the iPod », *Low End Mac*, 14 octobre 2005.

C'est ça ! : Interviews de Tony Fadell, Phil Schiller, Jon Rubinstein, Jony Ive, Steve Jobs. Levy, *The Perfect Thing*, 17, 59-60 ; Knopper, 169 ; Leander Kahney, « Straight Dope on the IPod's Birth », *Wired*, 17 octobre 2006.

La baleine blanche : Interviews de James Vincent, Lee Clow, Steve Jobs. Wozniak, 298 ; Levy, *The Perfect Thing*, 73 ; Johnny Davis, « Ten Years of the iPod », *Guardian*, 18 mars 2011.

30. L'iTUNES STORE : JE SUIS LE JOUEUR DE FLÛTE

La Warner en musique : Interviews de Paul Vidich, Steve Jobs, Doug Morris, Barry Schuler, Roger Ames, Eddy Cue. Paul Sloan, « What's Next for Apple », *Business 2.0*, 1er avril 2005 ; Knopper, 157-161, 170 ; Devin Leonard, « Songs in the Key of Steve », *Fortune*, 12 mai 2003 ; Tony Perkins, interview de Nobuyuki Idei et sir Howard Stringer, Forum économique mondial, Davos, 25 janvier 2003 ; Dan Tynan, « The 25 Worst Tech Products of All Time », *PC World*, 26 mars 2006 ; Andy Langer, « The God of Music », *Esquire*, juillet 2003 ; Jeff Goodell, « Steve Jobs », *Rolling Stone*, 3 décembre 2003.

Un défi de taille : Interviews de Doug Morris, Roger Ames, Steve Jobs, Jimmy Iovine, Andy Lack, Eddy Cue, Wynton Marsalis. Knopper, 172 ; Devin Leonard, « Songs in the Key of Steve », *Fortune*, 12 mai 2003 ; Peter Burrows, « Show Time ! », *Business Week*, 2 février 2004 ; Pui-Wing Tam, Bruce Orwall et Anna Wilde

Mathews, « Going Hollywood », *Wall Street Journal*, 25 avril 2003 ; Steve Jobs, discours de présentation, 28 avril 2003 ; Andy Langer, « The God of Music », *Esquire*, juillet 2003 ; Steven Levy, « Not the Same Old Song », *Newsweek*, 12 mai 2003.

Microsoft : Interviews de Steve Jobs, Phil Schiller, Tim Cook, Jon Rubinstein, Tony Fadell, Eddy Cue. E-mails de Jim Allchin, David Cole, Bill Gates, 30 avril 2003 (ces e-mails ont par la suite été utilisés au cours d'une affaire judiciaire jugée dans l'Iowa, et Steve Jobs me les a fait parvenir) ; présentation de Steve Jobs, 16 octobre 2003 ; interview de Steve Jobs par Walt Mossberg, conférence All Things Digital, 30 mai 2007 ; Bill Gates, « We're Early on the Video Thing », *Business Week*, 2 septembre 2004.

Mr Tambourine Man : Interviews d'Andy Lack, Tim Cook, Steve Jobs, Tony Fadell, Jon Rubinstein. Ken Belson, « Infighting Left Sony behind Apple in Digital Music », *New York Times*, 19 avril 2004 ; Frank Rose, « Battle for the Soul of the MP3 Phone », *Wired*, novembre 2005 ; Saul Hansel, « Gates vs. Jobs : The Rematch », *New York Times*, 14 novembre 2004 ; John Borland, « Can Glaser and Jobs Find Harmony ? », *CNET News*, 17 août 2004 ; Levy, *The Perfect Thing*, 169.

31. MUSIC MAN : LA BANDE-SON DE SA VIE

Sur son iPod : Interviews de Steve Jobs, James Vincent. Elisabeth Bumiller, « President Bush's iPod », *New York Times*, 11 avril 2005 ; Levy, *The Perfect Thing*, 26-29 ; Devin Leonard, « Songs in the Key of Steve », *Fortune*, 12 mai 2003.

Bob Dylan : Interviews de Jeff Rosen, Andy Lack, Eddy Cue, Steve Jobs, James Vincent, Lee Clow. Matthew Creamer, « Bob Dylan Tops Music Chart Again – and Apple's a Big Reason Why », *Ad Age*, 8 octobre 2006.

Les Beatles ; Bono ; Yo-Yo Ma : Interviews de Bono, John Eastman, Steve Jobs, Yo-Yo Ma, George Riley.

32. LES AMIS DE PIXAR... ET SES ENNEMIS

1001 pattes : Interviews de Jeffrey Katzenberg, John Lasseter, Steve Jobs. Price, 171-174 ; Paik, 116 ; Peter Burrows, « Antz vs. Bugs » et « Steve Jobs : Movie Mogul », *Business Week*, 23 novembre

1998 ; Amy Wallace, « Ouch ! That Stings », *Los Angeles Times*, 21 septembre 1998 ; Kim Masters, « Battle of the Bugs », *Time*, 28 septembre 1998 ; Richard Schickel, « Antz », *Time*, 12 octobre 1998 ; Richard Corliss, « Bugs Funny », *Time*, 30 novembre 1998.

Le film de Steve : Interviews de John Lasseter, Pam Kerwin, Ed Catmull, Steve Jobs. Paik, 168 ; Rick Lyman, « A Digital Dream Factory in Silicon Valley », *New York Times*, 11 juin 2001.

Le divorce : Interviews de Mike Slade, Oren Jacob, Michael Eisner, Bob Iger, Steve Jobs, John Lasseter, Ed Catmull. James Stewart, *Disney War* (Simon & Schuster, 2005), 383 ; Price, 230-235 ; Benny Evangelista, « Parting Slam by Pixar's Jobs », *San Francisco Chronicle*, 5 février 2004 ; John Markoff et Laura Holson, « New iPod Will Play TV Shows », *New York Times*, 13 octobre 2005.

33. LE MAC DU XXIe SIÈCLE : APPLE SE DÉMARQUE

Palourdes, glaçons et tournesols : Interviews de Jon Rubinstein, Jony Ive, Laurene Powell, Steve Jobs, Fred Anderson, George Riley. Steven Levy, « Thinking inside the Box », *Newsweek*, 21 juillet 2000 ; Brent Schlender, « Steve Jobs », *Fortune*, 14 mai 2001 ; Ian Fried, « Apple Slices Revenue Forecast Again », *CNET News*, 6 décembre 2000 ; Linzmayer, 301 ; U.S. Design Patent D510577S, acquis le 11 octobre 2005.

L'arrivée d'Intel : Interviews de Paul Otellini, Bill Gates, Art Levinson. Carlton, 436.

Actions : Interviews de Ed Woolard, George Riley, Al Gore, Fred Anderson, Eric Schmidt. Geoff Colvin, « The Great CEO Heist », *Fortune*, 25 juin 2001 ; Joe Nocera, « Weighing Jobs's Role in a Scandal », *New York Times*, 28 avril 2007 ; Déposition de Steven P. Jobs, 18 mars 2008, *SEC v. Nancy Heinen*, U.S. District Court, circonscription nord de Californie ; William Barrett, « Nobody Loves Me », *Forbes*, 11 mai 2009 ; Peter Elkind, « The Trouble with Steve Jobs », *Fortune*, 5 mars 2008.

34. PREMIER ROUND : MEMENTO MORI

Cancer : Interviews de Steve Jobs, Laurene Powell, Art Levinson, Larry Brilliant, Dean Ornish, Bill Campbell, Andy Grove, Andy Hertzfeld.

La remise des diplômes de Stanford : Interviews de Steve Jobs, Laurene Powell. Steve Jobs, discours de remise des diplômes de Stanford.

Un lion de cinquante ans : Interviews de Mike Slade, Alice Waters, Steve Jobs, Tim Cook, Avie Tevanian, Jony Ive, Jon Rubinstein, Tony Fadell, George Riley, Bono, Walt Mossberg, Steven Levy, Kara Swisher. Interviews de Steve Jobs et Bill Gates par Walt Mossberg et Kara Swisher, conférence All Things Digital, 30 mai 2007 ; Steven Levy, « Finally, Vista Makes Its Debut », *Newsweek*, 1ᵉʳ février 2007.

35. L'iPHONE :
TROIS PRODUITS RÉVOLUTIONNAIRES EN UN

Un iPod qui passe des appels : Interviews de Art Levinson, Steve Jobs, Tony Fadell, George Riley, Tim Cook. Frank Rose, « Battle for the Soul of the MP3 Phone », *Wired*, novembre 2005.

Le multi-touch : Interviews de Jony Ive, Steve Jobs, Tony Fadell, Tim Cook.

Le verre Gorilla : Interviews de Wendell Weeks, John Seeley Brown, Steve Jobs.

Le design : Interviews de Jony Ive, Steve Jobs, Tony Fadell. Fred Vogelstein, « The Untold Story », *Wired*, 9 janvier 2008.

Le lancement : Interviews de John Huey, Nicholas Negroponte. Lev Grossman, « Apple's New Calling », *Time*, 22 janvier 2007 ; Steve Jobs, discours à la Macworld, 9 janvier 2007 ; John Markoff, « Apple Introduces Innovative Cellphone », *New York Times*, 10 janvier 2007 ; John Heilemann, « Steve Jobs in a Box », *New York*, 17 juin 2007 ; Janko Roettgers, « Alan Kay : With the Tablet, Apple Will Rule the World », *GigaOM*, 26 janvier 2010.

36. DEUXIÈME ROUND : LA RÉCIDIVE

Les batailles de 2008 : Interviews de Steve Jobs, Kathryn Smith, Bill Campbell, Art Levinson, Al Gore, John Huey, Andy Serwer, Laurene Powell, Doug Morris, Jimmy Iovine. Peter Elkind, « The Trouble with Steve Jobs », *Fortune*, 5 mars 2008 ; Joe Nocera, « Apple's Culture of Secrecy », *New York Times*, 26 juillet 2008 ; Steve Jobs, lettre à la communauté Apple, 5 et 14 janvier 2009 ; Doron Levin, « Steve Jobs Went to Switzerland in Search of Cancer Treatment », *Fortune.com*, 18 janvier 2011 ; Yukari Kanea et Joann Lublin, « On Apple's Board, Fewer Independent Voices », *Wall Street Journal*, 24 mars 2010 ; Micki Maynard (Micheline Maynard), message Twitter, 14 h 45, 18 janvier 2011 ; Ryan Chittum, « The Dead Source Who Keeps on Giving », *Columbia Journalism Review*, 18 janvier 2011.

Memphis : Interviews de Steve Jobs, Laurene Powell, George Riley, Kristina Kiehl, Kathryn Smith. John Lauerman et Connie Guglielmo, « Jobs Liver Transplant », *Bloomberg*, 21 août 2009.

Le retour : Interviews de Steve Jobs, George Riley, Tim Cook, Jony Ive, Brian Roberts, Andy Hertzfeld.

37. L'iPAD : L'ÈRE POST-PC

« You Say You Want a Revolution » : Interviews de Steve Jobs, Phil Schiller, Tim Cook, Jony Ive, Tony Fadell, Paul Otellini. Conférence All Things Digital, 30 mai 2003.

Le lancement, janvier 2010 : Interviews de Steve Jobs, Daniel Kottke. Brent Schlender, « Bill Gates Joins the iPad Army of Critics », *bnet.com*, 10 février 2010 ; Steve Jobs, présentation, 27 janvier 2010 ; Nick Summers, « Instant Apple iPad Reaction », *Newsweek.com*, 27 janvier 2010 ; Adam Frucci, « Eight Things That Suck about the iPad », Gizmodo, 27 janvier 2010 ; Lev Grossman, « Do We Need the iPad ? », *Time*, 1er avril 2010 ; Daniel Lyons, « Think Really Different », *Newsweek*, 26 mars 2010 ; débat Techmate, *Fortune*, 12 avril 2010 ; Eric Laningan, « Wozniak on the iPad », TwiT TV, 5 avril 2010 ; Michael Shear, « At White House, a New Question : What's on Your iPad ? », *Washington Post*, 7 juin 2010 ; Michael Noer, « The Stable Boy and the iPad », *Forbes.com*, 8 septembre 2010.

Publicité : Interviews de Steve Jobs, James Vincent, Lee Clow.

Apps : Interviews d'Art Levinson, Phil Schiller, Steve Jobs, John Doerr.

Édition et journalisme : Interviews de Steve Jobs, Jeff Bewkes, Richard Stengel, Andy Serwer, Josh Quittner, Rupert Murdoch. Ken Auletta, « Publish or Perish », *New Yorker*, 26 avril 2010 ; Ryan Tate, « The Price of Crossing Steve Jobs », Gawker, 30 septembre 2010.

38. NOUVELLES BATAILLES :
UN ÉCHO DES ANCIENNES

Google : Ouverture contre Fermeture : Interviews de Steve Jobs, Bill Campbell, Eric Schmidt, John Doerr, Tim Cook, Bill Gates. John Abell, « Google's "Don't Be Evil" Mantra Is "Bullshit" », *Wired*,

30 janvier 2010 ; Brad Stone et Miguel Helft, « A Battle for the Future Is Getting Personal », *New York Times*, 14 mars 2010.

Flash, App Store ou la question du pouvoir : Interviews de Steve Jobs, Bill Campbell, Tom Friedman, Art Levinson, Al Gore. Leander Kahney, « What Made Apple Freeze Out Adobe ? », *Wired*, juillet 2010 ; Jean-Louis Gassée, « The Adobe-Apple Flame War », *Monday Note*, 11 avril 2010 ; Steve Jobs, « Thoughts on Flash », Apple.com, 29 avril 2010 ; Walt Mossberg et Kara Swisher, interview de Steve Jobs, conférence All Things Digital, 1er juin 2010 ; Robert X. Cringely (pseudonyme), « Steve Jobs : Savior or Tyrant ? », *InfoWorld*, 21 avril 2010 ; Ryan Tate, « Steve Jobs Offers World "Freedom from Porn" », Valleywag, 15 mai 2010 ; JR Raphael, « I Want Porn », esarcasm.com, 20 avril 2010 ; Jon Stewart, *The Daily Show*, 28 avril 2010.

L'Antennagate : designer contre ingénieur : Interviews de Tony Fadell, Jony Ive, Steve Jobs, Art Levinson, Tim Cook, Regis McKenna, Bill Campbell, James Vincent. Mark Gikas, « Why Consumer Reports Can't Recommend the iPhone4 », *Consumer Reports*, 12 juillet 2010 ; Michael Wolff, « Is There Anything That Can Trip Up Steve Jobs ? », *newser.com* et *vanityfair.com*, 19 juillet 2010 ; Scott Adams, « High Ground Maneuver », dilbert.com, 19 juillet 2010.

« Here Comes the Sun » : Interviews de Steve Jobs, Eddy Cue, James Vincent.

39. VERS L'INFINI : LE NUAGE, LE VAISSEAU SPATIAL, ET AU-DELÀ

L'iPad 2 : Interviews de Larry Ellison, Steve Jobs, Laurene Powell. Steve Jobs, discours, lancement de l'iPad 2, 2 mars 2011.

L'iCloud : Interviews de Steve Jobs, Eddy Cue. Steve Jobs, présentation, conférence Worldwide Developers, 6 juin 2011 ; Walt Mossberg, « Apple's Mobile Me Is Far Too Flawed to Be Reliable », *Wall Street Journal*, 23 juillet 2008 ; Adam Lashinsky, « Inside Apple », *Fortune*, 23 mai 2011 ; Richard Waters, « Apple Races to Keep Users Firmly Wrapped in Its Cloud », *Financial Times*, 9 juin 2011.

Un nouveau campus : Interviews de Steve Jobs, Steve Wozniak, Ann Bowers. Steve Jobs, discours devant le conseil municipal de Cupertino, 7 juin 2011.

40. TROISIÈME ROUND :
DERNIER COMBAT AU CRÉPUSCULE

Liens familiaux : Interviews de Laurene Powell, Erin Jobs, Steve Jobs, Kathryn Smith, Jennifer Egan. E-mail de Steve Jobs, 8 juin 2010, 16 h 55 ; Tina Redse à Steve Jobs, 20 juillet 2010 et 6 février 2011.

Le Président Obama : Interviews de David Axelrod, Steve Jobs, John Doerr, Laurene Powell, Valerie Jarrett, Eric Schmidt, Austan Goolsbee.

Troisième congé maladie, 2011 : Interviews de Kathryn Smith, Steve Jobs, Larry Brilliant.

Les visites au malade : Interviews de Steve Jobs, Bill Gates, Mike Slade.

41. HÉRITAGE : « JUSQU'AU CIEL LE PLUS BRILLANT
DE L'INVENTION »

FireWire Jonathan Zittrain, *The Future of the Internet – And How to Stop It* (Yale, 2008), 2 ; Cory Doctorow, « Why I Won't Buy an iPad », Boing Boing, 2 avril 2010.

REMERCIEMENTS

Je veux ici remercier chaleureusement John et Ann Doerr, Laurene Powell, Mona Simpson et Ken Auletta, qui m'ont aidé à faire de ce projet une réalité et m'ont apporté leur soutien tout au long de sa réalisation. Alice Mayhew, qui a été mon éditrice à Simon & Schuster pendant trente ans, Jonathan Karp, l'éditeur, qui s'est montré à la fois exceptionnellement attentif et attentionné pour la bonne mise en œuvre de ce livre, tout comme mon agent Amanda Urban. Mon assistante, Pat Zindulka, pour m'avoir facilité la tâche. J'aimerais aussi exprimer ma gratitude à mon père, Irwin, à ma sœur, Betsy, pour avoir lu le livre et donné leur avis. Et, comme toujours, je veux dire ma reconnaissance infinie à mon épouse, Cathy, pour ses suggestions, ses conseils avisés, et tant d'autres choses encore.

CET OUVRAGE A ÉTÉ COMPOSÉ
PAR NORD COMPO
ET ACHEVÉ D'IMPRIMER
PAR L'IMPRIMERIE TRANSCONTINENTAL GAGNÉ
EN OCTOBRE 2011

N° d'édition : 06
Dépôt légal : octobre 2011
Imprimé au Canada